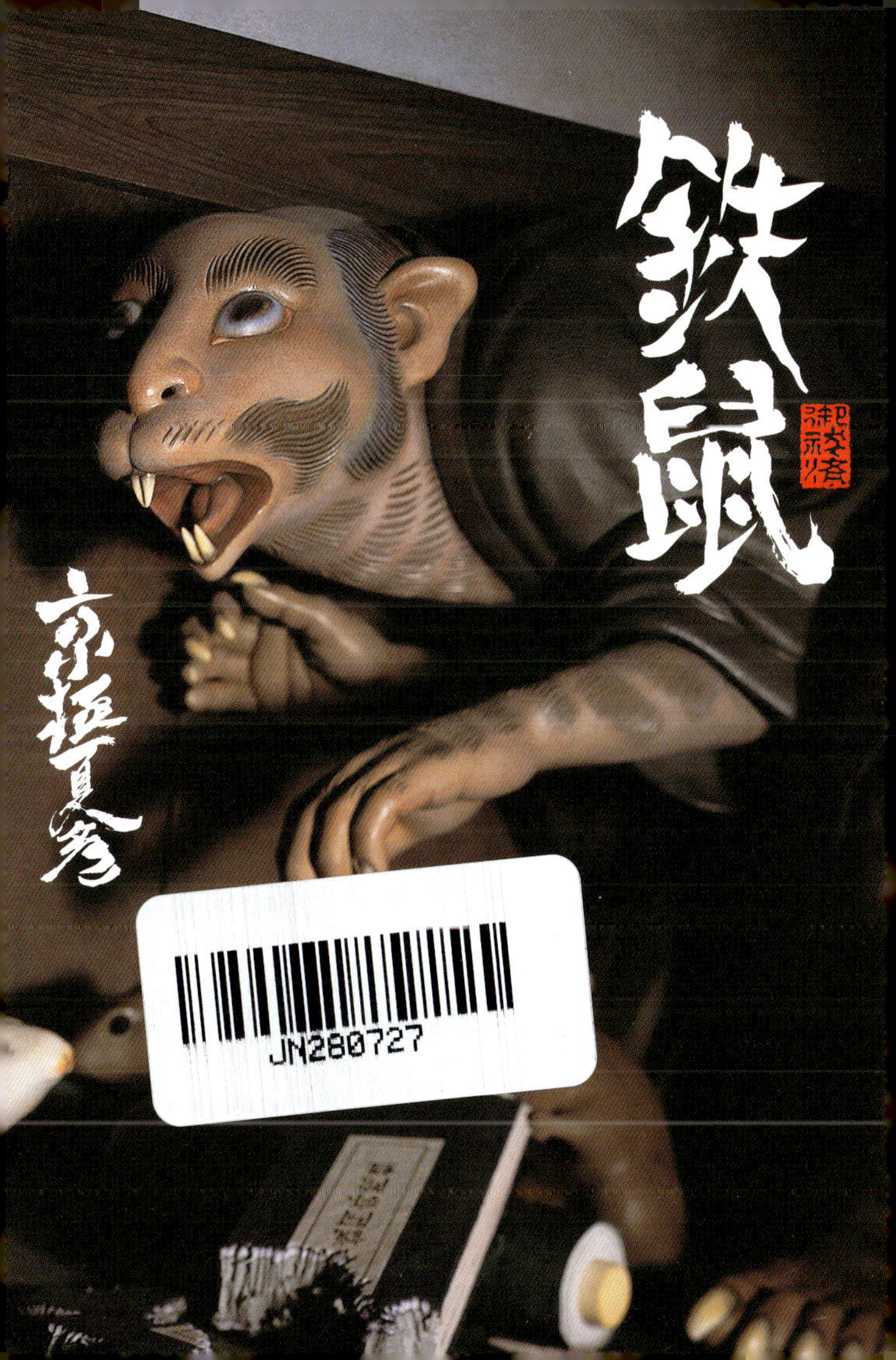
鉄鼠
京極夏彦

講談社文庫

文庫版

鉄《てつ》鼠《そ》の檻《おり》

京極夏彦

講談社

○目録

文庫版　鉄鼠の檻……5
参考文献……1342
解説　宗教体験は人を殺すか　正木　晃……1343

文庫版

鉄鼠《てっそ》の檻《おり》

老賊《ろうぞく》魔魅《まみ》に入り、人天《にんてん》を悩乱《のうらん》して了《おわ》る時なしとか——

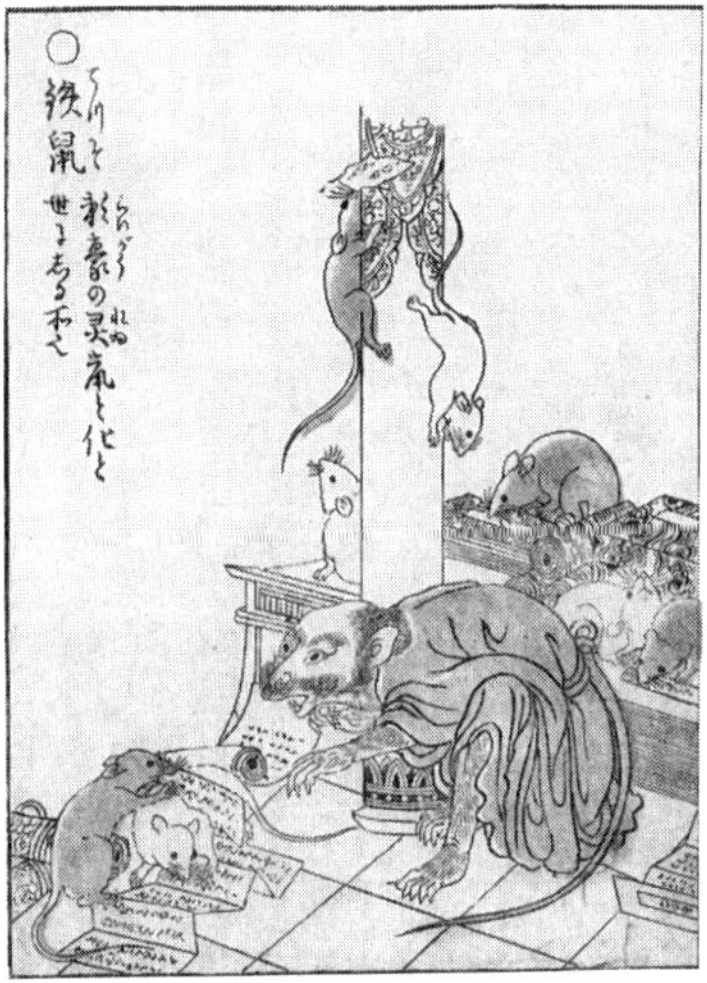

○鉄鼠——画図百鬼夜行・前篇——陽

頼豪《らいがう》の霊《れゐ》鼠と化と、世に知る所也

園城寺戒壇事――

（前略）

角《かく》て遥《はる》かに程経《ほどへ》て後、白川院の御宇《ぎよう》に、江師《えのそつの》匡房《きやうばう》の兄に、三井寺の頼豪僧都《らいがうそうづ》とて、貴《たつと》き人有《あり》けるを召《めさ》れ、皇子御誕生の御祈《いのり》をぞ仰付《おほせつけ》られける。頼豪勅を奉《うけたまはつ》て肝胆《かんたん》を砕《くだい》て祈請《きしやう》しけるに、陰徳忽《たちまち》に顕《あらは》れて承保《しようほう》元年十二月十六日に皇子御誕生有《あり》てんげり。帝《みかど》叡感の余《あまり》に、御禱《いのり》の勧賞《けんじやう》宜《よろし》く請《こふ》に依るべしと宣下《せんげ》せらる。頼豪年来《としごろ》の所望《しよまう》也ければ、他の官禄一向是《これ》を閣《さしおい》て、園城寺《をんじやうじ》の三摩耶《さまや》戒壇造立《かいだんざふりつ》の勅許をぞ申《まうし》賜《たまはり》ける。山門又是《これ》を聴《きき》て款状《くわじやう》を捧《ささげ》て禁庭《きんてい》に訴へ、先例を引《ひい》て停廃《ちやうはい》せられんと奏《そう》しけれども、綸言《りんげん》再び複《かへら》ずとて勅許無《なか》りしかば、三塔嗷儀《がうぎ》を以て谷々《たにたに》の講演《かうえん》を打止《うちや》め、社々《やしろやしろ》の門戸《もんこ》を閉《とぢ》て御願《ごぐわん》を止《やめ》ける間、朝儀《てうぎ》黙止《もだし》難《がたう》して力無《やむなく》三摩耶戒壇造立の勅裁《ちよくさい》をぞ召返《めしかへさ》れける。

頼豪是《これ》を忿《いかつ》て、百日の間髪《かみ》をも剃《そら》ず爪をも切《きら》ず、炉壇《ろだん》の烟《けむり》にふすぼり、嗔恚《しんい》の炎《ほのほ》に骨を焦《こがし》て、我願《ねがはく》は即身《そくしん》に大魔縁《だいまえん》と成《なつ》て、玉体を悩《なやま》し奉り、山門の仏法を滅ぼさんと云ふ悪念《あくねん》を発《おこ》して、遂《つひ》に三七日《さんしちにち》が中に壇上《だんじやう》にして死にけり。其怨霊《そのをんりやう》果《はた》して邪毒を成《なし》ければ、頼豪が祈出《いのりいだ》し奉りし皇子、未母后《いまだぼこう》の御膝《ひざ》の上を離《はなれ》させ給はで、忽《たちまち》に御隠有《かくれあり》けり。

叡襟《えいきん》是《これ》に依《よつ》て堪《たへ》ず、山門の嗷訴《がうそ》、園城《をんじやう》の効験《かうげん》、得失《とくしつ》甚《はなはだし》き事隠無《かくれなか》りければ、且《かつ》は山門の恥を洗《すす》ぎ、又は継体《けいたい》の儲《ひつぎ》を全《まつたう》うせん為に、延暦寺の座主《ざす》良信《りやうしん》大僧正を申請《まうししやうじ》て、皇子御誕生の御祈《いのり》をぞ致《いたさ》れける。先御修法《まづみしほ》の間、種々の奇瑞有《きずゐあり》て、承暦《しようりやく》三年七月九日皇子御誕生あり。山門の護持《ごじ》隙無《ひまなか》りければ、頼豪の怨霊《をんりやう》も近付《づき》奉らざりけるにや、此《この》宮遂《つひ》に玉体恙無《つつがなう》して天子の位を践《ふま》せ給ふ。御《ご》在位の後院号有《ゐんがうあつ》て、堀河の院と申《まうし》しは、即此《すなはちこの》第二の宮の御事也。

其後《そののち》頼豪が亡霊《ばうれい》忽に鉄《くろがね》の牙《きば》、石の身なる八万四千の鼠と成《なつ》て、比叡山に登り、仏像、経巻を嚙破《くひやぶり》ける間、是を防《ふせぐ》に術無《じゆつなく》して、頼豪を一社《しや》の神に崇《あが》めて其怨念《そのをんねん》を鎮《しづ》む。鼠の禿倉《ほこら》是《これ》也。

懸《かかり》し後は、三井寺も弥《いよいよ》意趣深《しゆふこう》して、動《ややもすれ》ば戒壇の事を申達《まうしたつ》せんとし、山門も又以前の嗷《がう》儀《ぎ》を例《れい》として、理不尽に是《これ》を徹却《てつきやく》せんと欲《ほつ》す。去《され》ば始《はじめ》天歴年中より、去文保《さんぬるぶんぽ》元年に至迄《いたる》、此《この》戒壇故《ゆえ》に園城寺の焼《やく》る事已《すで》に七箇度《かど》也。近年は是《これ》に依《よつ》て、其企《そのくはだて》も無《なか》りつれば、中々《なかなか》寺門繁盛して、三宝の住持《ぢゆうぢ》も全《まつた》かりつるに、今将軍妄《みだり》に衆徒の心を取《とら》ん為に、山門の忿《いかり》をも顧《かへりみ》ず、楚忽《そこつ》に御教書《みげうしよ》成《なさ》れければ、却《かへつ》て天魔《てんま》の所行《しよぎやう》、法滅の因縁《いんえん》哉《かな》と、聞《きく》人毎《ごと》に唇《くちびる》を翻《ひるがへ》しけり。

「拙僧《せっそう》が殺《あや》めたのだ」

張りのある雅声であったし、悪怯《わるび》れた感じでもなく、極《ごく》普通の口調でもあったから、多分冗談だとそのくらいに思ったものか、尾島佑平《おしまゆうへい》は実に緩慢に声の発せられた方向に向き直った。

「な、何と云わっしゃる」

「だから拙僧が殺したのだ」

「殺した、と、仰《おっしゃ》いますと」

「そうれ、その、足下に転がっておる骸《むくろ》のことよ」

「む、骸、これが」

尾島は両手を振り上げるようにして手に持った撞木杖《しゅもくづえ》を放り投げると、軽く飛び跳《は》ねるが如くに勢いそれから離れた。如何《いか》にも驚いたと云わんばかりの仕草である。そもそも声の主の云った通りに、それが死骸なのだとするならば、それまで尾島は随分と冒瀆《ぼうとく》的な行為をしていたことになるからである。

そう指摘されるまで、尾島は杖の先でそれを突《つっ》き剰《あまつさ》え足先でそれを弄《まさぐ》り、己《おのれ》の行く手を阻《はば》んだ異物の正体を見極めんとしていたのである。

「なに——」

声は云った。

「——生命尽きてしまえば人とてもただの肉塊。触ったところで病の如くに死が染《うつ》る訳もない。踏みつけにしようと足蹴《あしげ》にしようと、祟《たた》ることとてあるまいに。そう忌み嫌うこともなかろう」

「人。今慥《たし》かに人と仰いましたな。ならばこれは、私が踏んでおりましたのは、人の骸、人間の屍体なのでござりますか」

「ああ——」

声はそこで少し淀み、しかしそれ程間をおかずに元の調子に戻って、

「——尊公《そんこう》はお目がお悪いのか。それならば改めてお教えしよう。今御身《おんみ》が足で探っていたものは、それは人の骸だ。だからと云って、そのように畏《おそ》れることはない。それに、それはもう成仏しておる」

そう告げた。

「そ、そう仰《おお》せられましても、ほ、仏様を踏みつけにしちゃあ後生が悪うござります。わ、私は」

「いったい何を畏《こわ》がることがあろう。それは仏ではなくただの死骸だ。いや、仮令《たとえ》それが仏だとして、真に仏なら、足で踏んだくらいで怒るものか」

「何と罰当たりなことを仰る」

「拙僧の言葉が信じられぬか」

「そう云う御主《おんし》様はいったい何人様《どなた》です」

「見ての通りの乞食坊主——おお、尊公には吾身《わがみ》がお見えにならぬのであったな。これでも雲水である」

「お、お坊様で」

「左様」

「それではこの仏様をお弔《とむら》いに」

「だから、それは拙僧が殺めたのだ」

「お坊様が人を殺したと仰いますかな」

「殺した」

「何と酷《むご》いことを、いいや、そ、それは」

尾島は何故か人心地ついたと云うように肩の力を抜いて、実際の僧の顔の位置よりもやや上の方に己の顔を向けると、

「それはご冗談でござりましょう」

と云った。

　僧は透かさず応えた。

「何故にそう思われる」

「お坊様と仰いますれば、御主様は御仏《みほとけ》に仕える身でいらっしゃいますな」

「如何にも拙僧も仏弟子である」

「それなら殺生はきつい戒《いまし》めでございましょうに。私に世間の見えぬのを良いことに怖がらせようなどとお思いなら、些《いささ》かお座興《ざきょう》が過ぎようと云うもの。幾ら御坊と云えども悪巫山戯《わるふざけ》はお止《よ》しください」

「巫山戯てなどおりはせぬ。盲《めし》いた尊公を揶《から》うなどと、それこそ僧籍にある者の為《な》す所業ではない。この足場の悪い雪道を、あまりに確乎《しっか》りとした足取りで歩まれておったので気づかなんだのだ。初めから知っておればあのような物言いはせなんだ」

「しかし」

「失礼な物言いであったなら謝罪致そう。お目の御不自由な尊公の身の上を愚弄する気など毛程もなかったのだ。すまなかった」

　声が曇《くぐも》る。僧が頭《こうべ》を垂れたのだ。

「し、しかしですな」

「許しては戴けぬのかな」

「い、いえ、そう云うことではございません。そんなことはどうでもいいことで。た、ただ私にはそのような、お坊様が人殺しなど、俄《にわ》かには信じられぬことでございます」

「慥《たし》かに尊公の云う通り、不殺生《ふせつしょう》は仏の教え。否、こと人殺しとなれば、これを犯さぬことは僧に限らず人の倫《みち》でもあろうな」

「ならば何故」

「慥《たし》かにそこにあるのは人の骸。だが拙僧が殺めたのは人ではない」

「何と仰います」

「人を殺したのではないと云っている」

僧はそう云って少し沈黙した。

「それは人でなし、と云うことでござりまするか。ここで亡くなっているのは人でなし、つまり御坊は許しておけぬ悪人を成敗したと」

「違う違う。人を裁くのは僧の役目ではない。それにそこなる骸は悪人などではないのだ。先程尊公が申された通り——正に仏である」

「はて、面妖《めんよう》な」

「彼《か》の者はそう、牛だ」

「牛？　牛でございますかな」

「左様。そして彼の者が牛なら——」

「牛なら」

「――拙僧は鼠《ねずみ》だ」

鼠――声はそう云った。

「鼠、で」

「檻《おり》を破って逃げ出した拙僧の牛は、捕まえてみれば牛に非《あら》ず、鼠だったのだ。いや、そうではないな。最初《はな》から檻を破って逃げたものなどなかったのだ」

「檻でございますか」

「そう。檻だ。堅く堅く閉ざされた檻だ。見ず、聞かず、語らず、考えず、己も捨てて、何もかも捨てて、凡《すべ》てを捨てて伽藍堂《がらんどう》になって、それでも檻が残りおった。檻の中からは何も逃げ出してはおらず、おまけにそこにおったのは鼠だったのだ」

「檻の中に、鼠でございますか」

「鼠よ」

「鼠」

「解るか」

「解りませぬ」

「思えば――」

僧の声は述懐するような口調になった。

「思えば故郷《くに》を離れて随分と遠くへ来たが、己を囲む檻の外へは、遂《つい》に出ることが叶《かな》わなんだ。だが、そ奴は簡単に檻を破りおったのだ。いとも簡単に。牛を追い、牛を得て、牛になり、おお、そ奴には檻などなかったのだ。何と何と吾身の至らぬことよ」

「な、何と」

「だから」

「だから殺したので」

「そうとも云える。またそうでないとも云える」

「解りませぬ。解りませぬ。そのような理屈、私のような者に解る筈《はず》もございませぬ。目の見えぬ私には、ここにあるものが何なのかすら一向に解りはしませぬ。御坊はこれを人の骸だと仰せられる。そしてそれを殺めたのは自分だとも仰った。而《しこう》して、御坊は人を殺めたのではないとも仰る。殺めたのは牛だと云う。牛を殺めたのならここにあるのは牛の骸でなくてはなりますまい。また、この骸が人の骸であるのなら、御坊は人を殺めたと云うことになりましょう。それが世の常。曲げられぬこと。幾ら言葉で云い換えようとも、事実は事実、詭弁《きべん》で真実は曲げられますまい。ここにあるのはいったい何なのでございますか。ひと目見れば解ることとは云え、私にはそれを確かめる術《すべ》がないのでございます。これでは揶われているのと変わりがございません」

「何、そこにあるのはそれ、尊公の見たままのものである」

「またそのような酷《むご》いお戯《たわむ》れを」

「戯れなぞで云うてはおらぬ。そうれ、尊公は既に見ておるではないか」

「は」

「目明きに見えるものなど高が知れておる」

木木を吹き抜ける冷たい風が尾島の襟首《えりくび》に当たった。

薄寒《うそさむ》い冷気が徐徐に尾島を包んだ。

「世界は尊公の見た通り。それが尊公にとっての世界である。ならば拙僧の言葉など聞くことはない。そのままに、あるがままに受け取るが良い」

それは。

それは牛などではない。

勿論そんなことは、最初から明らかなことであった。

ざざ、と音がした。

枝に積もった雪が落下したのだ。

僧が云った。

「尊公は死ぬことが畏《こわ》いか」

「そ、それは」

「死ぬのが畏いかと問うておる」

「こ、畏おうございます」

「その理由《わけ》は如何に」

「な」

気配が知れぬ。

己が今対話しているのは――。

本当に人なのか。

人だとしても。

――人殺し。

ざざ。

雪が落ちた。

そこで――尾島は漸《ようや》く自らの直面している尋常ならぬ状況を客観的に把握した。

そして声のする方向に向き合ったまま、一歩だけ後ろに足を引いた。杖を手放したのは失策であった。驚きの余り放ってしまったが、命の次に大切なその杖も、どこにあるのか皆目知れぬ。この状況で闇雲に大胆な行動を執《と》ることは文字通り無謀であろう。尾島は後退《あとしざ》りし乍《なが》ら爪先で杖の在処《ありか》を探った。

杖はなかった。

しゃん、と音がした。

「拙僧はついさっき、これなる錫杖《しゃくじょう》を彼の者の頭に振り下ろした。彼の者は死んだ。それだけのこと。それ以前とそれ以降で何の変わりがあろうか」

「ひ、人殺し――」

再び、しゃん、と音がした。

「人殺しッ」

尾島は叫んだ。

そして二歩三歩と後退った。

僧はずく、ずく、と雪を踏む音をさせて尾島に近づいた。

しゃん、しゃんと――錫杖が鳴った。

尾島の――膝の力がすっと抜けた。

尻餅《しりもち》を突きそうになるのを堪《こら》え、尾島は右手を前に出す。

左手は背後を探る。空を掻くだけで――背《うしろ》には何もない。

尾島は突如《いきなり》屈《かが》み、雪の上に両手をついて、僧のいるらしき方向に頭を下げた。

「か、勘弁、ご勘弁。元元世間の暗い按摩《あんま》でございます。ここは、見えざる、聞かざる、云わざると致します。どうぞ、どうぞ命だけはお助けください」

土下座をして、幾度も幾度も許しを乞うた。

額に冷たい雪片が付着した。

しかし尾島が許しを乞うたその方向は、実際にその時僧が立って居た位置とは——少しばかりずれていたのだが。

ざざ、と雪が崩れた。

僧は、呵呵《かか》と笑った。

そして、それで良い、それで良いのだと云った。

尾島は更に身を縮め、雪に顔を埋めるようにして頭を抱えた。

「畏れることはない。何もせぬ。それ、そのような格好をしておられたのでは、お躰《からだ》が冷える。風邪をひかれますぞ。さあ、立ってくだされ」

僧は語り乍《なが》ら更に尾島に近づき、更に通り越して、元は叢《くさむら》であったらしい雪溜りに突き刺さっていた杖を引き抜くと、

「修証《しゅうしょう》一等《いっとう》と云うが、未だ至らぬ」

と、力なく云った。そして、

「所詮《しょせん》漸修《ぜんしゅう》で悟入《ごにゅう》するは難儀なことなのだ」

と呟《つぶや》くように続けた。

それから僧は蹲《うずくま》っている尾島の手に杖を持たせ、

「だから、そのように頭を下げられる程徳の高い僧ではないのだよ。さあ、警察にでもどこにでも行かれるが良かろう」

と、今度は決然《きっぱり》と云った。

尾島は僧から杖をもぎ取ると、転がるように——事実何度も転《まろ》び乍ら——一目散に、雪塗《まみ》れになってその場を去った。

僧は身じろぎもしなかった。

1

後から聞いた話である。

その日――。

山は雪景色で、それ程の上天気でもないと云うのに、外は何だか明るかったのだそうだ。雪が僅《わず》かな日光を乱反射していたためか。

啕啕《こうこう》と山鳥が啼《な》いた。

こんな冬場にも鳥と云うのは啼くものだろうか。今川雅澄《いまがわまさすみ》は窓辺の中中具合のいい椅子に腰掛けて、そんなどうでもいいことを考えていた。

窓は掃き出しの硝子戸《ガラスど》で、外は踊り場のようになっている。今川は起き抜けにそこに出て目覚ましに冷たい外気でも吸ってみようとも企んだのだが、あまりに寒いので止《よ》したのだった。それに、窓辺の冷え切った椅子に身を沈めただけで、目の方は充分に覚めてしまったのである。

今川は視線を遠方の山山から手前の木木へ移し、そして踊り場へと転じた。踊り場の板床や木の桟《さん》は長きに亙《わた》り風雪に曝《さら》されている模様で、実に白茶けていたのだが、手摺に積もった雪があまりに白いためか、その日は妙に黒黒と見えた。濡れていたのかもしれぬ。

鼻先が冷たくなって来る。今川はのっそりと立ち上がり、板間から座敷に戻った。

座敷も寒い。温《ぬく》い寝床は先程仲居がすっかり片付けてしまったから、部屋は妙にがらんとしている。座卓の上には茶が出ているが、それも冷めていることだろう。

肩を竦《すく》めて火鉢を覗くと、炭の方はかっかと頑張っている。

如何《いかん》せんひとり部屋の割りにこの間は広いのだ。

効率が悪いので板間を仕切る障子も閉めた。

明るさが半端になった。

それでも朝だと判るから不思議なものだと、今川は思っている。

座卓に設《しつ》らえてある座椅子に収まる。絹製の分厚い座布団が物凄く柔らかい。

「ああ、いい座椅子だ」

両手を伸ばして軽く振り回し、そんな独り言を云う。

当然答える者など誰もいない。

しかしそれも凡《すべ》て了解済みの発声だから、思い切り巫山戯《ふざけ》た声だった。

退屈だったのである。

——多分今日も、何もすることがない。

いや、もしかしたらとは思う。思うものの、それは昨日も思ったことであり、肩透かしを喰らうくらいなら最初から諦めていた方がいいと云うものである。諦めていて待ち人が訪れればそれに越したことはない。そう思った。

待ち惚《ぼう》けはこれで五日目になる。

幾ら老舗《しにせ》の宿とは云え、雪に閉ざされた山深い処《ところ》であるから、外出も儘《まま》ならず、大体宿を出たところで見るべき名所旧跡など宿の近辺にはないのだ。この場合、実に見事にすることがない。湯に浸かり、料理を食い、晩酌をして寝るだけである。持て成しも一流だし地酒も中中のものだったが、御馳走と云ってもそう代わり映えがしないから三日を越すと飽きる。風呂は檜《ひのき》造りの大層立派なもので、そもそも何やら云う名泉なのだそうだが、湯治に来た訳でもないのに温泉にばかり入っている訳にも行かぬ。

今川は商売で来ているのだ。日が経《た》てば経つ程、宿賃が嵩《かさ》んで利幅が薄くなるのである。

——あれは、幾らくらいだろうか。

今川は床の間の掛物を見て胸算用をした。

黒黒とした力強い筆運びで、大きな丸がひとつ書いてあるだけである。墨跡か画賛か判断に苦しむ。

——禅画なのかな。

今川は書画の類《たぐい》は苦手だった。時代も画題も善く判らない。共箱《ともばこ》でもあればいいのだが、見ただけでは何ひとつ価値が見切れない。表装の具合が判る程度である。中廻《なかまわ》しが少少汚れているが、全体的には結構立派なものだろう。しかし、肝心の絵の価値が判らないのでは話にならぬ。今川は経師屋《きょうじや》ではないのだから、表装の値踏みをしても始まらないのだ。

今川は頬杖をついて更に掛け軸を注視《みつめ》た。

考えごとの最中、今川は実に奇怪な表情になる。

それは――多分、傍《はた》からは忘我の状態にしか見えない。

それでなくとも今川と云う男は特徴的な顔をしているのだ。

一度会ったら絶対に忘れないと、知人の凡てが口を揃えて云う程のご面相である。

決して肥《ふと》っている訳ではないのだが、一見ずんぐりとしていて、善く云えば貫禄がある。その貫禄を象徴しているのが立派な樽鼻《そんかんび》だ。その鼻の上に大きな団栗眼《どんぐりまなこ》がついており、その上には蚰蜒《げじげじ》の如き太い眉毛がある。少しばかりしまりのない唇は厚く、それを取り囲む髭《ひげ》もまた濃い。その代わり顎《あご》は殆《ほとん》どなく、唇の下方は宥《なだ》らかな曲線を描き頸《くび》へと続いている。顔の部品がどれも立派過ぎて、実に濃い顔に仕上がっている訳である。不惑《ふわく》を過ぎればさぞかし重厚な、味のある大商人《おおあきんど》と云った容貌になるのだろうが、今のところ若さがそれを退《しりぞ》けている。

熟考中は、この面相が一層弛緩《しかん》するのだ。

十分はそうしていた。

だが結局値段は爽然《さっぱり》解らなかった。

今川は続いて床の間の壺《つぼ》だの、目の前の座卓だのも値踏みしてみたが、悉《ことごと》く確乎《しっか》りした判断が下せずに、結果その無為な遊びにも飽いて部屋を出た。

廊下は艶艶《つやつや》に磨き込まれており、窓からは前庭が望《のぞ》める。宿全体の構造は今ひとつ摑み切っていなかったが、階下の大広間に面した風雅な中庭とは別物である。様子がまるで違う。前庭は到着時に通過した筈だが、大きな塵箱《ごみばこ》しか印象に残っていない。

ふと振り返る。突き当たり、廊下の角に飾ってある壺が目につく。実に古そうで、かつ高価そうな品だ。それは遠目にも判る。

——信楽《しがらき》、いや常滑《とこなめ》だなあ。

焼き物は書画に比べればまだ得手《えて》の方だった。ただ値がつけられぬ。古そう、高そうと云うだけなら素人にだって云えることである。幾ら良さが判っても、それを金に換算できなければ意味がないのだ。

今川雅澄は、未だ自信を持った値踏みのできぬ、駆け出しの古物商なのだった。

——まあ、いい品なんだろう。

いずれにしてもこの宿——仙石楼《せんごくろう》の中にあるものは凡て、かなり高価な骨董品なのだと、今川は判らぬなりにそう踏んでいるのだ。大体建物自体が骨董染《じ》みているのだった。

階段を降りて廊下を抜け、大広間に辿り着くと、庭に面しただだっ広い広間には、老人がひとりぽつねんと座っていた。

まるで昨日と同じ景色である。幾日か過ごすうちにもう馴染《なじ》みになってしまった老人は、矢張《やは》り昨日と同じように朦朧《ぼんやり》と庭を眺《なが》めているようだった。老人の頭頂部はすっかり禿げ上がっていて、その景影《シルエット》は実につるりとしている。だから逆光で見る限り、どちらを向いているのか本当は判らなかったのだが、まあ昨日もそうだったのだから今日も庭を見ているに違いないと、今川はそう思ったのだ。

「お早うございます」

「おう、あんたか」

案の定庭を眺めていた老人は今川を見て嬉しそうに破顔した。見たところ七十近い印象だが、どうやら意外に若いらしい。鬢《びん》に僅かに残った毛髪は殆ど真っ白で、対照的に顔面は肉厚の赤ら顔である。

今川はこの老人に興味を持っていた。どうも客とも思えない。しかして宿の従業員でもない。その口振りから判断するに宿の主とも思えない。ただ日長浴衣《ゆかた》の上に褞袍《どてら》を着込み、何をするでもなく、ただこうして悠然としているのである。

あんた——老人は突如《いきなり》裏返った声を発した。

「あんた——見たところ湯治の客でもなさそうだがね、失礼だが、何の用で来ていなさるかな」

老人は独特の抑揚《イントネーション》でそう尋いて来た。どうやら当の老人の方も今川が老人に対して抱いていたのと同様の疑問を感じていたらしい。

「ええ、商売で来ているのですが、待ち人が来ないのです」

「商売？　何もこんな箱根の山ン中で商談するこたぁなかろう。同じ箱根でもまだ便のいいところがようけある。元箱根でも湯本でも、いやこの辺だってもっと麓の方が温泉宿もたぁくさんあるですよ」

「いいえ。ここが指定なのです。僕はここで待つように云われ、こうして五日間も待っているのです」

「待ち惚けか。しかしこんな所を商談場所に指定して来る客も客だが、そんな客を相手にするあんたもあんただ。いずれ怪しい商売じゃろなあ」

「怪しいのです。実に怪しい。何しろ僕を待たせているのは坊さんなのです」

「坊さんだと？」

「僕は坊さんを待っている。それだけです」

「それだけ？」

「それだけです。はっはっは」

今川は無意味な笑いで話を切り上げ、姓名と職業を老人に告げた。老人は今川が古物商であることを知り、やや不思議そうに小首を傾《かし》げてから、

「儂はね、久遠寺《くおんじ》嘉親《よしちか》と云います」

と名乗った。

久遠寺老人はこの宿の常連客で、戦前は殆ど毎年のように訪れていたのだと語った。ならば今も客なのかと云うとそれは少し違っていて、現在の身分は宿の居候と云う珍奇なものであるらしい。

「都会の暮らしを捨てた、ちゅうと聞こえはいいがね、なァに、東京におられんようになった。追い出されたようなもんですなぁ。世棄て人と云うよりはあんた、都落ちですわ」

老人はそう云って虚《むな》しそうに笑った。

そして今川に向かって、

「あんた儂のことを知らんですか」

と尋いた。今川が知らんと云うと、そうかな、と再び首を傾《かたむ》けて顎《あご》を引き、老人は己の身の上を簡単に語った。

豊島《としま》で開業医をしていた久遠寺老人は、さる事件で家族を失い、医業を続けることも不可能になり、病院や財産を恣《ことごと》く処分して、半ば土地を追われるように東京を出たのだそうである。何をするでもなく行く当てもなく、結果ここに落ち着いて二箇月になるのだそうだ。

「まあ、騒ぎと云えば騒ぎじゃったがね。とは云え新聞には小さくしか載らんかったし、まあ儂にとっては人生の一大事でも、世間にとってはただの事件じゃアな。知らん人も多かろう。うん、多かろう」

老人はそう唸《うな》るように云って、納得したように首を縦に振り、更に顎を引いて、

「あんたは、その、古物商ですか。それは長いですか」

と、今度は詠《うた》うような口調で尋いた。

「短いです」

今川は変な答え方だと自覚して、照れ笑いをし乍ら老人の横に座った。

老人は自分の脇に積んであった、例のふかふかの座布団を取ると、畳の上を滑らせるようにして今川の方に寄越した。

今川はその上に正座すると、少しだけ間を置いて自らの来歴を語った。

老人の眼が語ることを要求しているように今川には思えたからである。

今川の実家と云うのは代代蒔絵《まきえ》を描く絵師の家系である。これが結構由緒《ゆいしょ》正しい。父はその名を十三代泉《せん》右衛門《えもん》と云い、今川自身、もし長男であったなら十四代泉右衛門を襲名するところだった。幸いにもと云うか不幸にもと云うか、今川は次男であったため、その古めかしい名を継ぐことを免《まぬが》れたのである。

今川は先《ま》ずそのことを告げた。

古物商になって日が浅いことを語るための、延《ひ》いては古物商になるまでの経過を語るための、これは前振りである。但しそう云う説明は一切なかったため実に唐突な語り出しになった。その割りに老人は驚いた様子もなく、

「十三代ちゅうと、大分古いですなあ」

と切り返した。

「はあ、何でも元を辿れば戦国の、今川義元《いまがわよしもと》公のところに行き着くとか着かぬとか」

――と云う話を今川は善く祖父から聞かされた。

祖父とは勿論十二代泉右衛門である。しかし一向真面目に聞いていなかったから、善くは覚えていない。家を継ぐ身ではないと云う、ある意味無責任な立場がその出自に対する無自覚を促したものか、或《あるい》は聞いたところでどうせ家は継がぬと云う、一種屈折した想いが耳を閉ざさせたのか、それは判然としないのだが、いずれにしても先祖が今川義元だろうが武田《たけだ》信玄《しんげん》だろうが、今川にはどうでも良かった。顔付きだけなら伝えられる信玄像の方が自分には似ている――今川の感想はそんなものである。

何はともあれ、今川がそう云う家系に連なる一族の一員であることは間違いない。勿論そんな、家柄などと云うお化けは、現代社会に於ては邪魔になりこそすれ何の得もないと、今川自身はそう考えている。実際華族だ士族だと云う連中は今や概《おおむ》ね没落しているから、その私見自体は強《あなが》ち間違ってはいないとも思う。

ただ、今川の実家は多少事情が特殊である。技術の継承だの伝統の保持だのと云う使命がある。そのお蔭か、そうそう落墜《らくつい》することなく今日に至っているのだが、これが分家となると別で、歴史や伝統に根差した緊張感と云う奴がない。背骨がすっかり抜けている。だから分家の方はご多分に洩《も》れず、ただ権威の上に胡坐《あぐら》をかいた風の為体《ていたらく》である。分家の叔父と云う人が正にそう云う人だったようで、兎《と》に角《かく》人の下で働くことをしなかったのだそうだ。旧幕時代ならば兎も角、昭和の時代にそれで通る訳もない。結果暮らしに困り、貧すれば鈍するの諺《ことわざ》通り見る間に駄目になり、遂《つい》に生計も立ち行かなくなった。全く絵に描いたような斜陽族《しゃようぞく》だった訳である。

その叔父の子、つまり今川の従兄弟《いとこ》だか又従兄弟だかが、傾いた家計を立て直すために始めたのが何を隠そう古物商なのである。

落魄《おちぶ》れたとは云え旧家であるから、蔵には古《いにしえ》のお宝が山のようにあり、それを処分したと云うのがそもそもだったらしいのだが、それが結構な利を生んで、それに味を占めた結果の商《あきない》と云う訳である。

ただ、そうした家柄の所為《せい》か、従兄弟の骨董に対する目は実に肥えていたらしい。そのうえ商才もあったと見えて、あっと云う間に結構な目利きとして名を成してしまった。初めのうちは店を持たぬ果師《はたし》と呼ばれる奴だったらしいが、二三年で青山に立派な店舗を構えた。その名を『骨董今川』と云った。

本家、つまり今川の実家では当時その商売を卑《いや》しきものと判断したらしい。そこで分家の扱いに就《つ》いては一族間で少なからぬ悶着《もんちゃく》があったのだそうだ。だが、そうこうしているうちに太平洋戦争が始まってしまい、結果有耶無耶《うやむや》になって、『骨董今川』は残った。

そして――。

戦地で大怪我《けが》をして復員した従兄弟が死んだのは三年前である。分家の血は絶え、骨董屋の店だけが残り、再び一族間で侃侃諤諤《かんかんがくがく》と揉めごとが起きた。今川は何となくその揉め方が気に入らなかった。だから本家次男の自分が店を継ぐと名乗りを上げた。

今川は猛反対の親族総攻撃――を予想していた。だが不思議なことに反発は一切なく、本家次男の提案に面と向かって異を唱える係累は誰ひとりとしていなかった。今川の父があっさりと許してしまった所為である。その父の胸の内は今川には解らぬ。

そして今川雅澄は古物商になった。

屋号も『待古庵《まちこあん》』と改めた。

引き継ぐに当たって屋号から今川の名を廃した訳だが、大きな理由はない。

マチコと云うのは幼い頃の渾名《あだな》である。待古と字を当てたのは、何となく骨董屋に相応《ふさわ》しいような気がしたからで、由由しき故事来歴がある訳ではないのだ。その方が自分に合っているように今川には思えたのだが、客は大抵字を見てなる程と納得する。

取り分け説明はしない。

そんなものだ、と思う。今川待古庵はいつもそれなりに懸命で、それでいてどこか醒《さ》めている。

今年――昭和二十八年――でまだ二年目である。

久遠寺老人はやけに感心した様子で、今川が語り終えると何度も頷《うなず》いた。

「しかしあんた、善く許して貰ったもんだなあ。一抜けた、と簡単に抜けられるもんでもなかろうに。本家の次男坊と云えば一族の中でもその、なんちゅうか、位が高かろう」

「とんでもない。長子と次男では雲泥《うんでい》の差があるのです。うちは五人兄弟で皆男ですが、長男から次男三男四男と順に格が下がって行く――と云った具合には行かないのです。長子は家長、昔で云えば殿様で、次男以下は凡《すべ》て家臣、家来なのです」

「そんなもんかね」

「そうなのです。例えば、そう、うちには一応蒔絵の技法に就いての秘伝と云うのが伝わっていて、この秘伝は代代家長が受け継ぐのですが、それは一子相伝と云うことになっています。僕は兄の身に何か起きでもしない限り、生涯それを教えては貰えないのです。それだけ差があるのです」

「そりゃ酷《ひど》いな。あんた、そう云う文化的価値のあるもんは今時そんなことじゃいかんじゃろ。独占しちゃあいかん。公開するべきじゃないか。あんた、そうだ、旧家なら古文書だの秘伝書だのあるんだろう。そう云うのも読むことはできんのかね」

「その手のことは凡て口伝《くでん》です。文字では残さないのです」

「そりゃあ非合理的じゃないかね。もし知ってる者が事故にでも遭ったら、その技は絶えてしまうんじゃあないのか」

「しかし、文字で書き記すことのできぬものと云うのはあるでしょう。それにいつ絶えるかも解らないからこそ価値があるのかもしれません。ひょっとしたらそんな秘伝は中身がないのかもしれない。でも誰も知らないから価値が出る。それならそれでいいのです。ただ、僕はそれを継ぐ資格がなかったと、ただ——それだけです。だから家を出て商売を始めても、それ程問題にはならなかったのです」

「なる程なあ。そりゃ何とも、微妙な立場ではあるわなあ。うん」

　そう云って、老人は更にううん、と唸った。そして何か思うところでもあったのか、暫《しばら》く考えて、

「あんた、中中好《い》いですよ」

　と、納得したように云った。

　何を好いと思ったものか量り兼ねて問うと、老人は眼を細め、

「そんな、古い因習なんてものは早早立ち切った方が好いんだから。特に、家などと云うもんからはおん出て正解じゃな。いや、善く決断したもんだ。英断じゃ」

　と答えた。

今川は少し面喰らって目を剝《む》いた。

「いや、僕には別段強い意志があった訳でもないのです。ただ半端な立場で困っていただけなのです」

「そりゃあ、伝統と革新、家系と個人、名誉ある束縛と名誉なき自由の板挟み、そう云った意味の半端ですかな」

「そうではないのです。どうもご老体は僕の話を大袈裟《おおげさ》に聞かれています。うちは、まあ旧家ではありますがそれ程因習に囚《とら》われている家系でもないし、そのうえ名前さえ継げば一生安泰と云うこともないのです。腕が悪ければそれまでです。名を継いだ以上拙《まず》い仕事はできません。本家の跡取りは云ってみれば家元で、それが下手糞《へたくそ》ではどうもこうもない。家業を継いだ場合職人的な技術習得の努力は、寧《むし》ろ人一倍要るのです。だから、長子の場合は却《かえ》ってプレッシャアがある訳です。僕には幸いそれがない。しかし次男ですから、何かの時には家を継がねばならない。つまり基本的な技術は学習しておかねばならんのです。すると他の職業に就いてしまうのも何となく腰が座らない。気楽なんだかそうでないんだか判らない。そう云う半端です」

「そう云う半端か」

「そうなのです」

「ああ」

老人は今度は顎を突き出して、

「まあ、解らんでもない」

と云った。

しかし続く老人の問いは唐突だった。

「変なことを尋くようだが——あんたそれじゃあお父上や兄上に要らぬ劣等感《コンプレックス》があった、と云う訳でもないいんだな」

どうも久遠寺老人の思考経路は今川には摑み難いようである。今川の発言は、悉《ことごと》く彼《か》の禿頭《とくとう》の中で老人に都合良く変換され、実に突拍子もない対題《たいだい》となって返って来る。その問いが生産され、言葉として発せられるまでには当然某《なにがし》かの理があるのだろうが、今川にはその理屈が解らない。畢竟《ひっきょう》その理屈は老人の人生観なり主義主張なりに即したものなのであろうが、それとても今川の与《あず》り知らぬことである。

だが状況は相手にしても同じことだろう。

つまりは御互い様だ。

だから今川はそれ程深く考えずに答えた。

「まあ、ないと云えば嘘になるのです。父は家柄を抜きにしても蒔絵師としては一流で、芸術家として尊敬できます。兄も技術的な水準は高いです。僕がその二人の域に達することはかなり難しいです。だから、劣等感がなかった訳でもないのです」

　ほう、と老人は口を丸く開けた。

「あんた、正直な男だな」

　でも——と今川は続けた。

「——父は豪放磊落《ごうほうらいらく》、兄は呑気《のんき》な人ですから、家族関係は実に和《なご》やかなもので、父や兄に反発を覚えたことはないのです。大層なのは襲名する名前だけで、その名にしても人生賭けて反発する程の名ではないです。僕は、小物なのです。それだけです」

「いやはや益々《ますます》正直な男だ。吃驚《びっくり》する程じゃ」

　老人は口を窄《すぼ》めてそう云ってから、

「まあそうは云うものの、本当はあんた大物なのかもしれんな。いやいや、見た目はどうにも大物風の顔付きじゃわい」

　と続けて、大いに笑った。

　今川もつられて笑ってはみたが、その心中はやや複雑である。

　慥《たし》かに表向き父や兄との関係は良好で、今のところ関係が破綻《はたん》するような兆《きざ》しはない。不安要素とて何もない。今の発言通り、父のことは尊敬しているし、兄に遺恨がある訳でもない。老人の云った通りそれが正直な発言であることに間違いはない。

　ただ劣等感は瞭然《はっきり》と持っている。

　それは、ないと云えば嘘になる——と云った程度のものではない。

その昔、今川の描く絵を評して父はこう云った。

——巧《うま》く描《か》こうとしているな。

無論だった。わざと下手に描こうとする者などはいない。巧く描こうとすることのどこがいけないのか、その時の今川には全然理解できなかった。

その時期。

今川は、もしかしたら家名を継ぐのは兄ではなく自分なのではなかろうかと——それでも少しは思っていたのだ。長男を差し置き次男が家を継ぐことなどあり得ぬと、それは充分承知していたが、それでも尚そう思ったのには理由があった。

今川は、幼い頃から絵を描くのが好きだったし、描けば描いたなりの仕上がりになったから、もしや己には才能と云う面映《おもは》ゆい奴が備わっているのではなかろうかと、内心予感していたのである。否《いや》——確信していたのかもしれぬ。

だから今川は絵の勉強だけは熱心で、日本画に止まらず西洋画の手法などを学んだりもしたものである。一方兄の方は、漆《うるし》工芸と絵画の間に関連性を見出せなかったようで、ただ愚直に父の型を倣《なら》っていた。今川の目に映る兄の絵は堅実過ぎて面白味に欠け、尚且《なおかつ》まるで新しさが感じられなかった。

今川が兄を差し置いて跡目云云《うんぬん》と考えたのは、まさにそこに由来している。

蒔絵は単なる伝統工芸ではない。日本が海外に誇るべき芸術である。

しかし、奈良の昔に始まり連綿と進歩向上を続けて来たそれは、江戸の末に至ってどうやらその歩みを止めてしまった。明治を過ぎ現代に至るにそれは完全な工芸品に堕してしまったのである。このままでいい訳がない。蒔絵は——芸術なのだ。

今川はそう思っていた。父を尊敬していた故の思い込みであったやもしれぬ。

自分には技がある。向学心もある。センスもある。仮令《たとえ》十四代を継ぐのは長男であったとしても、自分は違う意味で今川家に必要とされる筈である——そうも思っていたのだ。

しかし今川の、その一種確信めいた気負いは、豪《えら》く呆気なく消し飛んでしまった。

——巧く描こうとするな。

父は今川の技巧を小手先のものと判断したのだ。

絵は手に持った筆で描くものだ。つまりはどうやったところで小手先の技なのである。それ以外の何だと云うのか、今川には解らなかった。

父はこうも云った。

——蒔絵師は芸術家に非ず。家業を継ぐ気ならばつまらぬことに心血を注ぐな。

今川が思うに、芸術を生み出す者こそが芸術家と呼ばれるのであろう。今川にとって蒔絵は立派な芸術だ。ならば蒔絵師も立派な芸術家ではないか。

新しい道を模索することのどこがいけないのか。

蒔絵は、平安に研出《とぎだし》蒔絵の技法が確立して以来、室町にはより誇張的な表現を求めて高蒔《たかまき》絵が完成し、桃山には更に装飾的な平《ひら》蒔絵と云う技法を創り出した。途中、欧羅巴《ヨーロッパ》美術を取り込んだ南蛮《なんばん》蒔絵などの斬新な様式も開発されている。蒔絵は常に時代に応じた表現を開発して来たと云う歴史を持っているのである。それらはどれも滅びることなく併存し、江戸に入って後も本阿彌《ほんあみ》光悦《こうえつ》や尾形《おがた》光琳《こうりん》などの新しい才能を生み出した。

それが、今や工芸品である。

事実他の流派では明治以降も様様な試みが模索されている。今川流とても伝統に齧《かじ》りつい た護《まも》りの姿勢だけで良い訳がない。そもそも高い志を持たずして芸術が創り出せるものだろうか。精精《せいぜい》工芸品と云う高の括《くく》り方が堕落の原因ではあるまいか。

そう云うと父は怒った。今川は慌《あわ》てて弁解した。

今川の発言は父自身を愚弄する言葉としても受け取れたからである。勿論それは違う。今川は父を尊敬し、その作品も高く評価していたから、勘違いをされるのは厭だった。今川の云う堕落は、蒔絵そのものの文化的価値の堕落である。

しかし父はそう云う今川の意図を正しく汲んでいて、その上で怒ったのであった。今川には爽《さっ》然《ぱり》解らなかった。そして今川は、その時多分生まれて初めて父に噛み付いた。若気の至りである。

父は厳格に答えた。

——明治以降、蒔絵の新しい様式が樹立できぬのは何故か、お前に解るか。

——技巧を凝《こ》らし、細工に現《うつつ》を抜かすからだ。

——工芸品のどこがいけない。

——蒔絵師は芸術家などではない。

——芸術と呼ばれるのはあくまで作品の方だ。作家ではないのだ。

——ただ描く、ただ創ることができぬなら、

——止せ。

理解できなかったが、骨身に染みた。

そして今川はそれ以降、ひと通りの技法を学んでから後は、蒔絵のみならず一切の絵筆を折ってしまった。生涯父にも、兄にも叶わぬと思ったからだ。それは、それは大きな劣等感が残った。

父の言葉は、幾ら反芻《はんすう》しても通り一ぺんの意味しか解らなかった。しかし自分の及ばぬ場所があることだけは善く解った。

兄はその後も地道に修練を重ね、父には及ばぬまでも、かなり優れた作品を物す程になった。依然として些細《ちつ》とも新しくはないのだが、実に立派なものだと思う。兄は、多分技巧的には今川に遅れを取っていたものの、今川には解らぬ何かを最初から会得していたのだ。その何かが何なのかすら解らぬ今川には、矢張り跡目など継げぬのである。

次男で良かったと、今にして今川は思っている。そして、父も兄も心から尊敬している。家族の仲もいい。しかし、それらは凡て何かの裏返しである。尊敬の裏には劣等感が貼《ねば》りついている。無責任な立場が齎《もたら》す解放感の裏には喪失感がつき纏《まと》う。だから——今川は老人の云ったように家や伝統に盾突《たてつ》いた訳ではないのだ。寧《むし》ろ敗北したと云う表現の方が近いのだが、それも決定的敗北ではない。諦めたと云うか、屈折したのである。そうした屈折をもう一度折り曲げて今川は何とか真っ当に生きている。

今川の半端は、本当はそう云う半端なのである。

複雑な心境とはそうした心境なのだ。

そんなことどうせ伝わらぬと思ったから、今川は老人に合わせてただ乾笑《かんしょう》した。何が可笑《おか》しいのか善く解らなかったが、久遠寺老人は大層愉快そうだった。笑いが治まる直前に、まるで笑い声に引かれるようにして、もうすっかり馴染《なじ》みになった仲居が廊下の方からひょいと顔を覗かせた。

「あら、先生もお客さんもこちらにいらしたんですか。まあまあ、火の気もないのに。今火鉢でもお持ちしますから。ああ、お食事もこちらでお摂《と》りになられますか」

「ああ、構わんのだったらそうしよう。一度庭を見ながら食うてみたかったんだ。今日は幸い雪も降ってないようだしな。あんた、今川さんもそれで良かろう」

今川は良いと云った。仲居は笑った。

「まあ、先生はそんなこと仰いますが、この時期なら少しちらついていた方が風情がございましょう。こんな薄曇《うすぐも》りじゃあお庭もなんだか燻《くす》んでいて」

「そんなもんかな」

「ええ、それにお客さんの前で何でございますが、その、主が今、なンでございましょう。お手入れも全然できていなくッて、雪も積もり放題」

「いい、いい。所詮《しょせん》儂に庭の良さなど解るものか」

老人は大袈裟に掌をはたつかせてそう云った。仲居は苦笑して、じゃあすぐお持ちしますと云って去った。久遠寺老人はその後ろ姿を目で追いつつ、

「ここのご主人はね、今川さん。矢ッ張りあんたと同じで何代目だかなんだが、今、入院しとるですよ。戦争中に先代が亡くなって、それで跡継いだんだ。継いだはいいが、身体が弱い。儂なんかよりずっと若いんだが、胃弱でなぁ。年の瀬に胃潰瘍拗《こじ》らせて元旦に入院だ。とんだ松の内でね。女将《おかみ》も病院と行ったり来たりで誠に落ち着かん。あんた、悪いところに来た訳だ」

と云った。そう云えば初日に一度挨拶に来て以来今川は女将とやらの姿を見ていない。

老人は庭を眺めていた。

今川もその視線に誘《いざな》われるように庭を見た。

良い庭だ。

手入れを怠っていると云われて、そう云う予断を以て見れば、慥かに手入れはされていない。それでいて中中に立派な庭である。先《ま》ず造作が風雅である。池泉《いけ》だの、灯籠だの、築山《つきやま》だの、それぞれの配置が見事なのだ。積もりっ放しの雪も悪くない。却って野趣《やしゅ》に溢れた演出となっている。土台が良いからだろう。

何よりこの庭には活力がある。

今川の思うに、多分その活力の源は木である。

池の脇、建物寄りに大木が一本聳《そび》え立っているのだ。庭の規模には相応しくない大樹である。だから明らかに庭の均衡を崩しているのだが、それが逆に広がりや動きを庭に齎《もたら》していることも慥かだっだ。まるで小さく纏《まと》まることを拒否しているかのようである。今川は半ば無意識、半ば場繋ぎに、思ったままを口にした。

「大きな木ですな」

「あの柏《かしわ》の樹《き》か」

「実に大きいです」

「流石《さすが》に慧眼《けいがん》じゃや。庭に柏はつきもんじゃが、あれはどうやら天然らしい。先代の主人の話に依ると、この建物よりあの樹の方が古いらしいな。だから、あれに合わせて造園したんだな。あれ程でかいと普通は伐採するんだろうが、この庭を造った人は、まあ名人だったんだろう。樹を生かすことで庭を活かした——と、これも先代の受け売りだ」

老人は庭に視線を遊ばせ乍らそう解説した。慧眼は大袈裟だが的外《まとはず》れでもなかった訳だ。

老人はこう続けた。

「あんた、ご商売がご商売だし、その、家柄も家柄じゃから、そう云うのはお解りなんじゃろうな」

「そう云うのと云いますと」

「ほれ、花鳥風月《かちょうふうげつ》、雪月花《せつげつか》、なんちゅうかな、その侘《わび》だの寂《さび》だの云う——」

「はあ」

「儂ゃあ駄目なんだ。無粋《ぶすい》と云うか、無風流と云うか、まるで解らん。庭を愛《め》でても、ああ木が生えとる、池がありよる、魚がおる、石が置いてある、そう云う風にしか解らん。侘と云えば古いもん、寂と云えば朽《く》ちたもん、そう云う理解の仕方じゃな」

「それで合っています」

今川がそう云うと老人は膝《ひざ》を叩いてそうかそうかと喜んだ。

尤《もっと》も今川自体善く解っていない。

「儂は何十年もそうして生きて来た。一足す一は二じゃと、そう云う頭しかなかったんだなあ。勿論、一足す一は二なんだが、その二にも色色あるちゅうことに気付かずに生きて来たんだな。それが儂の囲いだった訳だ。それがあんた、ここに来て、こう、無為に庭を眺めておるとな、それでも少しばかり解ったような気になるから妙なもんだあナ」

「はあ」

自分も同じだと、今川は云わなかった。

今川とても解ったような気がするだけで、それは常に不確かなものである。その靄靄《もやもや》を何とか裏付けたいが故に、凡人は要らぬ知識を欲するのだ。この庭は何何時代の何何式で候《そうろう》の、この配置はこう云う意味で候のとお題目のように唱えたところで、何も解っている証拠にはならぬ。知っているだけで解ってはいないのだ。この場合知識は寧《むし》ろ邪魔になるのかもしれぬ。

骨董も同じだ。今川は今のところ歴史様式の勉強こそしたが、本当の意味での骨董の良さと云う奴は解っていないのだと思う。値踏みに自信が持てぬのも正にそこに由来している。尤も他の骨董屋とて解って商売しているのかどうかは怪しい。骨董屋は骨董好きではないからそんなこと解らずとも足る。商売である以上、味わうことより相場や流行を知ることの方が大切なのだ。ただ今川はそれだけで値を踏むのも何となく厭だった。

しかしそれが解っていたなら――父や兄に引け目を感じることもなかったのだろうと、そうも思う。

だから知識のあるなしは別にして、今川は無粋を自認する目の前の老人と同類である。先程の発言にしても、精精《せいぜい》大きな木が目についたと云うだけのことで、考えも何もない。気紛れである。

「解った気になると云うのが大事なのではないのですか——」

だからそう答えた。解った気になるとはどう云うことかなと老人は問うた。

「その気になるこの方が大事、ちゅうことかな」

「はい、理屈をつけぬと云うのが正しい見方でしょう」

なる程なあ、とどこか不服そうに云って、老人は一瞬考え込んだ。

「だがね、今川君。幾ら解ったような気になってもそりゃ気の所為なんだ」

「気の所為ですか」

「おう。あのな、その——築山ちゅうのがあるじゃろ。あれがな、ここの主人なんざ本当の山だと云う。儂にゃ盛り土にしか見えん。そう云うと見立てだ、と云いおる。綺麗《きれい》だとは思うがね。形が綺麗だとかな、均衡が取れとるとか、そう云う見方をしとるんだ儂は。見立てろと言われても、その見立てと云うのができん。石は石、砂は砂だ。以前京都の慈照寺《じしょうじ》に行った時も、あそこの庭の」

「銀沙灘《ぎんしゃだん》に向月台《こうげつだい》ですか」

「そうそう。いや、砂で綺麗に形造るもんだと甚《いた》く感心したが、儂の云うのはそう云う綺麗の加減でなあ。それ以外には見えんかった」

「ああ」

「儂ゃあ医者じゃからな。見立てで手術はできん」

「はあ」

「だから、その、この庭もどこがいいんだか、本当のところは解らん。でも悪いとは思わんしな」

「それでいいのです」

いいと思わなければ今川が立ち行かないのだ。

いいのかなあ、と老人は詠うように云う。

ざざ、と音がした。

樹上の雪が落下したのだ。

「そうかもしれんな。ここへはもう何度も来たが、以前は庭なぞ一向見た覚えがない。本当は秋が一番いいそうだがな。こう、向こうの山が紅葉して」

老人は庭越しの山を指差した。

庭は生け垣らしきもので仕切られていて——それも雪に埋没しているのだが——その向こうは一段高くなっており、そこはもう山である。後はただただ山である。

「月が出るとまたいいんだそうだ」

今川は山の端に月が掛かる情景を一応は想像してみたのだが、矢張りただ山に月が出ている間抜けな絵しか浮かばなかったから、すぐに止めた。

その時——。

今川雅澄は、実に奇妙なものを見た。

山の中に人形が立っていたのだ。

禿《かむろ》のように切り揃えた前髪。

遠目にも黒く、円《つぶら》な眼。

――市松人形――だ。

樹間の黒、雪景の白の中に。

市松人形が立っているのである。

赤い振袖をぞろり、と身に着けている。

山の風景には馴染まぬ。水墨画に朱を入れた如くに、まるで落ち着きのない絵柄である。

実際辺りは殆ど無彩色《モノトーン》で、色めいたものはそれだけである。

人形は虚《うつ》ろな視線をこちらに寄越している。今川達を見ている訳ではない。どちらかと云うと建物全体を眺めていると云う感じである。人形の眸《ひとみ》には最初から焦点などないから、それもまた当然だ。

じわり、と悪感が湧いた。

厭な予感と云う奴か。

とてつもなく不吉な思いが、下腹の方から湧き上がって来て、今川は凍りついたように固まってしまった。何故か、とても不安になった。変だ。

大きいのだ。

その市松人形は異常に大きかった。これだけ距離が離れていて、あの大きさに見えるならば、殆ど人間と変わらぬ。等身大の市松人形などあるものか。

「どうした」

久遠寺老人が声を掛けたので、一時的に我に返った今川は、一瞬人形から視線を外《はず》した。

「ああ」

その僅かの間に人形は消えた。消えたと云うより居なくなったのだ。木陰にちらりと振袖の先が残っていたような気もしたが、目の迷いかもしれない。

「幻、か」

「ああ、あの娘のことか」

「娘？」

「振袖着た娘じゃろ。あそこに立っとった」

「人。人ですか」

「何だ。魔物か何かと思うたか？」

魔物などとは思わぬ。生き物と思わなかっただけである。冷静になればそれは至極常識的な結論で、雪深い山中に等身大の市松人形など——そんなものは存在自体非常識なのであるが——置いてある訳がない。

人間だったのだ。

人間だとしてもこんな山の中で――。

「こんな山ん中で振袖とは何だ、と思うたんじゃろう？　はっはっは、無理もない。儂も最初は目を疑ったわい」

「まあ、そうです」

その違和感こそが悪感の元だ。雪山に振袖の取り合わせとて非常識と云う線では五十歩百歩だ。だからこそ人形と勘違いしたと、考えられぬこともない。

「ありゃあこの辺りに棲みついとる娘だ。少しばかりその――」

老人は自分の禿頭を中指で突《つっ》いた。

「知能が？」

「ああ。一寸《ちょっと》だけ遅滞気味らしいな。ただ、それ程酷《ひど》い遅れでもないようだ。否、もしかしたらそう見えるだけで本当は正常なのかもしれんが――うん。医者の儂が診断もせずに印象で判断しちゃあいかんな。これぱっかりは解ったた気がする、で済ませちゃいかんからな。ただ、年がら年中あの格好でふらふらしとるらしいし、喋ったところも見たことないと、ここの連中も云っとったしな。普通じゃない」

「しかしご老体。この辺りに住み着いていると云っても、ここいらに人家はないです」

「ないなあ」

「ここへ来る途中に集落を通りましたが、近い所でも大分離れていたのです。そんな遠くから、あんな格好でふらふらと、こんな山奥まで登って来るのですか？　それは、もし、彼女が——あれは女性ですよね？」

「女じゃね」

「彼女がもしその、少しでも障碍《しょうがい》のある娘さんなのだとしたら、尚更——」

「いいや今川君。そりゃ違う。君は危険だと云いたいんだろうが、まあ野放しにしておくのは危険は危険だと、儂もそう思うがね。ただ彼女は、文字通りこの山に棲んでいるのだよ。場所は知らんが、ここよりも山奥から来とることは慥かだ」

「奥？　ひとりでですか」

「流石にひとりで生活はできんだろうな。宿の主の話だと、どうもここの上の寺に棲んどるんじゃなかろうかと云うとったな。女人禁制の禅寺に振袖娘とはとんだ道成寺だが、なァに寺男の娘だか孫だかと云ったのが真実らしい。尤も寺男と云うのも相当な年寄りらしいし、事実寺に居よるのか、それともどこぞに小屋でも建てておるのか、とんと判らんらしいからなァ。本当のところは誰も知らんのだ。だから本当に魔性の物——山女なのかもしれんな」

「はあ、すると彼女は登って来るのではなく、下りて来るのですね」

「そう云うことになるな。それにしてもあの娘、何を見とったのかな。この柏でも見とったのか」

老人は再び柏の大木に目を投じた。座敷からは木の全体は疎《おろ》か枝振りすらも見えない。冬囲いを身に纏《まと》った太い幹が窺えるだけだ。今川の泊まっている部屋は二階だが、今いる大広間のある建物は平屋であるから、多分この木は屋根よりも高く枝を張っているに違いない。

「そう云やあ――」

老人はその太い幹から突然《いきなり》今川の方に視線を寄越した。

「あんた、さっきここで坊主と待ち合わせとるとか云っとったな。その坊主てぇのは、この奥の――明慧寺《みょうけいじ》の坊主かね？」

「そうなのです。僕は明慧寺の僧に呼び出されたのです。すると、今の話の寺、振袖娘の住んでいるらしい寺と云うのは、その明慧寺のことですか」

「そう云うこった」

「そうですか。いや、今日一日待って来なければ、行ってみようかとも思っていたのです。ご老体は、その明慧寺を御存知ですか」

「御存知も何も君。ここから行けるのはその寺くらいだ。儂も先月一度行ってみるかと思いはしたが、いやあ、お止しなさい。止したがいい」

「そんなに遠いですか」

「夏場は大したことない。だが今はいかん。急勾配の雪径《ゆきみち》を一時間から行くんだ。儂は途中で止めた」

老人はそう云って顎を深く引いた。

ざざ、と雪が落ちた。

今川は五日目の待ち惚けを覚悟した。

そこに先程の仲居が火鉢と、続けて朝餉《あさげ》の膳を運んで来た。一昨日《おととい》より昨日《きのう》、昨日より今日と、段段に朝食の時間が遅くなる気がする。滞在も五日目ともなるとそんなものなのか、それとも主人が入院中で何かと人手が足りないのだろうか。今川は膳を見乍らそんなことを思った。

「お忙しいのですか」

今川が尋くと、仲居は先程と同じ顔で苦笑した。

「いいえェ。お恥ずかしいことですが、暇なんでございますよ。今日なんかもう、こちらだけでございますもの。何でもねェ、去年あたりからは、世間様では温泉が流行《はや》りだとかと聞きますけれども、うちなんかは皆目――」

「閑古《かんこ》鳥《どり》が巣を作って雛《ひな》が孵《かえ》って大変と云ったところかいな。慥かに新聞や何か見とると国民の生活に余裕が出て来たとか書いとるがねえ。この正月なんか、他の温泉宿は満室だったそうだが」

仲居が味噌汁を装《よそ》っている透《す》きに、久遠寺老人が揶《から》うような口調でそう続けた。

仲居は羞らいに似た素振りで顔を上げ、老人を睨《にら》んでから、

「厭ですよ先生。御存知の癖にそうやって」

と云った。かなり暇らしい。今川が来た日にはそれでも客らしき姿が四五人はあったのだが、どうやらこの四日の間に皆帰ってしまったようだ。

「そう云やトキさん。もうひとり、あの女性客がおっただろう。昨日の昼に雪の中ひとりで来た。ついぞ姿を見ないが、まさか、あの人ももうお帰りになったのかな」

「それですがねえ」

老人にトキと呼ばれた仲居は、俄《にわ》かに表情を曇らせた。

「心配なンでございます。あのお客様、床を上げにお邪魔しましたら、何だか朝から気分が悪いと仰いまして。お部屋も替えて欲しいと仰いますもんで、先程こちらの旧館の方にお移り戴いたのですが、それでもまだ臥《ふ》していらしてねェ」

「何だ。風邪か？」

「それがそうでもないようなんです。お医者様呼びましょうか、とお聞きしたらいいと仰って。そうだ先生、診《み》てあげちゃ戴けませんか」

「儂や外科だよ。それより何だなあ。あの客、自殺でもするんじゃなかろうな。こんなとこに若い女がひとりで来るなんざぁ変だ。様子も変じゃった。顔が蒼《あお》い。今川君、君は見なかったかね。あの女性」

今川には覚えがなかった。

知らぬと答える前にトキが云った。

「何ですよ縁起でもない。それは大丈夫でございますよ。もうすぐ、ひと足遅れでお連れ様がいらっしゃるんですから。本当は最初からお三人様だったんですけど、急に予定が変われたとか」

「忙しくなって結構じゃないか。それにしたって、こんなとこに今時何しに来るかな」

「重ね重ね失礼な居候でございますね。こんなとことはどう云う仰りようですかねェ」

「だってトキさん。今日日《きょうび》若いご婦人が湯治でもないだろうが。ひとりで観光ってこともなかろうよ。まあ、遅れて来るのは爺婆ってとこかい」

「いいえェ。何でも東京の出版会社の方だそうですよ。明慧寺さんにご用だとか。明慧寺さんに行かれるなら、こちらに泊まるよりないでしょうよ」

トキはそこで言葉を切って今川の顔を見た。

「あら、先生が余計なことばかり仰るから、お客様がいらっしゃる前でつい調子に乗ってお喋りしてしまったじゃァございませんか。お客様、お食事中にどうも失礼致しました」

慥かに今川は食べ始める契機《きっかけ》を逸してはいたのだが、別に迷惑とも思っていなかった。寧ろもう少し話を聞きたかった程である。

「僕は構いませんが。それよりその、明慧寺のことなのですが——」

今川は、取引先の情報を全く持っていなかったのだ。

つまり明慧寺に就いて何ひとつ知らなかったのである。

トキは、はあ、と頓狂《とんきょう》な声を上げた。

「明慧寺さんが何か？」

「こちらとは何かご関係があるのですか」

「いいえ、何もございませんです。ただ——うちも古うございましょう、先様は輪をかけて古いようでございますからね。それに、場所が場所でございますから、檀家の方なんでしょうか、その、ご参詣される方は必ずうちにお泊まり戴いておりました。それから地方からみえられた偉いお坊様などもね、明慧寺さんにいらっしゃる時はお泊まり戴くことが多ございましたねぇ。でも、それもまあ戦前の話ですけれど。日中戦争の頃を境に段段減って、終戦からこっちはさっぱり」

「地方から偉い坊様がいらっしゃる程、その明慧寺と云うのは格式の高い寺なのですか」

「あんた、待ち合わせまでしとって、その相手のことは何にも知らんのかね」

久遠寺老人は飯を呑み込んでから、章魚《たこ》のように唇を尖《とが》らせてそう尋いた。

「はあ、一向に。僕は宗派すらも知らないのです」

「あそこは禅宗だなあ。でも云われてみりゃ儂も善く知らんわい。しかし、なら何で待ち合わせを？」

「はあ、実は先年亡くなった従兄弟が、戦前にその明慧寺のお坊様と取り引きがあったらしいのです。ただ、先方は従兄弟が亡くなったことを御存知なかったようで、年末にお手紙を戴きまして。ことの次第を記しましてお返事を差し上げたところ、日時と場所を指定したお手紙を再度戴きまして」

「指示された場所がこの仙石楼だった訳か」

「そうなのです。どうやら従兄弟も以前、そのお坊様との商談はこちらでさせて戴いていたらしいのですが。あのう、従兄弟が二度三度お世話になっていると思うのですが、御存知ないですか」

トキはきょとんとしていた。

久遠寺老人は漸《ようや》く今川の方の事情を呑み込んだらしい。今川に従兄弟の名を尋くと、その名に記憶がないかどうかを改めてトキに質《ただ》した。

「さて、今川様でございますね」

仲居は怪訝《けげん》そうに首を傾《かたむ》けた。

「どうも、相《あい》すみません。私は記憶にございませんが——そうだ、昔の宿帳を見て参りましょう」

トキは思いついた途端、俄然興味が湧いたような素振りになって、挨拶も早早に帳場の方にすっ飛んで行った。

「ありゃあ、今おる仲居でも一番の古参じゃが、どうも口が軽いのと弥次馬なのが璧《たま》に瑕《きず》だな。娘時分から知っとるが、どうにも落ち着きが出ないわい」

老人は首をうんと伸ばして、トキの去った方向を眺《なが》め乍らそう云った後、音を立てて漬物を齧《かじ》った。自分で焚《た》き付けておいてまるで他人《ひと》ごとである。

また、雪が落ちた。

今川は回想していた。

慥かに胡散臭《うさんくさ》い話なのだ。

最初坊主から届いた書簡には、

──此の度《たび》手放したき品は今迄《いままで》の品とは違ひて、世に出る事は有り得ぬ神品也。

と記してあった。

勿論俄《にわ》か店主には何のことだか解らなかった。従兄弟と坊主の取り合わせが先《ま》ず解《げ》せなかったし、青山の骨董屋と箱根の寺院の接点など、頭を捻《ひね》ったところで解るものではない。だから従兄弟の死と店主の代替わりだけを告げて、断るつもりだった。

しかし念の為に過去の帳簿を眺めてみて少しだけ考えが変わった。

その坊主から仕入れた品は、どれも豪《えら》く高額で捌《さば》けていたのだ。仕入れ額もそこそこの額だったが、数倍、中には数十倍の値がついた品もある。しかもその値で凡て売れている。物がいいのだ。

欲が出た。金銭欲ではない。その、過去の品品を上回ると云う神品とやらを拝んでみたくなったのだった。だから早速手紙を出した。返信は年が明けてすぐに届いた。達筆な筆文字で、今川はこの仙石楼に呼び出されたのだ。

坊主の名は――。

「その、あんたを呼び出した坊主ってのは何と云う坊主なんだ？」

久遠寺老人は飯を食い終り、自分で注いだ茶を飲み乍ら悠長な口調でそう尋いて来た。

「ああ、小坂了稔《こさかりようねん》とか云う名です」

「りょうねん？　まあ、ありそうな名前だ」

「ご存知なのですか？」

知らん知らんと老人は手を振る。

「まあ坊主には多い名だ。あそこは、そうだなあ、坊さんも随分おるそうだぞ。聞くところ三四十人はおるじゃろう」

「そんなにいるのですか」

今川は精精二三人かと思っていた。

「いや、さっきもトキさんが云っとたじゃろう。その昔は遠くから偉そうな坊さんが訪ねて来たとか」

「はあ」

「儂は二十年近く前に、その坊さんの一行とここで一緒になったことがあるんだな。そりゃ偉そうな格好の坊さんだったぞ。袈裟《けさ》も金ぴかで、衣装も派手で、お付きの小坊主も十何人もいてな。何でも日本の仏教界では何本の指に数えられるとか云う有名な坊さんだったらしい。儂は医者で宗教音痴《おんち》だからそれが曹洞宗《そうとう》なんだか臨済宗《りんざい》なんだか判りゃせんかったが、兎《と》に角《かく》その偉そうな坊主よりも、明慧寺の和尚の方が格が高いようなこと云っとったな」

「そうなのですか」

「そうなんだな。有名無名と位の高い低いは比例すると云うもんでもないらしい。古いんだろ」

今川の明慧寺に対する予想は随分と裏切られた。いいところ小さな山寺程度と想像していたのだ。事前に人に尋ねてみたりもしたが、誰も知らなかった。

今川が次の言葉を発する前に帳場から声がした。

トキの声のようだった。

「何じゃ騒がしい。お客が食事しとるのに。これじゃ幾ら暇だとて老舗旅館の名が泣くぞ」

久遠寺老人は億劫《おっくう》そうに立ち上がった。様子を見に行くつもりらしい。今川はまだ山菜のお浸《ひた》しが残っていたので、そのまま喰い続けることにした。

老人はトキを伴ってすぐに戻った。後ろに眼鏡《めがね》の番頭がいて、今川の顔を見ると慌てて会釈をした。

「鼠だ。鼠。そりゃ鼠に決まっておる」

「そう仰いますが先生。私は十五の時にここに来て以来、今年でもう十九年も仲居をやってるンでございますよ。でもこんなこと初めてでございますよ。ねえ、番頭さん」

「はあ。鼠が一匹もいないとは申しませんが、とんと被害はございません。私は今年で二十四年──」

「ああ、解った解った。あんたらがこの宿に負けないぐらい古いことは解った。しかし、ありゃあ鼠の仕業に決まっておるよ。いいかね、鼠を馬鹿にしちゃいかん。ありゃあ腹が空《す》くと何でも齧《かじ》る。いつだったか、儂のとこに赤ん坊抱いた母親が半狂乱になって駆け込んで来たことがあってな。見ると赤ん坊が血塗《ちまみ》れで、可哀想《かわいそう》に鼻がない。急いで手当てしたから命だけは取り留めたが、これが調べてみると鼠だったんだな。腹ぺこの鼠が天井から降りて来て、赤ん坊の美味しそうな鼻を──」

　老人はそこで今川に気づき言葉を止めた。

「おお！　こりゃ失礼」

　そして振り向いて番頭とトキを交互に見比べ、

「ああ！　あんたらこの今川君がおるから鼠じゃないと云い張ったんか。いや、気がつかなんだ。飯食っとる客の前で番頭と仲居が鼠が出たァはないか」

　と、大声で云った。

「久遠寺先生、それもまあそうなんですが、本当に今まではなかったことなんですよ。もし仰る通りにあれが鼠の仕業なんだとしたら、昨日あたり、突如《いきなり》鼠が大発生したと云うことになり、その」

番頭は気持ち狼狽《うろたえ》ている。

今川は堪《たま》らず箸を置いて尋いた。

「いったい何があったのです？　僕は別に、何を聞いてもどうも思いませんから教えて欲しいです」

「はあ、その、調理場の食材が消えて——」

トキの回答を補うように番頭が続けた。

「いいえ、うちは料理も自慢でございますからね、食材は新鮮なものをと、そのつどお客様の人数分調達して来るのですが、今朝に限って板前が目を離した透きに、その、朝食用の魚が——」

「消えちまったんだそうだ」

久遠寺老人が纏《まと》めた。

それで朝食が遅れたのだ。朝食に魚はなかったから、多分代わりの食材を調達しに行っていたのだろう。

今川は相変わらず思ったままの発言をした。

「魚なら猫でしょう」

「猫こそこんな山奥にはおりません」

「はあ」

「それはまあ、どうでもいいんだがな、今川君。問題はこれだ。このトキさんがな、君の従兄弟のことを調べようとしたら、ほら、これだ」

老人は古い帳面らしきものをひらひらと振った。紙屑が二三片宙に舞った。どうやら帳面は雑巾のように襤褸襤褸《ぼろぼろ》になっているらしかった。

「儂も今見て来たが、帳場の戸棚の中が荒らされていてな。目茶目茶だ。先祖伝来累累と書き連ねて来た大事な大事な宿帳もこれこの通り」

老人はやけに簡単に云ったが、番頭の方は幾分蒼《あお》くなっている。宿帳と云っても昨日今日のものではない筈だ。江戸から続く老舗の宿帳と云えば、半ば文化的価値すらあろう。最早骨董のようなものだ。しかも凡ては主人や女将の留守中の出来ごとなのである。

今川は少しだけ番頭に同情した。

「なあ、猫はこんなことはせん。だからこれは鼠だと、儂はこう云っているんだ。それ以外に考えられんだろう。いったい誰がこんなことをするか」

久遠寺翁は自信たっぷりにそう云い放って、再び自分の膳の前に腰を下ろした。トキは粗《あら》方《かた》料理がなくなっているのを確認して膳を片付け始めた。

番頭は暫《しば》く所在なげにしていたが、結局今川に向けて、

「どうも、何ともはや、お騒がせ致しました」

とだけ告げて去った。

トキはそれでも尚釈然としない様子で、ただ今川には申し訳なさそうな視線を幾度も寄越した。そして小声でこう告げた。

「すいませんでしたねえ。お客様。でも、あの、今のことは――」

ご内密に、と云いたいのだ。最近は旅館の衛生管理も厳しくなっていると聞くし、鼠の大発生などと云う噂が保健所にでも知れれば何かと面倒なのだろう。ただでさえ悪い風聞は客足を遠退ける。

「ああ。他言はしないのです。善くして貰っておりますし、大したことじゃあないです」

「有り難うございます。でも、何だかその――薄気味悪くありませんですか？」

久遠寺翁はぷかぷか煙草をふかし始めた。そして横目でトキの動作を見乍ら、

「なぁにが薄気味悪いものかい」

と云った。

「なあ、今川君。大体トキさん。あんたらご婦人は何でもかんでも不思議だ不思議だと云うが、この世に不思議なことなどありゃあせんのだ。ものが消えたの、帳面が齧られたの、今川君の云うように善くあることじゃあないか」

先に大したことじゃあないと云った手前、今川も一応頷いたのだが、本当のところは善くあることとも思えなかった。珍事、椿事の類ではあるだろう。

トキが膳を片付けてしまうと、広間はやけに静かになった。

老人はどこか感慨に浸るような、意味深長な顔つきになって再び庭を眺めた。今川は老人の心中を計り兼ねて、同じように庭を見た。

ざざ、と雪が落ちた。

細かい雪片が舞った。

「あんた、囲碁はできるか」

老人が唐突に尋いて来た。

今川ができぬこともないと云うと、久遠寺翁は肉厚の顔面をくしゃくしゃにして微笑み、それはいいそれはいいぞ、などと云い乍ら立ち上がり、やがてどこぞから大きな碁盤を抱えて戻って来た。

「じゃあ一局お手合わせ願おうかな」

そうしてどう云う弾みか、今川は風雅な庭を愛でる大広間で碁盤を睨むことになってしまったのだ。

今川は囲碁将棋の類をそう好む質《たち》ではない。

それでも、ここ数日の暇が今川を集中させてくれた。だから下手なりに面白く打った。

対戦の間、老人は『曲げは千両』だの『鼬《いたち》の腹づけ』だの、意味の善く解らぬ諺《ことわざ》を頻《しき》りに呟《つぶや》いた。今川はいちいち尋き返していても始まらないので黙っていたのだが、どうやら囲碁の格言と云う奴であるらしい。

昼までに一局打ち、今川が負けた。久遠寺老人は大いに喜んだ。

「ああ、今年になって初めて真面目に打ったわい。主が入院してからこっち、相手がおらんでな。仲居は揃って碁が打てん。板さんは忙しいし、通いだから帰っちまう。番頭は住込だから、夜に二度三度対戦したが、こいつの打つ碁は甚《はなは》だつまらんと来ておる。いや、実に楽しかったわい」

「しかし、僕などはご老体には相手不足でしょう。僕は素人なのです。下手糞《へたくそ》相手では更につまらなかったのではありませんか」

「それが違うんだな。囲碁にはなぁ、手筋がある。布石定石《ふせきじょうせき》と云うのがある。こう来た場合はこう打つ。そう返されりゃこう打ち返す。手は決っとる。だから、先の先の先まで読む。否、そのまた先のまた先まで読むんじゃな。どこまで読めるかが勝負どころだな。だから、番頭みたいに定石だけ少少知ってるような半端な打ち手が一番つまらん。手本見て、ひとりで打つ方がまだいいわい。ところが」

「ところが？」

「あんたのような素人の場合は全然読めんのだ」

「僕のは定石通りではないのですね」

それもその筈で、今川は囲碁の定石などひとつも知らぬ。囲碁は囲めば勝ちと、ただそう思っているだけである。

「そうそう。何でこんなとこに打つんかまるで解らん。それを下手と云っちまえばそれまでだが、何か魂胆があるかもしれんとな、そう考えると目茶苦茶奥が深い。だからこちらも知ってる限りの技を使う羽目になる訳だ。因《ちなみ》にあんたどう云う腹積もりで石を置きなさる？」

「囲んでやろう」

「そうだろ。それで良い。まあ、慥かに儂は知識を持っとる。だがそれだって皆、効率良く囲むためにできた知識だ。小賢《こざか》しい知恵は時に意気込みに勝てぬものだ。否、意気込みとは違うなぁ。何だろう」

「しかし、僕は負けたのです」

「うん。だがな今川君。この」

老人は碁盤の縁《ふち》を指で四角くなぞった。

「この碁盤の目がもうひと目ずつ多かったら、今の勝負、こりゃあんたの勝ちだ」

「そんな馬鹿な」

「馬鹿なもんか。十九掛ける十九しか目がないと云うのはこりゃ単なる約束ごとだ。今のあんたの碁は二十掛け二十、マスひとつ多かったんだな」

「しかし三百六十一の目こそが碁の世界の凡てではないですか。それを越すことは掟破りと云う以前に碁の否定に繋がりませんか」

「そうよな。儂もずっとそう思っとった。今でもそう思う。ただ、儂はこの碁盤の上で人生ずっと生きて来た。あんたの云う通りこの囲いが儂の世界の凡てだった。それでいて、儂はこんなとこに石を置かれて人生に負けた」

老人は畳の上にひとつ石を置いた。

「は？」

「こりゃ、読めなんだな。だからそう云うこともあるて」

老人がどう云う目に遭ったのか今川あたりには想像もつかなかったが、ただそれが彼の人生観を大きく揺るがした事件であっただろうことだけは善く解った。慥かに畳に石を置かれては堪るまい。幾ら今川が素人でも流石《さすが》にそんなところには置かぬ。

——畳の碁石。

今川はある男を思い出していた。軍隊時代の上官である。切れ者だったが変わった男でもあった。

今川は海軍で、南方戦線に出兵した。その時の思い出である。あれは、

——尤《もっと》もあれは将棋か。

囲碁ではなくて将棋だった。

戦地には娯楽などないから、将棋花札の類《たぐい》は大変な人気だったのだ。その上官は、軍人としても優秀だったが、勝負ごとの類も強かった。その癖すぐ飽きる質だったようで、既成の将棋にもすぐ飽きた。そして彼は飽きる度、将棋のルールを勝手に創ってしまうのだった。その度部下は相手を命じられ、新ルールの有効性を試す実験台にされた。今川は『三人で指《さ》す将棋』だの『升目四倍将棋』だの、終《しま》いには『王は王でしか取れぬ将棋』だのをやらされて、悉く負けた。違うと解っていても普通の頭で考えてしまうのである。老人の云う囲いが邪魔をしたのだろう。

ただ、聞けば今川のやらされたのはまだマシな方で、他にもこの世のものとは思えぬような物凄いルールもあったらしい。何の道《ど》創始者には勝てぬ。

——あの人はどうしているだろうか。

彼は囲いのない男だったのか。

まるでそこまでと云う合図のように雪が落ちた。

今川は庭を見た。朝より荒れて見える。雪がじわじわと融《と》け始めているのだ。やや陽が刺して来たから、外の気温も少しは上がっているのだろう。硝子《ガラス》戸に付着していた雪は殆ど消えていた。大木だけは堂堂としていて変わりがない。

「大きな木でございましょう——」

それはトキの声であった。

これも、聞いた話である。

　　＊

――朝のようだ。

それが、第一印象だったのだそうだ。

空気が澄んでいる。

身が引き締まる程寒い。

そして、豪く静寂だった。

時刻は疾《と》うに正午を過ぎ、つまりは午後であったにも拘《かかわ》らず、恰《あたか》も早朝の如き印象を覚えたのは、その冬山の清廉さに依るところが大きかっただろう。

辺りは絵に描いたような雪景色である。

その絵の中、あまり絵にならぬ二人連れが凍った雪径《ゆきみち》を踏み締めて黙黙《もくもく》と歩いていた。

ひとりは青年である。大きくて重量感のあるジュラルミンの箱を手に提げ、加えて大きな三脚を背負っているから、雪径の登り坂にはかなりの重労働である。だが辛そうな表情ではない。防寒服に身を固めた青年は妙に清清《すがすが》しい顔をしている。

名を鳥口守彦《とりぐちもりひこ》と云う。

鳥口は上機嫌だった。

仕事とは云え旅行は気晴らしになる。

都会の喧騒《けんそう》を離れて山の空気を吸えるだけでも好い。懸念していた悪天候も保《も》ち直し、景色は思ったより綺麗《きれい》で、おまけにこの後仕事はない。純粋な移動日だから仕事自体は明日以降なのである。後は温泉にでも浸かって、飯をたらふく食って寝るだけである。それでいて仕事で来ているのだから懐を心配する必要もない。下宿で腐っていることを思えば極楽である。

しかし、鳥口の上機嫌はそう云った風景や天候や待遇ばかりによって齎されたものではない。勿論勤め先の社長がどこからか貰って来た『肩凝《かたこ》りの治る念術首飾り』をしている所為でもない。

その理由は鳥口の前方を歩いていた。

華奢《きゃしゃ》で小柄で、一見少年のようでもある。しかしそれは服装と髪型の所為で、善く見ると凛《りん》とした美人であり、勿論女性である。

名を中禅寺敦子《ちゅうぜんじあつこ》と云う。

鳥口は彼女が気に入っている。

惚《ほ》れているのとは違う。敢《あ》えて云うなら憧《あこが》れているのだ。

子供が云い訳しているようで甚《はなは》だ照れ臭い表現だが、他に云いようもない。いい齢をして何を純情ぶっていやがる――と上司には善く冷やかされるが、矢張り筋が違うとしか答えようがない。

大体鳥口はそれ程奥手ではない。だから他にそう云う相手がいない訳でもないのだ。ただ敦子に限ってはその気になれぬ。否、その気になってはいけないと云う気がしてしまうから恋愛の対象にはならない。どんな感情も彼女に対しては実に健康的な形で発露してしまうから、結果好意を持っていると云う程度の表現しかできず、しかしそれでいいと云う気にもなる。そこが魅力でもある。

男だとか女だとか云う枠を越えて尚、居心地の良い相手と云うのはいるものである。

敦子はそう云う人種だ。

そして、その人と態《なり》もさること乍《なが》ら、鳥口が只管《ひたすら》敬服しているのが——敦子の仕事振りである。

敦子は雑誌『稀譚月報《きたんげっぽう》』の有能な女性記者なのである。そのあどけない風貌に似つかわしくない聡明で快活な才媛、辣腕《らつわん》の編集者なのだ。

この絵にならぬ道行きも実は取材旅行である。

鳥口は写真機材一式の大荷物を抱えて、彼女のお供をしている——これはそう云う場面なのである。

しかし鳥口は敦子の同僚ではないし、カメラマンでもない。本来はご同業と云うのが正しい。

鳥口は『實録犯罪《じつろくはんざい》』と云う生き残りカストリ雑誌の編集記者だったのだ。

だった、と過去形で云うのは彼が会社を辞めたとか、会社の方が潰れたとか云う理由からではない。雑誌が出ない所為である。ただそれも廃刊になった訳ではなく、長い休刊であると云うのが経営者を含めて三人しかいない社員達の今のところの統一見解である。だが見通しは暗い。前号が出てからもう半年以上も経つのだ。

それでも悲観的になる者はいない。それが鳥口の会社——赤井書房《あかいしょぼう》の社風なのである。

しかし幾ら楽観的な社風でも倒産だ失業だと云う悲観的な未来を無視することはできぬ。出版をせぬ出版会社には当然の如く収入がない。だから現在赤井書房は出版編集以外の商売で保っている。そのひとつが写真撮影である。鳥口は元元写真家志望だったから、それまでも『實録犯罪』誌に掲載する写真は凡て社内で賄《まかな》っていたのだ。自社の雑誌がないのなら、他社の雑誌の写真を撮ってやろうと云う発想である。

敦子の会社——稀譚舎《きたんしゃ》の専属写真家が過労か何かで倒れ、急遽赤井書房にお呼びが掛かったのは一昨日のことであった。

二つ返事で引き受けた。

しかし生憎《あいにく》の空模様だった。

雪は止まず、出発は一日遅れた。

それは明け方近くまでは降り続いていたらしい。ただ今朝東京を発つ頃には、その悪天も峠を越したらしく、曇天《どんてん》ではあったが雪は止んでいた。

しかし目的地は山である。そう遠くないとは云え東京の空模様が判断基準にはならぬ。加えて山の天気は変わり易い。天候不順に因《よ》る予定の変更は充分に考えられた。晴れ待ちのための滞在延長もあり得る。それならそれで別に構わぬことではあったし、鳥口は寧《むし》ろその方が良いとすら思ったのだが——。

ただ、少しだけ嫌な予感がしたのだそうである。

しかし登山電車の車窓を流れる雪景色に遜色はなかったし、駅に降り立って仰ぎ見るに、空は青さを取り戻しつつあったから、朝方微《かす》かに抱いた懸念はそこに至って見事に払拭《ふっしょく》されたのだった。

その時彼は、

——朝のようだ。

と云う印象を持った訳である。

そして鳥口は少し浮かれて、敦子の後に従って歩いている。

重労働は慣れているし、山中でのそれは寧ろ心地良いと、鳥口はそう思っていた。

「息苦しい程」

情けない声で鳥口は云った。

「寒いすね」

息を吸う度鼻孔《びこう》の内側が冷たかった。

　敦子は振り向かず、やや上を見上げて答えた。

「でも空気が澄んでるから頭がすっとする」

　吐く息が白い。

「はあ、どす黒い都会の空気を腹一杯吸い込んでいる肚《はら》黒い僕には、この手の清涼感は息苦しいのですな。この健全さは敦子さん向きです」

「何云ってるんですか。鳥口さんなんかが肚黒いんじゃあ、うちの兄貴なんかどうなるんです。云いようがないくらい真っ黒になっちゃいますよ」

「ははは京極《きょうごく》の師匠は慥かに黒いですがね。あれは服が黒いんでしょうに。僕は肚が黒いのです——」

　敦子には秋彦《あきひこ》と云う齢の離れた兄がおり、鳥口も色色と世話になっている。

　彼は中野で『京極堂《きょうごくどう》』と云う名の古書店を経営しており、鳥口あたりが京極の師匠などと呼ぶのはその屋号に由来している。そしてその京極堂主人は、古本屋であり乍ら神主でもあり、またそれらを営む傍《かたわ》ら憑物落《つきものお》としの拝《おが》み屋もすると云う変わり種でもある。その裏稼業を行う際の出で立ちが時代錯誤も甚だしい漆黒《しっこく》の着流しなのである。敦子の揶揄《やゆ》するのはその黒装束のことであると思われた。

「——僕は残酷極まりない犯罪の写真ばかり撮っていましたからね。衣服はこの通り白いですが、身も心も黒黒と染まってる訳です」

敦子は漸く振り向いて笑った。

「そう云うけど鳥口さん。今回はこの清清《すがすが》しいとこを写して貰わなくっちゃ困るんです。推薦した私の立場もありますから。中村編集長はあんな顔していて、写真には煩瑣《うるさ》いんですから」

「そりゃあ合点承知《がってんしょうち》です。肚は黒くってもレンズは透明ですから平気ですな。念写する訳じゃないんですから安心してください」

取材先は寺だと云う話である。鳥口は敦子の期待に応えるべく清浄で荘厳な写真を撮ってやろうとも思っている。しかしそう思う反面、どう意気込んだところであるがままにしか写らないのが写真と云う奴である。もしそう云う写真に仕上がらぬのなら、それは被写体が悪いからである。

鳥口はそう割り切ってもいる。

呴呴《こうこう》と鳥が啼いた。

続けてわさわさと羽ばたきの音がする。

樹上の雪がさらさらと微かな音を立てて落ちた。

鳥口は雪の上の、できたばかりの小さな足跡を踏み消すようにして歩を進めている。敦子の足跡である。足を下ろすとぎゅうと身体が沈む。踏み固めた道ではない。敦子の前には踏み消す足跡すらないのだろう。誰も通らぬ径《みち》らしい。

「しかし道なき道ですな。箱根は最近じゃあ随分と交通の便が良くなったと聞きますがね。その恩恵に浴さぬ場所もあるんですな。こりゃ難所です」

「難所って鳥口さん、昔の人はここに来るまでだって歩いて来たんですよ。天下の険って云うのはそう云う頃のことですよ。大平台で降りてからまだほんの一寸しか歩いてないじゃないですか」

「歩くのはいいんですがね。僕の云うのはこの径のこってす。幾ら老舗たって、温泉宿行くのにこの獣径《けものみち》はなかろうと。ここに来るまでだって、まだましな道路は沢山見かけたし、古い国道の修繕だか改修だかも始まったって云うじゃありませんか」

「そうですねえ——」

　敦子は振り向かず、上を見上げた。

「一昨年小田急《おだきゅう》電鉄が箱根湯本まで直接乗り入れて、同じ頃駿豆《すんず》バスが小田原まで来るようになったりして——各各《おのおの》の思惑も絡《から》んで、今では第二次箱根山交通戦争とまで云われているらしいですからねえ。でも観光の拠点は街道沿いに発展した温泉宿や芦ノ湖とかでしょう。この辺りは取り立てて何もないから紛争には無関係なんですよ」

「何もないったって敦子さん。その仙石楼とか云う宿も、歴史のある大層な宿だそうじゃないですか。そのお寺だってかなり大きいんでしょ？　観光地化されたっておかしかないでしょうに」

難しいですよと敦子は云った。

「仙石楼は他の保養所や旅館とは違う独特な歴史を持っているらしいんです。できたのは江戸後期らしいんですが、箱根の宿場からは離れているし、旧街道からも外れている。箱根七湯からも、他のどの集落からも遠いでしょう。大正時代くらいまでは、極一部の人間にしか知られていなかったみたいなんです。今でも知ってる人は少ないみたいです」

「はあ、金満家や特権階級御用達《ごようたし》の会員制の倶楽部みたいなもんだったんですかな。そう云えば客引きなんかもいなかったですね」

鳥口は小田原駅の客引きは物凄い、と上司の妹尾《せのお》から散散《さんざん》聞かされていたのだ。

勿論箱根方面の遊覧湯治客を獲得するための客引きである。羅紗《らしゃ》の上着に革靴を履《は》き、でかでかと自分の会社名を誇示した帽子と腕章を身に着けて大声で叫ぶ——それは壮観だと云う話だった。しかし妹尾が箱根を訪れたのは十数年も前のことであると云う。戦中戦後と云う貧しい時代を跨《また》いで、今や状況も大分変わっているのであろう。鳥口が降りた駅は小田原でこそなかったが、その手の案内人の姿は見かけなかった。

今は時期も悪いんですよ——と敦子は云った。慥かに避暑と云う季節ではない。

「——それに二三日天気も良くなかったし。ただ、仙石楼は常客だけで保《も》っていたような宿みたいですから、戦争の打撃は大きかったそうですよ。開戦からこっち幾ら金満家だと云っても保養に来る客なんかいませんでしたもの」

「うへえ、一般庶民に広く門戸を開かずにいた、そのツケが今になって回って来たてえ訳ですな。まぁ一般庶民の方こそ、ここ何年も旅行なんざしてなかったんでしょうから、同じことですがね」

「それにね」

敦子はそこで立ち止まって回れ右をした。足下ばかり見ていた鳥口は慌てて止まった。

「明日行くお寺はただのお寺じゃないんです」

「は？」

「ですから、どうもただのお寺じゃないみたいなんですよ。だから観光寺にはならないでしょうね」

「ただの寺じゃないって、敦子さんそりゃどう云う意味です？　まさかお化け寺とか、そう云うんじゃないでしょうな」

「違いますよ。普通のお寺です。ただ——」

敦子はそこで言葉を切って、何とも表現できぬ表情になって沈黙した。丸く見開かれた眼に少しだけ動揺が見て取れた。

「どうしまし——」

しゃん、と音がした。

自然の奏でる音ではなかった。

鳥口は敦子の顔に合わせていた眼の焦点を彼女の背後に送った。同時に敦子もゆっくりと軀《からだ》を捻《ひね》り、鳥口の視線の方向——行く手——に顔を向けた。

再びしゃん、と音がした。

雪の重みに耐えかねた枝枝が、アーチのように左右から垂れ下がっている。まるで白い隧《トン》道《ネル》である。

その隧道を潜《くぐ》るようにして人影が現れた。

否、人影ではない。本当の影だ。影の塊《かたまり》だ。

それは、正に影そのもので、あ、る、か、のように思われた。

真っ黒だったのだ。

雪の獣径を影法師が歩いて来た——少なくとも鳥口の眼にはそう映った。

雪の白との対比で黒く見えたのではない。勿論純白の中の暗色であるから、それが殊更《ことさら》にそう見えたことは間違いないのだが——。

それは真実黒衣の人だった。

僧だったのである。

網代笠《あじろがさ》に袈裟《けさ》行李《ごうり》。絡子《らくす》に緇衣《しえ》。

雲水がひとり、雪を踏みしめて山を下って来たのである。しゃん、と云うのは錫杖の奏でる音であったのだ。

確乎《しっか》りした体軀を持った長身の僧であった。笠に隠れて顔までは判らなかったが、その所作や体格から判断するに若い僧であるように窺えた。

僧は行く手を阻《はば》む珍妙な二人連れに気づき、歩を止めると、目深に被った笠を少しだけ持ち上げた。

「あ」

敦子は僧の仕草に気づいたらしく、反射的にそう短く発声して後に身を引いた。鳥口は慌てて左に避《よ》けたが、左側は雪溜りだったために少し蹣跚《よろけ》、転ぶことだけは免れたものの結果下半身の大部分が雪塗《まみ》れになってしまった。

道幅が狭いため、どちらかが避けねば先へ進めぬのである。鳥口は、まだ茫然としている敦子の肩を軽く叩いて同じように左に移動するよう促した。

その様子を見て、僧は自らが径の端に避け、

「失礼しました。さあどうぞ。お通りください」

と云った。善く響く声だ。矢張り若いらしい。

「あ。ええ、どうも、すいません」

敦子はそう云って、軽く会釈をすると小走りに僧の横を通り抜けた。鳥口も従った。

しかし擦れ違うとすぐに敦子が僧の方に向き直ったため、鳥口は行き場をなくして再び路肩に蹌踉《よろ》めき、挙げ句雪の小山を掻き分けるようにして敦子の後に回った。

僧はその一部始終を網笠の陰から見ていて、鳥口が体勢を立て直すのを待ってから深めに礼をした。

所作のひとつひとつに気品があり、動きに無駄がない。修行者と云うのはこう云うものかと、鳥口は妙に感心した。

「あの——」

頭を上げ、立ち去ろうとする僧を敦子が呼び止めた。

「失礼ですが、明慧寺の方ではありませんか」

僧は笠をさっきより高く持ち上げて
「残念ですがそれは違います。拙僧は行雲流水《こううんりゅうすい》、居所定まらぬ旅の修行者にございます」

と告げた。

鳥口の推測通り笠の下の顔は凛凛《りり》しい若者であった。皮膚の張り、口許の締まり具合、眸《ひとみ》の輝き。精精三十路《みそじ》に差しかかったばかり——と鳥口は要らぬ品定めをした。

青年僧はもう一度礼をして、鳥口達の作った長い足跡の筋を辿るようにして遠ざかって行った。

僧の姿が完全に視野から消えるまで敦子は動かなかった。

鳥口も敦子の肩越しに僧を見送った。

何だか妙な具合になってしまった。

「どうしたんです？　ぼうっとしちゃって」

「え？　ああ御免なさい」

その問いを契機《きっかけ》に敦子は踵を返し、視線を掻《か》い潜《くぐ》るようにして再び鳥口の前に出ると、ぽつぽつと歩き出した。そしてやや疲れたような口調で、

「何かすっかり雰囲気に呑まれちゃって。出来過ぎですよ。この場面《シチュエーション》は」

と云った。

その気持ちは鳥口にも善く解った。雪山に雲水は善く馴染んでいた。まるで一幅の掛け軸でも見るが如くで、それは見事な馴染みようだったのだ。とは云え――それを勘定に入れたとしても今のは敦子らしからぬ態度である。少し気になった。だから鳥口は主人の後を追う忠犬の如く敦子の後に続きながら馬鹿な軽口を叩いてみた。軽口なら十八番《おはこ》である。

「坊主にぼうっとなるなんざ、敦子さんらしくもないすね。まあ豪《えら》く美男子の坊様だったですからね。ひと目惚れでもしたんじゃないかと心配しちゃいましたよ。兄が神主彼氏が坊主じゃ、こいつは拙《まず》い。まあ冠婚葬祭の時には便利でしょうがね」

「何云ってるんですか。もう」

敦子は振り向きもせず、呆《あき》れたような拗《す》ねたような口調でそう云うと、ぷいと早足になった。

謝るのも変だったから黙って続いた。

さあ、さあと雪が崩れる音がした。

鳥口は常に背後から話し掛ける格好なので敦子の表情の変化までは判じ兼ねる。小娘のように頰《ほほ》でも染めているならまだいいが、本気で怒っている可能性もあった。軽口は年中垂れ流しだが、敦子の前でその手の冗談を口にするのは初めてだったのだ。

結局、鳥口は突然現れた坊主と己の愚かな軽口のお蔭で、明日訪れる寺が何故ただの寺でないのかを道中遂《つい》に聞き逸《はぐ》ってしまったのである。

暫くは黙黙と進んだ。

雪を踏む音だけが続いた。

沈黙の道行きはどうも鳥口には向かぬ。

自粛は五分と保《も》たず、結局口を開いてしまった。

「あの、そう云えば、その、何とか云う書籍部の人が先に宿の方に入っているとかどうとか云う話じゃなかったですか——」

今回の取材のそもそもの企画者が現地に先乗りしていると云うような話を、鳥口は電車に乗った時に聞いたような覚えがあったのだ。それを今頃思い出したのだ。

「飯窪《いいくぼ》さんですか？　慥か昨日のうちにもう着いてるんじゃないかしら」

振り向いた敦子は別に怒ってはいなかった。声だけならば寧ろ機嫌が良さそうな感じだった。

「はあ、その飯窪さんです。しかし、何でその人だけ昨日みたいな雪の日に来なきゃならなかったんです？　雪ん中、この難儀な径《みち》を登ったんすかね？」

「実家が箱根の方《こっち》なんだそうです。慥か仙石原《せんごくはら》の辺りだとか云ってたかしら。だからそこから直接」

「ああ——仙石原なら知ってます。仕事熱心で律儀な僕は昨日前以て地図を下見しまして。仙石楼って云うくらいだからきっと仙石原にあるに違いないと、勝手に思い込んでた次第です。違った訳ですが」

「そうそう。宿の創立者が仙石原の出身だったらしいって、彼女——飯窪さんも云ってました」

「彼女？　飯窪さんてのは女の人なんですか？」

「ええ。女性ですよ。季世恵《きよえ》さんって云うんです。云いませんでしたっけ？」

「聞いてないすね。でもそれじゃあ僕はこの後暫く両手に花と云う素敵な身分な訳ですね」

「その、両手の花の片手分は私なんですか？」

「勿論」

　敦子は子供のように笑った。

「でも、鳥口さんが花より団子の口だってことは先刻承知してます。仙石楼は料理もいいそうですよ。あ、見えた。あれでしょう」

木木の合間に仙石楼が覗いていた。

敦子は坂を駆け上がり、勾配が緩やかになった辺りで立ち止まった。

鳥口も一息吐《つ》いて横に並び、漸く現れたその古めかしい建築物を眺めた。

建物は旅館と云うよりも料亭と云った雰囲気である。赤坂辺りの壊れそうな料亭を山の中に移築したような、そんな奇妙な印象だった。周囲の山峡とはあまり馴染まぬ様式である。それでいて落ち着き払っていて、尚且《なおかつ》様になっているから不思議だ。長い歳月その景色の中に居座り続けたお蔭で、景色の方が異物を許容してしまったのかもしれぬ。

屋根越しに立派な枝振りが窺える。

庭に植えてある木なのであろうが、異様に大きい。巨木である。屋根よりもかなり高い。尤《もっと》も料亭の方は平屋だから屋根もそれ程の高さではないのだが、後方に連なる二階建ての建物よりもその木は更に背が高かった。

二階屋はそれでも幾分保養所らしい外観である。後から増築したものか、平屋部分よりはやや新しいようだが、それでも古い。色褪せている。

いずれの屋根も、巨木も、雪だらけである。

「威風堂堂と云うか古色蒼然《こしょくそうぜん》と云うか、旧態依然《きゅうたいいぜん》と云うか瓦解寸前《がかいすんぜん》と云うか——」

「それは——あんまりですよ鳥口さん」

「しかし古そうです。いいや古いです」

玄関に近づくと『仙石楼』と記された扁額《へんがく》が飾ってあり、これがまた時代物である。達筆であるが擦《かす》れてしまっていて読み悪《にく》いこと甚だしい。

「ほら、こりゃ古過ぎますって。如何《いか》にも兄上が喜びそうな宿じゃないですか。一緒に来れば良かったんですよ。師匠ならこっちの方が好みでしょうに。実に怪しい建物ですよ」

鳥口の記憶が慥かならば、敦子の兄も今頃箱根に来ている筈なのである。何でも面倒な仕事があるそうなのだが、同じ土地に旅行するのに別別にいることもなかろうと、鳥口はそう思っていた。

「ここは高価《たか》いんですよ。経費でなくちゃ泊まれないんです。自腹切って連泊は無理です」

敦子はそう云い乍ら戸を開けた。

「高い？　こんな古くってですか」

「鳥口さん」

敦子が鳥口の横腹を突《つつ》いた。

「うへえ、こりゃあ失礼」

玄関には既に仲居がいた。

正座してぺたりと頭を下げていたので視界に入らなかったのだ。

「中禅寺様でございますね」

「お世話になります。あの、連れは――」

「ええ、それが——」

先乗りの飯窪女史は今朝から気分が悪《わる》いと云って伏せっていると云う。風邪でもひいたのだろう。雪の降る中来たのでは今の径は辛かろう。仲居は重ねて主人が現在病気療養中で留守であることを告げ、丁寧に詫びた。やがて番頭が現れて更に同じことを詫び、二人は奥へ通された。仲居と番頭は早速鳥口の荷物を持とうとしたが、鳥口は遠慮した。

持て成しに慣れていないのだ。

仲居は少し戸惑ってから、それではと云って敦子の鞄《かばん》だけを持った。

「お部屋は新館の方に三部屋お取りしておいたんでございますが、その——」

「ああ。ご迷惑をおかけしました。どうしたんでしょうねえ飯窪さん」

「ええ。今はこちらの本館の離れの方でお休み戴いております。どうなさいます？　先にお部屋の方にいらっしゃいますか。それとも」

「荷物を置かせて貰ってから様子を見て来ます」

敦子は鳥口の大荷物を横目でちらりと見てからそう云った。

「それではご案内させて戴きます」

仲居の先導で敦子が続き、鳥口もそれに倣った。

使い込まれた廊下は鏡になろうと云う程に磨きがかかっており、置かれている飾り物も皆古くて高額そうである。なる程、この辺が老舗なのだと、鳥口はひとりで納得した。

廊下を暫く行くと開け放った襖《ふすま》があった。鳥口は開いている扉の中は取り敢えず覗いてみることを常にしているから、矢張り然《さ》りげなく覗いてみた。

中は広広とした座敷だった。畳が延延と続いており、行き詰まり近くで男らしき影が二つ将棋盤か碁盤かを挟んで対面している。その向こう、縁側の障子も開いていて、硝子戸越しにやけに明るい庭が窺える。件《くだん》の巨木も見える。太い幹の横腹が庭の風景を分断している。外が明るいためか、中は微昏《うすぐら》い。

鳥口はつい見蕩《みと》れてしまった。

絵になるのだ。畳。黒く縁取られた真っ白い庭。その前で盤を囲む二つの景影《シルエット》。構図が良い。鳥口の目はいつしか写真家志望のそれになっていた。

その様子に気づき、敦子も戻って中を覗いた。

「大きな木でございましょう」

仲居が不意《ふい》にそう云った。その声に影のひとつが反応して、裏返った声で尋いて来た。

「トキさん、そちらお客さんかい」

「まア、まだそちらにいらしたんですか。お昼の仕度ができたと、誰か云いに来ませんでしたか」

「おう、何か云ってたような気もするがな。儂等は夢中じゃったからなあ。なあ今川君」

「久遠寺先生？　久遠寺先生じゃありませんか？」

その呼び掛けは耳元で聞こえた。鳥口はそれが誰の声か一瞬判断できず、反射的に敦子の顔色を窺った。敦子は如何にも驚いたと云う顔をしている。どうも今の呼び掛けは彼女自身の発声だったらしい。

「私、中禅寺です。中禅寺敦子です」

「お？　おお！　君は、あの時の！」

つるりとした影はやおらに立ち上がって近づいて来た。もうひとつの影がそれを目で追った。仲居が敦子に輪を掛けて吃驚《びっくり》したような顔をして尋いた。

「お客さん、あちらの先生をご存知なんですか」

「あ、はい。こちらが久遠寺先生のその昔の常宿だと云うことは知ってたんですが、真逆ご本人がこちらに逗留されていらっしゃるとは——」

「トキさんトキさん。その女性は儂の、まあ、恩人みたいなもんだ。ほら、前に一寸《ちょっと》話しただろ」

先生と呼ばれた男は肉厚の禿頭《とくとう》で、中中に迫力のある面相の老人だった。

老人は笑い乍ら、

「やあ、その節は大変世話になった。奇遇じゃ。実に奇遇じゃ。その、兄上や、あの変な探偵や、ええともうひとり、彼なんかはどうしとる。元気かな」

と、裏返りっ放しの声で敦子に尋ねた。

探偵と云うのは鳥口も知る榎木津《えのきづ》のことと思われた。榎木津は職業探偵で、敦子を取り巻く変な奴等の中でも殊更《ことさら》変な、筋金入りの奇人である。敦子の知る探偵と云えば彼くらいのものだ。もうひとりの彼と云うのは鳥口には誰のことだか解らなかった。

敦子はぺこりと頭を下げてから答えた。

「残念乍ら皆相変わらずで、そこそこ元気なのが癪《しゃく》に障《さわ》ります。先生はその後——」

「ああ、いや、あの後実に豪《えら》い目に遭《お》うた。事情聴取だ書類送検だ、もう病院なんぞやってられなくなってなぁ。何もかも手放して漸く解放された。今はこの通り、天涯孤独の自由人だ」

老人はそう云って豪快に笑った。

その笑い声は乾いていた。鳥口の耳には、何だかひと際乾いて聞こえた。

鳥口はその時、突然《いきなり》老人の正体を知るに至った。この老人こそが、昨年の夏に世間を騒がせた、さる事件の関係者であると思い至ったのである。

ならば——彼と云うのは、さる作家のことである。

更に、もしその推理が正しいのなら、敦子との邂逅《かいこう》は実に複雑な想いを老人の中に呼び覚ましたに違いないのだ。敦子はその事件の終結に当たって深く関わっているからである。

鳥口自身はその事件に直接関わってこそいないのだが、関係者一同からそれは哀しい顚末《てんまつ》であったと聞いている。

老人は話が尽きぬと云う様子だったが、伏せっている飯窪女史のこともあり、兎に角荷物を部屋に置いてから緩寛《ゆっくり》と——と云うことになって、二人は部屋に通された。

廊下を何回か曲がり、少し広めの板間に出ると、如何《いか》にも取ってつけたような奇妙な勾配の、尚且《なおかつ》橋の欄干《らんかん》のような手摺のついた階段があった。それが新館——幾分保養所らしき外観の二階建て——への連絡通路になっているようだった。

仲居の説明に依ると新館は明治二十一年に増築した建物で、それ以前は別棟の大浴場だったらしい。地滑《じすべ》りで建物が半壊し、建て直す際に兼ねてより計画していた一般湯治客用の二階建て宿泊施設に改造したのだそうである。

「一般向けと申しましても、その当時は一見様《いちげんさま》お断りで、皆ご紹介のお客様ばかりだったようでございますけれど。ただ、その頃はもう、箱根も保養地としてどんどん開発が進んでいて——ええ、私の生まれる前の話ですから、勿論見た訳じゃァないんですが、避暑や養生の他にもただ観光にいらっしゃる方もウンと増えたのだそうで、うちあたりも黙って見てる訳にも行かなくなったんでございましょうねェ」

「そう云えば車道が出来て便利になったのも明治の中頃なんですよね。貴紳や外国の方以外にも一般のお客様もその頃から増え始めたのでしょうね」

敦子は取り敢えず受け答えができるから凄い、と鳥口は思う。

鳥口など専《もっぱ》ら聞くだけである。

「でもこの辺りは未だに不便でございましょう。当時はもう、大変な道中だったようですから、建て増したところで結局客足に変わりはなかったそうでございますよ。その、当時の幹線鉄道が箱根を避けましたでしょう。客が来ないのはその所為だと揉めたりもしたようですが、うちなんかは関係ないです」

「ああ、今の東海道線ですね。でも、慥か代わりに馬車鉄道が湯本まで通ったのじゃなかったですか」

「はあ、善くご存じで。チェアと云うんですか、あの、肩に担ぐ籠《かご》のような乗り物なんかが出て来たのもその頃だとか。変な乗り物ばかりあったもんです」

「馬車鉄道つうのは——その、鉄道《レール》の上を馬が牽《ひ》くんですか？」

鳥口は遂について行けなくなって尋いた。

「そうです。今じゃ見かけませんがね。箱根には、人車鉄道と云うのもあったそうでございます」

「うへえ、人が電車を牽くのですか？」

鳥口は真剣に驚いたのだが、敦子は笑った。

「鳥口さん、人は電車を牽きません。電車なら誰も牽かなくたって走るんです。だから電車と云うんですわ。人が牽くから人車、馬なら馬車」

仲居も笑った。

「牽くのはトロッコみたいな只《ただ》の箱車だったそうでございますよ。鉄道つきの人力ですわねぇ」

「おお！　そりゃそうですな。電車が人を轢《ひ》いたちゅう話はありますが、人が電車を牽いたんじゃ話があべこべで。人が犬を咬《か》んだようなもんですか」

「お客さん、お部屋はこちらでございますよ」

またも軽口が祟《たた》って通り越すところだった。

一直線の廊下に引き戸が八つ並んでいる。鳥口の部屋は左から三番目、敦子の部屋は左隣だった。

「すぐにご用意いたしますからお這入《はい》りになっていてくださいまし」

仲居は扉を開けて鳥口にそう告げると、まず敦子を伴って隣の部屋に這入った。荷物を部屋に入れるためであろう。何ごとも女性優先は結構なことだ。

鳥口は重い荷物を一旦廊下に置き、頸《くび》をぐるりと回した。そうしているうちに二人はすぐ出て来た。

「鳥口さん、私は飯窪さんの様子を見て来ますからお荷物を置かれたら先程の大広間に行っていてくださいませんか？　それともお疲れでしたら——」

「いいえ。疲れちゃいません。行きましょう」

鳥口は先程の絵になる構図を想い起こしていた。

「こちら様をご案内致しましたら、すぐに広間の方にお茶をお持ち致しますので、お待ちになっていてください。本当に申し訳ありませんですねぇ」

仲居は本当に申し訳なさそうな顔をして詫びた。鳥口は二人が階段を下りるまで見送ってから部屋の戸口に向き直った。

――見牛《けんぎゅう》の間？

善く判らない名だ。旅館の部屋名と云えば、例えば花の名前などが普通なのではなかろうか。桔梗の間萩の間あたりは善く聞く。もしや鳥口の知らぬ見牛と云う名の花があるのか、或は漢字の読み方が判らぬだけなのかもしれぬ。

そんなことを一度に考えつつ踏み込む。

中仕切りの襖を開ける。

部屋は――。

――朽ちている。

部屋に這入って鳥口が最初に持った印象である。

桟や欄間《らんま》の部材はかさかさに乾燥して白茶けていた。敷居などはささくれている。畳も陽に焼けている。柱は反対に表面が摩滅して、飴《あめ》色の何とも云い難い艶を出している。掃除は行き届いているが、どことなく埃臭《ほこりくさ》い。

――埃の臭いではないか。

昔臭い。と云うか、これは時代の匂いだ。

鳥口は建築内装の知識に乏しいから、それこそ善く判りはしないのだが、凝った部屋であることだけは確実だった。あちこちに施された細工はやけに手が込んでいたし、使われている材木も立派そうなものだ。床の間に飾ってある甕《かめ》だか壺だかも黒くてがさがさしてはいるが、きっと由緒ある品だろう。

掛け軸もまた古臭い。

訳の判らない絵が描いてある。時代物である。

——変な絵だ。

絵は丸い輪の中に描かれている。妙な服装の人間が輪の右端にぽつんと立っている。川のようなものを挟んで、左端には黒い獣の顔だけが、ぬっと出ている。

構図がなってない。例えば獣を描くなら描くで、もう少し躰まで描いても良さそうなものだ。これでは半端過ぎる。大体何の動物かも善く判らぬ。

——牛かな？

角らしきものがあるから水牛か何かだろう。いずれ絵心のある者ならこうは描くまい。鳥口は絵は嗜《たしな》まぬが、画面の構成にはそれなりに煩瑣《うるさ》い。構図だけで判断するなら、これは素人の絵である。

——何か意味があるのかな。

鳥口に判る訳がない。意味があったとしてもどうせ中国かどこかの故事来歴に基づいているのだろうし、ならばまるで無知である。鳥口は臥薪嘗胆《がしんしょうたん》の意味も知らない。他山の石だって、どこで勘違いをしたものか子沢山のことだと思っていたくらいだ。

それでも、その掛け軸は己の価値の高さを静かに主張している。それはやはり、

——古いからだな。

とても戦後のものとは思えぬ。否、鳥口には文明開化以前のものにしか見えなかった。

その主張は、掛け軸だけではなく部屋全体に当て嵌《はま》ることである。この部屋の良さは、細工の見事さや部材の質や装飾品の高価さにあるのではない。それは長い歴史故の、古いが故の高級感なのである。

だから慥かに立派で高級な部屋ではあるのだが、矢張りこの部屋は朽ちているのだ。鳥口は荷物を床の間の前に置き乍ら、改めてそう思った。

荷を解《ほど》き、機材に破損がないかどうかを調べる。

運搬中には細心の注意を払うが、それでも何があるかは開けてみるまで判らぬからだ。幸い中は何ごともなく、また忘れ物の類もなかった。

写真機《カメラ》を手にして鳥口はふと思った。

——あの大広間の写真を撮ろうか。

あの構図《え》は——何故かそそる。

しかし、荷物になるからフィルムや何かの余分もそう持って来てはいない。なくなっても山の中であるから簡単に調達はできぬ。だから無駄使いは——。

——一枚くらいなら善かろう。

写真機はロライフレックスの二眼とライカの二機種を持って来ている。ライカは社長の私物である。持って行けと煩瑣いので持って来たが、鳥口は未だ連動距離計式に慣れていないので編集部の焦点板式も持って来たのである。余裕がないこともない。

「撮りましょう撮りましょう」

口に出して云う。一旦心に決めると何だか浮き浮きして来た。燻《くす》んだ部屋も明るく感じる。鳥口は、どうも雪径で坊主と擦れ違ってから調子が狂っていたのだ。これで漸く本調子である。

広間は先程とまるで変わっていなかった。相変わらず襖は開け放ってあり、老人ともうひとりの男は同じ場所に座っていた。どうやら碁を一局打っているらしい。

こう云う場合、泥棒でもないのに何故か抜き足差し足になってしまう。鳥口が接近しても二人はまるで気づかなかった。少少声が掛け難《がた》い。

「あのう、対戦中失礼致します。僕《ぼか》ァ——」

「ああ君は中禅寺君の連れだな」

禿頭の老人はちらと鳥口を見た。

「儂は久遠寺、こちらはここに泊まっとる古物商の今川君だ」

老人の対戦相手が鳥口を見て会釈をした。老人に負けず劣らず奇怪で印象的な顔つきの、それでいて人の良さそうな男である。老人が続けて云った。

「あんた、中中二枚目だが、中禅寺君のその、彼氏か何かなのかな？」

「と、とんでもないす。僕はカメラマンで、取材の手伝いにくっついて来ただけで」

「何だ、随分派手に否定しよるな。彼女はあれでどうして別嬪《べっぴん》じゃ。いいじゃないか」

「そんな、畏《おそ》ろしい。畏れ多いです」

「あんたが畏れるのは彼女の兄か。図星じゃな」

老人は揶《から》うような目付きのまま大笑した。中《あ》たらずと云えども遠からずだったから鳥口も苦笑した。今川と云う男は当然事情も何も解らないのだろうから、ただだらしのない顔つきで鳥口と老人を見比べていた。

「僕は鳥口守彦と云います」

鳥口は漸く名乗り、次いで写真撮影の被写体になってくれるよう二人に頼んでみた。

「スナップってあんた、若い娘撮るなら兎も角、儂はこの通りのキンカ頭だし、今川君だって見ての通りだ。何を好き好んでこんな爺いを撮りなさる？」

「はあ、とても善い写真が撮れそうなもんで」

「それが解らん。庭を撮るなら庭だけ撮りゃ良かろう。綺麗な庭も禿と一緒じゃ価値が下がると思うがな。なあ今川君、そうじゃないかな」

「はあ」

今川は少し水気の多い声で云った。

「僕も自分が被写体に向くとは思いませんが、芸術家と云うのは得てして綺麗なものばかり好むとは限らないものなのです。多分こちらは庭が撮りたいのではなくて、この座敷と、我我と、庭と、それを含めたこの状況を撮りたいのではないですか」

「この状況って今川君。現在この大広間は何の変哲もない有り触れた状況じゃないか。写真ちゅうのは読んで字の如く、真実を写すものじゃろう。この何の変哲もない風景を印画紙に焼き付けたところで、面白《おもしろ》うも可笑《おか》しゅうもないじゃろうに」

今川は団栗眼《どんぐりまなこ》で鳥口を見上げて、

「そうかもしれませんが、どうなのですか？」

どうと問われても困ってしまう。鳥口は身を縮めた。

「あの、別にご迷惑でしたら結構なのですが、その何と云いますか——」

そこまで追及されると答えがない。突き詰めて考えれば、何故ここの写真が撮りたくなったのか解らなくなってしまう。慥かに写真はあるものがあるがままに写る訳で、そう云う意味では何を写したところでどうと云うこともないものだ。

今川が云った。

「ご老体。僕は思うのですが、きっと被写体と写真の関係と云うのはイクォールではないのです。写真は憖かにそのまま写りますが、綺麗なものを撮ったから善い写真になるとは限らないです。写真は被写体の善し悪しより写真家の善し悪しで決まるのです。この人は、何か善い画《え》が見えたのではないですか」

「そうなんですわ。実にいいことを仰る」

鳥口は今川と云う男に好感を持った。

この男、その愚直な外見に似《そぐ》わず切れ者なのかもしれない。

結果今川の言葉に絆《ほだ》されたものか、久遠寺老人も撮影を許諾してくれた。正に今川様様である。

鳥口は先《ま》ず、二人の被写体《モデル》に対して撮影していることを意識せずに対局を続けて欲しいと頼んだ。来てすぐに見かけた、あの画が欲しかったからだ。

こう云う場合は大抵、余計に堅くなってしまうのがオチである。意識するなと云われても見られていると云う緊張感は抜けぬものらしい。何も告げずにこっそり撮ってしまった方が良かったかもしれぬ。先程の対局振りなら気づかれぬ可能性も高かっただろう。だが、撮影されることを極端に嫌う人間も中にはいる。撮ってしまってから文句を云われても敵《かな》わぬと思い声を掛けたのだが、後の祭りである。

しかし鳥口の懸念を他所《よそ》に、呑み込みが早いのか気にしない質《たち》なのか、二人はすぐに元通り碁に没入してしまった。好機《チャンス》だった。鳥口は足早に襖の方に戻り、写真機を覗いた。

光線の具合が変わる前に撮ってしまうのが得策である。同じ状態は長続きするものではない。否、同じ状態と云うのは自然界には決してあり得ぬのだ。だから良いと思った時、良いと感じた場所で、良いと見えた被写体を撮る以外に、良い写真を撮ることはできない。写真機はその刹那《せつな》を切り取って印画紙に定着してくれるのである。だから今し方今川の云ったことは正しいのだ。それらを決定するのは被写体ではなくて撮影者だからである。

良い構図だった。

焦点《ピント》を合わせる。手前の畳の目が次次と暈《ぼ》けて、黒き人影が鮮鋭に浮き上がる。背景に白くとんだ庭が光っている。更に焦点を送る。

——巨木。

なる程あの巨木がこの構図の妙の決め手である。

木に焦点を合わせたまま観点《アングル》を少し上げる。

雪囲いの濡れた藁《わら》。僅かに覗く黒い幹。

最初に見た時よりも鮮烈である。

陽刺しの加減か。晴れたのだ。

雪も融《と》け出している。

鳥口は焦点を人物に戻してシャターを切った。

露出を変える。屋内撮影でこの光量ならば、普通は三脚を使うだろう。しかし鳥口は人間三脚を自称する程の屈強な男だから平気である。

設定を変えて三枚撮った。

「どうも有り難うございました」

久遠寺老人がまた変な声で応えた。

「何だ、もう済んだのかね。その、何だ、マグネシウムみたいなのは焚《た》かんのかね？　せめて電燈くらいつけたらどうだな。明瞭《はっきり》写るぞ」

「はあ、それでは一寸――」

勿論同調発光器《シンクロフラシュガン》も持って来てはいるが、それでは折角の絵が台なしである。それこそ禿と醜男の記念写真になってしまう――と云いかけて鳥口は止《や》めたのだ。

何しろ初対面である。失礼過ぎる。

返事に困っているうちに背後から敦子が現れた。鳥口にとってはこれぞ救いの神と云う奴だった。

「鳥口さん、いったい何してるんです？」

「ああ、今写真を撮らせて戴いていたのです」

「先生の？」

またもや説明が面倒になると思ったので、鳥口は答えずに話題を変えた。

「それよりその、飯窪さんは」

「それがどうも様子が変で——あんなに熱心だったのに、何かしゅんとしてしまっていて」

「感冒でしょう？」

「違うみたい。熱もないし。少し心配ですね」

「食中《しょくあた》りですかな」

「そんなこともないと思いますけど」

「腹ァ瀉《くだ》ってるってことはないんで」

「平気みたいです。今、仲居さんに頼んで食事の用意をして貰ってるんです。朝から何にも口にしてなかったようなんです。それでは弱ってしまいます」

「はあ、飯は喰わにゃいかんですよ。食欲があるなら食中りは違いましょうな」

「どこか具合が悪いと云うより、何かに怯えてるような感じで——でも、私達の到着を知って少し落ち着いたようですし、お部屋の方も今晩からは私と同室にして貰いましたから平気でしょう。あ」

敦子はそこで鳥口越しで老人に挨拶をした。

久遠寺老人は座ったまま右手を高く上げてそれに応えた。

そこに先程の仲居が、あらあら、などと云い乍ら現れた。約束の茶を持って来たらしい。

「あちら様には今、係の者がお粥《かゆ》をお持ち致しましたから、どうぞご心配なく。お連れ様のお顔を見てご安心なさったのか、少ォし顔色が良くなられたようですし――ああ、どうぞ、お這入りになってくださいまし。先生もお客さんも、少しお手をお休めになっちゃ如何《いかが》ですか？　お茶お持ちしましたから」

仲居はそう云い乍らすたすたと広間の真ん中に進み、二三度辺りを見回してから盆を置くと、次の間から座卓を運んで来た。中中勇ましい。

「丁度いい間合いじゃなあ。今、儂ゃ長考中でな。この人の碁は奥が深《ふこ》うていかんわい。負けそうじゃ」

老人はそう云って立ち上がった。

そして敦子と鳥口、そして久遠寺老人と今川は広い座敷の真ん中に固まって、その座卓を囲んだ。

先《ま》ず今川が、続いて鳥口が改めて紹介された。

久遠寺老人は久し振りに娘か孫にでも会ったような豪《えら》く懐かしそうな顔つきで敦子を見ると、抑揚のある独特の口調で自らの近況を語った。流石《さすが》に直接半年前の事件に関わる話題には至らなかったが、老人は結局事件が元で東京を捨てることになり、去年の暮れからこの仙石楼に隠棲しているのだと説明した。それでも未だに月に一度くらいは検察だか警察だかに呼び出されるのだそうだ。

「気がついたら身寄りも何にもおらんようになっとった。知人も友人も、皆離れて行きよるし。仙石楼《こ こ》に来たのはあんた、十二年振りくらいでしたがなァ。覚えとってくれた。そのうえ居候も許してくれて、いや、いい身分だと自分でも思うわい」

老人は再び乾いた笑いを発した。

今川はどこまで解っているのか、別に相槌《あいづち》を打つでもなく、笑っているのか耄《ほう》けているのか判じ兼ねる表情で茶を飲んでいる。しかし先程の発言から考えて、鳥口はその弛緩した外観だけでこの男を判断してはならぬと思うようになっていた。

大体鳥口にしたって口を挟める程の話題は持ち合わせていなかったから、同じように黙って茶を飲んでいたことに変わりはないのだ。

鳥口は躰が完全に冷え切っていたから、舌が灼《や》けるような熱い茶はとても旨かったのである。茶請けに出された仏壇の供え物のような饅頭《まんじゅう》もがつがつと食った。兎に角食い物はがつがつ食うと云うのが鳥口の個人的な決めごとなのだ。

それでも人心地ついた頃には、もう座はすっかり打ち解けた感じになっていた。

老人が敦子に尋いた。

「ところで中禅寺君。君達ゃ取材だとか云う話だが、こんな不便なとこで何を取材するんだね？　差し支えなけりゃ聞かせてくれんかな。聞けば寺の取材だとかどうとか」

「ええ、この近くにある明慧寺の取材なんですが」

「何だ？」

　久遠寺老人は大袈裟に驚いて今川の顔を見た。それからほう、と息を吐いた。

「いや、明慧寺《あそこ》も愈々《いよいよ》観光寺として売り出すつもりなのかいな？　それなら宣伝よりも先《ま》ず道路だろうに——でもこの辺りに今更道路は無理だな。昨今《さっこん》箱根の観光地化に依る環境の破壊はけしからんと云うお叱りのご意見は矢鱈《やたら》と多いんだ」

　老人が同意を求める視線を送ったので、それを受けて今川が発言した。

「しかしご老体、温泉宿などにとっては道路や鉄道のあるなしはそれこそ死活問題ではないですか。現に鉄道が引かれたのだってそう云う地元の誘致があったからなのではないのですか」

「慥かに交通の便は観光地側としちゃ死活問題だろうが、この近辺にはここみたいな組合にも入っとらんような偏屈な旅館と、明慧寺しかないからな。どちらかが自腹切ってやらなきゃ無理だ」

　敦子が苦笑しつつ、割って入った。

「違うんですよ。宣伝とか云うんじゃないのです」

「じゃあ何じゃや。日本の秘境探険か」

「まあ、近いです」

「ほう」

「それはまあ冗談なんですが、発端から話せば長い話なんですけれど——実は、帝大の精神医学教室の先生達がある研究を計画していまして、その研究と云うのが宗教に脳科学の立場から解析を加えようと云うものだったんですね」

「ほう。そりゃまあ、面白い。しかし何をする？」

「修行中の僧侶の脳波を測定し、常人のものと比較するとか、その辺りから始めようと。そこでまずは坐禅《ざぜん》だろうと云うことになったらしくって、それで禅宗のお寺を軒並み当たったようなんですが、どこも良い顔はしなかったみたいなんです。話が中中巧く進まないんですね。それで研究も頓挫しかけた」

「そりゃ宗教と科学は折り合いの悪いもんだ」

「ところがその話をうちの文芸部の者が聞きつけて来たんです。興味深い主題《テーマ》だったので、何とかならないかと云うことになって。協議の上、稀譚舎が研究の支援協力をすることになったんですね」

「支援協力？　金でも出すのかね」

「お金は出しません。代わりに労力を出そうと云う提案なんです。寺院との交渉や手配、機材の運搬、所謂顎足《いわゆるあごあし》代なんかは持つ。その代わり研究が形になった暁には論文をうちから出版すること、また研究の過程は『稀譚月報』に掲載すると云う約束で——」

「お宅の会社も酔狂だな。そんなものが売れるんかな」

「売れませんよ。でもうちの雑誌はそう云う記事得意ですし。社長が好きなんです。そこで今離れで休んでいる飯窪さんが中心になって――と云っても殆どひとりなんですが、お寺と交渉したりして話を進めたんですね。でも矢張りどのお寺も嫌がって」

「そんなに嫌がるかな。例えば医学的に修行の成果が証明できれば、こりゃいいことじゃないか」

「しかし証明できなければどうなります？」

「証明され可能性もあるか」

「あるでしょう。もしかしたら――そう云うものは機械などでは測れないものかもしれませんわ」

「そうかな。泣いたの笑ったの怒ったの、その程度の感情の動きだって脳波には影響が出る筈じゃろうが？　なら、修行なんて大層な行いをしとる最中なら何等かの変化が現れて然《しか》りじゃないのかな」

今川が突然云った。

「しかし、その、悟りと云ったものは喜怒哀楽とは別物なのではないですか？」

「さ、と、り？」

「修行と云うのは悟りを得るためにするのではないのですか」

「まあ、そうじゃろうな」

「ならば、その、巧くは云えないですが、悟る悟らぬと云うものは、その医学的な脳の状態とは無関係ではないかと、僕はそう思うのです」

「そんなことないじゃろ。仮令《たとえ》それがどんな状態であっても、凡ては脳の中の変化でしかない。人は脳があって初めて世界を知ることができる。初めに脳髄ありき、だ。そうだろ、中禅寺君」

敦子は、少し小首を傾げてから答えた。

「それはそうでしょうが、それでもやってみるまでは解らないでしょう。例えば、現在の技術では測り得ない部分も多く残っている可能性は高いんです。いいえ、多分脳に就いて、現代医学はそのとば口に立っていると云う程度です。だから何も検出できない事例《ケース》も充分考えられます。なのに、何の成果もなかった場合、それは簡単に否定されちゃうんです」

「なる程。実は技術が発展途上のため測定できんだけなのに、効果なしと云う太鼓判が押される可能性だけは大いにあるちゅうことだな」

「それだけじゃないんです。もし測定されたとしてそれはそれで困ったことになる場合もあるんです」

「なんでじゃ？」

「つまり、結果如何《いかん》に依っては、修行なんかしなくても同じ状態が造り出せる——と云うことになり兼ねない訳ですよ」

「おお！　なる程」

　老人はポンと手を打った。

「民間治療薬の効果を測るため成分を分析し、その結果を元により効果的な合成薬が造られるように、何等かの物理的手段で修行したのと同じ状態に人体を持ってく科学的方法が考案され兼ねんと——」

「まあ、それは現実には難しいんでしょうけれど、できないこともない訳ですよ」

「つまり坊主等にとっちゃメリットは殆どなくて、デメリットだけは計り知れない程多いと云うこっちゃな。そりゃ寺院側はリスクが大きいなァ。しかし坊さんどもはそこまで考えとるのかな」

「いいえ。そこまでは考えてないと思います。でもそれでなくとも脳波測定器とかを持ち込んだりして結構大掛かりな調査になりますし、坐禅を組んでいるお坊さんの頭に電極をつけるんですから、いずれ修行の妨《さまた》げにはなる訳です。どうあれ、宗教者には不必要な研究なんですね。その結果がどうであれ、結局信仰には無関係なんですから」

「そりゃあそうだな。じゃあ駄目か」

「まあ中には話題性を求めて乗って来るお寺もあったらしいんですが、そう云うところに限ってちゃんとしていないんです」

「生臭《なまぐさ》か？」

「そうなんです。快諾《かいだく》してくれるお寺は多くが新興宗派だったりして。要するに売名行為なんですね。永平寺とは全然縁もゆかりもない、戦後に創ったお寺の癖に勝手に曹洞宗を名乗ってたり。それでいてその、多額のお布施《ふせ》を要求して来るとか——」

「金儲け寺だな」

「ええ。調査をするならきちんと修行している、ちゃんとしたお寺でなくては無意味でしょう。飯窪さんも随分苦労して、本山とか、末寺でも寺流の瞭然《はっきり》しているお寺を中心に交渉を続けたらしいんです。その結果、極めつけの禅寺として浮かんだのが——」

「明慧寺な訳かい。ふん、慥かにあそこは金儲けとは縁がないだろ。それで——善くは知らんが——由緒は正しいらしいしな。寺格も高いようだし。しかし、善く知っとったなその女性。儂だって善く知らなんだくらいだぞ。否、さっきも今川君と話しとったんだが、儂も未だに明慧寺の宗派を知らんのだ」

「でも近在の出身なんでしょ。彼女は」

鳥口は漸く話に首を突っ込むことができた。

「そう云うがね君。あの寺は土地の者だってそうそう知らないんだぞ。知っとるのは一部宗教界の人間と、いるんだかいないんだか判らん檀家だけだ」

「そんなのってあるんですか？」

鳥口は折角の発言が退《しりぞ》けられたので已《やむ》を得ず敦子を見た。

敦子はそれに応えるように云った。

「それはそうなんですよ鳥口さん。実は、さっき山径《やまみち》で云いかけたんですけど、その明慧寺と云うのは——」

——ただの寺ではない、か。

「——兄貴も知らない寺だったんです」

今川がそれがどうしたと云う顔をした。

敦子の兄を知らぬ以上は当然の反応だ。

しかし、彼——中禅寺秋彦を知る人間にとっては些《いささ》か納得の行かぬ話ではあるのだ。

中禅寺と云う男は全国津津浦浦《つづうらうら》の神社仏閣に、それは馬鹿馬鹿しく通じているのである。彼の知らぬ寺などこの世にはないと、彼を知る誰もが恐らくは思っている。その中禅寺が知らないと云うことになれば——。

「規模や歴史から考えると、これは変でしょう。聞けば随分古いお寺だとか云うし。それにかなり大きいとか」

「ははあ。曰《いわ》くありげ。そりゃ慥かに、ただの寺じゃないっすね」

そう思うよりない。

どさり、と音がした。多分屋根の雪が落ちたのだろう。

もうすっかり慣れてしまった。

「まあ、どう云う経緯《いきさつ》か、彼女は明慧寺に行き着いたらしいんです。ただ、電話もないでしょう。そこで手紙を出したら、何といい返事が来たんです」

「それでか」

「そうなんですか」

取材に至る詳しい事情は鳥口も今初めて知った。

「調査団は来月に入山するんですが、何しろ誰も知らないお寺ですから、勝手が解らない訳です。そこで先行して私達が入って、先《ま》ず知られざる寺院のルポルタージュをしようと云うことになりまして。雑誌の方でも予告を兼ねた先行企画を巻頭に掲載することになったんです」

「ははあ。しかし明慧寺もよくぞ引き受けてくれたもんだなあ。それに、大体、その、禅寺ちゅうのは女人禁制なんじゃないのかね」

「そうなんです。明治五年の政府布告で、一応は女人結界は撤廃されたことになっていますが、慣例的には未だ女性を廃している寺院は多いんです。書簡でも一応担当は女であると記しておいたらしいのですが、もしもの時はお坊様ひとり出て来て戴いて、こちらでお話だけ伺って、後は——」

「うへえ。僕ひとりでそんな謎の寺に入って写真撮れって云うんじゃないんでしょうな」

「云うんですよ。もう、今朝から何度もお願いしてたじゃないですか」

「はあ、どうにもその、上の空で聞いてましたな。馬の寝耳に何とやらで」

「それは——」

馬の耳に念仏だと久遠寺老人が、寝耳に水ですと敦子が、二人同時に正した。謂《い》わば赤恥の二乗であるが、この手の恥に鳥口は慣れている。鳥口は諺《ことわざ》成語《せいご》の類を口にする度、それは見事に間違うのである。巫山戯《ふざけ》ている訳ではないのだが、当然大いに笑われる。

「そのな」

久遠寺老人はいい加減笑った後、今川をちらりと見て、

「この今川君も実は明慧寺に用があると云う。中禅寺君、君達に返事を寄越した坊主は何と云う坊主だ」

と尋いた。

敦子は透かさず手帳を開き、

「ええと、知客《しか》の和田慈行《わだじあん》と云うお坊様ですね」

と答えた。

「シカ？　シカとはその、角のあるあの獣の」

「違いますよ。何でも、禅寺で来賓の接客をする係のお坊様のことを知客と呼ぶのだそうです」

「それで安心しました。鹿の坊主じゃ怖いです。角までは剃《そ》りようがない——」

こう云った鳥口の惚《ぼ》けは天然である。本人は真面目なのだが、これも矢張り、常に失笑を買う。老人も敦子も、今川までもが再び笑った。

「妙に面白い男じゃな、この青年は。そうか。慈行か。それもありそうな名前だが、それじゃあ今川君の待つ坊さんとは別人じゃなあ。あんたのは慥《たし》か珍念だか了稔だか」

「了稔です」

「なあ、惜しかった」

「惜しいですか」

「惜しいわい。だが何だ、どうせこの人達は明日寺に行くんだ。少少難儀だが一緒に行けばいい」

「はあ。それは何かと好都合です。いいですか」

敦子はどうぞ、と云った。

都合三四十分も歓談した頃だろうか。敦子が飯窪女史の様子を見て来ると云って座を立った。慥かにそろそろ食事も済んだ頃であろう。鳥口も序《つい》でに紹介して貰おうと思い、立ち上がった。

鳥口の観点《アングル》が上がった。

座敷をずっと嘗《な》めて、窓に至る。

鳥口の視野《ファインダー》に収まる庭の面積が増した。

先程とは違う。画面の構成要素が多い。何だ。

——あれは何だ。

黒い塊がある。

——あれは誰だ？

理解が細部に及ぶ前に、鳥口の中であれは誰になっていた。人だ、人が座っているのだ。漆黒《しっこく》の衣。あの景影《シルエット》は。

——僧侶だ。

巨木と縁側の間で僧侶が坐禅を組んでいる——。

幻覚に違いない。鳥口は指差した。

「お、お、お坊さんが」

歩み出そうとしていた敦子が立ち止まって振り向いた。

今川と久遠寺老人も同じく庭を見た。

「ぼ、坊さんがあそこに——」

そこまでで鳥口は絶句した。変だとか怖いとか云う以前に先ず吃驚《びっくり》した。

錯覚ではなかったのだ。

老人は口を丸く開け、

「な」

と発声して、暫く間をおいてから、

「なんじゃ！　なんであんなところで座っとる？」

と裏返った声で続けた。

「いったい、いつの間に？」

更に敦子が気の抜けた声でそう云った。

「そんな、気配などまるでせんかったぞ！」

気配など姿が見えている今だってしていない。

鳥口は徐徐に嫌な予感がし始めている。朝方感じた漠とした不安とそう違いのない、如何《いか》にも朧《おぼろ》げな悪感であったが、それは確実に湧き始めていた。

「今川君、あれが了稔さんじゃないのか」

老人は半ば怒ったようにそう云い乍らすたすたと窓辺に近づき、

「あん？」

と云ったまま固まってしまった。

今川がその後を追い、鳥口もそれに従った。次いで敦子も追って来て、四人は縁側の廊下に横並びになり、窓に貼りついたような具合になった。

僧は慥かに、そこに居た。

縁側から巨木までは四間程離れている。その間には何もない。

僧はその、丁度中間程に居た。

幻などではない。実像なのだ。

窓を開ければ触《ふ》れられる程近づいてみて、それは益々《ますます》鮮明に、確実にそこに存在していることが明確になった。

僧は俯《うつむ》き加減で結跏趺坐《けっかふざ》している。丁度、坐禅の途中で居眠りをしたような格好である。いつからそこにいたものか、下半身は半ば雪に塗《まみ》れ、肩や袖にも雪が付着している。濡れた衣は凍っているのかもしれぬ。ただ墨染《すみぞめ》の僧衣はあくまで黒く、濡れているのか乾いているのかは判別できぬ。ただ、真っ白な庭の中で、黒黒としたそれはまるで宙に浮くが如く浮き立って見えた。

動く気配は微塵《みじん》もない。

僧は庭の風景の一部である。

緩緩《ゆるゆる》と、驚きは戦慄に移行した。

「ありゃあ——」

さあ、と雪が僧の上に落ちた。

「死んどる」

「あの坊主は死んでおる」

「な、何を」

「儂はな、こう見えても禿げる前から医者しとる。あれは坊主じゃないわい！　坊主の死骸だ！」

「そんな――」

鳥口は窓硝子を開け放った。

冬の寒気だけではない、ひやりとした冷気が勢い良く侵入して来た。

駆け降りようとする鳥口を敦子が止めた。

「駄目」

「でも」

「もし、もし死んでいるなら――」

「ああ――」

現状を維持するに越したことはないと云うのか。

——刑事事件の可能性があるとでも、

「そんなぁ、敦子さん」

「私、宿の人を呼んで来ます」

敦子が帳場に向かった。

今川は縁側の際に立ち、庭をぐるりと見回して、その緩んだ口許を左手で押えた。団栗眼が少しだけ血走っている。

「これは、まあ、何と、ああ」

嗚咽《おえつ》のような声は番頭のものだった。番頭と仲居二名を伴って敦子が戻って来たのだ。

「おう番頭、早坂《はやさか》君。ほら、警察呼べ」

「警察って先生、その」

「死んどるんだよ。変死だ。早くせい。どうせ呼んだって来るのに一時間以上かかりよるんだろう」

「あ、いやあ、実に」

番頭は頭を抱え、何だ今日はどうなっているなどとぼやきながら走り去った。

「いったいあの人何だってあンなところで」

「トキさん、あんたは気づかなんだか？」

「気づくって、さっきお茶お持ちした時は、あんなお坊様いなかったじゃァありませんか」

「あんたも見えなんだか」

「見えないんじゃなくて、いなかったんでございましょう。大体こんな、他人《ひと》の庭に入り込んで、その傍迷惑《はためいわく》と云いますか——あ、その」

「なんだ」

「いいえェ先生、本当にあの、その、この方は亡くなッているんでございますか」

「あれで生きとったら儂ゃ腹切ったっていいわい」

仲居は変なものでも見るように坊主を見つめた。そこにどやどやと更に数人、宿の従業員達がやって来た。久遠寺老人は人足を仕切る口入屋《くちいれや》のように両手を上げるとひと際裏返った声で、

「おい、皆、この中でこの坊さんの身元を知っとるものはいやせんか？」

と叫んだ。誰も答える者はいなかった。あまりにも日常的で、それでいてとめどなく非常識な状況が各人を確実に混乱させていた。要するに、庭に坊主が座っているだけなのだ。妙な風景だが、事件現場としては普通過ぎる。加えて頭に雪を戴いたまま座り続ける坊さんと云うのも屍《しかばね》としては間抜け過ぎる。そのうえ日中である。陽は高く景色は鮮明で、禍禍《まがまが》しき舞台装置などどこにもないのである。

——それでもどことなく背筋が寒い。

鳥口は矢張りそう感じている。

大体この坊さんは何だって旅館の庭なんかで坐禅を——それも黙って忍び込んで——否、そう云う問題ではなくて——そう、これは。

「何か、何か変じゃないですか、鳥口さん」

鳥口の動揺を見透かしたかのように敦子が尋いて来た。

「変と云えば変なんですが、何が変だか解らんのです。この、今の状況は実に珍妙な訳ですが、これであの坊さんが欠伸《あくび》でもして立ち上がりゃ」

「そう云うんじゃなくって」

「テんで気配がしなかったと？」

「それもまあそうなんですけど——」

「四人もいたのに誰も気づかなかった？」

「いいえ、その——」

「彼は——」

今川が唐突に云った。

「彼は、どこから来たのですか」

「え？」

「そりゃこんな庭どこからだって入れるでしょう」

「しかし」

今川は庭の周囲をぐるりと指差した。
その範囲の中には——。

一面雪景色の庭の中に、足跡と覚《おぼ》しきものはただのひとつもなかったのである。


「ああ、こりゃそのう、所謂《いわゆる》——」

「そうなのです。この僧は忽然《こつぜん》とこの場所に出現したのですか？　それとも結跏趺坐《けっかふざ》したまま空中浮遊でもして来たのですか？　変なことがあるとすれば多分、それだけです」

「それだけ」

「それだけです」

慥かに四人いようが十人いようが気がつかぬことはある。しかし足跡を一切つけずに雪原を移動することは不可能なのだ。久遠寺老人が振り向いた。そして顎を引き、こう云った。

「慥かに侵入の形跡はないな。だが——例えばこの坊さんはずっとここに居ったちゅうのはどうだね？」

「ここに？」

「どんな理由《わけ》があったかは知らぬがな。雪の降る前か、降っている最中か、兎に角この庭に侵入して、ここで修行を始めてだな——」

「凍死した、と仰るんですか？」

敦子が怪訝《けげん》な顔で尋き返した。

「例えばだがね」

今川が一度屈《かが》んでから立ち上がり、反論した。

「しかしご老体。僕とあなたは今朝からずっと庭を見ていたのです。実にここ、この場所に座り、碁を始めるまでずっと庭を愛《め》でていたのです。しかし」

「気づかんことはあるさ。今川君。それに、そうだ、坊《ぼん》さんすっぽりと雪に埋まっとったのかもしれん。午後陽が照り出しそれが融けて現れたとかな」

「そのような雪塊がありましたですか？」

「一面真っ白だ。雪に白鷺《しらさぎ》、闇夜に烏《からす》じゃないか。雪山何ぞ気づかなんでも已《やむ》を得ん」

——それは、
どうだろうか。鳥口は縁側から離れて従業員を避《よ》け、座敷を移動して一度廊下まで出た。そして一歩踏み込む。最初にこの部屋を見た時の観点《アングル》だ。

でも先生——先程の仲居の声がした。

「それは幾らなんでも気味悪うございますよゥ。先生の仰る通りなら、私は死骸の前にお膳を運んで、先生方は死骸を眺め乍らお食事したッてことになるんですよォ。そう仰るんですか？　私はそんな雪達磨《ゆきだるま》見やしませんでしたけれどもねェ」

従業員達が響動《どよ》めいた。発言した仲居も幾分色をなくし、両手を頰に当てているようだ。

鳥口は写真機を覗いた。

久遠寺老人は口をへの字にして答えた。

「トキさん。世の中は見えるもんが凡てじゃないんだ。人間の眼なんてものは――」

「ご高説ご尤もですがそりゃ矢ッ張り違いますな」

「あ？」

ファインダーの中の人人が一斉に振り向いた。

中央に巨木、その前に坊主の上半身が覗く。

久遠寺老人が神妙な面持ちで質した。

「君、君――鳥口君だったな。今何と云うた？」

「はあ。僕はさっきここで写真撮ってるんですな。今同じ場所で同じように写真機を覗いていますが――」

「おう、それで？」

「ここからだと、どうしたって坊さんの頭が見えるんですよ。つまり坊主は写真に写っちゃうんです。でも先程はその大きな木の雪囲いが丸見えだったんすな。今、木の横腹はその坊主で半分隠れてます。更にその坊主を隠す程雪が積もってりゃ、木の幹も半分以上隠れて見えなかったことになる」

「おお、そうか。それじゃ君、何だ」

　久遠寺老人は仲居と同じように両手を頬に当て、その後額をぺしゃりと叩いた。

「どうなっとる」

「人間の眼は信用できなくっとも機械は誤魔化《ごまか》せないですからな。レンズは透明です。念写じゃないですから、ないものは写らないし、あるものは写る。いずれ現像すれば判ることですが、少なくとも撮影時に坊さんはいなかったんです」

「でも、しかし——」

「それじゃあ——」

「嗚呼《ああ》——」

　突然《いきなり》鳥口の右肩辺りで風を切るような悲鳴が聞こえた。顔を向けると小柄な女性が、立ち竦《すく》むようにして庭の坊主を凝視していた。喪服と見紛《みまが》う黒いブラウスに黒いスカアトを纏った小さな女性である。顔色はその黒を映してか、蠟《ろう》のように蒼い。

「あ、あなた、飯窪さん？」

　女性は崩れ落ちるように廊下に倒れた。

＊

　聞くところに依れば、これが知る人ぞ知る『箱根山連続僧侶殺害事件』の発端である。

＊

其《そ》の姿《かたち》は妖《あや》しき孀《めのわらわ》にて、澄《すみ》たる聲《こへ》で唄《うた》ふと云ふ。

其《そ》の山《やま》で迷《まど》ふと、稀《まれ》に魔物《まもの》に行《ゆ》き遭《あ》ふと云ふ。

「緣側《えんがは》のふちのさゝくれだちを
觀音《くわんのん》さまから貰《もろ》ふた指で
そろうり〳〵撫《な》でる
十萬億土《じふまんおくど》の寂《さび》しの宵《よひ》の
數千《ちぢ》の佛《ほとけ》のさゝくれだちが
ちくり〳〵と刺《さ》さる
猴《さる》の兒《こ》なれば山《やま》へ行《ゆ》け
蟹《かに》の兒《こ》なれば川《かは》へ行《ゆ》け
人の兒《こ》なれば煩惱《ぼんなう》の竈《かまど》で燒《や》いて灰《はい》になれ
はらり〳〵とその日《ひ》も暮《く》らす
佛《ほとけ》の兒《こ》ならなんとしよ
父《とう》さま母《かあ》さま赦《ゆる》いておくれ
今日《けふ》もさゝくれ、明日《あす》もさゝくれ」

其《それ》は唄《うた》だけの時《とき》も有《あ》り。其《そ》の時唄《ときうた》は何處《いづこ》からともなく聽《き》こへ、谺《こだま》して何處《いづこ》かへと消《き》ゆ。すぐに止《や》むる時《とき》もあれど、長《なが》き折《をり》は次《つぎ》のやうに續《つゞ》くと云《い》ふ。

「手水場《てうづば》の脇《わき》の蕺草《どくだみ》の葉《は》に
舞舞螺《まひまひつぶり》がのろ〳〵居《を》つて
地藏《ぢざう》さまを喰《くら》ふ
西方淨土《さいはうじやうど》の約《つま》しい朝《あさ》の
丸《まる》い頭《かうべ》のお小僧《こざう》さんが
ぺしやり〳〵と割《わ》れる
神《かみ》の兒《こ》なればこの世《よ》に居《を》らぬ
鬼《おに》の兒《こ》なればこの世《よ》に置《お》けぬ
人《ひと》の兒《こ》なれば煩惱《ぼんなう》の笂《うつぼ》に入れて流《なが》し遣《や》れ
たおり〳〵とその夜《よ》も明《あ》かす
佛《ほとけ》の兒《こ》ならなんとしよ
父《とう》さま母《かあ》さま赦《ゆる》いておくれ
今日《けふ》もまひ〳〵、明日《あす》もまひ〳〵」

唄《うた》は童唄《わらべうた》のやうでも有《あ》り、和讃《わさん》のやうでも有《あ》り、舊《ふる》きやうでも有《あ》り、新《あたら》しきやうでも有《あ》ると云ふ。亦出鱈目《またでたらめ》のやうでも有《あ》るが、決《けつ》して出鱈目《でたらめ》に非《あら》ず。最后《さいご》まで聴《き》き届《とど》けたる者《もの》は稀《まれ》なるも、概《おおむ》ね終《おは》りは次《つぎ》のやうなものであると云へり。

「釋迦《しやくわ》どの經《おしへ》を間違《まちが》へて
數千《ちぢ》の佛《ほとけ》が湧《わ》いたとな
數千の佛がさゝくれの
刺《とげ》の先《さき》から湧《わ》いたとな
舞舞螺《まひまひつぶり》のお役目《やくめ》は
今日《けふ》も今日《けふ》とてお役目《やくめ》は
殼《から》を閉《と》ざして知《し》らぬふり、知《し》らぬふり」

猶《なほ》、此《こ》の後《のち》も唄《うた》は續《つづ》けりと云《い》ふ人有《ひとあ》れど、其《そ》の内容《ないよう》は漠《ばく》として定《さだ》まらず、余《よ》の知《し》る處《ところ》に非《あら》ず。

此《こ》の話《はなし》を余《よ》に語《かた》りしは仙石原村《せんごくはらむら》の川村某《かはむらなにがし》を初《はじ》めとし、十餘人《じふよにん》を下《くだ》らず。舊《ふる》きは昭和拾伍《しやうわじふご》年《ねん》、新《あたら》しきは本年昭和廿七年《ほんねんしやうわにじふしちねん》の凡《およ》そ拾貳年間《じふにねんくわん》に亙《わた》る也《なり》。

過去《かこ》に幾人《いくにん》かより聴《き》き、取《と》り敢《あ》へず書記《かきしる》し置《お》きたるも、大戰《たいせん》を挾《はさ》みて忘《わす》るる事久《ことひさ》しく、折《をり》しも此數年《このすうねん》で復同樣《またどうやう》の體驗談《たいけんだん》を數多《あまた》聴《き》き、時《とき》は隔《へだ》てたるも其《そ》の内容《ないよう》の一致《いっち》に驚《おどろ》き、此處《ここ》に改《あらた》めて記《しる》すもの也《なり》。

其《そ》の山怪《さんくわい》の姿《かたち》、歳月《さいげつ》を重《かさ》ねしも老《お》ゆる事《こと》なく未《いま》だに禿《かぶろ》の如《ごと》き幼女《おさなご》で有《あ》ると聴《き》けり。此《これ》が所《いわ》謂《ゆる》大禿《おほかぶろ》ならんか。亦《また》、出遭《であ》ひたる者《もの》の聴《き》きし妖《あや》しき唄《うた》の詞《ことば》、或《あるい》は音階《おんくわい》、長《なが》き時《とき》を經《へ》て猶《なほ》何《いづ》れほぼ同《おな》じなるを知《し》るに及《およ》びて、唯其《ただそ》の不思議《ふしぎ》に語《かた》る言葉《ことば》も罔《な》しと覺《おぼ》ゆ。

斯《かく》も長《なが》きに亙《わた》り同樣《どうやう》の山怪《さんくわい》に出遭《であ》ひたる者々《ものもの》が出《いづ》ると云《い》ふは如何《いか》なる事《こと》なりや。世《よ》に怪談《くわいだん》奇譚《きたん》の類《たぐひ》は數多有《あまたあ》れど、余《よ》は此《これ》ぞ眞《しん》なる奇談《きだん》と確信《かくしん》す。

昭和廿七年拾月拾四日

笹原櫻山人《ささはらあうさんじん》　記《しるす》

2

子供の頃は正月が好きで、年の瀬になると何の根拠もなく浮かれていたものだ。

長じてからは勿論そんなこともなくなった。ところが最近はどうしたことか、どことなく日常的ならぬ空気に感染でもしてしまうのか、心のどこかで浮かれている己《おのれ》に気づくことがままあって、その度に懐かしいような擽《くすぐ》ったいような気持ちになる。

だから年の明けるのを待つ師走《しわす》の気持ちと云うのは、今や旧知の友との再会を指折り待つ時のそれに似ている。ただ、友人との邂逅《かいこう》にしたって、それが幾ら久方振りのものであったとしても、いざ面会が叶った暁には差し当たり特別な感慨が持てないことが殆どであるように、新年と云う奴もいざ訪れてしまえば、旧年中と何等変わり映えのしない只《ただ》の朝なのである。

それでも正月は正月なのだ。

無意味な喧騒の中で一寸《ちょっと》ばかり普段と違うものを着て違うものを喰って、それで少しはましな気分になっている。実にたったそれだけのことなのだが、これが結構後を引く。だから今年も御多分に洩れず、所謂《いわゆる》正月気分の名残《なごり》が抜け切らぬうちに松も取れ、世間から取り残されてしまった。

勤め人の場合は仕事始めと云う結構なけじめがあるからまだいいが、物書きなどと云うのんべんだらりとした商売をしていると、規律や戒律と云ったものが外部にはないから、いつまで経《た》っても切りと云うものがない。勿論それは商売の所為と云うより自分の自堕落《じだらく》な性質に依るところの方が大きいと云うことも承知している。

妻はそれでも心得たもので、松が取れるとそれなりに気を引き締め、普段の生活に戻っている。小正月に友人の中禅寺の細君と連れ立って『ひめゆりの塔』の映画を観《み》て来たくらいで、その後はそれ程浮かれもせず、勿論だらけてもいない。

私の方はと云うと、どうにもこうにも遣《や》る気が起きずに、遂には月が変わってしまった。

それでも仕事が手につかなかった。

依頼もないが書きたいこともなかったのだ。

昨年は色色な意味で印象的な年だった。実に多くの出来ごとが、次次と私を襲った。それは私と云う小さな器の容量を遥《はる》かに越えた、大きく重たい出来ごとばかりだった。ただ普通に生きているだけでも青息吐息と云う私は、その度に彼岸と此岸を行き来するような打撃を受けたのだ。だが、その割りに仕事の方は——私にしては——精力的に熟《こな》したように思う。

初めての単行本が発売されたのも去年なのである。お蔭で今年は例年よりもやや懐が温かい訳だが、それがこの無気力の遠因となっていることは間違いないだろう。耄《ほう》けていても取り敢えず喰うには困らぬ。

そうは云っても、手にしたのは昨今の流行作家の収入などとは比べ物にならぬ額である。精精雀《すずめ》の涙程の泡銭《あぶくぜに》が入ったと云うだけのことだ。そんなものはすぐに尽きる。元通り家計が逼迫《ひっぱく》するのは明明白白であるし、それはそう遠い未来ではない。

ただ私は常に切迫しないと遣る気が起きぬ質《たち》なのだ。これも全然自慢することではない。

そうしてみると、この無為な暮らしも八割方は自発的なものと云うことになる。

十割ではないのは、それでも二割程は自責の念と云うか、焦燥感に苛《さいな》まれているからである。それに、制作意欲とてない訳ではない。構想——と云うより妄想か——なら幾らでも湧いて来る。ただ筆が持てぬ。腰が上がらぬ。

そうした建設的な意識は、私の場合常に蠱惑的《こわくてき》な怠惰の誘惑に打ち勝てないのだ。

箱根に湯治に行こうと云う企画が持ち上がったのはそんな頃のことだった。

その日、私はひとりで炬燵《こたつ》に入り、醒《お》きているのだか睡《ね》ているのだか判らぬ半端な状態で貰い物の蜜柑《みかん》を剝《む》いていた。妻は親類の家に用があって朝方から出掛けていたらしく、気がつけばひとりだった。

がらがらと戸の開く音がした。妻でも戻ったのかと思えば、それは予想に反して中禅寺だった。

中禅寺——京極堂は古本屋を生業《なりわい》にする私の学侶である。私は頻繁に彼の許に出向くが、その逆は少ない。古本屋京極堂主人は行動より思索を、体験より読書を重んじる、つまりは出無精なのである。

「関口《せきぐち》君、君はテレビジョンを観《み》たかね」

京極堂は、開口一番そう切り出した。NHK東京テレビが、この二月一日から放送を開始したのだ。

「観るものか。僕はこうして毎日ごろごろと無為に正月を過ごしているのだ」

私はできるだけぶっきらぼうに答えた。

興味がなかったからではなく、実は豪《えら》く興味があったからである。とても観たい、でも観られない、いや観に行けないと云う、屈折した感情の表現なのだ。

今回の放送開始に当たって、NHKは都内七箇所に公開用受像機を設置したと聞く。だからどうしても観たければ放送時間にそこに行けば観られる訳だが、勿論行っていない。

大層な人気と聞いたからである。

雑踏が堪えられぬのだ。だからと云ってテレビジョンの受像機など一般庶民である私などがそうそう買えるものではない。二十万近くするのだ。

京極堂と云う男はそう云う感情の機微に関しては鋭いから、当然私のテレビジョンに対する屈折した思い入れが指摘されると思ったら、違った。

「君は正月は旧で祝うのか。それにしては先月もお年始に来たじゃあないか。ははあ、新旧両方祝うのか。そりゃ大変だなあ」

嫌味な男である。私は月が変わっていることを失念した発言をしたようだ。京極堂は挙足《あげあし》取《と》りが三度の飯より好きな男でもあるから、こうした攻撃を避けたいのなら足の挙《あ》がらぬよう擦り足の発言でつき合うよりない。

こう云う場合、私は常に開き直る。

「そうさ。僕は伝統的な年中行事は凡《すべ》て新旧取り合わせて行うことにしているんだ。当然、豆も二度撒けば、笹も二度飾る。そうしたものは概ね陰暦に基づいたものだからね。太陽暦で行ったたって無意味じゃあないか。一度しかやらないのは降誕祭《クリスマス》くらいだよ。しかしすっかり西欧化してしまった現在の社会情勢を無視する訳にも行かない。僕は旧《ふる》きを重んじ新しきに馴染《なじ》む、そうした質なのだ。だからね、僕は新年も二度祝うのさ。この家の中はまだ正月なのだ」

「ふん。歳暮と中元に限っては年に一度切りじゃないか。まあいいや。つまり君はそんなにまでして観たいテレビジョンを観に行くことすらできぬ程重症の怠惰病に蝕《むしば》まれていて、つまりはこの寒空に臓《はらわた》が腐る程暇な訳だな——」

矢張りお見通しだった。本当に嫌な友人である。挙足を取って転んだところに止《とど》めを刺す気なのだ。ひと齣《くさり》皮肉を云われると思ったら、また違った。

「――なら、旅行に行かないかね」

京極堂は唐突にそう続けた。

「旅行？　旅行とは何だ」

「君も相変わらず馬鹿だな。旅行とは、住む土地を離れ一定期間別の場所に止まること、だよ。いい齢をしてそんなことも知らないのかい」

京極堂は徹底的に私を虚仮《こけ》にすることを常としている。年が明けようが国が滅びようが、その方針に変わりはないようだった。私は更に開き直る。

「そう云われればそんな意味だったかな。そんな気もするが、随分と久しく聞かぬ言葉だったから忘れていたよ。旅行と云うのは、それは慥《たし》か比耳西亜《ペルシャ》語だったかな」

京極堂はいいや馬来《マレー》語だ、と云って笑った。

本当に、旅行など遠い言葉になってしまった。

「だから解り易く日本語で云えば、泊まりがけで遠方に行かないかと――僕は誘っている訳だ」

京極堂はそう云うと蜜柑を手に取った。

「どうも怪しいな――」

私は訝《いぶか》しく友の顔を見る。

「――君が何の魂胆もなしにそんなことを云い出すとは思えない。どんな企みだ」

君も酷《ひど》いことを云う——と、京極堂は云った。

「学生の頃は休みの度に貧乏旅行をしたものじゃないか。忘れたか」

——旅行に行かないか。

あの頃も矢張りこうして誘われたのだ。

そしてあちこちと出掛けたものである。

「覚えてるさ。慥かに楽しかったが、しかし今思えばあの頃だって君は何か肚に一物あったのじゃないかと疑いたくなるな。気づかなかっただけだ」

「君も恩知らずなことを云うなあ。計画性はない、企画力もない、おまけに行動力もない、あるのは好き嫌いと取り留めのない欲求だけと云う君だの榎木津だのがまともに遊びに行けたのは誰のお蔭だと思っているんだ」

「偉そうに云うがな京極堂。君だってあの頃は僕や榎さんと似たようなものだったぞ。五十歩百歩だ。行き当たってバッタリと云う旅行ばかりだったじゃあないか。まあそこが愉快の元だったのだが」

「それも演出のうちだったのだ」

「ほう、そりゃあ失礼した」

本当に——あの頃は楽しかったと思う。

若いからとは云え随分と無茶なこともした。

当時私は鬱病との境を行き来しているような学生だったから、自発的な行動などできはしなかった。何をするにも専《もっぱ》ら先輩の榎木津やら同輩の京極堂やらに引っ張り回されていただけでなのである。そう云う意味では今の彼の発言は正しい。

勿論金も暇もないのは今も昔も変わりないから、それは旅行と呼べる程の代物ではなかったのかもしれぬが、それでも気持ちだけは確乎《しっか》り旅をしていたように思う。無為と云うなら無為だったたし、覇気のないのに代わりはなかったが、それでも何故か今より楽しかった。そんなものは幻想だと云ってしまえばそれまでだが、鬱病が決定的なところまで行かずに済んだのもその幻想のお蔭と云えなくもない。

旅行などしなくなって、いったいどれ程経つのだろう。そんな感覚はすっかり忘れてしまった。経済的な事情もあるし、社会情勢もある。しかし何より戦争と云う奴が、そう云う感覚を根刮《ねこそ》ぎ私から奪ってしまったのだと思う。

今、旅行をしたとして果たして同じような気分が得られるものだろうか。ならば——。

少し気持ちが動いた。

「どこへ行く」

「箱根だ」

即答である。

「やけに返答が速いじゃないか。矢ッ張り怪しい」

「随分勘ぐるな君は。君のように利用価値の低い人間を嵌《は》めたところで僕に何の得があると云うのだ。何もないじゃないか」

「そりゃまあそうだが、京極堂、兎に角君の話は唐突過ぎるよ。何故今、僕と君が箱根に行かなけりゃならないんだ？」

「誰が君と僕などと云った？」

京極堂は蜜柑の皮を器用に畳んで屑籠に捨てる。

「僕は君のような男と二人で野次喜多なんぞする気は毛頭ないぜ」

「じゃあ何だ、榎さんでも誘うのか？」

「君は何を云ってるんだ？　事件でもないのに何でいきなり探偵が出て来るんだね？」

「いきなり？」

「大体榎木津は風邪ひいて伸びているよ。年末逗子《ずし》海岸ではしゃぎ過ぎたんだ。それより関口君、どうせ君のことだからつらつら学生時代のことでも思い出して要らぬ感傷にでも浸っていたのだろうが、学生が仲間同士で遊びに行く訳じゃないんだからね。君は一番大事な人を忘れちゃいないか？」

「大事な人？」

「あのね、君は雪絵《ゆきえ》さんを置き去りにして旅行する気でいるのか？　僕が君だけ誘うような非道な真似をする訳がないじゃないか」

「ああ」

雪絵と云うのは私の妻の名である。京極堂の云った通り、私は過去にばかり気が行ってい て——ほんの一瞬ではあるが——妻のことを失念していたのだ。私は赤面し、慌てて云い訳をした。

「いや、そんなつもりじゃない。そう云うことじゃなくて、その、何だ、箱根と云うのがどこから出て来たか、何故僕等を誘っているのか、その筋道を聞かせてくれと云うことだ」

「それはつまり、何泊しても宿代が只《ただ》、と云う良い話があるからさ。他じゃあそうは行くまい」

京極堂は二つ目の蜜柑を喰いながらそう云った。

「そんな旨い話があるものか。そりゃあ箱根じゃなくて安達ケ原か何かじゃないのか。客は皆、宿の主に喰われてしまうとか」

「君みたいな不味《まず》そうなの誰が喰うかい。そうじゃないのだ。まあ聞け。話は長いんだ。君は知っているかな。横須賀に『倫敦堂《ろんどんどう》』と云う古書肆があるんだが——」

「さあ」

「そこのご主人の山内銃児《やまうちじゅうじ》と云う人は、僕に古本を指南してくれた恩人だ。まあ木屋の師匠筋に当たるご仁なんだが——前に話さなかったかな？」

「聞いた気もするが」

「話し甲斐のない男だな君は。まあ、この人は並の古本屋じゃないのだ。否、業者としてより蒐集家として一流なんだな。実はその人の口利きなのだ」

「解らんね。なぜその山内さんが君にロハの宿を周旋してくれなきゃならんのだ？」

「そう急《せ》くなよ。最近景気が上向きになって来て、国民の暮らし向きにも余裕が出て来たとか云ってるだろう。その所為か観光地は活気を取り戻しつつあって、どこも開発が盛んだ」

「君にしちゃあ話が飛ぶなあ。生活に余裕が出て来たなんて、金のある奴が云っているだけだろうに。政治家の戯言《たわごと》じゃないか」

「それはそうだが、問題は真実余裕があるか否かではなくて、余裕があると云う幻想が罷《まか》り通るような風潮なのか否かだよ。戦後すぐにそんなこと云ったって誰も相手にしやしない。今はそれで通る下地が漸くできつつあると云うことだ。兎に角商売っ気のある奴は見逃さない。国もだ。まあ経済の活性化に開発事業は弾みになるからな。自然破壊だの環境の劣悪化だの云われ乍らも、道路も鉄道も――」

「じれったいな」

すぐに話が大きくなる。

「どうして君の話は真っ直ぐ本道に入らないのだ？　迂回するばかりで爽然《さっぱり》道筋が見えないじゃないか。僕は戦後経済の話なんか聞きたくないよ」

堪え性のない男だな――と京極堂は厭そうに云った。

「まあいいや。兎に角箱根もそうなんだな。あそこは元和《げんな》四年に箱根宿ができた時からそうなる運命にあったような土地だ。交通の要所の宿駅として造られた所だから元来産業と云うのがない。寄せ木細工くらいだ。その代わりに風光明媚《ふうこうめいび》で温泉も湧く。湯治場としてだけなら、歴史は鎌倉時代くらいにまで遡《さかのぼ》れるからね。保養観光にはうってつけだ。文化年間に幕府が交通の制度を変えてよりこっち、ずっと観光地化し続けている、謂《い》わば観光の本家だね。明治には財界人なんかの別荘ができて、街道筋や温泉場のみならず、芦ノ湖や大涌谷《おおわくだにこ》小涌谷《わくだに》、果ては仙石原の方までもだな——」

「あのな、京極堂。どうも要領を得ない。横須賀の倫敦堂と、観光地の乱開発と箱根の歴史じゃ結びつけようがない。余計混乱するよ。三題噺をさっさと纏《まと》めろ」

京極堂は顎を掻いた。

「実はね。関西で成功した金満家がこの開発に乗り遅れまじと箱根に新しくホテルだか何だかを建てることにしたのだそうだ。良い場所は皆古くからの宿だの別荘だのがあるし、今更新規参入は難かしいようだが、その成金親爺は偶偶《たまたま》奥湯本に土地を持っていたんだな。土地と云っても何にもない山間《やまあい》で、今までは使い道がなかったようなんだが、まあ湯本まで小田急が通ったから後は送迎車かなんかでカバーできると踏んだのだね。そうして、いざ着工するに及んだら君、驚いたことにね。その山肌で半分土砂で埋まった蔵のようなものが発見された」

「クラ？　馬の鞍か？」

「違う違う。倉庫だ。土蔵のようなものだそうだ。そんなもの親爺は全然知らなかったらしい」

「そんな大きなものが埋まってたのか？　その土地の前の持ち主のものか？」

「だからその土地は今まで人の棲むような処じゃなかったんだよ。斜面に蔵もないだろ」

「妙だね」

「まあね。開けてみると中にはぎっしりと」

「財宝か？」

「馬鹿。本だよ。書籍。書物。しかも古い」

「はあ？」

「金満家は金の臭いを嗅ぎ慣れてるから、金になる話には敏感なんだね。これがただの納屋だったらば即刻処分するところだろうが、何しろものがものだからね。もしや文化的価値があるかもしれないじゃないか。なら儲かるからね。早速地元の古本屋が呼ばれた。ところが普通の本屋には判らなかった」

「何故だい」

「そりゃあ例えば『私家版北原白秋全集』の値段は解るだろうが『和《わ》漢《かん》禪《ぜん》刹《さっ》次《し》第《だい》』じゃ考えるだろう。そう云うことさ。それも一冊や二冊じゃない」

「大学か何かに鑑定を頼めばいいじゃないか」

「すぐ売りたかったのだろう。業者の方だって判らないなりに察するところはあったのだろうさ。そこで神奈川中の古書店に回状が回った」

「ああ、それで倫敦堂の」

「そうそう。博識な倫敦堂さんなら判るでしょう、と云うことになった。だがね、倫敦堂のご主人はそもそも洋書が専門なんだな。そっちの方面で知らぬことはないが、ちらりと鑑《み》てみるとこれが全部和書と漢籍。残りは巻物や教典のようなものだった。専門外だ。懇意にされている和書専門の店などに声を掛けたがこれが生憎《あいにく》外している。そこで――」

「なる程。君、京極堂こと歩く古事類苑の出番か」

「なんだその変な比喩は？　それにしたってこりゃあ難儀なんだ。一日二日じゃ済みそうにない。何人か人足を雇って作業したって整理するだけで一週間か十日かかる分量なんだそうだ」

「それでか」

漸く辿り着いたと云う感じだ。相変わらず前振りが長い。ただ、矢張り端折ると解らぬことだろう。

――いずれにしても、
仕事だったのである。案の定裏があったのだ。

「その仕事のために無料《ただ》の宿が用意されたんだな？」

「そうそう。まあ大した宿じゃない。公衆の保養所だな。旅館とかホテルじゃあないのだ。でも仕事が終わるまでは無料だ。こっちも店を閉めて行くんだからね。それぐらいして貰ってもいいだろう」

「しかし、君本人は解るが、僕等がご相伴《しょうばん》に預かれると云うのは怪訝《おか》しな話だろう」

「いいんだよ。部屋はひとつも二つも変わらんのだそうだ」

——まだ裏があるな。

私はまだ納得が行かぬ。

京極堂は私が訝《いぶか》しむのを敏感に察したらしく、先《ま》ずこう云った。

「いや。君も雪絵さんに苦労を掛けるばかりじゃなくて、偶《たま》には女房孝行をしたがいいと思ってね。これは良い機会じゃあないか」

私が女房孝行を怠っていることは事実である。新婚旅行でさえ親許に連れて行ったので誤魔化してしまったくらいだ。しかし、斯《かく》云う京極堂とて日頃家庭を顧《かえり》みずに本ばかり読んでいる訳で、そう云う意味では私と同類の筈である。

私がそう云い返すと、友人は憮然として云った。

「何を云うんだ。僕は書肆では稀な愛妻家だぜ」

「君がか」

私が呆《あき》れていると京極堂はこう続けた。

「今回は長くなりそうだしね。千鶴子《ちずこ》も一緒に連れて行こうと思ったのだ。しかしただ連れて行くだけ連れて行って、宿に何日も放って置く訳にも行かんだろう。誰か連れでもいるなら別だが、あれひとりでは観光するにもままならないだろうし——」

千鶴子と云うのは京極堂の細君のことである。この偏屈な亭主に対し普段から文句のひとつも云わぬでできた女性《ひと》だ。しかし流石《さすが》の良嬪《りょうひん》も今度ばかりは嫌だと云ったようである。幾ら上膳据膳《あげぜんすえぜん》でもひとりっ切りで温泉宿に取り残されたのでは身が保《も》たぬだろう。寧《むし》ろ行かぬ方がいいと云うものだ。

「そこで、だ」

京極堂は片眉を上げた。

私はその仕草で即座に理解した。

「ははあ」

「何だね」

「了解したよ。君が誘っていたのは僕ではなくて雪絵の方だったのだな。僕の方は刺し身のつまだったんだ」

京極堂はつまり、彼の細君の友人であるところの私の妻を誘いに来たのである。流石に雪絵だけ誘う訳にも行かぬから私に水を向けただけなのだ。

「要するに付け足りだろう」

「拗《す》ねることはないだろう。別に悪い話じゃなかろうさ。千鶴子の奴も雪絵さんと二人なら行ってもいいと云うし、まあ箱根なら色色観るところもあるしな。雪絵さんさえ構わないのなら——君だって」

「なる程それで漸く解ったよ。云っておくが理解するのに時間がかかったのは僕の理解力が劣っている所為じゃないぜ。君の云い方がややこしいのだ。すると何だ、要するに変な亭主を持った哀れな妻達にせめてもの恩返しをしようと、そう云う提案な訳だな」

「まあね」

「お互い日頃の行いが悪いからなあ。千鶴さんも、さぞや我慢の毎日だろうとは思うが、しかしそれは随分とついでの恩返しだぞ。君は仕事が本意なのだろうし、そんなじゃ奥方達も有り難味が半減だ」

「ついでではなく好機と考えるのだよ関口君。温泉宿に只で連泊できるなどと云う機会は、そうあるものではないぞ。見逃す手はない」

「そりゃあそうだろうが、一寸《ちよつと》待ってくれ」

何かまだ嵌められている気がした。

慥《たし》かに妻達二人は仲が良い。連れ立ってあちこち観て回れば当分は楽しめるだろう。だから妻達の方はそれでいいとして——。

——私はどうなるのだ？

京極堂はその仕事とやらをしに行くのだろうし、私だけ女共の引率で観光するのも妙である。つまり今度は私の方がただひとり取り残されることになってしまうではないか。善く考えてみれば実に勝手だ。都合良過ぎる。

「おい。僕はどうなる。完全な付録じゃあないか」

「君か？　君は寝ていればいいじゃないか。現に今だって寝ていたのだろう。寝るなら何処で寝たって同じことだろうが」

「そりゃ酷《ひど》いよ」

「酷かあないさ。何なら僕の仕事を手伝ってくれたっていいぜ。港湾の人足程度の日給は出そう」

「寒いのも力仕事も御免だよ。僕は君と違って、字が書いてあって綴じてある紙の束さえあれば飯を喰わずとも生きていけるような特異体質じゃあないのだ。千鶴さんじゃないが宿にひとりでいるのも敵《かな》わないしなあ」

京極堂は再び片眉を吊り上げた。

「あのなあ、関口君。古来より文豪芸術家の類《たぐい》は旅館に長逗留して構想を練るものだぜ。それに万年筆一本持って行くだけで仕事ができるのは君の商売くらいだからね。気が乗れば書くことだってできるんだ。だからこそ僕は君も誘っているのだ」

京極堂は文豪の部分を強調した。無論揶《から》っているのである。それにしても予《あらかじ》め考えているのか口から出任《でまか》せなのか、その辺は一向に判らないのだが、いずれ詭弁であることに違いはない。実に淀みなき詭弁である。しかし私は根が単純なのか、大体いつもこの口車に乗せられ、踊らされる羽目になるのだ。

そうした私の心の動きは読まれているのだろう。

京極堂は多分凡《すべ》て承知でこう結んだ。

「往復の旅費くらいなら持つぞ。仕事の方とて巧《うま》く行けばそれなりに儲かるのだ。宿そのものは期待できないが、まあ自炊の湯治場よりはマシだろう。まあご馳走が喰いたいなら少しは金もかかるだろうがな」

「一応雪絵と相談するよ」

癪《しゃく》だからそう答えた。

しかし私の肚は既に決まっていた。

文豪気分と云うのも悪くないだろう――。

憂《う》き世を離れ、書に溺《おぼ》れ、湯に浸かり、ただ暮らす。

それも慥かにいい。

それから――。

妻も旅行は喜ぶだろう。

京極堂の細君と一緒なら私も安心である。それに友人の云う通り、仮令《たとえ》序でだろうが何だろうが——それが妻孝行になるのなら——それはそれで好《い》いことなのかもしれぬ。少なくとも何もしないよりは遥かに好いように思う。

それから——。

いつの間にか私自身も旅情を欲するようになっている。旅に憧れると云うより、旅した過去を懐かしむような気持ちなのかもしれなかったが。いずれ現実逃避には違いない。あの若い頃の気分を——草臥《くたびれ》た私は果たして再び感じることができるのだろうか。

京極堂はその後一時間程馬鹿な話をして帰った。旭川《あさひかわ》の人工降雪実験の話と、トニー谷と云う芸人の七五調の和製英語は面白いとか云う話だった。

雪絵は夕方に帰って来た。

話をすると予想以上に喜んだ。ずっと旅行には行きたかったのだそうだ。私は改めて自分の腑甲斐無《ふがいな》さや、妻に対する配慮の欠如を痛感した。こんなことでもなければ旅行など考えもしなかったろう。

そのうえ妻は、私が密かに目論《もくろ》んでいた実に無謀な試みにも賛成してくれた。

私は旅行先で泡銭《あぶくぜに》を使い切ろうと考えたのだ。

金がなくなってしまえば働かざるを得ない。そうなれば書く気にもなろう。どう仕様もないところまで追い込まなければどうにもならないと云う、私以外には通用しない究極の自己啓発法である。

——逆境に強く順境に弱い。

学生時代から善く云われる。

ならば進んで逆境に自らを貶《おと》めようと云う算段である。しかし、生活費の使い切りと云う一種自爆的な行為に妻が賛同するとは、流石の私も思わなかった。

雪絵はにこにこしながら云った。

「いずれ後幾月も持たないのですから、一度に使ってしまうのがいいのじゃあないですか」

「何だ、江戸っ子みたいなことを云うな」

「嫌ですよ、私は三代続いた江戸っ子ですって」

雪絵は呆《あき》れたような顔をした。

善く考えてみれば雪絵は東京の出身なのである。私のように吝嗇《しみたれ》た男に嫁ぎ、年中苦しい家計を切り盛りしている所為で幾分吝《しわ》くなってはいるものの、生来宵越《せいらいよいご》しの金は持たぬと云う性分が妻の本領なのかもしれぬ。そう云うと妻は、

「何を云うんですよ。失礼な。潔くなきゃタツさんのような人とは添えません」

と云った。妻は私をタツさんと呼ぶのだ。

そうして、京極堂の奸計《かんけい》に嵌《はま》ったと云うか、甘言《かんげん》に弄《ろう》されたと云うか、私達は旅に出た。

どうのこうの云ってもいざ出掛けてみるとそれなりの気分になるものだ。これはもしや本当に作品の構想でも湧くか——などと云う欲張りな気すら起きる。細君達二人の機嫌もいたって良かった。

天候は生憎《あいにく》快晴とは行かず、やや雪模様だった。しかしそれも最初《はな》から宿に籠る気でいる私には無関係である。女性陣も日程《スケジュール》の決まった旅行ではないから、あまり気にならないらしかった。

事実時間に追われぬ状態と云うのは解放感があるものだ。時と云うものはそもそも終わりも、始まりも、刻みの目盛りもないものだ。それをわざわざ刻んだりするから、やれ遅れたの早いのと云うことになる。一日二日と勘定するだけで気が済まず、一時間だ一分だ一秒だと刻みつけ、最近では零《れい》コンマ何秒まで刻む。切り刻むのもいい加減にして欲しい。

バラバラ殺人だってそこまでは刻まない。

してみると、時計と云うのは現代人の檻のようなものである。生きている限り出ることの適《かな》わぬ檻である。この解放感とて仮釈放のようなものだ。私達もいずれはその檻に戻ることになるのだ。

そんなことを考えた。

妻達はいつもより粧《めか》し込んでいる。別に人前に出る訳でもあるまいに、山の湯治場に行くのだから誰が見る訳でもないのに——とも思う。宿に着くまでの道中だけの、短い間の装いなのである。それも冬場であるから、幾ら上等の着物を着ていようが上に防寒具を羽織る。傍《はた》から見える訳ではない。

でも、その道行きやショールにしても見慣れたものではないのだ。普段使っているものとは違う。

その辺りが女心なのかなどと思ってみたりする。

そして実はそう云う些細《ささい》な事柄こそが私の旅心を際立たせていることに気づく。どうやら、勢いだけで楽しめた時代は終わってしまったようである。お膳立てこそが肝要なのだ。

私はと云えば古着屋で入手した寝惚けた色のコートを着込み、燻んだ緑色の襟巻を巻きつけただけの姿だ。髭さえまともに当たっていない、普段と変わらぬ風采の上がらぬ出で立ちである。防寒以外に気が回らなかったのだから無理もないが、風情も何もあったものではない。柄にもなく少し後悔した。

それでも一寸は浮かれていて、私は善く喋った。

何はともあれ、矢張り旅行は楽しいものらしい。

尤も京極堂だけは相変わらず東京が全滅したかのような仏頂面《ぶっちょうづら》で本を読んだり車窓を見たりしている。用向きがあるのは彼だけだから天候も気になるのだろう。しかしこの友人はこれで常態だから、今更気にするものはいない。話し掛けても答えるし、偶《たま》に顔を上げて冗談を云うところから推し量るに、寧ろ機嫌は良いものと思われた。

それにしたって――旅先に書物を携行《けいこう》するのは兎も角として、独り旅でもあるまいに、移動中も本を読み続けると云うのは如何《いかが》なものかと思う。

「おい、京極堂。君はそんな本ばかり読んでいて、電車には酔わないのかね？」

「僕は平衡感覚に優れているのだ。酔わないよ」

「いいえ。この人は三半規管《さんはんきかん》がないんです」

京極堂の細君が可笑《おか》しそうに云った。

「以前に青森の仏《ほとけ》ケ浦《うら》で小舟に乗った時も、それは大揺れで、私なんか景色を見るどころじゃなかったのに、この人と来たら本を読んでたんですから呆れちゃいます。多分『活字が揺れる本』でも作って与えればそれを読んで酔うんでしょう」

己の妻から予想外の攻撃を受け、京極堂は実に珍妙な顔をした。私はここぞとばかりに追撃した。

「君も実に呆れた書痴《しょち》だな。それに加えて実に呆れた体質じゃないか。京極堂、君は矢ッ張り変だぞ。千鶴さんの云う通り三半規管がないのじゃないか」

「煩瑣《うるさ》いなあ。関口君。君なんぞは何の振動もない平地で酔っているじゃあないか。車酔い船酔い宿酔《ふつかよ》い、酔いも色色だが、歩き酔いとか座り酔いするのは君だけだぞ。寝ても酔ってるだろ」

「そんなことあるか」

「ありますよ」

雪絵が云った。どうやら妻と云う奴はすぐ敵に回ってしまうものらしい。こうなるとどうも旗色が悪い。

「いつだったか犬が尻尾を振るのを見ていて、気分が悪《わる》くなったって云ってたじゃありませんか」

「嫌なこと覚えているな。それは凝視したからさ。あれは一種の催眠兵器だよ。目眩《めくら》ましになる」

「犬がそんなに凄い武器を持っていたとは知らなかったなぁ。まるで果心居士《かしんこじ》のような犬じゃないか。関口君は犬と闘ったら負けるな。そう云えばいつだったか、そう、君がうちで猫と遊んでいた時だ。ぐるぐる回してじゃらしたら君の方が酔ってしまったっけな。そうか君は猫と闘っても負けるんだな」

「何で僕が犬や猫と闘わなきゃいけないんだ？」

けだもの扱いである。

「そう云えば京極堂。君の家の、その猫はどうしたんだ？　置き去りか」

「ああ、石榴《ざくろ》か」

「ざくろ？」

「名前だ。欠伸《あくび》すると石榴みたいな顔になるんだ。だからそう云う名にしたんだよ。そうだな、明日か明後日か、いずれ餓死することだろうな。あの猫は家育ちで餌《えさ》を獲《と》ることを知らない。鼠にも負ける。家からは出られないし、檻の中で餌を与える者がいないようなものだからね。餓死だ」

「そんな、君」

「大丈夫ですよ。ちゃんと餌をあげて貰えるよう、お隣に頼んであるんですから。この人は何かと云うと変なこと云いますが、猫が死んだりしたら一番に悲しむんですから」

細君は大きな目で陰険な亭主をちらりと見て、茶化すようにそう云った。それから妻の方を向いて、賢妻達は二人で大いに笑った。

一方駄目な亭主どもは、片や本を読み始め、片や車窓を眺めた。

流れる町並みはいつのまにか雪の野山に転じていた。

何だかとてつもなく凄い木橋を渡った。

湯本駅には倫敦堂の山内氏が待っていた。

氏は私の予想に反して小柄な人だったが、それでいて不思議な気迫に満ちた人だった。長髪を後ろで束ね、暗褐色のコートを纏《まと》い、黒いマフラーをしている。おまけに小振りな黒眼鏡まで掛けているからただ者ではない。一見外国の諜報部員のような雰囲気である。どう見たって本邦の古本屋には見えなかった。

車中京極堂は己の古本の大先達に就いて、

──諸葛孔明《しょかつこうめい》のような人だよ。

と説明した。勿論諸葛孔明になど会ったことがない訳で、だからそう云われてもまるで見当がつかなかった。今改めて対面を済ませ、なる程これが孔明かと逆に思った程である。ただそうして見ると慥かに強面《こわもて》と云うより切れ者と云う印象だった。

氏は更に予想を裏切る柔らかい物腰で云った。

「ああ、京極君どうも」

「どうも御無沙汰しております。ええと、紹介します。これが愚妻で、こちらが──」

「ああ、その人が鬱病の彼ね。初めまして。山内です。どうですか？　最近の鬱具合は？」

「は？　はあ、その」

いったいどう云う伝わり方をしているものか。

「僕の友人にも鬱の人がいるんだよね。彼は重症だったけれど、あの、森田療法《もりたりょうほう》だっけ？　それを実践して、今は何とかやっている。君はどうなの」

「ぼ、僕は軽症で」

「そう、それは良かった。どうぞ宜しく」

山内氏は手を差し出した。握手の習慣のない私は、しどろもどろになり乍らその手を握った。幸いだったのは手袋をしていたことで、もし素手だったなら私の掌に滲《にじ》んだ大量の汗がさぞや不快な思いをさせてしまったことだろう。

「せ、関口巽《たつみ》です」

漸くそれだけを云った。

暫く放心していたので雪絵は京極堂に依って紹介された。山内氏は挨拶の仕方も細かな身の熟しも実に様になっている。日本的でない。英国紳士の立ち振舞い——私は本物の英国紳士の所作を熟知している訳ではないからこれは怪しい感想なのだが——のようだ。なる程その辺が倫敦堂なのかと、私は納得する。

一方横に立っている友人の方は烏のような黒い二重回しに冬下駄の和装と来ている。相変わらず時代錯誤な格好《スタイル》で、なる程こちらは慥かに京極堂だ。

それにしても同じような黒の出で立ちも着る人に依ってこうまで違って見えるものだろうか。いずれ怪しいことに変わりはないが、京極堂の方は湯治場のうらぶれた風景に善く馴染んでいる。逆に倫敦堂主人の方はそこだけ蘇格蘭《スコットランド》の背景を切り取って嵌め込んだように見えて、それも可笑しかった。

英国紳士は挨拶が済むと云った。

「僕は泊まらずに帰るから、そう長くは立ち合えないんだけれど——どうする？　現場に行く？」

「宿の方は遠いのですか」

「宿までは歩いて二十三分。現場までは約一時間三十分。少し辛どい。但し方向は同じ。つまり宿から現場までは徒歩約一時間七分と云うことだね」

「それならこの連中を宿で落して現場に行きましょう。見るだけでも見ておきたいし」

そして日英同盟のような不思議な一行はのんびりと移動し始めた。


宿は大正時代の下宿館のような木造の二階屋だった。所どころ、これでもかと云う程無造作に補修が施され、それでも尚全体的にはひしゃげて見える。屋根に積もった雪の所為でそう見えたのかもしれない。否、そうだとしてもお世辞にも綺麗な建物ではなかった。でも、その半端な古さが中中私の趣味に合っている。

高級だから良いとか整っているから良いと云うものではない。

宿は『富士見屋《ふじみや》』と云う名前らしかった。

我我の到着を察したのか、中から小太りの親爺がのっそりと出て来た。

子熊のような顔だ。

山内氏がそれを認めて、一歩先に出ると愛想良く云った。

「どうもご亭主。先程は休ませて貰って有り難う。ほら、お客様をお連れしたよ」

「へ？　ああ、そちらが笹原の旦那のお客さんですねい。善くいらっしゃいました。さめ寒いですから中へどうぞ。お部屋は暖めてございます」

亭主は太短い指のついた手で我我を招き入れた。

外観は大正時代だが中は江戸時代の旅籠《はたご》である。商人宿と云う感じだろうか。私達に与えられたのは二階の、十畳ばかり二間続きの部屋だった。襖を開ければぶち抜きで広く使えるし、閉めれば二部屋となる。この辺りもまるで旅籠だ。

さては亭主、夫婦毎に部屋を取るべきか、男部屋女部屋と取るべきか、迷ったのかもしれぬ。そう勘ぐってはみたが、どちらにしろ凡てこう云う造りなのかもしれず、本当のところは善く判らなかった。

子熊親爺は露天はないが大風呂は自慢だと云うようなことを頻りに云っている。更に食事はどうの外出はどうのと諄々《くどくど》と説明しているが、私は上の空である。妻達が熱心に聞いているからいいだろう。

窓の外は裏山か何かだろうか。せせらぎの音が聞こえるから、多分下を川が流れているのだろう。景色が良いと云えば良いし、別にどうと云うこともないと云えばない。

旅情をそそるのは寧ろ珍しくも何ともない川の音の方だったりする。

旅行に来たのだ。

私は早速朦朧《ぼんやり》してみた。

文豪気分を満喫するためである。

だが中中思うようには行かなかった。雑事が頭を駆け巡る。拡散するのが集中するのと同じくらい大変だと云うことを初めて知った。常日頃耄《ほう》けていると云われ続けている癖に、意識的に耄けようとしても耄けられぬとは皮肉なものである。眠いのに眠れぬ、夜の焦《あせ》りに似ていた。

「それじゃあ僕は行って来るが、関口君、君はどうする？」

「ああ？」

「おい、君はもう自分の世界に入り込んだのか？」

「え？　何がだ？」

「だから退屈なら一緒に件《くだん》の蔵でも見に行くか、それともここで寝ているのかと、さっきから再三尋いてるんじゃないか。千鶴子も雪絵さんも、今日はもうのんびりするそうだが。君はどうするね」

「うん――」

そんなことさっきから問われていたとは終《つい》ぞ気づかなかった。

拡散しようと云うことに集中して外界を遮断していたようである。

これでは外から見れば朦朧《ぼんやり》しているのと変わりない。亳けたいと欲して亳けられぬ状態が他人には亳けているようにしか見えぬのであるから、益々皮肉なものである。

内部と外部を隔てる壁は斯《かく》も厚きものなのだろうか。

「何だかおかしいな関口君。まあ、そう都合良くは行かないさ。少し普通にしているがいいよ。放って置いても君ならすぐにそうなれる」

「何のことだ？」

「いや、いいよ。好きにするがいい」

何か察したのか京極堂はすう、と背を向けた。

「待ってくれ。行くだけ行こう」

旅に浸るにはもう少し日常と違う風景を見た方がいいのかもしれない。私は急いで身支度をして後を追った。

道道山内氏と音楽の話をした。

どうやら彼は京極堂から私がある種の音楽を好むと云う情報を得ていたらしい。謂わば私に話題を合わせてくれていた訳だが、それだけに止まらず、山内氏自身も相当に音楽が好きなようだった。実に博識だったし、何より私が一度は聴いてみたいと思っていた名盤珍盤を氏は凡て所有しているらしかった。蒐集家《コレクター》なのだ。

歩む程に天候はどんどん怪しくなって行った。おまけに足下もどんどんと悪路になって行くようだ。

「このままこっちへ行くと旧東海道で、元箱根方面に出るんだ。ところが、ここをこっちへ登る」

先導する山内氏も歩き悪《にく》そうである。

「するともうすぐ崩壊寸前の別荘が見えて来る。それが依頼人である笹原宋吾郎《そうごろう》氏の持ち物なんだね。今は依頼人の父親の、ええと武市さんと云う名前だったかな。もう八十歳近いご老人だけど、その人が家政婦さんと二人で住んでいる」

「依頼人は現場にはいないのですか?」

「今週はずっと商売で外せないそうだよ」

「手伝いの人間を頼んでいると聞きましたが」

「そう。明日から人足が四人だか来る運びになっているそうだ。慥かにその手配をしたのは先方だからね。何か不都合があったらその武市さんに云ってくれと云う話でね。それから小田原の高瀬《たかせ》書店の高瀬君――ええと、京極君は知っているね?」

「面識はあります。一度だけですが」

「そう。彼は明日から来ると云っていたよ。僕は明日や明後日《あさって》は野暮用があるんだが、それ以降なら来られるから。手が足りないようなら店に連絡して。ああ、あれが別荘」

ただの木造家屋である。

三分の一程が雪に埋まっていて、とても快適な環境の——所謂《いわゆる》別荘であるとは思えなかった。私はつい口に出してしまった。

「こんな所にお年寄りがひとりで住んでいるのですか？　これは体《てい》の良い姥棄山《うばすてやま》だ」

山内氏が答えた。

「それが——本人の意志なんだそうだよ。息子の方は世間体もあるから一緒に暮らそうと再三再四云ってるらしいが、爺さん頑《かたく》なに動かないんだそうだ」

「何故です？」

「無性に箱根が好きなんだそうだよ」

説得力のある説明だ。

建付けの悪い戸をがたがたと開けると、中から女中が出て来た。女中と云っても五十の坂を越えていようと云うご婦人である。山内氏のことは既に見知っているらしく、多くを語る前にすぐに取り次いでくれた。

白髪頭を丸刈りにして、丸い眼鏡を掛けた、和服の東条英機《とうじょうひでき》のような風貌の老人が廊下を伝うようにして出て来た。足が悪いらしい。

「よう来なさった。東京からですか」

「中禅寺と云います。こちらは知人の関口君です」

「笹原です。息子が馬鹿なお願いをした。すまないが宜しくお願いします。儂も古書なら少し は知識があるが、御覧の通り足がいかん。あそこまで登れないです。おまけに最近は目も霞《かす》んでいかん。危なっかしくてこの家から出ること適《かな》わんのです。何、金に目が眩《くら》んだ馬鹿息子の道楽だけだったらこんな大騒ぎは儂が止めさせたんだが、ものがものですからな。価値あるものだったら、文化的損失ですしな」

「お引き受けしたのですから商売です。どうぞお気になさることのないよう——」

京極堂はそう云った。

金満家の老いた父は少し蹣跚《よろけ》て、深く礼をした。

家を出ると雲行きは更に怪しくなっていた。

山内氏は微昏《うすぐら》くなって来た空を見上げてから、軽く振り向いて小声で云った。

「あの家はホテルを建てる際に取り壊すんだそうだよ。依頼人は頑固爺ィを力技で山から下ろそうって魂胆だね」

「それは——今のご老人は納得ずくですか?」

「勿論騙《だま》しだろう。知っていてあの態度はないと思うよ。箱根が相当好きらしいからね。お爺さん郷土愛が昂じて郷土史の編纂や民間伝承なんかの収集までしているようだ。ああこの上の方だ」

もう道はなかった。雪だの笹だのを掻き分けてかなり登った。

そしてやっとそれは姿を現した。

何だかすぐには状況が把握できない異様な景観だった。その辺りはもう林で、否、林と云うより山中であり、森羅林立する樹樹の合間の斜面が不自然な形で盛り上がっているのだ。一見してそれは天然の生《な》せる技であるかのようにも見受けられた。だが、少し近づくとそれが単なる地面の瘤《こぶ》ではないと云うことが知れる。瘤の上部に樹木は生えておらず、代わりに所どころ瓦《かわら》が剝き出しになっているのだ。しかし埋もれている部分は明らかに叢《くさむら》らしき様相を呈している。それらは凡て薄《うっす》らと雪を被っており、注意深く見なければ何がどうなっているのか解らない。大きいし、遺跡か古墳と云った様相である。

廻り込むと壁が見えた。

壁は慥かに蔵のそれと同じような土壁で、上部に採光《あかりとり》らしき金網を張った隙間が幾つか窺える。周囲には斜面の土を掘り返したものか、雪に泥が混じった汚い小山ができており、更に先には建築現場のような低い足場が半端に組まれていた。

その足場を更に廻り込むと、入口があった。

錆《さ》びた金属製らしき扉には、朽ちた木製の閂《かんぬき》がかかっていた。

入口の周りの足場は割に確乎《しっか》り組まれている。

私は炭鉱を思い出した。勿論炭鉱の入口にそんな扉はついていないだろうが、そんな感じがした。

「これ、土砂崩れで埋まったものなのかな？」

山内氏はそれに近づき、壁を触り乍ら云った。

「古いよねえ」

「しかし――」

京極堂は山側――埋まっている方に行き、仰ぎ見るようにして云った。

「どうも変ですね。その割りに樹木が倒れたりした形跡もない。ちゃんと生えている」

私は友人を真似るように山の斜面を見て云った。

「それは君、土砂崩れがあった後に生えた樹だろ」

瘤のすぐ上には大きな樹が四五本生えていた。

「しかし関口君。これはかなり古い樹だ。十年二十年のものじゃない。樹齢百五十年は越えてるよ」

「だから土砂崩れはそれ以前にあったと云うことだろうさ。きっと二百年から前のことなんだろう」

「そうかな」

京極堂は首を捻《ひね》った。

「でも善く見てみたまえ。この数本を除いて、その上の方に生えてる樹は皆若い樹だ。それに――」

「そんなことはどうでもいいじゃないか。京極堂、君はこの変な蔵が何故こうして埋まっているかを考察するために来たのじゃあなくて、この蔵に収まっている書物の値踏みをしに来たんだろう」

「そうだね京極君。関口さんの云う通りだ。先《ま》ずは中身だよ」

山内氏はそう云うと入口の前に立って、

「建物はかなり変形して、こう、平行四辺形に歪《ゆが》んでいるんだ。だからこの扉は開かない。いや開けると危ない。崩れるかもしれないだろう」

と扉を指差して云った。

「だからね。ほら、ここに」

氏は喋りながら少し移動して、そこに立て掛けてあった簀の子をどけた。

「孔《あな》を穿《うが》ったんだよ」

そこには人ひとりやっと通れる程の、いびつな孔が開いていた。

「地主は業突張《ごうつくば》りだから、虚仮《こけ》の一念、鼠のように掘ったのさ。中にお宝があるかもしれないと、そう思ったに違いない。そしたら京極君の好きそうな奴がどさっと出て来たんだね。それで、何とか中に潜《もぐ》り込んでみたら——中は本だらけだったと云うことだ」

「中に入れますか」

「ううん、地震でも起きない限りは大丈夫だろうけど——危ないよ」

危ないですかと云い乍ら京極堂は蔵のあちこちを見た。

山内氏は腕を組んで友人の様子を眺めつつ、危ないよと繰り返した。

「明日人足が来て、上の土砂を取り除いて屋根を外すと云っていた。そうすれば、まあ危険度は減少するね。ただ天候が憂慮されるなあ。天井代わりに天幕みたいなのを張ると云ってはいたが、手際良くやらなけりゃ本が濡れちゃうなあ」

英国紳士は様になる角度に首を傾げて空を見上げた。私もつられて見上げる。空はもう大分昏くなっている。時刻の所為ばかりではない。

「明日あたりからどうも雪らしいからね。京極君、そのテント状態になるまで宿で待機したらどう？　考えてみれば土木作業中は中にいたら危険だろう」

「屋根を外すのは止めた方がいいでしょう」

「じゃあどうするの？　危険だよ」

「今まで崩れなかったのですから急に崩れることもないでしょう。寧ろこの辺りに何か雪避《よ》けのできる簡易テントみたいなものを設営して、そこに中身を搬出した方がいい。四五人で出せば二三日で終わるでしょう。まあ中にどれだけ詰まっているかにも依るんですが——ああ、これは」

京極堂は身を屈めて孔を覗いていたが、結局中に這入ってしまった。

山内氏は少し呆れたような顔で私を見て、

「好きだねえこの人は。いつもこう？」

と尋いた。私は何となく仕返しでもするように、

「病気ですね」

と答えた。

病気の友人は中中出て来なかった。

「何か心配だなあ。崩れないかなあ」

山内氏は足場に手を掛け、壁を下から屋根の方まで嘗《な》めるように見てから、孔に顔を寄せて呼んだ。

「おおい京極君」

返事はなかった。

「出て来ないなあ。関口さん、どうしようか」

「はあ」

私にどうしたら良いかなど解る筈もない。元より普段座ってばかりいる男が活発に動くと云うだけで私はやや当惑しているのだ。それでも知らぬ振りはできぬから、取り敢えず、緒に屈んで孔を覗いてみた。中は真っ暗で黴《かび》臭かった。

「おい！　京極堂。どうした？　君はこんな真っ暗で何か見えるのか？」

「ああ」

急に、暗闇に死神の如き顔が浮かび上がった。

「これは——」

一層陰気な顔をしている。

「京極君。危ないよ」

「山内さん、それどころじゃないかもしれない」

「何が？」

孔の中の闇がにゅう、と膨らんで外に出て来た。二重回しを来た真っ黒い男が出て来たのである。あちこちが白くなっているのは埃がついたのだろう。京極堂は私達の視線など一向気にする様子はなく、

「実に興味深い」

と云った。

「おい、京極堂。君は獣《けだもの》でもあるまいに、こんな鼻を抓《つま》まれても判らないような真っ暗の中でいったい何が解ったって云うんだ？」

「関口君。君じゃないんだからそんな無謀な行動は執《と》らないよ。懐中電灯くらい持参して来ている」

「ああ」

二重回しの下からすうと手が出た。その手には懐中電灯が握られていた。

「そんなことより山内さん。場合に依っては豪《えら》いことですよ。これ——」

京極堂はもう一方の手を差し出した。

「これは？」

何だか古いものだ。

山内氏は黒眼鏡の縁を抓んで示された古書に見入った。

「これは専門外だなあ。時代すら判らないよ」

「ええ——これは、『潙山警策《いざんきょうさく》』と云う禅籍です。潙山霊祐《いざんれいゆう》の著した佛祖三經指南《ぶっそさんきょうしなん》のひとつで、我が国では文治五年に大日房能忍《だいにちぼうのうにん》が拙庵徳光《せったんとくこう》より贈呈されて、後に無求尼の助力を得て世に出したと——」

「そんな古いの？」

良い頃合いのところで山内氏が止めてくれた。この男、話題が得意分野に及ぶと止まらなくなるのだ。私など、文治五年しか解らなかった。英国紳士は続けて問うた。

「本物？　真逆《まさか》、そんな凄いものが残ってるものかな」

「いや、写本であることは間違いないんですが、それにしたって時代は相当古い。最近のものでは決してない。この中は禅籍経典の山ですよ。これだけのコレクションは見たことがない。勿論一寸見ただけですから全貌は摑めていませんが」

「持ち主は僧侶と云うことかね」

「と云うよりこれは寺院の書庫だったのではないでしょうか。こんな本が——仮令《たとえ》写本であったとしても——無造作に転がっているなんて、それ以外には考えられない」

「まあ箱根にも古い寺院は多いからね。湯本の名刹早雲寺《そううんじ》も、あれは臨済宗だったよね。それから仇討ちで有名な曾我兄弟の曾我堂のある——」

「正眼寺《しょうげんじ》ですね。あそこも臨済宗です。あの辺りは地蔵信仰が盛んで、正眼寺も臨済の寺になる以前は湯元地蔵堂と云う堂宇だった。その頃から数えれば歴史は相当に古い。ここから街道まで出て、芦ノ湖方面に向かえば鎖雲寺《さうんじ》もありますし、畑宿には守源寺《しゅげんじ》もある。元箱根にだって興福院《こうふくいん》を始め寺院は多い。そもそも箱根の宿場自体、日蓮宗の本迹寺《ほんじゃくじ》、曹洞宗の興《こう》禅院《ぜんいん》、真宗の万福寺《まんぷくじ》、浄土宗の本還寺《ほんがんじ》と、あの狭い範囲に宗派を問わず寺が密集している。その他にも最近出来た寺もあるでしょうし。幾ら関所本陣があった交通の要所とは云え、寺は多い方でしょう」

山内氏は肩を竦《すく》めて、

「はあ、そう云う話題は君には敵わないねえ」

と云って私をちらりと見た。

「山内さん。こいつは放っておけばこう云う話は延々喋り続けるんです。その場合僕等良識ある一般人は、ああそうですか、と答えるよりない。聞いていたって面白くない訳ですよ」

「いいや。関口さん。面白くないこともないよ」

　倫敦堂の諸葛孔明は不敵に微笑んだ。

「京極君。それでは、君はこう云いたいのだね。それだけ多くの寺院があるにも拘《かかわ》らず、それらは凡てこの蔵から離れ過ぎている――と」

「そうです。沢山あるのに、こんな所に書庫を作って便利な寺はひとつとしてないんです。本や教典を出す度に往復で最低二時間から三時間はかかる」

「君の知らない寺がこの近くにあると云うことはないの？」

「それは考えられますが――この近辺にそんな都合の良い寺がありますかね？　慥かに僕は日本中の寺院を知っている訳じゃないですから、あってもおかしくはない訳ですが――事実僕の知らない、しかも古い寺が箱根にあると云う話も最近聞きましたし」

「そこは？」

「その寺には山の反対側の大平台の方から行くらしいですから。ここから湯本まで戻り、塔ノ沢経由で行ったとして片道何時間かかるか判ったものじゃない。それにこの蔵は古い。登山鉄道が出来る前のものであったことは間違いありません。ならば――」

「なる程。その寺も違う訳だね。すると、もしこの書庫の持ち主に相応《ふさわ》しい寺があるとしたら、君がこの辺りで知らなかった寺が二軒もあった、と云うことになる訳だね。君の性質を考慮するとそれも考え悪《にく》いなあ。まあ書庫なんてものは通常敷地内に造るものだからね。今僕等が居るここから見えない所じゃあ、幾ら近くったって不自然は不自然だしね」

二人の掛け合いを聞きつつ、私はある考えを持った。切れ者の諜報部員と饒舌《じょうぜつ》な時代錯誤男に鬱病小説家の見識を聞かせてやろうと——私は発言した。

「おい、京極堂。この書庫は半分土砂で埋まってるだろう？」

「埋まってるね」

「なら寺も埋まってるとしたらどうだ？　土砂崩れが何百年前にあったか知らないが、その時この書庫の本体である寺院の本堂や講堂は、まるでポンペイの如くに土中深くに没してしまったのじゃあないのか？　迫り来る土石流、逃げ惑う坊主ども。一夜にして荘厳な堂宇は呑み込まれ、寺の歴史は闇に葬られた——」

「関口さん、凄いことを云うね。つまりこの山に僧侶ごと寺院が埋没してると云うの？　しかしそんな壮絶な最期を遂げた寺があったなら、歴史はそれを闇に葬るかなあ。いずれ何かの記録に残すんじゃないかなあ。逆に有名になるよ」

「この扉は本当に開かないのですね」

山内氏は一応反応してくれたものの、京極堂は折角の私の発言を無視する気らしい。

「開かないようだよ。歪んだまま錆《さ》びついてるだろう。どう見たってずっと開けられていない。と云うより、その扉自体半分埋まってたんだそうだ」

「そうですか。それは余計に困ったことになった」

「何が困るんだ？」

「関口君。君の云う通り、この書庫が埋まったのは二百年以上前だとしよう。あの背後の大樹はその後に生えたものだとする。それから、大負けに負けて寺が埋まってると云うのも信じてもいいよ。ただ、それならこれはどう説明したらいいんだ？」

　京極堂はその何とか云う古い本の下に持っていたもう一冊の本を出した。

「これは、この『潙山警策』を平易に講述したもので『潙山警策講義』と云う本だ。著者は山田孝道」

「それがどうした」

「この本は明治三十九年の発行だよ」

「は？」

「だから、この中には計り知れない程古い旧典もあれば、ずっと下って明治の活字本まであると云うことだよ。これなんか高高五十年程前の本だ」

「つまり何だ、その」

「少なくとも四十七年前まではこの蔵は書庫として機能していたと云うことだよ」

「埋まったまま使ってたと云うのか？」

「そんなことは知らないよ。君の云う通りならそうなるけどね。埋まったのは二百年も前、使っていた坊主も埋まってるんだろ？　なら誰か他の者が埋まったままのこの蔵に出入りしていたと云うことになるじゃないか。それなのに——」

「——扉は斯《か》くの如く閉ざされている」

倫敦堂主人は少し楽しそうに云った。

「なる程これは一寸したミステリだ。探偵小説《デティクティブストーリー》で云う密室《ロックドルーム》な訳だね！」

「中に死体《ボディ》はありませんがね」

京極堂はそう云って懐中電灯の尻で頭を掻いた。

「関口君、君、もう宿に帰りたまえ。山内さんもそろそろ行かないと泊まることになりますよ」

「京極君はどうするんだい？」

「僕は調べて行きますよ」

「おい、そりゃ無茶だ京極堂。君、昼飯だって食べていないじゃあないか」

「平気だよ。まあ気が済むまで見たら宿に戻ろう。戻らなくても心配は要らないよ。いざとなったらさっきの笹原さんのところにお世話になることにするから。郷土史の話も聞きたいしね」

「宿の方はどうするんだ？　食事だってもう用意している時刻だぜ」

「君が喰えばいいじゃないか。たらふく喰えば少しはぼおっとできるかもしれないぜ」

呆れた男である。

山内氏も呆れていた。

「しかし危険だよ。さっきも云ったが、地震でも来たら崩壊するよ。関口さんじゃないが、迫り来る土石流、呑み込まれる京極堂主人、と云うことになる」

「大丈夫ですよ。地震が来たら僕なんかは自宅にいても死にますから、同じことです」

書痴の友はそう云って笑った。

慥かに京極堂は店と云わず自宅と云わず壁一面が本だらけだし、主はどの部屋に居たってその本棚の近くに座っているから、地震が来たならば九分九厘圧死打撲死は免《まぬが》れまい。細君だって危ない。助かるのは猫ぐらいだ。その猫だって如何《いか》にも機敏に動かぬ怠《なま》け者だから、矢張り圧死するかもしれない。

山内氏は困ったね、と私に小声で云い、まあ仕方がないか、と続けた。そして、

「手が足りなければ呼んでくれと云ったけど、呼ばれなくても来ることにしよう。それまで生きていてくれるようにお願いしておくよ」

と云った。京極堂は片手を上げて、孔に入った。

山内氏はそれを見届けてから再び、

「いつもああなの？」

と尋いた。私は京極堂の入った孔を眺めたまま、

「病気なんですよ」

と答えた。

倫敦堂主人と別れ、宿に着いたのは五時近くだった。

妻達二人はもうすっかり湯上がりの顔で、温泉気分を満喫しているようである。私は京極堂の奇行を少し大袈裟に告げた。彼の細君は驚いた様子もなく、

「そんなことだろうと思っていましたけど」

と云って、困ったように笑った。

流石《さすが》に亭主のことは善く知っている。

夕食までは間があるので湯に浸かった。

微明《うすあ》かりの風呂は綺麗ではないが雰囲気はいい。

年が明けてから寝てばかりいたから、躰を使ったのは久し振りだった。今年一番の運動量だろうと思う。酷く疲れた。方方《ほうぼう》が痛い。熱い湯に浸ると傷んだ場所が浄化されるようで、大層心地良かった。

ふう、と大きく息を吐《つ》く。

――湯気が揺れている。

暫《しば》し、忘我の状態になった。

ただ私の場合は緩緩《ゆるゆる》したくともすぐに逆上《のぼ》せる質《たち》なので、長く忘我状態を続けていると本当に意識を失ってしまう可能性がある。

だから頻繁に出たり入ったりを繰り返さなくてはならぬ。実に難儀な体質である。それでも脱衣時には寒くて小刻みに震えていた躰が、着衣時には汗が浮く程に温まっていたから、顕《あきら》かに効能はあったようである。

この辺が温泉なのだ——と、私は当たり前のことにひとりしたり顔をしてみた。

浴衣《ゆかた》を着ると、漸く旅の実感が湧いた。

部屋に戻ると子熊親爺と、その妻らしき婦人——こちらは熊ではなかった——が夕食の膳を整えていた。

親爺の短い指は器用に善く動いた。

私も指は短いが、それはとてつもなく不器用で、親爺が少し羨ましかった。

「大層なご馳走と云う訳にも参りませんがなぁ」

「粗末な山奥の田舎《いなか》料理でござんすがね」

「お連れの方は本当に宜しいんですかな」

「あんな物騒な所で、熱心なことでなぁ」

夫婦は交互に喋った。

私はこの夫婦に興味を持った。

中中好《い》い風呂だったと慣れぬ世辞まで云ってみたりした。

「仲居がいるでもなし、芸者が上がるでもなし、つまらんとこですがね」

親爺は目を丸くしてそう云った後、揉み療治くらいなら呼べますがねえと続けて、唐突に笑った。前歯が一本なかった。

主賓に当たる男が欠けていたのだが、途中親爺が燗《かん》をした酒を持って来たりして、結構賑やかな食事になった。通常あまり酒類を嗜《たしな》まぬ私も飲める振りをし、妻達も飲んだ。どうやら妻も京極堂の細君も人並みにイケる口だったらしい。京極堂は酒を一滴も口にしないし、私はすぐへべれけになる。だから両家とも酒が常備してあることはないのだが、そうしてみると普段妻達は下戸《げこ》の亭主に合わせているだけで、酒類は我慢していると云うことか。

「笹原の旦那によぉく云われてますんで。緩寛《ゆっくり》して行ってくださいまし」

親爺は愛想良くそう云って酌《しゃく》をした。笹原と云う金満家は余程太っ腹な男らしい。何しろ京極堂は兎も角、私達は付録なのだ。

「ところでご亭主」

私は酒の勢いで饒舌《じょうぜつ》になっている。

「その、笹原さんと云うお方は大層なご仁のようですが、どう云う――」

この持て成しの出所に興味が湧いたのだ。子熊親爺は再び眼を剝《む》いた。

「はぁ、笹原の旦那の家は、その昔、箱根の宿場の蓑笠明神《かさはらみょうじん》の傍《かたわら》で荒物屋をやってたんですわ。ご一新の後に先先代が某《なにがし》かやって儲けたようで、隣近所の土地を買い込んだんですなあ。商売の得手《えて》な家系だったんでしょうねぇ。それがあんた」

「どうしたんです?」

「大正になってすぐ、色んな会社が箱根に乗り込んで来やしてな。そりゃあ大騒ぎになったんで──」

箱根山の観光利権を争奪すべく起きた所謂《いわゆる》箱根交通戦争の根は、かなり深いのだ──と聞く。

人力に始まり、乗合馬車、貸自動車《ハイヤー》に乗合自動車《バス》、馬車鉄道から電気鉄道、観光遊覧船、ロープウエイと、手を変え品を変えてそれは勃発したのだ。地元民、観光業者、運送会社の思惑が錯綜《さくそう》し、それは次第に二極分化して、やがて戦争に喩《たと》えられるまでになったらしい。京極堂の話だと、現在その戦争はぶり返し、再びややこしいことになりつつあるらしいのだが、親爺の話す大正時代のそれと云うのは、その現在の紛争に至るまでの禍根を牛んだ最初の戦争のことであるらしい。

「土地がどん、と売れたですよ。笹原の旦那は先代の反対を押し切って、今まで住んでた宿場の土地を全部売ったんですな。それで先《ま》ずひと儲けですわ」

「売っちゃったのですか? 笹原さんは地主だとか聞きましたが?」

「そこがあんた、先見の明と云うんですかねぃ。箱根宿の土地売って儲けて、関西に進出して、暫くしてから戻って来なさって、さっきお客さんが行かれたあの辺を大枚叩《はた》いて手に入れたんです」

「は？」

「あの辺は何にもないでがしょう？　だからまだ買えたんですわ。箱根も地べた買うとなると中中大変で。あたしなんざ先祖伝来ここ住んでますからまあ別ですが、そうそう買えるもんじゃないです」

「それのどこが先見の明なのですか？　一等地を売って三等地を買ったのでしょう」

親爺は何故か情けない表情になって答えた。

「それが結局ねぇ、箱根宿の辺りは駄目だったんですよ」

芦ノ湖観光の拠点を最終的に勝ち取ったのは元箱根の方だったのだそうだ。

観光船は元箱根を起点にして、箱根経由で湖尻まで就航した。箱根町の方は単なる通過点になり、徐徐に紛争自体から見放されて行く格好になったらしい。

そのうち戦時下の揮発油《ガソリン》統制の煽《あお》りを受けて船は箱根町を経由さえしなくなったのだそうだ。船だけではなくバスですら――停留所があるにも拘らず――箱根を素通りすると云う、一種屈辱的な時期も長かったらしい。

「箱根町から出る観光船が出来たのは、あんた一昨昨年《さきおととし》くらいのことですがね。地元の人の苦労と云ったらもう――。それでも揉めたそうでしてなぁ」

慥かに大変そうな話である、

「すると、笹原さんはそれを見越して？」

「いやあ、それが偶偶《たまたま》と云えば偶偶なんですな。土地売る時に反対した笹原の先代と云う人が——」

「ああ、あのご老人」

「お会いなすったか？　あの方が関西の水が合わなんだ。箱根が好い、箱根に帰ると頑張って、それであそこを買ったと云うのが本当のところですわ」

「なる程ねえ」

幾ら何もないと云っても新宿から湯本まで直通電車が通じた今となっては、捨てておくには惜しい土地だろう。元箱根方面に出られぬこともない。今でこそ不便極まりないが、車道でも引かれた暁には充分に営業可能である。

親爺は妙に若《にゃ》けて云った。

「まあ大正の震災で山が目茶苦茶になって、そのどさくさに紛れて手に入れたってのが本当のところなのかもしれませんがねぇ」

「震災で？　そんなに被害があったのですか」

「橋は落ちる道路は途切れる線路は曲がる、そりゃもう復旧にどれだけかかったか。仕切り直しみたいなところがありましたからなあ。そこにつけ込みあの手この手を使って——おッと、こりゃ内証です。何しろ復員して路頭に迷ってたあたしに資金援助をしてくれて、壊れてたこの民宿建て直してくれたのが笹原の旦那でしてね、恩人ですわえっへっへ」

なる程そう云う関係だったのか。

試しに酒を勧めると親爺は遠慮せずに飲んだ。

ひと口酒が入っただけですぐに親爺は赤くなり、そのうちひとりで勝手に喋り始めた。

「まあ笹原の旦那の思惑通り、旧街道沿いに畑宿の辺りまでこう、ずっと拓《ひら》けてくれりゃあね、うちなんかは万万歳ですがね。ただ、あの笹原さん地所《とこ》はねえ。山は山ですからなぁ。もう少し街道に沿ってりゃまだ滝だの、観るところもあるけど、お客さんも行きなすったのでしょう？　それになあ、あの辺は」

「何です？　何かあるのですか」

「いいえね、あの辺にゃ出るんです」

「熊？」

私は親爺の顔を見て、ついそう云ってしまった。

「熊ぁ出ません。北海道じゃないです」

「じゃあ幽霊でも出るんですの？」

暫く黙って聞いていた京極堂の細君が尋いた。

「まあ、そんなもんで」

「そんなもの？　そんなものと仰いますと、例えば天狗か何かでしょうか？」

「天狗は大雄《だいゆう》の方です。道了尊《どうりょうそん》の辺りにゃ天狗が沢山いやす」

親爺の云うそれがどこにある何のことなのか、正直見当もつかなかったのだが、そこは敢えて尋かなかった。私は思いつくままに山怪の名を云った。

「山に出るものと云えば、後は鬼か山姥《やまうば》でしょう」

思いつくままと云ってもその程度だった。もしもこの場に京極堂がいたならば、後数百足《ぴき》は化け物の名前を挙げていただろう。

「山んばは足柄山《あしがらやま》ですわ。いえね、街道より古い道が山の中にありましてな。湯坂道《ゆさかみち》云うとりますが」

「その昔の鎌倉街道ですね」

京極堂の細君は道に詳しいと聞いていたが、どうやら本当らしい。親爺は解らなかったようだ。

「そうなんですかな？　まあその道の辺りを夏なんかは山歩きする人もいるんですわ。そこに出る」

「だから何がです？」

「女の子ですわ。晴れ着を着て気色悪い唄を唄う」

私は少し拍子抜けしてしまった。

「そりゃ迷子じゃないのですか？」

「迷子でしょうな」

「それなら」

「迷子は迷子でも、その娘はもう十何年も同じ格好で迷ってるちゅう、そう云う話です」

「十何年って、それじゃあ大人になってしまうじゃないですか」

「それがあんた、子供のまんまなんですよ」

「はあ？」

「何年経っても子供のまんま。あたしは見たんですよ。去年のお盆過ぎ。夕暮れでしたな。最初は唄が聞こえて、ふと見るといる。ぞおっとしたですよ。こう、白い顔で、虚《うつ》ろな眼《まなこ》でねぇ。山ん中に晴れ着ですからねぃ。こりゃあ吃驚《びっくり》だ。それで、あんまり薄気味悪かったもんで、帰りがけに笹原のご隠居の所に寄って、その話をしましたら、何とまあ」

「何と？」

「ご隠居、十何年も前に同じような話を何度も聞いたと云うんですなあ。戦前のことだそうで。矢張り十歳かそこらの晴れ着を着た娘が唄を唄って――」

「しかしご亭主。それはそれこそ偶然じゃないのですか？　偶然、その時と同じような迷子が」

「いや違うんですよぉ。唄がね、唄の歌詞が同じだったんです。あたしも全部覚えてた訳じゃなかったですが、ご隠居の方は帳面に書きつけていたんですな。その、人の子供を竈《かまど》で焼けとか、仏様がどうしたとか、何とも気色悪い唄でねえ。おお厭だ厭だ」

親爺は口許を歪《ゆが》めた。

「それじゃあご亭主。その女の子は十何年間、全く成長していないとでも云うのですか？それで、ずっとそこの山で彷徨《さまよ》いながら、同じ唄を唄い続けているとでも？」

「この世のもんではありますまい？」

「まあ気味の悪い——」

雪絵が眉間《みけん》に皺《しわ》を寄せた。

そんな馬鹿な話は——私は最近その手の馬鹿な話に善く遭遇するのだが——ないだろう。

「いや、ご亭主。唄などは幾らでも覚えられます。かごめかごめなんか日本中の子供達が唄っていますからね。その唄だってきっとそうなんでしょう。そんな、狐狸妖怪の類がそう簡単に姿を現す訳がない。それは生きた人間ですよ」

「はあ、あたしもそう思いたいです。もしあれがあの世のもんだったらば——笹原の旦那もさぞや困るでしょうし」

親爺は勧めもしないのに手酌で酒を飲んだ。

——それがもしあの世のものだったら、
その時は京極堂の出番だ——。

私は密かにそう思った。

しかし、いつまで経ってもその黒衣の拝み屋は戻って来なかった。

食事が済むと睡魔が襲って来た。

妻達の方はと云えば会話が尽きる様子もない。

何年振りかの旅行なのだから、はしゃぐ気持ちも解る。私は親爺に頼んで次の間に床を延べて貰い、襖を閉めてひとり横になった。妻達の話す声はすぐにせせらぎと混じり、私はあっと云う間に眠った。


その日、到頭《とうとう》京極堂は戻らなかった。


翌日の目覚めは豪く遅かった。

夢も視《み》ずに熟睡して、起きた時には昼を回っていた。

妻達は疾《と》うに起床して朝食を済ませ、一度ならず湯に入った後らしかった。妻は私の顔を見るなり浮腫《むく》んでいると笑った。雪絵だけなら兎も角、京極堂の細君も一緒なので、寝坊は少少場都合《ばつ》が悪かった。

「京極堂から連絡は？」

透《す》かさず話題を逸《そ》らす。

細君は、流石に少し心配そうな面持ちで答えた。

「さあ、この大雪の中、八甲田山《けっこうださん》でもあるまいに、どこで迷っているのやら――」

「雪？　雪なのかい」

障子を開けると窓の外は真っ白だった。

倫敦堂主人の憂慮は当たったようだ。

「ああ――これじゃあ作業もままなるまいに。京極堂もついてないなぁ。あの酔狂が命取りだ。これじゃあ本当に遭難し兼ねない」

「もう、止《よ》してくださいな。縁起でもない。千鶴子さんが心配なさるじゃぁありませんか」

雪絵がお茶を淹《い》れ乍ら私の不穏当な発言を窘《たしな》めた。

「ああ、でもまあ。大丈夫だろう」

何の根拠もなかった。

雪は止《や》む様子もない。

京極堂の細君は窓の外を見て、

「でも、これじゃあ敦《あ》っちゃんの方も大変ねえ。本当に兄妹揃って遭難するんじゃないかしら」

と呟いた。雪絵はそれを耳聡《みみざと》く聞き取って、

「敦子ちゃんは早立ちでこちらに？」

と細君に尋ねた。

どうやら京極堂の妹も近くに来ているらしい。私は聞かされていなかった。

「そう云っていたけれど、どうなんでしょう。何でも豪く山奥のお寺に用があるとか」

「湯本《ここ》とは離れた場所なんでしょう？」

「登山鉄道で強羅《ごうら》の方に向かう途中の駅で降りて、それから歩いて二時間だとか三時間だとか。顔は似ていなくても矢ッ張り兄妹ですわね。そう云うところは善く似ていて――」

細君はまた困ったように笑った。

雪はずっと降っていた。

妻達も観光は無理と判断したようだ。

私は障子を細く開けて窓硝子の曇りを拭い、朦朧《ぼんやり》と外を眺めた。そして私は漸く耄《ほう》けることに成功したのだが、それは家で寝ているのと何等変わりのない状態であり、作品の構想などまるで湧くものではなかった。私が文豪などではない証《あか》しである。

その時。

雪の中に黒い翳《かげ》りがちらりと見えた。

人影だ。

黒衣の男――。

「京極堂かな？」

「え？」

妻達が窓辺に寄って来る。

「あれは——違います」

京極堂の細君はひと目見て断言した。

「お坊さんですよ。関口さん」

「坊主？　そうかな」

影は矍鑠《かくしゃく》とした動きで悪路を一歩一歩踏み締めるように歩んでいた。

昼間のお化けのような京極堂の動き方とは明らかに違う。それに何やら笠らしきものを被り、手には長い棒状のものを持っていた。

「ああ、そうだね。お坊さんだ」

僧は長い間雪の中を歩いているらしく、笠には雪が積もっている。

「それにあちらは駅の方角じゃないのですか」

「そうだなあ」

雪絵の云う通りである。京極堂なら余程変な道を通って大回りして来ない限りは、逆方向から来る筈である。僧は呼吸を乱す様子も全くなく、同じような速度を保って宿の前を通過した。

「どこへ行くのかなあ。街道沿いに芦ノ湖の方へ行くのかな？」

「この先にお寺はないのですか？」

「ああ、そう云えば昨日京極堂がごちゃごちゃ云っていたなあ。旧街道に沿って幾つか寺があるそうだ」

そこに行くのだろうか。

私は何を思うでもなく、去って行く僧侶を二階の窓越しに眺めた。既に僧は景色の一部でしかなく、私は再び朦朧とした悦楽に足を踏み入れた。


一日何もしなかった。

夜になっても雪は止まず、夕食が済んでも京極堂は戻らなかった。

私は温泉にも——二日目にして——やや飽きてしまった。雪模様の夜では景色とても見えはせぬ。せせらぎの音も慣れてしまえば聞こえないに等しかった。

完全に弛緩《リラックス》もできぬが、かと云って緊張するような状況でもない。半端極まりない。

私は大きな欠伸《あくび》をした序《つい》でに云った。

「退屈だね」

「まあ、まだ二日ですよ」

妻が呆れ顔で答えた。京極堂の細君は反対に申し訳なさそうな顔になって私に詫びた。

「御免なさい関口さん。考えてみればお忙しいのに無理にお誘いしたみたいで——ご迷惑でした？」

欠伸序での台詞に他意はないから私は豪《えら》く恐縮してしまった。どう答えたものか考えているうちに雪絵がまるで教師か母親のような口調で云った。

「いいんですよ千鶴子さん。この人は忙しくなんかないんですから。仕事はとんとしない癖に、妙なことにばかり望んで首を突っ込むんです。それで疲れるだけなんです。折角誘って戴いて、こんな時ぐらい休めばいいのに、それもできないんですから——本当に時間の使い方が下手な人だこと」

慥かに——私は時間貧乏なのだろうと思う。だから反論はしなかった。

まったく以て文豪気分が聞いて呆れる。閑寂《かんじゃく》たる人生に憧れ、日日ゆとりある時間を求め続けていた癖に、いざそうなってみると一日と保たぬ。然程《さほど》忙しくもない仕事に忙殺されて、日常の瑣事《さじ》さえあれ程煩《わずら》わしかった筈なのに、することがないとなると退屈になる。余程下卑《げび》た暮らしが身についているのであろう。

そこに親爺が顔を出したから、私はこれ幸いと揉み療治を呼んで貰うことにした。

昨日の親爺の言に依れば、この宿に呼べるのは揉み療治だけだと云うことだったし、昨日の今日で私は脚の筋が痛かったのである。

妻は私が頼んでいるのを聞いて、

「まあお年寄りのよう」

と云った。

呼びに行って戻るまで、往復三十分はかかると云う話だ。私は親爺を呼び止め、昨日と同じように襖を閉めて座敷を仕切ると、矢張り同じように部屋の真ん中に床を延べて貰うことにした。流石に妻達に見物される中の按摩《あんま》は気が引けた。それはそもそも見る方だって厭だろう。親爺は矮軀《わいく》を小健《こまめ》に働かせて蒲団を敷くと、少しお待ちを、と云って去った。

私は掛蒲団の上に寝そべって待った。

ひとりになると急に友人のことを思い出した。

——京極堂は今もあの孔の中にいるのか？

今の私の待遇とは雲泥の差である。

あの大きな蔵に、いったい何冊の書物が収められているのだろう。

大体この悪天候の中で、どれだけ作業が進んだと云うのだろうか。

私は孔の中の京極堂の姿を想像した。

山腹に半ば埋もれた土蔵に穿《うが》たれた、暗いいびつな孔。

中は見えない。私は近づき、身を屈めて覗き込んだのだった。

どうも変だ。

巧く覗けない。孔にはいつの間にか檻のような鉄格子が嵌っていた。これではまるで土牢である。

私は声を出す。思うような大声は出ない。

おおい、居るのか。

返事はない。私は不安になる。

こんな暗い檻の中で食べ物すらもなかろうに。

声がした。

——餓死だ。

そんな、君。それは、
それは猫の話じゃあなかったか?

——問題は中の猫が生きているかどうかなんだ。

聞いたような話だな。それは慥か、
否、そんなもの、開けてみれば判るじゃないか。

くだらない。君は何故開けないのだ?

おい、何故開けないんだ。ここを開けろ。そんな暗い孔の中で、いったい何が見えると云うのだ。

——君じゃあないんだからそんな無謀なことは。

暗黒の中に友人らしき罔両《うりかげ》が浮かんだ。

書物の山に囲まれて、下を向いている。

私は、檻の鉄格子を両手で確乎《しっか》りと握った。

おい、寒くはないか。ここを開けろ。
――君はもう自分の世界に入ってしまったのか？　え？　今何と云った？
檻に入っているのは君の方じゃあ、
檻に。
檻に入っていたのは私の方だったのだろうか？
そう云えば、私は檻の中に居るようだ。
檻の中に居たんだ。
どうだ、羨ましいだろう。
君はこっち側に来られるか？　この檻の中に。
精精そっち側で書物でも読んでいるがいいさ。
この檻の中なら安心だ。私ひとりなのだから。
でも、出ることもできないけれど。
――大丈夫ですよ。
誰かいる。
檻の中に、私の他に誰かいる。
振り向かなくても判る。
振り向いたって真っ暗で何も見えない。

ならば見てやるものか。見なくたって、
それは振袖を着た少女だ。
去年の夏に死んだあの女《ひと》だ。
いいや、秋に逝《い》ったあの男《ひと》か。
冬に果てたあの人なのだろうか。
私の周りは死人《しびと》で一杯だ。死んでしまえば齢は取らないもの。
いつまでだって子供のまま。
——まあ、気味の悪い。
厭だ！　開けてくれ。僕をここから出してくれ。
友人は本を読んでいるから私の声は聞こえない。
——確乎りなさいまし。
——この檻は破れませぬ。
——檻から出ることは叶いませぬ。
——あなたは生涯、
——確乎り、
「確乎りなさいまし。旦那さん」
「ああ、ここは、ここは寒いから」

「それはお寒いことでございましょう。火の気のないお部屋で、蒲団も掛けずに横になられていては、お風邪を召します。そうなると私等按摩取《あんまと》りの出る幕じゃござりませぬ。お医者様の出番で」

「按摩？　ああ、按摩さん！　どうも」

私は跳ね起きた。どうも待っている間に微睡《まどろ》んでしまったらしい。揉み療治の男は私の肩に手を当てて揺り動かしていたらしく、両の掌を私に向けて、ああお目覚めなさったか、と云った。

更に男は私から離れて畳の上をすうと退き、

「失礼をば致しました。お呼び戴きましたそうで、誠に有り難うござります」

と、頭を畳につけるようにして実に丁寧な挨拶をした。私も思わず居住まいを正し、半端に会釈をした。傍《はた》から見ればさぞや滑稽《こっけい》な場面だったろう。

「よ、宜しくお願いします」

按摩取りは笑った。

白衣を着た浅黒い男だった。四十前であろうか。

「旦那さん、そのように堅くなられては解《ほぐ》れる凝《こ》りも解れのうなってしまいましょう。正座して按摩に宜しく頼むお方など初めてでございますよ。別に痛くは致しませんからお楽にしてくださりませ」

「はあ、どうも慣れないもので。それはそうと按摩さん、そのあなた私が——」

　正座しているのが判ったと云うことは、視力が幾らかはあると云うことだろうか。直接聞き難《にく》いことだったから私は言葉尻を有耶無耶《うやむや》にした。

「いいえ。私は見えませんです。それでも判りますですよ」

「矢張り気配で？」

「いいえ。声のする高さでございます。寝ていらしたならもっと下、立ち上がっていなさったならもっと上、胡坐《あぐら》より一寸《ちょいと》高い位置からお声がしましたんで——さあ俯伏《うつぶ》せにおなりください まし」

「ははあ、なる程——」

　私は云われるままに俯伏せになった。

「それではつかまらせて戴きます」

　私の腕に指が吸いついた。その指に力が籠る。

　私は目を閉じた。

　——そう云えば、
　最前まで、私は夢を視ていたような気がする。何の夢だったのかはまるで覚えていない。懐かしいような、忌まわしいような、果敢無《はかな》い後味だ。どうやら心地良い感傷を伴った不可解な夢だったようだ。

檻が――。

そうだ、京極堂が――。

「随分と凝ってらっしゃいますなあ」

男が云った。その言葉で、私は思い出しかけた夢を綺麗に忘れた。

「旦那さん、何か書き物をなさる方でいらっしゃいますかな」

「判るかい？」

「判りますな。凝り具合が違う。それに中指に胼胝《たこ》がお出来ンなっていらっしゃる」

「いやあ、流石に善く判るなあ。凄いものだ。それに実に気持ちが良い。按摩がこれ程気持ちの良いものだとはこの齢になるまで知らなかったですよ」

男はそれは有り難うござります、と云った。

私はどうやら肩揉みが巧《うま》かったらしく、学生時代から専《もっぱ》ら揉む方が専門だった。先輩である榎木津などは毎晩のように寮で私に肩揉みを命じた。一時は『猿按摩』などと云う屈辱的な渾名《あだな》まで拝命した程だ。私の風貌が猿に似ていると榎木津は云うのである。それは、過去に榎木津が私に授けた数限りない――そのうえ酷い――渾名の中でも、最も私をがっかりさせた渾名である。

兎も角、そんなだったから、今まで私は他人に肩を揉んで貰ったことなどただの一度もないのだ。だからこうして揉んで貰っていると、幾ら商売とは云え少しだけ気が引けた。

「それにしても、その、気紛れで急に呼んだりして何だか悪かったですねえ。雪もたんと降ったようですし、この辺じゃ夜道は危ないのじゃないですか」

「いいえ、お呼び戴きますれば私の方は商売でございますから、何処《いずこ》へでも馳せ参じます。気に懸けて戴いちゃあ却ってやり難《にく》うございますよ。それに私等には夜も昼も同じでござりますし」

「ああ——失礼」

昼と夜の差と云うのは光があるかないかと云うだけのことである。光の罔《な》い彼等にとってはそれはまるで無意味なことなのだろう。私は男が気を悪くしたのではないかと思い、酷く狼狽した。男はしかし別段変わらぬ口調で続けた。

「しかしこの雪には困りますなあ」

「え？　ああ、そうでしょう」

それが商売故の平静であるのかどうか、私には判断できなかった。

「雪が積もりますてぇと知った道の様子が変わる。私等は元元慎重に歩きますもんで、転びこそはしませんが、どうにも雪に足を突っ込んだり杖を取られたりしましてなあ。それがいけません」

「ああ、それでは矢ッ張り大変でしたでしょう。申し訳なかったです。あなた、お住まいはこの近くなのですか？」

「はあ、湯本の外れですわ。ここからは——そうでござりますな、鈍鈍《のろのろ》歩きで十五分程かかりましょうや」

「それじゃあ大変だ。結構歩く」

「ナニ、慣れた道でござんすよ。旦那さん、聞けば笹原のご隠居の所のお客さんだとか」

「ああ、まあねえ」

「あそこのご隠居さんにもご贔屓《ひいき》にして戴いてるぐらいでござります。こちらなんかは近いくらいで」

「それじゃあ、あなた、あそこまで歩いて行かれるのですか？」

「ええ。週に一度はつかまらせて戴いております。ご隠居様はお御足がお悪いのでございますな。ま、この節は不景気でございますし、少しばかり歩くからと云って贅沢は申せませんですからなぁ。ご贔屓にして戴いて有り難く思うております」

男はぐう、と腰を押した。

「ふう、しかし按摩さん。こちらの宿のご亭主も云っていたが、あの辺りはその、出る、そうじゃないですか。怖いことはないですか」

「出る？」

「その子供の幽霊だか何だか」

「ははは、それでしたら出たって見えませんから怖かないです」

「ああ」

それもそうだろう。

視覚的な怪異とは無縁だと云うことか。しかし男は続けてこう云った。

「——でも、もし本当に出るのなら、ありゃあそうだったのかもしれませんなぁ」

「何です？」

私は思わず振り向いた。

どうもその手の話は興味を沃《そそ》る。

こんな時、私は自分の俗物加減を熟熟《つくづく》思い知る。

「旦那さん、そんなお軀《からだ》捻《ひね》られちゃぁ療治ができませんです」

「ああ失礼。その」

私は体勢を元に戻して再び尋いた。

「何かあったのですか、それらしいことが」

「いいえ、くだらない悪戯《いたずら》でございましょうが——その、私は鼠に化かされたのでございます」

男はそう云った。

「ネズミ？　鼠と云うと、そのちゅうちゅう云う例の鼠ですか」

幼稚な問い掛けに按摩ははいはいと愉快そうに応えた。

「一昨昨日《さきおととい》の晩でございましたが。笹原のご隠居のお宅に参りまして。その帰りでございます。あのお宅から一直線に旧街道に下りますと、結構急な坂でございましょう。そこで一寸《ちょいと》横に逸れますと、斜めに街道に合流する獣径《けものみち》がございましてな。狭くて悪い道ですが勾配が大分緩いのでございます。私はもう五年から通っておりますので道の案配も善く判っておりますし、それに少しだけ近うございまして。私なんかはそちらの方を通るのですが」

慥かにあの悪路は健常者でも楽ではない。同じような道でも傾斜角が小さい方がまだ安全だろう。

「一昨昨日も少しばかり雪が降りまして。今年は例年より多いようですな。それでまあ、その獣径をば慎重に歩いておりましたら、こう」

男は揉む手を私から離した。私は首を捻ってその姿を見た。

「何か遮《さえぎ》るものがある訳です」

「何か？」

「道の真ん中にこう、何かある。雪溜りかと思って杖で突いてみると、どうも違う。恐る恐る足で弄《まさぐ》ってみると、これがどうも」

「どうも？」

「人が蹲っているような」

「雪道の真ん中に人が？」

「妙な具合でござりましょう。そしたら突然《いきなり》声が致しましてね。それは、拙僧が殺した屍体だ——と」

「せっそう？　せっそうとは」

「お坊様の」

「ああ、拙僧か。え？　それじゃあ僧侶が、その、道の真ん中で人を殺したと告白したのですか？」

「ええ。尤も聞いただけで見えやしませんから、本当にお坊様かどうかは判じ兼ねるのでござりますが」

「そうするとその物体自体も死骸かどうかは」

「ハイ。判りませんな。そのお坊様は、いや、お坊様と名乗ったお方は、如何にもお坊様が仰るような難しい話をむにゃむにゃと仰って、てんで要領を得ない。だから私は揶《からか》われているのだと思ったのですなあ。ですから、盲人を揶うなんて巫山戯《ふざけ》るにも程がありましょう、と云ったですよ」

「まったくです。冗談にも程がある。しかし、あなたは慥か先程、鼠に化かされたとか」

「そうなんでございます。そのうち、お坊様は自分は鼠だ、そこで死んでいるのは牛だと云い出した」

「牛？　そんな大きな物体だったのですか？」

「いいえぇ。丁度旦那さんくらいの体格でしょうなあ。あの高さは。だからもしそれが死骸だとしても、人間に違いはない。牛だなんてとんでもない冗談でございます。しかし、何となしぞっとしましてな」

「ぞっと?」

「もし本当にそれが人の死骸なら、それで声の主が殺した犯人なら、私は人殺しと二人っ切りで向き合っていることになるんでございます。しかも夜、人気のない山の径で、でございます」

「それは——」

慥かに兇《おそ》ろしい状況かもしれない。

「お坊様は、お前死ぬのが畏《こわ》いか、死ぬのが畏いかなどと云い乍ら近寄って来る。私はもう恐ろしゅうて恐ろしゅうて、一目散に逃げましたですよ」

「それで、それでどうしたのです」

「駐在さんを叩き起こして行ってみたら、何もなかったんです」

「何も?」

「なあんにも。私ゃあ叱られたり嗤《わら》われたりで散散でございました。お前さん大方狸にでも化かされたんだなどと云われましてなぁ」

「それであなた、先程鼠に化かされたと」

「そう名乗っておりましたからな。でもこれは本当のことでございますよ。夢じゃございません。まだ耳に残っております。その鼠の坊様の最後の言葉」

「何と云いました」

「ぜんしゅうでごにゅうは難しい——と。何の意味かは、無学な私などにはとんと解りませんですが」

「禅宗で悟入《ごにゅう》は難しい？　悟入とは悟りの境地に至ることでしょう。禅宗は、あの坐禅を組む禅宗だろうなあ。さて禅で駄目なら念仏でとか、そう云う意味なのかな。善く解りませんね。しかし——」

　それが本当なら、それは鼠のお化けなどではなくて、目の不自由な人を狙った悪質な悪戯であろう。何か裏があるものか、それとも単なる悪巫山戯《わるふざけ》か。いずれ酷い話であることに違いない。私は気味が悪いと云うより肚が立った。

「まあ、あの辺りに物《もの》の怪《け》が出ると云うのでしたらば、一昨日のあれもそのお仲間だったと云うことでございましょうかなあ」

　男は呑気にそう云ってからああ、つい手が止まってしまいまして、と詫び、再び脚を揉み出した。

　私はその心地良さ故にいつしか言葉数が減り、その後は大した会話もないまま、療治は終わった。

料金を払い、玄関先まで送ろうとすると丁寧に断られた。それは純粋に感謝の気持ちの現れに外ならなかったのだが、慥かにそうした態度を執るのはおかしいのかもしれない。仕方がないのでまた呼ぶからと云って名を尋いた。男は恐縮して尾島と申します、と答えた。

三十分程は持参して来た本を読んでいたが、そのうち眠くなった。私が再び舟を漕ぎ始めた頃、何の前触れもなく京極堂が戻って来た。

相変わらず不機嫌そうな顔だった。

「京極堂、君、何だ」

「何だはないだろう。帰ったのだ」

「そんなことは解ってる。まったく、連絡も寄越さないで、随分心配していたんだぞ」

「嘘を吐け。寝ていたじゃないか」

「嘘なものか。そりゃあ心配したって寝ない訳に行くか。僕なんかは今日君が帰って来なければ明日にでも行ってみようと思っていたのだ。大体千鶴さんだって――そうだ、君、千鶴さんには」

「いいんだ。隣はもう寝ているようだから」

まだ十一時を回ったばかりだったが、慥かに襖の向こう側の物音は静まっていた。揉み療治がいるうちは話し声がしていたように思うが、寝てしまったのだろう。

京極堂は漸く旅装を解いた。

「それにしたって君。いったい食事はどうしていたんだ。それに昨日はどこに泊まったんだね。笹原翁の所か？　それで作業はできたのか？」

「一度に尋くなよ。兎に角、湯に浸かって来よう」

着替えと手拭いを持って、京極堂は部屋を出た。

入れ替わりに親爺が蒲団をひと組み抱えて這入って来た。親爺ももう寝る用意をしていたらしく、何とも妙な格好をしている。こんな時間に突然戻るなど、考えてみればまったく迷惑な客だ。

「すいません。お客さん、敷き直しますわい」

私は部屋の真ん中に敷かれた蒲団の上に陣取っていた訳で、当然避《よ》けなければ蒲団は敷けない。私は不承不承起き上がると、隅に置かれた卓袱《ちやぶ》台《だい》の傍《わき》に褞袍《どてら》を羽織って座った。卓袱台の上には煙草が放り出してあったので一本抜いて咥《くわ》えた。

一服すると目が冴えてしまった。

そうしているうちに浴衣に着替えた京極堂が戻って来た。

いつも和装の友人は、仮令浴衣を来たところでそれ程見た目が変わらない。

私はもう一本煙草を出した。勧めると京極堂も一本取り、火を点けてひと息深く吸い込むと、ふう、と大きく煙を吐いた。

「ああ、それにしても酷《ひど》い雪だったね。どうせ怠け者の君のことだから今日は寝ていたのだろうが」

「僕は、まあ、うん。寝ていたよ。それよりそっちはどうなんだ?」

「ああ。今日は笹原さんのところから電気を引いて中に電灯を設置した。それが大変でね。距離が長いから。それから一時的に搬出するテントを設営して貰った」

「何だ、それじゃあ作業はできたのか。僕はまた雪で作業不能になり、遭難でもしたのかと思ったよ」

「酷いなあ。勝手に人が行き倒れたみたいな想像をしていて、何が心配していただ。南極探険でもあるまいに、室内にいて遭難するかい」

「室内?」

「僕の仕事は本の鑑定だよ。そんな電気工事みたいなことはしないよ。肉体労働はしないと十四の頃に決めたんだ。だから電気が引けるまでは笹原さんの家にいて、それから後は蔵の中だ」

「何だそうか。君らしいや。それで? お宝の方はどうだい? 儲かりそうか」

「ああ――」

京極堂は豪《えら》く複雑な表情をした。

「駄目か」

「いいや。それがねえ。困った蔵だよあれは」

「何だその困ったというのは？」

「あってはならないものがあるかもしれない」

そんな説明では解らないと云うと、いいよ、と云われた。喋りたくないのだ。この友人は偏屈者だから話したいことは必要な量の十倍でも語るが、云いたくないことはひと言たりとも喋らないのである。

何となく悔しくて——だからと云うのも変だが——話題を変えた。

先《ま》ず親爺から聞いた笹原某の素姓を話した。京極堂は雇い主である笹原某の父であるご隠居から少しはその内容を聞いていたらしく、素っ気なくしていた。

次に『成長しない迷子』の話をした。

京極堂は顔を顰《しか》めて、

「何だろうなあその娘は」

と云った。この話は初耳だったようだ。

「どうだ。不思議だろう。ここの親爺は慥かにその娘を見て、唄も聞いたと云う。ところが同じことが十何年前にもあって、それはその笹原さんの隠居が書き記していた。しかも一件二件じゃないそうだ」

「君はそれでどう思うんだ？」

「そりゃあ君、妖怪変化や幽霊の類だろう」

私はわざと心にもないことを云った。

勿論本気ではなく、偏屈な友人に役に立たぬ小理屈を捏《こ》ねさせるためである。

しかし——目論見《もくろみ》は外れた。

「関口君。君も少しは賢くなったようだね。そう、そう思っていればいいんだ」

「何を云ってるんだ。君はその手の如何《いかが》わしい話は大嫌いじゃなかったのか？」

「大好きさ。そもそも君は何か勘違いをしちゃあいないか？　僕の嫌うのは心霊科学だの超能力だの云う胡散臭《うさんくさ》い擬似科学やそれを前提に置いた誤った怪異認識の方なのであって、民間の口碑伝承、信仰俗信の類が嫌いな訳じゃないぜ」

慥かに京極堂は心霊科学だの超能力だのを毛嫌いしている。

そのくせ妖怪幽霊迷信呪術の類は認め、宗教も科学も敬愛しているらしい。聞く度解ったような気になるが、私は未だすっきり理解できていない。今日は瞭然《はっきり》してやろうと、私は問い質した。

「そこが善く解らないんだよ。どこまでが良くてどこからがいけないんだ？　君の基準を教えてくれ」

「基準？」

京極堂は思い切り厭な顔をして、煙草盆で燻《くす》ぶっていた燃え差しの煙草を揉み消した。

「面倒な男だなあ。例えば、その振袖を着た迷子が幽霊だとしようか。しからばそれは某かの恨みを抱いて死したる娘の魂魄《こんぱく》である──そこまではいいんだよ。だから人間には霊魂がありそれは死後も意識を持ち続けるのだと──これも良しとしようか。問題なのはその後さ。だから霊魂は科学的に証明できるものである、その娘こそその証拠ではないか──これがいかんのだ。それから、否、世の中には科学で説明できんものもある、この娘がその証拠だ──これもいけない。どちらも愚の骨頂だ。僕の嫌うのはそっちの方だ」

「すると、何だ、その、この場合は──」

「いいかね。この辺りの人はその娘を見て、あるいは唄を聴いて、おお、怖い、これは物の怪だ、と理解しているのだろう？　それでいいじゃないか。誰も困らない」

「それは困りはしないだろうが、でも結局は同じだよ。心霊科学も迷妄の風聞も大差ない。何年も成長せずに同じ服装で山中を彷徨《さまよ》っている娘など、そんな馬鹿なものはこの世に在る筈ないじゃないか。造りごとなら兎も角も──」

「ほうら。それが君の本音だろう」

　実に厭な男である。誘導尋問に簡単に引っ掛かる私も私だ。

「まあ、僕がどう思っていようといいだろう。そんな非常識な、この世にあり得ないものが徘徊していると云うなら、それは何等かのまやかしだろうと、僕はそう云っているのだ。それとも君はそんな幽霊妖怪が存在するとでも云うのか？」

「いいかね、関口君。この世には起こるべきことしか起こらないし、あるべきものしかないんだ。だからここの親爺が見たと云うならそれはいたんだろうし、以前に他の目撃者がいたのだとしたらその時もいたんだろうさ。それでいいじゃないか。いないものは見えやしないんだからね。それはいたのだ」

「いた？　そりゃ納得が行かないな。十何年成長もせず一箇所で迷っているんだぞ。君はそれも起こり得ること、あるべきことだと云うのか？　どう考えたってあり得ないことじゃないか」

「呑み込みの悪い男だね君も。そんなことある訳ないだろう。この世には起こり得ないことは起こらないし、あるべきでないものはない。だから成長しない生物なんていないし。それに迷子は十年も迷いやしない」

「だからさ」

「だから何だい。いいか、この『成長しない迷子』の場合、物理的に、あるいは生物学的に起こり得ないことなんかひとつも起きていないじゃないか」

「え？」

私は拍子抜けして気の抜けた声を出した。

「ああ、関口君。君は日を追って愚かになって行くようだなあ——」

京極堂はそう云うと溜め息を吐《つ》き眉間を抓《つま》んだ。

「——娘が成長しないこと、同じ場所で迷い続けていること、この二つはその出没期間が長いと云うことに拠って導き出された推論であり、実際に起きたことではないだろうに」

「ああ、そりゃあそうだ」

「つまり『成長しない迷子』を起こり得ないこととして定義する準拠は、出没期間の長さと云う問題ひとつに収斂《しゅうれん》すると云うことだよ。ただこの長期間と云う要素だが、これは正確には確定要素ではない。それは長い間ずっと出続けていた訳じゃない。十何年前と最近の、二つの括《くく》りに分けられる。時を隔てて短期の目撃事件群が二回あったと考えるのが正しい。その一度目と二度目の迷子が同一の個体であると仮定した時、始めて起こり得ないことが起こったように思える訳だ」

「そうさ。そこが不思議の要《かなめ》じゃあないか」

「その要だがね。同一の個体であると云う仮定を裏付ける証拠として挙げられているのは、次の四つの要素だ。先《ま》ず一般にあまり知られていないと思われる同様の唄を唄う。次に大体の服装が同じである。それから見た目の年齢も同じくらいだ。凡そ同じ場所に出没する。これらの要素は証拠としては甚《はなは》だ心許《こころもと》ないものだろう」

それは私も最初からそう思っていた。親爺にはそう指摘してやった程だ。しかし私は敢えて黙っていた。回り苦《く》どい話こそがこの男の本領である。

京極堂は別に面白くもなさそうな顔で続けた。

「この四つの要素自体は別段あり得ないことじゃない。迷子が何を着ていようが迷子の勝手だし、唄ぐらい誰だって唄う。それにこの四つの要素同士が互いに矛盾すると云うこともないね。これで目撃談が一度か、あるいは複数でも時間的に集中したものだったら——つまり出没期間が短期間であったなら、そりゃあ単なる変わった迷子で済んでしまう。宙に浮いた訳でもあるまいに、どれだけの回数幾人の人間に目撃されようと、如何に妙な服装で怪しい唄を唄おうと、別に不思議なことはないからね。色色な場所で同時に目撃されたとか云うなら話は別だが、いずれも同じような場所なんだろうし」

「まあそうだな」

「しかし、これに十何年間と云う時間的な要素が加わって出没期間が長期化してしまったが故に、変な迷子は成長しない迷子——妖怪化してしまった訳だね」

「なる程。まあ、そりゃあそうなんだろう」

「つまり——同一個体であるとしか思えないような非常に個的な要素が一方であり、絶対に同一個体ではあり得ないだろう時間的経過がもう一方である。そこに矛盾が生じ、その矛盾を解決するための説明体系として怪異が採用された、と云う訳だね。この場合、どうしても怪異を認めたくないと云うなら、その矛盾さえ解消してやればいい訳だろう。解決の方法は幾らだってあるぜ」

京極堂はそこで洗い髪を掻き上げ、続けた。

「繰り返すが、長期間と云う部分を支える証拠は如何にも頼りない。成長してないのじゃなくて、成長してないように見えるだけなんだろう？　同様に、似たような服装なのであって同じ服ではない。十何年間迷っているのじゃなくて、同じような場所で目撃されたと云うだけじゃないか。君が怪異を怪異として受け止められないのだったら、そう云う曖昧《あいまい》な部分を勝手に造っちゃあいけない」

「造った訳じゃないが――つまり過去に目撃されたと娘と現在目撃された娘は別人と云うことか？」

「勿論、それが別別の個体であったと仮定することだってできるだろう。すると長期間と云う認識が間違っていたと云うことになるから年齢の問題は解消するね。唄は同じ唄を知っている者が複数いても怪訝《おか》しくはないから問題外だし、服装だって本当に寸分違《たが》わぬのかどうかは怪しい。これはあり得る。逆に同一の個体であったとしたって考えられないことはないよ」

「そうか？　それはないだろう」

そんなことはないさと京極堂は簡単に云った。

「同一個体だったなら更に話は早いぞ。この場合は同じ唄を唄おうが、同じ服を着ていようがまるで問題はない訳だ。問題は年齢だけだね」

「その年齢が肝心なのじゃないか。成長しない生物はいないと云ったのは君だ」

「成長しない生物なんかいるか。生きている限り新陳代謝はするんだからね。生き物は育って老いるものだ。しかしね、成長しないように見えることはあるだろう」

「見える？」

「見た目が変わらないから成長してない――なんてことはないぞ。君なんか、ここ十何年ずっと同じ顔だ。幼い時の写真を見たってひと目で判る」

それこそ余計なお世話である。

「それにしたって――十何年だぞ」

「それも、例えば成長しないように見える疾病障碍《しっぺいしょうがい》の類もないではないからね。ホルモンの分泌が狂うなどすると肉体の成長が止まることがある。先天的なものばかりではなく後天的な事例もあるようだ。最近ではね、愛情の欠乏で成長が止まってしまうような例も報告されているんだぞ」

「愛情？」

「そうさ。人体の仕組みと云うのはまだまだ未知の部分が多いのだよ。こじつければ何も不思議なこともない。可能性は幾らだってある。あくまで可能性だがね。いずれにしても理屈なら何通りだって考えつくんだ。つまりそれぞれの現象自体はあり得ないこと、起こり得ないことなどではないんだ」

「まあ、そうなんだが、何か納得行かないな」

「そりゃあそうだろう」

　京極堂は口の端を下げる。

「あり得ないことではないんだから事実あったことなんだろうが、どうも納得行かないからこそ怪異になるんだ。誰もが納得行ったんじゃあ怪異は生まれない」

「そこが解らないんだよ。慥かに起こり得ることしか起こっていないようだが、説明がつくと云ったって牽強付会《けんきょうふかい》じゃあ得心行かない。寧ろ超常心霊の類を持ち込んだ方が整合性があるように思えるぜ」

「それがいけないんだってば。超常だの心霊だのと云う馬鹿げたレヴェルで捉《とら》えることを止めなければ駄目なんだ。本来、これがただの迷子だったとしたら、一番問題にするべきなのは彼女が何故山中に似つかわしくない服装で、どうしてそんな場所にいたのかと云うことだろう？　これは不思議なことなどではなくて、単に判らないことなんだ」

　慥かにそれは判らないこと――である。

「僕等はその娘が何故そうしていたのか知らないのだからね。それに確かめようもないじゃないか。だから判らないんだよ。君みたいにどうしても怪異を持ち込まずに理解したいと云うなら、この件に関してはここまでが限界だ。靄靄《もやもや》は残る。これ以上科学的論理的思考を重ねても情報が少な過ぎるから結論は得られない。つまり考えるだけ無駄なのさ」

「待てよ。僕は何でもかんでも科学で解明できると思ってる訳じゃないぞ」

「この世に科学で解明できないものなどないよ」

京極堂は断言した。

「ただ科学的思考と云うのは凡てが証明され、明白になっていない限り、結論を出してはならないものだ。いずれ凡てが解明できると希望的観測を述べるならいいが、証明できぬ部分まで含めて解ったような顔をするのは奢《おご》りだからね。科学的思考に依って理解しようとするなら、現状判らないことは判らないままに棚に上げておくしかないのだと云う腹の括り方をしなければ嘘だ。理論的に正しくたって推論は推論で結論ではないのだからね。それじゃあ据わりが悪いと云うのなら、その時は一旦科学を捨てるしかない。だからこう云う欠落情報が補えないような場合の一番据わりの良い理解の方法は、妖怪変化と考えることなのだ。だからここの人達は一番賢い選択をしたと云うことさ。君が一番愚かだったのだ」

友人はそこで言葉を切り、いつものように片眉を上げて小馬鹿にしたように私を見た。

「君はどうしたって僕を愚か者にしたいようだな。心霊超常は駄目でも妖怪変化ならいいのか？　どう違うんだ？　僕は最前からそれを尋いてるんだ」

「妖怪変化――怪異と云うのはそもそも理解不能のものを理解するための説明として発生したものなんだぞ。云ってみれば科学と同じ役割を持ったものなのだ。その怪異を科学的に考察すると云うのはナンセンスじゃないか。説明機能自体を別の説明機能を用いて説明するなんて愚かで野暮だよ。塩に醬油《しょうゆ》をかけて喰うようなもんだ」

「ああ、なる程。科学で説明がつくものをわざわざ怪異で説明することはないし、逆に科学では推論しか下せない事象は怪異でしか説明し切れないと云うことだな。しかし心霊科学と云う奴は、科学で説明できないが故に怪異に依って説明された事象に就いてその説明であるところの怪異自体を科学的に説明していると云う——あやややこしい」

「そうそう。科学と怪異は本来補い合うことはあっても反発するものではない。だが、それでいて絶対に馴染むものでもないのだ。しかし現状は反発し合っているように誤解されている。心霊科学なんかはその誤解の上に成り立っているようなところがあって、そのうえに馴染まぬものを統合しようとまでしている訳だ。砂上の楼閣《ろうかく》の屋上屋だ」

　妙な比喩だが判らぬこともなかった。

「彼等は科学の手法を模した擬似科学で怪異を解明した気になって喜んでいるが、それは実は怪異を貶《おとし》め、科学を堕落させるだけの行為であり、説明体系の統合どころか大いなる勘違いだと、君はこう云いたいのだな」

「関口君。君も解って来たじゃないか。最近はその手の小賢しい馬鹿が増えて科学者も宗教家も甚だ迷惑しているからね。まあ、君はこの件に関しては最初に妖怪変化だと云ったからな。口を開けば心霊だ超能力だと騒ぐ阿呆な奴等よりは小賢しさに欠けるから、ややマシだと云うところかな」

　京極堂は漸く愉快そうな眼になった。

「ややマシ程度か。君も酷いなあ。まあ判ったよ。じゃあ妖怪でいいや。しかし妖怪としたってこう云う山怪は珍しいのじゃないか？」

「何が珍しいものか。不老不死なんて怪異はざらにあるのだよ。流罪《るざい》先で菊の露を飲み不老不死になった菊慈童《きくじどう》も、人魚の肉を食って千年の寿命を手に入れた八百比丘尼《やおびくに》も、皆幼い姿で永遠に等しい時を生きたんだ。これら成長しない子供は皆『大禿《おおかぶろ》』と呼ばれる妖怪なのだ。『百鬼夜行』にだってちゃんと載っているよ」

京極堂の云う『百鬼夜行』とは、鳥山石燕《とりやませきえん》と云う江戸時代の画家が記した妖怪図録のことで、彼の座右の書である。四部十二巻も開版されていて、正編続編あたりに載っているなら当時は有名《メジャー》な妖怪だったと考えていいらしい。

「関口君、大体妖怪《ばけもの》は齢を取らないんだから、育っていないと訝《いぶか》しむ方が変なんだぜ」

「ああ、そう云えば一つ目小僧が小僧から大人になって一つ目爺になったなんて話は聞かないな。しかし唄の方はどうなんだ？　唄う妖怪と云うのは多いのか」

「どんな唄か聞いていないから判らないけどね。でも唄う化け物だって掃いて捨てる程いるぞ。君は知らないかな？　例えば——十九歳で殺された糸紡ぎの娘が殺された近辺で舞いながら『去年も十九、今年も十九、ぶうんぶうん』と唄い続けると云う伝説が島根の方にあるよ。

「はあ、それなんか少し似ているね」

「先例は幾らでもあると云うことか——」

京極堂はそうだよ、と素っ気なく云った。

善くもこう都合の良い例が次から次へと湧いて来るものだ。そんなこと知っている方が異常だと思うのだが、この男が云うならそうなのだろう。しかし、それなら余計に『成長しない迷子』は伝統的妖怪に近い存在と云うことになるだろう。それは特殊なものなどではなくて、全国各地で怪異として語り継がれているもののヴァリエーションのひとつに過ぎないと云うことなのだろうか。

――しかし、それならば、

私は先程の一件を思い出した。

「そうだ京極堂、話は変わるが、珍しい話を聞いた。鼠の坊さんと云うのはどうだ？　そんな妖怪はいないだろう」

こちらの方は流石に一般的ではあるまい。

私は何とかこの妖怪好きの友人の鼻を明かしてやりたかったのである。

「頼豪《らいごう》のことかい？」

しかし友人はあっさり答えた。

「なんだ？　鼠の坊さんまでいるのか！」

「君は本当に日本人なのか？　鼠の妖術と云えば坊主、坊主の妖術と云えば鼠。平安の昔っからそう決まっていようが」

「それがその、らいごうとか云う？」

「ああもう、次から次へと難儀な男だな。高高一日二日会わないだけで何だって君はそう馬鹿な話ばかり仕入れているんだ？　それに、ものを知らないにも程があるぞ」

京極堂はそう云ってから大儀そうに立ち上がり、窓辺に置いてあった彼の鞄《かばん》から何か取り出して元の席に戻って来た。

どうやら和《わ》綴《とじ》の本であるらしい。

「口で云っても解らんだろうから、ほら——」

京極堂はそれを私に渡した。

古書特有の香りがすうと漂う。

その和綴の本には見覚えがあった。

「何だ、こりゃ件《くだん》の『百鬼夜行』じゃないのか？　君はこんなものいつも持ち歩いているのか？　幾ら好きだって旅先に持って来るような本じゃないだろう。呆れたものだ」

「おい、善く見ろよ。これはいつも観てる私物の方じゃないよ。商売ものだ。今日手伝いに来た小田原の高瀬書店から買い上げたんだよ。どうやら地元で二冊だけ仕入れて僕に流そうと思っていたらしい。ほら、その真ん中辺だ。ええと、これ、ここだ」

私が発見できずにいるので苛苛《いらいら》したらしく、京極堂は腕を伸ばして自ら頁を捲《めく》り、私に示した。

「鉄、鼠、てっそと読むのか？　君はさっきらいごうとか——ああらいがう、とも書いてあるなぁ」

寺——だろうか。

背景の柱には寺院らしい装飾が施されている。須弥壇《しゅみだん》か、経文を置く台か、いずれそれらしきものがあり、その上には経典も描かれている。その台の上と云わず、柱と云わず、至る所に——善く肥えた鼠どもが跋扈《ばっこ》している。

鼠が経典を引き摺り出して嚙み破っている——。

この絵はそう云う図であるらしい。

しかし妖怪の本体はその鼠達の中央にでんと構えた大鼠の方と思われる。

周りに散った鼠どもは、どうやらこの大鼠の配下のように見受けられる。

大鼠は手下の鼠の数倍はあろうと云う大きさで、しかも衣を纏っている。

たくし上げられた衣から突き出た四肢にはみっしりと体毛が密生している。爪も鋭く伸びて、半ば開けられた口元には齧歯類《げっしるい》らしい尖った前歯が覗いている。眸にも知性の輝きはなく、どう見てもけだもののそれとしか思えない。

しかし——この大鼠は鼠ではなく、どうやら人なのである。しかも、僧であるらしい。顔や頭頂部には毛は生えていないし、一見尻尾と見えるのは実は解けた帯である。

誰よりも知的で、且つ禁欲的である筈の僧侶が、愚かで鄙俗《いやら》しい獣の本性を剝き出しにしているのだ。最早言葉も、気持ちも何ひとつ通じそうにない。

例によって怖い、畏ろしいと云うような絵ではない。

見れば見る程厭になる。浅ましいのだ。

酷い閉塞感。云い知れぬ圧迫感。

これは自分自身だ。

何と厭な、

「何だ。何を耄《ほう》けているんだ？　それが鼠妖術の総本家たる天台宗園城寺派《おんじようじは》の高僧、實相房《じっそうぼう》阿《あ》闍梨《じやり》頼豪だ」

「あ、ああ」

私はつい——見蕩《みと》れてしまっていた。

「これは人なのか？　鼠なのか？　うん、その頼豪と云うのはどう云う坊さんなんだ？」

「頼豪は平安の末の人で藤原宇合《ふじわらのうまかい》の末裔長門守《ながとのかみ》藤原有家《ありいえ》の子だ。幼くして出家し、長等山《ちょうとうさん》園城寺の権僧正心譽《ごんのそうじょうしんよ》の弟子となった。顕密《けんみつ》共に善く学び、碩学《せきがく》と謳《うた》われた徳の高い僧で、おまけに霊験《れいげん》あらたかな法力も持っていたと云われる」

「随分と偉いお坊さんじゃないか。園城寺と云えば何だ、慥か凄い寺だろう」

「天台宗寺門派の総本山だね。俗に云う三井寺《みいでら》だ」

「ああ、フェノロサの墓のあるお寺か」

私がそう云うと京極堂は厭そうな顔をした。

「君はどうしてそんな知らなくていいようなことを知っているんだろうな。寺は観光地じゃないんだから、もう少し他の覚え方をしろよ」

「そんな云い方をするなよ。まだ他にも知っているぞ。慥か近江《おうみ》八景《はっけい》のひとつだ。『三井の晩鐘《ばんしょう》』とか云う鐘があるだろう」

「そうやって日本文化を博物学的に捉《とら》えるような真似は止せよ。外人でもあるまいし。せめて比叡山《ひえいざん》と対立した寺だね、くらいのことが云えないのか？」

「比叡山って、君、その園城寺も天台宗なんだろ？　比叡山と云えば延暦寺、延暦寺《えんりゃくじ》も同じ宗派の天台宗——おい、天台宗なら叡山の方が本山じゃないのか？　最澄《さいちょう》が開いたんだからそっちが大元だろうに」

「本当にものを知らない小説家だな。三井寺は元元天武《てんむ》の頃に建立された古い寺で、大伴氏《おおともし》の氏寺だったんだが、大伴氏の衰退と共に荒廃し、二百年近く経ってから天台の学匠智証《ちしょう》大師圓珍《えんちん》が延暦寺の別院として復興したのだ。以来天台根本《こんぽん》道場であり、また三井修験道《しゅげんどう》の発祥寺としても知られる。しかしこの圓珍の弟子と比叡山の圓仁《えんにん》の門下は、まあ君に解るように云えば、仲が悪かったんだ。叡山方を山門、三井寺方を寺門と呼び、五百年近く抗争は続いた」

「同じ宗派でか？　それは例えば経典の解釈を巡っての異端審問のような――」

文字通りの抗争だよと京極堂は云った。

「啀《いが》み合うのみならず、武力を以て闘ったと云うのかい」

「だから抗争さ。焼き打ちを掛けたりする。当時の坊主は荒っぽかったのだ」

「それじゃあやくざじゃないか。坊さんだろう？　しかも同門じゃあないか」

「同じ宗派だからこそ争いが起きる場合だってあるんだ。一枚岩の宗派と云うのは少ない。兎に角山門派と寺門派は相争っていた。そして頼豪は寺門派の高僧だったのだ。ところで、君は『平家物語』は読んだかね？」

「読んだような、読まないような」

細かいところまで覚えている程読み込んではいない。

かと云って知らない訳でもない。

「情けないなあ。平家物語の異本のひとつ『延慶本《えんぎょうぼん》平家物語』第三の十二に頼豪に就いての記述がある。『白河院三井寺頼豪に皇子を被祈事』と云う段だが――梗概を云うとこうだ。中宮賢子《ちゆうぐうけんし》に皇子が産まれるように白河院が頼豪に祈禱を依頼した。恩賞は思いのままにと云うのが条件だ。頼豪は先に云った通り呪術もお得意の坊主だから、祈禱一発、効果覿面《てきめん》で、敦文《あつふみ》親王が誕生した。約束だからね、さて何でも望みを申すが良いと云われて、頼豪は何と云ったかと云うと、三摩耶《さまや》戒壇建立の勅許を願い出た」

「ははあ、政府公認の宗教になりたかったのだな」

「何だその表現は？　平安の話だぞ。ともあれ戒壇の建立と云うのは山門寺門抗争の中心的な問題だったのだからね。山門側は大いに色めき立った。白河院はこの場合どちらにも肩入れをしたくなかった訳だ。金や地位や名誉ならやるが、それだけは駄目だと云ったのだね。比叡山に遠慮したんだ。この嘘吐《つ》きめ——と頼豪は怒り心頭に発し、魔道に堕《お》ちると宣言して食を絶ち憤死してしまう。生まれた親王も四歳で急死。頼豪が祈り出した皇子だからあの世へ連れ戻したのだと云われた」

「おい、鼠はどうした？」

「この話は後がある。餓死した頼豪は鼠の群れとなって転生し、比叡山の経蔵に湧いて経典を喰い荒らした、と云うのだ。『本朝語園《ほんちょうごえん》』に拠れば、その数八万四千匹——これはその絵だな」

「ひもじさのあまり経典を齧《かじ》ったのか？　餓鬼道にでも堕ちたのか」

「そうだ。浅ましき思いが凝り固まったのだ。そこで比叡の法師は一計を案じ、鼠の禿倉《ほくら》、つまり社を祀《まつ》ってその怒りを鎮《しず》めたと云う」

「初めて聞いたぞ。その話は有名なのか」

「有名だと思うがなあ」

京極堂は首を捻った。

「同じ話は『愚管抄《ぐかんしよう》』巻の四にもあるし、勿論『源平盛衰記《げんぺいじようすいき》』にだって載っている。『太平記』巻の十五『園城寺戒壇事』にも出てる。『異説秘抄口巻傳《いせつひしようこうかんでん》』にも鼠神を祀った社の記述があるし、鎌倉時代には結構有名だった筈だがな。『近江名所圖繪《おうみめいしよずえ》』にだって口から鼠を吹き出して怒っている賴豪の絵が出てるじゃないか。『菟玖波集《つくばしゆう》』の神祇《じんぎ》連歌にも——」

「いいんだ。そんな昔のことは。聞いたって解らないよ。しかし——鎌倉時代の流行じゃあなぁ。多分、君以外だれも知らないってば。その程度で有名だと云われちゃ、僕なんか殆ど致命的に流行遅れだ」

「関口君。そうやって衆愚に埋没して己の無知を目立たせなくしようったって無駄だよ」

　酷い云い方である。

「僕が知らないだけだ——と、君は云いたいのだな」

「当然だ。山東京傳《さんとうきようでん》が読本《よみほん》の『昔話《むかしばなし》稲妻表紙《いなずまびようし》』に賴豪院と云う鼠を使う妖術使いを出したんだ。これが当たった。と、云うことは、平安どころか江戸時代になったってまだ有名だったんだ。それが当たった証拠に、すぐ後に弟子の瀧澤興邦《たきざわおきくに》——曲亭馬琴《きよくていばきん》が『賴豪阿闍梨《らいごうあじやり》怪鼠《かいそ》傳《でん》』を書いている。柳の下に二匹目の泥鰌《どじよう》を狙ったのだな。人気があったのだ」

「馬琴は知っているが、それは読んだことがないな。でも解ったよ。その鼠の妖怪——鉄鼠か？　それは有名だったのだな。それはいいよ。しかし京極堂、その賴豪と云う人は実在の人物なのだろう？　その比叡山のお経喰い破り事件と云うのは本当にあったのか？」

「勿論事実とは違うよ。大体敦文親王は頼豪の死ぬ七年前に疱瘡《ほうそう》で死んでいるからね。そもそも嘘だ。ただ頼豪が熱心に戒壇設立に腐心していたことは事実だろうし、ならば当然叡山の荒法師どもとは大いに確執があったのだろうがね」

「何だ嘘か。史実には鼠なんか一匹も出て来ないじゃないか。それに三井寺じゃなあ。場所も違うし」

慥かに鼠坊主の妖怪はいたようだが、尾島氏の語った話とは無関係のようだ。

京極堂は訝《いぶか》しむような顔をして云った。

「大体関口君。君は何だってそんな話を始めたんだい？　僕はまた、君が馬琴の『頼豪阿闍梨怪鼠傳』でも読んだのかと思ったのだがね」

「何故だ？」

「箱根が出て来るからさ。『怪鼠傳』に登場する頼豪は鼠を操る妖術者だ。木曾義仲《きそよしなか》の子、義高がその頼豪から妖鼠の秘術を伝授して貰って、父の仇石田爲久《いしだためひさ》をその鼠を使って討ち取ろうと待ち伏せる場所がここ——箱根だ。まあ創作《フィクション》なのだが」

「はあ、箱根も丸切り無関係と云う訳ではないのだな。しかし僕の方の話は全然違う話さ」

私は先程聞いた揉み療治の尾島氏の体験談を語った。

京極堂は何故か一層怖い顔になった。

私は茶化すようにこう纏《まと》めた。

「どうだ、これも妖怪だろ。彼は鼠に化かされたと云っていたが、これは狐狸の類の仕業だな。こっちはさっきの迷子なんかよりも更に類型的な話だからなあ。昔話なんかで善く聞くじゃないか。しかし盲目の人を化かすなんて質《たち》の悪い妖怪だ。どうだ君、ひとつ懲《こ》らしめてやったら」

どうせ何を云っても丸め込まれて仕舞いである。下手なことを云うよりも妖怪の仕業と云い切ってしまった方がいいと思ったのだ。

「何を云っている。それは変だ。妖怪なんかじゃあない——」

だが京極堂はそう云った。そして暫く黙った。

実に久し振りにせせらぎの音が聴こえた。

そして私は躰がすっかり冷え切っていることに気づいた。部屋は裸電球ひとつで、何となく中心だけ明るい。日付けは変わっていた。

「関口君。君——」

京極堂は不意に顔を上げた。そして、

「前言は撤回する。それは妖怪だ。だから絶対深入りするなよ」

と、ぼつりと云った。

「何だ？　どう云う意味だ？」

京極堂は仏頂面のうえ口尻を更に下げて、

「いいよ。深く考えなくて」

と云った。

そして私が釈然としない顔つきでいるのを無視するようにぬ、と立ち上がり、

「僕は明日も早いから寝るよ」

と云ってそのまま蒲団に潜ってしまった。

それっきり声は途絶えた。

私は途中で放り出されたような宙ぶらりんの気持ちだったが、どう声を掛けたものかまるで思いつかなかったから取り敢えず黙っていた。

京極堂はぴくりとも動かぬ。背を向けて寝ているから眠っているのか醒《お》きているのかも判らぬ。

私は学生時代からこの男の寝息を聞いたことがない。京極堂は他人より先には寝ないし、後に起きることもない。そう云う男なのだ。細君の話だと寝ているのか死んでいるのか判らないような眠り方をするらしい。だから眠っているのかもしれぬ。

私はその時煙草を一本咥《くわ》えていたのだが、結局火は点けるのを止め、寝ることにした。

「関口君。鼾《いびき》は勘弁だぜ」

電燈を消そうと立ち上がった私に、友人は振り向きもせずにそう云った。

実に奇妙な夢を視《み》た。

小さな僧が部屋中を縦横無尽に駆け回っていた。小坊主どもはとことこ跫《あしおと》を立てて私の周囲を元気良く走り回るのだが、壁に突き当たると跳ね返るように方向を変える。外に出たいのかもしれない。僧の顔は全員無表情だった。

——喧《やかま》しいし、気分のいい夢ではないな。

睡眠中だと云うのに、私はそう思った。


目覚めると京極堂はもういなかった。

声をかけて襖を開けると、妻達もすっかり外出の身支度を整えている。

今まさに出掛けんとする場面だったようである。粗末な鏡台の前には京極堂の細君が座っており、雪絵に至っては立ち上がっていて、しかも丁度道行きを羽織ったところだったようだ。

京極堂の細君は私を見て、

「おはようございます」

と云った。

「あ、いやどうもそんなに早いと云うこともなかったようだが、京極堂の奴は——」

「ええ、七時前に出て行きました。口利く間もありはしません」

「そうか。いや、気がつかなかったな」

鏡に映った私の顔は何だか薄汚れて見えた。起き抜けで髭も剃っていないし、寝癖までついている。おまけに浴衣の前をはだけただらしない姿である。妻達は化粧も済ませて身綺麗に装っている訳だからそんな私が一層汚く見えるのも已《やむ》を得ない。

「お食事はそこにとってあります。顔洗ってから食べてくださいね。でももう九時を過ぎていますからぼやぼやしているとお昼になっちゃいますねえ」

雪絵が薄汚れた私を見て困ったように云った。

思わず私は寝癖を手で押えて隠した。

「京極堂は——朝飯は喰ったのかな？」

「それが、あの人宿のご主人にお握りか何かを頼んでおいたようなんです。本当に本が逃げて行く訳でもあるまいに、お食事くらいして行ったってバチは当たりませんでしょうに。宿のご主人にはご迷惑ばかりお掛けしてしまって」

「でも中禅寺さんはご用があるのでしょう。一緒に食事ができないのはこの人も一緒ですから。毎日毎日善くそれだけ朝寝坊ができますこと」

「まあいいじゃないか雪絵。それより君達は、もう出掛けるのかね？」

「ええ。幸いお天気も持ち直したようですし、登山電車に乗ってみようかと思って。タツさん——あなた、今日はどうなさいますの？」

「そうだ、関口さんもご一緒に如何ですか？」

「ああ――」

細君は私に気を遣っている。

私の方は、行きたいような気もしたのだが、用意ができるまで待って貰わなければならないから少少気が引けた。暫く迷っていると、雪絵に見切りをつけられた。私の心中を察したのだろう。

「これは駄目です。まだ寝惚けているようですわ。参りましょう、千鶴子さん」

それもまた已を得なかっただろう。

妻達は夕食までには戻ると云い残して出掛けた。

ほっとしたような寂しいような気になった。

障子を開けて妻達の後姿を見送った。

また随分と積もったものだ。

考えてみれば一昨日宿に入ってから私は一歩も外に出ていない。仮令《たとえ》出たところで妻達と違って観光に対する準備や心構えと云うものがないから徒歩で行ける範囲に何があるのかも知らない。土地鑑とてないから迷うのが関の山で、雪の中で右往左往する自分の姿しか思い描けない。寒いのもいけない。

怠《なま》け者で、無精者で、後ろ向きで、どうやらそれが私の目に見えぬ檻であるらしい。

これでは時間とか世間とか云う七面倒臭い監獄から解き放たれたところでからきし無意味と云うものである。

私は、どこに行こうと、どんな状態であろうと、私と云う檻から出ることは適わぬのだ。謂わば自縄自縛《じじょうじばく》の軟禁《なんきん》状態である。

雪絵に注意されたにも拘《かかわ》らず、私は顔も洗わずに冷えた飯を喰い、暫く耄《ほう》けてから顔を洗う代わりに湯に浸かった。歯を磨き、あまりにもだらけているような気がしたから出掛けるでもないのにちゃんと服を着てみた。

そうしたら漸く目が覚めた。そして目が覚めたと思ったら案の定もう昼になっていることに気がついた。喰ったばかりで昼飯も何だから、時間をずらして貰おうと、私は帳場に行ってみた。

階下では熊親爺が慌てていた。

「ああ、何だこりゃあ。本当に、こいつはどうしちまったんだい、ああ！　お客さん」

「どうしたんです？」

「鼠ですよぅ」

「鼠——の何です？」

「何ですって、鼠は鼠ですがな」

当たり前だ。鼠の坊主の話が頭のどこかに残っていたのである。

「鼠が急に湧きよって。お客さんもゆんべど、たど、た煩瑣《うるさ》かったんじゃねぇですか？　しかしこう齧られたんじゃ石見銀山《いわみぎんざん》でも買って来なくちゃ」

「鼠は多いのですか？」

「いやあ。あんた、この辺りは家鼠つうより野鼠ですからな。この季節は普通、冬籠りですわ。特に鼠が早く隠れる年は大雪が降ると云いまして、慥かにこの冬は籠るのも早かったですよ」

そこで暖簾《のれん》を捲《めく》って女将《おかみ》が顔を覗かせた。そして、こう云った。

「でもお前《まい》さん、鼠が騒ぐと晴れと云いますがな。その通り晴れたじゃござんせんか」

「馬鹿、鼠が暴れると雪とも雨とも云うんだ。親指齧られたら死ぬとまで云うんだ。こんな時期に茶の間の食い物引いて行くなんざ、並の鼠じゃない」

「鼠さんは大黒様のお使いとも云いますがな。鼠がいなくなると家運が傾くとも云いますわいな。逆に沢山出たんじゃから好い知らせと思いなね」

「何が好い知らせじゃ。大黒様だか恵比寿《えべす》様だか知らないが鼠の食い扶持《ぶち》まで賄《まかな》う余裕があるかい」

「ああ」

私が妙な唸り声を上げたので不毛な夫婦喧嘩は中断した。

「どうしましたぃ？　ああ失礼、お客さんの前でつまらねえこと」

「い、いや」

私は昨晩視た夢の正体が解ったから声を上げただけだった。とこ、とこ、とこ云う音は鼠が天井裏か何かを走る音だったのではあるまいか。睡眠中の私はそれに気づいていて、それであんな夢を視たのだろう。

兎に角昼食のことを告げて部屋に戻った。親爺は毎日ご苦労なことで、とか何とか云っていた。どうやら私は宿に留《とど》まっているものの例の仕事の一端を担っているのだ——とでも思っているらしい。

敢えて否定はしなかった。その方が都合がいい。

正直にただ寝ていると云ったのでは申し訳ない。

部屋がやけに広く感じる。横になっても縦になっても暇だった。床も上げてあるし普通に服も着ているのだから、余計に変な具合だった。それでも外出する気にはならず、私は座布団を弄《もてあそ》んで大きな欠伸《あくび》をした。無性に話し相手が欲しくなり、下に行ってみようとまで思ったが、仕事をしていると思われている以上、親爺に相手を求める訳にも行かぬ。

何かと云えば他人と面会することを厭《いと》い、些細なことで社会との隔絶を願っていたこの私が、人恋しくなっているのだ。しかも、熊のような親爺相手で妥協できそうな気にすらなっている。それを思うと非常に可笑《おか》しかった。

声に出して笑うと、すう、と楽になった。

その後酷く落ち込んだ。

私は鬱の扉のノブを握り、その手を放し、それを幾度となく繰り返した。

これでは保養中の文豪と云うより、隔離病棟の神経症患者のようである。

陽が西の方に傾いて来た頃、漸く私は兼ねてより望んでいた状態——所謂《いわゆる》文豪気分——っ
まりはぼうっとした状態——になることができた。

何も考えなければ世界も、時間もないに等しい。

私の耳からはせせらぎの音すらも消えた。

どのくらいの時が過ぎたのだろう。

——ああ、来る。

随分と遠くの方で、何かが騒然とした。

何もない無限の彼方から。

何か騒騒《ざわざわ》と騒がしいものが駆け上がって来た。

いきなり、廊下側の襖が乱暴に開いた。

「おお！　いた。いましたね先生！」

何と云う騒がしい妄想だろう。

「先生。何を猿が豆鉄砲撃ったような顔してるんです？　おやおやひとりですか？」

「さるが何をどうしたって？」

妄想の彼方から粗暴に駆け上って来たのは、感傷でも作品の構想でもなかった。

それは私の善く知る男——青年編集者の鳥口守彦だった。

私は瞬時にして俗世に引き摺り戻されてしまった。

「どうしたんです先生。脳震盪《のうしんとう》ですか？」

「の、脳震盪は君だ。何だい突然《いきなり》。な、何だって君がこんなところにいるんだ。び、吃驚《びっくり》したよ。大体君、喩《たと》えが間違っているぞ。それを云うなら鳩が豆鉄砲を喰らったような、だろうに」

「でも先生の顔は鳩にゃあ見えませんから。それ以外のご質問にはこれから後にお答えしますが、その前に僕の質問にお答えください。京極の師匠はどうしました？　それから奥方達は何処《いずこ》へ？」

「一方的だな君は。何だって云うんだ。京極堂は仕事だ。女房どもは観光だ」

「先生は脳震盪ですね？　そうか。それで師匠はいつ戻るんです？」

「戻らないよ。あいつは本の沢山あるところで死にたいのだそうだ。現場には山のように本があるらしいからな。生きて戻るか解らない。それよりも鳥口君。僕の問いに答えろよ。僕がここにいることは誰に聞いた？　何の用だ？　原稿依頼なら断るよ」

「うへえ、先生、流行作家気取りですね。でも外《はず》れです。こんなとこまで仕事の依頼なんかに来やしませんよう。勿論ネタは敦子さんからです」

「敦っちゃん？　彼女そう云えば箱根で仕事だとか聞いたが――」

「そうなんです。何を隠そうその仕事の助っ人がこの僕なんですな。そしてそれが実に豪《えら》いことになってるんです。そこで――まあ、息せき切ってここに来たんで」

「何だか善く解らないなあ。順を追って話してくれよ。混乱する一方だ」

鳥口は余程急いでいたものか、そこで緊張の糸が切れたらしく、どさり、と畳に座った。

「ああ、辛どかったです。走りましたからお腹が減っちゃいましたよ」

「君はいつだって腹ぺこじゃないか。いいから早く理由を云ってくれ」

「はいはい。実はですね――」


庭で死んでいた坊主の話だった。


何だか恍惚《とぼ》けた話だ。

そう思った。

実際に人がひとり死んでいるのだから恍惚けた話と云う感想もないとは思うが、私はいつの間にか――ここ数箇月の間に身の回りで起きた、陰惨かつ悲愴な幾つかの事件にそれを比していたのだろうと思う。

酷《むご》い事件が、多過ぎた。

そんなことに慣れると云うのは人として問題だと思うし、私がその手の事件に慣れることなど生涯ないとは思う。思いはするが、大病を患った後の風邪のようなもので、所詮は甘く見てしまうようなところはある。風邪とて甘く見れば死に至ることもあると云うのに——である。

鳥口の語り口も悪いのだ。

何を語るにも飄飄《ひょうひょう》としている。それが彼の持ち味でもあるのだが、ただ軽口の多い彼にしては脱線も少なく、私は比較的速やかに事情を理解した。それもいけなかった。

一昨日聞いた『成長しない迷子』や、昨日聞いた『鼠の坊主』の話と何等変わらぬ印象しか持てなかったのだ。怪談のようなものだ。

ただ、どことなく不安な気持ちになった。

何かが私の琴線に触れている。

何かが、それは——。

「厭な顔してますね。先生」

鳥口にしては珍しい真顔だった。

「え？　いや、別に」

「そうですか。ならいいです。それで、どう思います？」

「何がだ？」

「聞いてたんですか？」

「聞いていたよ。その――」

――何だっただろう。

――この青年は今何を云っていた？

「――いや、その、庭で坊さんが死んでいたのだろう。そ、それは大変だったね」

私は瞬間的に現実から遊離し、しかしすぐに戻った。寒いのに冷や汗が出た。

鳥口は眉根を寄せた。

「大変だった、じゃなくて大変、なんです。進行形です。それに庭で坊主が死んでたのは事実ですが、その、この場合問題なのは」

「解っている。聞いていたよ。ちゃんと聞いてた。死人の侵入経路が不明、つまり、足跡のない――」

――探偵小説《ディテクティブストーリー》で云う密室《ロックドルーム》。

「――そう、探偵小説で云う密室な訳だろう」

私は一昨日聞いた倫敦堂主人の言葉をなぞった。

「まあそれは一種の密室ではあるんですが――なんですか、先生。顔が蒼《あお》いですよ」

「いや、大丈夫だ。それは、不思議だ。きっと、妖怪の仕業に違いない。だから――」

――憑物を落してくれ。

——呪いを解いてくれ。

何だろう？　私の中で何かが反応している。

「先生。何を譫言《うわごと》みたいなこと云ってるんです？　どこか具合でも悪いんですか？」

鳥口は私の顔を覗き込んだ。私は目を逸らし、それでも足りずに顔を背けた。

鳥口は神妙な顔で私の仕草を見て、

「違いますね」

と云った。

「え？」

「先生、その、実は——」

「いや、大丈夫だ。ここ二三日ですっかり耄け癖がついてしまったようだ。しかしな、鳥口君」

「はい？」

「君は何だってそんなに急いでここに飛んで来たんだ？　それは僅か数時間前のことなんだろ？　君だって第一発見者のうちだろうが。ホイホイ現場を抜け出して来ていいのか？　警察はどうしたんだ？　その辺りの説明は些細《ちっ》ともされていないぞ」

「それはこれからするんですよう。ぼうっとしてる割りにせっかちだなあ。でも先生、様子がすこぉし変ですが——本当に大丈夫なんですか？」

「大丈夫って、何だ。平気だよ。そんなに様子が変かな？」

鳥口は腕を組んで私の全体を見回してから、

「まあ、先生が大丈夫と云うんでしたらねえ」

と云って、やおら間を空けてから続けた。

「じゃあ取り敢えず時間的経過からお話しますが、ええと、僕が宿に入ったのが一時半。屍体発見が大体三時頃。大平台の警察が到着したのが四時前後なんですね。それが頼りないお巡りさんが来まして、変死体なんぞ一度も見たことないと云うお爺さんで、話にならない。現場検証の仕方も解らないんですから。ただ慌ててまして。それでお爺さん、所轄だの本部だのに連絡して応援を呼んじまった。僕は敦子さんと相談の上、助勢の刑事だの警官だのが到着する前に、こっそり宿を抜け出して大慌てでここに来た訳です。同じ箱根でも豪く遠いんですわ。大平台から湯本は登山電車ですぐですが現場から大平台の駅までが遠い。ここも湯本駅から三十分くらいは歩くでしょう。普通なら三時間以上かかる」

時計を見ると時刻は七時を回ったばかりと云うところだった。つまり鳥口はこの歩き悪《にく》い雪道をかなりの強行軍で来たらしい。

「まあ――君が如何に急いでここに来たかと云うことだけは善く解ったが、それで、僕に何をしろと云うんだ？」

「いや、ですから」

「云っておくが僕はもう変な事件に関わるのは御免だぞ。君もこの間の横浜の事件で解ったろう。僕は一部巷《ちまた》で噂が立ったような人間じゃないぜ。事件の解決能力もなければ警察に顔が利く訳でもない。探偵の真似ごとなんか金輪際《こんりんざい》したくないよ。それにそもそもそう云った事件は――」

――妖怪変化と考えることなのだ。

「――そう。そう云うものは妖怪変化と考える方が据わりがいいのだ。下手なことはしない方が良い」

私は、今度は昨晩の京極堂の言葉をなぞった。

鳥口はうへえ、と云って頭を掻いた。

「先生が探偵的資質を持たない、捜査能力も推理能力も皆無の人だと云うことはこの間身に染みて解りましたからご心配なく」

「酷《ひど》い云われようだな。じゃあ君は京極堂を頼みに来たのか？　あれは駄目だぞ。基本的に腰が重いからこう云う場合最後の方でないと出て来ない。この間も担ぎ出すのに苦労したんだ。さっさと出張ればいいものを、他人の事件なんかどうでもいいと思っているからな。そう云う男だあれは」

「はあ、聞いてます。暮れの逗子《ずし》の事件ですね。でも今回は師匠の出番はないでしょうな。憑物を落して貰う程深く関わった者はいませんよ」

「じゃあ何だ」

「まあ、先生でも師匠でもどっちでもいいことではあるんですがねえ。それにその、事件の方とは関わって貰わなくても結構で。僕だって関わりたかあないですから。寧ろ長く関わりたくないからこそお願いしたいんでして」

「意味が解らないな。じゃあ何か他の用事か？」

例えば鳥口が警察に拘束されている間に、彼に代わって取材でもしてくれと云うことだろうか。鳥口は泣いたような笑ったような、彼にしては珍しいパターンの表情を示した。

「まあそうなんです。何より問題だったのは、事件の発覚から警察到着までの間隔が一時間近く開いていた、と云うところにありましてね」

「それが？」

「実はですね、こともあろうに、その空白の一時間の間に——探偵を呼んじゃった人がいまして」

「探偵？　真逆《まさか》」

厭な予感がした。

「はい。あの、榎木津礼二郎《れいじろう》大先生を——こともあろうに呼んじゃった、と云う粗忽者《そこつもの》がいるのです」

的中だった。

「えのきづだぁ？」

私は——思わず声を荒らげてしまった。

「そりゃ君、酷い失態だ。選《よ》りに選《よ》ってあんなものを呼ぶとは——」

榎木津は探偵を生業としているものの、思うに日本一探偵に相応《ふさわ》しくない男である。捜査も推理も、およそ事件解決に必要と思われることは悉《ことごと》く放棄している。探偵のカスなのである。彼の頼りとしているものはただひとつ、他人の過去が何となく見えると云う、霊媒《れいばい》のような胡散《うさん》臭い体質だけなのだ。

その癖榎木津は、多分自分が世界で一番偉い探偵だと確信している。名探偵ではなく、偉い探偵と云う確信であるから余計始末に悪い。

「あんな奇天烈《きてれつ》なものが乱入したら現場の攪乱《かくらん》は必至、警察との軋轢《あつれき》は倍増、捜査の難航は火を見るよりも顕《あきら》かだぞ。解決するものも解決しない。だが——鳥口君。慥か榎木津は風邪ひいて寝てるとか京極堂は云ってたがな」

「生憎《あきにく》風邪は治ったんだそうで」

「また都合の悪いことが重なったものだなぁ。それで、君は愚痴《ぐち》を云いに来たのか？」

「幾ら僕が鳥グチで先生が関グチでも、こんな苦労してまで愚痴云いになんざ来ませんよ。実は——その、できるものなら、お二人のどちらか——と、云うよりもまあ京極の師匠にですね、榎木津の大将のお守《もり》をお願いしたいと、こう思いましてね」

「ええ。警察の捜査を速やかに、支障なく行って貰うためにはですね、あの人の動きを封じておくのが一番でしょう。榎木津の大将も師匠の云うことなら少しは聞くのでしょう？」

「馬鹿云え。榎木津のお守なんか、京極堂は死んでも嫌がるに決まってるぜ。僕だってそうさ。大体あの変人を僕なんかに御《ぎょ》せと云うのは無理だぞ」

「そんな、先生に頼むならまた話は別ですよ。あの探偵王を御すなんて大それたこと望みません。先生の場合は来て戴くだけで結構で。先生がいれば、榎木津さんは先生を苛《いじ》めるのに腐心して他のことは疎《おろそ》かになるでしょう」

「おい、いい加減にしてくれよ。何なんだその苛めると云うのは」

　まったく酷い云われようである。

　とは云え、私は概ね鬱加減だし、榎木津は反対に躁病《そうびょう》の気があるから、普通に接していてもまあ苛められているようなものではあるのだが。

「だって苛めるじゃあないですか。如何《いかん》せん僕は切羽《せっぱ》詰まっているのです。早く戻らないと刑事が到着します。すると僕は逃亡したと疑われ、痛くもない肚を探られる。今戻ったたって現場に着くのは十時過ぎですからな。一方榎木津の大将は――新宿まで出りゃ小田急の急行で、この湯本まで一時間三十一分ですから。下手すりゃあそろそろ現場に着いてもおかしかない。時間がないのです」

「おもり？」

榎木津を呼んだのは警察が来る前だと云っていたから、四時前のことなのだろう。榎木津は外出の用意が遅いからすぐに事務所を出たとは限らないが、それにしてももう三時間以上経っている。

「しかしそりゃ僕等の与り知らぬことだぜ。だって自業自得じゃないか。あいつを呼ぶなんて君も馬鹿なことをしたものだ。魔が差したのか？」

「はあ、僕が呼んだ訳じゃぁないすよ」

鳥口は心底がっかりしたような顔をした。

「だって、真逆《まさか》敦子ちゃんが呼んだ訳でもないだろう。あの娘《こ》は分別と云うものを弁《わきま》えている」

「勿論敦子さんはそんな愚挙に出るような女《ひと》じゃありません」

「瞭然《はっきり》しないなあ。じゃあ誰が呼んだんだ？」

「はい。それが、久遠寺さんなんです」

「え——」

——この青年は今何と云った？

「久遠寺さんが呼んじゃったんです。どうやら電話番号を知ってたらしいのですねえ。迂闊《うかつ》でしたなあ」

「君の云っていたその禿げた老人と云うのは、あの——久遠寺医院の——」

「はい、そうです」

「久遠寺——久遠寺嘉親氏——の、ことなのか」

「先生、もうお気づきだったんでしょう？　仙石楼は久遠寺さんの常宿だったたってことは最前より周知のことだったそうじゃないですか。ご老人、去年からずっと逗留なさっていたようなのです」

「——仙石楼？　き、君の云うその宿と云うのは、せ、仙石楼のことなのか？」

——私の琴線に触れたもの。

「最初から云ってるじゃないですか。そうですよ」

「最初から——云ってた？」

「はい。云ったでしょ。仙石楼です。まあ——久遠寺さんの名こそ出しませんでしたが、先生は気がついてたからあんなに蒼くなってたんでしょう？」

鳥口は一寸だけ顔を顰めた。

そして申し訳なさそうに続けた。

「それが久遠寺さんも最初は何だか勇ましかったのですがね。足跡も気配もなく急に屍体が現れたと判った瞬間から少し様子が変になって、こりゃ警察じゃ駄目だとか云って、電話しちゃったんです。あの探偵を呼んだからもう大丈夫だって云われまして、驚きましたなあ。大丈夫な訳ないじゃないすか。ですから僕も敦子さんもですね——」

私は彼の言葉が少しだけ遠くなって行くのを感じていた。意味は理解できたが感想が持てなかった。何故なら——。

何故ならそれは——。

——切り取られた現実。

「——ですよ。だから、先生。先生ってば」

「あ、ああ」

「先生、本当に全然気がついてなかったんですか。その、久遠寺さんのこと」

「え？」

気がついてはいたのだろう。

ただ気がついたことに気づいていなかったのだ。鳥口が最初から仙石楼と云う名を口にしていたのなら、気づかない訳はないのである。

それは私にとってはひとつのキイワードなのだ。

仙石楼。久遠寺嘉親。密室。あの、雨の日。

私は、私はあのことを——。

「先生」

あの日のことを——。

「先生。先生は半年前の例の事件を——」

「き、君、鳥口君——」

鳥口は堪り兼ねたように突如立ち上がった。

そして頭を下げた。

「すいませんでした。僕の思慮不足でした。先生には話すんじゃなかった」

鳥口のこうした態度は初めて見た。

私は強く狼狽《ろうばい》した。

鳥口は頭を下げたまま続けて云った。

「先生は何も仰らなかったですが、僕ぁ敦子さんから少しは聞いてました。懸念はしてたのですが、大丈夫だと云うし、つい、その、話してしまったんです。本当は最初から先生じゃなくて師匠に相談しようと思ってたんですが、急いでいたものですから。師匠の所へ行きましょう。居場所を教えてください」

私は前に乗り出してその動作を止めた。

「待てよ。いいんだ。事件は疾《と》うに終わっている。君がどう聞いているかは知らないが、私の中での解決だってできている。それにここで放り出されては適《かな》わないよ」

何だか私は縋《すが》っているような体勢だった。

面を上げた鳥口は腹を空かせた子供のような顔をしていた。

そして鳥口はこう云った。

「僕は、この間の横浜の一件で豪く人生変わった気がしました。でも先生にとっちゃその前の、あの雑司が谷の事件の方が、もっと大きな事件だったんでしょうな。思い出したくないこと——だったんじゃあないんですか？」

「そんなことはないよ。思い出したくないどころか忘れたことはない。忘れないでいようと決めたんだから。ただね——」


半年前、私は酷《ひど》く悲しい事件に遭遇した。

鳥口の云う——雑司が谷の事件——である。久遠寺嘉親は、その時の関係者のひとりなのだ。そして仙石楼と云う旅館の名も、私はその事件の際に知ったのだった。

その事件を皮切りに、私は幾つかの悲惨な出来ごとに関わり、信じ難い体験をした。いずれも堪え難い、遣《や》り場のない出来ごとだった。もしその事件に関わっていなかったなら、私の虚弱な神経はそのつど酷い打撃を受け、不安定な精神はとうに崩壊していたに違いない。私は危ういところでそれらを乗り越えて——と云うか身を屈めて遣り過ごした程度なのかもしれぬが——今もこうしてのほほんと生きている。だから私の現在は、偏にその最初の事件を通過した故の現在なのである。

その事件は私にとって正に通過儀礼だったのだ。

事件の収束に当たって、私は自分の中のある私を殺した。だからこそ今の私はあるのだ。

しかし私は今、それについて妄執も悲哀も感じていない。ただ、死んでしまったある私の幽霊が、私の中をまま去来することがあるだけである。

しかしその幽霊を畏《おそ》れてはならない。

それはもう決めたことなのだ。

一度死んだお陰で、私は今生きていられるのだ。

あの夏の日、私はそう肚を括ったのだ。

自分の幽霊など畏《こわ》いものか。だから、

「――いや。大丈夫だよ」

「しかし先生」

鳥口は考えている。

「矢ッ張り止しましょう。榎木津さんのことはいいですよ。僕、何とかします」

「いや、久遠寺さんがいるのなら僕は余計に行かなきゃならないだろう。榎木津の奴なんかどうでもいいし、その事件にだって関わりたくはないが、あの人には挨拶をしなけりゃなるまい。あの日以来会っていないんだ」

「はあ」

以前の私なら、耳を塞ぎ目を閉じて、何としても会うまいと思ったに違いない。しかし耳を塞ごうが目を閉じようが、そうしたものは容赦なく私の中に這入って来るのだ。ならば畏れることはない。

鳥口の表情が一層複雑になった。

「行くよ。もうすぐ女房どもが帰って来る筈だが、待っている余裕も――ないのかな」

「ええ。でも、矢ッ張り」

「いいや。親爺に伝言を頼もう。もう夕食の時刻だが、まあ良いだろう。さあ、案内してくれ――」

私は立ち上がった。

こうして、

私はまたも深みへと嵌ることになったのである。

――だから絶対深入りするなよ。

頭の隅で、何故か京極堂の声がした。

私は衣紋掛けから外套を取った。

外は既に暗くなっていた。

少し頭が朦朧とした。

わたしが殺したんだ。
鈴子《すずこ》ちゃんは泣いて山に逃げて行った。
そして二度と戻らなかった。きっと山で死んだのだ。

*

紅《あか》い焰《ひ》。蒼《あお》い炎《ひ》。業業《ごうごう》と燃える火。
鈴子ちゃんは晴れ着で着飾っていた。
緋《あか》い色。紺色。綺麗で、凄く羨ましかった。
こんな大変な時代だから、本当はいけないこと。
悪いこと。大人は皆、陰でそう云っていた。
鈴子ちゃんは振袖のまま死んだ。
雪がちらちら降っていた。
ちゅうちゅうと鼠が山に逃げて行く。
がらがらとお屋敷が崩れて、ほら、夜なのに、
こんなに明るい。山も空も真っ赤だ。
こんなもの、燃してしまえ。
燃えろ——。

——こんなものとは何？
そう、手紙だ。
とても寂しかった。
だから凄く悲しくて、
だからわたしは、あの夜、
まさかあんなことになるなんて、
鈴子ちゃんも兄さんが大好きだった。
でも、ひどい酷いひどい非道い。
わたしは見ていたんだ。
知っていたんだ。
だからこんな手紙、
褻《けが》らわしい穢《けが》らわしい。
わたしの所為なんかじゃない。
仲の良かった鈴子がいなくなって、
わたしだって少し悲しかったけれども、
わたしだってあの人が好きだった。
だから——。

あんなこと。

——手紙？　手紙は、
目が覚めた。

どうも眠れない。夢を見る。

魘《うな》されて起きる。でも瞼《まぶた》を開くのも厭だった。

あの頃のことを思い出すと気持ちが乱れて、どうにも眠れない。今に始まったことではないし、昨夜から錯乱気味だからこれは已《やむ》を得ないことだろう。しかし躯が云うことを聞かない。頭痛と悪寒が止まない。風邪ではない。神経の所為だ。異様に昂《たか》ぶった神経が躯の方方を駆け巡っている。震えが止まらない。昏昏《くらくら》する。巧く喋れない。耳鳴りがする。

——手紙？

なくしてしまった手紙。それがどうした？

——あんなこととは何？

解らない。もどかしい。そして、漠然と怖い。

情景なら手に取るように再現できる。この十三年の間、一日たりとも思い出さなかった日などない。それなのに何か忘れている。

この不気味な感触。云い知れぬ不安。

否、焦燥感か。違う。罪悪感なのか。

その得体の知れぬ感情の正体を見極んがため——私は望んでここに来たのではなかったのか。ならば覚悟はできていた筈だ。それなのに、それなのにこの有様はどうだ。

——あの僧侶だ。

あれは、あの僧は、

怖い。自分を見失う程怖い。

何故。

——あれは、あの人だったのか？

違う。あれは幻覚だ。あの人である訳はない。

それにもしそうだったとしても、あの人に怨まれる謂れなどはない。だからあの人を恐れる理由などどこにもないのだ。それならば、この全身に行き渡った恐怖感は何だ。

——まやかしだ。疲れているんだ。

何もかも幻覚だ。十三年間抱き続けた妄想が形になっただけだ。

愚かしい、神経の見せる幻影に過ぎないのだ。

——しかし、あの屍体はどうなる？

それは——。

*

再び聞いた話である。

3

その時――。

山下徳一郎《やましたとくいちろう》警部補は大層苛《いら》ついていた。

兵《つわもの》揃いと云われる国家警察神奈川県本部捜査一課の刑事達の中でも、若き出世頭として飛び抜けてその名を轟かせていた彼は、つまらないことで躓《つまず》いて、それからと云うものやること為すこと悉《ことごと》く外《はず》していたのだ。まるでつきに見放されてしまったのである。

彼の躓きの端緒となったつまらないことと云うのは、去年の夏世間を騒がせた『武蔵野連続バラバラ殺人事件』のことである。最終的に一都三県を跨《また》ぐ大事件にまで発展したその大事件の、発端の段階での捜査主任が、誰あろう山下警部補その人だったのだ。

そもそも捜査を仕切る筈だった上司の石井警部が別の捜査に当たっていたため、偶偶《たまたま》手にした大役であった。

山下は、選良《エリート》で官僚的な石井に対して好意的だった。石井の方も同じような資質を持った山下を目にかけていた。だから山下は常常《つねづね》石井に接近を心掛けており、その甲斐あっての大抜擢だった。

徹底した現場検証。手本とされるような完璧な初動捜査。

山下は自分の采配に自信を持っていた。

だが――結果は大失敗だった。捜査は暗礁に乗り上げ、屈辱の合同捜査の揚げ句、犯人は東京警視庁に依って特定された。山下はひとつも手柄を上げることができなかった訳だ。おまけに別件で石井が失敗《しくじ》って失脚、その煽《あお》りを受けて腹心である山下まで課内での立場が悪くなると云うおまけがついた。

最悪だった。

山下は警察を一種の企業だと考えている。

法律は自分が商売をする上で知っておかなければならぬ約款《やっかん》のようなもので、倫理だとか正義だとか云うものはそれを支える商道徳のようなものだと捉《とら》えている。そう云い切ってしまうと大いに疑問を残すが、慥かにどんな商売でも約束ごとの上に成り立っているのに違いはないし、その約束は商道と云う一種の道徳に依って支えられている訳で、商道に悖《もと》る行為を働く商人が汚い奴と評されるが如くに倫理正義に反する如き言動を執《と》る警察はいかんと考えているのだと取れば、そうズレていることもない。

そうは云っても、そのような考え方が根底にある限り、どこの誰が検挙しようと事件が解決さえすれば構わぬ――とか、犯罪が減少し市民の住み良い社会ができるならそれで僕は満足です――などと云う真摯《しんし》な心持ちには決してなれぬ。

他人が手柄を立てるのも他の部署が成績を上げるのも、況《ま》して他の会社に仕事を取られることなど、悔しいだけで嬉しくもなんともないのだ。

競争意識などと云うものは誰にでも幾らかはあるから、一概にそう云う意識を糾弾する訳にも行かぬが、それにしても山下のそれは少し異常だった。

だから山下が一課に配属されてよりずっと件《くだん》の石井警部と懇意にしていたのも、敏感に利達の香りを嗅ぎつけたからなのである。山下にとって石井は出世や手柄の蔓《つる》だった訳だ。しかしここに来て山下の石井に対する評価は変わった。勿論連鎖的に署内の待遇が悪くなったことに対する私怨もあったが、それよりも山下が石井の将来を見切った——と見るのが正しいだろう。石井の間抜けな所作を見るにつけ、こんな馬鹿は追い越せると判じた訳である。

石井は蔓の資格を失って単なる競争相手《ライバル》へと成り下がった。

しかしその石井は一度失脚しかけたものの、今はそれなりに盛り返し、どうやら春にはどこぞの警察署の署長になると云う噂まである。

一方山下の方は何ひとつそう云う話はない。

先日、国家地方警察本部が警察法の改正要綱を内定した。近いうちに組織の改編が行われるだろう。

それまでに何か——。

それでどうなるものではないのだろうが、山下は漠然と焦《あせ》っていた。

そこに——殺人事件発生の報せが届いた。

警察機構が会社のようなものである以上、山下にとって事件は商売のネタなのである。

おっとり刀で現場に向かった。

しかし現場に着いて、山下は何となく落胆した。

——何なんだこの様は。

牛乳壜《びん》の底のような眼鏡を掛けた定年間際の警官は、及び腰で早口で、おまけに変な訛《なまり》があって何を云っているのか善く解らなかった。所轄の刑事も皆野卑《やひ》で粗暴で、頭が悪そうな感じだ。やくざだか刑事だか、外見からは判断できない。

目撃者だか関係者だかの連中も、揃いも揃って実に魯鈍《ろどん》な顔をしている。仲居どもは雀みたいにぴいぴいちゅんちゅんと煩瑣《うるさ》いだけだし、番頭と云うのも鯛を正面から見たような顔をしていて、人間の言葉が通じるのかどうか疑わしい。

古物商と名乗った男は馬に鼠を掛け合わせたようなしまりのない不気味な容貌だったし、外科医と云う老人も素面《しらふ》の癖に赤ら顔の酔漢のような面相だ。

唯一話が通じそうなのは東京の出版社の社員だと云う二人の女性だが、そのうちひとりは失神してしまっていて、ひとりはそれにずっとつき添って看病しており、事情聴取もままならなかった。

そして——何よりも山下を落胆させたのは、庭に座っている屍体だった。

──屍体が座ってると云うのは、
それだけで間抜けだ。絵にならない。

しかも坊主だ。胡坐《あぐら》をかいたような無様《ぶざま》な格好──坐禅と云うのだろう──で、おまけに頭に雪まで積もっている。

──凍死じゃないのか？

なら最悪だ。しかしどうもそうではないと云うようなことを、警官も宿の連中も主張しているらしいのだが、山下にはどうにも理解できなかった。

「あの、警部どの」

「警部補だ」

「そのぅ、ご指示を願えませんかの」

「何の？」

「はあ、あれ」

「ああ、遺体か。早く確認して片付けりゃいいでしょう。どうしてそんなことに躊躇《ちゅうちょ》するんだ？　不都合でもあるのか？」

「ハア、現場の保持をと」

「保持するって、そこまで降りて遺体を確認しなきゃ殺人かどうかも判らないだろう。なんでそんなことすらしないで応援を呼ぶんだ？　貴様は馬鹿か」

「はあ、それは」

老警官はすぐ狼狽《うろた》える。

禿げた医者が妙に高い声で口を挟んだ。

「警部補さんか？　差し出がましいこと云うようだがね、ありゃ殺人だ。儂は外科医だ。ここから見ても判るわい。何なら検死でもしようか」

「あんた、民間人は黙っててくれないかな。大体こんな離れた場所からどうして判断できるんだそんなこと。暗くって俯向《うつむ》いているから顔の識別すらできない。降りて近くで見なくちゃ人間か人形か判断できん程だ」

「あんたらが来るまでは明るかったわい。この座敷からじゃあ判らんが、さっきそっちの左側に突き出とる離れな。今ご婦人が休んどるところ。あそこに倒れたご婦人を運んで行った時に見たんだ。あの渡り廊下からだと丁度真横から屍体が見えよる。頸骨の曲がり具合が不自然過ぎる。折れているんだ」

――だから何だ。

「事故だって折れる。殺人とは限らない」

「あれは撲殺だ」

「そうか。じゃあ殺《や》ったのはあんただな？」

「なんでそうなるか」

「そうだろ。犯人でなければ共犯だ。あのな、撲殺された男が死んだ後にひとりで坐禅を組むか？　あんたの云うのが正しければ、あの坊さんはあの格好で撲殺されたか、撲殺された後にあの格好にさせられたかのどちらかしか考えられない。それなら犯人はあんたらしかいないじゃないか。犯人でないなら、犯行か無意味な事後工作か、どちらかでもあんたらが見ていないのは怪訝《おか》しいからな。共犯と云うことだ」

禿げた医者は顔を更に赤くした。

「警察っつうのははいつもそれだ！　そう云う横暴な、粗略な考えしか持てんのか」

「何だと！　国家警察を愚弄するようなことを云うとただじゃおかんぞ。何が粗略だ。撤回しなさい」

「誰が撤回するか。何じゃ、逮捕して懲役にでもするか？　できるならせい。儂ゃ慣れておるわい。この異常な状況が理解できんなど、己の頭はどうかしとるわい。頭蓋を開いて膿んだ脳髄の摘出手術でもしてやろうか」

「ご老体。言葉が過ぎる」

古物商が医者の暴言を止めた。そしてしまりのない顔を山下に向けて、水気の多い口調でこう云った。

「あの、こちらの警官の方がすぐに庭に降りなかったのはですね、何度も云うように庭に足跡がひとつもついていなかったから——なのです」

「足跡？」

「その状況をおいでになる刑事さん達に確認して戴きたかった、それだけなのです」

「足跡がないのが何か？」

「これは、不可能な状況下の殺人なのです」

「不可能？」

「それだけです」

山下は漸く理解した。

「――ああ。解った。そう云うことか。そんな」

山下は混乱して、混乱を常識で押し切ろうとして余計に混乱した。矢張り目撃者が凡《すべ》て怪しい。

「あの、山下さん鑑識が」

益田《ますだ》――本部から連れて来た山下の部下――が、鑑識所員の到着を知らせた。山下は猿の群れの中に人を見たような安堵感を覚えた。

「――おお。し、写真を撮れ。いいか、庭に出ないで撮るんだ。ああご苦労様。お願いします。写真撮影が済んだら屍体を回収してください。くれぐれも庭に出ないうちに撮って。ええと、君、箱根の所轄の君だ。関係者を別室に集めて。ひとりずつ呼んで。ええと隣室を使わせて貰おう」

到着してから三十分。山下は漸く機能し始めた。

「所轄の連中は全部で何人来てるんだ？　人数ばかり多くても困るな」

「刑事が四人。警官が、五人ですね。これくらいは仕方ないでしょう」

「ふん。邪魔なだけだ——」

山下は所轄の刑事を外して益田と二人で事情聴取を開始した。所轄の奴等には適当にそれらしい役割を与えてやったから、そう悶着《もんちゃく》はなかった。近くに寺があると云うことだったので、二人をそこに向かわせ、残りは建物の周りを調べさせたのだ。これで幾らかペエスが取り戻せる筈だった。

しかし、その事情聴取の途中で警察の重大な失態が発覚した。関係者のひとりが現場から消えていると云うのである。山下は頭を抱えた。

「山下さん、こりゃあ拙《まず》いのじゃあ」

「解ってる。解ってるよ。ええとあの老《お》い耄《ぼ》れ駐在なんと云った？」

「阿部《あべ》巡査です」

「そう。それを呼べ！」

益田は返事もそこそこに部屋を出た。苛苛が伝わったのだ。山下は考えが纏《まと》まらず、再び苛ついていたのである。あのおどおどした壜底《びんぞこ》眼鏡を見たら、その途端に怒鳴ってしまうかもしれぬ——山下はそう思った。

襖が開いて壜底が顔を出した。

「おいッ！　貴様何をしてたんだッ！」

「へ？」

予想通り怒鳴ってしまった。

「関係者のうちのひとりが行方不明だそうじゃないか！　貴様がついていて、何と云う失態か。そいつが犯人だったらどうする！　この馬鹿者！」

「え？　そうでございましたかなぁ」

「ございましたかじゃない。あの雑誌記者だとか云う娘はすぐに戻るから心配ないとか云っていたが、証拠隠滅《いんめつ》でもされたらどうするんだ！」

「隠滅って何をどうして、どのように」

「ええ煩瑣《うるさ》い。さっさと捜せ」

山下は灰皿をひっくり返した。老い耄れ巡査は腰を抜かして弾けたように飛んで消えた。

――どうせ何もできないに決まっている。

初動捜査は完全に失敗した。

寝ている女性を除く全員の事情聴取が終わったのは二十二時近くだった。その頃には漸く遺体も庭から運び出されたのだが、そこで問題が発生した。

遺体をどうやって運ぶか、と云う問題である。この仙石楼に通じる道は細い。自動車の通れる道幅ではない。捜査員は全員徒歩で来ているのだ。

「応援を呼んで明日だなぁ。この時期だから腐敗の心配はないだろうが。取り敢えず、どこか部屋を借りて寝かせておくしかないな」

鑑識は不平を前面に押し出して云った。

「寝かせることはできないんですよ」

「何故だ？　ああ死後硬直か」

「違います。凍っているんです。あの形で」

「凍ってる？　もたもたしてるうちに凍ってしまったのか」

「違います。凍ったのはずっと前です。ただ死んでから凍ったことに違いはない。こりゃあ司法解剖しないと判りませんが、死因は後頭部——と云うより頸部かな。その打撲による頸椎骨折ですね」

医者——久遠寺の見解は正しかった。山下は少し悔しい気持ちになった。

鑑識は続けた。

「これもまあ瞭然《はっきり》は判りませんがね、警部補。あの仏さん抵抗も何もした様子がない。だからああして胡坐《あぐら》組んで居眠りでもしてるところを後ろから棍棒か鉄パイプみたいなものでガンとやられた。そのまま絶命して、放置されて凍った。そうとしか思えないですよ」

益田が云った。

「しかしそれじゃあ山下さん。ここの連中の云ってることと全然噛み合いませんよ。ここの連中の云うことを信じるなら、あの仏は午後二時から三時の間にどこからともなくやって来て、あそこで気がつかれないように死んだと、こう云うことになる」

「そんなことは解ってるよ。死亡推定時刻は？」

「判りません」

「判らないって、全然判らないのかね？」

「だから凍ってますから。まるで腐敗していない。ずっと冷凍状態だったんです。ただ、今日の気温を考えると、幾ら屋外に放置していたとしてもその、二時から三時ですか？　その間に死んだとは思えません。解剖して胃の内容物でも観なければ何とも判断できませんな。それより警部補。私等は撤収しても構いませんでしょうね？」

鑑識は睨《にら》むような目で山下を見た。こんな時間に足下の悪い山道を行くのは厭だろう。それに町まで一時間近くかかる。不平が出ても仕方がないが、こんな不便なところで事件が起きたことがいけないのであって、それは山下の所為ではない。

山下は撤収を許諾して大きな溜め息を吐《つ》いた。

「どうもここの連中は皆嘘を云ってるとしか思えないな。客も従業員も口裏を合わせているに決まっている」

「しかし嘘吐くなら何も不可能状況作り出すことはないでしょう。犯人の姿を見たとか云えばいい」

「それができない裏があるんだ。何だろうなあ、この——」

虚構っぽい状況は、と云いたかった。どうも自分の常識が通用しない。言葉が通じぬ相手と話すようなもどかしさがつき纏う。意思の疎通がままならぬと恰《あたか》も自分が無能になったような錯覚を覚えるものである。これが進行すると、進駐軍に対して抱いた劣等感のようなものをここの連中に抱くことにもなり兼ねない。そう思うと山下はぞっとした。

「——いや、絶対暴《あば》いてやる」

だから無理に強がって結んだ。

「でも、あの中禅寺とか云う娘はどうも嘘吐いてるような感じしないですよ。それに他の連中も刑事を騙すような玉じゃない」

「感じだとか直感だとかでものごとを判断するなよ益田。必要なのは証拠だ。それと証言、つまり自白だ。刑事が考えなくてはいけないのは整合性のある犯行状況の再現、そして納得の行く犯行動機だ」

「はあ」

「あいつは犯人っぽいから黒だ。こいつは善人っぽいから白だじゃ捜査はできない。見立てで捜査ができるか。長屋の花見じゃないんだ」

「は？　山下さん寄席とか行くんですか？」

「煩瑣い」

思いつきの発言だった。深い意味はない。

「それであの失神してた女の方はどうだ？」

「どうだって、様子、見てきましょうか？」

「行けよ。早く」

投げ遣りに云うと益田まで厭そうな顔をした。

益田はすぐ戻った。女は目こそ醒めているらしいが起きられそうもないと云う話なので、山下は已《やむ》を得ずその女が寝ている離れに向かった。

廊下は武家屋敷のような印象である。どうも時代錯誤な舞台装置だ。時代劇映画に台本を読まずに出演しているような気分だった。渡り廊下を渡ると、茶室のような——山下は善く知らないのだが——丸い入口が見えた。益田が障子を開ける。

中央に敷かれた大きな蒲団に、小さな女が寝ていた。枕元には先程の中禅寺と云う娘が座っている。山下はその娘に外して貰うよう頼めと、益田に耳打ちした。マシな方だとは云えこの娘とてここの連中の仲間であることに違いはない。ならば直接話したくなかったのだ。

巧く通じないかもしれない。この場合、益田は通訳のようなものである。

中禅寺は解りました、と云って部屋を出た。

山下は代わりに枕元に座った。

「話ができるかね？」

女は頷いた。やけに蒼白い女だ。

名前を尋くと飯窪と答えた。

「君は何でも、今朝からずっと伏せっていたらしいが——気分でも悪《わる》かったのかな」

「ええ」

小さな声だった。

「風邪でもひいたのかな？」

「いいえ、その」

益田が屈んで云った。

「僕等に云えないことかな？」

「お前黙ってろ。私が尋いてるんだ。あなたは午前中ずっと寝ていた。そして午後起きたら何やら騒ぎになっていた、そうですね？」

「お——お坊さんが」

「庭で死んでいたんだね？」

「お坊さんが空中に浮かんでいたんです」

「ああ？」

山下は耳を疑った。

「何と云った？」

「お坊さんが、二階の窓にお坊さんが」

――この女にも通じない。

山下は絶句した。

「お坊さんがどうしたの？」

代わりに益田が尋いた。

「昨日の夜、夜中です。ご不浄に行こうとしたら、二階の廊下の窓に、お坊さんが――お坊さんが」

「二階？　君は慥か、昨晩はあの――向こう側の、二階建ての方に泊まってたんだったね。そこでのこと？」

「私、吃驚《びっくり》して」

「坊主がどうしてたって云うんだッ！」

山下が語気を荒立てると女はひぃ、と云った。

益田が山下を手で制した。自分に任せろと云う意味だろう。意に染まぬ展開だったがこの場合は已を得ない。山下は従った。

「二階の窓って、どっち側の窓？」

女は暫《しばら》く黙っていたが、そのうちまた蚊の泣くような声で話し出した。

「前庭の見える方です——私怖くって、慌てて部屋に帰って——そしたら一晩中天井から物音がして、寝られなくって、それで朝になって——」

その辺りで女の声は震え出して、少し大きくなった。そしてそれまで朦朧《ぼんやり》と天井の電燈か何かを見ていた視線を、急に山下の方に向けた。眸《ひとみ》が潤んでいる。眉の細い、小作りだが造作の整った顔である。山下は少女向けの雑誌の挿絵を思い出した。

「そしたら——」

「一寸《ちょっと》待って。そのお坊さんに就《つ》いてもう少し聞かせてくれないかな。そのお坊さんは窓の外にいたのですか？　どんな風に？」

益田は、慰めるような口調で糺《ただ》す。

山下はただそれを聞くだけである。

女はこくりと頷いた。

「その——お坊さんは——私には窓に貼りついているように見えました。いいえ、貼りついていたんです。私に気づくとお坊さんは上の方に逃げました」

「上？　つまり屋根の上、なのかな？」

女は再び頷いた。

「それで、君は怖くなって部屋に戻ったのだね。君の部屋はその、何と云う部屋？」

「一番端の、このお庭からも見える——慥か、そう尋牛《じんぎゅう》の間です」

「じんぎゅう？　ああ、いや、解りました。それで君は眠れなかったのですね？」

「音がして——お坊さんが屋根にいるような気がして——そんなことはないと思ったんですけど、やっぱりゴトゴト音がして」

「宿の人には云わなかったの？」

「廊下に出るのが怖くって」

「ああ」

益田はそこで山下に視線を寄越した。山下は敏感にそれを察したのだが、無視した。益田は口を微妙に曲げて眉尻を下げてから、質問を続けた。

「それで？　朝になってどうしたのですか？」

「ええ——」

女は少しずつ平静を取り戻しつつあるように思えた。

そうだとすれば、忌ま忌ましいがこれは益田の功績である。

「その、朝——」

何時頃かなと益田は問う。六時頃ですと女は素直に答えた。

「いつの間にか物音も止んでいて、それで私、何だか——夢を見ていたような気分になったんです」

「夢――だったの？」

違いますと女は云った。

「夢じゃないんですけど、それは誰よりも私が善く知っていることなんですけど、不思議なもので、慥かに見たし、聞いたのですが、済んでしまえば何かの間違いだったような気もして――と云うか、間違いだったと思いたくなったのでしょうか――打ち消したいと云う気持ちが記憶に影響を与えるのでしょうか」

ありがちだねえと益田は相槌を打つ。

山下は今まで気づかなかったが、この部下は意外に調子の好《い》い男だ。

「兎も角、少し落ち着いて、外も明るくなっていて、雪も止んでるようだったんで、障子を開けてみたんです。明るい朝の景色を見たら、本当にひと晩中馬鹿なことしてたような気になって」

「なる程善く解る。それで？」

「それで、外の空気でも吸おうとして、窓を開けて外に――踊り場があるんです。そこに出たんです。私の部屋は角部屋だったので、踊り場は建物の横の方に回り込んでいて――そっちに回り込むと、ここの、横のお庭が見えるんです。私は何の気なしにその庭を見ました。そしたら――」

「そしたら？」

益田は小首を傾げた。しかし山下はあまり聞きたくなかった。どうせ山下には理解不能の言葉が発せられるに決まっているのだ。

「その、このお庭の方を見たら——」

「お坊さんが浮かんでいたんです」


「——ああ」

山下はとてつもなく大きな溜め息を吐いた。

その時、突如襖が開いて壚底の顔が覗いた。

「あのゥ、すんません。あの男性が戻って参りましたが」

「男？　男って？　ああ、逃亡者か！」

「いいえぇ。ちゃんと戻って参りましたから、逃亡はしてないッすがねぇ」

「ああ、煩瑣《うるさ》い。どけ！」

山下は巡査を押し退けて廊下に出た。

玄関には男が二人立っていた。

「何で二人いる！　二人も逃亡していたのかっ！」

そこに至って、山下の自制心は完全に失われた。

＊

私が仙石楼に着いたのは十時四十分くらいだったろうか。

身支度を整え、いざ富士見屋を出ようとするところに妻達が戻って来て、何やかやと事情を説明し、結局出発した時刻は七時半過ぎだった。出るのが遅くなったと云うのもあるが、それでも三時間はかかってしまったことになる。随分と無理をして歩いたつもりだったが、俊足と云うには程遠い。

私は例によって例の如く妻達に対して巧みな事情説明などできはしなかった。

しかしそこは二人とも慣れたもので、それなりに察したようだった。

妻はひと言、

「深追いはなさいませんように」

と云った。

道は思ったよりずっと険しかった。

勿論街灯などないし、月も見えない闇夜だったから、鳥口がいなかったら間違いなく遭難していたことだろう。京極堂の心配などしていられない。

やっとの思いで真っ暗い夜の隧道《すいどう》を抜けると——。

夜の闇の中に殊更《ことさら》真っ黒い夜の塊《かたまり》があった。

それが仙石楼だった。

夜の塊は形も大きさも瞭然《はっきり》とせず、おまけに騒騒《ざわざわ》と蠢《うごめ》いていた。生きているようだ。建物とは思えない。建物は蠢かぬ。鳥口の云う巨木が屋根の上に覗いている所為だろう。どこまでが建物か、どこからが樹なのか、境界が曖昧である。樹が揺れる度に建物全体が蠢いて見えるのであろう。

戸口には度の強そうな黒縁の丸眼鏡を掛けた巡査が少し腰を屈めて立っていた。巡査は私達に気づくと、眼鏡の縁に手を添えて私達を暫《しば》し凝眸《ぎょうぼう》してから、思い出したようによたよたとその場で足踏みをして大慌てて奥に引っ込んだ。

「ああ、鳥口君。君はもう容疑者みたいだぜ」

「うへえ、バレちまったようですねぇ、親分」

「誰が親分なんだ。ところで、考えてみれば僕はいったい何と云って自分の身の証《めかし》を立てりゃあいいんだ？　それに今日僕はここに泊まれるんだろうな」

「そりゃあ登山電車ももうないですから。あそこまで全行程徒歩だと朝になりますな。死にます。ここに泊まればいいんです。平気です。虚仮《こけ》の一念海よりも深く、です」

鳥口はまた訳の解らないことを云った。

中は騒がしかった。玄関には数人の男達がいた。服装から想像するにどうやら鑑識の一団らしい。引き上げるところなのだろう。私達は彼等が表に出て来るのを待ち、最後の一人をやり過ごしてから中に這入《はい》った。這入るなり廊下を踏み鳴らして数人の男が出て来た。

「何で二人いる！　二人も逃亡していたのかっ！」

七三に分けた髪を振り乱して男が叫んだ。齢の頃なら三十前後、神経質そうな目つきの、歌舞伎《かぶき》役者のような顔をした鼻の尖《とが》った男だった。

先程の巡査が云った。訛っている。

「こぢらの人にゃあ見覚えがないですが」

「貴様の記憶など当てになるか！　おい、お前達」

男は臓躁的《ヒステリック》な素振りで私達を指差した。

「お、おのれ、ど、どうしてくれよう」

錯乱している。こう云う場合先に錯乱した方が勝ちである。残りの者は大概褪《さ》めてしまうものだ。私も当然急激に褪めた。ただ男があまりに興奮しているので、つられて動悸《どうき》が激しくなった。

「はあ、抜け出してご心配をお掛けしましたが、僕はこの人を迎えに行っていたのです。この人は極端な方向音痴なので、ほっておくと大人の迷子になり兼ねませんで――」

鳥口は苦しい云い逃れをした。方向音痴の人と云うのは、勿論私のことである。彼はこの云い訳を道道考えていたようなのであるが、京極堂の詭弁を聞き慣れている私などにはどうにも危なっかしい。嘘が露見しそうで気が気でなかった。

「そ、そいつは誰なんだ！」

「僕は——」

口籠ってしまった。

「そちらは——今夜からこちらに泊まることになっている作家の関口巽《たつみ》先生です。今回の取材の記事をお願いしていまして。先生、夜分お疲れ様です」

中禅寺敦子だった。救いの神と云う奴である。

「作家？　これが？　けッ」

男は白地《あからさま》な侮蔑《ぶべつ》の視線を寄越した。

「せ、関口です」

「私は国家警察神奈川県本部捜査一課の山下だ。もう聞いてるだろうが、ここで今日変死体が発見され、現在警察による捜査が行われている。私は現場の指揮を執っている、つまり捜査主任だ。兎に角この宿は当面仮の捜査本部になる訳だからな。作家だか何だか知らないが捜査の邪魔だけはしないでくれよ。おい、貴様、聞きたいことが山のようにある。さっさと来い——ん？」

山下捜査主任は鳥口を指差した後、私の顔を見て首を十度ばかり傾けた。

「作家の関口？」

横に立っていた若い刑事が耳打ちをした。

「あ！　あの関口」

山下は反射的に小さく叫んで私をじろりと見た。

「と、兎に角邪魔はしないでくれ。おい、そこの男早く来い」

鳥口は情けない顔を私に向けて横暴な刑事に従って奥に消えた。私はと云えば、この場合馬鹿みたいに突っ立っているよりない。靴も脱がずに玄関に立っていると、敦子が手を差し伸べて荷物を取ってくれた。

「てっきり兄貴が来るかと思っていました。すいません——その、関口さん。宿の方には私から話してありますから。勿論お金は稀譚舎負担で」

「そりゃあいいんだが——敦っちゃん、今の刑事」

「ああ。あの人石井警部の部下なんですよ。だから先生のこと聞いていたんでしょう。最近神奈川辺りの警察じゃ関口巽は有名人ですもの」

去年の秋から暮れにかけて私が巻き込まれた事件は、凡て神奈川本部の管轄内で起きたものだった。石井と云うのはその時知り合った警部である。

そこに仲居がやって来て、私は取り敢えず部屋に通された。

榎木津探偵はまだ現れていないと云うことだった。

迷路のような廊下を過ぎ、奇妙な階段を登る。

外観が全く解らなかったので、屋内の構造は一層迷宮染みている。鰻《うなぎ》の寝床のように八つ並んだ戸のうち、向かって左から四番目が私の部屋だった。

部屋の中は暖かかった。心配するまでもなく、私の宿泊の準備はすっかり整っていたらしい。外套を脱ぐと仲居が透《す》かさず受け取った。矢張り富士見屋の待遇とは違う。子熊親爺はこれ程気が利かぬ。

「何だか大変な騒ぎになッちまってねえ、こんなことは生まれて初めてでございますよ。殺人事件なんて、畏ろしいこと――」

仲居は泣きそうな顔をしていた。

「ほんに、こんな時でございますからろくなお持て成しもできません。相すみません。後程番頭がご挨拶に参りますので――」

「ああ、いいです挨拶なんか。それよりお茶か何か戴けますか」

私こそ挨拶されるような客ではないのだ。仲居はすぐにお持ちします、と云って正座して礼をした。そして顔を半分程上げ、上目遣いで私を見て、

「あのう、仙石楼《こ》はどうなってしまうんでしょう」

と云った。

「どうなる、と云うと？」

「その、閉館とか営業停止とか、何かご沙汰が？」

「それはないでしょう」

普通そんなことはない。ただ歴とした根拠のある発言でもなかった。

それでも仲居は安心したようで、お待ちくださいと云って去った。

両足を投げ出して後ろに手をつき、反《そ》り返る。畳はひやりと冷たい。座布団が目についたので引き寄せ、二つ折りにして枕代わりに頭に宛《あ》てがい、私は横になった。

床の間に掛け軸がかかっている。

真っ黒い牛が飛び跳《は》ねている絵が描いてある。

黒牛の鼻先から伸びた手綱を、中国の子供のような格好の人物が握っている。こちらも何だか跳ねているようだ。顔は——無表情である。

横になって見ているから当然絵も横に見える。

少しの間絵に没入した。

とことこ、とことこと物音がした。無表情の中国人がその辺を走り回っているのか。

それとも、

——それは鼠だ。


がらがらと戸が開く音がした。

続いて襖が開いた。隙間から顔を覗かせたのは敦子だった。

私は慌てて飛び起き、姿勢を正した。

「先生お茶。お握りも作って貰いました。お腹減ったでしょう」

盆の上には山のように握り飯が載っていた。鳥口の分も一緒なのだろう。

「ああ、そう云えば空腹だ。有り難う——」

敦子の背後に久遠寺老人の顔があった。

「く、久遠寺——先生」

「ああ、久し振りじゃった。ほんに久し振りじゃった。関口君。いやあ、あんたも来てくれるとは思わなんだ。有り難う。儂ゃまたこんな妙なことに巻き込まれよった。余程日頃の行いが悪いと見える」

久遠寺は陽気そうにそう云った。ただ、肉に埋もれそうな眼が少し淋しそうだった。

「ど、どうも。その節は——」

何と月並みな挨拶だろう。

去年の夏。

熱に浮かされたような一週間。

私はそれまでの人生を凡て否定するような、大きな、あまりにも大きな衝撃を受けた。それに就いてはこの老人も一緒の筈だ。私は久遠寺老人に、そして久遠寺老人は私に、喩《たと》えようもない程の複雑な感情を抱いている筈なのだ。

それが、まるで一年振りに親戚と会ったかのような、間の抜けた挨拶しか浮かばない。

然《さ》したる感慨もなかった。

胸中を僅かに掠《かす》めた感傷めいたものは、感慨を持てぬが故に感ずる寂寥感か。それとも二度と取り戻せぬであろう失った日日に対する喪失感なのか。

——こんなものなのかもしれぬ。

正月と同じだ。来るまでは無意味に高揚し、来てしまうとどうと云うことはない。期待通りのそれが得られないから、そしてそれはいつか訪れると思いたいから、大人の私の正月はずるずるといつまでも続くのだ。しかしそう云うものはある時期、ほんの短い間にふと訪れて去って行くだけのものなのかもしれない。その時期を過ぎて以降は皆、幻想なのだ。

幼い頃の楽しかった正月も——。

若き日の旅行の高揚感も——。

そして、あの事件も——。

もう二度と私に訪れることはないのだ。

あの事件は慥かに現実で、私はそれを慥かに体験したのだけれども——。

不意に酷《ひど》く淋しくなった。

「どうした？　関口君」

「いいえ、その——」

——そんなものなのだ。

否、そうでなくてはならないのだ。

私は寂寥感だか喪失感だかを抱え込んだまま、徐徐に平静さを取り戻して行った。

「紹介しよう。この人ァ古物商の今川君だ」

更に不思議な顔をした男が這入って来た。

「今川と云います。どうぞ宜しく」

「関口です」

私達は座卓を囲んで座った。

今川は眼も鼻も大きく、おまけに眉も髭も濃く、唇も厚かった。特に鼻は隆隆たる大きさである。私はどことなく愛敬のあるその顔に親近感を覚えた。

「大変だったようですね。それはそうと鳥口君は、まだその事情聴取かね？」

「可哀想に絞られているようですわ。犯人扱いで」

敦子は悪戯《いたずら》をした童のように舌を出した。現場脱出に手を貸したのは敦子なのだ。

「少し絞った方がいいよ。あいつ」

「でも関口さん、下手をすると同じように絞られちゃいますよ。ご迷惑がかかるといけないから口裏を合わせてください。湯本の宿泊先なんか嘘吐いてもすぐバレるし、後で調べられて供述との矛盾が指摘されたら色色と拙《まず》いでしょうから、基本的には正直に云って戴いて構いませんが、その、仕事の件は前以て依頼していたことにしておいてください」

敦子はそう噛んで含めるように云った。

そして敦子は、鳥口が語ったより少しだけ詳しく事件の様相を説明してくれた。

何度聞いても爽然《きっぱり》解らない話だった。

「しかしあの探偵、本当に来るのかなあ」

「来ると云ったそうですよ。ねえ、久遠寺先生」

「ああ。相変わらず何を云っておるのか善く解らなかったし、儂のことも覚えているのかどうか怪しい感じではあったがな。威勢良く快諾したぞ」

そこで今川が発言した。

「その探偵と云う人は、皆さんの話を聞く限り、豪《えら》く凄い人のように云われてますが、そんなに大変な人なのですか？」

「そうなんですよ。あれは喩《たと》えようもない程に酷《ひど》い探偵です。僕の知る限りは探偵史上最悪です。ねえ」

私は敦子に同意を求める。久遠寺翁は好んで彼を呼んだ程だから完璧にあの男を誤解している筈だ。しかし敦子は意外なことを口走った。

「ええ——でもこう云う事件にはひょっとしたら有効かもしれませんけど」

「榎木津がかい？」

私が難色を示したところ、何故か今川が反応した。

「えのきづ？　その探偵は榎木津と云う名なのですか？　榎の木の津波の津？」

「今川さん、ご存知なんですか？」

「はあ、親戚とかかもしれないですが、珍しい名ですから、知人かもしれないです。否、しかし、その変な人なのでしたら同一人の可能性はあります」

「今川君。君のその知人、どう云う知り合いだ？」

「はあ、軍隊時代の上官なのです」

「君ゃ陸軍かね？」

「いいえ。僕は海軍なのです」

「関口さん、それじゃあ——」

「ああ——じゃあ榎木津木人だろう。慥か兄貴の方は陸軍だと云っていたから——」

榎木津などと云う珍奇な名前が然然《そうそう》ある訳もない。

善く善く聞けば——と云うか聞けば聞く程——今川の上官である変人青年将校は榎木津礼二郎その人に間違いないようだった。名前以前にあんな変な男は然然いない。

私達は顔を見合わせた。そして揃って溜め息を吐いた。

知っているなら説明するまでもない。それは落胆の溜め息であった。

「あの人は慥か大層な家柄の出だった筈なのです。それなのに、今は探偵などをしているのですか。僕は想像もしなかったのです。探偵と云うから、そのハンチングを目深に被った例の奴だとばかり思っていたのです」

「さて、榎木津探偵閣下はこの度はどのような格好でおいでくださることか——」

多分到着が遅れているのは衣服《コスチューム》を選んでいる所為だろう。

どうせ飛び切り外《はず》した格好で登場するに決まっている。

それを思うと余計気が滅入った。

やや沈黙が流れた。

矢庭に襖が開き先程とは別の仲居が顔を出した。

「失礼します。先生、それとお客さん——」

何か切迫した表情だった。

「おお、トキさん。どうした？」

「あの、それが、明慧寺に行かれた刑事さん達が、たった今お坊様をひとり連れて戻って来られたンですよう」

「ほう、それで？」

「どうやら一緒においでンなったのが和田慈行様、お亡くなりンなったのは——小坂了稔様と聞きまして。ほら」

「え？」

今川が大きな声を出した。

「じゃあ僕は待ち人に会っていたのですか！」

　私達はトキの案内で急いで階下に下りた。

　どこをどう曲がったものか、どの部屋がどこに繋がっているのかまるで解らなかった。私はただ闇雲に後に連なり、導かれるままにその部屋に着いた。

　襖を開けると先程の刑事達と鳥口がいた。刑事達の人数は増えているようだった。山下は我我の姿を確認するや否や、鬼のような顔をして怒鳴った。

「何だッ！　出て行け」

　敦子が云った。

「あの、明慧寺さんからお坊様がいらしたそうなのですが、先程お話致しました通り、私達取材で来ておりまして、この様子ですと予定通りには取材できないと思われましたもので、その、お坊様に――」

「ああ、もう。そんなことはどうでも――あ、おい、あんた。今川と云ったか。丁度良い。一寸《ちょっと》来い」

　山下は青筋を立てて近寄って来ると今川の肩の辺りを掴んだ。

　透《す》かさず鳥口が云った。

「じゃあ僕ァもういいですか？」

「駄目だ。お前は怪しいッ！」

山下は吠《ほ》えるようにそう云って、半ば無理矢理に今川を引き連れて次の間に消えた。僅かに覗いた次の間はどうやら仏間のようだった。何やら声高な話し声が聞こえたが、何を云っているのかは聞き取れなかった。

どうしたものか迷っていると若い刑事がこそこそと寄って来た。

「あなた、関口先生？」

「え？　ええ」

「僕は益田と云います。逗子の『金色髑髏《どくろ》事件』では大活躍だったそうで。石井警部から聞きました」

「え？　そんなことは——ないですが——」

「覚えてませんか？　いつぞや横浜の誘拐事件の時に先生に職務質問したのは——僕なんですがね」

「ああ？　そうでしたか」

覚えているようないないような——否、覚えてなどいる筈がなかった。疾《やま》しいところがひとつもなくたって、私は常に挙動不審者なのである。職務質問だの事情聴取だのと云う状況下に於ける私は、おそらく必ずや極度に緊張している筈だから、客観的記憶など一切残らないのだ。

益田と云う刑事は少し若《にや》けてはいたが悪い男ではなさそうであった。

「ね、有名でしょ」

「世間は狭いですな。渡る世間は警察ばかり」

敦子と鳥口が順に云った。

他の屈強な刑事が睨んだので益田は軽く首を竦《すく》めて私から離れた。

「関口君。君も相当に行いが悪いようだな」

久遠寺翁が小声でそう云った。

三分程経った。乱暴に襖が開いて、罵声とともに険悪な雰囲気の山下と今川が出て来た。

「ああ！　見覚えないってのは納得行かない。貴様、商談の相手は小坂了稔だとさっき云っていたじゃないか！　調べれば判ることだ！　今白状しろ」

「何度も申すのですが、そちらとは手紙のやり取りがあっただけなのです。本当に、それだけです」

「それだけ？」

「それだけです」

「それだけとは何だ！　嘘云え。ん？　貴様等、そこで何を馬鹿みたいに突っ立っているんだッ！　おい民間人は出て行かせろよ！　解らんのかッ！」

「うへえ、帰って良いのですか」

「お前は駄目だッ！　おい益田ッ、追い出せって」

「しかし山下さん」

「お静かになさい。仏前です」

落ち着いた、威厳ある響きの声だった。

大声ではなかったが、部屋中の有象無象《うぞうむぞう》は一瞬にして威圧された。

山下も急に黙った。そして一斉に声のした方を見た。

襖の向こう側には切り取られた風景があった。

開き切った襖の先、仏壇の前に、黒い襤褸片《ぼろきれ》のようなものが見えた。屍体だ。

その横に僧が立っていた。

こちら側に渦巻いている喧騒だの妄執だのと云った猥雑なものが、敷居ひとつ隔てて綺麗に掻き消えているのだ。空気すら澄んでいるように見え、時間さえ止まっているように感じる。勿論錯覚である。

僧は襤褸片——屍体——に一礼してから、厳かな動きで俗世——こちらの部屋——に出て来た。

そして私達にすうと背を向けて、再び一礼し合掌して後、音を立てずに襖を閉じた。

姿勢を正してから僧は再びこちらを向いた。

緇衣《しえ》の袂《たもと》が風を孕《はら》んでふうと膨れて、すぐに萎《しぼ》んだ。灰色の地味な袈裟に緇衣と云う、善く見かける僧侶の格好である。それなのに——。

——尼僧か？

否、先程の声は男のものだ。

しかし。

尼僧と見紛うばかりに——。

僧侶は実に美しい顔立ちをしていた。

切れ長の目。長い睫《まつげ》。華奢《きやしや》だが端正な顔。

立ち振る舞いも身嗜《みだしな》みも非の打ちどころがない。

小柄だが姿勢が良いので二回り程大きく見える。

美僧は私達を認めると躰を一切揺すらずに、静静と近寄って敦子の前で止まり、云った。

「稀譚舎の方でしょうか」

「は、はい」

「飯窪様ですか」

「い、飯窪は気分が優れず休んでいます。私は『稀譚月報』の中禅寺と云います」

「伺っております。明慧寺の和田慈行と申します。斯様《かよう》な不測の事態となってしまいましたが——取材の方はどうなさいますか」

敦子は珍しく返答に窮し、狼狽の色を浮かべて私を見た。そして山下の方を見てからこう云った。

「し、取材させて戴きたいのは山山なのですが、その、警察の方が——それにそちら様も」

「当山は取材して戴いても一向構いませぬが」

「でも、その、亡くなっていたのは」

「被害者——と云うのですか。慥かに隣室の奇態な死骸は当山の雲水了稔和尚です。しかし遺体は司法解剖とやらに回されてしまうそうで、葬儀を執り行うことも叶《かな》いません。聞けばあなた方はお山の修行を取材なさりたいとか。仮令《たとえ》どのような不測の事態が発生しようと、私どもの毎日の修行に一切の変わりはございません」

両手を握り締めた山下が割って入った。

「その、あなた、和田さん。この娘も含めてここの連中は全員容疑者なんですよ。しかもあなたの寺のお坊さんを殺害した疑いがあるんだ」

「それが？」

慈行和尚は山下の方に向き直った。

「それがってあんた」

「それがどうかしたか、と問うているのです」

「だから容疑者——」

「容疑者を警察が拘束する、だから外出はままならぬ——そう仰るのでしたらそれは仕方がございません。この方達は真犯人が逮捕されるまでここに監禁されるのでございますか？」

「い、いや、それは」

そこまで拘束する権限は警察にはない筈である。

「それに——例えばこの方達以外に犯人がいる可能性はないのですか？　了稔和尚は四日も前から行方が知れなかったのですよ」

「そ、それはあるが——」

「例えば私が犯人かもしれませぬ」

慈行和尚は笑った——ように見えた。

「了稔和尚は世俗との関わりも多かったと聞き及びます。斯《かく》の如き顚末《てんまつ》を迎えたのも不徳の致すところ」

「それでも殺していいと云う法はないッ」

「無論です。当山も捜査に対する協力は一切惜しみません。一刻も早く犯人を捕まえて戴きたい。ただ——」

「ただ？」

「修行の邪魔はしないで戴きたい」

「は」

「お山の静寂を掻き乱すような無礼な真似はしないで戴きたいと云うことです。さすれば当山の雲水三十五名、悉く警察に協力致しましょう。それから私は何ごとにつけ秩序を重んじます。取材の方は当初の予定通り翌日の午後二時より遂行して戴きたい。中禅寺様。それで宜しいですね」

山下は言葉を失った。敦子が尋いた。

「あの――」

「何か」

「お山は女人結界ではないのですか？」

「そのような古《いにしえ》の因習、疾《と》うの昔に捨てました。ご心配なさらぬよう」

慈行和尚はそう云った後ちらりと私を見た。

見蕩《みと》れていた私は息を呑んだ。

「失礼致します」

慈行は私達を通り越し、廊下に面した襖の前で再びこちらに向き直って、深く礼をした。頭を上げると同時に背後の襖が音もなく左右に開いた。

そこには若い僧が二人立っていた。慈行は廊下に出るとその二人の真ん中で立ち止まり、振り向いて肩越しに私達に視線を投じた。

若い僧達は深深と礼をして襖を閉じた。

「な、何なんだ、おい」

山下は空気が抜けたような声を出した。

「山下さん、僕等疑うのも良いですが——その、お寺の方も結構怪しいみたいですねぇ」

鳥口が馴れ馴れしい口を利いた。益田が受けた。

「捜査の範囲を広げなけりゃ。鑑識の見解もありますし、所轄の報告も——」

「黙れ。私に指図するな。少し黙ってろ」

山下は覇気をなくしている。

「あのう」

敦子が恐る恐る口を開いた。

「明日のことなんですが」

「解ってるよ。その取材だろう？　まあ君達を全員逮捕する訳にもいかんから——ただ居所は瞭然《はっきり》させておいてくれなくてはいかん。ええと——」

山下は錯乱を隠すように顔に手を当てて、明日決めると云った。

既に日付けは変わっていた。鳥口も一旦放免になり、私達は各各の部屋に戻った。

敦子が同僚の女性の許に行ってしまったので愚痴を云う相手がいなくなった所為か、鳥口は私にくっついて来た。

「酷いです。越権行為です。国家権力の暴走です」

鳥口は頻《しき》りにぶつぶつ不平を垂れている。

聞けば彼の撮影したフィルムが証拠物件として押収されてしまったらしい。

「仕方がないじゃないか。国家警察が只で現像してくれるんだからいいと思わなきゃ」

「三枚くらいしか撮ってないんです。だから損ですよ。それにあれは芸術作品ですからね。焼き加減が問題で。素人にゃあ無理ですよ。自信作なんです。題名はそう、老人と梅——」

「柏の木だと自分で云っていたじゃあないか。いい加減だなあ君は。それに現像するのは素人じゃないよ。多分君より巧く焼くぜ。そうだ、握り飯があるが、喰うかい？」

「勿論です。腹が減っては藺草《いぐさ》は編《あ》めぬ」

この辺の間違いはわざとやっていると思われる。

鳥口の持ち味はあくまで天然惚けだから、わざとやっている方が笑えない。惚けが技巧に走っている。

鳥口はずっとぶつぶつ云っていたが、私の部屋の握り飯を見ると憤懣より食欲が勝ったらしく、喰っているうちに温順《おとな》しくなった。そして、

「あの警部補は駄目ですねぇ。木場《きば》さんの方が数段優秀ですよう」

と云った。木場と云うのは東京警視庁捜査一課の馴染みの刑事の名である。

鳥口は握り飯を六つも食べた。

大食漢の青年編集者はそれでもまだ喰い足りない顔つきだったが、もう部屋の中に食料はなかった。

「ありゃあ？　続き物なのかな？」

鳥口は私の部屋を物色するように見回し、床の間の掛け物を眺めてそんなことを呟いた。意味は解らなかった。

そこに仲居が蒲団を敷きにやって来た。

それを契機《きっかけ》に鳥口は部屋に帰り、私は着替えて、ひとりで床に入った。

——京極堂は、今日は戻ったのか。

せめて私のいない日くらい戻ればいいのに。

そんなことを考えているうちに眠った。

夢を視る間もなかった。


「先生、せんせえい」

どたどたと鳥口がやって来て、私の眠りは妨《さまた》げられた。眠ったと云うより意識が途切れたと云う感じで、昨日の疲労感がそのまま残留している。どうやら朝にはなっているらしかったが、強行軍の上に寝たのが一時過ぎだったからまだ眠たかった。

「何だ、どうして君はいつも僕の安眠を妨害する」

「そりゃあ先生がいつも寝てるからです。僕なんか腹がもたれて一睡もできなかったすよ」

「そりゃあ君の喰い意地が張っているからだ。いったいどうしたって云うんだ」

まだ六時だった。

「いいから来てくださいよ」

私が起き出すと鳥口は私の浴衣の着方が変だと云って大いに笑った。

「帯の位置が高すぎるんですわ。まるで蒙古《もうこ》の民族衣装だ、あっはっは」

「失礼だなあ。いいじゃないか。何だ」

「今、遺体の搬出をしてるんですよ。中中巧く行かないようで。一見の価値はあります」

「巧く行かないって何がだ？」

「ほら丹前《たんぜん》でも着て。着替えるんでしたら早く」

鳥口に手を引かれて部屋を出ると、今川も同じく部屋を出るところだった。今川は一番右端の部屋に泊まっているらしかった。

階下には昨日より多くの捜査員がおり、既に捜査を開始していた。朝一番で応援が到着したのだろう。廊下を少し行くと久遠寺翁がいた。

「おお、早いなぁ。見てみなさい。あんなもの持ち出しよって、まったく、祭りのようじゃないか」

数人の男が何か妙なものを運んで来た。

櫓《やぐら》のような——否、担架に近いか。二本の長い棒の間に籠が設けてあり、籠には椅子のような背凭《せもた》れがついている。兎も角不思議なものだった。

「あれは何です？」

「チェアだな。明治時代の乗り物だ。あの輿《こし》のところに客が座って、棒を四人の男が担ぐ。原始的じゃあなあ。この箱根は道が悪かったから、人力はよう登れん。而して江戸の頃のように駕籠《かご》屋もおらん。そこであれが流行ったらしいな。外国人は特に好んだんだそうだ。ほら印度《インド》だの亜弗利加《アフリカ》だので象の上に人が乗るじゃろう。あの感覚で喜んだんだろな。日本人を未開人と蔑《さげす》み、象扱いしとった訳だ」

「はあ」

一昨日京極堂が日本文化を博物学的に捉えるなとか云って怒っていたが、当時の外人観光客にとっては、日本人など正に博物学の対象以外の何ものでもなかったのだろう。

チェアは座敷に運び込まれた。

「この仙石楼はその昔、客の五割は外人だったらしいから、自家用のチェアが残っとったんだな」

「そんなに外人が多かったのですか？」

「多いさ。外人は昔は自由に国内を移動できなかったが、この箱根だけは特別に保養地として滞在が許されてたからな。筋金入りの外人保養地だ。ああ乗せた。こりゃあ妙じゃわい」

久遠寺翁が顎をしゃくった。

私と鳥口、そして今川は、廊下の端に立ち、その様子を盗み見た。

座敷では数人の警官だか鑑識だかがそのチェアの上に昨日の襤褸片を乗せている。朝の陽光の中で見ると、それはただの座った坊さんである。即身仏か蠟《ろう》人形のようだ。とても屍体には見えない。

山下警部補が眠そうに赤い目を擦《こす》りながら、何かきいきい雄叫《おたけ》びを上げていた。

「麓に自動車が呼んであるんだね？　頼むから、くれぐれもそんな格好で町中を練り歩くんじゃないぞ。写真でも撮られて新聞にでも載ったら大変だからな」

好きでやってるんじゃない、と云わんばかりに捜査員達が山下を睨んだ。当然返事をする者はひとりもいなかった。山下と云うのも誰からも反感を買う男である。

遺体には布が掛けられた。

流石に肩に担ぐことはせず、棺桶でも運ぶように脱力したまま、陰気な顔の男達は出発した。

屍体と入れ替わりに、敦子と、如何《いか》にも病み上がりと云った面体の女性が現れた。

そう見える主な理由は色のすっかり抜けた唇だろう。それが飯窪女史だった。

敦子は飯窪を紹介した後、私の方に近づいて来て小声でこう云った。

「先生、空中浮遊する僧侶——と云うのは妖怪変化の類でしょうかしらねえ？」

「さあ、京極堂じゃないから知らないが、そう云う妖怪もいるんじゃないのかい？　まあ天狗だって元は坊主だそうだからね。高慢の果てに魔道に堕ちた仏法者が天狗になるんだと兄上から聞いたよ。鼻高高と天狗になった坊さんなら空ぐらい飛ぶんじゃないか」

何しろ鼠に化ける坊主もいるくらいである。

しかし敦子は冗談じゃないんですよ、と云って、飯窪女史の体験談を代わりに語った。

私は箱根に来てから怪談ばかり聞かされている。

今川も久遠寺翁も首を捻っていた。

途端に騒がしくなった。番頭と仲居が三人程渋面で帳場の方から走って来た。

その後ろには板前のような男が顔を出している。通いの板前だろう。

座敷から口論するような声が聞こえて来た。

「先生。どうも警察の仲間割れみたいですな」

鳥口が苦苦しく云った。所轄側と本部側で意見が食い違っているのだろうか。

私は耳を屹《そばだ》てた。

「ああ、あの若造が吊し上げを食っておる。ああ云う尖《とんが》った奴は嫌われる。出世しないぞ」

久遠寺翁の云う通り、山下の捜査方針が——と云うより山下自身が、だろう——気に入らないと、所轄の連中が一斉に反旗を翻《ひるがえ》した模様である。

気がつくと背後に益田刑事が立っていた。

「ああ遂にやったなァ」

若い刑事は苦笑いしている。

「山下さんも悪い人じゃないんだがなあ。困ったなあ」

鳥口が目を丸くして尋いた。

「いいんですか？　刑事さんが容疑者である我我と気軽に言葉を交わしたりして？」

「いいでしょ。あなた達は犯人じゃあないんでしょうに。それなら一般の民間人だ。僕は民間人に好かれる警察官を目指してるんです」

「しかし、ほら。あなたの上司。ひとりに大勢では分が悪い。助勢に入るべきですよ刑事さん」

「ははは、僕はそう云うの向かないんですよ」

益田は笑ったが、すぐに山下に大声で呼ばれた。

続いて、何だか解らないが我我も呼ばれた。兎に角全員こっちに来いと、神経質そうな警部補は興奮気味に云って、幾度も激しく手招きをした。しかし、その手つきの仰仰しさに反比例するように、所轄の刑事達は妙に醒めている。

山下は額と首に青筋を立てて力一杯力んでいた。

「いいかッ、私が今ここで白状させてやる。こいつらの中に犯人がいる。いいや、こいつら全員が犯人なんだ。これは宿ぐるみ客ぐるみの犯罪だッ！」

「警部補さん。そりゃ幾らなんだって無茶だ。あんた偉いのかしらんが、何でも通ると思ったら間違いだ。現場の人間甘く見ちゃいかんぞ。いい加減にしないと所轄から本部に連絡入れてあんた担当外して貰うぞ！」

「馬鹿者！　そんなことをしてみろ。お前の首くらい簡単に飛ばせるんだ。いいか、疾《と》うの昔に死んでいる凍りついた屍体が足跡も残さず誰にも見られず庭に現れたなんてどこの世界で通用するか！　おまけにその坊主は先夜から空飛んでいたと、こいつらの証言を全部信用すればそうなるんだぞッ！　そんなの狂ってるだろう！　信じられるか馬鹿」

孤立した選良《エリート》警部補の興奮が極限に達した時——玄関で奇声がした。

山下は本当に極限に達していたらしく、ひゅう、と大きく息を吹き出してから喘息患者のように息を吸って、少しばかり震えた声で、

「な、何だぁ」

と云った。

玄関の方からやけに陽気な高笑いが徐徐に近づいて来て、我我のいる座敷の入口で止まった。

「僕だよ！」

「な、何者だ貴様ッ」

「探偵だ！」

明朗快活な声だった。

廊下には二百三高地を攻略しに行く兵隊のような古式床《ゆか》しい防寒服を身に纏《まと》った、かの探偵榎木津礼二郎が――満面に笑みを浮かべて立っていた。

西洋磁器人形《ビスクドール》のような整った顔立ちと、色素の薄い肌と髪。大きな目。飴《あめ》色の瞳。

このまま黙っていれば多分誰もが見蕩《みと》れてしまう程の、所謂《いわゆる》美男子である。だがこの男は黙っていることをしない。それどころか奇態の限りを尽くして殆どの常識を完膚《かんぷ》なきまでに破壊してしまうのだ。

「何と云う辺境。遠い。遠過ぎるなここは。僕は遭難してしまうところだったぞ。途中で変な神輿《みこし》に行き会わなかったら辿り着くことを諦めて帰るところだった！　おお、こんなところに猿がいる！」

榎木津は威勢良く私を指差すとずかずかと座敷に上がり込み、私の肩をぱんぱん叩いた。

「主人より先に到着しているとは賢いじゃないか。忠義猿だ。草履でも暖めていたか！　おや？　敦っちゃんじゃないか。相変わらず可愛いねえ。そちらの女性はお友達か？　ふん、何だそれは。まあいいや」

榎木津は飯窪女史を見止めて少し顔を顰《しか》めた。

「おや？」

続いて榎木津は今川のところで視線を止めた。

「お前は慥か、ええと、マチコじゃないか！　何してるんだこんなところで！　相変わらず気持ち悪い顔だなあ。いやあ生きていたのか。おいみんな。こいつは昔ドラム缶の風呂に入って立ったまま居眠りしたことがあったんだぞ。気持ち悪いなあ。それよりお前、僕との約束は守っているか？」

「約束？」

突然《いきなり》矛先を向けられた今川は口を半開きにして絶句した。この場合挨拶のしようもない。

「忘れたのかこの愚か者！　お前は口許が緩いから生涯人前で乳製品を食うなと、南方できつく命令しておいただろうが。忘れたのか？」

「乳製品？」

「軍隊時代の命令がまだ有効なんすか？」

今川が混乱のあまり茫然自失状態に陥ったので、鳥口が何とか繋いだ。

「おおッ！　鳥《トリ》ちゃんか。君も生きていたのか。それに免じて質問に答えよう。僕の命令は無期限で有効だ。僕は上官として部下に命令したのではなく、神として下僕に命じたのだからね。何しろこいつが牛乳や何か飲むと、口の端《はじ》に白い泡が残って不気味で奇っ怪でいかんのだ。だから僕の命令は全人類のための命令でもあるのだ。おや？」

そこで榎木津は漸く久遠寺翁に気づいた。

「善く来てくれた。榎木津君。危機一髪で儂等は今犯人にされそうなところじゃった」

「あなたは！　そうか、覚えていますよ。ええと、まあいいでしょう。僕が来たからには安心だ。ところでこの人相の悪い人達は誰なんだ関君《セキ》」

　榎木津は私を関君と呼ぶ。

　座敷の中にいる警察関係の人間は警官を含めると実に全部で十人以上にも及んでいたのだが、その全員がただ口を開けて立ち竦《すく》み、非常識な闖入者《ちんにゅうしゃ》を注視《みつめ》ていた。何ごとが自分達の身に降りかかろうとしているのか全く理解できなかったらしい。今や啞然《あぜん》と云う言葉は彼等のためにあるようなものだった。

「榎《エノ》さん。こちらは警察の——」

「警察？　木場のボケの仲間の人達か？　ふうん。やあ、僕が薔薇《ばら》十字探偵社《じゅうじたんていしゃ》の榎木津礼二郎です」

　警察側の反応はなかった。

　否、反応できないだろうと思う。

　山下はどこか壊れてしまったらしく、顔の右半分を引き攣《つ》らせてぎこちなく辺りを見回して、かなり躊躇した結果、敦子を選択して尋いた。

「こ、この、これは、何だ？　何者だ」

「説明は難しいです刑事さん。見ての通りの探偵としか——云いようがありません」

「帰って貰え。帰って貰えよ」

山下は所轄の刑事や警官達に泣きそうな声でそう指示したが、聞き入れる者はひとりもいなかった。現場と本部の間に溝ができていたことは榎木津にとって幸いだったようである。

「ところで熊本《くまもと》さん」

「熊本？　ああ儂のことか？」

榎木津は久遠寺翁のことを一応覚えていたようだったが、名前の方は完全に忘れていた模様である。

「違いましたか？　でも名前なんかどうでもいいんです。さあ依頼してください。僕がわざわざ来たのです。さて何を解決しましょう」

捜査するでも推理するでもない。解決するだから呆れてしまう。山下はそれでもまだ摘《つま》み出せと喚《わめ》いていたが、誰も聞いていなかった。

「実はな榎木津君。昨日の午後、そこの庭にな、突如として死んだ坊さんが現れよった。足跡も、気配もなく、まるで唐突にな。お蔭で儂等は犯人扱いだ」

久遠寺翁は極めて手短に経緯を語った。

しかし考えてみれば起きたことというのはそれだけのことなのである。

「それでな、そこの飯窪さんが、前夜に二階の窓に貼りついた坊主を見ておる。そして翌朝空飛ぶ坊主を——」

「ああもう結構。説明が短くてとてもいいです。ええと九能《くのう》さん」

げた。

「榎さん、こちらは久遠寺さんだよ」

「似てるじゃないか」

榎木津はそう云い乍らすたすたと座敷を横断して障子を開け、硝子戸も開けて庭を見上げた。

鳥口がその後ろ姿を目で追い乍ら云った。

「似てないですよねえ。く、しか合ってません」

榎木津はそれをまるで無視して、大声で云った。

「君達は揃いも揃って何を悩んでいるんだ？　おお何と云う馬鹿。猿でも解る」

そして機敏に振り向き全員を見渡した。

「関君。愚鈍な君ひとりだったなら解らないのも解るが、こんなに大勢いて、おお何と云う馬鹿」

そこで私は、私がこの場に呼ばれた理由を思い出した。つまりこれ以上の榎木津の暴走を食い止めることこそが、鳥口以下、榎木津の登場に危惧を抱く善良なる者どもが私に期待したこと――つまり私の使命なのである。

「いい加減にしろ榎さん。馬鹿馬鹿云わないでくださいよ。僕は慣れているが、その」

「だって馬鹿は馬鹿だよ。京極の真似するみたいで凄く厭だが、こう馬鹿が多くちゃ仕方ない。ああ面倒臭い、さっさと来い。いいから来い」

榎木津は大股で刑事達の垣根を通り抜け、一直線に飯窪女子の前に行くと、その手を取った。

「来なさい」

「え？」

「来るんだ。関君、鳥ちゃん、以下の者続け」

「榎さん！　真逆《まさか》飯窪さんが犯人だとでも云い出すんじゃないでしょうね」

榎木津は答えずに飯窪の手を引いて廊下に出た。鳥口が従った。私は敦子と久遠寺翁の顔色を窺い、すぐに察して後を追った。二人はすぐに私の後に続いた。背後で益田の声が聞こえた。

「だって解決するって云ってるんだから聞かない手はないですよ。山下さん――」

榎木津は案内もなしに私達の泊まっている二階家――新館の方に向かっているようだ。階段辺りで振り返ると、迷っていた今川や番頭達、刑事達までが連なっていた。最後部に山下の泣き顔も見えた。

半端な勾配の階段を上ると、上り切ったところに榎木津がいた。榎木津は廊下の窓を開け放って下を覗いているようだ。飯窪女史が不安げに見守っている。鳥口が横で支えていなければ倒れてしまいそうな具合だ。彼女は榎木津の初心者なのであるから、これは仕様がないことだろう。

「榎さん、どいてくれ。後が閊《つか》えている。そんなところにいちゃ上れないよ」

「ここだな。ここがその窓だ！　鳥ちゃん早くこっちへ来い」

榎木津は鳥口に何か指図をした。

鳥口はうへえと悲鳴を上げて、私の方をちらちら見ながら、

「僕がですかあ」

と云った。

「猿でなけりゃ鳥なんだ。さあ」

榎木津はそう云って鳥口の肩をどん、と押した。鳥口は情けない顔をして続く大勢の列を交《か》い潜《くぐ》り、渋渋《しぶしぶ》階下へ向かった。

「その窓――に坊さんが貼りついていたちゅうのかね榎木津君。しかし窓は沢山あるじゃないか。何で特定できるんだね？　ずうっと全部窓だぞ。どうなんだね飯窪君、本当にここなのか？」

久遠寺翁が問うても飯窪の表情は堅く、解答はなかった。

榎木津は勝ち誇ったように云った。

「ここしかないんですよ。九文字《くもんじ》さん。尋くまでもないことです」

「名前は近くなったようだがな榎木津君。矢張りその、君には何かが――その、見えたのかな？」

榎木津には人に見えないものが見える——らしいのだ。

勿論本人以外真偽の程は判らない。

「見えた？　そりゃあここに来れば善く見えますよ誰にだって」

榎木津はそう云い乍ら窓を閉め、横に避《よ》けた。障害物がなくなったので私達の半数は二階の廊下に上ることができた。残りは階段のそこここに佇《たたず》んでいる。

暫くすると変な物音がした。

半ば耄《ほう》けていた全員が耳を峙《そばだ》てた。飯窪女史が目を見開く。

その視線の行く先を辿ると——。

窓に鳥口が貼りついていた。

何だか泣きそうな顔だ。

「ほうら。今は少しばかり両目の間隔が詰まった軽薄な青年が貼りついていますが、その時は坊さんだった訳です。そしてこりゃあすぐ上に行かざるを得ないのです」

鳥口は情けない表情のまま懸垂《けんすい》でもするように上方に移動し、最後にじたばたする足が残って、すぐに消えた。

「この体勢で貼りついたままの状態を維持することはとても難しいのだね。守宮《やもり》じゃないんだから。つまりこの女の人が見ようと見まいと、坊さんは上に行くしかなかった。でなければ落ちるだけだ」

「落ちる？」

「人が空を飛べる筈ないじゃないですか。まあ本当に飛べる人がいたら僕は大金を叩《はた》いてでも友達になりたいが。飛べなきゃ落ちるだけなんです」

比較的階段の上の方にいた益田が云った。

「つまり、その僧侶は飯窪さんが発見したから慌てて上に逃げたのではない、と云うことですね」

「そうそう。君は偉い。坊さんは多分——ああそれは直接尋いてみよう」

榎木津はそう云って刑事達を掻き分けて下に降りた。我我はまだ何だか釈然としなかったが、それでも元気の良い探偵の後に従うより他に選択肢はなかった。衝撃《インパクト》の強い先制攻撃を受けて、全員が脳震盪《のうしんとう》を起こしたようなものだったのである。


次の舞台は前庭だった。

珍しく走った所為なのかもしれないが、屋外はそれ程寒くはなく、天気も良かった。

そして私は、初めて仙石楼の容姿を確認した。蠢《うごめ》く夜の塊は、朝になってしまうと矢張りただの旅館であった。

視線を上げると二階家の屋根の上にへっぴり腰の鳥口がいた。

鳥口は私達が出て来るのを見ると、

「怖いですよう。滑るんです」

と甘えるような声で云った。榎木津が叫んだ。

「おお！　鳥ちゃん。尋きたいことがある。君はさっき窓から僕等の姿が見えたかい？」

「え？」

「僕が見えたかと尋いている」

「そんな余裕はありませんよぉ。上ばかり見てましたからあ」

「ほうら。だからお嬢さん。その坊さんも多分あなたに気づいちゃいない。貼りついていたように見えたのは、伸び上がって雨樋《あまどい》に手をかけ、屋根に登ろうとして踏ん張っていたところです。お猿のようにするするとは行かない。人間ですから」

「そ、それがどうした？　それはそうかもしれないが、だから何だと云うんだ！　おい、こら！」

一番打撃《ダメージ》を受けたであろう山下が復活した。

「あんた偉そうな人だな。刑事と云うより社長みたいだ。おおい鳥ちゃん、その変な接合部分を渡ってそっちの大屋根に行けるか？」

「い、行けますが、落ちるかもしれません。でも、一箇所に凝乎《じっ》としてるよりマシですう」

鳥口は綱渡りをする道化のように屋根を伝い、新館と本館を繋ぐあの妙な勾配の階段の屋根に下りて本館の屋根に移った。

「ほら。こう云うことです」

「だからどう云うことだッ！」

「だから坊さんはあそこに行きたかったのです」

「え？」

「この平屋の方の大屋根に登るには、ほら、手掛かりも足掛かりもない。飛び跳ねて瓦に摑まったりしたら、音も煩瑣《うるさ》いし、大体登り悪《にく》いでしょう。ところが、こちらに目を転じるとこれこの通り。まるで登ってくれと云わんばかりに大きくて頑丈そうな塵箱《ごみばこ》があり、その次に立派な塀《へい》がある」

二階家の一階部分は大風呂らしく、囲うように塀が巡らされていた。

頑丈そうな塵箱も慥かにある。

「塀の上には庇《ひさし》が出ている。ご丁寧に庇の上に張り出した一階部分の屋根があって、そこに上がって背伸びをすればさっきの鳥ちゃんのような具合で屋根に登れる訳だ。階段状になっていて登山してくれと云わんばかりだ。何故そこを登る——そこに塵箱があったからだ！」

「つまり君がさっき見えたと云うたのは——塵箱のことだったのかね？」

「勿論です！　ええと」

「久遠寺だ。つまりここから登るのが、あの本館の屋根に至る最も簡単でしかも最短の道だった、つうことか？　まあ儂でも——そうするかなあ」

先入観がある所為かもしれないが、私にもそうして登るのが一番確実そうに思えたし、多分それに就いては皆納得したようだった。ただ山下だけは、まるで宝物を取られた幼児のような悔しそうな顔になっている。警部補は得意の臓躁《ヒステリック》的な口調で云った。

「貴様、そんなつまらないこと偉そうに語ってるが、ほっといたってそのくらい警察が調べれば――」

「それくらいのことでも調べなければ解らない人のことをぼんくらと云うんじゃないか。それに大体偉そうなのはあんたの方だね。社長」

「社長？」

山下が何故社長と呼ばれたのかを考えているうちに、益田が前に出て尋いた。

「それじゃあ、そこの飯窪さんが夜中悩まされていた天井の物音と云うのは――その坊主が屋根の上を歩いていた音なんですかねえ？」

「それは鼠でしょ。だってほら、屋根の上で長く過ごすのは大変そうだ」

榎木津は半眼の横目で屋根の上を見た。

鳥口が必死の形相で堪えていた。

「多分坊さんはすぐに平屋の方に移っただろうし、この人のいた部屋は移動するルート上にはないでしょう。だからそれは鼠」

「はあ」

榎木津の云う通り、飯窪のいたと云う部屋は一番左端だから、階段の接合部より向こう側にある。本館に渡るのが目的ならわざわざその上を通ることはない。

鳥口が泣き言を云った。

「榎木津さあん。寒いですよう」

「頑張れ鳥ちゃん。地上は近い。さあその変な木の太い枝に摑まれ！」

「あ——」

私はそこで凡《すべ》てを理解した。しかし凡てを理解して尚、何かが——。

「こうですかあ？」

屋根の上に張り出した柏の巨木に、鳥口は抱きつくように取りついた。

「そのまま木の本体の方に行け！　据わりの良いとこがあるだろう。さあ次はこっちだ！」

鳥口の姿が我我の視界から消えるのを確認して、榎木津は玄関に向かった。

次の舞台は飯窪が最初に泊まった部屋だった。

榎木津は窓を開け放し、踊り場に出て指差した。

「ほら鳥ちゃんが浮いている」

「ああ、解っとる。榎木津君。儂でも解ったわい。どうせこんなことだろうと——おお、こりゃ慥かに浮いているようにしか見えんな」

山下以下刑事が四名、久遠寺を押し退けて踊り場の端に立った。私と今川は並んで、刑事達の肩越しに鳥口を見た。

顔面蒼白の鳥口の上半身だけがほんの少し上下に揺れていた。

「どうだ？　鳥ちゃん座り心地は？」

「こ、怖いすよう。枝が折れそうなんです」

風の音に掻き消されて、私達に届く声は微かだ。

「あの馬鹿っぽい姿はこの場所からしか見えないのです。しかもあの木はこんな冬だと云うのに葉っぱがいっぱいついている。そのうえ雪も積もっているから御覧の通り下半身は見えない」

「柏は常緑樹ではないが、落葉樹の癖に葉をつけたまま越冬する場合が多いんじゃな。葉は春の新芽に押されて落ちよる。これは譲《ゆず》り葉《は》と云って縁起が良いとされるから、だから庭に植えるんじゃ。慥かに他の種類の木だったらこの時期丸裸だから、枝に引っ掛かってるのが丸見えで、浮いてるようには見えんだろうなあ」

訳知り顔の久遠寺翁が語る解説だか蘊蓄《うんちく》だかを聞いて、益田刑事が半ば感心したように云った。

「うん。あんなところに人間の上半身が覗いていれば誰だって吃驚《びっくり》しますよ。特に前日から怖い怖いと思っていれば――」

「貉《むじな》みたいなもんだな」

山下がそう云った。多分、ラフカディオ・ハーンの書いた怪談『貉』のことだろう。一度吃驚して、ひと心地ついてから二度吃驚――慥かにその時の飯窪女史はそんなところだったろうか。

「さあぼやぼやしていると鳥ちゃんが死んでしまうから、急ぐんです」

榎木津はそう云って踊り場から戻って来て、部屋を出る際に飯窪女子を見て、

「あなた、知っていたんだから早くいいなさい」

と云った。

私達はやっと元の座敷に戻った。

榎木津は、折角仲居か誰かが閉めた窓を再び開けて縁側に出ると、上を向いて大声で叫んだ。

「降りろ！」

無茶である。私は思わず榎木津の横に出て上を見上げた。込み入った枝と枯れ葉の向こうに鳥口らしきものが見えた。

「降りロッ！」

榎木津はろの部分を巻き舌にして再び云った。

容赦のない催促である。

「おい、榎さん。梯子《はしご》くらい用意して――」

どさりと鳥口が落ちて来た。

「と、鳥口君！　君――」

即座に敦子が駆け降りた。

「鳥口さん！　大丈夫です？」

「う、うへぇぇ。こ、これを大丈夫と云うのなら、よ、世の中のことは殆ど大丈夫で」

どうやら尻から落ちたらしい。幸い下には雪が積もっていたらしく、不幸な青年は何とか生きているようであった。

「ほら。どうだ。これで終わり」

榎木津は愉快そうにそう云って鳥口に背を向け、座敷の中の人人を見据えた。

「――いや、多分こんなことだろうとは思ったが」

久遠寺翁が口を一文字に結んだ。他の者はそれぞれに考えて、次次に落胆したような声を発した。

山下は納得していなかった。

「何だ？　何がこれで終わったんだ？」

「山下さん。解ってないの山下さんだけですよ」

益田刑事は他の所轄の警官達と顔を見合わせた。どうやら益田は所轄側についたらしい。

「だから、山下さん。ほら、これなら足跡も残らないじゃないですか。上から落ちて来たんだから」

「ハァ、そうかそうか、上、がらねぇ」

大声で感心したのは丸眼鏡の老巡査だった。

「つまり、あの仏さんは、木の上から落っこちて来たと、こうゆう訳でやんしたか。ハァ、なる程、これは魂消《たまげ》た」

「阿部巡査、あんたも解ってなかったのか？」

益田は困惑を隠せないと云った表情で再び刑事達と顔を見合わせた。頂上である捜査主任と末端である平巡査のレヴェルが同じだったと云うことになるからだろう。久遠寺翁は眉を高く吊り上げて目を細め、そんな警官達の様子を横目で見乍ら、

「慥かにあん時ゃあどさどさと何度も雪が落ちていたからなあ。すっかり慣れっこになっていたんだな。なあ今川君」

と、しんみりと云った。

「はい。真逆《まさか》屍体が落下して来るとは思わなかったのです。しかし、善く善く思い出してみれば——」

今川は腕を組み、異様な顔をして少し考え、

「——慥かにあの直前にひと際大きな音がしたような気もするのです」

と云った。

山下はまだ首を傾げている。そしてそのままの形で榎木津のところに行くと、

「で？」

と糾《ただ》した。

「だから終わりだ」

「で、犯人は誰なんだ？」

「そんなこと知らないよ。僕がその人から頼まれたのは急に屍体が現れた謎を解くことで、それに関してはもう解決したからね。お終《しま》い」

「それはな、解決とは云わないいんだよ」

「なんで？　犯人は誰かと云うのはまた別の謎だろうに。混同をするな。そんなことも解らないのか。あんた、それでも社長か？」

「私は社長じゃなくて警部補だッ！　いいか、慥かに貴様の行《おこな》ったことは尤《もっと》もらしくて正しそうに見える。だが探偵、善く聞け。今は晴天の午前中だ。あの女性が目撃したのは深夜、しかも大雪だったんだぞ。条件が違い過ぎる。今のような大冒険をするには最悪の条件だ。危険過ぎるだろうが」

「夜でなきゃ誰かに見られてしまうじゃないか。その方が危険だ。見られちゃ登れない」

「だから。貴様も解らん奴だなあ。いいか、わざわざ人目を忍んで、そんな危険を冒してまでだよ、何だってそんなことしなくちゃならないんだ？　そんな苦労をして旅館の庭の木の天辺《てっぺん》で坐禅を組まなきゃいけない理由がどこにある？　貴様みたいな大馬鹿の道化者なら喜んでやるのかもしれないが、小坂了稔はな、坊さんだぞ。坊主。僧。僧侶。和尚。鳶《とび》じゃないんだ。屋根だの木だのに上る商売じゃないんだよ。坊主は葬式でお経を上げるのが商売だろうが。何でそんなことをするか！」

流石に本部の警部補は田舎駐在より手強《てごわ》かった。

まったく山下の云う通りなのである。比較的早い段階で結論に達していた私も、その部分だけはどうしても納得が行かなかったのだ。益田が云った。

「修行なんじゃないんですか？　山下さん」

「そんな修行はない！　ある訳ない。あってはならないッ！　私が許さん。だから、この馬鹿探偵の云ってることもまやかしだ。いいか、今の実験もだから無意味だ。つまりこいつもグルだッ！」

山下はまた吠えた。手強い一方で短絡的にそう云う結論を出してしまう辺りがこの警部補の限界であるらしい。

久遠寺翁は大きな溜め息を吐いてそんな山下を見てから、悠然と庭に降りた。番頭が救急箱を持って来たのである。庭では枯れ葉と雪に塗《まみ》れた鳥口が発掘されていた。

鳥口を外科医に委《ゆだ》ねてから、敦子がすっくと立ち上がってこちらを向いた。

何だか凛凛《りり》しい。

「無意味なことはないですよ」

敦子は澄んだ声でそう云った。

「山下警部補。今の実験、強《あなが》ち無駄でもなかったと思います」

「な、何だ？」

敦子の凛凛しさに大抵の男は怯《ひる》む。

「今の榎木津さんの実験は、少なくとも二つ以上の新しい事実を私達に認識させてくれました。だから非常に有意義だったと思います。若干の犠牲は出ましたが――」

敦子はそこで言葉を切って、ちらりと鳥口を顧《かえり》みた。

鳥口は手を振った。この辺りが馬鹿だ。

「――実験の結果が出るまで、私達は凡てをごちゃごちゃに捉《とら》えていたんです」

「凡て――とは？」

「ですから、解ること、解らないこと、できること、できないこと、あり得ること、あり得ないこと――これらは明確に区別して捉えるべきだったんです。つまり、『空中浮遊する僧侶』はあり得ないことですが、『足跡を残さずに出現する遺体』はあり得ることだった訳ですね。私達は榎木津さんの仰る通りにその辺を皆混同していたんです」

「それは認めよう」

山下は珍しく素直に聞いた。

「多分——今の実験と同様のことが一昨日の夜、そして昨日の午後に行われたり、また偶発的に起きたりしたことは、目撃談を含む状況の一致から見てもまず間違いないでしょう。お坊さんはあの窓から屋根に登って行ったのだろうし、そして死骸が樹上から落下して来たのも事実だと思います——」

「君等の証言を信じれば、の話だがね」

山下が茶茶を入れたが敦子は動じないで続けた。

「——しかし、一方で山下さんの仰るように、そんなことをしなければならない理由が見当たらないと云うのも常識的な判断だと思います。木の上で坐禅する修行など多分ないでしょうし、雪の夜にそれを決行するのも考え難いです」

「そうだろう」

山下が満足そうに云った。

「ええ。それは慥かに考え難いんですが——ただ、それら——榎木津さんの示した事柄と山下さんの主張する事柄——は互いに矛盾するものではないと思います。行う理由が私達の常識の中に見当たらないと云うだけのことですから。それは裏返せば理由があれば可能だ、と云うことになるんです」

「そうだろう」

榎木津が山下の真似をした。

「しかしそうしたこととは別に、今の実験を鵜呑《うの》みにしてしまうことは、同時にひとつの大きな矛盾を抱え込んでしまうことになり兼ねないんです」

「矛盾？」

「そうです。御覧の通り、実験台の鳥口さんは――生きています」

鳥口は縁側に上って久遠寺翁にあちこち触られていたが、矢張り敦子に手を振った。

「しかし落下して来た小坂了稔さんは――遺体でした。死んでいたんです」

山下は眉間《みけん》に皺を刻んだ。

「それが？　この男も落ちて死ねば良かったと、こう云いたいのかね？　それなら賛成しよう」

「落ちて死ぬんじゃ駄目なんです警部補。死んで落ちて来なくちゃいけないんですわ――」

敦子がそう云うと鳥口はうへえと云った。

「――皆さんは、小坂了稔さんが他殺体だったと云うことを失念しています」

返事こそしなかったが、多分刑事達の多くは虚を突かれた筈だ。

そうなのだ。落ちて来たのは、誰かに殺された屍体だったのだ。

つまり。

「今の実験は正しいでしょう。でも、そうすると犯人は、今の実験の途中で殺人を行わなければならなくなるんです。いいですか、お坊さん——了稔さんは慥かにあの坾箱から窓を越して屋根に登った。つまり一昨日の深夜、彼は生きていた——そして一夜明けて、樹上の彼は多分死んでいた。雪解けと同時に落ちて来た彼は、他殺屍体だったんです。つまり被害者は屋根の上か木の上で殺されたと云うことになってしまうのです」

「そうか。そりゃあ無理か！」

「そう、無理なんです。天狗のように空を飛んで、木の上で坐禅を組んでいる僧侶を殴り殺す——これは先程云った通りあり得ないことの範疇《はんちゅう》でしょう。では屋根の上にもうひとり誰か他の者、つまり犯人がいた——これも非常識です。雪の深夜に屋根に登るような人がそう何人もいる訳はないでしょう。すると答はひとつです。彼、小坂了稔さんは、屍体のまま屋根に登ったんですわ」

「馬鹿な！　それこそあり得ない」

山下が蔑《さげす》むように云った。

「ふんッ！　少しは話が通じるかと思って聞いていれば結局君も馬鹿どもと一緒だ。死人が窓を攀《よ》じ登るか？　飛ぶ方がまだ幽霊らしいッ」

「勿論死人は動きませんわ。私の云っているのは、屋根に登った人物と落ちて来た遺体は別人——つまり飯窪さんが窓で目撃したお坊さんは小坂了稔さんではないと云う意味です」

「しかし落ちて来たのは了稔だッ！」

「なる程、解りました――」

鳥口の横にいた今川が手を打って発言した。

「――つまり、了稔さんは屍体のまま屋根に引き上げられた――否、犯人は了稔さんを担いで――いや担いじゃ登れないです――そうだ、屍体を背負って屋根に登ったのだと、あなたはこう云いたいのですね。中禅寺さん？」

敦子は嬉しそうな顔をした。

「その通りです。今川さん」

「背負って？　背負えるかな？」

「私は一寸見ただけですから断言はできませんが、了稔さんは小柄で、しかも痩せていた。多分目方も十二三貫と云うところでしょうか。なら米俵ひとつ担ぐ力があれば大丈夫です。しかも了稔さんはその時、もう凍っていたんじゃないかと思うんです。その方が運ぶ時に扱い易いような――これはさっきちらりとチェアに乗った遺体を見て思いついたんですけれども――」

慥かに、凍ってでもいなければ屍体をあんな変梃《へんてこ》なものに巧く乗せるのは難しかったろうし――ただ凍っていなければチェアの出番もなかった訳だが――力さえあれば柔らかい状態より堅くなっている方が扱い易そうにも思える。

「——飯窪さんの見たことをそのまま信じれば、窓から見えた人物の両手は塞がっていた。両手を使わなければ屋根には登れません。つまり今川さんの云う通り、背負子《しょいこ》のようなもので遺体を背負って登ったと云うのが正解ではないでしょうか。それを考慮しても、その時既に了稔さんは凍っていた——殺されていたと考えた方が理に適《かな》っています」

山下は唸《うな》った。考えているようだ。

敦子は私を見て少し微笑み、更に続けた。

「——それに座ったまま撲殺されたのだとしたら、下が木の枝や雪の積もった屋根と云うのは考え難いでしょう。了稔さんは矢張り地上で殺された——と考えるのが妥当じゃありませんか？　それは山下さんの常識にも合致する筈です」

理に適っているとか、常識に合致するとか、恐らくはそう云う言葉が山下を擽《くすぐ》っている。敦子は半ば作為的にそう云う表現を使っているのだろう。流石は京極堂の血を引く娘である。警部補は常識と非常識の狭間で揺れて、自問自答を始めた。

「屍体は重くなると云うが——でも目方が増える訳ではないか。慥かにあの小さな坊さんだったら、屈強な男なら担げないこともないが——いや、しかしかし、うん。まあ」

益田が云った。

「そうすると、つまりあれは木の上で修行していた坊さんではなくて木の上に遺棄された屍体だったと云うことですね？」

「そうです。隠したのか、他に何か理由があったのか、それはまだ解りません。しかしこれは解らないことで別に不思議なことじゃないですから。まあ動機や理由が解らないと云う意味では何等進歩はしてないんですが、それでも『吹雪の夜屋根に登り、そこから木の枝に渡って、坐禅を組んでるところを撲殺される』より『吹雪の夜凍った遺体を木の上にこっそり遺棄する』の方が遥かに現実性があると思いませんか？　実験の結果とも、証言内容とも合致する内容ですし——」

山下が吐き捨てるように云った。

「そんな樹上への屍体遺棄なんて君、現実性で云うなら五十歩百歩だ！　誰がそんなところに屍体を捨てるか。なあ益田」

益田は答えなかった。

山下は常識と非常識の狭間を幾度も振幅した挙げ句に、最も保守的なところで止まったようである。そして部下達からは一層信用を失ったようだ。

益田は山下を見捨てたらしく、後方にいる所轄の刑事達に向けて云った。

「慥かに死体遺棄の場所としちゃあ木の上ってのは盲点ですね。実際大雪が降らなけりゃ落ちてこなかったでしょうし、それならまだ発見されていないかもしれない。いい隠し場所ですよ」

一方刑事達の方もどうやら山下を無視することに決めた様子である。

「そうすると殺害時間はもっと前に遡らなければいけないし、犯行現場だって遠くである可能性も出て来るなア。どの辺まで広げたもんかな」

「でも、その見方は鑑識の見解とも一致しますよ」

「我我の聴き込んだ内容とも一致する。小坂は発見の四日前から失踪していたんだからな」

「そりゃそこの今川氏との面会予定の日でしょう」

結局山下を除く警察官の凡ては、敦子の話に基づいて捜査方針の見直しを始めたようである。山下は口を開けて暫く悶悶《もんもん》とその様子を眺めていたが、結局話に加わるべく何か云いかけた。しかしその言葉は益田の発言に遮《さえぎ》られてしまった。形なしである。

益田は敦子に向けてこう云った。

「君は――さっき新しい事実が二つ判ったようなことを云っていたが、それは――？」

「ええ。この実験で知ることができたのは、今云いましたように、先ず小坂了稔さんは少なくとも一昨日の深夜より数時間以上前には殺害されていたと云うこと。それから、犯人もしくは共犯者に僧侶か、あるいは僧形の人物がいると云うこと――です」

「あ、そうか。そちらのご婦人が窓のところで見た坊主は、被害者ではなくて犯人だったことになる訳だ。つまり犯人も坊主だと云うことか！」

「犯人が――坊主だって？」

刑事達に動揺が走った。

敦子は山下に向けて優しく云った。

「犯人ではなく事後共犯の可能性もありますし、僧侶ではなく僧侶の扮装をした人物である可能性もありますけど。ですから依然私達は容疑者な訳です。でも、少なくともお坊さんの共犯者がいる——或《あるい》は、私達の中の誰かがお坊さんに変装をしたのかもしれませんね。それに、先程山下さんの仰っていたように、全員共犯の可能性だって消えた訳じゃないんです。後のご判断は警部補にお任せします」

部下に見限られ容疑者に判断を委《ゆだ》ねられた悲劇の警部補は、敦子に対して何とも云えぬ苦苦しい表情を造り、それから背後の刑事達を顧《かえり》みた。

結局山下は益田によって部屋の隅に連れて行かれた。そして仲違《たが》いしていた筈の刑事達は雁首《がんくび》を揃えてこそこそと協議を始めた。山下の暴論や榎木津の暴挙に比べて顕かに敦子の話には説得力があったと云うことだろう。ともあれ、足掛かりさえあれば沿わぬ相手とも協調性は持てるものなのだろう。

山下が振り向いた。引き攣《つ》っている。

「ええ、中禅寺君か？　君の云いたいことは大体解った。まあ被害者が数日前に殺害されていたことは鑑識の見解や周辺捜査から概《おおむ》ね確定しつつあった訳だし——まあいい。ええと、これから捜査会議をするから指示があるまで外出はしないで。その、取材か。取材までには方針を決定する。自室等で待機しているように」

山下はそう云った。

まるでいい訳染みていた。

敦子は少し黙って、漸く縁側に上がった。そして、

「靴下濡れちゃった」

と云った。

勝ち負けの問題ではないのだろうが、どう見ても山下の敗北である。

刑事達は見張りの警官をそこここに配備して、隣室に消えた。捜査会議とやらをするのだろう。それにしたって、誰が考えてもどちらが常識的な判断かは明白である。山下を除く捜査員はほぼ方針を固めつつあったようだし、これで目撃者全員犯人説などを採用したなら山下の更迭《こうてつ》もまた明白であった。

当の敦子はけろりとしたもので、裸足は寒いなどと云って自室に退場した。

「流石は京極堂の妹だ。小娘とは思えない理屈っぽさだったぞ敦っちゃん！」

榎木津が遠くから敦子を褒《ほ》めた。


それでも時刻はまだ午前九時だった。

刑事達がいなくなると座敷は急にがらんとして寒寒しくなった。

入口近くで飯窪が口を押えて立っていた。考えを巡らせていると云ったところか。

今川がどこからともなく座布団を持って来て、私に勧めた。私達は並んで座った。

そこに、縁側で伸びていた鳥口が久遠寺翁に急《せ》かされて漸く立ち上がり、座敷に入って来た。

「なんじゃ。何でもないわいこの男。確乎《しっか》りせい」

「精神的に傷を負ったんですよォ。ああ寒い。あ、先生、酷いですよう」

「鳥口君。駄目です。大丈夫か？　折角呼んで貰ったが、僕は役に立たなかったなあ。痛いか？」

「尻が駄目です。先生、どうして僕が代わりにやろうとか云ってくれなかったんですよう。これで敦子さんが発言してくれなくて、実験は無駄だったとか云われたりしたら、踏んだり蹴ったりじゃないすか」

「しかし、あれは如何《いか》にも五万馬力の鳥口君向きの体力仕事だったからなあ。僕は書斎派だから――」

敦子が話し始めて後、ずっとその辺をうろうろと物色していた榎木津が、耳聡《みみざと》く私の声を聞きつけて近寄って来た。

「何を偉そうなことを云っているんだ関君。君は鳥ちゃんに感謝するべきなんだぞ。鳥ちゃんがいなければあれは当然君の役目だ！」

「何です役目って？」

「猿は木から落ちるものだ！」

「そんな馬鹿な」

「馬鹿は君だ。この役立たず。関君、君は何のためにここにいるんだ。ただ右往左往して。せめて木から落ちるくらいするべきだったのだ。猿は木から落ちる！」

榎木津は偉そうな口調で再度そう云った。

どうも諺《ことわざ》を間違えるのは鳥口の専売ではなかったようである。

そこに仲居が二人程やって来て食事をどうするか聞いた。

朝食の時間は疾うの昔に過ぎていた。今更部屋に戻ってバラバラに喰うのも妙な具合だったから、食事は広間に用意して貰うことにした。

鳥口が変な格好のまま私の横に座った。

「警察にも朝食は出るんですか？　あの人達ゃあ金は払うんですかな？　只喰いかなあ」

「君だって稀譚舎持ちで泊まってるのだろう。何を云ってるんだい」

「でも癪《しゃく》ですよ。あの警部補」

「ああ。まあ警察には警察の立場があるんだよ。それにあの人も随分苛められて、可哀想なくらいだったじゃないか。敦っちゃんも大したものだよ」

私は庭を見た。硝子戸は閉められていたが、例の巨木は見えた。あの前に今朝見た坊主の死骸は座っていたのだろう。想像はできなかった。同じように庭を見ていた久遠寺翁が独り言のように尋いた。

「あの娘《こ》は幾つかな。関口君」

「敦子ちゃんですか？　慥か二十三くらいだったと思いますが——何か？」

「いやあ、うん。確乎りした娘だなぁ」

矢張り、ほんの少し淋しそうだった。

飯窪女史はひと言も口を利かず、凝乎《じっ》と座っている。まだ何か考えているのだろうか。

私は何か落ち着かないような据わりの悪い気持ちになっていた。

不安を散らすような惚《とぼ》けた声で鳥口が云った。

「それにしたってさっきの敦子さんは実に格好良かったすねえ。溜飲《りゅういん》が下がるつう感じでしたな。それに比べて僕ぁ格好悪いです」

それを聞くと、落ち着きなく鴨居や欄間《らんま》の細工を見ていた榎木津が何故か真顔になって云った。

「そうだ。鳥ちゃんの落ち方は本当にまるで格好悪かったぞ。あれが関君だったなら、もっと怯《おび》え悶《もだ》えて、ひゃああとか素敵な悲鳴を上げて落下して来たことだろう。関君、君は後で鳥ちゃんにいい落ち方とかいい怯え方とか教えてあげなさい！」

「何で僕がそんなことしなきゃならないんだ。それより榎さん、あんたこれからどうするんです？」

「僕？　帰るよ。京極の真似したら疲れた」

「それは良かった。帰るんですね？　じゃあ僕は御払い箱だな？　そうだろ鳥口君——」

丁度そこに着替えた敦子が戻って来た。

「駄目ですよ関口先生。昨日嘘吐《つ》いちゃった手前、今日は一緒に取材してくれなくちゃ私の立場がないんですよ。勿論、取材協力料はお出ししますから。何なら本当に原稿書いて貰ってもいいです」

「それは参ったなあ」

「働け猿」

榎木津が云った。鳥口が続けて、

「大体先生はもう立派な容疑者でしょうに」

と云った。

「そう、かな」

深追いするな——そう雪絵が云っていたのを思い出した。

それに京極堂も深入りするなと——あれは何の件に就《つ》いて云われたことだっただろう？

私はすっかり深入りしている。

三四人の仲居が朝食の膳を運んで来た。榎木津の分もあったので探偵は大いに喜んだ。私達容疑者の群れは、然したる話題もなく七人で食卓を囲んだ。

考えてみれば事件は何も解決していない。

解決していないどころか、今さっき漸く始まったようなものなのである。つまり我我は未だ渦中にいるのだ。榎木津の登場を以て、私は何だか凡てが終わってしまったような錯覚を抱いていたのだ。殺人事件の渦中にあって和《なご》やかな食事もないものだろう。

久遠寺翁が云った。

「榎木津君。君は帰るのか」

「帰りますとも。食べ終ってから」

「儂はその、君に改めて依頼したいんだが」

「何をです？　浮気の調査だけはお断りです」

「違うわい。頼み直そう。今度は真犯人探しだ」

私と敦子は顔を見合わせた。

鳥口が叫んだ。

「久遠寺先生。それは——止めた方がいいっすよ。榎木津大先生はお忙しいですし」

「忙しくないよ」

「え？　でも慥かお風邪を召していたんじゃあ」

「和寅に移した。だから帰るとまた移される」

和寅と云うのは榎木津の事務所にいる、住込みの探偵助手のことである。

「でもなあ」

榎木津は半眼になって飯窪を見た。気乗りがしない風だった。鳥口は敦子に向け、頻《しき》りに視線を送っている。遠回しに榎木津の残留阻止に就いて協力を求めているようなのだが、敦子はどうもそれに就いては諦めてしまったらしく、反応しなかった。

「いいじゃないか榎木津君。儂は兎も角、中禅寺君や関口君まで疑われておるんだぞ」

私も――矢張り疑われているのだろうか。

「犯人ねえ。あまり興味ないですねえ。関君が死刑になろうとギロチンになろうと楽しいだけですからねえ。でも関君が死んじゃったらいい怯え方を見ることができなくなっちゃうしなあ。それにどうせ帰ったって和寅がいるだけだし。まあ引き受けてもいいかなあ。食事もおいしいし」

榎木津はくだらない理由で依頼を引き受けつつあった。それを察して鳥口が慌てて発言した。さっき実験台にされたのが余程嫌だったのだろう。

「大将、榎木津大先生！　和寅君はきっと、ひとりで淋しいとか云って泣いてますよ」

ひと言多かった。鳥口の悪足掻《わるあが》きは逆に榎木津の決心を促してしまったようだった。

「淋しいだって？　おお気持ち悪い！　和寅の奴は幾ら教えてやってもちっともギターが上達しないんだ。そのうえ今あいつは風邪をひいているんだ！　あんな奴の顔なんか見たくない。解りました。引き受けましょう熊本さん」

熊本こと久遠寺翁は有り難う、と云った。

「と、引き受けてはみたものの——」

榎木津は独り言のようにそう云うと敦子と今川、そして私と鳥口を順に見て、最後に飯窪を見た。

榎木津は先程からどうも飯窪を気にしているように窺える。飯窪の方はあまり食も進まぬようで、下を向いて箸で煮付けを弄《もてあそ》んでいる。探偵の視線には気づいていない。

私は未だにこの敦子の同僚がどのような人間なのか、全く把握できていなかった。

榎木津がやおら間を空けて続けた。

「どうにも坊主が多過ぎるなあ。区別がつかない。坊主が坊主を上手に殺したなんて——僕の趣味じゃないんだがな」

坊主が殺した？

——犯人が坊主だって？

——せっそう？　ああ拙僧か。

——僧侶が、道の真ん中で人を殺したと、
そして——私は思い出した。

京極堂が深入りするなと忠告したのは、揉み療治の尾島が語った『鼠の坊主』の一件だ。

そしてその怪談染みた話こそは、正に僧侶による殺人の告白ではないのか。

私は胸の高鳴りを覚えた。

食事が済むと私ひとりだけが隣室に呼ばれ、事情聴取を受けた。潔白であっても尚しどろもどろの私は、ただひとつの嘘――事前の取材依頼――があったため、実に失語症を発症するのではないかと思う程緊張した。しかし担当が山下警部補ではなく益田刑事だったのが幸いし、私は赤面したり発汗したりする程度で――それでも充分怪しかったろうが――乗り切ることができた。益田の話だと山下は本部に対し更なる応援人員を要請し、屋根や樹上も含めた綿密な大検証を決行するらしい。また大平台方面の捜査にも着手し、明慧寺にも数名の刑事を派遣すると云うことだった。

私はやや躊躇した末、尾島の体験談――『鼠の坊主』の一件――を益田に話した。

益田は大いに関心を示し、

「いやあ、流石に関口さん。凄い情報です」

と云った。私は謙遜するのもおかしい気がして黙って下を向いた。尾島の住所を尋かれたので湯本の外れと云っていた、とだけ答えた。

事情聴取が済むと数名の増員が到着し、屋根や、例の坩箱などの検証が始まった。

女将《おかみ》と云う女性も到着して、我我に対して無調法を丁寧に詫びた。

女将はげっそりと窶《やつ》れていた。

正午になると昼食が用意された。朝食が遅かったためか、全部平らげたのは鳥口だけだった。

明慧寺の取材は午後二時より行う手筈になっているそうだ。昨日の美僧——和田慈行は、大層神経質そうなことを云っていたから、彼の機嫌を損ねないためにも私を含めた取材班はすぐにも出発する必要があった。寺までは一時間以上かかるのだ。

取材の許可が下りたのは一時近くのことだった。

条件は捜査員を同行させることである。

益田と、所轄の菅原《すがわら》と云う武骨な刑事が同行することになった。

更に今川も行くと云い出した。このままでは何が何だか解らない——と云うのである。事情を聞けば慥かに善く解らない話だった。

私と鳥口、敦子、飯窪、二人の刑事と今川の計七人はこうして一時を十分程回った辺りで仙石楼を出発し、謎の寺明慧寺に向かった。

京極堂は先日、箱根に自分の知らぬ寺があったのだと云っていたが、明慧寺こそがどうやらその未知の寺であったらしい。京極堂の知らぬ寺など番付に載らぬ取的《とりてき》のようなものであるが、しかしその潜《もぐ》りの取的は横綱並みの実力を持っているらしい。

道程《みちのり》は長く、且つ道は険しかった。

軟弱な私などにとっては、大平台から仙石楼までの獣径すらも豪《えら》く厳しいものだった訳だが、明慧寺へ至る道の厳しさたるやその比ではなかった。否、道などないに等しかった。

先頭を行くのは菅原刑事である。菅原は昨日一度明慧寺を訪ねている。道は彼しか知らない。山男然とした風貌の猛《いか》つい刑事は、道案内していると云うよりまるで道を切り拓くように進んだ。

躓《つまず》いた。菅原が止まって振り向いた。

「気をつけな。女子供には辛い坂だぞ。作家の先生なんか軟弱なんだろうから、注意しないと麓まで転げ落ちるぞ」

菅原は厳《いかめ》しい顔を一層強張《こわば》らせてそう云った。

私の後ろで鳥口がうへえ、と云い、益田が最後尾であぁ、と声を漏らした。今川の心中は私には読み取れぬ。何も考えていないような、あるいは深く思い悩んでいるような、どちらとも取れる奇怪な顔で黙黙と登っている。敦子は比較的元気そうだった。

飯窪女史は殉教者の如き悲壮な面持ちである。

大丈夫だろうか。

昨晩——慈行和尚はあの格好でこの山を下って来たのだろうか。私の見る限り一糸乱れぬ身嗜《みだしな》みで、しかも涼しい顔をしていた。信じられなかった。

「坊さんと云うのは、慣れちょるとは云え、まあ、すいすいと歩くもんだな。あの女形みたいな弱弱《なよなよ》したのが、あれで中中健脚なんだな。俺なんかもう息が切れて、昨晩は何度も転んだな」

私の疑問を読み取ったらしく菅原刑事は前を向いたままそう云った。

私などは雪塗《まみ》れである。僧達の健脚と云うのも、矢張り修行の成果なのだろう。

辺りが薄暗くなって来た。天気が悪くなったのでも、陽が暮れたのでもない。山が深くなって来たのである。この辺りはそれ程高い山ではないように記憶していたが、雰囲気だけはまるで深山幽谷の様相を呈し始めていた。

鳥口が聳《そび》え立つ樹樹を見上げて云った。

「ああ、だんだん木がでっかくなって来ましたな。おや、こりゃあ柏の木ですかねえ。でかいっすねえ。あの庭の木よりでかいかな」

敦子が立ち止まってそれに答えた。

「これは水楢《みずなら》ですよ鳥口さん。同じ椈《ぶな》科だから似ているけれど、葉がついてないでしょう。さっきから見ているんですけど、箱根の山には柏の木はあまりないみたい」

「そうですか。そりゃあ、まあ良かった。もう柏は沢山ですよ。あの葉っぱを思い出すてぇと――僕は五月五日が思い遣られます」

鳥口は尻を摩《さす》って軽口を叩いた。普段ならこの後くだらない駄洒落《だじゃれ》のひとつも続けるところだが、寂とした山の厳しさがそれを自粛させたらしい。

山鳥が啼《な》いた。

私は少しだけ感心して再び歩を進めた。

雪と樹と——。

粘菌《ねんきん》だの茸《きのこ》だのには矢鱈《やたら》に詳しい癖に、普通の植物学的知識の方は皆無である私にとっては、樹は常にただの樹でしかない。どれも凡て一緒に見える。私は一本一本の樹木の個性を無視し、単に森だの、山だのとして認識していたのだ。だから鳥口の問い掛け自体も意外だったし、敦子の解答もまた新鮮だったのだ。そして何より歩行すら困難なこの道行きの途中で、山の植物分布まで推理できてしまう敦子の観察力には脱帽した。

私は雪道以外に何も目に入っていなかったのだ。

私は鳥口、敦子に導かれた飯窪の三人に追い越され、今川と並んだ。

山は深深と——冷えていた。

更に登った。

空気が湿っている。

息を吸う度にひやりとした山の冷気が体内に侵入した。ぬるぬるとした都会の澱《おり》がその度に躰の下の方に追い遣られ、浄化されて行くような気がして、心持ち躰が軽くなったようにも思えた。私の内部は相当に病んでいたらしい。

倦怠《けんたい》も疲労も忘れていた。不安も焦燥も消えた。寂寥感も喪失感も失せて、そうしているうちに、何のためにこうしているのかさえ、一瞬忘れた。

何のため——。

刑事達は殺人事件の捜査のため。

敦子や鳥口は雑誌の取材のため。

今川は亡くなった僧侶と自分の関係を質《ただ》すため。

公志私志の差はあれど、同行者達には皆目的がある。私に限ってはほんの小さな、他愛もない嘘を貫くために行動を共にしているだけである。そもそも目的意識が希薄であったことは否めない。

だからだろうか。そんな、煩細《はんさい》な愚志などは清厳なる労働の前に消し飛んでしまったのであろう。私は目的達成のために登っているのか、登るために登っているのか、すっかり判らなくなってしまっていたのだ。

何も考えていなかった。

私はただ登っていた。

足を動かしているのか足に動かされているのか、自分が移動しているのか世界が移動しているのか、その辺りが判然としない境地まで行き着いた時に、声がした。

「あれだ。着いたぞ」

菅原の声だった。

私の額には薄《うっす》らと汗が浮いていた。

――檻だ。


そう感じた。

そこで世俗は終わっていた。

等間隔に聳《そび》える木立は正に檻のようだった。

その檻は明確な、目に見える結界だった。

その向こうに惣門《そうもん》があった。

監獄の入口――だ。

何故清浄なる聖地を監獄などに喩えなくてはならないのか解らなかった。

私にとっては喧騒渦巻く都会こそが監獄であった筈だし、そうならばこの先は寧ろ、そこと正反対の場所ではないのか。

それでもそう思った。


「時刻は？」

敦子が尋いた。

残念乍ら二時を大幅に回り、時刻は間もなく三時になろうとしていた。

修行者には一時間ばかりの行程も、我等俗人の足には倍近くかかるものだったと云うことである。已を得まい。

慈行は何と云うだろうか。昨夜は殺人事件より時間厳守の方を重んじるようなことを云っていた。刻限に遅れたがために取材拒否をされるかもしれぬ。

惣門を潜《くぐ》った。

印象こそがらりと違っていたが、様相自体に関して云えば、あまり変化はなかった。寺の境内と云うよりは山間部の続きなのである。同じように樹樹が延延と生えている。違うところと云えば、雪道が綺麗に整えられているところくらいである。

湿った空気は張り詰めたそれに変わっている。

勿論気の所為である。

暫く行くと作務衣《さむえ》を着た僧が二人雪搔きをしていた。

僧達は我我に気づくと無言で一礼した。

三門《さんもん》が見えた。

僧のひとりが近寄って来た。

「雑誌社の方でございましょうか」

「それと、警察です」

益田が答えた。

僧は菅原の顔を見て、ああ、と声を漏らし、ご苦労様でございます、と頭を下げてから、慈行和尚がお待ちでございます、と云った。

三門から伸びる回廊は仏殿に続いているらしい。

我我はそことは少し離れた別の建物に案内された。

寺院の施設はどうやら山中に点在しているようである。

「ここは――まあ私の至らない常識で判断する限りは――変わった叢林《そうりん》ですよねえ。無名と云うより、発見されていなかったと云うのに近いんじゃないですか？　手紙とか、善く着きましたね。飯窪さん」

敦子が独り言のように云った。

今川が頷いた。

「はい。僕もそう思うのです。僕はただ封筒に書いてあった住所に宛てて投函しただけなのですが」

「こんなところに所番地があるのかな」

菅原が云うと益田が答えた。

「菅原さん郵政省を嘗《な》めちゃいかんですよ。近頃は大抵届くんです」

「でもな、益田君。こんなところに配達するのはそりゃあ大変だぞ。同じ料金じゃ割りに合わないぞ。配達夫も命懸けだぞ」

私もそう思った。

実際、実録小説の秘境探険記にでも出て来るような場所ではあるのだ。それでいてここは人外魔境でも隠れ里でもない。手紙を出せばきちんと届く日本の国土の一部なのである。私は改めてそれを肝に銘じた。

これはあくまで日常の延長だ。

ここは俗世と地続きの、ただの山に過ぎぬ。

要らぬ思い込みは怪我の元だ。

古い建物であった。

案内の僧が備えつけの木槌のようなもので壁に下がっている板を鳴らした。

かんかんと乾いた音が山間に響いた。

どうやらそれはそうするものであるらしい。すぐに昨夜の僧――慈行のお供――が出て来た。珍しそうに板をひっくり返して眺めていた鳥口は慌てて気をつけの姿勢になった。

我我は中に通された。

慈行は正座して待っていた。

敦子が何か云おうとするのを手で遮《さえぎ》って、飯窪女史が――私の前では殆ど初めて――発言した。

「初めまして。稀譚舎の飯窪と申します。この度は無理なお願いをお聞き届けくださいまして、本当に有り難うございました。そのうえ昨晩はご挨拶もせず、重ね重ねご無礼致しました。何かとご迷惑をおかけ致しますが、何卒宜しくお願い致します」

そして飯窪は丁寧に頭を下げた。

敦子も同時に礼をした。私と鳥口も慌ててそれに倣《なら》った。

慈行は解りました、と云い、これまた丁寧に頭を垂れた。

私は頭を上げる機会を逸して戸惑った。

すうと顔を上げて慈行が云った。

「さて、それはそうと困ったことになりました。この時間ではあまり緩寛《ゆっくり》と取材をして戴く訳にも参りません。それに、見れば警察の方もいらっしゃるようですが？」

口許以外微動だにしない。

瞬《まばた》きもしない。

慈行の視線が二人の刑事を捉えた。

菅原が渋面を作って云った。

「捜査ですよ。あなたが昨日云っていたように、小坂さんはどこか遠くで殺された可能性が出て来ましてね。この寺で殺されたのかもしれない」

「それで？」

「それでって、あんた。だから捜査ですよ。昨日も捜査協力は惜しまないと仰ったじゃないですか」

「勿論捜査協力は惜しみません。ただ昨晩も申し上げた通り、修行を邪魔して戴いては困る訳です。当山は午後四時には閉門します。それにもうすぐ茶礼の刻限です」

「あんた、お茶飲むのと殺人事件の捜査と、どっちが大切だと云うんです」

「ただ茶を飲むのではありません。修行です」

「それだって全員の手が空かない訳じゃないでしょう。そこで掃除してる人からでも順に聴き込んだっていいんですよ」

「当山に手の空く雲水などおりません。常に、必ず作務《さむ》を行っている。掃除も食事も睡眠も生活の凡てが修行、生きることこれ即ち修行なのです。ですからその間を縫って協力できる範囲で協力すると、私はこう申し上げている。取材とやらもまた然りです。昨晩の如き無作法はお慎み戴きたい」

「な、何が無作法か！　人ひとり死んでるんだ。しかもあんたのお仲間じゃないか！　どんな時間だろうと、何をおいても駆けつけて協力するのが――」

「だから協力は致します。昨夜よりそう申し上げているのが――」

　慈行は姿勢を崩さずに静かに威圧した。

「――お解り戴けないのか」

菅原が片膝を立てたので慌てて益田が諫《いさ》めた。

「わ、解ってます。解ってます、ええと、和田さん。和田和尚とお呼びするのかな？　あ、あの、こちらの最高責任者――と云うのはおかしいなあ。ええと、ご住職と云えば皆ご住職か？　その――」

そこで益田は何故か助けを求めるように敦子を見て、そしてそれを振り切るようにしてから、

「――ここで一番偉い人に合わせてください」

と云った。

「偉い？　貫首《かんしゅ》との面会を所望されていらっしゃるのか――」

「かんしゅ？　そう仰るのですか？　要するにこのお寺のですね――」

「寺の行持《ぎょうじ》は凡て監院《かんいん》である私が取り仕切ります。雲水の綱紀《こうき》は維那《いの》が司ります。貫首にお会いになったところで捜査とやらができるとも思えませぬ。尤も、禅師に教えを乞いたいと仰せになるのでしたら――」

「はい。教えを乞いたいのです」

「ならば貫首に尊答を求むるなど大それたこと。修行されるが宜しかろう。門戸は開いています」

「あのなあ、あんた――」

菅原が逆の膝を立てたので益田は慌てて肩を摑んだ。

「どうあっても、め、面会は叶わないのですか？」

慈行が首をほんの一寸横に向けた。その、善く見ていなければ解らぬ程の僅かな動きを見取って、後ろに控えていた僧がするりと前に出た。慈行は更に首を曲げ、その僧に耳打ちをした。

僧はすぐに低頭して座を離れた。

「ただ今、禅師にお伺いを立てに参りました。暫しお待ちください。さて、警察の方は兎も角、あなた方は如何《いかが》なさいます」

敦子は少し困ったように眉を顰めて、

「はい。四時には退散しなければならないとすると——それですともう一時間もないくらいですね」

と云い、飯窪の方を見た。飯窪が云った。

「ここに——滞在させて戴くことはできないでしょうか。修行の邪魔は致しません。お話を伺わせて戴くだけではなく、修行なさっていらっしゃるところを見せて戴きたいのです。それならば、一日なり二日なり——」

「飯窪さん！」

敦子は驚いたようだ。

「ここに、山内に止まると仰いますのか」

「ええ。適《かな》いませんでしょうか」

飯窪は毅然《きぜん》としている。毅然と、と表現するよりも必死の形相と云うのに近いか。どことなく切なさを感じさせるような、そう、覚悟したような顔だ。

慈行は初めて口許以外の顔の部分を動かした。

眉根を寄せたのだ。普通なら吃驚したとか当惑したとか云う表情になるのだろうが――実際私を含めた全員が驚いたような顔をしていたのだが――慈行の場合は白地《あからさま》な嫌悪の表出として受け取れた。

「それは――」

「修行の邪魔は致しません」

「そう云う問題ではなく――」

「来月からの脳波測定実験の方は一定期間の泊まり込み調査が前提です。そちらはご承諾戴いている筈です。今回の取材はそれに先立ち――」

「お待ちください。慥かに実験とやらは承諾致しました。致しましたが――」

急な展開であることは間違いない。誰も予想していなかったことだった。人一倍秩序を重んじると云う慈行和尚が難色を示すのは当然のことだろう。

慈行が一瞬言葉の間を空けた、その時。

襖が開いた。

何だか偉そうな僧が立っていた。

着ているものは慈行和尚と然程《さほど》変わりがないのだが、どことなく装飾的に映る。袈裟の微妙な色合いや紐の色、その掛け方などが慈行とはほんの少し違っているのだ。それだけのことで印象と云うのは随分と変わってしまうものらしい。齢の頃なら四十五六、慈行よりはかなり齢上の僧侶である。

背後に矢張り供の僧が立っている。

僧は野太い声で云った。

「お話はここで聴かせて戴きましたぞ。慈行さん、何を愚図愚図《ぐずぐず》云うておる」

慈行は一層不快な表情になった。

「祐賢《ゆうけん》和尚。無言で這入って来るなど無礼ではありませんか。何故尊公がこの知客寮《しかりよう》にいるのです」

「慈行さん。いいではないか。あんたは少しばかり神経質過ぎるな。何、今そこで駆けて来たあんたの行者《あんじゃ》と擦れ違うてな。捕まえて質したら客人の処遇に窮して、覚丹《かくたん》禅師のところにお伺いを立てに行くと云う。そこでそれ。あんたのことだから折角遠路遥遥おいでになられた客人を追い返そうとなさっておるのではないかと懸念しましてな」

「知客は私です。余計な口出しはなさらぬよう」

「俗世嫌いのあんたが知客をしておるのがそもそも間違いなのだ。知客と云えば外界との窓口ではないか」

「私が知客に不適当だと仰せなら、転役《てんやく》でもお申し出になるが宜しかろう。ただ、賓客接待は重要な役位。当山は兎も角、臨済で知客と云えば、紀綱領辺《きこうりようへん》は疎か一山をも預かる大役です。維那《いの》のように警策を振り回していればいいと云うものではない」

慈行の言葉――多分皮肉――に対し、祐賢と呼ばれた僧侶は尊大な態度で返した。

「その転役だって監院のあんたが仕切っておるのではないか。いずれにしても私は禅師から厳しく云われておる。幾ら知事《ちじ》のひとりとは云え了稔和尚は当山の修行僧。僧の不祥事は維那である私の責任だ。況《ま》して《して》これは刑事事件である。山内に止まらず、世間にまで広く迷惑をかけておるのだからな。恙《つつが》なき対応のうえきっと真相解明し、禅師にご報告する義務が私にはあるのだ」

祐賢の言葉に刑事達はやや色を取り戻した。

慈行は揺るがない。

「それとこれとは話が違いましょう。了稔和尚の一件と、こちらの方方の取材の件は無関係にございます。重ねて、突然の宿泊願いはまた別の話。当山には一般の方が宿泊できる宿坊などございますまい。それとも尊公は、こちらのご婦人方を旦過寮《たんがりよう》にでもお泊めになるおつもりか」

「何、旦過寮などにお泊めせずとも、使っておらぬ方丈は幾つもある。夜具くらいは用意できる。大体女人が傍《そば》におったくらいで修行がならんのであれば、そんな修行は最初から贋物である」

慈行は沈黙した。そして、ぞっとするような冷ややかな目で祐賢を見据えた。

「尊公がそこまで仰せなら、私の方はお任せしても一向構いませぬが——但し」

「承知。私とてそのくらいは心得ておる」

祐賢和尚はそう云って、私達に挨拶をした。

「維那の中島《なかじま》祐賢と申します。さあこちらへ」

祐賢は私達を導くように右手を横に差し出した。

警官二人は早速立ち上がった。慈行は沈黙している。

私は、祐賢の言に従うべきかどうか、若干躊躇した。

敦子はそうした選択自体よりも飯窪の豹変——豹変と云っていいだろう——振りに周章《しゅうしょう》しているようであった。矢張り戸惑っている。

鳥口は事態が把握できていないらしい。

そこに先程の若い僧が戻って来た。

僧は立っている祐賢をちらりと見てから、目を合わせぬように黙礼し、我我の後ろを抜けて慈行の元に行き、丁寧に低頭して何かを告げた。

慈行は再び祐賢を睨むように見て、

「祐賢殿。尊公の仰せの通りだ。禅師は尊公に凡てを委ねると仰せられたそうです。方方《かたがた》、これより後はそこな祐賢和尚にご相談なさるが宜しかろう。それから警察の方方、禅師は、場合によっては面会聴き取りも吝《やぶさか》でないと仰せのようですから、そちらも祐賢和尚に取り計らって戴いてください」

と静かに云った。

あくまで抑制の効いた、厳かな口調であった。ただ私にはその切れ長の眼の縁《ふち》に忌ま忌ましさの如き浅ましき感情が——垣間見えたような気がした。

私はそれを見取って何故か安心し、漸く立ち上がった。足が痺《しび》れていて二歩三歩蹣跚《よろけ》た。

外に出た。

祐賢は慈行と正反対の強面《こわもて》である。吊り上がった三角の眉と細い目がそれとなく威厳を醸している。体格も良い。しかし動きは慈行同様靭《しなやか》で、隙がないのに変わりはなかった。

「お見苦しいところをお目にかけましたな。同じ僧籍にある者同士、三不善根《さんふぜんこん》は疾うに断たれておる筈が、どうにも合わぬものは合わぬ。数ある煩悩《ぼんのう》の中でも瞋恚《しんい》ばかりは断ち難いらしくてな。つい語気を荒らげてしまう」

「さんふぜん？　何です？　いや、先程から解らない言葉ばかりです」

益田が尋いた。鳥口が小さな声で
「心不全と違いますか」

と云った。

「三不善根とは衆生《しゅじょう》の善き心を害する、最も根深き三つの煩悩のことです。ひとつに貪欲《どんよく》、ひとつに瞋恚──つまり怒ること、そして愚癡《ぐち》──つまり仏の教えを知らぬこと。この、貪《どん》瞋癡《しんち》の三つを合わせて三毒《さんどく》と云います」

「はあ、つまりあなたは怒りっぽいと」

「如何《いか》にも。修行が足りない」

祐賢は笑った。

「あのう」

敦子が質問した。

「もうすぐ四時なのですが、その」

「閉門だ──と慈行和尚が申したのだな。勿論閉門は致すが、出られなくなる訳ではない。しかし夜道は危のうございますな。だからもしお引き揚げになるなら今のうちだ。勿論お泊まり戴くのならそれはそれで一向に構わぬが、ただ慈行和尚の申した通り四時の開板から次の開板──九時までの間、取材にしろ捜査にしろ僧達が皆さんのお相手をできる状態にないことは事実である。その後も十時には所謂《いわゆる》消灯になってしまうのだが、さて如何《いかが》致そう」

「すると——例えば明日改めてお伺いするのなら」

「起床は三時半。まあお相手ができるのは午斎《ごさい》——昼食の後の三十分程ですかな」

「はあぁ」

益田が気の抜けたような声を出した。

「そんな時間から修行とやらをするのです？」

敦子が頭を抱えた。

「それでは朝の修行を取材させて戴くためには、三時半にここにお邪魔する必要がある訳ですね？」

祐賢は泰然と答えた。

「そう云うことでございましょうな」

「うへえ、敦子さん、矢ッ張り飯窪さんの云う通り泊まって行きましょう。このまま帰ったのじゃあ僕は何のためにこの重たい機材を抱え、痛い尻を押えてここまで来たのか解らないし、そんな夜明け前にまた来るんじゃあ結局寝られやしないですよ。死んでしまいます」

鳥口が泣き言を云った。

「おい、鳥口君。君や僕はどうでもいいんだよ。敦っちゃんやそちらの飯窪さんはご婦人だぞ。着替えだの何だの、その、色色と」

私が凡て云い切る前に飯窪が云った。

「私——用意はして来ました。何なら皆さんは引き揚げて戴いても結構です。私ひとりでここに残りますから、朝の修行の取材の方は——」

「そうはいかないよお嬢さん。あんた一応は容疑者だからな。あんたが泊るってんなら俺達も泊まらなけりゃならない。なあ益田君」

「山下さんが煩瑣《うるさ》いしなあ」

益田が敦子を真似て頭を抱えた。敦子が云った。

「まあ、私も鞄丸ごと持って来てはいますけれども——しかし飯窪さん。ひとりで残ったって写真はどうするんです。それに今回は『稀譚月報』の取材ですから私は矢っ張り——」

「だから僕は残りますよ敦子さん」

「君なんかは残ろうが行こうがどっちでもいいんだって鳥口君。敦っちゃん、君、どうする気だ」

「ええ——」

「揉めているようですな。さて、如何致そう」

俗人の周章狼狽振りを楽しむような顔をして、祐賢が云った。

飯窪が引きそうもないので敦子は警察に振った。

「益田さん、私達泊まっても構わないんですか？」

「は？　ああ、どうしよう菅原さん」

刑事達は刑事達で相談を始めた。敦子はそれを横目で見ながら私の方を向いた。

「先生はどうなさいます?」

「僕はどうでもいいよ。成り行きに流されるようにしてここにいるんだから」

「今川さんは?」

そうだ。今川もいたのだ。私は忘れていた。

「僕は——このままでは用が足りていないから帰れませんし、大体ひとりで帰れる自信がないのです。それだけです」

隅の方で建物の屋根を見上げていた今川は舌足らずな喋り方でそう云った。ずっと黙っていたので舌が回らなくなっていたのだろう。私には解る。

「和尚さん!」

相談が纏まったらしく、益田が間の抜けた呼び方をした。

「その、九時まで待てば事情聴取ができますね」

「如何にも」

「それまでの間、例えば小坂さんの住んでいらっしゃったところなどを調べることは」

「可能ですな」

「うん——ええと、皆さん」

益田はこちらを向いた。

「泊まるなら——泊まってもいいですよ。我我は対応します。このままじゃ捜査も捗《はかど》らないですし」

「それじゃあ、ひと晩こちらにお世話になると云うことで——皆さん宜しいですね。それでは祐賢様」

結局敦子が烏合《うごう》の衆を何とか纏めた格好である。飯窪の奇矯《ききょう》な提案が押し通された結果となった訳である。祐賢は再び不敵に笑い、後ろに控えた僧を呼んだ。

「早速手配致しましょう。英生《えいしょう》」

「はい」

「この方達を内律殿《ないりつでん》にご案内しなさい。私は後から行く。お茶などお出ししておくように」

祐賢は供の僧にそう告げて踵《きびす》を返した。

若い僧はその後ろ姿に深く礼をした後、こちらに向き直り、

「英生と申します。こちらへどうぞ」

と云った。

人影は全くなく、勿論何の物音もしなかった。

ここには慥か三十人以上も僧がいる筈である。これでは無人に等しい。寺の境内——と云ってもどこまでが境内なのかさえ判らないのだが——とはとても思えなかった。

我我は英生によって更に離れた小さなお堂に案内された。お堂と云うのか何と云うのか、兎に角実に小さな建物であった。

先程祐賢は方丈と云っていた。

しかし方丈といえば十尺四方、つまり四畳半程のものである筈だが、そこは小さいとは云え流石に四畳半と云う訳ではなく、勿論中は幾つかの部屋に別れているようだった。

「ここは内律殿と呼ばれております。昨年の夏までは知事のひとりが使用しておりましたが事情があって今は使っておりませぬ」

大方の者はその説明で納得したのだが、益田は細かかった。

「あの、色色と尋くようですが、その知事とは？」

「知事とは、禅寺の庶務を分担する主事職の僧のことです。監院、維那、典座《てんぞ》、直歳《しっすい》を四知事、大寺院では監院をさらに都寺《つうす》、監寺《かんす》、副寺《ふくす》の三つに分け、六知事とする場合もございます。当山では四知事を置いております。先程の慈行和尚が監院、祐賢和尚が維那、そして亡くなった了稔和尚が直歳を勤めていらっしゃいました」

「はあ、しっすいと云うのはどのようなその、お役目で？」

「はあ、その」

「ああ、こりゃあ失礼私は国警神奈川本部の――」

外套の内側から手帳を出そうとしていた益田の腕を菅原が摑んだ。

「だから兄ちゃん。いや益田君。こんな玄関先で、お坊さんが困ってるじゃないか。中へ入れよ」

益田ははあ、と云った。

それを契機《きっかけ》にして我我は内律殿の中に這入った。

先程もそうだったのだが、真っ白い雪の中からいきなり微昏《うすぐら》い室内に這入ったため、私の鈍感な光彩は完全に機能を失調して、私は暫し視覚を失った。

古い建物だった。畳などは殆ど脱色しており、柱など木でできているのか石でできているのか判別がつかぬ程に黒ずんでいる。襖には絵が描かれているが、燻《くす》んでいるうえに室内は光量に乏しいから何が描かれているのかまるで判らなかった。

今川は頻《しき》りにあちこちを観ている。

「こりゃあ関口先生。仙石楼より古い。骨董屋の習性であろうか。鳥口が騒いだ。

「何だその昔臭いと云うのは？」この昔臭さはただごとじゃない」

「昔の臭いですよ」

鳥口はそう云ったが、私には線香の匂いとしか思えなかった。

英生が茶を運んで来た。

「お待たせ致しました。入山以来お客様がお見えになることなどございませんでしたので、無作法無調法はお赦《ゆる》しくださいませ」

「ほう。その、参詣の人なんかも来ないのかな」

菅原が尋いた。

「当山には檀信徒がいないのでございます」

「檀家がいない？」

「はい。そのようでございます」

「それじゃあ寺院経営は成り立たないでしょう」

益田が云った。続けて今川が尋いた。

「あの、仙石楼の方が戦前は信徒の方方が大勢いらっしゃっていたと、そう申されていたのですが」

「はあ、戦前のことは判り兼ねます」

英生は申し訳なさそうに云った。

慥かに、益田の云う通り檀家信徒なしで寺院経営は不可能だろう。

私は先般も檀家のいないと云う寺院を偶然に知る機会を得たのだが、そこも矢張りまともではなかった。お盆に檀家巡りもせず、墓地経営もせず、葬式もしない坊主は悉皆《しっかい》、まともとは思われないらしい。

しかしそれも根本に立ち返れば怪訝《おか》しな話ではある。考えてみれば、僧などと云うものは元元求道者であるから、世俗と切れていて当たり前なのである。

純粋に仏道修行に励む場合は社会と疎遠になっても致し方なかろう。だがそう云う者は、現在では得てしてまともとは見做《みな》されない。社会の中で共生できる求道者のみが、取り敢えずまともと見做されるのである。

つまり現在に於ては世俗と完全に切れてしまっては求道はできないと云うことになる。これを矛盾ととるか当然と取るかは人によるのだろうが、寺院と経営と云う本来馴染まぬであろう二つの単語をくっつけて一単語と為し、それを平然と使っている我我の神経の力が、考えてみればまともではないのかもしれぬ。

山下が今朝方、坊主は葬式で経を読むのが商売だとか云っていたが、それはある意味その通りで、今や坊主ですら商売のうち――なのであろう。

だがその割りに商売に徹すれば生臭と云われるし、商売気がないとまともとは見做されないと云うのだから、坊主と云うのも損なものである。

明慧寺《こけいじ》は――依然謎の寺である。

生臭ではないらしい。そしてまともでもないようだ。

菅原が手帳を出して更に尋いた。

「お坊さん、あんた若いが、幾つかな」

「十八でございます」

「十八？　本当に若いな。いつからここに？」

「まだ四年です。ついこの間までは暫到《ざんとう》でございました。戦争で家族を失いまして、家が寺でございましたもので、亡くなられた了稔様のお口利きでお山に入りました。私以降入山する者がございませんので、当山では一番の新参でございます」

「ふうん。暫到と云うのは？」

「新米の雲水のことでございます」

「入門の際は何か、豪く大変なんだと尋きましたが」

敦子が尋いた。取材か事情聴取か判らない。多分一緒なのだろうが、何だか妙だった。

「はい。入山入堂の願文《がんもん》を持ちまして入山を願い出るのですが、必ず断られます。それでも諦めず、戸外に二日ばかり立ち願い続けますと漸く入山が許可されます。これを庭詰めと申します。入山が適いましてもそれからは旦過詰めでございます。旦過寮と云うところで三日間坐禅をするのでございますが、動くことはおろか口を利くことも、咳払いさえも咎《とが》められます。意識が朦朧《もうろう》と致しまして、何度も気を失いかけました」

「そりゃあ拷問だなあ。嫌だったでしょう」

益田は軽く尋く。そう云う質《たち》らしい。

「はい。私と同じ日に四人入山して、二人はそこで去りました。それより——その、了稔和尚様は、いったい——」

「ああ——」

死んだと云う以外何も知らなかったようだ。

菅原が小坂了稔は撲殺された、とだけ答えた。英生は息を呑み合掌した。

「あのう」

飯窪が尋いた。

「坐禅は壁を向いてなさいましたか？　それとも」

唐突な質問に英生は驚いたようだ。手を合わせたまま目を開いた。善く見ればまだ少年である。

「は？　私は壁を向いて致しますが」

「すると壁を向かぬ方もいらっしゃるのですね。それは例えば老師様とかそう云う」

「いいえ。それは——」

「それはな、お嬢さん。当山は色色でな」

祐賢がまたも無言で登場し英生の言葉を遮った。

「英生。ご苦労。もう良い。控えておりなさい」

「はい」

英生はまた深く礼をして楚楚とした動作で次の間に消えた。祐賢は堂堂とした素振りで我我の前に出ると、一同を見渡して座った。

「お嬢さん。今のご質問は——」

座るや否や祐賢は飯窪を見据え、通りの善い声で尋いた。

「——当山の宗派を問うたご質問と考えても差し支えなかろうな」

飯窪はやや気圧《けお》されながらも決然《きっぱり》とした口調で、はい、と答えた。どうも山に入ってから性格が違ってしまったように思える。私はこの気弱そうな女性が益々解らなくなっていた。

「そなた仏事作法にお詳しいのかな」

「いいえ。私は、取材先がこちらに決まりますまでに、百箇寺を越す禅寺叢林にご連絡を取りました。それで——」

「はあ、正に門前の某であるか」

「どう云うことです？　飯窪さん？」

敦子が尋いた。慥かに解らない。飯窪の質問の意図も、それに対する祐賢の反応も、私には皆目見当がつかなかった。問いに答えたのは祐賢だった。

「王三昧《おうざんまい》に於て、臨済黄檗《おうばく》は壁に背を向けて座す。一方曹洞では師家《しけ》宗師《しゅうし》の類こそ別であるが、開祖道元《どうげん》禅師以来雲水は壁を向いて座す。つまりこちらのご婦人はどちらを向いて座ったかで宗旨を判断しようとしたのであろう。そうですな」

飯窪はええ、と頷いた。敦子が尋いた。

「しかし、それでは——こちらの宗派は」

「残念乍ら当山は曹洞でも臨済でもない」

「でも——こちらは禅寺ですよね？　日本の禅寺は臨済宗、曹洞宗、日本黄檗宗の三宗いずれかなのではありませんか？」

「それは少し違うな。慥かに曹洞宗と日本黄檗宗はそれぞれ一宗一教団であるが、臨済宗は建長寺《けんちょうじ》派、円覚寺《えんがくじ》派、南禅寺《なんぜんじ》派、東福寺《とうふくじ》派、相国寺《しょうこくじ》派、建仁寺《けんにんじ》派、妙心寺《みょうしんじ》派、天龍寺《てんりゅうじ》派、大《だい》徳寺《とくじ》派、永源寺《えいげんじ》派、国泰寺《こくたいじ》派、仏通寺《ぶつつうじ》派、向嶽寺《こうがくじ》派、方広寺《ほうこうじ》派の大本山十四派と、更に興聖《こうしょう》寺《じ》派に別れておる。宗派と云った場合は正確にはこれだけの別がある。当山はそのどの山にも連なるものではない」

「すると——真逆ここは禅宗ではないと？」

「禅宗？　如何にも禅宗ではない。のみならず当山に宗旨はないのだ」

「ない？」

刑事達はぽかんとしている。勿論私も肩透かしを食ったことには違いがない。飯窪が抗議するような声を出した。

「禅宗でないとは——私には思えませんが」

祐賢は岩のような顔をぴくりともさせず云った。

「問うて曰《いわ》く、三学《さんがく》の中に定学《じょうがく》あり。六度《ろくど》の中に禅度《ぜんど》あり。ともにこれ一切の菩薩の初心よりまなぶところ、利鈍をわかず修行す。いまの坐禅もそのひとつなるべし。なにによりてか、このなかに如来の正法集めたりと云うや——『正法眼蔵《しょうぼうげんぞう》』はご存知かな？　お嬢さん」

飯窪が答えた。

「慥か道元禅師が書いた──本ですよね」

「如何にも。永平道元の著《あらわ》した禅籍である。今申し上げたのは、その第一『辨道話《べんどうわ》』に書かれておる問いである。三学とは、持戒《じかい》、禅定、智慧《ちえ》。それに布施《ふせ》、忍辱《にんにく》、精進を加え六度と云う。この六度こそ人を救う徳目である。禅定はこの六度の中のただのひとつに過ぎないではないか、何故そのひとつを以て仏法の凡てと云えようものか──と云う意味の問いであるな」

「すると──こちらが禅宗ではないと仰るのは、その六つの内の他の五つも学ぶから、と云ったような意味でしょうか？」

「まるで違うな」

「え？」

「この問いに道元は自らこう答える。禅宗の号は神丹《しんたん》以東におこれり竺乾《じくけん》にはきかず──達磨《だるま》大師嵩山《すうざん》の少林寺《しょうりんじ》にして九年面壁のあいだ、道俗未だ仏正道を知らず、坐禅を宗とする婆羅門《らもん》となづけき──愚かなる俗家は実をしらず、ひたたけて坐禅宗と云いき──坐の言葉を簡して、ただ禅宗と云うなり」

「解らないです」

然《さ》もあらん──祐賢はそう云った。

「簡単に云えばこうである。禅は印度にはなかった。中国で勃《おこ》ったものである。ただその中国に於ても、開祖達磨大師の坐禅の真意はまるで理解されておらず、婆羅門の坐行と誤解された。それはただ座っているので坐禅宗と呼ばれ、後に略されて禅宗になったと——云うのだ。つまり達磨の禅は六度の禅定と同列に考えられるものではない、と道元禅師は云うておる。禅宗と云うのは誤解を招くだけの、間違った呼び方である。敢えて云うならば——仏法の全道、並べて云うべきものなし」

解ったような。解らなかったような——それが率直な感想であった。私はどうもこの手の話を聞くと京極堂を思い出す。つまりは詭弁であるかのような予断を持って受け止めてしまうのだ。

祐賢は続けた。

「ご存じの通り、道元は曹洞宗の開祖とされる。慥かに、道元に正法を伝えし天童如浄《てんどうにょじょう》の法脈を遡れば中国曹洞宗の祖洞山良价《どうざんりょうかい》に辿り着くが、それはそれ。道元は生前、決して自分の開いたそれを曹洞宗とは呼ばなんだ。道元の禅は道元のものである。同じように、当山も法脈を辿れば某《なにがし》かの法系に与《くみ》することにもなろうが、その名を戴き寺の名に冠したところで無意味である。また、他宗との差異を誇示して一宗を興《おこ》し、それを名乗ることもまた無意味である。仏家には教の殊劣《しゅれつ》を対論することなく、法の浅深《しんじん》を択《えら》ばず、ただ修行の真偽を知るべし——宗派など邪魔なだけである」

「はあ」

愈々《いよいよ》詭弁に聞こえた。だが、真実はそうでないのかも知れず、私はただ混乱した。難解な用語や云い回しは京極堂との長いつき合いで充分に慣れているつもりだったが、京極堂の持つ一種悪魔的な親切さが祐賢には欠けている。友人の弁は解り難いなりに懐に滑り込んで来て、いつの間にか相手を懐柔してしまうようなところがあるのだが、祐賢のそれは解らぬなら殴ってやると云うような毅然とした強さがあった。それは闇討ちと果たし合いの差異に近いかもしれぬ。果たし合いは正正堂堂としているが、実際には闇討ちの方が成功率は高いのである。

「あのう」

益田が怖《お》ず怖《お》ずと申し出た。祐賢はそれを見て、

「これは失礼。説教癖がついておる」

と云った。

鐘が鳴った。

四時である。

襖の向こうから声がした。

「祐賢様。こちらで宜しいのかな？」

「おお、ここじゃここじゃ。お入り下され」

襖が音もなく開き、また別の僧が立っていた。

派手な袈裟を着ている。如何にも自分は地味な他の僧達とは違うのだ、と主張しているかのようである。年齢は祐賢と同じくらいだろうか。

矢張り僧を従えている。

「庫院《くいん》の方は」

「心配無用に」

僧はやや右肩を上げてするすると我我の前を過ぎ祐賢の左横に座った。

「ああ、こちらは典座の知事で桑田常信《くわたじょうしん》和尚」

常信は手を合わせて一礼した。

「さて、今後のことを決めましょうかな。先《ま》ず皆様のお名前とご身分をお聞かせ願いたい」

初めに刑事達が、それから飯窪を筆頭に我我が順に名乗り、最後に今川が名乗って来意を告げた。

改めて正面から見ると、常信は青黒い肌をしたどこか捉えどころのない印象の男だった。

祐賢が云った。

「先ず三十分程、我我がお相手致す。その後は警察雑誌社それぞれに案内の僧をつけましょう。どこを調べるなり取材するなり、自由にして戴いて結構。他の僧達にも協力するよう云うてあります。ただ僧への質問は九時を過ぎるまでお待ちくだされ」

宜しいか、と問われて益田はへぇ、と答えた。雰囲気に呑まれているようである。菅原がその様子を見て溜め息を吐き、云った。

「どうもなあ、ええ中島さん。ご協力は有り難いが、殺人事件と云うには緊迫感に欠けているな」

「否、この事件は私達も深刻に受け止めておる。それで、ここに来る前常信さんとも話したんだがな、稀譚舎の方方には申し訳ないが、取材に当たっては警察の捜査優先と云うことでお願いしたい。我我もそのつもりでご協力をしようと、こう思うておる。場合が場合ですからお許し願いたい」

「そりゃ良い心掛けですな──」

菅原は小鼻を膨らませ、手帳を開いた。

「──それではお聞かせください。ええと、その前に、私等は極めて無信心と云いますか、まあ仏様には手を合わせますが、その、難しい言葉は判らない。さっきから半分も意味が通じないんだ。先程そちらが仰った三毒ですか、その最後の毒に当たっておるのです。なあ、益田君」

「はあ、無学なんすよ。そこで、なるべくその、解り易くお話戴きたいのですが──例えばその、知事ですか？　ええと、先程の和田さんが総務人事担当になり、あなた、中島さんが風紀教育担当。と云うことになりますか。残りの、ええと桑田さんがてんぞう？　ですか」

「典座とは賄《まかな》い方です。つまり台所担当です。粥《かゆ》を造り料理をする」

常信が答えた。歯切れの良い口調である。

「はあ、お坊様がお料理をねえ——厨房担当、と。それで亡くなった小坂了稔さんが、ああんと、しっすいい——か？」

「直歳は云ってみれば建設担当です。建物の修繕や作務の監督を致します」

「なる程。け、ん、せ、つ、と」

益田は帳面に書きつけた。

「それではその知事である四人の方——今は三人ですが——が、このお寺の幹部と考えて宜しいでしょうか？　ああ幹部と云う呼び方は喩《たと》えですが」

「結構です。結構ですね祐賢様」

「結構だろう常信さん。ただこの知事の任期と云うのは普通他のお山では一年である。一年毎に役が変わる。ここも本来はそうする筈であった」

「しかし当山は人材がいない訳です。そこで延延やっている。仕事には慣れるが、それはそれで弊害がある。まあ典座は去年まで別の者がやっていたのですが躰を壊しましてな。急遽拙僧が替わった」

「ははあ。すると、皆さんの他は皆若いお坊さんばかり、と云う訳ではなく、幹部並みの実力者、と云いますか、偉い方は他にもいると」

「偉いと云う云い方はどうも戴けないが、まあ古参年配の者は数名おる。各各庵《いおり》を持っておる」

「正確には我我と慈行様、死んだ了稔様を入れて、六名——」

「違う五名だ。常信さん」

「ああ、五名。五名だ」

「その五人の上にその、一番偉い——」

「覚丹禅師」

「か、く、たん、様と。その覚丹禅師がいらっしゃる訳だ。覚丹様はその五人の中に含まれていないのですね」

「いない。後は若い雲水ばかりです」

「雲水の数は」

「三十名」

「すると都合三十六人お坊様がいると——」

「昨日の話と数は合ってるな」

菅原が云った。慈行の云った人数のことだろう。

「さあ、これからが本格的な質問です」

「あの」

敦子が刑事達を覗き込むようにして云った。

「話の腰を折るようですが、これ、事情聴取ですよね？　私達、外しましょうか？」

益田が恍惚《とぼ》けた顔をして即答した。

「え？　別に構わないでしょ。菅原さん」

「構わないこともないがな。容疑者だろう」

「何うちの山下みたいなこと云ってるんですか。別に聞かれて困るようなこともないし、大体目を離しちゃいけないんでしょ。ならここにいて貰わなくちゃ。そうだ、何なら取材も一緒にしてしまえばいいんですよ、中禅寺さん。お伺いする内容は、多分同じようなものなんでしょ？」

「はあ、ええ、まあ」

敦子は飯窪と顔を見合わせた。そして鞄から手帳を出して、更に私を見た。私とて答えようがない。

「益田君。君はあの警部補がいないと随分と活き活きしとるなァ」

菅原は呆れたようにそう云ってから、

「それでいいですかな？」

と二人の僧に尋いた。

僧達は何も云わなかった。

「ええと、亡くなった小坂さんに就いてお尋きします。昨日和田さんからも聞きましたが、小坂さんはかなりその古参と云うのですか、長くこちらにいらしたとか」

「了稔さんはもう三十年くらいおったのじゃないかな。常信さん、あんたの方が詳しいな」

「あのお方は今年で慥か六十歳、慥か昭和三年に入山されている筈です。覚丹様と一緒ですからな」

「覚丹様と？　覚丹さんはトップなのでしょう。その方と同期なんですか？」

「同期？　ああ、まあ、あなた方に解り易く云えばそうですね。かなり古参の僧ではある」

「それじゃあ次席ですね。覚丹様がいなければ小坂さんが頂点になっていた可能性もある訳ですか？」

「じょ、冗談じゃない」

常信は怪訝《けげん》な顔をした。

「あの方は最初からあの位置にいたのです。寧ろ、慈行様に取って代わられたと――」

「常信さん」

祐賢が窘《たしな》めた。常信はどうも了稔に悪い感情を抱いているようである。了稔を語る言葉に刺《とげ》がある。

「善く解りませんな。それでどんな方でした？」

「あの人は――」

「問題があったのですか？　和田さんの言葉を借りれば、俗世と関わりを多く持っていた人だとか」

「ああ、慈行様は相変わらず遠回しな云い方をされる。俗世と関わると云うよりあの人は俗そのものでしたからな」

「俗そのもの？　俗人と云うことですか」

「そう、俗人です。欲がある。禅匠ではない」

吐き捨てるような口調だった。

「しかし常信さん。了稔さんはこの叢林を抜本的に変えようとしていたようだ。否、そう云っていただけなのかもしれんが」

祐賢がそう云うと常信は三白眼で睨みつけた。

「祐賢様。尊公は本気でそんなことを仰っておられるのですか。拙僧は耳を疑いましたぞ。あの人は自分の立場を良いことに事業に手を出し、のみならず寺の金を横領し、色町に女人を囲い贅沢《ぜいたく》三昧、遊興に耽《ふけ》ると云う――破夏《はげ》ばかりの――」

祐賢は眼を細めて常信の言葉を遮った。

「証拠がないではないか。あの人は常常寺を開くべきだと云っていた。このままではいずれ立ち行かなくなると。ならば経済的に自立して、尚且《なおかつ》宗派としても――否否、私は勿論反対したが」

「当然でしょう。それは虚言です。そんなことができる訳がございませぬ！　大体それでは尊公も拙僧も何のためにこのような——」

「待って下さい」

菅原が手振り付きで止めた。

「それ以上は込み入った話のようだから、日を改めて緩寛《ゆっくり》聞きましょう。我我は、先ず小坂さんの人と態《なり》に就いて知りたいのですがな」

菅原はうんざりしたような顔をした。

祐賢と常信は共に憮然として田舎刑事の顔を見た。

警察官と宗教家は——私の知る限り——どうにも相性が悪いらしい。

「ええと、ただですな、事業に手を出し云云《うんぬん》と云うくだりに就いては、もう少し詳しく聞かせて欲しい訳ですな。その、横領だ何だと云う部分は警官としても聞き捨てなりませんからな。仮令《たとえ》噂でも、そう云う気配があったのですかな」

「いいや、まだ明瞭《はっきり》したことは何も申せぬ。慈行さんのところで監査しておる最中だ」

祐賢は何か云いたそうな常信を押えて、その話題を打ち切った。

「刑事さん。慥かに了稔さんは色色な面で誤解されることの多い人だったが、ただ決めつけられては困る。了稔さんは善く云う生臭坊主、破戒僧の類ではない。まあ——」

祐賢は横目で常信を見た。

「——この常信さんとは、少しばかり考え方に食い違いがあってな。衝突することもままあったが、まあそれも熱心な仏道修行の末のことである。教義の解釈の差、修行の方法の違いだ。呉呉《くれぐれ》も浮き世の常識に照らして判断されないようお願いしたい」

「そう云われましてもなあ」

菅原は鉛筆で頭を掻いた。

そこで襖が開き、英生が顔を出した。

「祐賢様。常信様。そろそろ——」

「承知した」

もう三十分経ったのだろうか。

「薬石《やくせき》の用意が整いました」

「やくせき？　何か修行ですか？」

益田が酷く厭そうな顔をした。祐賢は笑った。

「薬石は、そう夕餉《ゆうげ》のこと」

「ああご飯か」

鳥口が小声で、しかし嬉しそうに云った。

「客人にお出しするのに僧と同じ一汁一菜《いちじゅういっさい》と云う訳にも行きますまいから典座の方も苦心をしましたが、何分山寺の食事、ろくなものではありません」

常信は矢張りきびきびとそう云った。続けて祐賢が選ぶように我我を見回して、最後に飯窪で視線を止め、告げた。

「稀譚舎の方方、食事の後はこの英生がご案内致します。山内は何処《いずこ》なりともご自由に移動して戴いて結構。写真の撮影も自由です。但し修行中の僧を撮影する場合は、予《あらかじ》め英生にお断り戴きたい」

「宜しくお願い致します」

英生は畳に頭をつけるように礼をした。

常信が襖の外に声を掛けた。

「托雄《たくゆう》」

「はい」

更に襖が開き、そこには先程常信の背後にいた供の僧が控えていた。矢張り若い。

「尊公は警察の方の仰る通りに境内をご案内するように。菅原殿。益田殿。この者は拙僧の行者で托雄と申します。御用は何なりとお申し付けください。先ずは了稔様の庵ですか」

「そうですな」

「托雄。粥罷《しゅくは》にはこちらの方方を雪窓殿《せっそうでん》の方へご案内しなさい」

「はい。畏《かしこ》まりました」

托雄もまた辞儀をした。

「それでは後程」

二人の僧はすっと立ち上がり、次の間に正座している二人の若い僧の間を抜けて、振り向きもせずに退出した。益田が後を引くように手を伸ばしたが、取りつく島もない。菅原は目で後を追い、開いたままの手帳に視線を落して、実に大きな溜め息を吐いた。英牛と托雄は声を揃えて暫くお待ちくださいと云い、再び頭を垂れて襖を閉めた。

途端に鳥口が転げた。

「ああ、全く理解できませんでしたよ。尻も限界です。先が思い遣られます」

「同感だ。結局被害者に就いては年齢以外何も判らん。煙に巻かれるのは慣れてるが、ああ決然《きっぱり》と云われて、それで鯔《とど》の詰まりは何も判らん！」

菅原が鳥口に同意した。

「僕等は宗教的に無知なのでしょうかねえ。阿呆なんですかな？　関口さんはお判りでしたか？」

益田が私に振って来たので私は慌てた。

「ぼ、僕は、駄目です。この場合は、い、飯窪さんや敦子ちゃんの方が――」

飯窪は下を向いて沈思していた。

同じように考え込んでいた敦子が云った。

「何か――変です。ここ」

変──。

それが一番似つかわしい表現である。

この寺に、否、今回の事件には不思議なことなど何ひとつない。物理的に不可能なことなど起こっていないし、人知を越えた不可解な謎など何もない。

ただ、どうしても、どこかぎすぎすしている。

何か足りないのだ。どこかズレている。

不思議なことが何もないから据わりが悪いのだ。

つまり──。

妖怪変化の所為にできないのである。

それでいて科学的思考を以て理解することも適わない。

何故なら、私が無知だからである。

私が宗教的に無知であるが故に、或は目的意識の希薄な外部の人間と云う無責任な立場であるが故に、私は科学的思考を以てこの事件に臨むことができないのだ。

科学的な思考を以て世の中を理解するのなら、判らぬことは判らぬまま棚に上げてしまう覚悟が必要だと、京極堂は云っていた。

今回は──多分知らぬことが多いだけだ。知らないから、判らないのかどうかさえ判らないのだ。

高等数学の数式を見るようなものである。それが間違った数式であったとしても、何が違うのか判りはしないし、勿論間違いなど正せはしない。否、間違いの指摘は疎《おろ》か、間違っていることすら判らないのである。益田刑事の云う通り、阿呆なのだ。

思考を放棄するよりない。

その場合、例えばその数式が正しかったのだとしても、無知なる者はもしや間違っているかもしれぬと云う疑念を常に抱え込むよりない。そしてそれは無知である以上は永遠に抱え込まねばならぬ靄靄《もやもや》である。どうやら無知なる私は根本のところで科学的思考から見放されているのだ。

それでいて今回は頼みの綱である筈の怪異が早い段階で殆ど否定されているのである。

だから据わりが悪いのだ。

強《し》いて云うなら――変だ、と云うことになる。

「変ですよ。どこか――」

敦子は続けた。

「飯窪さん、ここ、明慧寺のことはどうして知ったのですか？」

「取材交渉中に聞いたんです。何軒かのお寺から」

「聞いた？　ここのことを知っていた寺院が幾つかあった訳ですね？　何軒かと云うと、どのくらい？」

「慥か——四軒。正確に云うと名称まで知っていたのは一軒で、残りは名前も空覚《うろおぼ》えで凡《おおよ》その場所だけしか知らない、みたいな感じだったと思うけど。ただ——」

「ただ？」

「私自身、この明慧寺のことは以前から知ってたんです。尤も来たこともないし、名前も善く知らなかったのだけれど」

「——そうなんだ。それで、ここを知っていたと云う四軒のお寺の宗派と云うのは？」

「え？　ええと、曹洞宗と臨済宗の両方だった」

「そうですか」

敦子は顎を摩《さす》った。兄の仕草に似ている。益田がその仕草を暫く眺めてから尋いた。

「あの、中禅寺さん。このお寺、何か不審な点でもあるんですか？」

今朝の推理以来、敦子は信用されているようだ。

「ええ——こんな時に兄貴がいればいいんですけど——ただ、犯罪とは無関係なことだとは思いますが」

「何です？」

「檀家のいない寺。それから本末制度の統制を受けない独立寺院。それでいて相当に古い。しかも無名で、場所は箱根——これはあり得ないですよ」

「経営が成り立たないと云うことかな？」

「違います」

「さっきの坊さんの講釈が教義的におかしいとか」

「それも多分ありません。私も教義は詳しく知らないけれど、曹洞宗のお寺で善く聞くような話でしたし。兄貴からも聞いたことがあります」

「じゃあ何が？」

「ええ。先ずここは——古いですよね。どうでしょう今川さん」

今川は目を剝いて、口許を少し緩ませ天井を見上げて答えた。

「古いのです。例えば、あの三解脱門《さんげだつもん》ですが、あれは五間三戸《けん》二重門、これは五山の様式と同じなのです。それ以外の寺では規模が小さくなって三間門だったりするのです。それからあの回廊ですが、三門と仏殿を回廊で繫ぐ様式は臨済宗系の寺院には見られない特徴なのです。ですから、一般に禅宗寺院に回廊はないと思われているのですが、どうやらそれは間違いで、元元はあったらしいのです。現在も曹洞宗のお寺には残っている場合があるのです。それに、あの仏殿の大きさは——信じられない程なのです。立派ではないですが、規模は物凄く大きいです。まるで五山の、しかも現在の五山ではなくて、古図に残る方の五山寺院の伽藍《がらん》のようなのです。こんな山中に、しかも移築した様子もないです。山内には塔頭《たっちゅう》も点在しているようですし——少なくとも、近世のものではないと思うのです。中世のものなのです」

「流石に詳しいなあんた」

菅原が呆れた。

「でも、感心するばかりで、学術的な意味も解りませんし、時代を特定することもできないのです。だからもしかしたら見当違いかもしれません。大体、そこの壺ひとつとっても値がつけられないのですから骨董屋は失格なのです」

「しかしまあ、古いことは違いないでしょう。何度も云いますが、昔臭いですよ」

鳥口が畳の縁を指でなぞり乍らそう云った。

敦子が続けた。

「私もここは相当古い寺院だと思います。この場所からしてそう思うんです。ここは、今でこそ不便極まりない場所ですけど、それは現在使われている道路を基準に考えるからでしょう」

「しかしなお嬢さん、ここは旧東海道からだって外れているぞ。箱根七湯巡りの道からも外れている」

「でも旧鎌倉街道からなら——便利とは云いませんが、まだ来易いでしょう。俗に箱根八里と云われる東海道の一部は江戸の初期に制定されたものです。それまでは湯坂道と呼ばれる道が使われていた筈です。ここは——憶測に過ぎませんが、その道からであればまだ便が良いのではないかと思います」

「そうすると、この寺は江戸時代より以前にできたものだと云うのかな？」

　敦子は再び顎に手を当てて云った。

「はあ。そう思うんです。でも、それでいてここがどの法系にも与しない独立寺院だとすると、明慧寺は幕府の宗教統制を掻《か》い潜《くぐ》った寺だと云うことになってしまうんです。元和《げんな》の寺院法度《はっと》を皮切りに、幕府は末寺帳を作成させるなどして、寺院の統制と宗派の掌握をそれは熱心に行ったんですから――」

「どう云うことです？」

「つまり本山――末寺の関係を瞭然《はっきり》させておけば、限定された本山を押えるだけで全国の寺院は把握できると考えた訳ですね。だからいい加減な寺も転宗や転派のうえ組織に組み入れられ、荒廃した寺の復興は規制され、新寺の建立は禁止され――統廃合が繰り返された末、元禄時代には概《おおむ》ね全国の寺院の本末関係は整理されたんだそうです。その時点で名もない寺と云うのはなくなってしまった。必ずどこどこ山の系列の、何番目の寺だと判るようになったんです。独立寺院として残ったのは官刹名刹《かんさつめいさつ》などの有力寺院だけだったそうです」

「ここもそうだったんじゃないのかね？」

「だからここは無名なんです。官刹でも名刹でもない。記録に残っていないんです」

「嘘の申告をしていて、上辺だけはどこかの本山の末寺になっていると云うことはないのですか？」

今川が鋭い質問をした。

「ええ。実際そう云う寺はあったようです。法系的に無関係の本山と、転宗はしないけれども契約上本末関係を結んだ寺院は慥かにあったんです」

「じゃあそれだ」

「しかしそれならいずれかの末寺帳に載っている筈です。ここは載ってないんです」

「何故判る？」

「兄が——調べたんです。現存する寛永の寺院本末帳や何かを持ち出して来て」

「あんたの兄貴は何者だ？」

菅原が訝《いぶか》しげな顔をした。

「あの人は何者なんです？」

鳥口が私を突《つつ》いた。

「書痴だよ。病気」

京極堂は自分の知らない寺があったことが余程悔しかったのだろうか。それにしてもそんな古文書、善く手に入ったものである。私が尋くと敦子は、

「明石《あかし》先生に頼んでたみたいですよ」

と云った。明石先生と云うのは、何でも中央区で一番いい男だと云う京極堂の師匠筋にあたるご仁らしい。私が説明すると鳥口は、

「うへえ師匠の師匠で」

と云った。

「兎に角江戸期の記録に箱根山明慧寺なんて寺はないんです。これが離島や辺境であるならまだ解ります。でもここは当時の交通の要所、箱根宿の目と鼻の先なんです。これは絶対にあり得ないことです」

絶対にあり得ないこと——敦子はそう云った。

今回の事件で、物理的にあり得ないことは今のところ起こっていない。だが、別な意味であり得ないものはあったようである。

——あってはならないものがあるかもしれない。

京極堂はそんなことを云っていた。私はあってはならない場所にいるのだ。

敦子は続けた。

「それに明治になって寺院は益々組織化して行きます。先ず廃仏毀釈《はいぶつきしゃく》の影響がありました。経営の困難になった寺は、廃寺か合併より道がなかった。そして明治五年の神祇省《じんぎしょう》廃止に伴い、明治政府は一宗一管長制を布《し》きます。禅宗は纏めて一宗と勘定され、慥か天龍寺の貫首が初代管長になった筈です。その後曹洞宗が独立、臨済曹洞の二宗に別れて、更に臨済宗が各派に分派、黄檗宗が独立して現在に到る訳ですが、この段階でもう、どの宗派にどれだけ末寺があるかは明白なんです。そこにも明慧寺の名を見ることはできなかったようです」

「ははあ、徹底的にモグリの寺ですなあ」

鳥口が恍惚《とぼ》けて云った。

「ええ。まあ記録上のことは、例えば記入漏れと云うことも考えられないこともない訳ですが——でも矢張り私が変だと思うのは」

「思うのは？」

「ここが無檀家寺院でもある——と云うところですわ。明治四年に全国の寺院は、墓地や宗教上必要な施設を除く地所、つまり寺領を府藩県に取られてしまったんです。それ以前にも版籍奉還の際に朱印地《しゅいんち》は没収されていますから、そこに到って寺院経営は抜本的に変化してしまった。寺院は生産手段を持たないんですから、完全に檀家に依存するか、然《さ》もなければ別の財源獲得方法を考えるよりなくなってしまったんです」

「だから檀家のいない寺は現在まで存続している筈はないと？」

「違うんです。その時明治政府は、無住職、無檀家寺院の廃寺を命じているんです」

「檀家のない寺は潰せと？」

見れば益田は敦子の話を手帳に記していた。

「そうです。ここが無檀家なら生き残っているのは怪訝《おか》しいんです」

「しかし——」

今川が口を挟んだ。

「――その時は檀家があって、今はなくなったとか云うことはないのですか？　僕は仙石楼の仲居さんから戦前は檀家信徒らしい団体がここを訪れたと聞いたのです。今はもう来ないようですが」

中中鋭い指摘だ。敦子はすぐ答えた。

「その団体さんですが、仙石楼に泊まったと云うのなら、遠方からいらっしゃった人達と云うことですよね？」

「そうでしょう。近在ならば直接来るでしょう」

「本山も末寺もない独立寺院の檀家が、何故そんな遠方に、しかも集団でいるのです？」

「ああ」

「檀信徒は――矢張りいなかったのでしょう。大体明治政府は境内や墓地と召し上げる上地との基準を決めあぐね、当時全国の寺院で寺領の詳細な調査を実施している筈です。その時ここはいったいどのように対応したのでしょう？　この明慧寺は、寺領も没収されず、しかも無檀家であるにも拘《かかわ》らず、処分も何もされなかったと云うことになるんです」

私は感心した。私は思考を放棄したのだが、敦子はそれをしなかったのだ。私の抱え込んだ靄靄《もやもや》を敦子は確乎《しっか》り捕まえて、形にして見せてくれた訳である。

「変だな」

菅原が漸く納得した。

「慥かに変だ。裏がある。刑事《デカ》の勘だ」

「しかし、そりゃ今回の事件と関係ないでしょう」

「そんなことは解らんぞ益田君。何か秘密があるならそれは動機になり得るぞ。大体犯人は坊主である可能性が高いんだぞ。だがなあ、坊主連中は口を割りそうにもないし、聞いても話が解らんからな。こっちの話も通じない。締め上げたって無駄だろう。ようし。下りて調べてやる。そもそもここの奴等はきっと税金も払ってないぞ。日本の地べたこんなに使ってるんだ。金払って貰わなきゃあ」

「そんな、何で急に脱税が出て来るんですか菅原さん。それに山の坊さん全部が容疑者じゃあ、うちの山下と変わりないですよ」

「一緒にすんな。俺は現場に十年もいるんだ。年季の入り具合が違うぞ」

菅原は鼻息荒くそう云った。

同じようなものだ——と私は思った。

山下も、菅原も、結局自己を正当化しているに過ぎないのだと思う。社会の秩序を乱す異物を排斥するのが彼等警官の役目である。しかしここは私達の暮らす社会——彼等の守るべき社会——ではない。ここでの異物は寧ろ私達であり、彼等なのだ。

つまり。

この山内に於て、排除されるべきは我我の方なのである。

仮令《たとえ》殺人事件が起きていようが、この場合そんなことは無関係なのである。

そう云う状況下に於て正当性なり自意識なりを貫こうとすれば、己を取り巻く環境を構成する凡てを否定してしまわなくてはならなくなるのだ。だからこそ山下警部補は仙石楼の宿泊者凡てを、菅原刑事は明慧寺の僧凡てを疑う羽目になったのである。

それでは駄目なのだ。

どんなに理解が及ばないからと云って、理解が及ばぬものを丸呑みにして理解したが如き気になっていても始まらないし、況《まし》てやそれを丸ごと否定してしまっては何も見えて来ないだろう。細部《ディテール》や僅かな差異を無視して丸抱えで捉えるのであれば、樹木の一本一本を無視して、大雑把に林だの山だのと云っている私と、何等変わりがないのである。

だから——。

解決は難しいだろうと——私は生意気にもそう思った。

声を掛けて先程の若い僧が襖を開けた。

話はそこで途切れた。

刑事達、特に菅原には、僧達に対する明確な疑念が湧いているようだ。

——これを予断と云うのだ。

そう思った。

食事は質素だった。懐石料理と云う程偉そうなものではなく、味も殆どしなかった。照明が暗かった所為もあっただろうか。食感も似たようなものだったし、口に入れたものの正体が解らないから皆同じ味に感じたのだろう。禅寺では食事の作法にも煩瑣いと聞く。取り立てて監視されていた訳ではないのだが、何故か私達は皆、いつもより遥かに行儀良く、黙黙と食べた。

それでも鳥口はひとり、がつがつと喰った。

まるで足りないようだった。

十五分程の短い食事だった。

食事が済むと、菅原は条件付で我我を解放した。

条件と云うのは九時までに全員がこの内律殿に戻ると云うことである。これは我我が信用されたが故の判断ではないだろう。菅原が坊主達に我我よりも強い疑いを持ったと云うだけのことである。

二人の刑事は托雄の案内で小坂了稔の起居していたと云う建物に向かった。敦子と飯窪、そして鳥口は英生に案内されて境内を巡ることにしたようだ。

私は——随分躊躇した結果、今川と二人で内律殿に残ることにした。

警察の監視下にないのであれば取材の真似事をすることもないのだ。

呆れる程静かだった。

外はもう暗い。

時刻はまだ五時を過ぎたばかりである。

都会なら、まだ夕方と云うのも早い時刻である。

ここではもう、夜だ。

今川は黙って座っていたがそのうち私を見て、

「不思議です」

と云った。

「ここは、どこなのでしょう」

「え？　ここは——」

箱根です、などと云う間の抜けた回答を今川が求めていないことだけは確実である。

そう尋きたくなる気持ちは善く解った。

ここは、現代の日本であるにも拘らず、私達の生きる現代でも、私達が暮らす日本でもない。歩いて数時間で来られる、地続きの、住所もある、手紙さえ届くただの寺であるにも拘らず、ここは、

「——山中異界ですよ。今川さん」

そう思うまい、と門を潜る時に私は決めた。

これはあくまで日常の延長だ。

ここは俗世と地続きの、ただの山に過ぎぬ。

そう思うことに決めた筈である。

しかし、ここは矢張り非日常だった。

今川はなる程なる程、と云った。

「こう云うところで静かに暮らすのは、いいのですかねえ、関口さん。醜い憂き世を離れ、時間の経つのを忘れて——」

「はあ」

慥かに、時間の流れ方は違っているようだ。

否、時間の流れが変わるなどと云うことは物理的にあり得ないことであるから、これは主観の問題であり、つまりは私達の肉体や神経の方が慣れぬ環境の影響を受けていると云うだけの話である。

どこにいようと一時間は一時間、一分は一分である。同じように陽は暮れ同じように陽は昇る。刻まねば長くなる短くなると云うものではない。

呴呴《こうこう》と鳥が啼いた。

静かだった。

——ああ。

——今日もささくれ、

——明日もささくれ、

空耳か。

唄か？

「今川さん、今の——」

——神の子ならばこの世に居らぬ、

——鬼の子ならばこの世に置けぬ、

——人の子ならば煩悩の——。


唄だ。成長しない迷子の唄だ。

「今川さん！　唄だ。唄が」

「はい。聞こえているのです」

私は表に飛び出した。

今川は驚いたようにのけ反ってから私に続いた。

外は既に暗かった。

「ああ、あれは――」

今川が指差した。私はゆるりと振り返った。

――いた。

木陰に振袖を着た少女が立っていた。


――竈《かまど》で焼いて灰になれ――。

少女は唄っている。
浮き上がって見える。
辺りは雪景色の白。しかし陽は落ちている。
不思議な明るさである。昏《くら》いのに、暗《くら》くない。
ただ、色は失われていた。世界は無彩色である。
しかし少女にだけは色がついていた。
緋《ひ》の模様。紺《こん》の模様。紫《むらさき》の模様。
少女はそこでぴょん、と跳《は》ねた。
真っ直ぐに切り揃えた前髪が、
ふさり、と揺れた。

何だかゆっくりと揺れた。
——ああ、主観の時間が。
どんどんと遅くなって行く。
このままでは私の時はいずれ止まってしまう。
それでは、それではここから出られなくなる。

——仏の子ならなんとしょう。
——父様、母様、許しておくれ。

少女はこちらを向いた。
表情がない。
これは人形か？
眸《ひとみ》は真っ黒な、無限の孔《あな》だった。
水を浴びせられたようにぞっとした。
「ああ——矢張りここにいたのですか」
背後で今川の声がした。
私は振り返った。

微暗くて今川の顔は善く見えなかった。

「久遠寺さんの云っていた——通りなのです」

今川はそう云って私の前に出た。

「行っちゃいけない。今川さん」

私は今川の袖を摑んだ。

「あ、あれは」

——この世のものではありますまい。

——まあ気味の悪い。

「兎に角行っちゃいけない」

「しかし」

京極堂の口癖のように、この世には不思議なことなど何ひとつないのだろう。
あれがこの世のものならば、
不思議なものではないだろう。
しかし、ここはこの世ではない。
だからあれもこの世のものではないのだ。
あれがこの世のものでないのなら、

ならば——。
少女は暫く私達の方を向いて止まっていた。
眸には光もなく。顔に表情は——。
違う。少女は睨んでいる。
眸のない目で私達を睨んでいる。
私の時間はほんの一寸《ちょっと》だけ止まった。
——駄目だ。ここから出られなくなる。
私は目を逸らした。
再び視線を戻した時、少女はもういなかった。
「ああ」
——妖怪だ。
——妖怪と考えることだ。
なる程こう云うのも満更ではないぞ、京極堂。
私はそう思っていた。

*

修行僧達の朝は早い。

午前三時半。

まだ辺りは暗い。振鈴《しんれい》の音が境内を駆け巡り（写真1）僧達の一日は始まる。

冬山の早朝は身を切るような寒さだ。

振鈴役の僧はその厳しい寒さの中、法堂《はっとう》から方丈《ほうじょう》（禅師の起居する所）旦過寮《たんがりょう》（新参の僧の寮舎）知客《しか》寮（接賓の施設）と境内を疾走して一巡し、一日の始まりを告げなくてはならない。

山中に緊張感が漲《みなぎ》る。続いて様々な音色の鐘や太鼓が響く。これが禅寺の時計となる。

禅寺の一日はすべてこれらの〈鳴らし物〉によって管理運行する。

起床に限らず時報の鐘、集合の合図など、皆音によって報される。鳴らし物の種類は鐘、太鼓、巡照《じゅんしょう》板や魚板《ぎょばん》などと呼ばれる板と色々で、鳴らす回数や順序なども実に細かく決められている。僧達はこれらをすべて完全に知っていなければならない。聞いて判らなければいけないのは勿論だが、自らが鳴らす役になった場合、間違いは許されないからだ。時間厳守は徹底しているのだ。

午前四時には開門。その時法堂の蠟燭《ろうそく》、焼香《しょうこう》用の炭などにはすべて火が灯されており、用意万端が整っていなければならない。僧達の動作に一切の無駄は許されない。

貫首《かんしゅ》出頭の鐘に合わせ、禅師がおずおずと本堂に入場すると、朝課《ちょうか》（朝のお勤め）が始まる。

全山の僧達が一堂に会し勤行《ごんぎょう》する様（写真2）はまさに壮観だ。殿行《でんなん》と呼ばれる僧達が教典や見台《けんだい》を擦り足で運び入れる。

歩幅、運ぶ位置、教典を持つ角度から低頭《ていず》（お辞儀）の角度までぴったりと揃っている。僧達の呼吸に乱れはない。動作は頭の先から爪先まで、きっちりと決められているのだ。

ここ、M寺には貫首の他、35人の僧がいる。その全員が声を揃えて誦経《じゅきょう》する。独特の発声法は耳にではなく腹に響いて来るようだ。堂内全体が振動する。

大般若波羅密多経《だいはんにゃはらみったきょう》の転読《てんどく》が始まる。転読とは教典をはらはらと流すように捲《めく》り（写真3）一巻を誦《よ》んだ代わりにすることである。こうしなければ全部で六百巻からなる大部の教典を誦みきることはできないのだ。転読は動的であるが、これもすべて作法に則って行われている。乱暴な訳ではない。

また勤行の際にも鐃《どら》や木魚、手磬《しゅきん》といった鳴らし物は有効に使われる。実に荘厳な調べであり、まるで音楽を聴いているかのような錯覚を覚えるが、これはそのように聴いてはならないものなのである。

朝課が済むと僧達はそれぞれの公務に就く。

公務とは文字通り公に務めるということである。俗世でいうそれとは違う。

僧達の行っているのは経済活動と結びついた所謂《いわゆる》仕事ではないのである。僧達は、働くことに働くこと以外の意味を求めないのだという。労働ではなく修行なのである。清掃や炊事すらも、寺の中では修行として捉えられる。僧達は全員が寺という社会を構成する構成員であり、必ず何かの役割を担っているのだ。その勤めを果たすことがすなわち修行となるのである。

例えば法堂の掃除（写真4）も勿論修行の内である。塵《ちり》ひとつ残してはならない。これらの作務《さむ》は謂わば動く坐禅《ざぜん》なのである。

この間典座《てんぞ》（炊事役）の僧達は食事を作る。食事はよくいう一汁一菜。朝はお粥《かゆ》、昼と夜は麦飯という質素なものだ。

雲版《うんぱん》という鳴らし物の音に合わせ僧達は食堂《じきどう》に集まる。無言である。一切の音はしない。偈文《げもん》を唱え、粥座《しゅくざ》（朝食）が始まる。箸の上げ下し、鉢の持ち方、果ては沢庵《たくあん》の噛み方にまで作法が（写真5）ある。姿勢を崩す者も音を立てる者もいない。食事が済むと鉢には一杯の茶が注がれ、この茶で洗鉢《せんぱつ》をし、仕舞う。食事にしてはあまりに異様な光景だが、これも修行なのである。

そして愈々《いよいよ》坐禅。

坐禅は禅堂《ぜんどう》と呼ばれる建物で朝夕行われる。禅堂は、食堂、浴室と併せて三黙道場《さんもくどうじょう》と呼ばれる。つまり一切口を利くことは許さ

――中断――＊

4

これも後から聞いた話である。

仙石楼の大規模な現場検証は十六時を以て終了した。

報告を兼ねた意見交換も二十時には終わったのだそうである。

指紋など個人を特定し得る証拠は何等発見されなかったが、件《くだん》の塵箱《ごみばこ》や塀《へい》、別館一階の張り出し部分の瓦などからは僅かな遺留物が発見されたと云う。

藁屑《わらくず》である。それは本館の大屋根や柏の木の上部にも認められ、これらは皆同一のものと考えられた。

鞋《わらじ》から抜け落ちたものではないかと推測された。

また別館二階の壁面上部に取りつけてある雨樋《あまどい》が不自然に変形していることも判った。山下警部補はそれが鳥口が登った時に変形したものだと主張したのだが、慎重な実験の結果、雨樋は頑丈で、かなり重いもの——例えば屍体など——を背負ってぶら下がりでもしない限り、人間ひとりくらいの体重ではこれ程の変形はしないと云うことが判明した。つまり鳥口が摑んだ時に曲げたものではなかったと云うことになる。

鳥口が異常に体重の重い男でないと云う条件の下《もと》の判断ではあるのだが。

そして、決定的だったのは柏の木の上部に被害者の衣服の繊維の一部が残っていたことである。

榎木津の主張はこうして証明された。

小坂了稔の死骸が何者かの手によって樹上に遺棄されたことは確実であった。

検証の結果、木の形状や幹に残った擦過痕などから判断するに、死骸は落下して来たと云うより滑落して来たと云う方が正確であるらしいことも判明した。坐禅をしたままの形で凍結した遺体は木の幹を途中までまるで滑り台でも滑るようにずり落ちて、恰《あたか》もそこに座っていたかのような格好で着地したのである。もし真っ逆様に落下していたなら、巧い具合に座ったままの格好で着地などしなかっただろうし、そうであったなら遺体が破損していた可能性もあったようだ。

しかし、今やそんなことはどうでもいいことである。仮令《たとえ》それが起こる確率がどれ程低いものであろうとも、そしてそれが目撃者の目にどれ程奇異に映ったとしても、そんなことはもうどうでもいいことになってしまったのだ。

犯行後、偶然そんなことが起きたと云うだけのことなのである。犯罪とは無関係だ。

問題は何故犯人がそんな馬鹿なことをしたか、と云う方にある。吹雪の夜、樹上に凍結した屍体を遺棄しなければならない必然性を——。

山下警部補は懸命に考えていた。

この場合一番常識的な結論は犯行の隠蔽である。

殺人事件と云うものは屍体が出て来ない限りは発覚しないものなのだ。だから殺人者は必死で屍体の処分をする。ある時は土中に埋め、ある時は水中に沈め、またある時は燃やし、そして解体して屍体を隠す。刃物を使い、薬品を使い、遺体を壊し、消し、隠す。遺体さえなければ殺人事件は成り立たないのだ。

樹上への遺棄と云うのは有効だろうか。

——まあ、有効ではあるだろう。

そうも思う。正面方向から建物越しには遺体を確認することができない。角度的に屋根の陰になるのだ。しかし飯窪が宿泊した尋牛の間からは見えた。否、そのことを犯人が知らなかったとしたら——。

駄目だ。あり得ない。そもそも庭に出て下から見上げれば絶対に解る。それに庭の向こう側の山の方から見たならどうだろう。山側からなら見えるのではないか。

——見てみる必要はあるか。

否、そんな必要はない。聳《そび》え立つ木の天辺《てっぺん》に百舌鳥《もず》の速贄《はやにえ》みたいに坊さんが引っ掛かっていたなら、遠方の高台からなら、間違いなく見える筈である。

勿論そんなところに人がいれば、の話だが。

——そこだ。

そう。こんな冬場にはそんな山中に人なんぞいないのだ。事実いなかったからこそ、遺体は落ちて来るまで発見されなかったのである。だから——。

——そう。そこなんだな。

この辺りは人気のない山中なのである。仮令《たとえ》殺人現場がどこであろうとも、この仙石楼にまで運ぶことが出来たのであれば、遺棄する場所は他に幾らでもあるのだ。この辺りの山中ならどこに遺棄しようと発見は遅れる。隠し場所は文字通り山のようにある——。

否——逆だ。この近辺では、この仙石楼近辺が一番発見され易い場所なのだ。つまり犯人は屍体を見つけて欲しかったのではないか。

——それだ。

犯人は比較的早いうちに屍体を発見して欲しかったのだ。つまり、数日中に犯行が露見した方が都合が良かったと云うことだ。しかし棄てるところを見られては拙《まず》い。だから逃走する時間稼ぎのために樹上に置いた。不安定な樹上にあれば遠からず屍体は落下して発見される。その時自分は遥か遠方に——。

——何のために？

いい線だと思う。いい線だとは思うが、どうにもその先が善く判らない。違うような気もする。

例えば何等かの不在証明《アリバイ》工作《トリック》——。

否、現段階では犯行現場も、犯行時刻すら特定できていないのだ。そんな馬鹿馬鹿しいことをせずとも幾らでも不在証明はできるし、犯行現場や犯行時刻が特定できない限り不在証明は無意味だ。

しかし犯人に法医学的知識が欠落していたならどうだろう。また、警察の捜査に就いての基本的知識が皆無な輩《やから》が犯人だったとしたら——。

——そんな人間は不在証明工作などしない。

駄目だ。意味不明だ。

どこから攻めても意味が見出せない。端緒すらつかめない。何かの間違いでない限り、こんな自体は発生しないようにも思う。

——間違いか。

例えば、樹上からの落下は犯人にとっても不測の事態だった、と云うのはどうだろう。隠蔽工作でも不在証明でもない、犯人には、本来全然別の意図、或は別の目的があって、それが思わぬ悪天候や積雪に因《よ》って失敗した——。

それはいい考えだ。手の込んだ犯罪の割りにこの顚末はお粗末だし、どうにも仕掛けがぞんざいだ。しかし、そうならばその別の意図とは何だ。別の目的とは——。

——駄目だ。

何もいい考えではない。結局、山下の思考は振り出し以前に逆戻りしている。

「あのう」

阿部巡査が顔を出した。山下は思考を中断した。

「何だ！　何の用だ」

無性に腹が立った。

「あのう、菅原さんが戻ったんでやすが」

「菅原？　ああ、あの所轄のごつい男か」

山下は時計を見た。二十三時四十分だった。

「遅い。遅過ぎる。何をしとったんだまったく！」

山下が怒鳴ると本人が背後から答えた。

「あんた、文句云うなら自分で行け」

「な、何だその口の利き方は！　私は捜査本部の」

「いいよ。無礼があったら謝りますよ。話が先に進みやしない」

菅原は山下の前に回って腰を下ろし、大儀そうに頸を回して、つまらなさそうに尋いた。

「他の連中は？」

「取り敢えず引き揚げたよ。捜査会議は明日所轄署の方で行う。私は君と益田を待っていたんだ。責任者だからな」

「そりゃどうも」

「益田は？」

「泊まりですな」

「泊まり？　何だそれは」

「容疑者が泊るってんだから仕方ないでしょうな」

「そんなもの、君、連れて帰ればいいじゃないか」

「取材を許可したのは警部補さんでしょうが。事情聴取だってこんな時間までかかったんですからな。取材なんてのは——善くは知らないが、大層かかるですわ。すぐに終わるもんじゃないですな」

「だがな」

「まあ聞いてくださいよ。折角待っていてくれたんだったら。ま、明日会議で話したっていいんだが——いや、どうせ会議でも話さなきゃいけないんでしょうな。なら、明日にしましょうかな」

「今話せ」


明慧寺《そこ》が甚だしく捜査に不向きな環境であることは菅原の口振りから山下にもすぐに知れた。捜査に協力的だと云い乍ら結局何もしてくれなかったらしい。菅原は小坂の部屋を調べて後、僅か一時間だけ事情聴取をして、漸《ようや》く戻ったのだと語った。

　そして菅原の言葉により、山下の中で小坂はやっと人格を得るに到った。山下にとって不細工なだけだったあの屍体は、漸く殺人事件の被害者として認識されたのである。

「被害者小坂了稔は今年六十歳。記録に拠ると、昭和三年に明慧寺に入山したとなってますな。入山当時三十五歳ですわ。それ以来二十五年に亙《わた》りあの寺で暮らしていたことになる。それ以前の経歴等に就いては現在のところ不明です。記録が残っていないですわ。ただ同じ年、現在の明慧寺貫首である円覚《まどか》丹禅師が入山しておりましてな。だから貫首ならその辺りの事情を知っている筈ですな」

　しかし貫首への事情聴取ができなかったため詳しいことは判らぬと、菅原は悔しそうに語った。

「それで？」

「評判は悪い。しかし悪いばかりでもない」

「瞭然《はっきり》しないな」

「まあ、普通誰だってそんなもんでしょうよ。ただ私等が聞く分にはどう聞いたって生臭坊主ですな」

「生臭？　魚でも喰うのか」

「あんたねえ。まあ魚も喰ったらしいですが――」

　小坂はどうやら二重生活を行っていたらしい節があるのだと云う。

「奴は直歳《しっすい》の知事、つまり幹部だった。その役割故とは思えんのですが、月に一度は山を下りて、その度に外泊する。これは戦前からそうだったらしい。それでね、女を囲っているとか、悪い噂も随分とある。その何でしたかな、古物商の男——」

「今川か？」

「そう。奴の話とも——まあ少しは符合する。商売をしてた訳でしょう？　善くは判らないが」

「まあな。あの変な顔の古物商を全面的に信用すれば、の話だがな。今川の素姓は現在東京警視庁に照会を要請している。それから供述の裏も取って貰っている。ただ、女だの商売だの、その線は当たってみる必要があるな」

「まああリますな。だから小坂は他の坊さんと違って寺にいないことも多かった。ただ外出の際は毎度きちんと届け出をして、許可を貰ってから山を下りていたようで、無断で消えるようなことは過去には一度もなかったようですがな」

「しかしその、何だ、そんな好き放題やれる程、小坂は金回りが良かった訳かね？　今日日《きょうび》女を囲うなんて生半《なまなか》な出費じゃないよ。君。どこぞのお大尽でもあるまいに、ただの山法師だろ？」

「そこですなそこ——」

　菅原は何か企むような顔をした。

「――そこがどうも怪しい」

「まあなあ。坊さんだって人間だからね。私の実家の菩提寺《ぼだいじ》の坊主も、酒は飲む女遊びはするで金欠になって、墓地の一部を売却するとか云い出してね、檀家総代からこの間吊し上げられたよ。小坂もそんなに素行が悪いんじゃあ寺の中でも――」

「いいや。小坂は吊されはしなかったんですな」

「何でだ？　理由《わけ》があったのか」

「それが判らない。勿論悪《あ》し様《ざま》に罵《ののし》る坊主もいる。桑田常信――こりゃ結構偉い方の坊主ですが、この常信なんか糞味噌《くそみそ》に云う。でも悪く云わん坊主もいるようでね。中島祐賢――これも偉い坊主ですが、その中島の話だと、一休宗純《いっきゅうそうじゅん》を見ろ、と」

「一休？　一休ってのはあの頓智《とんち》の一休さんか？」

何だか幼稚な反応だと山下は云った後で思った。

しかし菅原は、そうそうと頷いた。

「その一休。何でも一休さんつうのは、女は抱くわ肉は喰うわ酒は浴びるわの破戒坊主だったらしいですな。それでも高僧と云われている。だからそう云うところだけで糾弾してくれるなと――」

「一休さんってのは小坊主じゃなかったのか？」

「小坊主だっていずれは育つでしょうに。いつまでも子供のままなんて人間はいません」

「まあなあ」

山下は女を侍《はべ》らし酒を飲む破戒坊主の姿を想像したが、矢張り顔だけは子供のそれで、自分の想像力の貧しさとその画像のあまりの馬鹿馬鹿しさに思わず苦笑した。

「——小坂は孤立していた——訳でもないんだな」

「ないですな。まあ、一番小坂と馬が合ったのは、最古参の老僧だったと云う話ですがね。大西泰全《おおにしたいぜん》と云う九十近い爺様ですがね。貫首より古くからいる坊主だそうで。話は聞けませんでしたがな。中島なんかが小坂のことをそう悪く云わないのも、この大西に遠慮していると云う見方もできるかもしれない」

「その大西は実力者なのか？」

「爺ィですよ。じじい。しかし小坂を慕っていた若い坊主ってのは他にもいたようですな。大体戦後になって入山して来た坊主は皆小坂の斡旋《あっせん》らしいし」

「斡旋？」

「こんな名も知らぬ寺に来る坊さんはいないんですな。小坂が親元なり別の寺なりに話をつけて連れて来たんですわ。なんせ戦争で若い坊主は半分やられた。幹部を除くと十四人しか残らなかったらしい」

「坊さんが戦争行ったのか？」

「私の部隊にゃ浄土宗の新兵がいて、殴る度に念仏唱えて肚が立ちましたがなぁ」

「いや、そうじゃなくて、こんなところにまで召集令状が届いたのかな、とさ」

「赤紙は地の果てにだって届きますな」

「そうだな――あれは」

日本国民であれば――つまり戸籍があれば――健康な成人男子には必ず届く。

そうなのだろう。幾ら山の中にある人里離れた寺院の僧でも、戸籍くらいはある。

届くよなと山下は自分に云い聞かせるように云った。

「小坂はまあ、面倒見は良い方だったようですな。ただ反《そ》りの合わん奴もまた多くいた。何が対立の焦点なのかは判らんのですがな。さっきも云ったが、特に典座《てんぞ》の知事の桑田常信とは犬猿の仲だった」

「てんぞ？」

「まあ炊事係の頭《かしら》ですわ」

「料理長か？」

「まあそうですな。天敵のように仲が悪かった」

「――すると小坂と云うのはその寺の中ではどう云う位置にいたことになるんだ？　憎まれてたとか嫌われてたとか、一概には云えない訳だな？」

「そりゃそうでしょうよ警部補さん。あんた、誰だってそんな簡単に良い奴だ悪い奴だと決められるんだったら警察も苦労はないですわな」

「私の云っているのはそう云う単純なことじゃないよ菅原君。寺だって云ってみれば組織なんだろうに。なら坊主だって組織の構成員だ。だったら小坂にだって組織の中の位置づけと云うのがあるだろうが。それなら自《おの》ずと利害関係が発生するんだ。小坂が組織の末端ではなく中枢の人間なのだったら余計だ」

「ああ、ああ」

菅原は大きく首を縦に振った。

「あんたの云う通り、寺にも派閥はあるんですな。それは判る。見たところ幹部の坊主がそれぞれに派閥を作っているような感じですな。しかし例えば昨日《きのう》ここに来た和田慈行、あの坊さんなんかはこの間の態度でも判ったように、小坂のことは良く思っていなかったようですな。反小坂だ。しかし同じ反小坂でも和田と桑田は仲が悪い。逆に中島は親小坂だが桑田とは仲がいいんですな。錯綜《さくそう》してる」

「主流反主流と云った単純なものではない訳だ。その、し――」

社長、と云いかけて山下は慌てて云い直した。

「――か、貫首はどうなんだ？」

「貫首は一応どの幹部とも距離を置いているような感触はあったですな。直接本人に会っていないから判りませんがな。ただ一番力を持っているのは、見たところ和田でしょうな。そして和田が台頭して来るまでは小坂がその位置にいたらしい」

「ふん——」

　しかし寺院の場合、会社組織と違って出世すれば利権が手中に収まると云うような判り易いメリットはないのだろう。何しろ相手は坊主だ。いずれ判り難いことは慥かである。

「それで——？」

「はい？」

「はいじゃなくてさ。その小坂の足取りは？」

「ああ。小坂了稔の失踪が発覚したのは五日前。屍体発見の四日前ですな」

「それは昨日の坊主——和田も云っていた」

「そうですな。もう少し詳しく云いますとね、五日前の朝課、坊さんが揃って毎朝お経を上げるヤツ、その朝課の時に小坂はちゃんと居《お》った。むにゃむにゃと経を上げて、その後掃除だの洗濯だのをするんですが、これが実に細かく決まっとる。下手な公務員よりよっぽど時間に煩瑣《うるさ》いらしいが、兎に角そう云う雑用をする。次に、まあ朝食ですな。雲水どもは食堂に集まって喰う。少し偉い坊さんは自分の部屋で喰う。小坂は雪窓殿と云う小さな建物に住んでいた。そこも調べて来ましたがな。当番の坊主がそこに食事を運んで行ったんですな。時間通りに。そしたら」

「いなかったのか？」

「いなかった」

「時間は？」

「五時半」

「五時半？　朝食が五時半なのか？　馬鹿に早いなあ。被害者を最後に見たのは誰だ？」

「ですから、朝のお経の時に坊主全部が見ている」

「そのお経の終わる時間は？」

「五時」

「じゃあ五時から五時半の間にいなくなったのか」

「それがそうじゃない」

「何だよ。早く云え」

「夜になってから小坂を目撃したと云う証言があるですな。それが何と、天敵の桑田常信の部屋にいたと云う。見たのは常信の行者《あんじゃ》――おつきの小坊主ですな。その、ええ牧村《まきむら》托雄と云うんですがな、それが夜、大体八時四十分から九時くらいの間に、桑田の寝起きしていた建物から出て来た小坂を見ている」

「それは時間があやふやなのか？」

「夜七時から九時までは入浴やら後片付けやらの時間なんですな。風呂は一度に入れないから順番待ちになる。托雄は割と新参だから後の方で、風呂から出た時忘れ物に気がついた」

「何だ？」

「経本だそうですな。翌朝のお経の時に要るものだから慌てた。自分の部屋——まあ部屋って程の部屋じゃないですが、そこに見当らないから、こりゃあ師匠のとこで落したかと蒼くなって見に行った」

「蒼くなって？」

「そりゃ蒼くなりますよ。そんな大事なもの落したら酷《ひど》く叱られる。棒で殴られる。軍隊みたいなものですな。私も昔は随分新兵殴ったもんだが」

「君のことはいいよ」

「ああ、まあ折檻《せっかん》が凄いらしい。そこでこっそりと走って見に行った。覚証殿《かくしょうでん》と云う建物なんだが、そこから小坂がひょっこり出て来た」

「ふうん。じゃあいた訳だ」

「いたんですがね。朝のお経以降、それまでの足取りは判らないんですな。すっぽり抜けている。誰も見ていない」

「ずっとそこにいたんじゃないのか？」

「否——その覚証殿には日中桑田が数度出入りしている。こらまあ、自分の部屋だから当然ですな。托雄も出入りしている。おつきですからな。托雄がそこに経本を落したのだって、夜の七時前後のことだと云うし」

「落した時間は覚えてるのか？」

「そう。夕方六時からは各自別別に修行をする。托雄はお経の練習したらしいんですな。練習には経本を使うから、その時にはあった訳だ。托雄はその後桑田に呼ばれて覚証殿に行った。そこで落したらしい。なら七時過ぎくらいだそうで。だから小坂が覚証殿に入ったとすればそれ以降なんだ」

「すると小坂は朝五時過ぎに煙のように消えたままずっと雲隠れしていて、二十時四十分頃その建物から突然出て来たと云うんだな。それで？」

「それっきりですな」

「その小坊主は小坂に声を掛けなかったのかね」

「掛けなかったらしい。托雄はこそこそしていたんですな。なんせこっそり戻ったんですからな。声なんか掛けませんや。却って身を隠したような話し振りでしたな」

「その、桑田か？　建物の主。そいつはその時どうしていたと云うんだ？」

「夜坐《やざ》」

「何？　やだ？」

「夜坐。夜の坐禅。だから禅堂にいたと云ってる」

「見た者は？」

「いませんな。ん——否、いるか」

「どっちだ？」

「夜坐と云うのは自主的に行う坐禅で、時間が決まっている訳じゃない。常信は結構偉い坊主ですからね。好きな時間にできるんですかな？　尋きませんでしたがね。だからその時禅堂には人が――」

「いなかった？」

「いたんです。例の和田慈行。あれも夜坐をしたと云っている。それで慈行のおつきの小坊主、それも二人とも一緒だった。三人で座りに行った」

「じゃあ見てるじゃないか」

「見てないんですな。桑田常信は壁を向いて座っていた。だから後から禅堂に入って行った和田達三人は、それが真実桑田本人かどうかは判らないと云うんですな」

判らんかなあ、と山下は首を傾げた。

「いや、判るだろうよ。そんな。挨拶くらいするんだろうが。入室する時に今晩はとか失礼しますとか」

「しないんですな。声を出しちゃいけないんですよ禅堂ってところは」

「咳払いだとか、その、姿勢だとか――」

「咳払いも禁止。坊さんは皆姿勢が良いですし、しかも明かりは殆どなくッて、微昏《うすぐら》いんですな。だから慥かに誰か坊さんは座ってたんだが、桑田かどうかは判らない。坊主の髪型は皆一緒ですしな」

「解ってるよそんなことは。袈裟とか、体型とか、何でもいいよ。判断できなかったのか」

「そんなこと云われたって、証人が判らないって云ってるんだから仕様がないでしょうに。坊主三十何人全員の証言をとって互いに居場所や時間の確認しなけりゃ判らない」

「したのか？」

「できる訳ないでしょあんた！　聴き込みの時間はたった一時間しかなかったんだ。これだけ聞くんだって相当骨が折れたんですぞ。それでもあんた帰りが遅いってさっき怒鳴ってたんじゃないのかな」

「待て。待て。君とやり合っても仕様がない。事情は理解した。了解した」

山下がそう云うと菅原は不機嫌そうに胡坐《あぐら》を組む足を組み替えた。

「ところで警部補さん。新聞発表は？」

「ああ、本部の方からね。箱根山中で僧侶の他殺屍体発見、とだけな——」

「賢明ですな。こりゃ根が深い事件だ」

「と、云うと菅原君、その犯人に就いて何か——」

いつの間にか下手に出ている。山下はそこはかとない屈辱感を嚙み締めて、呑み込んだ。

「——何か、その感触でもあったのかな」

「犯人《ホシ》は明慧寺の坊さんでしょうな」

「それはその、あの女の証言から——か？」

「勿論それもありますな。目撃されている犯人らしき人物は坊主で、一番近い寺はあそこですからな。それにあそこの坊主どもは健脚だ。私の足でも一時間半かかる道程を一時間で移動する。大平台までだって二時間半くらいで行っちまうでしょうな。つまり行動半径は思ったよりずっと広い。それに奴等は体力がある。屍体ぐらいは簡単に運べますな。犯人は明慧寺の坊主の中にいる。こりゃあ間違いない」

「き、君、何か証拠でも摑んだのか？」

「証拠固めはこれからですがな。実は私ゃ見当がついとるんですな。主犯、いいや実行犯は桑田常信です。しかし寺全体がそれを隠そうとしている。つまりあの寺の坊主全部が共謀してる。こりゃあ明慧寺ぐるみの犯罪ですな」

「寺中が共犯？　そりゃあ君——」

「非常識ですかな？　あんた今朝、ここの宿ぐるみの犯行だと云い切りませんでしたかな」

「——いや、まあなあ。だが、根拠は？」

　菅原はにやり、と笑った。田舎《いなか》臭い顔だ。

「動機ですよ。奴等には動機がある。小坂は直歳、つまり建設や改修なんかを担当していた人物だ。こりゃ金がかかる。だから一方で財務の一部を握っていたんですな。古い寺ですから改修には特に金がかかるようでしてな。小坂が何だかんだと理由をつけちゃ山を下りて外泊するのも、表向きはその資材調達だとか云っていたらしい」

「それのどこが動機になる？　ひとりだけ良い思いをしやがって小坂の野郎と、他の坊主が嫉妬したとでも云うのか？」

「違いますよ。小坂はどうも寺の金を横領していたらしい。女囲った以外にも事業に手を出したりしていたと云う噂まである」

「横領か。なる程な。すると何だ、その寺の金に手をつけた極道坊主に天誅と云うことか」

　菅原は再び野暮ったく笑った。

　そして手帳を開くと、つっかえ乍ら寺の存在自体が怪しいと云うことに就いて説明した。

山下は半分程しか理解が及ばなかったが、要するに登記していない会社のようなものだろうと認識した。宗教のことは判らないが、法律に違反しているなら取り締まるべきだろうと、朦朧《ぼんやり》と思った。

「今説明した通り明慧寺には檀家がないんですな。檀家のない寺に横領するだけ金があると云うのがまず怪訝《おか》しいでしょうが。だから何か表沙汰にできない秘密があるのは寺の方なんですな」

「寺の秘密？」

「金蔓《かねづる》ですよ。金蔓。檀家もないなら法事もない。収入源は全然ないのに、あそこには坊主が三十六人もいる。幾ら山奥に居るったって坊主は仙人じゃないですからな。霞喰ってる訳じゃない。維持費はかかる。どこかに必ずや金の出どこがある」

「つまり、その秘密の金のルートを握っていたのが小坂だったと？」

「そう。それで小坂はちゃっかり私腹を肥やしてもいた。それが露見して奴は糾弾される。しかし寺の方は小坂の犯罪を表沙汰にできない。それをいいことに小坂はごねる。そして最終的に開き直った小坂は秘密の暴露を仄《ほの》めかした。そこで――」

「口封じ――か？　しかし、それは何だか現実味がないな菅原君。活劇映画じゃないんだから、そんな悪の秘密結社みたいな寺があるか？」

「秘密結社みたいな温泉旅館よりはありそうだと思いますがな」

心底厭な田舎刑事だ。山下は肚立ち紛れに反論を考えた。反証はすぐに思いついた。

「まあ――私の今朝の見解は撤回するよ。しかしね菅原君。慥かに犯人は坊主だろうと思われるがね。だが寺ぐるみと云うのはどうも戴けないな」

「何故ですな？」

「先《ま》ず犯行現場だ。君は知らんだろうが、現場はどうも奥湯本の先辺り――らしい疑いが出て来ているのだ。勿論確定した訳じゃあないがね」

「奥湯本？　どこからそんな場所が湧いたんですかい？　そりゃ反対河岸《がし》ですわ」

「ああ。情報提供があってね。証言者の確認も取れた。何と道端で屍体に遭遇した人がいたんだな。それが君、その時犯人はその場にまだ残っていて、しかも自分が殺したとその人に自白している」

「はあ？　そりゃ凄い。一級の目撃証言じゃないですか。一発解決だ。それで？」

「残念ながら目撃はしてないんだよ。その証言をしてくれた人物と云うのは――目が不自由な人だったのだ」

　山下は自分で云って落胆して溜め息を吐《つ》いた。菅原の意見を否定することは、山下にとっても僅かな活路を断つことになるのである。山下は落胆した時点でもう寺ぐるみでもいいやと、少し思っている。だから山下は菅原の反論を頭の隅で待った。

「すると警部補。その人が見た――否、行き合った屍体が、小坂了稔かどうかは判らないんで？」

「まあ判からんのだ。勿論自白した犯人に就いても声だけしか判からんのだよ菅原君。人の記憶なんてものは当てにならないからなぁ。実に当てにならない。特に声だけなんて――忘れてるなあきっと。だがね菅原君。例えば寺の境内で殺されたのなら兎も角、奥湯本じゃ場所が離れ過ぎている。寺ぐるみと考えるにはとても――」

「関係ないですよそんなこと。大体そんな証言じゃあ、それが小坂かどうかどころか本当に屍体かどうかも怪しいですわ。もし屍体だったとしても別件の可能性はあるでしょうな」

「ただ、犯人は自ら坊主だと名乗ったのだそうだ。いいかね、この狭い箱根で、また坊主だよ坊主。しかもそれは――」

「それは？」

「それが起きたのは屍体発見の四日前の夜のことなんだよ。失踪の日と日付けも合ってるだろう。偶然じゃないよな」

「夜の何時で？」

「二十二時、夜の十時くらいだったそうだ」

「そ――それなら違うぞ！　警部補さん、小坂了稔は八時四十分に明慧寺の覚証殿にいたんですぞ。幾ら健脚の坊さんとは云え一時間二十分で奥湯本までは行けないですわい！　幾ら修行僧とは云え小坂は六十歳ですぞ。その時間で来られるのは、精精この辺りまでですからな」

「ん？」

「大平台までだって二時間以上かかる。電車使ったって、奥湯本なんて、そんなところまで行くなら四時間以上、五時間近くかかる筈だ。だからそれは小坂の屍体じゃないですな。違います」

「待てよ。待ってくれ。しかしな菅原君。君は坊主どもは共犯だと云うんだろう？　ならその証言だって信用できるかどうか――うん？」

「あ、そうか！」

「そうだよ」

山下は菅原に同調し、ほぼ同時に声を発した。

山下の提示した否定要素が、逆に菅原の着想を補強してしまう格好になったのだ。瓢箪《ひょうたん》から駒《こま》だ。そして菅原もどうやら同じ結論に到ったようである。

「つまり、何ですな、その」

「そうだ。菅原君。だから——」

つまりこうである。寺の内部の者の証言は一切信用できぬものと考え、外部の人間である揉み療治の男——尾島佑平の証言のみを正しいと考えることにしてみるのだ。つまり犯行は奥湯本で二十二時に行われたと、取り敢えず仮定してみるのである。

すると、先ず牧村托雄の証言と喰い違って来る。

嘘だとすれば何故そんな偽証をしたのか。

奥湯本で凶行が行われる。

そこで犯人は尾島と遭遇する。逃げ場はないと判断した犯人は咄嗟《とっさ》に自白してしまう。しかし犯人はすぐに、それが誤った判断であったと気づく。そこで事後工作をする。

一旦遺体を隠し、尾島の目が不自由であることを悪用して、遭遇した事件は悪戯か何かであると尾島本人に思い込ませる。これは謂わばその場凌《しの》ぎのようなものであるが、一応は成功した。現に尾島は鼠に化かされたと云い触《ふ》らしていたそうである。これでひとまず時間は稼げる。しかしいずれ屍体は発見される。そうすれば尾島の遭遇した悪戯と殺人事件を結びつけて考える者も出て来るだろう。

その時、托雄の偽証が有効になる。

托雄は二十時四十分前後に小坂が明慧寺の境内にいたと証言した。ならば菅原の云った通り、小坂は殺された時間に奥湯本まで行くことはできないから、尾島の遭遇した屍体らしきものは小坂ではあり得ないと云うことになり、つまり尾島の遭遇したのは矢張り悪戯であったと判断される。

実際に今、話を聞いた菅原はそう判断したのだ。

托雄の証言は、尾島の体験を事件と乖離《かいり》させるための補強材料だったのではないか。

小坂が殺害された時刻を二十二時だと仮定する。

明慧寺から現場までは五時間程度はかかる訳だから、十七時以降に明慧寺で小坂を目撃したことにすれば、尾島の証言は無関係と見做《みな》される。

しかし、あまりに犯行時間と目撃時間が接近してしまっては、それはそれで拙《まず》いことになる。小坂が境内で殺されたことになってしまうからだ。

それは困る。そうなると間違いなく内部の者が疑われる。そこで——。

小坂の遺体はある程度寺から遠く離れた場所——例えばこの仙石楼辺り——で、発見させる必要があったのだろう。明慧寺から仙石楼までは約一時間強。そうすると二十時四十分が最終目撃時刻と偽証されたのも頷ける。小坂はこの辺りまでは来られたと云う計算になる。

事実屍体はここで出た。

早朝五時から姿を消していた小坂が、何故十六時間近くも経って目撃されたのか。その不自然な目撃談は小坂の殺害現場を仙石楼《こ》に移すために捏造《ねつぞう》されたものなのではないのか。

目撃の時間は二十時四十分でなくてはならなかったのだ。

「桑田にしてみれば、声も聞かれているし、何としても尾島の証言は邪魔だと考えたのじゃないかな」

「ま、その筋書きが真実ならそうでしょうな。邪魔だ。普通なら見られた段階で観念だが、居合わせたのが目の不自由な人間だったら──悪足掻《わるあが》きもしたくなるでしょうや」

「そうだよな。托雄と云うのは桑田の付き人だろ？　それに小坂が出て来たと云う覚証殿もまた桑田の住む建物なんだろう？　何とでもなるじゃないか菅原君」

「だが警部補。それはその、殺害時刻が特定されることを前提とした偽証ですな。私は勉強不足なんだが、死亡推定時刻ってのは、あんな固まった仏さんでも判るもんかな？　それとも、もう特定されたんですかな？」

「それはまだだ。解剖も手間取ってるんじゃないかな。何しろ凍ってたからな。私も凍った死骸は初めてだ。だが菅原君。江戸時代じゃないんだ。明日か、遅くとも明後日には死亡推定時刻は判明する。科学捜査は万能だ。だから犯行場所は誤魔化せても、遺体が発見されれば遠からず殺害時刻は特定される。そのくらいのこと、今時知らんのは君くらいだ。山寺の坊主だって知ってたのさ。だから──」

尾島の事件と切り離したところで、殺害時刻が特定され、被害者の身元が割れれば、いずれ捜査の手は伸びる。そうなった時のために桑田自身の不在証明も作っておくに越したことはない。それが目撃者がいるようないないような、その不自然な夜坐だ。桑田の夜坐は覚証殿に於ける桑田と小坂との接触がなかったことを証明しているかのようでいて、その実殺人に対する不在証明にもなっている訳である。

寺ぐるみかどうかは別にしても、桑田常信と牧村托雄が共謀していると云う線は間違いないのではあるまいか。

山下は実に満足した。

「――これでどうかな菅原君」

菅原は更に満足そうに相槌を打った。

「それですな。それ。云った通りでしょうが。桑田が犯人だと。あいつですよ。そうなんですな。そう――」

否。

「待てよ」

「何か？」

「何で仙石楼《ここ》――否、どうして樹の上なんだ？」

「そりゃあんた――」

駄目だ。

無意味だ。

樹上への死体遺棄の意味付けができない限りはどうしたってどこか変なのだ。山下は紆余曲折の末、菅原が帰って来る前に考えていたところに、結局戻ってしまったことになる。

全く以て堂堂巡りだ。

大筋は正しいようにも思う。後は——。

「屍体を発見させなければいけない理由か」

菅原は腕を組み、山下はまた溜め息を吐いた。

しかし桑田犯人説は捨て難い。

それに小坂の生前の行動を捜査するに伴い、明慧寺の財源その他を調べてみる必要はあるだろう。坊主どもひとりひとりの素姓や前歴も知る必要はある。

「菅原君。その、明慧寺の坊主どもに就いてはどれだけ情報がある？」

「名前と入山年度は控えて来ましたがな。年齢は自称。出身地なんかも判る限りは」

菅原は半ば投げ遣りに和紙の束を差し出した。

山下はうんざりしてそれを見た。

貫首　円覚丹禅師　昭和三年入山　六十八歳
知客　和田慈行　昭和十三年入山　二十八歳
維那　中島祐賢　昭和十年入山　五十六歳
典座　桑田常信　昭和十年入山　四十八歳
老師　大西泰全　大正十五年入山　八十八歳

人の名前と云うより経文でも読んでいるようである。和田は幹部の中ではやけに若いが、入山して十五年も経っている。十三四で出家したのか。大西に至っては八十八歳である。山下の係累でも最年長は八十五歳だ。その老婆はもう足も腰も立たぬ。それより更に三歳も齢上で、こんな山中で生きていけるものなのか。本当に同じ人間なのかと山下は思う。

「こうずらずら書かれてもなあ。坊さんの名前は特に解らん」

「何、偉い奴は妙な名だが、それ以外は名前を音読みにするだけなんですな。簡単ですな。例えばあんた、名前は？」

「私の名前は読み変えはできない」

「ああ、そうかな。私は剛喜《かけよし》と云うが、こりゃあごうきとなるんですな。出家したなら剛喜《ごうき》和尚」

「君は和尚と云うより入道だ」

「そうですかな。ええ、幹部以外では戦前に入山した中堅が十四人おりますな。生き残りです。戦争中は流石にいなくて、戦後すぐ、昭和二十年に入山したのが五人。それから二十一年に四人。二十二年に二人。二十三年に三人。二十四年に二人。それで最後ですな。以降、入山した僧はいませんな」

「その桑田のおつきの小坊主ってのは？」

「托雄ですかな？　そこに書いてあるでしょうに。二十四年組の二十二歳」

名前が名前群の中に埋没している。

だからその名簿は山下にとって漢字が連なっているだけのただの紙切れだった。全く意味が見出せない。こうしてみると菅原の云う通り、坊主が十把《じっぱ》一絡《ひとから》げで全部怪しく見えて来るから不思議だ。山下は仕様がなくただ人数を勘定してみた。

「おい。三十五人しかいないぞ菅原君。坊主は全部で三十六人なんじゃないのか」

「もう一枚ありますがな。本当に粗忽《そこつ》な人だねあんたも」

「え？　ああ。判ってる。杉山哲童《すぎやまてつどう》、二十八歳か。おい。これ、入山の年は？」

「ええ。そりゃあ、入山の年がないんですな」

「ない？」

「生まれた時から山にいる男だそうです」

「善く解らんな」

「ええ。まあそいつは無関係でしょうよ。一応頭数に入ってはいますがな。坊主と云っても少しばかりその、足りないようなんで」

「ん？　知的障碍者なのか？」

「何と呼ぶんですかね。こりゃあ近くに住んでる爺さんの身内らしいですわ。子供の頃からずっと寺男の真似ごとみたいなことしていて、そのうち坊主になっちまったようですな」

「門前の小僧か」

「小僧じゃないですよ。大男でしてね。総身に知恵が何とやらと云うのですかな。読み書きくらいはできるようだが、学力は低い。精精小学生並みでしょうかなあ」

「待てよ。近くに住んでる爺さんって、寺の近くに住んでる奴がいるのか？」

「ああ、話に依るといるらしいですな。小娘と、爺様と、その哲童の三人で暮らしてるそうですがな。娘と云うのも寺の境内をうろうろしてる。私は見なかったが、あの小説家が見たようだ。古物商の話だとこの辺りじゃ有名らしいですな。山の振袖娘とか云って。この宿の連中も知ってるようですがな」

「振袖着てるのか？　こんな山奥で？　怪訝《おか》しいなあ。その爺さんとやら、生計はどうやって立てているんだろう。樵《きこり》か何かか？」

「箱根は木曾じゃないですわい。樵なんぞおらんでしょうな。まあ、怪しいと云えば怪しいが、無関係でしょうに。調べますか？」

「調べて——ないよなぁ当然。まあ時間がなかったんだろうし。しかし、どうもなぁ」

資本主義や近代国家や管理社会に歯向かうような非常識な輩《やから》ばかりこう次次出て来られては、山下などは困惑する一方である。

徒《いたずら》に容疑者を増やすのもどうかとは思う。思いはするが、不審な人物が増えたことに違いはなかった。いずれ関わり合いになりたくない人種である。

無関係であることを願うのみである。

——この山にまともな奴はひとりもいやしない。

菅原だって最初はまともには見えなかった。

それが、今やまだマシな方である。

益田はどうしているだろう。

とても気になった。

「菅原君。うちの——益田だが」

「ああ、あの兄ちゃん。随分伸び伸び捜査してましたな。今頃は容疑者と一緒に高駢《たかいびき》でしょう」

「伸び伸び？　益田が？　大丈夫かなあ」

現在益田は容疑者の一団を引き連れて一層怪しい容疑者の牙城《がじょう》に乗り込み、単身そこに留《とど》まっているのである。四面楚歌《しめんそか》の筈だ。

菅原は下品に笑った。

「平気ですよ。殺される訳じゃあるまいし。ただ、最近の若いのは体力がないですな。鍛え方が違う。結構へたばってましたわ。おお、そう云やあんたも若かったか。こりゃあ失敬。あ――そうそう。明日は署で会議すると云ってましたな？　何時です」

「午前十時」

「じゃあもう、明日にしませんか。私も足が痛い」

「ああ――」

山下が返事をする前に菅原はそれじゃあと右手を上げ、襖を開けた。

襖の外には阿部巡査が居り、驚いて礼をした。これから麓まで帰るのだろうか。入れ替わりに仲居が這入って来たが、山下はひと言も口を利かなかった。

午前一時三十分だった。


翌朝山下は誰よりも早く起きた。あの忌ま忌ましい探偵や、赧顔《あからがお》の医者に会いたくなかったからである。それでも起きたのは六時だった。時計を見た山下は、明慧寺ではもう朝食も済んでいるのだと――そんなことを思った。益田が戻った際などの対応を番頭に頼み、山下は三日目にしてやっと仙石楼を出て、単身山を下りた。

捜査会議の進行はスムーズだった。

小坂の遺体を遺棄した者は鞋《わらじ》のようなものを履いていたらしい。

それは僧形と云う目撃証言ともある程度一致する。結果菅原の報告は重要視された。

解剖所見も提出された。死因は後頭部打撲による骨折。ほぼ即死と考えられ、毒殺等の可能性はないようだった。死亡推定時刻は、失踪した日の夕方から翌朝にかけてと予想されたが、それ以上の絞り込みは不可能らしい。凡ては胃の内容物の消化具合からの判断である。甚だ心許《こころもと》ない結論だが、その漠然とした範囲にしても小坂が失踪日の前日の夕食以降食物を摂《と》っていないと云うことが前提になるらしかった。

そうだとすれば、現時点では判断できないに等しい。明慧寺の食事の献立は毎日変わらぬらしいし、菅原の云うように寺ぐるみの犯行だとしたら、情報操作をするだけで死亡推定時刻を一日二日狂わせることは可能だ——と云うことになるからだ。そこで尾島の証言が注目された。尾島が明慧寺と利害関係がないことはほぼ間違いないと思われたからである。合議の結果——つまり確証のないまま——尾島証言は採用され、小坂は失踪当日の二十二時前後に殺害されたと云う統一見解の下《もと》に捜査に当たると云うことが決定した。

また、被害者小坂の二重生活の解明——女性関係や事業などの風聞の真偽を徹底的に調べること——を踏まえて、明慧寺そのものの実態解明、また僧侶達の前歴や素姓も調査対象となった。捜査の方向は完全に明慧寺を照準に定めた展開となった訳である。

死んだのも坊主、犯人らしき人物も坊主なのだから当然と云えば当然の結論ではある。

そして結局山下は本丸明慧寺に自ら乗り込むことになった。

会議の成り行き上、これは已《やむ》を得なかっただろう。そこを調べぬ訳に行かないし、調べるならそれは本部長である自分の役目——なのだろう。当然菅原が同行を申し出た。

会議は正午には終わり、不味《まず》い昼食を摂った後、山下は警官数名と菅原を連れて再び山道を登った。

気が重かった。

仙石楼に着いたのは十四時だった。ほんの七八時間前までいたところだと云うのに、山下には随分久し振りに思えた。

益田は未だ戻っていなかった。

馬鹿探偵と嫌味な医者は碁を打っていた。気楽なものである。肚も立たない。

そもそも二人とも山下に気づきもしない。

大体あの馬鹿探偵は何をしに来たのだろう——そう思って眺めると、探偵が変な笑い声を上げたので、山下は嗤《わら》われたような気がして、今度は何だか無性に肚が立って来た。

折角復調したと云うのに、このままでは元の木阿弥《もくあみ》になる。関わるのを止そうと目を逸らした途端に、聞きたくない声が聞こえた。

「わははははもう無駄だ。久我山《くがやま》さん！　あなたは僕には勝てないのです」

「無駄はないだろうが。しかし君は何だ、真逆その、変な能力《ちから》で勝っとるのじゃないだろうなぁ」

「あなたも大馬鹿のひとりですな。全知全能の僕に変な力などない。あるのは有り余る才能だけです」

「まあ、慥かにそうなのかもしれんがなぁ。君は偶然勝っとるだけと云う気もするしのう」

「それはあるでしょう。偶然に勝る才能なし！」

「何のことだか解らんがまあいいわい。それより榎木津君。そろそろ儂の依頼した探偵を頼むわい。関口君も中禅寺君も——帰って来やせん」

「猿は山に帰ったのでしょう。心配は要りません」

「何ならこの儂も同行してもいいと思うとるがな」

「どこへ？」

「どこへって君。明慧寺だぁナ」

「止せ！」

通り過ぎることができず聞き耳を立てていた山下は、その悍《おぞ》ましい会話の結論につい口を挟んでしまった。

「いかん。外出は禁止する！」

「おお！　あんたは社長。まだいたのですか。ところで何を禁止すると云うのです」

「お前の外出だッ」

「おいおい、そんな権限があんたにあるのかね山下警部補。そりゃあ儂は容疑者なんだろうが、榎木津君は別だろ？　拘束なんぞできんじゃろが」

「ああ煩瑣《うるさ》い。菅原君こいつらを——」

「警部補さんよ。こいつらを縛っとく訳にゃいかんですよ。下手すりゃあ職権濫用だ。寺にいる奴等のこともありますしな。区別はできんでしょう。寧ろ一緒にしておいた方がいいかもしれませんぞ」

「馬鹿、君、真逆、連れて行くなんて云うんじゃないだろうな」

「連れて行きはしないですがな。ついて来るのを止めさせられはしないと云ってるんです。まあ、捜査妨害でもしたなら逮捕するしかないが」

「逮捕——なあ」

　菅原の云う通り、こいつらは寧ろ何か馬鹿をやらせて逮捕でもしてしまった方が楽なのかもしれない。そう思って見ると、医者が顎を引いて云った。

「何だ、警察は明慧寺に乗り込むのかいな？　坊主の中に犯人でもいるのかな？　真犯人が判ったのなら儂等は別に探偵何ぞせんでもいいがな」

「う、煩瑣い。お前達に捜査の進捗《しんちょく》を報告する義務は私にはない！　勝手にしろ。菅原君。行くぞ」

山下は後ろを見ずに大股で出発した。これはもうどうなっても知るものかと云う意志の表われである。警察署の中では何ごとも巧く行くが、一歩山に入るともうこれだ。まるで思い通りにならない。それに、もしついて来るにしたって馬鹿探偵と一緒の道行きは真っ平御免だったのだ。このところついていない山下にも、まだ自尊心は残っているのだ。

酷い傾斜だった。

菅原も警官達も黙黙と登っている。その手前、主任である山下が弱音を吐く訳には行かなかった。警部補の意地である。菅原が毒突いた。

「ふん。あの坊主ども今日こそ尻尾捕まえてやる。三度目の正直だ！」

「菅原君。気張ったって駄目だ。二度あることは三度あるとも云うし」

「仏の顔も三度までですわ警部補。だからこれで駄目なら私は鬼になりますな。桑田締め上げて吐かして見せますって」

「証言より証拠だよ菅原君。物的証拠こそ如何《いか》なる自白にも勝るのだ。あの藁屑《わらくず》と同じ藁で編まれた鞋でも出れば——それでいい」

「良かあないですな。捜査の醍醐味《だいごみ》は自白ですわ」

菅原は豪快に云い放つ。山下には皆目理解できない。そして何となく疎外感《そがいかん》を感じる。

この山は山下を拒絶している。

「それにしたってこの山道は非人道的じゃないか。こんな非効率的な場所に居住すること自体、犯罪染みていると思わんか？——」

これは遠回しな弱音だ。

「——寺院は兎も角、その、一般人が、しかも老人と子供なんかが本当に住めるものだろうか。子供の教育なんかはどうなっているんだろうね」

がさがさと背後から厭な気配が押し寄せて来た。

山下は首を竦《すく》めたが菅原は振り向いた。

「お。警部補。探偵が来ましたかな」

「無視しろ。進めよ早く」

そんなもの見たくはなかった。

「ああ？　違うな」

「違う？」

山下が見返ると木木の合間に人形が立っていた。

か細い綺麗な声がした。

——人の子ならば煩悩の笂《うつぼ》に入れて流し遣れ。

「な、何だあれは？」

「おお、ありゃ今あんたが存在を疑った、例の山の振袖娘ではないかな？」

「むすめ？」

——あれは人間か？

薄汚れた振袖が動いた。

カサカサと枯れ木が揺れる。

はらはらと雪が風に舞う。

極めつけの非常識。

やけに現実的《リアル》だ。

人形は笑った。

「き、君は、どこに」

住んでいるの、と尋こうとしたのだ。


「帰れ」


喋った。

山下は言葉を見失った。

「この先へ行くな」

酷い悪寒が走った。

警官達も菅原も正気を失っている。

娘はこの世のものとは思えぬ程畏ろしい顔で山下を睨みつけ、振袖をはためかせて、風のように警官達の脇を擦り抜けて斜面を駆け登り、消えた。

「ああ――警部補。見ましたかな？」

「そりゃ、み、見たよ。あんなものが――」

あんなものが跳梁《ちょうりょう》しているならここは魔界だ。

それなら下界の法律など無効なんじゃないのか。

山下は、娘の後を追うように行く手を見上げた。

途端にわさわさと叢が揺れて、雪塗れの男が転げ落ちて来た。男は山下達を見ると大声を上げた。

「ああ！　山下さん！　山下さんじゃないですか」

男は益田だった。

「き、君、益田君。どうした！」

「ま、また殺された！　ぼ、坊さんが」

「何だ。落ち着け」

「みょ、明慧寺で再び殺人事件が発生しました！」

益田は――そう云った。

坐禅と云うのは——敦子の声がした。

「結局ひと言で云うと、うん、何と表現したらいいのでしょうね。その——」

敦子は万年筆を持つ手を休めて独り言のようにそう云い、振り返った。勿論答えられる者はいない。だから返事もなかった。

尤《もっと》もその時、覚醒していた——答えられる状態だったのは私だけだった。

その私さえも白地《あからさま》な痴呆状態を躰全体で表現していたようなものだったから、振り向いた敦子は拍子抜けしたような顔をした。

「さあ」

私は追い討ちをかけるように如何にも頭の悪そうな返事をした。敦子は呆れて再び卓に向き直り、万年筆のキャップを鼻の先に軽く押し当てた。

今朝——。

私達は午前三時半から始まる僧達の生活を慌ただしく追った。取材が大方終了した正午過ぎには一同の疲労は頂点に達し、昼食後の休憩に到って私達の緊張の糸はぷつりと切れた。

私と鳥口は完全に伸び、青年写真家はそのまま眠りこけてしまった。見張り役である筈の益田刑事も舟を漕いでいた。飯窪は何故か非常に熱心で、ひとり取材を続けているらしい。

今川の姿は見えない。

境内見物でもしているのか、僧の話でも聞いているのか。今川は早朝の取材にけ同行しなかったから我我より疲労度は少ないのかもしれぬが、そうは云っても朝食は同じく五時半だった訳で、大差はない。

敦子は既に記事の草稿を書き始めているらしい。

驚くべき勤勉さ――否、驚異の持続力である。

敦子を見習えば月に一本長編小説が書けるだろうなと、私は迫り来る睡魔と闘い乍ら朦朧《ぼんやり》と思った。

敦子も昨夜は殆ど寝ていない筈だ。

昨夜――。

私達は明慧寺で一番年長だと云う老師との接見を特別に許された。老師の機嫌は至って良く、会見は深夜にまで及んだ。それは稀譚舎にとっても、警察にとっても、そして今川にとっても、大層有意義な時間となった――と思う。

何故なら、その老師の話を聞いて私達の明慧寺に対する疑問はある程度氷解し、僧達に対する不審の大部分は払拭された――からである。私は惰眠と云う名の冥朦《めいもう》の彼方へと遠退きつつある意識の中で、昨夜の老師との面会の一部始終を反芻した。

昨晩――。

九時から始まった菅原と益田による事情聴取は実に慌ただしかった。

何しろ時間は一時間と定められている。一方僧の人数は多く、頭割りにすればひとり当たりの時間は二分もない。三人の幹部を筆頭に若い僧達が入れ替わり立ち替わり内律殿に呼ばれた。ただ高齢の老師と貫首の二人だけは警察の事情聴取に応じられなかった。否、応じられなかったと云うより、次次と若い僧を呼びつけているうちに時間切れになってしまったと云うのが真実である。

事情聴取が終わり、菅原刑事が仙石楼に向かって後、一度引き揚げた中島祐賢の行者――慥か英生――が再び内律殿を訪れた。

老師が我我との面会を所望していると云うのである。

英生に依ると老師は小坂了稔と殊更懇意にしており、是非とも話しがしたいと、自ら云い出したらしい。

私達は全員でぞろぞろと英生に従った。

案内されたのは『理致殿《りちでん》』と云う建物だった。

老師はその名を大西泰全と云う。

煤《すす》けた袖無《そでなし》を羽織っただけの枯れた老人である。

きらびやかな袈裟を纏った高僧の姿を勝手に想像して畏まっていた私達は、完全に肩透かしを喰った。

「今晩は」

挨拶もまるで好好爺《こうこうや》だった。

「愚僧は見ての通り老い耄《ぼ》れで、まあ、長く坊さんしておるで、老師などとは呼ばれておるが、ただの爺《じい》でございますわい。自由気儘なものですわ。その、まあお勤めなんかはちゃんとやりよりますがな、作務はない。だから座ってるか経誦《よ》んどる以外は暇なもんですわい。それにしてもまあ若い女人を目の当たりにするのは何年振りですかのう」

好好爺はからからと嗄《か》れた声で哄笑《こうしょう》した。

そこに三人程の僧が茶を持って来た。

「おお、おお。さあお茶をどうぞ」

老師は私達に茶を勧め、そして云った。

「それにしたって了稔さんも、まあ兇《おそ》ろしいことになりよりましたな。どないになっておりましたんですかいな？」

老師は益田に尋いた。自己紹介もしていないのに私達の素姓をある程度見抜いているらしい。益田は的確に遺体発見の状況を語った。

老師は豪《えら》く感心した。

「ほう。柏の木の上？　仙石楼の？　あの庭の、柏の上で？　はあ、なる程」

「何か思い当たることでもおありで？」

「庭前柏樹《ていぜんはくじゅ》」

「は?」

「はいはい。何でもありませんわい。しかし兇ろしいことじゃのう。仙石楼も大変じゃ」

「老師様は仙石楼をご存知なのですか?」

飯窪が尋いた。

「それはお嬢さん、知っておりますわい。愚僧はここに来て、三十年近う経《た》ちよりますからなぁ。それにあの庭を造りよったのは愚僧のお師匠さんでな」

「は?」

敦子が怪訝《けげん》な顔をした。禅僧と庭の関係は深いと聞く。例に因《よ》って大変大雑把な捉え方ではあるが、庭が有名な寺は大体禅寺であるように思う。そこで私は思い出したように今川を見たが、骨董屋は相変わらず何を考えているのか判らなかった。

次に尋いたのは敦子だった。

「それでは、仙石楼の——あの庭はこの明慧寺のお坊様がお造りになったので?」

「違う違う。愚僧の師匠は京都の、さる臨済の古刹《こさつ》の住職じゃよ。庭造りが得手《えて》な人じゃった。本当はその方がこの明慧寺に来る予定だったんだが、来た途端に亡くなってしまってのう。代わりに愚僧が入山することになったんだ。ここに来た時愚僧はもう六十過ぎておったが、それまでここは無人だった。廃寺だったんじゃな」

「廃寺？」

「おうよ。まあ廃寺と云うのは云い方が少し違うかいな。ただこの寺はいつからか判からんが、ずっと誰も居らんかった。否、誰にも知られずただここに建っておった。それを愚僧の師匠が、仙石楼に来た折に発見したんじゃわいな」

「発見した？」

ここを訪れた時、敦子が慥かそんなことを云っていたと思う。彼女の印象は正しかったようだ。

今川が尋いた。

「これだけの大伽藍が――それまで誰にも？」

「そうじゃの。ここはそれこそ五山の寺に引けをとらんような大けな寺じゃが、そんなこともある、としか云いようがないがのう。見つけた時は慌てたらしいがのう。でも何だかんだ云ってもそうだったんだからしゃあないわな。だからな、ここに最初に住職として入ったのは、何を隠そうこの愚僧じゃ。愚僧より古いこの寺の坊主は居らん。居ったとしても何百年も昔のことだろうて」

「はあ――」

廃寺ならば――廃寺になっていたのならば、末寺帳に載っていなくても仕方があるまい。

否――。

「するとこの寺はいったいいつ——」

「ははは、妙な寺だと思っておったようじゃなあ。何を勘繰っておったのか知らんがな、多分その勘繰り通りですわ。ここは、何の記録にも残っておらん。誰が建てたのか、いつできたのか、全く判らん」

「そ、そうなのですか」

「そうなのじゃ。そりゃ見つけた時も随分と調べたそうだがな。その当時の、日の本の禅寺の首脳がのう、雁首揃えて調べたって判らんかったと、こう申すのだから、判らないんだろうなあ——」

泰全老師は軽妙な語り口で明慧寺発見の経緯を語った。

それはまた——仙石楼の歴史でもあった。

現在の仙石楼主人は五代目で、その名を五代稲葉治平《いなばじへい》と云うのだそうだ。

初代治平と云う人は箱根の北西に位置する仙石原村の出身であったと云う。

仙石原は同じ箱根と云っても、芦ノ湖や聳《そび》え立つ山山によって他のどの地域からも隔離された高原の小さな村である。源頼朝《みなもとのよりとも》がその地を通った際に、開墾すれば千石《せんごく》米の収穫があるだろう——と云ったことが地名の由来だそうである。

しかし、その由来譚に反して、富士の火山灰で覆われた仙石原の土壌は枯れており、雨が多く冬の早い気候も影響してか、作物は殆ど穫れぬと云う。

畑には稗《ひえ》や玉蜀黍《とうもろこし》が僅かできるだけだそうである。後は神代杉《じんだいすぎ》を掘ったり、細工用の樹木を伐採する程度なのである。山を喰い潰す以外に、仙石原に住まう民は何の生産手段も持っていなかったのである。

現在は国道も通り、ある程度観光地化も進んでいるようだが、その当時——江戸の頃は、正に喰うや喰わずの、大層貧しい村だったそうである。

治平はそこで生まれた。

そんな土地柄であったからか、治平は幼くして口減らしのため小田原の商家に売られた。仙石原には裏関所があったため、小田原藩より定番《じょうばん》の侍《さむらい》が遣わされており、そのつてを辿ったのだとも、実はその侍の子であったのだとも云われているらしい。

しかし、その身売りは治平にとって幸いした。

治平は商才のある人だったらしく、奉公先ですぐに頭角を表したのだそうだ。その後苦労に苦労を重ね、流れ流れて江戸に落ち着き、日本橋の外れに小さな料亭を構えるに到ったのだと云う。

そこで何がありましたかな、と老師は話に含みを持たせた。

治平が江戸で何をしたのか、その辺りのことは詳しく伝わっていないらしい。しかし彼が大金を得たことは間違いなかった。そして——彼は故郷に錦を飾ることを思いついたのだ、と老師は云った。

治平は、小田原に戻った。

そこで再び何かがあった。

治平は最初、故郷である仙石原村の経済的自立を画策したらしい。そのためには、何よりも先《ま》ず道を通すことである。

しかし――幾ら財力があるとは云え、治平が一介の商人《あきんど》であることに変わりはない。しかも、元を正せば貧農上りである。所詮身分卑しき商人風情なのである。そのような大それた計画は一朝一夕に適うものではないだろう。

しかし治平は諦めず、あの手この手を使って藩主に取り入ることに成功したのだと云う。元元の奉公先である小田原の商家と云うのが、当時の小田原藩主である大久保《おおくぼ》家と何等かの繋がりを持った家筋であったらしく、それが幸いしたらしい。

どのような取り引きがあったのかは不明であると云う。宿を造り、その収益金を村の財政援助に当てる――治平はそう云う方向に路線を変更し、それは実現した。

しかしそれはまた、小田原藩の何等かの政治的判断による裁量であったことも間違いないらしい。

いずれにしろ治平は江戸で貯めた私財の凡てを投じて仙石楼を建設したのだ。結果、信じられない程不便な場所に、信じられない程豪華な宿は完成した。

仙石楼の立地条件の悪さに就いて老師は次のように説明した。

「大平台と云うのはどう云う訳か温泉が出ない。宮ノ下から引き湯をして来て、漸く温泉に入れるようになったのは、去年だか一昨年のことですな。実際それまで大平台の人は拾い木して湯を沸かしておったですな。この辺りに湯泉は湧かないと云うのが常識だったです。最近までな。だからあの、仙石楼のある場所と云うのは、慥かに不便だが、温泉は湧いとりますでしょ。下に引く程湯量はないが、それでも良い湯だ。湧かんと思うとったところに温泉が湧いとって、だからあんな場所に建てたのじゃなかろうかな。元来隠し湯か何かだったのかもしれん。その当時と雖《いえど》も、他の温泉場は皆有名になってしまっておりましたからな。箱根で知られざる湯治場なんぞ然然《そうそう》作れん。だからあそこに作ったんでしょうな。まあ、あまり表立った客は泊められんちゅう、そう云うことでもありましょうな」

秘密の高級湯治場。それが仙石楼の正体だったらしい。

以来明治維新までの間、仙石楼は小田原藩の秘密裏の庇護の下、藩の要人や賓客――外国人もいたらしい――のための秘密の保養所として機能したのだと云う。

「あそこは今は仙石楼ですがな、どうやらその昔は楼の字が違ってたらしいですな。楼と云えば楼《たかどの》、こりゃあ二階建ての高い建物のことだ。あの二階屋が出来たのは明治の中頃らしいですからなあ。それまでは平屋だったらしいですわ。平屋の建物に楼もなかろう。だから瞭然《はっきり》はせんが、どうも最初は仙石廓《かく》と云う名だったらしいですな。廓と云やああんた廓《くるわ》、つまりは遊女屋ですわい。と云うことは、そう云う場所だったんですかな――」

仙石廓がどのような内容の営業をしていたのかは定かでないらしい。凡ては伝聞、風聞の類であると云う。あがりの一部は村に援助金として毎年寄付されていたとも云われるが、それに就いても記録、古文書の類は一切残っていない。嘘かもしれない。

ご一新の後、当然乍ら仙石廓は小田原藩との関係を断つことを余儀なくされた。表向きは無関係であるからそれも已を得ないことだろうし、そもそも藩がなくなってしまうのだからこれは仕様がない。

当然乍ら秘密の遊廓として——本当にそうだったならば——営業を続けることは不可能になったものと思われる。仙石廓は以降普通の高級温泉旅館として営業を続ける以外、生き残る道がなくなってしまったのである。

だが、そうなると仙石廓の立地条件は甚《はなは》だしく悪かった。高級であること、存在が表沙汰になっていないことを除けば、自由競争に勝ち抜き、一般客を多数獲得できる程のセールスポイントを仙石廓は持っていなかったのである。しかしその一方で隠密で訪れた要人を受け入れると云うそもそもの機能だけは多くの筋から珍重されたらしい。つまりある程度のパトロンはいた、と云うことだろうか。

明治も半ばになると外国人の客は益々増えた。そこで常連客を確保し、尚一層の顧客を獲得するために、二階建ての新館が増築され、更に純日本風の庭が造園されることになった。

そして仙石廓は仙石楼になったのである。

そして——漸く禅僧が登場する。泰全老師が師事したと云う、さる臨済僧が仙石楼に招かれたのは今から五十八年前、明治二十八年のことであったと云う。

「庭はな、なかった訳ではない。あの柏も勿論あったのだそうですな。しかし外人は何だかんだ云って日本風を喜びますでしょ。丁度その二年前ですか、明治二十六年に米国の万国博覧会があって、そこで世界宗教会議ちゅうのが開かれましてな。本邦からも鎌倉の円覚寺《えんがくじ》の釈宗演《しやくのそうえん》老師が行かれて、臨済禅の話をなされた。そんなこともあって、禅は人気あったらしいです。仙石楼側はお師匠に、あの柏も切っちまって、龍安寺みたいな、枯山水の庭を作ってくれと頼んで来たんだそうだが」

庭をひと目見て、泰全の師匠はそれを断ったのだと云う。

「枯山水は水を用いず、天地を石と土と砂で表す。しかし、ここにはもう山がある。川もある。わざわざ造らずとも、天も地もここにある。何故にそれを壊してまで別の天地を造ることがあろう——と、そう云うたそうですわい。お師匠は大木を活かし、池を巡らせ、築山を築いて池泉回遊式の庭を拵《こしら》えた。こりゃあ室町に始まる禅の庭とは大いに違うが、平安のそれとも違う。平安に流行った池泉庭は自然を模した、謂わば小浄土だがね。お師匠のお造りんさったのは模した自然じゃあない。自然そのものだな。そして師匠そのものでもあった訳だ。まあ師匠は、俗に云やあ作庭の名人だが、俗に云わんでも大した禅匠じゃった」

そこで——彼は石が欲しくなった。

近くに石切り場があると云うので行ってみたりもしたが、どうにも気に入らない。柏に負ける。天然が良い。そこで泰全の師匠は山に分け入ったのだと云う。

そして——明慧寺を発見したのだ。

「驚いた——と、何度も云うとった。仏の国に迷い込んだかと。これが海なら龍宮だ。山だから、まあ隠れ里云うとこかいな。大けな三門がある。伽藍も立派で、本尊もある。しかし人はおらん。慌てて戻って人に尋いても誰も知らん。山には誰も住んでおらんと云う。そこで——」

そこで老師は言葉を切った。

そして少し考えた。

「——そこでな、調べよったのです。これだけ大きな寺じゃもの、記録に残っておらん訳がないと。だが」

「残っていなかったんですね」

敦子が云った。

「そう——あんた調べんさったか。無駄じゃったのう。記録には一切残っておらん。こりゃ非常識なことだ。どう考えたってこれだけの寺、一寸《ちょっと》やそっとで建てられるものではないからの。愚僧の師匠は大いに興味を魅かれてな。否、この寺に取り憑《つ》かれたのかのう」

「取り憑かれた?」

「そうなあ。足繁く何度も通《かよ》ったらしい。愚僧もお供で二度程来たですわ」

「何故です？　何か宝物でもあると思ったんですかねえ？　何とか丸儲け」

鳥口が発言した。漸く老師の話が見えて来たらしい。

これも話を呑み込んだらしい益田がそれに応じた。

「そりゃあ君、秘密を暴きたかったんでしょう」

老師は何故か快活に云った。

「暴くと云うより――矢張り取り憑かれよりましたんですな。この明慧寺に。建物も大分荒れとったらしいが、来る度泊まり込みだ。塔頭《たっちゅう》も多いですやろう。一回二回じゃどうもならん」

「何か見つかったんですか？」

「見つからんかったですな。愚僧がお供に来た時も――そう、法堂《はっとう》の裏の建物で掛け物が何幅か出て来たくらいだったです。それは仙石楼に寄贈しましたけどな」

「仙石楼に？」

「お師匠は仙石楼を訪れたお蔭でここを見つけた訳ですからなあ。その、恩返しのつもりだったんかな。まあ自分のもんじゃないから寄贈と云うのも変だが、あんたら見ませんでしたかのう？　掛け軸」

鳥口が思い出したように顔を上げた。

「ああ、あの変な絵！　牛の描いてある続き物の」

彼は私の部屋の掛け軸を見た時も慥かそんなことを云っていた。あの絵は続き物なのだろうか。

「そうそう。あれは『十牛圖《じゅうぎゅうず》』と云うものだ。本来十枚でひと揃えだがね。八幅しかなくてなあ。丁度あの、仙石楼の二階の部屋が八つだったから、これはお誂《あつら》えだと——」

「そうか。そうだったのですか——」

今川がやけに納得したように頷いた。

「——あれは十牛圖だったのですか」

「有名なもんなのですかな？」

益田はきょろきょろと辺りを見回して、先《ま》ず鳥口に尋いた。

「下手でしたがねえ」

鳥口が話にならない回答をしたので次に益田は私に視線を送って来た。私は、正直云ってまるで聞き覚えがなかったから、益田の視線を順送りするようにして敦子を見た。敦子はそれを察して、

「慥か十の牛の図と書くんです。私も善く知りませんけれど——」

と云った。敦子が善く知らないのであれば、自分などは全く知らなくてもそれ程恥ではない——益田はそう判断したようだ。私も全く同感だった。

老師が説明した。

「十牛圖は禅の古典だな。禅の修行の過程を牛を捜すのに擬《なぞらえ》て描いたものでな。北宋の末の頃、臨済宗楊岐《ようぎ》派《は》、五祖《ごそ》法演《ほうえん》三世の法系、廓庵師遠《かくあんしおん》が描いたものが本朝では有名ですがなあ。この廓庵さんの事跡は、十牛図以外何も残っておらんのだがね。ただ、ここにあったのは――ありゃ普明《ふみよう》のやったか、皓昇《こうしよう》のやったかいな――」

何も解らなかった。

老師は話の軌道を修正した。

「しかしな。まあ、幾ら取り憑かれた云うても、当時お師匠は教団でも結構な位置に居よりましたからなあ。そうそう勝手な真似もできんかったようでしてな。明治の頃と云えばあんた、本末で揉め、廃仏毀釈《はいぶつきしやく》で寺が軒並み潰されて、仏教界はそりゃあ大変な時期じゃったからねえ」

廃仏毀釈とは、慶応四年の神仏分離令に基づく運動で、読んで字の如く仏法を廃し釈尊の教えを棄却《ききやく》することである。敦子も云っていたが、そうした明治新体制の下、仏教寺院の生き残りのための体制固めや基盤作りは中中大変なものだったようだ。宗派の独立性や寺院の格づけと云ったものが、単純な教義上の差異や法系の違いだけでなく、経済的な問題や組織としての整合性をも含めて、突然《いきなり》噴出したのである。

勿論廃寺となる寺院も多かったのだろう。

「御由緒《ごゆいしょ》寺院などは割りにすんなり無本寺として認められたんやが、それ以外は難しかったな。大けな寺はどこも本山になりたいわな。曹洞宗は永平寺と総持寺の間で悶着《もんちゃく》があったくらいで、すぐに両本山、開祖開山により永平寺上位と云うことで決まったがな。臨済宗は大変じゃ。込み入っておるからな。本末で結構揉めてのう。愚僧はその頃はまだ三十前の雲水だったから上のことは判からんかったが、何しろ京都の五山系と鎌倉の二山でもう七派だ。下手にどこぞの寺の傘下になると法系が途絶え兼ねませんしなあ。そんな時期だから。それでも師匠はここに通ってた訳ですわい。何ぞ調べものをしとるかと思えばここのことでな。それあんまり熱心だったので、その、バレてしもうた。そしたらそれがあんた、何だか豪《えら》い大ごとになってしまいましてな」

「大ごと？」

「そう。ここはいったい何宗の寺じゃろうとな。これは場合によっちゃあ結構な発見でございますわいな。まあ禅寺であることは違いない。しかし、もしやそうだったとして」

「なる程。場合によっては日本仏教史を塗り替えることにもなり兼ねない——と？」

敦子がそう云うと老師はそうそう、と頷いた。

「どう云うことです？」

益田が尋いた。

老師は、ああ——と頷き乍ら答えた。

「禅宗が纏まって一派だった時分は、そりゃあ良かった訳だ。法華や真言と一緒にされとる訳じゃないし。しかし曹洞が抜けた。曹洞宗は道元さんが始めたもんだから、これはいいわな。仕方がない。そこで禅宗は臨済宗と曹洞宗の二宗になった。そこで、それからが困ったことになったのですな。例えばな、そう、簡単な例を挙げるとすれば——日本黄檗宗と云うのがあるじゃろ。黄檗宗は隠元隆琦《いんげんりゅうき》が本邦に齎したもんだが、最初は臨済に含まれとった。隠元さんは隠元豆持って来て有名な人だが、渡来したのは承応《じょうおう》三年だ。こりゃ江戸時代ですわい。だから宗派としちゃ若い。それに比べて臨済禅を日本に持って来た明庵榮西《みょうあんようさい》何ぞは鎌倉時代ですからな。大分古い。だが、日本での歴史が浅いからと云って臨済宗黄檗派でいいか、と云うとこりゃあ拙《まず》い」

「何故です？」

「臨済の祖は臨濟義玄《ぎげん》ですわい。日本の臨済宗は皆臨濟さんの弟子から別れる。榮西さんは黄龍慧南《おうりゅうえなん》の弟子で黄龍派、他は皆楊岐方會《ようぎほうえ》の法系ちゅう訳だ。で、隠元さんも楊岐派なんだが、隠元さんの居った中国の黄檗山万福寺は臨濟さんとは関係ない寺でなあ。黄檗山と云うのは臨濟より古いです。臨濟さんの師匠も黄檗希運《きうん》と云う。だからその黄檗の名を冠した黄檗宗が臨済宗の一派と云うのはおかしな具合になってしまいよるのですわ。戒律も明《みん》風だった。そこで黄檗宗は日本黄檗宗として独立した」

「ははあ、本家と元祖みたいなもので？」

鳥口の間の抜けた発言に老師は大いに笑った。

「いやいや、そらまあ似ておるかもしれんが、少し違うなあ。炙り餅とは違いますわい。そもそも教えが違う。戒律も違う」

「でも皆仏教なんでしょう？　所詮、辿り着くとこはお釈迦様じゃないすか」

鳥口は怖いもの知らずな問い掛けをした。

「まあそうじゃ。そこまで行かんでも、禅宗ですからな、例えば達磨大師でもいい訳ですがなあ。それで丸く収まればそれが一番いいでしょうが――」

老師は鳥口を見据えた。

「そうじゃな――あんた、名は？」

「と、鳥口と云います」

「ほうか。それじゃあ刑事さん。あんたは？」

「ま、益田」

「ほうか。それじゃあ鳥口さん。あんたの先祖、これが爺さんまでしか遡れなかったとしようか。その先の記録がないとする。しかしあんたのお父さんの兄の連れ添いの爺様が、この益田さんの曾祖爺《ひいじい》さんだったとしようかい。だからお前は今日から益田山鳥口寺と名乗れ、と云われちゃあ――」

「うへえ、そんなの厭ですよう」

「そうじゃろう。厭だわなあ。あんたは図らずも、益田家の家風に合った暮らしをせななら
ん。こりゃ堪るまいて。そこでだな、実はあんたにも鳥口と云う名の、歴《れっき》とした曾祖爺さん
が居ることが判ったとするか。だから矢ッ張り大本山鳥口寺だ、好きにするがいい——これ
ならどうだ」
「そりゃあいいですが」
「だろう。そう云うこっちゃ。だからな、どこで別れたか、どっちが古いか、どっちが正当
かと云うのは慎重に考えなけりゃならんのですわい。黄檗宗は瞭然《はっきり》しておったから良いが、
同じようなことは幾らもある。だからもしこの明慧寺が非常に古く、尚且《なおかつ》どこかの法系の祖
となるような証拠でも出てまえば、その法系に属する寺院は途端に格が上がる訳だ」
「ははあ。なる程良く解りました」
　鳥口は何だか豪く渋い顔で益田を盗み見た。
「まあ、だからこの明慧寺はな。さっきそちらのお嬢さんが云うておったが、我が国の仏教
史を書き換えるような大発見——である可能性もあった訳だ。それでな、事情を察した偉い
坊さん達が寄って集《たか》って調べ始めた訳だよ。だがなあ。その時すぐに世間に知らしめておけ
ば、ややこしいことにはならなんだのだが、ほれ、各各《おのおの》思惑があるから中中表沙汰にしなか
った。それが悪かったんですわい」
「悪かったとは？」

「時期がなあ。その頃は箱根の開発が盛んになり始めた頃でもありましてな。この辺りの土地もいずれどうにかなりそうだったんですがなあ。事実、もたもたしておるうちにさる企業がここを買い取ってしまいよった」

「買った？」

「寺ごとな。地価が高騰する前に買われてしもうたのです。元来寺はないことになっておったから、買った者はこの寺のことは知らなかったようでの。ただ地面を買ったと云うことだったらしいが」

「はあ――」

慥かにその時点で世間に公表してさえいれば、誰も買ったりはしなかった筈だ。

「だからここはずっと、企業の持ち物だったんでございますわなあ。持ち主は買った山に寺なんかがあって吃驚仰天《びっくりぎょうてん》ですわいな。そんなもの壊してしまいたいですわなあ。だから、もし文化的な価値があるとか判っちゃあ壊せなくなるから、調査だの何だの一切お断りだ。そこで臨済曹洞黄檗、各派各宗、派閥を越えてな、それぞれの有力者が話し合って、相談しおって、兎に角ことの次第が瞭然《はっきり》するまでこの寺を保存して貰おうと決めて、内密に持ち主に頼んだですわ。この交渉は難しかったらしいな。持ち主の方は釈然とせんわい。買ったは良いが手がつけられん。交渉は長引いてなあ、ただ、そのうちどうしたことか、この辺りの観光地としての価値は下がり始めたのですわい」

富士見屋の子熊親爺も云っていた。箱根の土地は先物買いで買い漁《あさ》られた、しかし買ったはいいが観光の拠点となり損ねたところも多かった——と。

「それでな、持ち主の方も手をつけるにつけられなんだようでな、ただ、坊主にくれてやるのも癪《しゃく》だと思うたのか——ずっと棚上げになっておった。そのうち皆忘れてしもうた。愚僧の師匠を除いてな。それで、そう、震災の後だったかのう。発見から三十年近く経ってからな、漸く持ち主が手放す云うて」

「震災？　関東大震災ですか？」

「そう。関東大震災ですわ。ま、その頃には観光の拠点も割と定まって来ておって、この辺りは持っていても価値がないと判っておったしな。持ち主、二束三文で売りに出しよった」

「それを？」

「そう。買い取った訳ですな。この辺りはあの震災で山津波が起きたりして目茶苦茶になったですからなあ。まあ平気なところは平気だったようだが、後から切り崩したような道路は皆やられた。そこで箱根山全部が造り直された。その隙に買いよったのじゃな」

「はあ——」

幾ら二束三文とは云え、この面積である。結構な金額だったのではないだろうか。いったい誰が買ったと云うのだろう。私は不審に思ったのだが、誰も何も尋かなかったから黙っていた。

「そして兎に角愚僧の師匠が——もうその時は今の愚僧くらいの齢でしたがなあ、まあ発見者と云うこともあって、ここに入ることになったですよ。しかしあんた、天命と云うのも皮肉なもんで、ここに来た途端に」

「お亡くなりに？」

「はい。それで愚僧にお鉢が回って来よりましたんじゃ。それからもう、彼此《かれこれ》二十八年も経ってしまいよった。あっと云う間だ」

室内は昏《くら》く、老僧の表情は曖昧模糊《あいまいもこ》としていて、私には爽然《さっぱり》読み取れなかったのだが、その口調から判断するに、老僧は昔を懐かしんでいるような——あるいは愁《うれ》いているような、そんな顔をしているに違いなかった。勿論断ずることなどはできないけれど、私はそんな感触を持った。

ここ——明慧寺は真実謎の寺だった訳だ。江戸から明治と、ずっと無人の廃寺であったが故に、度度の統制も調査も潜り抜け——いつからかは判らぬまでも——少なくとも数百年に及ぶ長きに亙り、誰の目にも触れず、ただずっとここにあり続けた訳である。

実に、この明慧寺が寺院として息を吹き返したのは大正の震災の後、つまりは殆ど昭和に入ってからのことなのである。

と、云うことは、その何百年だかの間、ここが何人にも発見されなかったと云うことこそが、この寺の最大の謎なのだろう。そして——。

——何故記録に残っていないのか。

寛永時代の末寺帳に載っていないのは判る。その頃ここは既に無人だったのだろう。明治初期の記録に漏れているのも当然だ。しかし建立時の記録すらないと云うのは——。

——矢張り尋常ではない。抹消されたものか。

敦子が尋いた。

「現在のこのお寺の経営は、それでは——」

「援助金と托鉢ですわい。後、畑もあるわいな。ロクなもんは穫れんがな」

「援助金？　どこからのです？」

「各教団、各宗派からの援助があるのですわい。いやそもそも愚僧以外の僧は皆、各教団から遣わされて来ておるのだ」

「各教団から？」

「そう。あんたら聞きんさらんかったか？　慈行さんや、その、覚丹さんから」

聞いていませんと、益田がやけに決然《きっぱり》と答えた。

「ほうかほうか。隠したっていずれ判ろうに。まったく仕様がない坊主どもだわい。すまなかったの。あのな、例えば祐賢さんと常信は曹洞坊主だ。それから愚僧や慈行さん、死んだ了稔さんは臨済だ。黄檗は居らんが、ここはもう——」

——ここは色色でな。

果たして祐賢もそう云っていた。そう云う意味だったのか。

「――法脈はわやですわい。最初は皆、調査のために派遣されて来たんだ。ここが自分の宗旨の寺かどうか調べるためになぁ。援助と云うのも、元来は調査費用であった訳での。でもなあ――」

老師はそこで腹の底から大きな溜め息を吐き出した。

蠟燭《ろうそく》が揺れて、影が歪んだ。

「ここはなあ、そう云う場所じゃなかったんだな。皆、所期の目的をいつの間にか忘れて、今は皆、ただここに居るわい。そして――誰も出て行こうとせん。ここからは出られないのかのう」

――出られない？

「出られないのだなあ。もう随分と経つが、初めの頃は愚僧もな、師匠を倣《なら》ってあちこちと調べたものやがな――」

老師はそこで言葉を切った。敦子が質《ただ》した。

「それでも――その、何も？」

「何も、と云いますと？」

「いいえ、何かその証拠のような――」

「ああ、判らん判らん。なぁんにも判らん」

老僧は手をひらひらと揺すった。

「調べるったって調べようがない。師匠だって随分調べよった訳ですからな。それに、この大けな寺だ。愚僧は最初、三人程雲水連れて来よりましたが、とても手の足りるこっちゃない。それでな、二年程してそれ、亡くなった了稔さんと、今の貫首の覚丹さん。あれがそれぞれに坊主引き連れて乗り込んで来た。以降年年増えてなあ。まあそれでも戦前は皆、熱心に調べよりましたんですぞ。教団が依頼した大学の先生なんぞがこっそり来たりもした。それでも善く判らんかった。ほれ、ああ云う学者っつうのは記録文献がないと何も判りよらんのですわ。判っても結論を出さん。矢ッ張り寺伝だの縁起だのが出て来ないことにはなあ。兎も角からきし駄目だった」

今川が尋いた。

「学者の方が見ても、その、全然判らなかったのですか？　例えば、この建築様式や何かからも——」

「判らんかったようだな。建物なんか昔風に建てることも可能じゃろう。学者と云っても隠密じゃからな。大規模な調査は無理だしのう。そりゃ明治の時代にもう古かった訳じゃから江戸時代以前に建ったのには違いがないようだが、鎌倉だか室町だかまるで瞭然《はっきり》せん。尤も今なら学問も変わりよったから調べて貰えば判るかもしれんなあ。ほうれ、その技術の革新だとか、科学の進歩だとか、部材を調べただけで時代を測定したりもできるんじゃろう」

「はあ、ある程度は――却説《さて》どうですか」

　敦子が今川を補足した。

「確実ではないでしょうが可能でしょう」

「そうじゃろう。愚僧がな、今回その、大学の先生の、脳波ですか？　その調査とやらに協力することに賛成しましたのもな、実を云えば、それもあったからなんですわい」

「は？」

「今ではもう、皆ここの正体を突き止めることなど諦めておるようじゃ。いいや、もう忘れてしもうたのかもしれん。だいいち、教団の上層部ですらここのことなんぞ、綺麗に忘れているようですわい。戦後はもうまるで無視だ。辛うじて援助金は来るが、もう慣例になっておる。惰性だ。世代も交代しよったようだし、何のための援助だか判らんようになっとるんじゃなかろうかな。愚僧を含めた三十六名、悉《ことごと》く陸の孤島に島流しにあったようなものでございますわな。生殺しですな。ですから愚僧は、こう云う機会を待っておった」

「しかし老師様。そんな調査など、依頼さえすればどこの大学だってすぐにやってくれる筈です。お金がかかる訳でもないでしょう。文化的歴史的価値だってあることなんですから、いつだって――」

　敦子はそう云った。慥かにそうである。もし本当に調べて欲しいのであれば、大学にでも依頼すれば済むことなのである。

このような形で半端に存続していること自体、大いに不自然なのだし、歴史を変える程のものであるなら余計黙っているのはおかしい。

「それが、そうもいかんのです。最初、教団側は挙《こぞ》って明慧寺《こ こ》のことは表沙汰にしたがらんかったようでなぁ。まあ、すっかり忘れておるからどうでもいいようなもんではあるが、援助して貰ってる手前勝手なこともできないですわい。一教団なら良かったのだろうが複数が絡《から》んでおりますからなあ」

老僧は云い訳めいた口調でそう云った。そしてそれは矢張り云い訳であったらしく、続けて本音を吐いた。

「それに愚僧達は皆――さっきも云いましたがな、もうどうでも良くなっておったですよ。戦争が始まった頃から徐徐にな。ここの暮らしに慣れてしまいよったんですな。雲水は托鉢に行きよりますが、愚僧など山から下りることもないし、世間様のことも何も知らんですからなあ。大学なんぞ思いつきもせなんだ。ま、それでいいと云えばいいのですがな。ただ愚僧は師匠の意志を継いで入山したのですからな、そう簡単に諦める訳にも行かぬか――とも思うてな。だからその、調査だか取材だかの話を耳にした時にゃ、こりゃ千載一遇の好機だと思うたです」

それを聞いて、飯窪が力なく云った。

「それで――それでお引き受け戴けた訳ですか」

「いや、それだけじゃないですがな。勿論その、脳波とか云うのもやって貰って別にいいんだが、まあ寺も調べて欲しいと思うたのですな。表立って依頼はできんが、来たら来たで興味を持つのじゃあないかとな、考えた。だから取材して貰うのもいい訳ですわい。それに、そう、常信さんなんかは、調査結果次第では、ひょっとしたら何とかに指定されるのじゃないかとまで云うておりましたぞ」

「何とか？」

「ほれ、お国の——宝物」

「国宝？」

「そうそう。そりゃ元元伝教《でんぎょう》さんの言葉じゃな。ほれ、その昔の古寺社保護法か？　それが新しくなりましたでしょうや。法隆寺さんが燃されて」

「ああ、文化財保護法ですか」

「そうそう」

老師は肩を揺すった。

議員立法により文化財保護法が制定公布されたのは、一昨昨年《さきおととし》、昭和二十五年のことである。老師が云った通り、直接的な契機《きっかけ》となったのはその前の年の法隆寺金堂の焼失である。従来の『国宝保存法』と『重要美術品等ノ保存ニ関スル法律』『史蹟名勝天然記念物保存法』を併せ、更に無形文化財・埋蔵文化財の保護と云う新しい観点を加えた法律である。

「慥かにそれ程建立の時代が古いとなれば——国宝は兎も角、重文の指定は間違いないようにも思いますが——」

「ははは、そうかの。常信さんは喜ぶな」

「桑田さん——常信和尚はそれじゃあ今回の調査に好意的だったのですか？」

「好意的？　否、あの男が横車を押したようなもんだなあ。最初はなあ、反対意見の方が優勢でしたわい。覚丹さんなんかは反対だったようだ。慈行さんも反対してたし、祐賢さんはまあ、どっちでも良かったんじゃろうな。一番熱心だったのは了稔さんと、その常信だ」

「被害者《ガイシャ》と常信——さんが同じ意見で？」

益田が首を捻った。疑問に思ったのだろう。事情聴取の際に、桑田常信は小坂了稔をかなり悪《あ》し様《ざま》に誹謗していた。周囲の僧の証言などからも、常信と了稔は犬猿の仲——と云う推測は容易に成り立った。

「はははは、そうそう。あの二人は面白い程馬が合わなかったですなあ。しかし、不思議とこの件に関してだけは意見が一致しておったですわい。まあ思惑は別別だったんだろうがのう。兎に角常信さんが祐賢さんを説得して、覚丹さんが許した。慈行さんは已《やむ》を得ず承諾した格好だなあ」

「そうなんですか——矢張り歓迎されていたと云う訳じゃなかったのですね。慈行様なんか特に——」

敦子は上目遣いに飯窪の方を見た。その視線を受けて飯窪が云った。

「そうなのですか——私も初めは、真逆ご承諾戴けるとは思っていませんでした。他の叢林は皆——」

「断ったじゃろうな。当たり前ですわい。ところでお嬢さん。当山のことは、いったいどこで知りましたのかの？」

「ええ——お聞きしたんです」

「どこから？」

飯窪は手帳を出して捲り、何軒か寺の名を挙げた。老師はふんふんと納得したような声を出した。

「ほう。あそこが指《さ》したか。あそこならやりそうだわなあ。それとも——うん。そこならもしや、了稔さんが手でも回したのかもしれんわいな」

「手を回した？　どうやって」

「あの人はそこの和尚とも懇意にしてた筈やし」

「了稔さん？　了稔さんが何故そんなことを？」

飯窪は混乱を示した。

「ち、一寸《ちょっと》待ってください。ええと、老師さん。それはどう云うことです？」

益田が身を乗り出して尋いた。

「――被害者《ガイシャ》は慥か、取材調査推進派だった訳ですよね？　と――云いますか、今のお話し振りですと更に一歩踏み込んで、その取材調査自体を画策されたのが被害者自身である――と云うように聞こえたのですが」

「その疑いはある、と思いますなあ」

「だから何故ですか」

益田は喰い下がった。少しは刑事らしい。

「何ね。了稔さんはこの寺を壊したかったのですわい。あの人は他の連中と違ってここの暮らしが気に入らなかった。だから世間に曝《さら》してやろうと思うたのじゃなかろうかな。教団の鼻を明かしてやろうと思うたか。だからその、お嬢さんにこの明慧寺の名を漏らした寺の者に、予《あらかじ》めここのことをわざと喋るように根回ししてた可能性はあるですな。そう云えば了稔さんは、今回の調査依頼のことも前以て知っておったきらいもありましたなぁ」

「ふうん。しかし、ここが気に入らなかったと云うと――例えば被害者は修行が厭になったとか？」

「そうではないですわい。まあ、あの男は風狂の僧ではあったがなあ。修行が厭になったなら乞暇《こうか》願いでも出してさっさと山を下りりゃいい」

「はあ。ううん、その――」

益田が更に膝を乗り出して詰問した。

「——その、もっと詳しく聞かせてください。小坂了稔と云う人は、どう云う人だったのです？」

この老師は多分この山の中で一番話が通じる——益田はそう思ったのに違いない。

私もそう感じていたのである。仮令《たとえ》誰に何を尋いたとて、僧達の回答は漠然としていて、聞けども聞けども生身の小坂了稔は藪《やぶ》の中である。事情聴取からはまるで被害者の人物像が浮かんで来なかったのだ。大体、僧達との会話自体が成立しない。問いに対する答はあるが答に対する再びの問いはないのだ。回答が理解できないからである。私など傍《はた》で聞いていただけだったから、余計に解らなかった。

老師は少し声の調子を変えて答えた。

「あれは面白い坊主だったなあ。何につけても反発する。否定してかかる。だから——元元は鎌倉のさる立派な寺の僧だったようだが、上に疎《うと》まれたらしい。それでここに島流しだ」

「捻《ひね》くれていたのですか？」

「違うよ。禅と云うのはな、否定せんことには始まらない。仏に逢っては仏を殺し、祖に逢っては祖を殺し、親に逢っては親を殺し——何もかも捨てて、何もかも否定せんことには始まらない。そうせんと己が何者かは解らんだろう。あの男はそのまんまの男でな。何だ、悟ってなどやるもんかい、ちゅう豪快なところはあったな」

「親を殺す？　物騒な教えですな」

「殺すったって殺しはしないですわ。こりゃあまあ、喩《たと》え——否、そう思われてもいかんなあ。まあ、親にしても師匠にしても、況《まし》や仏にしても、それらが作った道に沿って生きてはいかん、とでも云いますかなあ。所詮は他人の褌《ふんどし》で相撲《すもう》はとれん。仏様はこう云いました、先生はこう仰いましたつうのは他人の意見だ。それじゃあ己はどうなんじゃい、と、そこが問題なんだなあ。だからそんなものは殺してしまう。幾ら正しくとも、幾ら仏の道でも、束縛されてはいかん。自在な精神を以て、絶対的な主観たらねば、禅の修行は完成しない——」

「解るような解らないような——否、解りません」

益田がそう云うと老師は笑った。

「いやいや、そう簡単に解られちゃ堪らんわい。はっはっは。それを解るために修行しますのじゃ。理屈や言葉で解るもんじゃあないわい。況《まし》や刑事さん、今日初めて禅寺に来たあんたが、一寸《ちよつと》聞いたくらいで解りますかい」

「はあ、そんなこと云われましてもなあ。教えてくださいよ。僕にも解るように」

老師の語気が急に荒くなった。

「それ以上尋くと、例えば愚僧はあんたを叩く」

「た、叩く？」

「修行もせずに仏法的的《ぶつぽうてきてき》の大意《たいい》を質《ただ》すなど、打ち据える以外に何の答があろうか！」

老師は拳骨《げんこつ》を振り上げた。

益田は首を竦《すく》め上半身を後ろに引いた。

「冗談だ。冗談。修行者でもない者を打っても詮方《せんかた》ないわい。打って悟るなら打ちもするがな。あんた打っても痛がるだけだ。刑事何ぞ叩いたら逮捕されるわい。まあ聞きなさい」

老僧は居住まいを正した。

「そうよなあ。何を話したもんかいなあ。そう――愚僧は臨済僧ですからな。さっきも説明しました通り、臨済宗にも色色あるが、辿り辿って行けば、その先は臨済義玄に行き着く。当たり前だな。そうや、その臨済が悟った時の話をしようかの。これもさっき云ったがな、臨濟和尚は黄檗和尚の門下だった。真面目な坊さんだったようですな。三年修行した。三年目に首座《しゅそ》――こりゃあ、まあ修行僧の中で一番の責任者ってとこですかなあ。この首座の、睦州陳尊宿《ぼくしゅうちんそんしゅく》がな、臨濟にそろそろ参禅をせい、と勧めた」

「参禅とは？」

「師匠のところに行って問答することだな。まあその参禅を勧められてな、臨濟は黄檗のところへ行ったんだな。そして尋いた。丁度さっきのあんたみたいにな。仏法の根本義とは何ですか――とな。その言葉が終らんうちにな、臨濟は棒でぶたれた。すごすご戻ると首座がまた行けと云う。また行くとまた打たれ、都合三回行って三回ぶたれた。臨濟はがくりと萎《な》えて、首座に暇《いとま》を願い出た。私は修行が足りないから打たれるだけでは解らん――とな」

「当然でしょう。ぶたれちゃ適《かな》わない。ねえ」

　益田はそう云って周囲に同意を求めた。

「そりゃそうだ刑事さん。痛いですからな。臨済もそう思ったようですわい。首座はな、それなら高安大愚《こうあんたいぐ》のところへ行けば導いてくれよう、と勧めた。大愚と云うのは黄檗の兄弟子だ。臨済は云われるままに大愚のところへ行った。大愚は臨済に、黄檗はどう云う教え方をしたのか——と尋いた。臨済は正直に、三回尋いて三回殴られたと云い、自分にどんな落度があったのか解らないが、まあ自分が阿呆なのかもしれず、でもただ叩かれちゃ解らないから何卒お導きください——と、大愚に丁寧に頼んだ。それを聞いて大愚は怖い声でこう云った。黄檗がそれ程まで老婆《ろうば》心切《しんせつ》に教えているのに、お前はこんなところまで来てそうやって自分の過失を問うのか、この大馬鹿者！　と」

「酷いなあ。それじゃあ臨済さんも大変ですよ」

　鳥口がまるで友達を哀れむようなことを云った。

「ほっほっほ、しかし臨済はそこでハッ、と悟ってしもうたのですな」

「悟った？　どうして」

「どうしてと聞かれても悟ってしまったものは仕方ないですわい。それで臨済和尚は、ああ黄檗の仏法は明白であった——と云いおった。それを聞いた大愚は、今度はな」

　老師はそこで声の調子を変えて続けた。

「この小便垂れが！　今の今まで愚痴愚痴と自分に落ち度があったとかどうとか云っていた癖に、今度は黄檗は正しかっただと！　さあ、お前なんぞに何が解ったと云うのだ、云え、云ってみよ！」

益田と鳥口は吃驚《びっくり》したようだった。老師は元の声に戻り、手振りを加えて更に続けた。

「——と、こう臨濟を押えつけたですな。酷いでしょう？」

「は、はあ。酷いですな」

「臨濟はどうしたと思いなさる？」

「勘弁してくれと謝ったんでしょうね。それじゃあ訳が解らないですからねえ」

「いいや。その時臨濟は既に悟っていたのですからな。謝ったりはしないですわ。臨濟は、大愚の脇腹をこうガンガンガン、と三度突き上げた」

「反撃に出た訳ですか？」

「ははは、そりゃ違うわい。私はこう悟ったのだ——と大愚和尚に教えたんじゃ。小突かれた大愚はな——お前の師匠は黄檗だからそんなことは知らん、帰れ！　と臨濟を突き放した」

「何と乱暴な——そんなこと近頃は刑事だってしませんよ」

「ふふふ。それでな、臨濟は黄檗の元に帰った。それでことの次第を子細に報告した。黄檗はな、大愚の奴はけしからん、儂が棒で打ち据えてやる、と云った」

「ははあ。弟子を殴られて怒ったのでしょう」

「それも違うわい。その言葉を聞いて臨済はな、その必要はない、今この場で殴っちゃる、と——」

　老師はひと息吐いた。

「黄檗を殴り飛ばしたんだわな」

「そりゃ無茶だ。無茶と云うより無茶苦茶だ。何故ぶつのです？　意味が解らないです」

「意味などないぞ。これを、臨済打爺《だや》の拳《けん》と云う」

「待ってくださいよ老師。だから何でそこで黄檗を殴るんです？　ん——そうか、そりゃ最初に三発殴られた意趣返しですな？　それ以外に動機はない」

「意趣返し？　何で仏の道に導いてくれた師匠に意趣返ししなけりゃならない？」

「だって悟ったのはその大愚ですか？　その人のお蔭でしょう？　黄檗は悟る役に立ってない。最初に話も聞かずにぽかぽか殴っただけじゃないですか。臨済さんだって、遺恨を持っても当然ですよ」

「悟ったのは大愚のお蔭でも黄檗のお蔭でもない。臨済が自分で悟ったんですわ。だから関係ない」

「解らないなあ。ねえ、関口さん、解ってるなら教えてくださいよ」

　益田は今度は直接私に尋いて来た。

解っているように見えたのだろうか。

私はしどろもどろになったが、それでも答えた。

「だから今の益田さんみたいに——解らないから教えてくださいよ、と云う姿勢を二人の師匠は糺《ただ》したのではないのでしょうか。言葉ではなく躰で。そして臨済は解ってしまった。それを矢張り躰で示した——ううん、言葉では云い難いですが」

取り敢えず答えたものの、実は私も善く解ってはいなかったのである。だから益田の質問自体を否定してやっただけである。

でも、そう云ってしまうと合っているような気もした。

しかし一方でまた、まるで外れているような気もした。

「はあ、なる程。じゃあ僕なんかは——矢ッ張り叩かれるんだ」

益田は釈然としない顔で老師の方に向き直った。

老師は泰然として云った。

「そちらはまあ、少しはお解りじゃな。ただそう言葉にされてしまうと、矢張り違うとしか云いようがないが、もしかしたらお解りなのかもしれん。いずれにしてもこの臨済大悟のくだりにゃ一切の説明は無用だ。否、凡ての禅の公案に説明は不要なんですわい。意味づけは蛇足、言葉は無用だ。言葉に溺《おぼ》れ知識に振り回されるは黒漫漫地《こくまんまんじ》なりきですな」

「まあ、善く解りませんがね。言葉で通じないのじゃあ何で知ればいいですか」

「だから言葉では何も伝わらないちゅうことですわい。言葉を越えたところ、意味を越えたところで法脈は繋がっておる訳ですな。まあ、今刑事さんが云うた通り、こりゃ傍《はた》から見れば飛んだ暴力沙汰ですな。体罰だ、反抗だと云うことになる。動機があって復讐したと云うことになる。しかしそれは違う。違いますのじゃ」

益田は神妙な顔になった。

「その話は——老師さん。その、被害者——小坂了稔さんが殺された理由は、ええ、我我凡人が考えつくような通り一ぺんのものとは違う——と云ったような意味なのですか？　まあ太鼓だか大悟だか僕には解りませんが、修行僧の間には慥かに僕等の理解し得る範疇を遥かに越えたコミュニケーションが成り立っていることだけは解りました。ええと、ですからその一般に暴力行為と見做《みな》されるような行為も、何と云うかなあ——」

老師は軽く躱《かわ》した。

「難しい話は解りよらんのですわい。愚僧は世間知らずの年寄りでございますからなあ。そのコミニケだか云われましても爽然《さっぱり》」

「はあ。僕もその、難しい漢字の言葉は解らないんですがね。その、例えば僕等刑事は殺人事件なんかの場合ですね、物的証拠だの証言だのは勿論重要視しますがね、それと併せて、納得できる動機と云うのも考えるですよ。犯人は何故そのような凶行に及んだのかと云う」

「はいはい」

「普通はね、怨恨とか痴情の縺《もつ》れ。それから営利目的。保身、後は事故、はずみ——」

「最近では快楽殺人つうのもありますな。分裂病的殺人者もいる。そしてテロリズム。政治的宗教的信念に基づく狂信的犯行とか——」

鳥口が補足したのか交ぜっ返したのか解らないような発言をした。益田は鳥口を横目で見て、やや鼻の下を伸ばしてからこう続けた。

「まあ、そうですね。そう云うのもある。しかしその程度の動機までなら僕達の常識の範疇に取り敢えず収まるんです。だが今回の場合、そのいずれにも当て嵌らないかもしれないと云う——そう云う可能性があるのじゃないか、と」

「はいはい。例えば警察は、そう、了稔さんが下界で女人を囲っておって、そのうえ浮気をしてそれがバレ、囲い女が悋気《りんき》を起こして了稔さんを殺しんさったとか——了稔さんに弱みを握られた誰かが邪魔な糞坊主を始末しんさったとか——あんたがたは、そう云う理由を望んでいらっしゃると」

「別に望んじゃいませんが——」

否、望んでいる筈だ。

私にはそう思えた。

それは益田刑事にとって——否、警察にとって一番楽な——世間を一番納得させ易い類《たぐい》の理由だからである。

しかし実際は、そんな明確な動機の下に粛《しゅく》粛《しゅく》と行われる犯罪などない。特に殺人事件など、その殆どは突発的な、痙攣《けいれん》的なものだ。そして動機と云うのは後から幾らでも上手に出来上がるものだ。

私はそれを幾つかの事件で学習した。

ただ訳もなく殺した――では、被害者側の人間は納得出来ないだろう。勿論社会も、否、犯人自身も治まりが悪いのだ。だから、全員が納得し得るような動機を後付けで作り上げ、それぞれに折り合いをつけているだけなのである。どうしても折り合いのつかぬ場合は、異常と云うラベリングが為される。京極堂などはそれらの行為を犯罪を穢《けが》れとして祓い落そうとする愚かしい行為だ――と糾弾する。私は当初友人の意見に若干の抵抗があったのだが、今は割とすんなり受け入れられるようになった。

益田はやや躊躇して続けた。

「――もしそう云う凡庸な動機が見当違いであるのなら、その、早いうちに軌道修正しておかなければ早期解決は望めません。例えば鳥口さんが今云ったような、狂信者に依る犯行だったりする場合、その狂信者の信奉するものの正体を知っていなければ解決の糸口は見つからないのです。ですから僕は――そこが知りたい。禅僧ならではの動機と云ったものは考えられないのでしょうか」

「はて、禅僧ならではの動機――」

老師は顔を天井の方に向けた。ただでさえ仄昏《ほのぐら》い朦朧とした顔が、完全に闇に溶ける。

「──そんなもんはないです」

「ないですか？」

「ははは、何だかよう解りませんがな。禅坊主ならではの動機ちゅうのはなあ。そんなもんは考え難いでしょうや。例えば了稔さんを怨んどった者が下界に居るかどうか、こりゃ判りませんわい。あの人の下の暮らしは愚僧等は誰も知らんからなあ。だからさっきあんたがお云いんさったような動機を持った関係者──了稔さんを怨んどるとか、憎んどるとか云う者はおったかもしれん。だがその──」

「その？」

「例えば妬気《とき》に駆られた女が犯人だったとして、何で樹の上に遺骸を捨てますかな？」

「捨てないでしょうね。ですから──」

「否否。そこが違う。女は捨てない、じゃあ禅僧だったら捨てる──そんなことはないですわい。幾ら坊主だってそんなところにそんなものは捨てんでしょう。禅僧だからおかしなことをすると云う理屈なんぞないし、していいと云う道理もない。だから禅僧ならではの動機なんてものもあり得ない」

「あり得ませんかねえ。今さっきの、臨濟さんの悟った時の話なんかをお伺いする分には、何となくありそうな気がしますけど」

「だから先程の愚僧の話はな、仮令《たとえ》どんな破天荒《はてんこう》な暮らし振りであっても、僧侶として失格だとか、生臭坊主は死んでまえとか、そう云うことにはなりませんぞ——と、こう云う意味にとって貰わにゃあ」

「すると全く逆で？」

「そうそう。殴ったの蹴ったの、戒律を破ったの、一般的には酷いと思われる所業も、修行ちゅう観点から観る限りは悪いことでもない——そう云う場合があるちゅうことだ。修行者以外の人間の目には随分と自堕落《じだらく》な姿に映ったとしても、このお山の中ではそう奇天烈《きてれつ》なことでもなかったりする。だからそう云うのは犯罪の動機になり得ないと云うことを愚僧は云いたいのですな。その辺を弁《わきま》えて貰わないと困りよる。あんたらは慈行さんだの祐賢さんだのを見ておるようだから、禅僧と云うのは皆ああ云うきっちりしたものだと思い込んでおったのではないのかな？　禅僧と云うても色色なんだ。修行の形は千差万別。百人百様じゃ。同じ禅坊主だからと云うだけでひと括《くく》りにされちゃ適《かな》わんです。了稔さんが殺されたんはあくまで了稔さんの個人の事情だ。そりゃ先程刑事さんが云うたような理由で殺されたのかもしれん。違うかもしれん。しかし禅坊主だから殺された、禅坊主だから殺した——そんなことはある訳ないですわ。禅はそんなものじゃない。だから、おかしな予断を持たれちゃいかんと、こう思うたのですわい」

「はは あ。なる程」

益田は腕を組んで云った。

「なる程なあ。ものは受け取りようですな。そうして聞くと慥かにそう思えて来ます。今のお言葉は是非菅原刑事に聞かせてやりたかったです。あの人はここのお坊さんを丸ごと疑ってたからなあ」

「そうじゃろう。愚僧はそれを危惧しておったのですわい」

そこで老師はほっほっほ、と笑った。

「――ええ。しかし、そうするとですね。僕等はもっと、その被害者の個人情報を知る必要がある訳です。まあ、町でのことは所轄が調べるでしょうが、こちらでの生活に就いては何も判らない。できればそこをお教え願いたいです。老師さんは被害者と懇意にされていたとお聞きしましたし」

「この寺に対する、否、禅坊主に対する妙な誤解を解いて戴けたなら、お話ししましょうかなあ」

老師は柔らかな口調で云った。

泰全老師の話法は他の僧のそれと比べると幾分京極堂の巧弁に近いような気がした。

本題と掛け離れた脈絡ない内容の話を嫌になる程延延聞かせ、いざ本題に入った暁にはそれらの無駄話が有効な伏線となって結論が覆《くつがえ》し難くなっている――と云うのが友人の多く採る戦法である。

実際泰全老師の話に依ってあれだけ胡散臭《うさんくさ》かったこの寺も、今ではそれ程怪しげな寺でなくなっている。勿論、成立に関する歴史的な謎は残っているのだが、現在の明慧寺に対する疑惑——収入源や僧達の来歴など——はほぼ解消しているのだ。

そのうえ禅僧——被害者——の奇矯な行為はある程度正当化され、それでいてその行為は禅寺内に於ては犯罪と結びつく類のものにはなり得ないと宣言されてしまった以上、私達は無闇に彼等——明慧寺の僧侶達——を疑うことができなくなってしまったことになる。

益田刑事も、今更何を聞かされたところで菅原刑事のように寺全体を疑ったりすることはないだろう。

そうした環境がいつの間にか整っているのである。

もしや我我は知らぬ間にこの老獪《ろうかい》な好好爺の手中で弄ばれているのやもしれぬ。

「先程——」

敦子が慎重に発言した。

「祐賢様は了稔様を一休禅師に喩《たと》えていらっしゃいましたが、その——」

「一休さんか？　わっはっは、そりゃあいいなあ。了稔さんは生まれこそ高貴な方じゃあなかったが、そう云えば顔も似とおる」

「矢張りその——女犯《にょぼん》を？」

そう尋いたのは今川だった。

「女犯？　ああ、あの人は慥かに女好きだったようだわいな。しかし妾を囲っとるとか云うのは嘘ですぞ。了稔さんは外との連絡係だったからな。善く山を下りた。だから僻《ひが》んでる者が云っとるだけだ」

「連絡係？　それは知客の慈行和尚の仕事じゃないのですか？」

「ありゃあ監院だ。知客ちゅうのは来た客を接待するんだ。了稔さんは下界に出て各宗派教団と連絡を取り、金を持って来る役をしておった。ずっとそうだった。それに、例えばここには郵便は届かない」

「え？　しかし――」

今川と飯窪が同時に変な声を出した。

「――手紙は」

「手紙はな、下の大平台にな、了稔さんが家だか部屋だかをひとつ借りておってな。全部そこに届くのですな。ここはあんた、山奥だから配達来りませんのじゃ――」

ここは矢張り住所のない場所――だったのか。

「――月に一度、あの人が下山して取りに行きよったのじゃな。だから、手紙出すのも一緒だ。月に一度あの人が纏めて持って行く。そう云うんだから余程のことがない限り、返事出すのはひと月以上かかる訳だな」

「中中ご返事が戴けなかったのはそう云うご事情だったからなのですか――」

飯窪は納得し、郵政省支持派の益田はぽかんと口を開けた。ただ今川だけは怪訝そうだった。

古物商は相変わらずのもたつく口調で云った。

「しかし僕のところへはすぐに返信が来たのです。年末にお手紙を出して、松が取れるとすぐ――」

「あんた、噂に聞く古物商の人かな？」

「ええ、まあそうなのです。噂かどうかは知りませんが、僕は古物商なのです。今川と云います」

「ほうか。じゃあ返信も早かろう。取り引きしよるんは了稔さんじゃ。私信だったら了稔さんは、その場で返事を書きよるわい」

「ああ」

自分宛てならば返事もその場で書ける。ものの道理である。老師は尋いた。

「ところであんた、今川さん。了稔さんからはどんな返事を貰いなさった？」

今川はこの場に及んで漸《ようや》く入山の目的を遂《と》げるべき状況を得たことになる。異相の古物商はもぞもぞと尻のポケットを弄《まさぐ》り、少しひしゃげた封筒を出して畳の上に置くと、老師の方に向けて妙に恭《うやうや》しく差し出した。老師はふう、と息を吹き込んで封筒を膨らまし、中の書簡を抜き出した。

老師が燭台を手許に寄せる。影が大きくなる。顔の陰影が瞭然《はっきり》する。私は初めて泰全老師の容貌を確認した。皺の多い、水気の少ない顔だった。

「何じゃ？　今までのものとは違う？　世に出ることはあり得ない神品？　ハテ何じゃろうなあ」

老人の顔は更にくしゃくしゃになった。

「その——」

そこで今川は自らと了稔の、擦れ違いばかりの奇妙な因縁を訥訥《とつとつ》と語った。

「——僕は、了稔さんとは結局ひと言も口を利かず仕舞いだったのです。ですから生前の了稔さんと先の店主がどのような関係だったのか、皆目解らないのです。このままでは何ですか、後味が悪いと云いますか、釈然としないと申しますか、僕がこちらにお邪魔致しましたのはただその辺りのことをお伺いしたいと——」

「ほうかいな。それでここに？」

「——それだけです」

「愚僧はな、今川さん。あんたのその従兄弟だかはとこだかと、勿論面識はないですわ。しかし了稔さんが生前懇意にしておった古物商が居るちゅうことは知っておった。いつぐらいからかなあ。慥か昭和十年かその前か——」

「従兄弟が骨董屋を始めたのは昭和八年です。店を構えましたのは昭和十一年なのです」

「——ああ、じゃあその頃ですわ。この寺に祐賢さんだの常信さんだのが来た頃だ。あの二人がそれぞれ曹洞の寺から遣わされて来て、それがな、中弛《なかだる》みしておったこの寺の、何ちゅうか、由来調査に梃《てこ》入れしたような格好になった。愚僧など、もう何も出ないだろうと半ば諦めておったが、それがそうでもなくてなァ。その、天井裏だとか本尊の台座の中だとかからなあ、色色と出た」

「——書類ですか？」

「仏具とか書画骨董の類だ。仏像もあったわい。出ては来たが何の役にも立つもんでなし。結構古いものだったが——了稔さんはな、それを処分した」

「処分した？　だって、そりゃあ価値のあるものだったのじゃないのですか？」

益田が素《す》っ頓狂《とんきょう》な声を出した。敦子も驚いたらしく、続けて発言した。

「普通なら——寺宝とか、その」

「寺宝？　そんなもんにゃあせんです」

「欲に目が眩《くら》んじゃったんじゃないですか？　了稔さんはその、文字通り何とか丸儲け、しかも棚から柏餅《かしわもち》と云う奴で——」

鳥口は余程丸儲けが好きなようである。

柏餅と云うのは前日の実体験から来る混乱だろう。

但し誰も過ちを訂正するものは居らず、老師はただ笑った。

「はっはっは、そんなことはないですわい。まあ良い値で売れたようではありましたがな。そうでしょうな、今川さん」

「はい。帳簿を見るとかなりの高額で捌《さば》けていたのです」

「そうじゃろうなあ。あの頃は随分と寺のものが流通しておったようでしてな。ほれ、先《ま》ず潰れた寺から出たのだな。明治の廃仏毀釈の時は五割、酷いところでは八割の寺が廃寺になりましたからな。潰せる寺は皆潰せと云う感じだったらしい。潰れた寺のものは市場に流れよる。まあ愚僧の師匠やらが奔走《ほんそう》してそう云う過激な風潮はすぐに鎮静化したのじゃが、暫くは先程云いましたように受難の時代が続きましてな。その間も随分と寺は骨董を手放しよったですよ。本尊まで放出したような寺もあった云います。まあ努力の甲斐あって落ち着いてからは、そう云うことはなくなって、以降は専《もっぱ》らその時出たもんが流通しておったようですな。だが、いいものは如何せん高い。売値も張るが買い値も高かったと聞きましたな。まあここから出たものは仕入れは只ですからな。ま、儲かったのは儲かりましたでしょうな」

「そう云うものを売るに当たって反対意見などはなかったのですか？」

「常信さんなんぞは矢ッ張り反対しおったようだがなあ。しかしその時は了稔さんは所謂《いわゆる》その、監院じゃったから——」

了稔はその位置を慈行に取って代わられたのだと、その常信が云っていた。私の見たところ、現在の慈行はこの山内に於てかなりの権力を持っているように見受けられる。

そうだとすれば、当時は了稔がその位置にいたのだろうか。

「――常信さんも立場上文句は云えなかった。しかしな、あの常信が何と云うたかは知らんが、了稔さんは私利私欲のために売ったのではないですわい。だから私服を肥やしていた訳ではないぞ。坊主丸儲けなどと云うものではない」

「それじゃあ何故売ったのです？」

「そんな美術品骨董の類は禅寺には無用じゃ、あるだけ無駄だと云うておった。謂わば強い信念を持った宗教的行動ですわい」

「待ってください――」

今川が割って出た。

「――禅と美術芸術は、深い関わりがあるのではないですか。破墨《はぼく》、溌墨《はつぼく》、頂相《ちんそう》、道釈画《どうしゃくが》に禅機画《ぜんきが》、書、石庭に漢詩、茶道とて侘び寂びとて、元を辿れば皆禅から始まるのではありませんか？　禅寺に無用無駄と仰るのは、僕にはどうも善く解らないです」

そうじゃなあと老師は答えた。

「その通りだ今川さん。古来優れた禅匠は皆優れた芸術を物しておる。仙厓義梵《せんがいぎぼん》然り。五山文学の祖と云われる夢窓疎石《むそうそせき》然り。臨済中興の英傑、白隠慧鶴《はくいんえかく》然り。先の一休さんとて詩を数多く残しとるし、書も達者じゃな。だがな、今川さん」

「はい？」

「それらは慥かに芸術と呼ばれておる。美術品としても高い評価を得とるようだわい。しかし、それなら尋くがな。芸術とは何だ？」

「は——」

今川は実に奇っ怪な表情になった。

「いや芸術とは何なのじゃ、と伺っておる」

「美の——表出ですか」

「美とは？」

「綺麗なもの——す、ぐれた、も、の？」

「綺麗とは如何なるもの？　優れているとは何に比べて優れておるのか？」

「そ、それは、そ、の」

追及され続けると返答はどんどん愚鈍になって行くものである。私も今川同様に考えてはみたが、いずれ似たり寄ったりの解答しか浮かばず、それから先は云わずもがなで、問いに対する答はなかった。

私達は普段、芸術と云う言葉をまるで当たり前のように口にしている。

しかしこうしてみると、私などは何も理解せず、何も考えぬまま、ただ何となく言葉を使っているだけだった——と云うことになるのだろうか。

老師はまた、大いに笑った。

「はっはっは、そう困ることはない。別に苛《いじ》めてる訳ではありませんわい。そう、それなら綺麗なもんでいいわい。しかしな今川さん。芸術は綺麗なものばかりとは限らんのではないかな？」

「は――」

今川は奇妙な顔のまま固まってしまった。

「そうですよ今川さん。あなた昨日《きのう》、綺麗ばかりが良い写真じゃないと、僕に仰った」

鳥口が後ろからそう語りかけたが、今川にその言葉は届いていないようだった。

「そうそう。古寺の手垢《てあか》のついた欄干は全然綺麗じゃないが、皆美しいと云いよるわい。朽ちて鼻の欠けた仏さんを芸術だとも云うようじゃな」

老師は再び声の調子を変化させた。

「つまり芸術なんてものは何でもええ訳ですわい。綺麗だと思えば埖《ごみ》でも綺麗だし、素晴らしいと思えば屎尿《しにょう》でも素晴らしい。絶対美だの、絶対芸術だのなんてものはないのですな。主観の問題でしかない。だからと云って誰にも理解されんものを作りよる者は、矢張り芸術家とは呼ばれますまいな。それは当然だ。しかし、ひとり二人しか褒《ほ》めんようなうちは、こりゃまだ芸術とは呼ばれん。じゃあ大勢が良いと思うもんが芸術なのかちゅうと、そりゃそれでいいが、他人に好まれるものばかりを多く作る者が芸術家と云われちゃこりゃ少しばかり変ですわなあ――」

今川の返答を待たずに老師は続けた。

「芸術と云うのは、こりゃ社会だの、常識だの、そう云う背景があって、それと如何《いか》に折り合いをつけとるかと云う問題でしてな。社会対個人みたいな図式がないと芸術にはなり難いようですわい。こりゃいずれにしろ愚僧達には無関係でな。禅匠は美しく造ろうと思ってなどおらん。芸術やろうとも思っていない。禅匠の造るものは説明でも象徴でもない、勿論理屈は要らん。絶対的な主観ですな。世界をぽんと鷲摑みにしてどんと出すだけでな。他人がそれを美しいと感じることがあったとしても、造った禅匠には無関係だ。世間様がそれを芸術と呼ぼうが美術と呼ぼうが知ったことじゃあないのですわい」

「はああ――」

今川はだらしなく口許を緩ませて、丸い目を見開いている。まるで自我崩壊したような表情であるが多分今、彼は猛烈に考えている。

「喝！」

「は」

老師が一喝した。今川は――まるで夢から覚めたように戻って来た。

「考えることはありませんぞ。解ろうとしてもいかん。あんたもう解っている。言葉にしようとすると、逃げて行きますぞ」

「はい」

今川はすうと躰を前に倒し、畳に両手をついた。

老師はその様子を見てから、ゆっくりと云った。

「だからな、そんな美術品など禅寺には無用だと、了稔さんは申したのですわい。だから出て来る度に売ってしまった。所詮それだけのもの、有り難いと貴ぶよりは、下賤な金に替えてしまった方が潔いと——あの人はそう思ったのだな。何のご縁かは聞かなんだが、あんたの従兄弟に売りよったのです」

「すると、戦後ずっと音沙汰がなかったのは」

「皆売ってしまったからですな」

「解りました。有り難うございます」

今川は丁寧に頭を下げた。何か思うところがあったのだろう。

少し間をおいて、敦子が云った。

「慥か——その、一休禅師も禅の芸術的展開を豪く嫌っていたのではなかったですか？　慥か様式化した五山文学を批判したりしていませんでしたでしょうか？」

「そうのようですな。五山文学は夢窗疎石辺りが元と云われよりますがな。夢窗さんは愚僧の師匠と同じように作庭造園の名人で尚詩文も書も上手じゃった。しかしな。その夢窗さんからして公案問答は悟りの妨げと云い、遺戒で禅僧の芸術気触《かぶ》れを強く戒めておる」

そうなのですかと敦子は意外そうに云った。

「そうなのじゃな。ところが戒められても尚その傾向は強まって行きおってな。お嬢さんの云う通り、一休さん何ぞは糞味噌に貶《けな》しよったようだな。一休さんはまた公案も厭うたらしいですしな。公案を大衆に解り易く説いた兄弟弟子養叟《ようそう》に対する一休の痛罵《つうば》は激しいもんがありますからなあ。法盗人とまで云いよった」

「その辺も了稔さんと近いのですね」

「そうだのう。そう云えば了稔さんも公案を嫌っておったな。愚僧は公案で鍛えられた方だが、了稔さんは公案糞喰らえと云う感じだったからな。そう云う意味では、慥かに一休さんと似ておるかもしれんな。否、でも寧ろ了稔さんは盤珪《ばんけい》の見解に近いことを云うておったかのう。盤珪も公案を古反故《ふるほご》と呼んで一切顧みなかった人だからな」

「失礼ですが——」

座に埋没していた益田が怖ず怖ずと尋いた。

「公案と云うのは何ですか？　すいません、刑事は無知なもので」

「公案？　そうよな、先程の臨濟大悟の話なんかも公案と云やあ公案だ。禅問答と云う奴ですな。この、難しい質問を師匠がする。それに弟子が答える」

「謎謎《なぞなぞ》みたいな？　それとも試験のようなもので」

「否否。そう云うのじゃないわな」

「解りませんなあ」

辟易《へきえき》している益田に向けて敦子が説明した。

「演繹帰納《えんえききのう》で論理的に導き出されるような明快な解答が存在しない対題に対して、如何に即答するかと云う——これは修行なのですよね。臨済宗のような看話禅《かんなぜん》で多く行われる——」

「ほほほ。お嬢さんはものを善く知っておるようだが、まあこの場合余計な知識は邪魔になるぞ。しかしまあ、説明しよう思うたらそう云う以外にないかなあ。慥かに答はない」

「答がない？　まだ解りませんねえ」

益田が首を捻った。

「解らんかな。例えば刑事さん、牛がな、その窓の外を歩いておったとしようかい」

老師は窓があるらしい壁の方を指差した。暗くてその所在は確認できない。

「牛？　はあ、牛ねえ」

「まず角がこうつうと過ぎて、続いて頭が過ぎて、次に躰が過ぎて、それでな、何故か尻尾だけ過ぎなかった。さて何故だ」

「は？　いや、何故だと云われても牛にゃ尻尾はあるからなあ。こう背の後ろのところについている訳だから、角が見えたのなら角度的には見えるでしょうな。見損なった？　いやいやそう云うんじゃあ駄目なのでしょうな。実際にあるにも拘らず見えなかったと云う、何かこう哲学的な、否、洒落《しゃれ》た解答をしなければ——」

「それがいかん」

「いかんと云われましてもね。何がいかんのか」

「考えるのがいかん」

「考えなけりゃ答えられないですよ」

「だから了稔さんも一休も盤珪も公案を嫌ったのだなあ。坊主どもも皆、大概今のあんたのようなことを考えおる。長い間公案はな、言葉遊びみたいになっておったのよ。その、最近では何と云いますかのう、そのゲ」

「ゲーム？」

「そうそう。頭を使うゲエムみたいに、如何に洒落た着語《ちゃくご》や下語《あぎょ》――解答をするか、そこに工夫を凝らすようになった。如何にも奥の深そうな解答を如何に綺麗に作るか、そればっかりに腐心する。良い答の書いてある行券《あんけん》と云う虎の巻まで横行した時期があったそうでな。こりゃ求道じゃない。言葉の遊びだ、禅の堕落だ――」

「言葉の、小手先の技術に過ぎない訳――ですね」

今川はそう云った。

「そうじゃ。その通りじゃ今川さん。それではまるでいかんのだ。本来公案と云うのはそう云うものじゃない。公案は考えちゃ駄目だ。答は誰でも、最初《はな》から知っている筈なんだな」

「最初から答えは解っていると？」

益田は奇妙な顔をした。

解っておる筈じゃがな、と老師は云った。

「それがす、と出て来て初めて大悟と云うことになる。まあ白隠さんなんかは、この公案を新しく造ったり、編み直したりすることで日本に禅を根付かせた訳だし、そう悪いものでもないのだが、どうも了稔さんは厭だったようだなあ。善く怒っておったからのう。あの人はな——」

老師は目を閉じた。

「——仏になろうとしょうより仏でおる方が造作《ぞうさ》のうて近道だ——不生禅の盤珪永琢《ようたく》のようでもあり、他日君来ってもし我問わば、魚行酒肆《ぎょこうしゅし》また淫坊——風狂禅の一休宗純のようでもあり、まあそう云う男だった訳だな」

それが何からの引用なのか、勿論私などには判らない。意味すらも朧《おぼろ》げにしか伝わらなかった。それでも少し自分を取り戻したらしい益田が尋いた。

「被害者は、その骨董を売却したお金をどうしていたのですかね？　まあ女を囲っていたと云うのは嘘だとしても、その、着服したとか」

「着服？　そりゃあ少しはしてたかもしれんな。さっきも云ったが女遊びやなんかはしていたよ。金も幾許《いくばく》かはかかるんじゃないか。愚僧はこの齢だから関係ないがなあ。まあそれも戦前の話だろう」

「じゃあ横領と云うのはそのことなのかな？」

「横領？　横領と云うのは善く解らんですな。高く売るのはあの人の才覚だからな、利鞘《りざや》分を——まあ原価がないからどこまで利鞘かは解らんが、その、予想より高い買い値がついた時、その分を使っていただけだと思いますがなあ。ちゃんと寺には金を入れていたようだしな。何度も云うがそんなことで私服を肥やすような男じゃないですわい。金銭欲と云うのは了稔さんにはなかったですからな。大体横領と云えばあんた、例えば教団からの援助金なんかを掠《かす》め盗《と》ったとか、そう云う意味でしょうや？　そんなこと誰が云いおった？」

「常信さん——ですか？　その常信さんが云っていましたね。祐賢さんは証拠がないと否定的だった。ただ、慈行さんが調べているとも云ってましたが」

「常信？　馬鹿らしいわい」

　老師は小声で投げ遣りに云った。

「しかし噂によると被害者は事業にも手を出していたとか聞きましたが」

「事業？　ああ、あれは箱根の環境保全の団体に関わっておったのですわい」

「環境保全？」

「そう。愚僧は山を下りんので善く知らんのだが、何でも自動車やら鉄道やらが山を切り刻んでおるとか云う話でな。まあ便利になるのは地元の人もいいんだろうが、折角の景観を、おお、了稔さんは見た目のことを云うとる訳じゃぁないと云っとったが——まあこの、天然自然の姿を壊すのはけしからんと云うてな。そう云うことをしておる団体に接触していた」

「それは事業じゃないですねぇ」

「一種の事業でしょう」

敦子はそう云った。

「まあ、中禅寺さんがそう仰るならそうなんですかね。しかしそれなら小坂了稔さんと云う人は、ややそのやくざな——と云うか、豪放磊落《ごうほうらいらく》なところこそあったが、非常に熱心に修行し、且つ自然保護まで考えるような健全な人だったと云うことになりますよね。お話を伺うまでは非常に裏のある怪しい坊主——おっと失礼。怪しげな人物だと思っていたんですが。だが、こうなると殺害の動機を持った人物と云うのは逆に捜し難くなるなあ。本当に痴情の縺れかもしれないと云うことでしょう」

益田は腕を組んだ。戸惑っているようだ。

「刑事さん。しかし了稔さんは事実殺されてしもうたのだから、犯人云うのは居りますのじゃろう」

「そりゃそうですが。でも例えばその、宗教上の教義の理解の差異が殺人の動機になるとか云うことは考え難い訳でしょう。しかし飯窪さんの見た僧形の人物がいるし、矢張り僧侶が怪しい訳だが——」

そこで益田は飯窪を見た。

飯窪は誰かの陰になって私からは善く見えない。

「——それにあれが一般的な動機による殺人だとすると、あの異常な死体遺棄の状況をどうやって説明するか。捜査は振出しに戻ったと云う感じですね」

益田は益々困った様子でそう結ぶと、躰を斜めに傾けた。老師もやや困惑したような口調で云った。

「しかし了稔さんも、いったい何を見つけよったのかなぁ？　この手紙からじゃあ善く解らんがなあ。神品云いましてもな、大体、もう売るもんなんぞこの寺にはありゃせんが。今川さん、あんたも何ぞ心当たり——ありゃあせんのだろうなぁ？」

「ないです。僕の方がお聞きしたいくらいでした」

「何か見つけたんだな。あの人は——そう云えばどうも、あれは——うん」

老師は何か思索している。敦子が尋いた。

「今川さんに売る筈だった神品と云うのが見つかったのは、去年の暮れ近くと云うことですよね。それで年が明けて、今川さんと会う約束の日に、多分了稔さんは殺された。か——少なくともその日に失踪している。最近、と云いますか、その前後、了稔さんの様子に変わったところはなかったですか？」

刑事のような口調だった。慣れている。

「そうじゃなあ。そう云えばいなくなる前の日に、ここに来て少しばかり話をしたが」

「何と云っていました？」

「いやあ。そう、豁然《かつねん》大悟したようなことを」

「豁然大悟？」

益田は解り難い言葉が出る度に閊《つか》える。その都度尋き返すのは、熱心と云うより刑事の習性だろうか。私など前後の脈絡から朧げに意味を察するだけで聞き流してしまうことが殆どで、従って話の流れは途切れぬが誤った認識をしてしまうこともまた多い。

こう云う場合大抵敦子が補う。

「打ち拓《ひら》けるように迷いが吹っ切れて悟る——と云う意味ですよね？」

「左様」

「悟ったと——了稔さんは云ったのですか？」

「云ったな。云ったが、冗談かもしれん」

老師は一度黙った。

鳥口がぼそりと云った。

「凄いすね。悟っちゃったんだ」

「そ、それは大変なことなんじゃないですか？　悟ったって、悟れば——修行は終わりなのじゃあ」

益田が疑問を云い切る前に老師は答えた。

「一度悟ればいいと云うものではないのですわい」

「悟りは上がりじゃないんですか？」

「双六とは違いますわなあ。悟後《ごご》の修行、悟った後の修行が問題なんだな。それに悟るのは一度だけじゃないのですわ。白隠など生涯に大悟十八度、小悟数知れずと云うておる。了稔さんがどのように悟ったのかは解らんし、そんな、小悟などあの人にとっちゃ日常茶飯事のことだったかもしれんし——」

少しだけ歯切れが悪かった。

「その時のことをもう少し詳しく」

「詳しくも何も——そうだな、いなくなる先夜、愚僧のところにふらりとやって来おったです。そして泰全さんよ、拙僧は豁然大悟しましたぞ——とお云いんさった」

「それで？」

「ああ、愚僧は冗談と思うた」

「本気にしなかったのですか」

「そうやなあ。そんな風に云う坊主も、まあ、あまりおりませんからのう。その時は本気にしなかった。諧《おどけ》ておるのかと思うて、そこで——そうじゃ、その時はな、何故か愚僧も調子に乗ってなぁ、華叟宗曇《かそうそうどん》を気取って、了稔さんや、そりゃ羅漢《らかん》の境界《きょうがい》かい作家《さっけ》の境界かい、と尋いたんだったな」

「どう云う意味です？」

「華叟ちゅうのはさっきから云うとる一休さんのお師匠さんだ。今の言葉は一休さんが豁然大悟した時にその華叟が云った言葉のなぞりでな。羅漢ちゅうのは小乗《しょうじょう》の覚者のことで、作家ちゅうのは優れた禅匠のことだ。つまりひとり善《よ》がりの悟りか、大いなる禅者の悟りかと質した訳じゃ。尤も華叟は羅漢の悟りと決めつけて突き放したんだが、愚僧はそこを敢えて尋いた訳だな。まあ軽い気持ちだったが」

「そうしたら？」

「ああ、流石に了稔さんすぐ了解して――これが羅漢の境界ならば羅漢を喜んで作家を嫌うのみですわい、と云いおった。これも、その時の一休さんの台詞だからな。了稔さん洒落が解るわいと、愚僧は大いに笑うた――が」

「が？」

「もしやあの男――本気だったか」

老師はそこで黙した。

本気と云うことは――その了稔が悟ったと云うことなのか。

益田は前に乗り出した。

「そ――それで？」

「――それで仕舞いだ。翌朝のお勤めの時は口を利かなんだ。別に普段と様子は変わりがなかったですがなぁ、それ切りになってしもうた」

「はァ。それじゃアなあ。豁然とか大悟とか云うのがどう云う気分なんだか、僕には解らないからなあ」

益田は頻《しき》りに額の辺りを掻いている。

苛苛《いらいら》していると云うよりもどかしいのだろう。

鳥口がその様子を横目で見て、相変わらずの口調で意見を述べた。

「益田さん、矢ッ張りこりゃ下界の俗人が犯人ですよ。女絡《がら》みか――然《さ》もなければその、環境保護団体とやらの関係です。自然破壊反対の団体に肩入れしてたんなら、開発推進側の連中とは何か軋轢《あつれき》や、もしや利害関係が発生していたかもしれないっすよ」

実に事件記者らしい意見である。鳥口は少しずつ調子を取り戻して来ているらしい。

「でもですね――」

益田は情けのない顔つきで再び飯窪の方を見た。どうしても彼女の証言が気に懸かるのだろう。今や犯人坊主説の決め手は彼女の目撃談だけなのだ。

「私は――」

飯窪はそれだけ云って黙った。

「――飯窪さんの見た人物は、ありゃあ矢ッ張り捜査を攪乱するための変装か何かだったのかなあ」

益田の言葉を受けて老師は云った。

「そちらが――その犯人らしき僧形の男を見んさったお人か。しかし刑事さん。その、坊さんと云うても当山の雲水ばかりが怪しいとは限りませんぞ。この辺りは到るところに寺がある。否、そもそも坊主には足がある。だから近在の寺の僧に限らず旅の僧であるちゅう可能性もありましょう？」

「ええ。まあ」

「あ」

敦子が小さく叫んだ。

そして素早く鳥口を顧みて云った。

「私、すっかり忘れていました。鳥口さん、あの、仙石楼に来る途中に出会った――」

「ああ、あのお坊さん！　敦子さんがぽおっとなっちゃった美丈夫」

「何です？　何のことです」

益田が振り向いて二人を見比べた。

「いやあ益田さん。その豪《えら》く美男子のお坊さんが」

「鳥口さん！　もう」

「ああ、解りましたよ敦子さん。その、そう云えばあの人は慥かに自分は明慧寺の僧じゃない――と云ってましたな」

「何です？　警察に云っていない事実がまだ何かあったのですか？」

「いいえ、その、仙石楼に着いてすぐに、色色なことがあんまり矢継《やつ》ぎ早に起きたもので、すっかり忘れていたんですが、あの大平台方面から仙石楼に行く一本道の途中で、私達旅のお坊さんと擦れ違っているんです」

「あの獣径でですか？」

「ええ。それで私、てっきり明慧寺さんの方だと思って、お尋きしたんです。そしたら」

「拙僧は居所定まらぬ雲水でござる、なんて気取って云ってましたな」

鳥口は時代がかった声色でそう云った。その僧侶の真似のつもりらしい。

「あそこを下って行ったのなら起点は仙石楼か――明慧寺《ここ》――としか考えられないですね。仙石楼にそんなお坊さんはいましたか？」

益田は今川の方に向き直った。

「いなかったのです。否、少なくとも逗留している間僕はそんなお坊さんは見ていないのです」

「そうでしょうねえ。念の為に一週間程遡って宿泊客を調べましたがそんな坊さんはいなかったなあ。それは屍体発見の日ですね？　老師、ええと、昨日ですか、その、他のお寺から誰かお坊さんがここを訪れたとか、そう云うことは」

「来た――かもしれんな」

「本当ですか？」

「知客に尋いてみれば判る。慈行さんは事件と無関係と判断して云わなんだのだろうが、慥か、ええと鎌倉の——そうじゃ、了稔さんがその昔おった寺からじゃ。雲水がひとり来たとか来るとか云うておったわい。あれは昨日だか一昨日だかのことだったのじゃなかろうか。何の用で来るのだか、隠居の愚僧なんかはとんと知らんがな」

「じゃあそれだ！　違いないでしょう。それなら」

益田を遮るようにいきなり飯窪が発言した。

「その、そのお坊さんは鎌倉から？」

「そうのようだがな。何か？」

「な、名前は判りませんでしょうか？」

「残念だが愚僧は知らんて。名前は慈行さんでないと判らんだろうなあ」

「そう——ですか」

「飯窪さん何か知ってるんですか？」

発言を妨げられた益田が怪訝《けげん》そうに尋き返したが、飯窪は聴き取れぬ程小さな声で、

「いいえ——」

と答えただけだった。どうも彼女の挙動は不審に思えて仕様がない。最初は奇怪な現象に遭遇した所為で情緒が不安定になっているのかとも思ったのだが、どうやらそうでもないようである。

「どうもなあ。じゃあ老師さん。その客人のことは慈行さんに尋けば身元やなんかも判る訳ですね？　中禅寺さん、鳥口さん、その僧の顔なんかは？」

「まあ覚えてますな。雪の中に黒衣のお坊さん、まるで絵に描いたような、でき過ぎの色男でしたからな。ねえ敦子さん」

敦子は鳥口を無視した。

雪の中を歩く黒衣の僧侶？

昨日《きのう》——否、一昨日《おととい》の朝。

その僧侶は私も見ている。

私が京極堂と見間違えた雪の中の僧侶こそ敦子達の遭遇した僧侶なのではないのか。

私の直感がそう告げている。勿論確証はない。それに、あれだけの記憶では確かめようもない。何しろ私は窓から見ただけなのである。同一人物であるかどうかなど判りはしない。

しかし——。

——後で益田に報せておくべきか。

どうも気になった。鼠の坊主の話と云い、今の雪中の僧侶と云い、こちら側の出来ごとと向こう側の出来ごとは何故か呼応しているような気がしてならなかった。それは当然幻想に違いないだろう。確実に対応する事実がある訳ではないし、単なる印象に過ぎないのだ。尾島の一件は——警察が既に調べているだろうが——まるで無関係かもしれない。

今の僧侶の件とて甚だ心許ない。ただ、

――あの振袖を着た少女。

あれは。

「あの、泰全老師――」

何となく会話に間ができたので、それまで傍観者だった私は初めて老師に語りかけた。

「はい」

「私は、その、物書きをしております者です。謂わば部外者で、直接何の関係もないのですが――ああ、関口と云います。ええと――」

滑舌《かつぜつ》が悪いから聴き取り悪い。話し言葉とは云え文法も目茶苦茶で、何だかとても馬鹿っぽいと自分でも思う。

「――その、先程こちらで、あの、振袖を着た娘さんを見かけまして、ええ、その」

私は山の振袖娘――成長しない迷子のことをどうしても聞きたかったのだ。あの娘がこの世のものであると云う、もう少し慥かな証言を――である。

先般の事情聴取の際もあの娘のことは少しだけ話題に上った。近くに住む老人の家族だと云う話だったが、それしか判らなかった。それだけの情報では、あの娘は、私の中では依然魔物のままなのである。

「ああ。鈴《すず》のことか」

「すず？」

大きな声を出したのは飯窪だった。

「鈴？　振袖を着た娘？　それは、いったい――」

多分飯窪は振袖娘のことを知らないのだ。先程も菅原がさっさと却下してしまったから印象に残らなかったのだろう。菅原は坊主を疑っているからそんなものは無関係と判断したのだ。時間もなかったから已《やむ》を得まいが――それにしても飯窪のこの狼狽《ろうばい》振りはどう考えても過剰反応である。

「それはいったい何のことです？　敦子さん、あなた、皆さんも、皆さん知っているのですか？　それは――」

飯窪は辺りを見回して最後に老師の方に顔を向け黙った。尤も暗いから表情は全く判らない。ただぞくぞくするような気配だけが伝わって来る。

「あれは仁秀《じんしゅう》さんのところの娘だと思うが、善くは知らんなあ。いつ頃からいるかな」

「じんしゅう、と云いますと、矢張りお坊さんなのですか？」

「否、本当は仁秀《ひとひで》とか読むんだろうな。愚僧達は皆音読みですからな。自然とそう呼んでおるが」

「その仁秀さんと云う人はどう云う人なのです？　何でも近在のご老人だとか、あるいは寺男だとか――」

「寺男というのは居りませんですな。寺男のするようなことを愚僧達は修行でやりよりますから。近在のご老人と云うのは、まあ当たっておりましょう。この寺の真後ろで、畑やりよりますんじゃ。今では寺の畑と区別がつかんようになっていますがな。愚僧がこの寺に来た時、初めて逢《お》うた。吃驚《びっくり》しましたけどなあ。愚僧のお師匠は知っておったのかどうか、その辺りのことは判らんのですが、どうもこの寺が発見される以前からずっと住んでおったらしいですわい」

「すると、こんな山地で農業を？」

「農業と云う程のものではない。自分達の喰う分だけ細細と作っていただけですな。仙人みたいな暮らししておった訳ですよ」

仙人——するとあの娘は仙女と云うところか。それならば齢をとらぬのも頷ける。

「ほれ、あんたら会いませんでしたかな、あの図体のでかい、哲童と云う雲水」

「はあ、ちらりと見ただけですが、何でもその仁秀さんのお孫さんだとか——」

「孫？　仁秀さんはそんな齢じゃない。もっと年配だ。だから血が繋がってるなら曾孫《ひまご》くらいか。否、あれは血が繋がっておる訳ではないか。まあ、その哲童と鈴と三人で暮らしよりますのじゃ。だからそう、大層な年寄りですがな、元気だ。腰も曲がっておらん。愚僧より齢は上かもしれんが、余程矍鑠《かくしゃく》としておるなあ。いやはや、愚僧は修行が足りん」

「そんなお年寄りがこんな山中に？　先祖代代住んでいたのかな？」

「さあなあ。あの爺さん爽然《さっぱり》己のことは話しよらんからな。しかし、読み書きもできるようだし、学もあるようだ。もしや厭世隠遁《えんせいいんとん》、世捨て人の類なのかもしれんな」

「その哲童さんと鈴さんですか？　そのお二人共、仁秀さんと血が繋がっていない――とか仰いましたが、それはどう云う？」

「哲童は愚僧が山に入った時はおらんかったが――否、居ったのかな。居ったとしても乳飲み子じゃろうなあ。いつの間にか畑仕事を手伝っておって、そのままここに出入りするようになって、気がつくと僧の作務を手伝っておって、結局は僧になってしまいよったですよ。幾ら何でも仁秀さんが産む訳ないからのう。だから捨て子か何かなんだと思いますな。拾ったのじゃないか。鈴も一緒ですわい。鈴は――そうよなぁ、いつから居ったのか、見かけるようになったのは――ここ三四年くらいですかなぁ」

「三四年？　すると戦後のことなのですか？」

それでは十三年前の目撃談は――どうなる？

「そう。戦後のことですな。否、戦前から居ったのかもしれないが、小さい頃は見かけませんでしたなあ。そう、そう云えば何でも、ずっと病がちだったとか云うとったかなぁ。今はあの通り元気だが、矢張り少しだけ――うん。だから多分あれも捨て子か、迷子だったのでしょうな」

即座に益田が警官らしい反応をした。

「しかし本当にそうなら警察に届けるなりして保護しなけりゃいけないでしょう。教育だって受けさせなけりゃいけない」

「ああ、それはそうなんでしょうがな、どうもあの兄妹、まあ本当の兄妹ではないが、一人ともその、少し知恵が遅れておりますす。下界の学校には到底行けないと——まあ傍《はた》から観ておるだけですからどの程度のものか判りませんがな。そう思いますなあ。しかしここでは何とか巧くやっておる。何不自由なく暮らしとる。哲童なんてのは、言葉は不自由だが、実に勤勉に作務をする。それに誰に聞くのか解らんが公案を一生懸命に考えておる」

「公案？　さっきの、あの牛がどうしたとか云う、小難しい奴ですか？」

益田は実に嫌な声を出した。

「そうそう。哲童は誰からかそれを聞いて来て、毎日考えておるようだ。公案は幾つもあるでな。千種類からある。解いても解いても尽きることはない」

「しかし老師さん、あなたは先程、公案は考えちゃいけないとか仰ってませんでしたか？」

「まあそうなんだが、哲童は洒落た答を捻《ひね》り出そうとか、理屈を捏《こ》ねくり回すとか、そう云うことをしておるのではないのですわい。真剣に、本気で考えておる。それで偶《たま》に愚僧のところ何ぞに来て、たどたどしい言葉でな、是是《これこれ》こう思うが如何《いかが》なものかと尋きよる。中中珍妙なことも云いますがね、これが真摯《しんし》でな。愚僧などは教えられることも多いわい」

「はあ」

「それで——」

飯窪が発言した。少し落ち着いたらしい。

「そのすずと云う娘さんの——お齢は？」

「そうなあ。十二か三か」

「そう——なのですか。え？　十二か十三？　じゃあ——でも——もし」

語尾がどんどん小さくなって消えた。限りなく歯切れの悪い、疑問を孕《はら》んだ終わり方である。

何か——知っている。

私は飯窪を見る。矢張り影を被っていて善く見えぬ。日中から既に色を失っていたこの女性は、今や光さえ完全に失っている。

飯窪は先程謎の僧と振袖娘の双方に過剰に反応した。私には両者の関係など到底考えつかない。様子を伺う。飯窪の影が、そして老師の影が、全員の影がぐにゃりと大きく揺れた。

次の瞬間。

ふ、と明かりが掻き消えた。

真の闇が我我を包んだ。

老師のいた方向から、

老師の声がした。

「おう、蠟燭《ろうそく》も尽きたようですな。もういい時間だろうて。おい、誰か、誰かいないかな」

いったい何時になったのだろう。

ここに来たのが午後十時三十分程。たっぷり二時間以上は話した筈だ。ならば日付けも変わっている筈である。午前三時半の起床まで後三時間もないと云うことか。

侍者は中中訪れなかった。寝てしまったものか。

「何じゃ、詮方《せんかた》ないのう。申し訳ないですなあ。今明かりを——」

襖が開く気配がした。

気配ではなかった。

手燭を持った大男の影がそこにあった。

「おお？　お前哲童か？　哲童、何でお前が居るんじゃ？　他の者はどうした？」

「シケツ」

「何じゃ？」

異様だ。何だかとても異様だった。

「シケツとは何か」

抑揚のない喋り方である。黒い大きな躰の、顔の辺りだけが仄《ほの》かに明るい。目を凝《こ》らして善く見ると哲童は作務衣を着ており、手拭いを頭に巻き、背負子《しょいこ》のようなものを背負っているらしかった。

「しけつって止血のことか？　何を云うとる？　まあいい。その明かりを持って来い。それから誰か案内の者を呼んでくれ。侍者も誰もおらん」

「申し訳ございません老師様。その——」

哲童の背後から三人の僧が慌ただしく現れた。

「どうも、つい——」

「ああいいわい。罰策はなしじゃ。このような刻限まで話し込んでおった愚僧が悪かった。慈行に知れたらこっちが罰策ものだ。それ、皆さんをご案内せい。おお、勝手ばかりで誠にすまん。皆様、これくらいで宜しいかな？」

老師は我我に向き直ってそう云った。

「は、はあ大変参考になりましたです。どうもご協力有り難うございました」

益田が最初に礼を述べ、我我はそれに続いて次次と頭を下げ、立ち上がった。私はすっかり足が痺《しび》れており、それを悟られないようにそろそろと立ち上がったが、一度蹌踉《よろ》めいた。

こうして会見は唐突に終了した。


哲童はいつの間にかいなくなっており、先程の僧達が次次入室して来て我我を導いた。

「あの、老師様」

今川がひとり、すうっと老師に近づいた。

「宜しければその、後少しお話を――いえ、何分とかからないのです」

「ああ――」

老師がその申し出を許諾した時、既に部屋の中には私しか残っていなかった。今川は当然私に了解を求めた。

「関口さん。僕はすぐ後を追います。皆さんお先に戻っていて欲しいのです」

「あ、はあ」

そして私は部屋を出て、理致殿を後にした。

内律殿には非常に簡素な――と云うより粗末な――蒲団が用意されていた。豪く寒かったから私などはすぐに蒲団を羽織ったが、誰も眠る者はいなかった。

時刻は私の予想を上回り、午前一時をとうに過ぎていたのである。起床時間まで二時間もない。鳥口など一度眠ると何十時間でも起きないからとても眠れるものではない。

今川は本当に、十分も経《た》たぬうちにすぐ戻った。

何やかやしているうちに朝はすぐに訪れた。

喧《やかま》しくも厳粛な鈴の音が聞こえ、少し弛《ゆる》みかかっていた私は強制的に引き締められた。

早朝の取材に関しては、予《あらかじ》め撮影場所や段取りを決めておいたらしく、敦子と飯窪の動きには実に無駄がなかった。鳥口もいつになく機敏に動いた。私と益田はただ愚かしく後にくっついて走り回っただけだった。

そして――。

そして、私は今完全に弛緩《しかん》しているのだ。

「ああ、どうしても巧く書けません」

敦子はそう云った後、座ったまま両手を伸ばしてうん、と背伸びをした。

「坐禅に就いては何の説明もお聞きしていないんですよね。昨日も――」

ああ、と返事をしようと思ったのだが、欠伸《あくび》が混じってふぁあ、と云ってしまった。

「私、もう一度泰全老師のところに伺おうかしら」

「ふぁあ、それがいいよ敦っちゃん。あの人が一番話が通じそうだ」

また欠伸が混じってしまった。

「先生、一緒に如何です？」

「僕？　まあ、行ってもいいが――敦っちゃんそんなに無理をしない方がいいよ」

「でも何の写真撮ったのか後で判らなくなるといけないし、この雰囲気の中で書いてしまった方がいいような気がするもんですから」

「それなら僕も見ているしね。鳥口君だっているじゃないか。それにどうしても判らなきゃ京極堂に尋けばいいよ。大概知ってるよ」

「兄貴の世話にはなりたくないんです」

「そうか。だが、僕等はまだ容疑者だか被疑者だかだから、本当はこの益田刑事を起こさなきゃ勝手な真似はできない訳だ」

「今川さんも飯窪さんも無断で出てるんですよ」

「しかしなぁ」

「ぼ、僕は起きています！」

益田が真っ赤な眼を無理矢理見開いてむっくりと起き上がった。

「ち、中禅寺さん。その、老師のところへ行きましょう。僕はもう少し聞きたいことがあるのです。それを聞かないうちは山を降りられないです」

呂律《ろれつ》が回っていない。益田は相当無理をしているようだ。敦子のいる手前格好をつけているのかもしれない。それに比べて鳥口などは大鼾《おおいびき》である。口まで開けている。私は涎《よだれ》が垂れぬかと要らぬ心配をした。鳥口とて敦子に見られたくはなかろう。

当の敦子の方はそんなものは一向目に入っていないらしく、それじゃあ行きましょう、と元気に云って勢い良く立ち上がった。益田は充血した眼のままふらふらとそれに続き、私も行き懸かり上どう仕様もなくなって、わざと大儀そうに立ち上がった。

外は相変わらず寒くてやけに明るかった。

敦子が眩しそうに眼を細めて云った。

「そう云えば——今朝の朝課の時、泰全老師はいらっしゃったでしょうか？　お姿を見なかったような気がするんですが」

「さあ。後ろから見ると坊主は皆坊主頭だから、善く判らないなあ。そう云えば見なかったような気もするけれど」

正直なところ私は泰全と云う人の顔が思い出せない。暗がりに浮かび上がる皺の陰影以外、何も印象がないのである。

益田が云った。

「あの人はお高齢《とし》だから朝のお経は免除されてるんじゃないんですか？」

「でも昨晩はちゃんとお勤めはしよるから、って仰っていましたわ」

「じゃあ寝坊したんでしょう」

「そんなことあるかしら——」

敦子は一寸首を曲げて数回瞬《まばた》きをした。ほんの少しだけ眠そうだった。

その時風を切るような音がした。

横の回廊を手を胸の前で組み合わせた——叉手《しゃしゅ》と云うらしい——数人の僧侶が、豪い勢いで駆け抜けて行ったのである。速度は早いのに跫《あしおと》はしない。独特の走り方である。

「どうしたのでしょう？　何かあったのかしら」

「あ、慈行さんが」

矢張り叉手を胸に翳《かざ》して、耳で風を切るように慈行が現れた。後ろに二人の従者を連れている。法衣の袖が風を孕《はら》んで丸く脹らんでいた。

慈行は我々の姿を認めるとぴたりと止まった。申し合わせたように従者も止まる。

慈行は人形のような顔をこちらに向けた。蒼冷《あおざ》めている。

「益田殿——でしたな」

「は？　そうですが」

「こちらへ」

「へ？」

慈行は私と敦子をきつく睨んでから

「東司《とうす》へ——ご同道願いたい」

と張りのある声で云った。

「とうす？　とうすってどこです」

益田は蛇に見入られた蛙のようなもので、まるで腑抜《ふぬ》けの如き表情で横の敦子に助けを求めた。

「東司とはご不浄のことですよ益田さん」

「便所？　なんで僕があの人と便所に——」

「お早く」

慈行は斬りつけるような厳しい声で一喝して再び早足で去った。益田は少し動揺し、結局回廊の外を伴走するような格好で慈行達の後を追った。私と敦子は顔を見合わせ、更にその後を追った。


どこから建物に入るものか戸惑い、結局益田もかなり遅れたから、我我は三人一緒にその場所に到着した。そこには今川も、飯窪もいた。

更に祐賢も、常信もいた。作務衣や法衣の僧達がそここに立ち竦んで放心している。

どこが変だと云うこともなかったのに、何故か異様な光景だった。戒律の厳しい禅寺の景色とは思えなかったのだ。今朝見た、一挙手一投足まで統率の取れた、足の指まで神経の行き届いた僧達の姿はそこにはなかった。何だか芯が抜けて、空気が乱れている。目に見えぬ秩序が崩壊していた。

「いったい何があったのですか」

益田が祐賢に尋いた。

「うむ——」

祐賢は岩のような顔を更に堅くして、ただ眉間に皺を寄せた。

「どうしたことです？」

私は今川の横についてこっそり尋いた。

今川はただゆっくりと首を横に振った。団栗《どんぐり》のような眼を丸く剝いている。飯窪は幽鬼のように立ち竦んでいる。私は已を得ず目を転じた。

廊下に木戸が並んでいる。ここが東司――所謂便所なのだろう。内律殿には独立して厠《かわや》が設けられていたから、私はこの場所を勿論初めて見た。流石に便所までは取材をしない。

一番奥の扉が開いている。その陰から慈行が出て来た。

「何と――云うことだ」

慈行は震えていた。

益田が二人程僧を掻き分けて慈行に駆け寄った。

「慈行さん。何だと云うのです？」

慈行は背筋が寒くなる程冷徹な眼差しで益田を見下した。そして輪をかけて冷ややかに云った。

「許されないことです。こんな無秩序な――無節操なこと――あ、あなたがたが――」

私も前に出た。敦子も続いた。

「――あなたがたが掻き乱すからこんなことが起きるッ！」

慈行は臓躁的《ヒステリック》にそう叫んで、半分程開いていた扉を乱暴に叩いて全開にした。

時代劇で見るような木の雪隠《せっちん》である。

そこに。

脚が二本生えていた。

逆さまに——頭から人が突っ込んでいるのだ。

衣服は捲れ、すっかり張りを失った二本の棒は意志も何もなく、だらしなく左右に開いている。青黒いぶよぶよした皮膚がまるで作り物のようだ。

どうなっているのか善く判らなかった。自然に人体がとるような格好ではない。

つまりは——。

これは屍体なのである。屍体を頭から雪隠に思い切り突っ込んで、のけ反らせるようにしてバランスをとっているのだろう。

床面が少し破損している。肩の辺りまで無理矢理押し込んだのだろう。

善く見ると不自然に折れ曲がった両手も窺える。

老人のようである。

「これは——」

益田が漸くそれだけ云った。

敦子が呟いた。

「た、泰全——老師？」

「え？　これ、泰全さん？」

益田はびくりと一度跳ねてから一歩踏み込んで、屈んで覗き込むような姿勢をとった。

「ああ？　ああこりゃあ」

絞り出すような声を上げて益田は立ち上がり、向き直って全員を見た。

「げ、現場は、は、発見当時のままかな」

声が裏返っている。

「は、発見者は——ええ、こりゃあ」

誰も何も答えなかった。ひと言も声を発する者はなく、益田は孤立した。

「益田さん、ここは私が——早く、早く応援を」

敦子が云った。

「そ、そうですね、お、お願いします。げ、現場の保存は、か、確実に。すぐに戻ります」

「愚かしい！」

慈行が大声で云った。

益田は転げるようにして去った。

私は昨日まで老師と呼ばれていた二本の脚をただ見つめていた。

＊

消防團生活《せうばうだんせいくわつ》 三拾六年間《さんじふろくねんかん》の想《おも》ひ出《で》

大正六年に溫泉村《をんせんむら》消防組第二部に入團《にふだん》し、以来三拾五年餘。筒持《つつも》ち小頭《こがしら》と勤め、此の度、退團する運びと相成りました。笹原翁より、記念に一文をと乞はれ、慣れぬ駄文を書き記します。

本年、私達の消防團にも漸く消防手輸送用の小型トラックが配備される事と成りました。これで現場へ赴く時間もグンと短くなり、より良い消火活動なり救命活動なりが出來るやうになる筈で有ります。

戰前まで消防團は消防組と呼ばれ、消防手も法被《はっぴ》に腹巻きと云ふ、チャンバラ寫眞の火消し宛《さなが》らの粋《いき》な恰好をして居りました。戰争のあひだは警防團《けいばうだん》と名を變《か》へ、村々の銃後の護りを申しつかりました。有事の最中ですから衣裳は地味なものに變はりましたが、装備の方は相變はらずで、随分と心許なき思ひを致しました。

其の當時《たうじ》と比べますと格段の進歩であり、實《じつ》に嬉しく思ひます。

装備の所爲《せい》にはしたくありませんが、麓の町と違つて、山間部に於ては迅速《じんそく》な移動が困難になるのです。その上水源の確保が思ふ様に出來ぬ地域も多い。

何しろ今までは大八車です。此の山坂の多い箱根の町や村を喞筒《ポンプ》を乘せて走り回《まわ》るのですから、大變な勞力です。坂を登る時は繩で牽き後を押し、それはそれで難儀なのですが、問題は坂を下る時で、逆に後ろに繩を付けて牽き、滑り落ちない樣に注意し乍《なが》ら下らねばなりません。下手に慌てて坂を滑り落ちたりしてしまうと、喞筒が壞れるだけでなく、牽き手押し手の團員も怪我をしてしまふのです。

重勞働であるのに加へて危險極まりない。

現場に着けば着いたで今度は交代で喞筒を押しての水出しです。トーハツが配置されたのは戰後の事で、私が現場に出てゐた頃は手押し喞筒でした。これも大變です。冬場でも汗だくになる。皆懸命にやりましたが、さう云ふ惡條件の下ですから巧く消火活動が出來ぬ場合もあり、それが悔しかつた。

足掛け三拾六年に亙る消防團生活で一番悔しい思ひをしたのが、忘れもしない昭和拾五年の正月三日の火災で有りました。

まだ御屠蘇《おとそ》氣分の内でしたから氣も緩んでいたのでせうか。いいえ、そんな事は無いと思ひます。醉つて居やうが寢て居やうが、火事と云ふ聲を一聲聞けば我等はしやんとする。醉ひも眠氣も醒めてしまふ。それが消防夫と云ふものです。

只、其の年は例年より降雪も多く、道が惡かつた。

重ねて不幸な事故もあつたのです。

火災の場處は小涌谷から更に分け入つた小さな村でした。山道を登る途中で、大八車を牽く綱が切れたのです。私は後ろから車を押してゐたのですが、急に豪《えら》い重さがかかつて、車諸共坂下迄滑り落ちてしまひました。一緒に押してゐた二人の内一人は、指を潰される大怪我、もう一人は腰を強く打つて歩けなくなつてしまひました。

幸ひ喞筒は無事でした。私は掠り傷でしたので殘りの團員と力を併せ、必死の思ひで坂を登りましたが、大幅に到着は遲れてしまひました。

殘念乍ら全燒でした。

五人もの燒死人が出た。

震災や颱風《たいふう》のやうな大きな災害の時は兎も角、火災で其だけ死人が出たのは私の經驗上他に記憶が有りません。是《これ》が私の長き消防生活の中での一番の屈辱で有ります。私達は餘りに悔しくて、歸宅後男泣きに泣いた覺えが有ります。

後五分、否一分到着が早かつたら若しかして一人でも助かつてゐたかと思ふと、今でも遣り切れぬ悔恨の念が湧き上がる程です。

只、警察が到着するまでの間、現場を悉《つぶ》さに檢分しましたが、どうにも不審が多かつた。慥かに到着が遲れたのは事實ですが、其れにしても火の回りが早過ぎる。どうも一箇處から火が出たやうには思へ無かつた。

奥座敷に御主人夫婦の御遺體《ごいたい》が有つて、どうも其處《そこ》から出火したのは間違ひ無いやうでしたが、建物の焼け具合を見ると、玄關、勝手口が先に燃えてゐる。燃え移つたと云ふには随分妙な具合でした。それに、女中部屋も善く焼けてゐて、其處で三人亡くなつていた。だから警察に是は火付けですと再三申し上げたが、結局犯人が捕まつたと云ふ話は未だに聞きません。

それも悔しく思ふ理由のひとつで有ります。

自動車の配備や技術の進歩等で、此のやうな悔しい思ひ、悲しい思ひをする事も少なくなるだらうかと思ふと、感無量であります。後輩の皆様、今後も益々箱根の安全の爲に頑張つて下さい。

昭和二十八年元日
最後の出初め式を前に記す

箱根消防團底倉分團　堀越牧藏《はりごしまきぞう》

＊

5

益田は山下警部補と菅原刑事、それに警官二人を伴って三十分程で戻って来た。

往復三時間はかかろうと云う行程であるから、幾ら何でも早過ぎる。どうやら山下達は既に明慧寺《こちら》に向けて出発していたらしい。呼びに行った益田と、山中で行き合ったものと思われた。

山下は相変わらず混乱していた。

尤《もっと》も私とても冷静でいた訳ではない。混乱することさえ放棄していただけである。それは他の者も同様であり、勿論僧達も例外ではなかった。

山下は到着早早名乗りもせずに現場に直行し、警官二人にそこを見張らせると、我我も含めた僧侶全員を強制的に外へ出した。既に鑑識や捜査員などの応援要請は手配済みらしい。

山下は全員を見渡して叫んだ。

「と、兎に角全員どこかの部屋に纏《まと》めておけ。応援が到着するまで誰も、一歩もそこから出すな！」

当然のように慈行が反発した。

「それは困ったことを。凡《およ》そ承服し兼ねます」

「困る？　何を戯《たわ》けたことを云っているんだ。貴様等全員重要参考人だ。否、容疑者なんだぞ。勝手な真似は許さん！　日本は法治国家だ。貴様等も日本国民ならば法律を遵守する義務がある！　私の命令に背く者は捜査妨害と見做して即刻逮捕する！」

山下はそれは物凄い見幕で捲《ま》くし立てた。

それに対して慈行は吐き捨てるように応対した。

「嗚呼《ああ》、何と云う横暴な物云いであろう！　仮令《たとえ》この中に犯人がいようとも、この状況でこの場を逃げ出す愚者など居らぬでしょう！　そもそも当山の雲水の中に不殺生戒を破るが如き不届き者が居る筈もない。さすれば、彼《か》の凶行は外部の者の仕業でありましょうや。ならばこの惨状は警察官がついて居り乍らの不祥事と云うこと。尊公、いったい如何《いか》なる形で責任をとるおつもりです！　我我は被害者なのです。そのような無礼な態度は人権の侵害でしかない！」

「待て慈行さん。状況をお考えになるがいい。ここは警察に従うが得策である」

「それは――維那《いの》である祐賢和尚のお言葉とも思えませんね。斯の如き無秩序、私は許せません」

「許す許さぬの問題ではなかろうぞ。了稔さんに続き、他ならぬ泰全老師が殺されたのである。しかも山内、否、境内、否否、堂内でだ。あんたはそれでも通常通りの行持《ぎょうじ》を執り行うと仰るか」

「無論です。凶事《アクシデント》で行持《スケジュール》が乱るるなど笑止」

「普段通り振る舞うことのみが修行ではあるまい。どのような状況でも修行は修行だ。私は維那として警察に従うべく僧を指導せねばならんな！」

「さあどうでもいいからさっさと云う通りにしろ。益田！　どこか適当なところに集めろ」

「そんな適当なところと云われましても」

「境内を勝手に動き回ることは罷りなりません！」

「まだ云うか慈行さん」

「あ――」

錯乱に水を注《さ》したのは常信だった。

「じ、慈行様、お願いです。ここは警察に、警察の監視下に全員を――ここは云われるままに」

「何？　それはどう云うことです。常信和尚」

「だから慈行様。こ、この中に犯人がいるかどうかは別の話だ。この凶行が――これだけで、済むと云う保証は、一切ないと云うことです。あなたは兎も角、つ、次は私か、否、貫首かもしれない」

「何？」

「まだこんな凶行が続くと云うのかあんた！」

「い、いや、わ、解らぬでしょう、そ——」

「愚かなことを常信和尚。気でも違うたか」

「気が狂《ふ》れておるのはそちらだ慈行様」

「何ですと——」


「静まれ見苦しい！」


地の底から響き出るような威厳のある声だった。

僧達の垣根が一斉に二手に分かれ、長い間失われていた秩序が一瞬にして回復した。

法堂を背にして実に立派な僧が立っていた。

脇に二人の侍者を従えている。

金糸銀糸で織り上げた美しい袈裟を纏った大柄な僧である。その袈裟の高貴な模様には見覚えがあった。朝課の際に法堂の中心に座した僧が纏っていたものである。つまり——。

「あ——あんたは？　おい菅原君。この人は？」

一同は悉《ことごと》く鎮《しず》まったものの、山下の混乱だけは増幅したようだった。まるで威厳を失っている。高が国家地方警察の警部補風情では到底立ち向かえない圧迫感を、その僧は十二分に持っていた。

「拙僧は当山貫首円覚丹である」

「あ、あなたが——」

高僧然としたと風貌と云うのは、正にこのような風貌のことだ。開いているのか閉じているのか判らない眼はどこを視ているでもなく、向き合った世界全部を威圧していた。

しかし、その圧倒的な無言の威圧感は先《ま》ず慈行を直撃したようだった。

「げ、猊下《げいか》、なぜこのような場所に」

「慈行。これは如何なる故の醜態であるか。誠に見苦しい。警察の方に無礼であろう」

「し、しかし」

「云い訳無用。山内の行持乱るるは、監院の不行き届き。僧の綱紀乱るるは、維那の不行き届き。それを外来貴賓の所為にするとは多いなる欺瞞である！」

覚丹はゆるりと首を回した。

そして云った。

「哲童。慈行と祐賢に罰策の十もくれてやれ」

一番後方でことの成り行きを茫然と眺めていた哲童は、突然《とつぜん》の指名に驚くでもなく、また返事をするでもなく、のそりと真ん中に出て来た。

予測不能の展開だった。私達は勿論、山下以下の警察関係者すらも全く口出しができず、ただ立ち竦《すく》み見守るよりなくなってしまった。

　哲童は昨夜にも増して巨漢に見えた。今日は作務衣《さむえ》ではなく、法衣の袖を捲って襷掛《たすきが》けをしている。荒法師そのままの異様な風体である。

　手には平たい木の棒を持っている。

　警策《きょうさく》と云う、修行僧を打ち据える棒だ。

　慈行と祐賢は幾分悲壮な表情になり、黙したまま雪上に座してやや項垂《うなだ》れた。

　怪僧哲童は、先ず慈行の真後ろに立つと、警策をその肩口にぴたりと当てた。

　私は哲童の顔を接接《まじまじ》と見つめた。長い顔である。額が迫《せ》り出している。落ち窪んだ眼中の眸に輝きはなく、小鼻をひくひくさせる以外は無表情に近い。この面相では凡そ喜怒哀楽は読み取り難い。

　哲童は無言で警策を高く振り上げ、思い切り振り下ろした。

　畳でも叩くような鈍い音がした。

　慈行は一礼した。

「お、おい止せ、そんな、子供じゃあるまいし何でぶつんだ！」

　山下は全く状況認識ができていないらしく、止めに入ろうとして益田に引き止められた。

「何で止めるんだ益田！　おい。暴力はいかん。貫首、暴力はいかん。即刻止めさせろ」

　山下が喚いているうちに二発、三発と警策は振り下ろされた。

　かなりの強さである。容赦はない。

「おい、あんた、聞いているのか？　民主主義社会に暴力的解決はないッ。如何なる罪に対しても体罰はいかん！　止めさせろッ」

「静かに。気が散る」

「は？」

「体罰ではない」

「体罰だよ。体罰だろう？」

誰も答えなかった。哲童は祐賢の後に移った。

「誰が誰を裁いているのでもない。罪に対する罰でもない。叩く以外に道はないのだ」

「何？」

祐賢を五回ぶったところで警策は折れた。

「そこまで。哲童、ご苦労。下がるがいい」

覚丹が厳かに云った。

哲童は無言で手を止めた。

祐賢は深く礼をした。

慈行の肌からはすっかり血の気が失せ、目を閉じて項垂《うなだ》れた美僧は、衛生博覧会の如何《いかが》わしい生き人形のようで、何だかやけに艶《なま》めかしかった。

「さて——当山の貫首は拙僧であるが、警察の責任者の方はどなたであろう」

「ああ、私だ」

「誠にご迷惑をおかけ致した。雲水の不行き届きは拙僧が代わって懺謝《さんじゃ》致そう。すまなかった」

覚丹は頭を下げた。

「あ、いやその」

山下は落ち着きをなくし、乱れた前髪を掻き上げた。山下は今、この場で一番偉い者に頭を下げられたのだ。つまりは一気に頂点に登り詰めた格好なのである。この状況は、彼にしてみれば、謂わば復権を果たしたのと同様の状況なのである。山下は二度三度咳払いをしてから、思い切り偉そうに云った。

「ええ――これは実に凶悪な殺人事件である。調べてみなければ断定はできないが、連続殺人事件である可能性も非常に高い。これは由由しきことだ。以降捜査には全面的に協力するように。あんたがたは坊主である前に日本の国民なんだから、そう云う義務があるんだ。尋かれたことは包み隠さず証言するようにして欲しい。また捜査員の指示には全面的に従うように。さもなければ当局も法律に則ってそれなりの処置をとらねばならない。宜しいな」

山下は一気にそれだけ云ってふう、と大きく息を吐き出した。突如異国の王になったような気分なのだ。しかし所詮は小心者、緊張と戸惑いは隠せないと云ったところだろう。

覚丹は動かず、こう云った。

「名乗られるが良かろう」

「は?」

「名乗られるが良かろうと申し上げておる。拙僧は尊公が事実国家警察に奉職される者なのかどうかも確認しておらぬ」

「ああ　私は——」

山下は警察手帳を出した。

「——いいかな? 見たね。私は本当に警察官だよ。だから以降は従うように。ええと、先ず全員を——」

「馬鹿者!」

恫喝《どうかつ》されて山下は腰を抜かす程怯《ひる》んだ。その瞬間に山下の権威は失墜した。お山の大将は一瞬の栄華も味わわぬうちに失脚したのである。

「幾らこちらが礼を尽くそうとも、名乗りさえせぬ無礼者の云うことになど従うことはできんわ! 尊公、どれ程の者か!」

山下は泣きそうな顔になった。

「わ、私は警部補だ。い、いやこの事件の捜査主任だ。だから——」

「尊公がどのような身分であろうとも我等には一切無関係である!」

「い、いや、私はそんな、ただ国民は警察に協力をする義務が——」

「我等が僧として従うべきは仏法である。人として従うべきは道徳である。国民として従うべきは法律である。だが尊公個人に従わねばならぬ道理など、どこにもないわ。尊公は単に警察機構の一員であると云うだけではないか。尊公個人が偉い訳ではないであろう。勘違いなされるな」

山下は返す言葉もなくしたようだ。

菅原が見兼ねて云った。

「貫首さん。まああんたの云うことは解る。しかしこっちもな、好きでやってる訳じゃないんだな。私はこれで三度もお邪魔してる。最初に来た時はちゃんと名乗ったし礼も尽くしたですがな。それでもあんたがたが協力的でないことは慥かだよ。挙げ句こんなことになってしまった。だからまあこっちの態度も改めるが、そちらさんも——」

「尊公が菅原殿であるか」

「菅原です。こちらは神奈川本部の山下警部補。そっちにいるのが——」

「益田どのかな。聞いておる。如何にも——」

覚丹は重力を持った視線——正確には磁場のようなもので、体中から発散されているのだから視線とは呼べぬのだが——で一同を順に見回してから、重重しく云った。

「——了解致した。非礼はお許し願いたい。慈行」

「はい」

「以降は山下殿の指揮に従い、捜査には全面的に協力するように。大雄宝殿《だいゆうほうでん》と法堂以外を解放して、自由にして戴け。行持は凡て捜査優先で組み直すように。拙僧も必要とあらばいつでも応じる。山下殿」

「は、はい？」

「一日も早い——解決をお願い致します」

覚丹は再び礼をして去った。山下は一度突き落されて再び救い上げられたような格好になった。つまりいいように弄ばれたようなもので、最早威厳のかけらもない。山下は警部補としての自覚を取り戻すのにそれからたっぷり五分近くの時間を要した。

「す、菅原君。その——」

「解ってますよ。あんたも災難でしたな。ここは、万事あの調子だ。これからはそのつもりで。おおい、慈行さんか？　あんたその、どこか大きな部屋を貸してくれませんかな。そこに捜査本部を——移すんですな山下さん？」

「移すよ。仙石楼で調べることはもうない」

「そうですな。じゃあそこを貸してください。その近くの部屋に全員お坊さん集めて、応援が来るまで全員そこから出さないでな。修行するって云うなら坐禅でも正座でもさせておいてくれ。それから——ああ兄ちゃん、否、益田君か。その連中を昨日のところに纏めて。見張っといてくれんか」

その連中——我我取材班と今川は、再び内律殿に幽閉されることになった。

内律殿に戻ると鳥口はまだ熟睡していた。

起こしても起きぬことは解っていたので私などは最初《はな》から放っておいたのだが、他に起こそうと思う世話者もまたいないようだった。

益田も敦子も今川も、皆暗い顔をしてただ黙している。動揺と云うような明確な状態ではなく、誰もただ落ち着きの悪い気持ちと云うのに近い精神状態なのではあるまいか。飯窪は相変わらず血の気が引いていて、心中は察し難かった。

「関口さん」

益田が云った。

「どう——思われます？」

どうも思っていなかった。

「どうもこうもないでしょう。僕は——そうだな。当惑していますよ益田さん。慥かに老師は殺されていた。まあ殺人に違いはない。そしてつい何時間か前まで僕等はその死人と話をしていたんです。これは普通ならもっと——そう悲しいとか、吃驚《びっくり》したとか——まあ吃驚はしたのだけれど、兎に角そう云う気持ちになるのが普通でしょう。これは、人間として、と云うか社会倫理みたいなものに照らせば、まあ好ましいことではないのだろうけれど、正直なところ僕はそう云う一般的な感慨が持てないでいる」

「それは——僕もないんですよ関口さん。僕は刑事になって五年程になりますが、今まではまあ、大した事件じゃなくてもそれなりに義憤と云うか、その、何か社会正義を守る者としての感慨があったです。いいえ、刑事としての立場をそれ程意識していた訳じゃないな。ただ一般人でいるうちは殺人事件になんて遭遇しないじゃないですか。だからどんなつまらない——こう云う云い方は被害者に失礼だが——つまらない事故死みたいな事件でもですね、その、何と云うかなぁ。そう特別な死だったですよ。戦争でバラバラっと社会に殺されるのじゃない。どんなチンケな殺人事件でも、犯人がいる。動機がある。殺人事件は許せないですが、少なくとも戦争の大量殺人よりは個人の尊厳があった」

益田は見張りの刑事と云う立場を放棄して語っていた。それは多大に感情的であり、論理的でこそなかったが、私には少しだけ解る気がした。

「しかし何だか今回はそれがないんですよ。呆っ気ないと云うのもあるが、そう、別に死ぬこと、殺されることが大したことじゃないような——否、警官がこんなこと云っちゃいかんなあ」

「いや、益田君。気持ちは解る。僕も、不謹慎だが茶番劇染みた感じは持っているよ。了稔さんの事件に関しては、まあ僕は現場も見ていないし、勿論生前彼に会ったこともなかったから、幾ら屍体を見ても人ごとのようでね。その所為かとも思ったが、泰全さんはなあ。話もしたし、現場も見たが——」

それでどうした、と云う感じだったのだ。

誰かが泰全さんを殺して、逆さまにして雪隠に突っ込んだ。

それでどうした――。

実に。実に非人間的感情だ。これで良い訳がない。

昨年、幾つかの悲惨な事件を経験してしまって、私の中に馴れが生まれていたのか。

否――そうではないのだ。そんなことはない。

そう云うことではなかった。

敦子が云った。

「あれは――あの演出は何なのでしょう」

「演出？」

「あれは演出じゃないですか。私はそれ以外にあの状況を説明する言葉を思いつきません。真逆、ご不浄の中に落し込んで屍体を隠そうとしたとは思えないです。あれは何かの暗示、否――主張？　否、矢ッ張り演出なんですよ」

「犯人からのメッセージと云うことですか？」

「と云うか――悪巫山戯《わるふざけ》――そう云う感じでもないですよね」

敦子は両手で頬を覆うようにして考え込んだ。

慥かにそうだ。

あれで泰全老師が極普通の屍体として発見されていたなら——普通の屍体と云うのがどう云う状態を指すのか判らぬのだが——私ももっと別の感慨が持てたのかもしれない。

便所から突き出た二本の脚は、感傷だの悲憤だのと云う真摯な感情を吹き飛ばすだけの、一種馬鹿馬鹿しさを発散していた。泰全の屍体は特別に装飾されてしまったが故に、大西泰全と云う個——人格——特別性を失ってしまったのだ。屍体は人間としての尊厳すら失い、単なる巫山戯た物体《オブジェ》に成り下がってしまったのである。

だから——。

ならば。

「あの、敦っちゃんの云う演出は、故人を罵《のの》り呪うために施されたものなのではないかな。生前の泰全老師の人格を瀆《けが》し、貶《おと》め、辱《はずかし》めるために——」

「でも」

敦子は顔を上げた。

「それなら了稔さんはどうなるのです?」

「どうなるって?」

「益田さん。益田さんはこの二つの殺人事件を、無関係だとお考えになりますか?」

「そうは思いませんよ。幾らなんでもこれが別別の関連性のない事件だとしたら、あまりに偶然が勝ち過ぎている。これは連続殺人事件でしょう」

「それなら――あの樹の上の屍体も――遺棄したと云うよりも、演出だったと云うことにはなりませんか？」

「あ――そうか」

益田はぽかんと口を開けた。

「あそこに隠した、捨てたと云うより、あそこに飾った、あそこに置きたかったと」

「それなら――」

敦子は人差し指を額に当てた。

「樹上に置くことが果たして死者を侮辱することになるのでしょうか？　関口先生」

「それは――少なくとも僕の常識ではそれ程有効な辱め方ではないなぁ」

そう思った。

便所に突き立てることと樹上に放置することは、私の感性では同列にはならない。

「つまり敦っちゃんの云う屍体演出説を採るなら、便所と樹上が同列になるような理屈を見つけない限り犯人は判らないと云うことか」

「そうなんです。そんな理屈が私達の常識の中に発見できるとは思えないんです。私に知識や教養がないだけなのかもしれませんが」

「異常者の犯行――と云うことですか？」

益田が厭な顔をした。

「それも違うように思うんです。異常者と云う呼び方は私、嫌いなんですが、その一般に云われている異常快楽殺人とは違うと思います。そう云う人達にはそう云う人達の、外部には通用しない法則みたいなものがあって、それらの犯罪はその法則に則って行われる訳ですけれど、今回の事件は——まあ根拠はありませんが——その法則が、一般に異常者と云われている人達の内部で生成されたものではないような——個人の世界に止まっている類のものではないような気がして仕方がないんです」

「まあなあ」

私は過去に関わった事件を反芻《はんすう》していた。

事件の中に登場した屍体達は皆、ある時は放置され、ある時は切り刻まれ、首を落されていた。思い返せばひとつとして普通の屍体などなかったのだ。それらはある意味で——普通でなかったが故に——人として呪詛——死骸として祝福——されていた。どれもただの骸《むくろ》ではなかった訳である。犯人が、或は犯罪を取り囲む環境自体が抱え込んだ妄想——彼等にとっては現実——を実現し、或は維持し、或は破壊するために、屍体達は必要不可欠なものだったのである。彼等の物語にとって、それは死ななければならなかった屍体達に外ならなかったのだ。だから、事件の中の屍体達はいずれも純粋な被害者だった。中には名前も、顔さえ知らぬ屍体もあった訳だが、それらは私の中では同質に特別な屍体達だった。

今回は——。

どこかが違う。

敦子の云う通り、個人の意志も妄想も何だか関係ないような気がする。小坂了稔がどのような人生を歩んだどんな人間であろうとも、大西泰全がどう云う思想を持ったどう云う人格の僧侶であろうとも、そんなことはどうでもいいような——。

そんな事件なのだ。

この環境の所為だろうか。

慥かにここは私達の住む下界とは違う。

真相を解明しようとしている刑事達の方が余程道化に映る。この寺の僧侶全員を犯人と考える暴論よりも、この山自体が犯人だとする妄説の方がしっくりと来る。僧侶達は——私達も含めて——この山に捕えられた虜囚《りょしゅう》なのだ。その虜囚が何か人を越えた大きな意志によって次次粛清されているような——。

そうかもしれない。

——ここからは出られないのかのう。

泰全はそう云っていた。

——ここから出ること叶いませぬ。

——この檻は破れませぬ。

檻だ。

矢張りここは、この山は檻なのではないのか。

それなら何故、何故あの二人が――。

「私、今思いついたのですけれど――」

敦子の声が私の思考を中断した。

「――もしやあれは見立てではないのでしょうか」

「見立て？」

益田と、今川が反応した。

「見立てと云うと、その、水を酒だと云い張ったり、沢庵を卵焼きだと思って喰うような、その、長屋の花見みたいな奴ですか？　あの――」

「対象を別のものに擬《なぞらえ》て表現する、和歌や俳句で云う、あの見立てのことなのですか？」

益田は落語、今川は和歌俳句で理解したようだ。

敦子はええそうです、と云った。

「でも――何の見立てかは判りませんが」

見立てねえ、と云って益田は眼だけで天井の方を見た。

「ああ、探偵小説で何か読んだなあ。横溝正史《よこみぞせいし》だったかな？　そうか、あれも死骸を吊り上げたり飾ったりする話だったけれど――」

益田は落語も探偵小説もいけるらしい。

「そう、その通りです益田さん。そう云う理解の仕方をして初めて今回の事件も地に足がつくのではないかと、まあこれは希望的観測なんですが」

「ははあ。外側に理屈を求める訳か。僕にしちゃあ抽象的な云い方ですが。つまり、例えば殺すことよりも、あの演出をする方に意味があったと云うような――それなら少し解るな。殺した動機はあの演出に屍体が必要だったから、と云うことになる」

つまり――被害者は誰でも良かったと云うことだろうか？　犯人にとって殺人自体には動機も必然性もなくて、寧ろあの変な物体《オブジェ》を造ることの方にそれはあった、と云うことだろうか。そうだとすれば私の感じている違和感はそこに起因しているのか。

それは違うような気がした。

見立てと云うのは正しいような気がする。

しかし見立てが先にありき――と云うのはどうだろう。

今川が云った。

「それでは、泰全和尚は作品にされてしまったと云うことですか？　それは、違うと思うのです。いいえ、違うと思いたいのです。僕は――」

「何です？」

「――僕は、皆さんよりも衝撃が大きいと思うので、これは冷静な判断ではないかとは思うのですが」

「衝撃が大きい？　どう云うことです今川さん。ああ、そう云えばあなた、昨日も泰全さんの所に少し居残りしていたようだが――」

益田は急に刑事に戻ったような口調になって今川を糾《ただ》した。

今川はいつものもたついた水っぽい口調で答えた。

「はい。僕は、昨夜どうしても老師にお尋きしたいことがあってあの場に残ったのです。そして少しだけお話をして、明日もう一度来るように云われたのです」

「もう一度？」

益田はそこで息を呑み込んだ。

「すると今川さん。あなたは、今日も泰全さんと会っているのですか？」

「はい。会っているのです」

「会っているって――泰全さんは今日殺されたんですよ」

「しかしお会いしているのです。朝のお勤めの後、朝餉《あさげ》が終わったら来いと云われたので、お食事が済んだ頃合いを見計らって理致殿にお伺いしたのです」

「食事の後？　それであなた、取材中に姿を消したのですね？」

取材に同行した者――今川を除く五人は、僧達の食事風景を撮影したために少し遅めに朝食を摂ったのだ。その時今川は外出の用意を整えており、再び取材に出て、昼に戻った時には姿を消していた。

「今川さん。あなた何時頃まで理致殿にいたのですか？」

「はい。六時半から三十分程なのです。その後、暫くひとりで考えごとをして、八時半頃再び伺った時にはもう、老師はいらっしゃいませんでした」

「それからどうしたんです？　あんた昼も我我と別に摂《と》ってるでしょう」

「はい。この内律殿に戻って、ずっとここに居ったのです。正午になって英生さんが昼食を持って来てくれまして、皆さんが戻らないので先にひとりで食べ、それからもう一度理致殿に行ってみたのです。しかし、矢張り老師はお留守で、僕はどうしてもお会いしたかったので、寺の内部をうろうろしていたのですが、そうしたらその——」

「屍体発見の騒ぎに？」

「そうです。それだけです」

「それだけって——今川さん」

益田は尖った顎をくうと引いた。

「場合によっちゃあなたの証言は重要ですよ。大体あなた、何だってそんなに泰全さんとそう幾度も会いたかったんです？」

「はあ」

今川は不思議な顔をした。

「話せば長いような、短いような」

「あなた小坂了稔と従兄弟の関係を知りたいからここに来たんじゃなかったんですか？　それに就いて泰全さんは知っていることは皆あの場で語っていたじゃないですか。僕等も聞きましたよ。それ以外に何が知りたかったのです」

「はあ、悟り――いいや芸術――違いますねえ。そう、言葉にすると逃げて行くものに就いてです」

「は？」

　そう云えば昨日泰全は今川に云っていた。


――あんたもう解っている。

――言葉にすると逃げて行きますぞ。


　いったい何のことだったか。慥か芸術とは何かと云う話だったように記憶している。そう云えば、あの時今川は酷く感じ入っていたようにも思う。

　今川はもそり、と云った。

「僕は、芸術家の家系に生まれたのです」

「芸術家？」

「しかし実は、職人の家だったのです」

「職人？」

「そしてそれはどちらでも同じことで、そんなことを考えること自体が――ああ、矢ッ張り巧く云えないのです」

　そこで今川は不思議な顔を歪ませて煩悶《はんもん》した。

　益田は大いに納得が行かぬ風である。

「解らんなあ今川さん。職人と云やあ、あの樽作ったり壁塗ったりする人でしょう？　芸術家と云えばその、訳の解らない絵を描いたり珍妙な彫刻を彫ったりする人でしょう。全然違うじゃないですか」

「いいえ。一緒なのです。否、一緒と云うのは少し変ですが、そこの辺りが、どうも言葉にすると逃げて行くのです」

「はあ。それは言葉では表せんと云うことで？」

「そうなのです。その昔、僕は絵を巧く描くことで芸術家になれると、そう思っていたのです。そしてそれを父に正され、解らぬ儘《まま》に挫折して人生を送っていたのです。巧く描こうとすることが何故いけないのか、それがどうしても解らなかったのです。そして昨日、泰全和尚の話を聞いてそれが解った気がしたのです。しかし、気がしただけでは解っていることにはならないと、それもそう思いましたので、それで少し残ってお尋きしたのです。解ることと、解った気がすることは違うのですか――と」

「はあ。すると？」

「同じだ、と仰いました。しかし、解っているからと云って解った気がしているだけでは、解っていないのとも同じだとも仰った」

「全ッ然解りません。先の答と矛盾してます」

「僕もそう思ったのです。そこで、どちらなのですかと再度問うたのです。すると泰全和尚は、僕に公案をお話しになったのです」

「公案？　あああの謎謎か。どんな？」

教えを乞うた今川に対して出された公案は次のようなものであった。


その昔。ある僧が師匠に尋ねた。

――犬に仏性《ぶっしょう》はあるのでしょうか？

師匠は即答した。

――ある。

僧は重ねて尋ねた。

――それでは何故犬は畜生の姿でいるのですか？

師匠は答えた。

――仏性があると知りつつ悪業を為す業障《ごうしょう》故だ。

別の僧がもう一度同じことを尋いた。

――犬に仏性はあるのですか？

すると師匠は今度は、

――ない。

と即答した。そこでその僧が重ねて、

――何故ないのですか？

と問うと、

――仏性があることを知らぬからだ。無明《むみょう》の迷いの中にある故だ。

と師匠は答えた。


これは『狗子《くし》仏性』と云う名の公案らしい。

数ある公案の中でも、基本中の基本であると云う。勿論、出典や時代など私には皆目判らないから、それがどれだけ正確な再話なのかは判断できない。先ず今川の記憶が信用に足るものだと云う保証はなかったし、そもそも話す際に泰全老師が恣意的に改竄《かいざん》している可能性もあった。いずれにしても今川に対して与えられた公案はこのようなものだったそうだ。

「解んないなあ」

益田が云った。

「だって、どっちもその仏性――仏性ってのは仏の性質ってことでしょう？　その仏性はあるのが前提になってますよね。あるのに知らなければないになって、知ってい乍ら悪いことをするとあるになるんですか？　じゃあ、あるの方が悪い――否、そんなことはないか。解りませんよそんな詭弁」

「はあ。それで僕も解らないと云ったのです。そうしたら、否、解っている筈だと泰全和尚は仰ったのです」

「ふうん。他人から解っている筈だとか云われてもねえ、困るでしょうに。それで、その時泰全さんに何か変わった様子は？」

「はあ、狗子仏性を話して戴いている最中に、はあそうであったかと、何か気づかれたような、得心されたような素振りをされていたのです」

「そうであったか？　そう云ったのですか？」

「はい。それで、凡て話し終ってから、なる程、そうだ、いや今川君有り難う、と、今度は晴やかなお顔つきで仰ったのです」

「晴やかに有り難う？　何だろうなぁ」

「それから、あんたももう解っておる、ひと晩置いて明日また来いと仰ったのです」

「お礼を云って、また来いと？　それで今川さん、あなたひと晩――と云うか、何時間しかなかったのか。その――公案を考えたのですか？」

「はい。考えるなと云われても考えてしまいます。ただ、解答を考えていた訳ではないのですが、ずっと噛み締めるようにしていて、それで」

「それでって今川さん、あなたその答でも解ったのですか？」

「はあ、まあそんな気がした、いいえ、そうではなくて、何と云いますか——」

朝食をひとりで食べた今川は、一応取材班——私達が戻るのを待った。しかし戻って来た私達の様子はあまりに慌ただしくて、微妙な事情を説明する契機《きっかけ》を今川はすっかり逸してしまったのだそうだ。慥かに私達の食事の仕方は忙しかったと思う。今川はその間もずっと公案に就いて思いを巡らせており、気がついた時、私達は再び取材に出てしまっていたのだと云う。

仕方がなく今川は単独理致殿に向かった。

最初、這入《はい》り口から呼びかけても応答はなく、人の気配すらしなかったのだそうだ。

今川は時宜《タイミング》を外したかと途方に暮れ、建物の周りを一周した。

「その時、そうだ、哲童さんがいたのです」

「どこに？」

「理致殿の真裏の山から出て来たのです。位置関係から云うと、大雄宝殿の裏手に当たるのでしょうか。僕は声をかけたのですが、無視されたのです。哲童さんは——先程と同じ格好で、三門の方へ歩いて行きました」

今川はもう一度玄関に戻り、更に回って、昨夜会見が行われた部屋の外辺りに行くと、ものは試しと窓から泰全の名を呼んだのだそうだ。すると、今度は障子の向こうから声がしたのだと云う。

——誰《たれ》か。
——今川です。
——今川？
——古物商の今川なのです。
——ん、おお、古物商の今川さんかな。
——老師様でいらっしゃいますか。
——ほうじゃほうじゃ。
——昨晩お聞き致しました狗子仏性のお話に就きまして、その。
——狗子仏性？
——はい。その、善く考えてみたのですが。
——ほうか、狗子仏性、あんたも解けたか。
——はあ、そう思うのですが。

「矢ッ張り解けたんじゃないですか今川さん！」

益田がやけに高い声を発した。

「解けたと思った訳ではなかったのですが、その、矢張りこれは、あるけどない、なのではないかと思ったもので、僕は老師にそう云ったのです」

「はあ？　まあ昨日も公案には解答はないんだと云っていましたがね」

益田が首をやや曲げた。敦子が云った。

「そうじゃなくて、今川さんは犬に仏性はないが正解だとお考えになったのではないんですか？」

「やや？　しかしないのではなくあるのが基本で、あるのにないのが、ええ解り難い」

今川は奇妙な顔を二人に向けて釈明した。

「はあ、そうではなくて、あるのもないのと同じではないのかと云いたかったのです」

「はあ？」

「犬に仏性はあるが、それはないのと同じことなのではないかなあと、思ったのです」

「いや、今川さん。僕には解らないなあ。それで老師は何と？」

中から聞こえる老師の声は、今川の答を聞いた途端、急に張りのある声に変わったのだそうだ。

そう云えば昨晩も老師は幾色もの声色《こわいろ》を使い分けていた。

——見事。見事な領解《りょうげ》である。

「はあ、正解だったのですか？」

「公案に正解と云うのはないらしいのです。ただ老師は続けてこう仰った」

——山川草木悉有仏性《さんせんそうもくしつうぶっしょう》、而《しこう》して、天地万物有象皆無なり、無にあらわれ無に帰す。

老師は独り言のようにそう云って呵呵大笑《かかたいしょう》したのだそうである。そして続けて、

——それ以上は身を滅ぼしましょう。無無無無、それでいい。そもそも『無門關《むもんかん》』では斯《か》の如きに云う。狗子に還《かえ》って仏性有りや無しや、趙州《じょうしゅう》曰く無し。無しだ。潔《いさぎよ》い。

と云ったと云う。

「何ですかそのお経は。爽然《さっぱり》解らないな」

「まあ僕も善く意味は解らなかったのですが、しかし解った——この解ると云う言葉が悪いのです。どうも混乱の元です。通じ悪《にく》いです。僕は解らなかったのですが、その——」

「悟ったのですね今川さん」

　敦子が云った。

「こればかりのことで悟ったと云うのかどうかは解りませんが——また解らないが出て来てしまったです。本当に言葉と云うのは不自由です。しかしまあ紛《まぎ》らわしいので中禅寺さんの仰る通りに云い直します。僕は解らなかったですが悟ったのです」

「どう云う悟りです？」

「はあ。つまり凡ては無であり、無である以上あるとかないとか云うのは同じことだと。そこで僕は昨晩の僕の最初の質問、解ったことと解った気がすることは同じか否かと云う問いの解答が——」

「解っちゃったんですか？」

「敦子さんの言葉を借りれば悟ったのです。それは、巧く云えませんが、こうなのです。解っていても、解った気になった途端にそれは解っていないのと同じことになってしまう、つまり解った気になると云うのは、解ったこと自体を自分自身に説明している状態な訳です。本当は解っているのに、説明された段階でそれは本質ではなくなっている。だから解った気になっているうちは解ってはいるが解っていないのと変わりないのです。説明抜きで、解ったことそのものを、生きること自体で体現して、それで初めて解ったと云うことになるのでしょう」

ふうん、と益田が頭を抱えた。

「つまり、絵を描く時は、自分が紙になり筆になる、紙を紙として、筆を筆としているうちは、それはただ小手先の技術に過ぎないと――」

私には理解できなかった。論理《ロジック》としては解らないでもないが、実感は持てぬ。その差こそ解ると悟るの差なのかもしれない。所詮私は悟っていないのだ。

しかしそう云ってしまえばそんな気になるが、解ると悟るの差と云うのも、つまりは言葉の云い換えに過ぎないのではないか。精精《せいぜい》修辞《レトリック》の問題に摩《す》り替えて安心しているだけのような気もする。

それにその、朧《おぼろ》に理解できる論理とて、私にはとても老師の言葉から導き出された論理とは思えなかった。何か計り知れない飛躍があるようだ。そうするとその飛躍の部分が飛躍でなくなるか否かが、悟る悟らないの差なのかもしれない。

「何か奥が深いなあ。哲学と云うのですかね」

益田が云う。敦子が間髪を容れずに云った。

「益田さん。禅は哲学ではないそうですよ。禅のことを哲学だなんて云ったら、うちの兄貴なんかは、かんかんに怒りますよ」

京極堂が哲学をどう捉えているのか聞いたことはないが、今の敦子の云い方だと余程禅とは距離を置いて捉えているようである。今のところ私には区別がつかない。

益田は京極堂を知らぬから、ただへえと首を竦《すく》めた。

今川は続けた。

「僕がその細《さき》やかな悟りを得た——悟りは得るものではないそうですが——まあそう云う境地に行き着いたのは、しかし老師のお言葉を聞いてすぐのことではないのです。一度理致殿を離れ、この内律殿に向かってから後なのです。老師のお言葉を、理解できぬなりに何度か咀嚼《そしゃく》して、漸く到った訳です。そこでもう一度理致殿に向かったのです。どうしてもその境地を泰全和尚に報せたかった訳です。それがそう、八時半頃で、今度は幾らお呼びしてもお返事はなかったです」

ならば、泰全は七時から八時半の間に殺害されたと云うことになるのだろうか。

益田は感心して云った。

「なる程なあ。それで今川さん。悟っちゃったあなたとしちゃあ、今回のあれは見立ではないと、こう思われる訳ですな」

悟ったとか仰るのは止して欲しいですと今川は云った。

「本当の覚者に叱られるような気がするのです。僕が、何故見立てでないと思ったかと云うと、僕は了稔さんの現場も泰全さんの現場も両方この目で見たのですが何等他のものには見えなかった——からなのです」

「他のものに見えなかった？」

「そうなのです。了稔さんの屍体は、僕には座っているお坊さんにしか見えませんでした。ああ、あれは最初樹の上にあった訳ですから、樹の上で座っているお坊さんなのですね。そのままです。泰全和尚などは、便所に逆立ちして突っ込まれた屍体にしか見えなかったのです。つまりこれが見立てだとしたら、了稔さんは『樹の上で座禅を組むお坊さん』に見立てられていたことになり、泰全和尚は『便所に逆さまに突っ込まれた屍体』に見立てられたと云うことになるのです」

「なる程——そりゃ見立てじゃなくてそのままだ」

「ああそうか——」

　敦子は再び頬を押えた。

「——見立てと云うのは何か別のものに擬《なぞら》えるから見立てなんですよね。あれはあれ以外の何にも見えないんだ——見えないですね。本当に。つまりあれはやはり下卑た演出に外ならない——のでしょうか」

　敦子は現場を思い出しているらしい。

　逆さまに便所に突き立った無様な屍体。

　何にも見立てられない。

　あんなもの——。

　あんなもの何も象徴していない。

あの不格好な有様は、矢張り死者への冒瀆と云う以外にないのだろうか。単なる悪戯にしては酷過ぎる。猛烈な悪意の末の所業なのか。否、それも違う。違うように思う。

今川が云った。

「そうなのです。あれが見立てなら、また変梃《へんてこ》なものに見立てたものです。僕は、泰全和尚があんな変なものに見立てられてしまうのも、そのために殺されてしまったと云う結論も、少しばかりその、遣る瀬《やるせ》ないのです。何か他の理由で已《やむ》を得ずああなったと思いたいです。豪《えら》く短いつき合いでしたが、何か弟子にでもなったような感じを持っていたもので。それだけです」

今川にはそれなりの感慨があった訳である。

私は少しだけ今川に申し訳なく思った。

泰全を人として扱っていなかった。

益田も敦子も黙ってしまった。

鳥口の寝息が聞こえた。

何も知らずにいい気なものだ。

「そうだ、飯窪さん」

益田が思い出したように云った。飯窪は襖の陰に撓垂《しなだ》れて座っていた。

足の先しか見えない。

問い掛けからひと呼吸置いて襖の陰から飯窪が顔を覗かせた。

憔悴している。益田はその姿を見て、

「どうせ後で尋かれるでしょうから念の為先に尋いておきます。山下さん大分来ちゃっているし、知らないと僕が責められるもんで。その、取材が終わった後、あなたも別行動してたようですが、どこに行ってたんです？　いつからいなかったんです？」

と尋いた。

飯窪は敦子をそっと見た。

敦子はその態度を敏感に察して
「あら、益田さんずっと起きてらしたんじゃなかったんですか？　飯窪さん、ちゃんと断ってから出掛けたんですよ。ねえ」

と、意地悪そうに云った。益田は頭を掻いた。

「意地悪だなあ。実は飯を食った後、一寸《ちょっと》だけ熟睡してしまいました。鳥口さん程ではないですが」

ちらりと見ると鳥口はまだ寝ている。この寝様は並ではない。熟睡を通り越して爆睡である。それにしても益田の敦子に対する態度はやや馴れ馴れしくなって来ているようだ。

飯窪がか細い声で云った。

「私——仁秀さんのところに——行きました」

「仁秀さんって、例の先住のご老人の？　何で？」

「ええ——一寸興味が——あったもので」

「飯窪さん。ええと、疑う訳じゃないが、あなた何か知っていて、隠しているのじゃないですか？」

「え？」

「益田さん。それはあんまりです。飯窪さんを疑うんですか？　益田さんまで私達を——」

「え？　いや、中禅寺さん。まあ僕は基本的に皆さんを信用しています。信用してはいますが、そりゃあ犯人ではないだろうと云う信用の仕方です。何かこの、僕等の知らない事実を知っている可能性はあるし、それを隠して——いいや、まだ語っていないことも多少あるのではないかと、その」

益田は段段弱腰になって結論を有耶無耶《うやむや》にした。

彼の気持ちは解らないでもない。飯窪の挙動——特に、この明慧寺に来てからのそれは。顕《あき》らかに常軌を逸してしまった感がある。思えば宿泊取材を最初に提案したのも彼女だった。結果的には菅原刑事を除く全員がここに宿泊した訳だが、もしそうなっていなかったとしても彼女は単身で泊まるような意気込みを見せた。否、最初から泊まるつもりで来たが如き印象を私は持った。それに——雪中を往来する謎の雲水や更にはあの成長しない迷子——工確にはそのモデルとなった娘か——鈴に就いても——。

彼女は何か知っているのだ。

そう云えば榎木津も気にしていた。

——知っていたのだから早く云いなさい。

榎木津の発言である。目撃者なのだから気づいてもおかしくないと、私は奇矯な探偵の言葉をそう云う額面通りの意味に受けとっていた。だが、本当はそれ以上の意味を持った発言だったかもしれぬ。

榎木津には何かが見えたのか。

——どうにも坊主が多過ぎる。

榎木津はそうも云っていた。坊主の姿が見えたのか。いずれにしろ益田が不審がるのは当然である。

敦子が飯窪を庇《かば》うように云った。

「しかし益田さん。今回私達がこの明慧寺に来ることになったのは、殆ど偶然に近いんですよ。取材を断られていたら来てはいませんでした。飯窪さんが個人的に関わりを持っている筈はないですよ」

「そう仰いますが中禅寺さん。取材許可が下りたのは随分と前なんでしょう？」

「ええ、まあそうですが」

「それに、今回の取材だって脳波調査の許諾が得られたからこそ企画された訳でしょう」

「それも——そうです」

「つまり取材依頼をしたのは調査許諾の返信が来てからで、元元の脳波調査の依頼自体は更に前に遡る訳だ。この寺との手紙のやり取りは一箇月おきになる筈だから、少なくとも四箇月以上前から飯窪さんはこの明慧寺と関わりを持っていたことに——なりませんか？」

「まあ、そうなんですけど」

「それに、飯窪さんはこの明慧寺のことを、名前こそ知らなかったが存在自体は以前から知っていたと、昨日ご自分で仰っていた。更にご出身もこの近辺らしいですし——僕だって疑いたくはないですが、疑われる要素は十分に持ってるんです。それでなくたって山下さんはただ疑ってます」

「それもそうですが——」

「いいんです敦子さん」

飯窪はやっとまともに声らしい声を発した。

「私——実は——ええ。隠していました」

「飯窪さん、あなた——ほんとに？」

「御免なさい敦子さん。こんなことが起きるなんて思ってもいなかったから。でも仕方がないです」

「犯罪に関係あることですか？」

「差し支えなければ、今日の行動と併せてお聞かせ戴けないでしょうか」

「ない——と思います」

「私は人を捜していました」

飯窪はそう云った。

「ある人を捜していたんです。そして、その——あまりにも偶然が——でも、真逆そんなことはないと思ったんですが——」

「何でも云ってください。場合によっちゃあ、刑事益田龍一《りゅういち》は耳を塞ぎましょう。僕は融通の利く警察官を目指しているのです」

「その手の信念はあまり大っぴらに標榜しない方がいいです。益田さん」

敦子が云うと益田はへへへと笑って、

「はあ、まあそうですね。しかしまあ、今は取り調べている訳でも事情聴取でもないと、そう云うようなことが云いたかった訳で——」

と云った。

そして漸く、飯窪は益田の求めに応じて、閊《つか》えながらも自らのことを語り始めた。

「私は小涌谷の上流に位置する、蛇骨川《じゃこつがわ》の流れに沿った小さな集落で生まれました。今でこそ実家は仙石原の方へ引っ越してしまいましたが、戦前まではそこに住んでいたんです。そこでのことです」

語る飯窪は下を向いたままである。

「小さな集落でした。産業は矢ッ張り木地《きじ》挽《び》きが殆どで、私の家も、僅かな漁と——これは専《もっぱ》ら朝食にする魚を採っていた程度ですが——後は挽き物です。父は一日轆轤《ろくろ》を回していました。唸《うな》り独楽だとか、輪投げだとか云う玩具《おもちゃ》を主に造っていたようです。この辺りではどこでも見かける、昔ながらの家だったようですが、幼い頃の暮らし向きは苦しくて、母は原木の切り出しなどをして生計《たずき》の足しにしておりました。何でも、昔はもっとのんびりしていたと云うのが父の口癖だったようです。兄が宮ノ下のホテルに就職して、少し暮らしが楽になった頃、父は亡くなりました。それが昭和十二年のことです。その頃私は宮ノ下の尋常小学校に通っていました。遠くて、通学するのが大変でしたが、もっと遠くから通う子供もいたので、文句を云うのも気が引けて——いえ、その頃は楽しかったです。そう、あれは、父が亡くなった三年後のことです」

十三年前。昭和十五年の正月のことだそうだ。

日中戦争が始まって三度目の正月。紀元は二千六百年と云う景気の良い喧伝で幕を開けたその年のことを、私は善く覚えている。

その年は私にとって、昨年同様に忘れ得ぬ年なのである。そして今仙石楼にいる久遠寺翁にとってもそれは同じことだろう。だから、善く覚えている。

その年の正月なら、私はまだ学生だった。

白米禁止令で七分搗《づ》きとなった煤《すす》けたような黒い餅を食った。蛮カラ学生に無理矢理飲まされた酒は三割以上水の混じった割水酒だった。

軍需景気とやらで景気は良かったが、それもどうやら口先だけで、物がなかったから贅沢《ぜいたく》は罪悪だった。国を挙げての徹底した倹約・自粛体制は、やがて訪れる太平洋戦争への前奏曲のようにじわじわと人心を蝕《むしば》み、掻き乱していた。

その頃のことなのだ。

飯窪は語った。

当時飯窪は十三歳だったそうだ。

益田は合いの手も茶茶も入れられず、ただ聞いている。述懐がどこで事件に関与《リンク》して来るか見当がつかぬからであろう。

飯窪のいた集落には一件だけ裕福な家があった。

大正末期に入植して来た家だったそうだ。

松宮《まつみや》某と云うその家の当主は職人でも農民でもなく、事業家だったらしい。本業は知れぬが、箱根水の工場に出資したり、箱根細工に塗る漆《うるし》の輸入や原木伐採、細工物自体の売買の元締めや、果ては石切り場にまで手を伸ばし、かなり手広くやっていたそうである。勿論それは元元地元の人間が行っていた仕事だった訳だから軋轢《あつれき》はかなりあったらしいが、本人はどこ吹く風と云った様子だったと云う。

金があったのだ。地場の産業などに手を出したのも気紛れのようなものだったのかもしれない。それでなくても儲からぬ、細細とした仕事である。あちこち食い荒らしたところで利幅は薄い。懸命にやっている地元民にしてみれば実に煙たい存在だったろうと思われる。確執は避けられなかった。

地域との確執を象徴するのが自動車だった。昭和初期、大平台から底倉村《そこくらむら》にかけて――所謂《いわゆる》温泉村の物資の運搬は殆どが馬力《ばりき》と呼ばれる荷馬車で行われていた。貨物自動車は全村併せて一台しかなく、これは相当難儀だったらしい。そう云う状況下、松宮家は贅沢にも自家用貨物自動車を所有していたのだと云う。有効に使えば計り知れぬ程の地域貢献となる道具である。にも拘《かかわ》らず松宮は自家用以外にその車を使用せず、村のために車を出したことはただの一度もなかったと云うのである。他人のことなど知ったことではないと、そう云う男だったらしい。

松宮某には二人の子供がいた。

上の子は男で、名をヒトシと云う。

字は知らぬ、と飯窪は云った。

ヒトシは父に似ずできた若者だったらしい。

当時はまだ十七八だったらしいが、父のやり方に反発して学校も辞め、住民として村全体の発展に尽力するよう父に意見したのだそうである。

尤《もっと》も父親の方は一切聞く耳を持たなかったようだが、それでもヒトシは諦めず、せめて自分だけでもと積極的に村人と接触を持ち、行動的に活動したらしい。その若さにも拘らず、豪《えら》く確乎《しっか》りした青年だったようである。

だが村人の方にしてみれば所詮は他所者《よそもの》、幾ら若造が一所懸命に地域の活性化に奉仕しようが、面白くないものは面白くない。加えて偏見もある。あの松宮の子だからと、最初《はな》から色眼鏡で見る。仕方がないこととは云え、ヒトシの目論見《もくろみ》は中中巧く行かなかったようである。

何故幼かった飯窪がそんなことを知っているのかと云うと、それは彼女がヒトシの妹と同級だったからなのだそうだ。幾ら他所者の、成金の、嫌われ者の家の子であっても、そこは狭い村である。幼い者同士、同い齢と云うこともあり、二人は非常に仲が良かったのだそうだ。

飯窪の幼馴染み、ヒトシの妹は名を鈴子と云う。

「鈴――子？」

益田がそこで漸く声を発した。

「え？　慥か、ええと、あの振袖娘もそんな名じゃあ――あれは鈴だったかな？　あ？」

その正月――。

松宮家は火事で焼けた。


「まだ松が取れぬうち——この辺では門松に松は使わずに、榊《さかき》を使うんですが——ええ。一月三日の出来ごとでした」

「火事って全焼ですか？」

「全焼です。火事なんか珍しいことでしたから、消防団が着いた頃にはもう——」

「原因は——真逆、放火ですか？」

「過失ではなかったようです。失火か放火かは結局解らなかったようですが、賊が押し入った形跡はあったようです。なら常識的には放火ですわね」

「そりゃそうでしょうね。でも賊が押し入ったと云う根拠は？　物取りか何かですか？」

「発見された遺体は焼死じゃなかったんです」

「何ですって？」

「鈴子ちゃんのお父さんとお母さんの死因は撲殺でした。殺人事件だったんです」

「はあ、強盗殺人で放火ですか。凶悪犯罪だなあ」

「いいえ、ですから、火事になったことと殺人があったことは事実なんですが、強盗かどうかも、放火かどうかも判らないんです。失火して、火災の混乱に乗じて撲殺することも可能ですよね？」

「まあ、偶然火が出りゃあねえ」

「火が出たからこそ殺意を持った、と云うこともあり得ます。それに強盗ではないと云う考えには理由があったようなんです。松宮家には外国人の使用人が三人程いたのですが、その使用人の方は三人ともただの焼死だったんです。抵抗した様子もなく、つまり逃げ遅れたのですね。賊が入ったにしては少し妙です。少なくとも押込みじゃない。強盗が使用人には気づかれずに主と妻を撲殺し放火する——変と云えば変です」

「まあ変ですがね。普通そう云うのは失敗したと考えるんじゃないですか？　使用人の目を盗みこっそり忍び込んでみたはいいが、主人に気づかれてしまい撲殺、そして放火」

「ええ。ただこの場合、泥棒より怨恨だろうと警察も判断したらしいんです。地場の産業を面白半分に食い荒らして、相当に怨みを買っていましたから、そのせいだろうとかなり噂も立ちました」

「ああ。それは判る。そうでしょうなあ。それで、犯人の方は？」

「益田さん達の云う迷宮《おみや》入りと云う奴です」

「はあ、ミヤに入っちゃいましたか——」

益田は両手を組み合わせて天井を見た。

「それはなあ。うん——え？　そう云えば、その息子さん——ヒトシさんですか。それと娘さん——鈴子さんは？」

「ええ。それが、ヒトシさんは年末にお父さんと大喧嘩をして家を出ていたんです。それで命拾いをしたんです。でも鈴子ちゃんは——」

「鈴子ちゃんは？」

「火事場に遺体はありませんでした」

「逃げた——のですか？」

「判りません。行方も判らなかった」

「判らない？　消えちゃったんですか？」

「ただ——泣きながら山の方へ歩いて行く女の子を見たと云う人が何人か——いたんです」

「山に？　何で」

「解りません。そしてその、山に入った女の子と云うのは——振袖の晴れ着を着ていたと云うんです」

「ふ、振袖？　そ、それは」

「ええ。振袖です。当時は倹約が美徳で、況《ま》して《して》や山奥の寒村です。晴れ着を着られる娘なんてそうはいません。いいえ、私の村では鈴子ちゃんしか持っていなかったんです。私も随分羨ましかった覚えがあって——そしてその日も鈴子ちゃんは振袖を着ていたんです。だから証言が本当ならば、それは九分九厘鈴子ちゃんに違いないんです。だから——」

「ああ！」

私は思わず嗚咽のような声を上げた。

振袖を着て山に分け入った少女。

それは『成長しない迷子』だ。

そのままずっと——。

そんな——。


「そ、そんな訳はない、ない！」


鈴が鈴子である訳はない。それなら——。

「ええ、勿論です。関口先生。そ、そんな訳はないんです。あれからもう十三年も経ってしまった。私はもう二十六歳です。その後戦争が始まり、それも終わって、世の中も豪く変わりました。この辺りも開発が進み、私のいた集落ももうありません。それなのに鈴子ちゃんだけがそのままなんてことは絶対にない。絶対にないんです。ない筈なのに——」

飯窪は乱れた。

「——ここには振袖を着た十三歳の鈴と云う娘がいたんです！　だから！」

飯窪はがくりと項垂《うなだ》れた。

「だから私」

さぞや——驚いたことだろう。

昨夜鈴の存在を知った時の、あの錯乱振りも十分頷ける。傍観者である私でさえ、事情を知った今は錯乱気味だ。

十三年間時が止まっていた娘。成長しない迷子。

——それは——妖怪だ。

京極堂の云う通り、そう云う捉え方は実に据わりがいい。しかし、一方であの鈴と云う娘が実在することは紛《まご》うことなき事実である。幾ら幻想的に見えようが、衆人の目前にああも堂堂と出現する怪異などあろう筈もない。だからこそ。

だからこそ落ち着かないのだ。妖怪として片付けることはできない。しかし科学的且つ合理的結論を導き出すだけの情報もまた我我は持っていない。つまり判らないこととして放棄するよりないのか。

「あの日——」

私のくだらない思索は飯窪の語る言葉に徐徐に溶けて行き、雲散霧消した。

「——あの火事の日のお昼に、私、実は鈴子ちゃんと会っているんです」

「え？　そうなんですか。それはさぞ、うん」

辛かったでしょう、と益田は続けたかったのだろう。飯窪は遠い目をして続けた。その視線の先には十三年前の光景が広がっているらしい。

「振袖がお人形みたいで綺麗だった。鈴子ちゃんは日頃からヒトシさんのことを凄く気にしていたんです。このままではいずれお父さんかヒトシさんか、どちらかがいなくなる。否、お父さんがいなくなることはないから、ヒトシ兄さんが出て行くだろう——と云っていました。十三と云えばもう奉公に出ようと云う齢ですから、大概のことは判ります。鈴子ちゃんはお兄さんが好きだったんです。そして、到頭ヒトシさんは出て行ってしまった。行き先は大体判っているが、お正月早早自分で行く訳には行かない。だからこっそり私を呼び出したんです——ね」

「何故です？」

「お兄さんと連絡をとるためです。私は——手紙を預かり——ました」

昭和十五年の——手紙か。

「なる程。それで飯窪さんあなた」

「え？」

「あなたその、手紙を届けたんですか？」

「はい。底倉村のお寺にいる筈だと云うことで、そこは私も知っていたんです。和尚さんも子供好きのいい人でしたから。それで、鈴子ちゃんから手紙を預かって——そのままそのお寺に——行きました」

「ヒトシさんは？」

「え？」

「だから手紙は渡せたんですか？」

「――いなかった――のです」

急に声のトオンが下がった。最初に会った頃と同じ、怯《おび》えたような弱弱しい声だった。

「いなかった？」

「はあ――いなかったんです。それで家に一度戻りました。それから家人の透《す》きを見計らって家を抜け出して、鈴子ちゃんに報せに行かなけりゃと思っていて、そのうち日が暮れてしまって――その」

そこで一度言葉は途切れた。

「その夜に火事が――」

「ああ、それで飯窪さん。あなたはずっと気にしているんだ。何年経っても。判りますよ。それは善く判る。するとその手紙は？」

「ええ――」

手紙は火事の混乱で紛失してしまったらしい。

狭い村内の火事である。飯窪の兄は麓の電話のある家まで走り、消防団が到着するまでの間は村人総出で消火に当たったのだそうだ。しかし、発見された時は既に相当火が回っており、バケツで水をかける程度では文字通り焼け石に水だったようだ。

消防団が来た頃には大方焼け落ちていたのだと云う。その消火騒ぎで、懐に入れていた手紙もどこかに行ってしまったらしい。

ヒトシが戻ったのは翌四日だった。

焼け跡を見てヒトシは茫然としたと云う。

しかし一夜にして家族を失った不幸な青年は、その悲惨な境遇に反して周囲の同情を集めることはできなかったようだ。仮令何があろうとも、所詮は嫌われ者の息子であることに違いはなかったのである。否、冷遇されただけならまだ良かった。父親との不仲や、諍《いさか》いの末家出をしていたことが発覚し、なんとヒトシには親殺し及び放火の嫌疑がかけられた。挙げ句逮捕までされてしまったのだそうだ。

「不在証明《アリバイ》は？」

「なかったようです。件《くだん》のお寺に前日の夜までは居候していたらしいのですが、火事のあった日の午後から翌日の朝まではひとりで町や山を徘徊していたと証言したとか」

「ああ、そりゃ怪しまれるパターンですな。担当が山下さんならすぐ送検だ。僕なら釈放ですが」

益田は実に無責任なことを云った。

ただ、鈴子の遺体が発見されていなかったことだけが禍中の青年の唯一の望みだったようだ。妹は生きている、妹を早く保護してくれ、妹に尋けば判る——ヒトシはそう主張した。

勿論妹の身を案じる気持ちもあったのだろうが、妹さえ無事に戻れば自分の嫌疑も晴れると――そうも思っていたらしい。

慥かに鈴子は殺人を目撃している可能性が高かった。一刻も早く保護したいのは警察にしても同じことだったろう。目撃者の証言もあり、青年団や消防団の山狩りが数日に亙って行われたが、大勢の努力も空しく、鈴子の行方は杳《よう》として知れなかったらしい。一週間目に捜索は打ち切られた。冬山である。幼い少女が生存している望みは殆どなかった。

神隠しと云うことに落ち着いた。

今川が云った。

「ヒトシさんと云う人は――何だか可哀想です。聞いた限りでは何も悪いことはしていないし、寧ろ好青年なのです。どう思いますか？　刑事さん」

「そうですねえ。それ、悪いのは親の方じゃないですか。彼は村のために尽力したんでしょう？　家庭不和だって元を辿ればそのせいなんだろうし。その親子喧嘩だって村を思えばこその諍いだったのじゃないんですか？」

「ええ。例の貨物自動車を村のために役立てて欲しい、と云うようなことがその時の諍いの主な理由だったようです。ですから、ヒトシ憎むに値せずと云った風潮は慥かに一部にあって、日が経つに連れてそう云う風潮は温情へと変わり、徐徐に広がって行ったらしいんです。それで地域の人が警察に嘆願書《たんがんしょ》を出したりして」

「嘆願書？　そんなものに効力がありますか？」

「判りませんけど、当時はそれなりに効き目があったようです」

嘆願書作成のそもそもの契機《きっかけ》は鈴子哀れと云う同情論であったと云う。幼い鈴子には何の罪もない、これじゃあ何だか可哀想だ——捜索に当たった青年団員がそう云い始めたのだぞうだ。ヒトシは青年団の若者達を中心に僅かなりとも人望があったのだそうだ。その同情論が地域全体の合意を得て、嘆願書と云う形で結実したのである。

決定的な証拠も何も出なかった。

ヒトシは結局証拠不十分で釈放された。

鈴子を速やかに保護できなかったことに就いては、警察側も若干の責任を感じていたらしい。それに幾ら不仲とは云え、理由が理由であるから短絡的に殺人に到るとも考え悪かったようだ。それに、父親は兎も角母親を殺す動機はヒトシには見当たらない。これは非道な親を持ったが故の不幸であり、つまり濡れ衣である——と云う判断である。

「その後ヒトシさんは、懇意にしていた和尚さんの勧めもあって——出家したんです」

「出家？　坊さんに？」

「はい。禅寺に」

どうにも——坊主が多過ぎる。慥かに榎木津の云った通り、次から次へと坊主ばかり登場する。

いずれにしろヒトシは孤立しているうちに逮捕され、釈放後すぐ出家してしまったことになる。だからその間に、幼い飯窪などがヒトシと接触することは、不可能に近かったのである。飯窪は手紙を渡せなかったのみならず、手紙を託されたことすら伝えることができなかったことになる。

その後あっと云う間に世情は乱れ、戦争が始まった。

出家したヒトシの行く末など十三の小娘などには知りようもなかったのだろう。

飯窪は益田の云った通り、ずっとそのことを気にし続けていたのだそうだ。

「飯窪さん、あなたそれじゃあ――」

ずっと黙って聞いていた敦子が静かな口調で問い質した。

「――今回の帝大の交渉担当を申し出たのも？」

「ええ。私は最初から不純な動機を持っていたんです。敦子さん」

飯窪はやっと顔を上げて敦子を見た。

「禅寺――と聞いて、私はすぐにヒトシさんのことを思い出したんです。お寺と交渉する役目を買って出たのも、もしかしたら、と思ったからです」

「もしかしたらって、その、ヒトシさんの行方が判るかもしれないと？　しかしなあ、飯窪さん。それは効率的じゃないなあ。そんな回り苦《く》呶《ど》いやりかたせんでも、何かその、捜す方法が――」

「勿論戦後になって少しばかり調べてはみました。でも、松宮家は係累《けいるい》が殆ど絶えていたんです。戸籍や住民票も戦争で散逸していて、慥かなことは何も判らなかった。出家を勧めた和尚さんも亡くなっていて、結局ヒトシさんが入ったと云うお寺の名前さえも判らなかったんです。私が耳にしたのは、どうも鎌倉辺りの禅寺らしいと云う噂話だけです」

「鎌倉の禅寺——か。え？　それは何でしたっけ」

益田はこちらを向いたが私は何も答えなかった。

「そう——でもそれだけの情報で、真逆鎌倉中のお寺に手紙を出したり調べたりする訳にも行かず、況《まし》て一軒一軒お寺を巡るなんて、とても——」

それは当たり前だろう。

どれだけ気にしているとは云っても、それは日常生活に支障を来す程のことでもなし、余程資金力のある暇人でなければ、そんな酔狂な真似はできないだろう。

「なる程、そこに、嫌でも一軒一軒禅寺に当たらなきゃならないと云う、正にうってつけの仕事が舞い込んだ訳だ。それであなたは飛びついた——と、そう云う訳ですか」

「ええ。電話のあるところから順に当たりました。その都度、松宮ヒトシと云う僧はいないか、あるいは過去にいなかったかとお尋きし、書簡で調査依頼の打診をする場合は、その旨一筆書き添えて」

「ははあ」

「良い返事は中中戴けませんでした。ええ、脳波測定調査の方も勿論ですが、その、ヒトシさんの方も。ところが、あれは——そう、去年の九月くらいでしたでしょうか。調査依頼の交渉を始めて、そうですね、二箇月程経った頃、鎌倉の臨済のお寺から、ご返事を戴いたんです。それに——」

「良い返事でも？」

「いいえ。依頼は断られました。でもそう云う名の僧侶は慥かにいた、と」

「ほう！　それは良かった。やってみるものだ」

「でも、今はいないと記してありました。松宮と云う僧侶はそのお寺から出征して二年前に復員したのだそうです。それが、復員してから何かその——」

「怪しいことでも？」

「いいえ——ご返事をくださったのは知客のお坊様で、自分は善く知らないのだが、と前置きはしてありましたが、そのお手紙に拠ると、貫首さん直直《じきじき》の云いつけで何日か前に長旅に出たようだと」

「貫首の云いつけの長旅？　行き先は？」

「それがどうも、最終的な行き先は、箱根の浅間山《せんげんやま》山中のとある無名の寺らしいと——」

「それはもしかするとここのことですか？　この山ぁ浅間山ですよね。一応。なる程、それであなたはこちらに連絡を？」

「ええ——でも、そのお手紙では所番地も、寺名さえ判らなかったんです。だから私はそこで諦めたんです。生きていることが判っただけでも良かったと思いました。ところがその後他のお寺から貰ったお手紙にも、どうも明慧寺《ここ》らしい記述があって」

「ああ、昨夜もこちらのことを云って来たのは二軒だか三軒だかと云っていましたっけね」

益田はそう云ったが、私の記憶が確かならば、昨夜飯窪は四件と云っていた筈だ。しかもそのうち名称まで知っていたのは一軒だった——と。

「ええ。二軒程。その手の科学調査と云うのは当山としては感心しないが、箱根にある無名の禅寺——つまり明慧寺《ここ》——なら引き受けるやもしれぬ、そこは宗旨が無関係だから、と云うご返事を戴いて」

「まあ事実無関係だったんですよね。宗派の方は。それで愈々《いよいよ》ここに？」

「はい。昨晩も云いましたが、どちらのお寺もそう仰る割りには曖昧な情報しか持っていなくて、正直辟易《へきえき》してはいたんですが、そのうちあるお寺が明慧寺と云う名前を瞭然《はっきり》名指しして来たんです。住所や連絡先も記してありましたので、それで——取り敢えず打診してみようと決心したんです」

「はあ、なる程。昨日泰全老師が了稔さんと繋がっているようなことを云っていたのはその寺ですね。それにしてもあなたにしてみれば、この明慧寺が良い返事をくれたことは、正に一石二鳥と云う奴だった訳だ。仕事の方も、個人的事情《プライベート》の方も」

「ええ――そう――なりますでしょうか。まあヒトシさんに就いては、会えるとかそう云うことは期待していなくて、何しろ旅に出たと云うのが何箇月も前のことですし。鎌倉から箱根ならどこに寄ろうと何日もかかりませんから」

「直行なら一日ですよ。いや半日か」

　その益田の言葉を私はやけに新鮮に聞いた。その時私は歩いて何日かかるのだろうと考えていたのである。移動は徒歩と――すっかり思い込んでいる。

　この山の所為である。

「でもその、鎌倉のお寺の方にもお願いしていたのです。松宮さんがお戻りになったら、是非お報せ戴くよう――。でもご連絡はなく、こちらに打診する前にも念の為お尋ねしてみたのですが、やはり戻っていないと云うお返事でした。ですから、もしや、ずっとこちらに逗留されているのでは――と思ったりもして。ですからこちらから許諾のお返事を戴いた時は凄く興奮して」

「あのうらなりの和田慈行からの返事ですね」

　益田は頬を軽く引き攣《つ》らせた。どうやら益田は慈行が嫌いらしい。

「そうです。慈行さんからのお返事には松宮と云う僧のことは一切書かれていませんでしたが、ただ脳波調査の件は承諾したから、日取りなど細かいことを連絡してくれと記してありました。他に引き受けてくれそうなお寺もなかったので――その」

敦子が云った。

「そこにうちの中村編集長がしゃしゃり出て先行取材になっちゃったんですね」

「そうです。これ本当は『稀譚月報』の取材ですから、私など同行する必要はなかったんですけれど、一応担当だからと無理にお願いしたんです」

「ここ、聞いたこともない謎のお寺でしたからね。中村編集長に頼まれて、それで兄貴に調べて貰ったんですけれど、それでも判らなくって。判らないと伝えると編集長は余計興味を持っちゃって――」

「ええ。でも私、この辺りに大きなお寺があると云う話は、その昔母から聞いたことがあったんです」

「お母さんに？」

「はい。木地挽きの原木伐採の仕事をしておりました母は、以前一度山で迷って、その時このお寺を見つけたらしくて」

「へえ。それであなた以前から知っていたと仰ったのですか。いや、それは偶然だなあ。しかし、そりゃいつ頃のことです？」

「父が生きていた頃ですから、昭和十年か十一年か、それ以前か、その頃だと思います」

「じゃあ何だ、ここが発見された後ではある訳だ。泰全老師は勿論、了稔さんや、否、覚丹貫首や祐賢さんもいたかもしれない」

「ええ。でも、母は人には会わなかったと云っていましたが——ただ山の中に大きなお寺があったと——」

「ううん、しかし何だ、ここはそんな道に迷ったぐらいで発見されちゃうようなお寺なんですかね？　それで何百年も見つからなかったと云うのは——どうもなあ。大体その、あなたのお母さん、女性の足で分け入れるのなら、鈴子ちゃんの山狩りの時に屈強な青年団が見つけてたっておかしくないですよね」

「ええ。それはそうなんですが——ただ、私の住んでいた村はもっと、遥かに小涌谷寄りでしたから。山狩りも小涌谷近辺を中心に行われた筈なんです。子供の足でこの山を越えるのは大変ですし、しかも冬でしたから、山狩りの時もこっちの方までは捜さなかったのじゃないでしょうか」

「しかしお母さんは山越えちゃった訳ですよね？　冬場でなくたって、そこからじゃ大変な道程《みちのり》なんでしょ？」

「母はその時、慥か——そう湯本の方から登っているんです」

「え？　湯本の方からここに来られるんですか？」

「大平台側から登るよりは時間がかかるのか、とも思いますが、奥湯本辺りからなら割と簡単に登れるのではないでしょうか」

益田は暫く視線を宙に漂わせた。そしてポン、と手を打った。

「そうか！　ここから奥湯本に行くことは僕等が考えているよりずっと簡単なことなんだ。時間的にも――ここの坊主の足なら」

「多分殆ど下りですから――それ程」

「それだ。小坂了稔はその道を行ったんだ。関口さんの云っていた鼠の坊さんの話はそれで生きて来る！」

私の思いつきの発言が急に生きて来たらしい。

私は情報提供者としての立場上、一応尋いてみた。

「益田さん。あの按摩さん――尾島さんには確認をとったんですか？」

益田は久し振りに嬉しそうな顔をした。

「まだ山下さんからは何も聞いてませんけどね。そりゃ確認したでしょう。だって有力証言ですよ。関口さんの話だと鼠の坊主の一件は了稔が失踪した夜のことになる訳ですが、昨夜の聞き込みでは了稔のこの寺での最終目撃時間は午後八時四十分なんですよ。これは少し時間的に無理かと思っていたんですが、これで生きて来ますよ」

飯窪も今川もぽかんとしている。勿論何のことか解らないのである。

「いやぁ飯窪さん。善く話してくれました。少しは救われた気がします。それにしてもそのヒトシさんですか？　どこへ行ったんでしょうなあ」

妙に浮かれた益田を横目で見てから、更に飯窪に向き直って、敦子が神妙な顔で云った。

「まだこの辺りにいるかもしれない――訳ですね」

「へ？　どう云うことで？」

「ですから益田さん。私達が獣径で会った旅のお坊さんこそ、その松宮さんであると云う可能性が――飯窪さんも昨晩そう思ったんじゃないんですか？」

「はい。敦子さん達が擦《す》れ違ったお坊さんが鎌倉のお寺からの客人らしいと聞いた時は私もてっきりそれがヒトシさんかと思いました。時期的には随分離れていますが、それでも何だか間違いないような気がして――」

飯窪は慥かにその話題にも敏感に反応したのだ。

益田はもう一度手を打った。

「ああ、鎌倉から来た坊主と云うのはそいつのことだったか！　いやね、先程鎌倉と坊主と云う言葉にですね、何か引っ掛かってたんですが、そうか、忘れてました。こりゃあ早急に慈行に確認とらなきゃいかんですね。飯窪さん、これは――ひょっとしたらあなたは捜査に大変貴重な示唆を与えてくれたのかもしれませんね」

「どう云う――ことでしょう？」

「今回の事件とその十三年前の事件が何か根っこのところで繋がっているような、否、何だか探偵小説みたいですが、それが鍵のような、そう云うこともあるんじゃないかと閃《ひらめ》いたんです僕は！」

「意味が善く解りませんが」

「ですから――」

益田は愈々嬉嬉とした表情になった。

「例えば、その十三年前の松宮家殺人放火事件の真犯人が――泰全と了稔だったとしたらどうです？」

「え？」

「復讐――と云うのですか？」

今川が抗議するように云った。

「しかし、泰全和尚がそんなことをする人だとは、僕にはとても思えないのです。感触に過ぎないのですが、でも、その結論は飛躍なのです」

「今川さん。印象で人を判断してはいけない――のだそうですよ。それに彼等が犯人でなかったとしても、その、ヒトシが彼等を真犯人だと思い込んでいた、と云うことは考えられるでしょう。事実かどうかより犯人がどう思っていたかと云うことの方が肝心ですよ。思い込んでいりゃ親の仇です」

それがあの、犯人にしか意味が解らない、侮辱的な遺体演出の理由なのか。

「でも益田さん――」

次に敦子が発言した。

「それじゃあ飯窪さんの尋ね人が殺人犯と云うことになってしまいますけど――」

敦子もあまり賛成し兼ねると云う口調だ。

飯窪は黙っている。

「――可能性として否定はしませんが、調査確認作業を行う前に警察官がそう云うことを仰るのはどんなものでしょうか。閃きも予断のうちです」

益田は敦子に叱られて少ししょんぼりした。

「はあ、申し訳ない。仰る通りです。しかし、矢ッ張り聞き捨てならない話ではありますねえ」

何しろ坊主ですからねと益田は云った。

私は、私自身もそのヒトシらしき僧――と思われる人物でしかないのだが――を目撃しているることをこの場で益田に告げてしまおうと思ったのだが、その益田が突如大きな声を発したので、またも云いそびれてしまった。

「ああ、それで飯窪さん――ああ、あのう、気を悪くせんでくださいね。中禅寺さんの仰る通り、今の発言は僕の思いつきですから。何の根拠もない話で。それより、ええと、そもそもの質問なんですが、その、あなたご自身の、今日の午後の行動をですね――」

「ああ――」

飯窪はふ、と寂しそうな顔をした。

別に隠していたと云う訳でもないのだろうが、長いこと心に秘めていたことを思い切って放出した割りには──彼女は些細《ちっ》とも楽になっていないように──私には思えてならなかった。

飯窪は視線を一度右上に泳がせてから答えた。

「私が──ここを出て単独行動していたのは、ほんの三十分程のことです。仁秀さんの所に行って、その鈴と云う娘さんに会ってみようと思っただけです。どうにも薄気味が悪くって仕様がなくて──その娘さんが鈴子ちゃんである可能性はありません。それなのに共通する点が多過ぎるように思えて」

「多過ぎると云うより作為的ですね」

「ええ。だから仮令《たとえ》本人でなかったとしても何か関りがあるのじゃないかと思いました。私はヒトシさんの足跡を追って、それも極めて惰性的に、偶然の導きに頼るようにしてここに辿り着いて、そうしたらヒトシさんではなくて失踪した時の鈴子ちゃんと同じ年格好の娘さんがいた訳で、何だか──」

彼女の気持ちは非常に善く解る。私ですら、鈴と云う娘に対しては釈然としない靄靄《もやもや》を抱えているのだ。しかし、私が釈然としない主な理由は『成長しない迷子』の話に由来している。ならばそんなものは話に聞いただけの胡散臭《うさんくさ》い幻想譚に過ぎない。一方彼女の知る鈴子は実在の人物である。鈴子と鈴の間に何等かの関連性を見出そうとするのは──。

それは単に怪異を現実として肯定してしまうことに外ならないのではないか。その場合、怪異は説明体系として機能するのではなく、科学的説明の否定に限りなく近い形で機能してしまう。

欠けている情報をひとつでも多く埋めて、科学的思考を以て理解できる状態に持って行かなければ、とても収まりのつくものではないだろう。

「――気持ちの収まりがつかなくて」

「それで鈴さんには？」

会えませんでしたと飯窪は答えた。

「ご老人はいらっしゃいましたが。ご老人とは少しだけお話をしました」

「はあ、その爺さんだけには飯窪さん以外誰もまだ会っていないんだなあ。実はここに来る途中、山下さん達は振袖娘には会っているらしいんですがね。それでその爺さんの住んでいる小屋つうのは？」

「はあ、小屋と云うより、ここと同じような庵です。大雄宝殿の裏手の方に畑があるんですが、その更に先です。林だの藪だのに囲まれていて、知っていなければ判り悪《にく》いかもしれません」

今川が尋いた。

「ここと同じような庵に住んでいるのですか？　矢張り何何殿と云う？」

「建物の名前は――聞きませんでしたけれど、私には同じように思えました」

「それじゃあ爺さん、寺の建物を無断で借用してるんでしょうな。家賃払わなきゃなあ」

「でも益田さん。他の坊さんだって似たり寄ったりなのです。現在地主はどこかにいるのでしょうが、この寺が真実誰のものかは判らないのです」

今川にそう云われ、益田はああ同じか、同じなんだなどと呟いてから、ぱちぱち瞬きを数回して、

「ああ、同じです。そうですよ。その爺さんだって坊さん達と同じなんですよ。十分怪しいじゃないですか。こりゃマークしなくちゃなあ」

と云った。敦子が尋いた。

「怪しいですか？」

「怪しいですよ。素姓も知れない。育てている子供も捨て子らしいし、坊主でないと云うだけで、寧ろ一番不審な人物ですよ。ああ、飯窪さん、爺さんとどんな話をしました？　否、どんな人でした？」

「ええ――」

老人は痩せていたと云う。

大きな目を半眼にして、微かに笑っていた。

人の良さそうな老人であったそうだ。

日焼けした浅黒い顔。頭髪はなかったと云う。禿げているのか剃髪しているのか区別がつかなかったらしい。見事に均一に日に焼けていて、目尻に刻まれた皺は深い——。

老人は燻《くす》んだ灰色の——鼠色と云うのか——法衣のような作務衣《さむえ》のような、善く判らないものを纏っていたそうである。一見野良着にも見えたそうだ。帯の代わりに荒縄のようなものを巻きつけており、裾や襟はほつれて襤褸《ぼろ》襤褸《ぼろ》になっている。それは、話に聞く限りは時代がかった奇異な出で立ちに思えるが、豊かならぬ山村で育った飯窪の目には、突出して異様な風体とも映らなかったそうである。

老人は熊手のようなもので雪を払っていた。

——あのう、

——はいはい。

——私は、その、

——まあ、中へ。お茶をどうぞ。

老人は茶を勧めた。

しゅんしゅんと音がしていた。

囲炉裏の上では茶釜が煮立っていた。

——あの、鈴さんのことで、

――鈴はおりません。遊びに行っておる。

――鈴さんはお幾つなんですか？

――善く判りませんが十三四でございましょう。

――いつから、こちらに？

――善く判りませんが十三四年になりましょう。

――では――こちらで？

――歳歳年年《さいさいねんねん》人同じからずと申しますが百年河清《ひゃくねんかせい》を俟《ま》つ身には十年一日《いちじつ》が如しでな。何年経ったか　何十年経ったかとんと判り申さぬ。

――鈴さんは、、、こちらで産まれ、、、たのですか？

――まあお茶をどうぞ。

――十三年前、鈴さんと同じような齢格好の、やはり振袖を着た鈴子と云う娘がこの山に迷い込んでいるのですが、もしやその、御存知では、

――さて、それが鈴だと？

――そうは申しませんが、そのあまりに、

――あの娘《こ》がその娘さんだと仰るならそれはそうなのであろうが、違うと云うなら他は知りませんな。ここに居るのは哲童と鈴だけです。

「それってつまり、自分は鈴子さんのことなど知らない、無関係だ、と云う意味ですよね。年齢を考えれば鈴さんと松宮鈴子さんが別人であることは間違いないことですから」

敦子はそう云って人差し指で顎の先を摩《さす》った。

「それ以外に受け取りようがない——と、私も思いました。つまり凡ては偶然、何もかも私の思い込みだった訳です」

飯窪はそう云った。

「そうかなあ。嘘っぽいなあ——」

益田は疑っている。

「——齢も、格好も、そして名前も同じ娘が十三年の時を隔ててこんな近くに？　それで無関係とも思えないけどなあ。そんな偶然ありますかねえ」

あったのだろう。

敦子の云う通り、十三年前の松宮鈴子と明慧寺の鈴は別人である。これは互いに実在の人物なのだから疑いようもないことなのだ。年齢が違う。

そして怪談『成長しない迷子』の正体の半分、最近目撃された『迷子』の方は、顕《あき》かに明慧寺の鈴である。十何年前の『迷子』と現在の鈴を別人と考えれば、『成長しない迷子』は怪異ではなくなる。

すると。

十何年前の『迷子』と十三年前の松宮鈴子の関係はいったいどうなるのだろう。

一番すっきりするのはこの解答である。

十何年前の『迷子』は松宮鈴子である。

最近の『迷子』は、明慧寺の鈴である。

これで『成長しない迷子』は消滅する。


——つまり成長しない迷子を起こり得ないこととして定義する準拠は出没期間の長さと云う問題ひとつに収斂する——それを裏付ける証拠は甚だ心許なく——。


そう。証拠は心許ない。だから、別別の個体と考えられるだけの反証が揃えば『成長しない迷子』は怪異ではなくなるのだ。偶然でも何でも良い。松宮鈴子と云う実在の人物こそが反証である。

それは鈴子と鈴の過剰な類似と云う偶然の産物が生み出した幻想なのだ。松宮鈴子の存在こそが科学的理解を妨げていた欠落情報ではなかったか——。

違う。何か忘れている。偶然で片付けられる心許ない証拠——凡そ同じ場所に出没すること。大体の服装が同じであること。見た目の年齢も同じくらいであること。そして、あまり一般的でない、

「唄——唄だ」

「何です関口さん？　いきなり」

唄だ。『迷子』は十何年前にもあの唄を唄っているのだ。

つまり、この場合は——。

「あ。ああ、あの飯窪さん」

尋かねばなるまい。情報を補完して。確認しなくては——。

——本当に怪異が。

怪異が定着してしまう。

飯窪さんと、私は興奮気味に問うた。

「は？」

飯窪は驚いたと云うより困惑するような顔をした。

「その、鈴子さんだけれど」

「すず——子さんって」

「ああ、十三年前の松宮鈴子さんの方なんですが、その、当時——変わった唄を唄っていたようなことはありませんか？」

「唄？」

唄とはと飯窪はいっそう困った顔をした。

「ああ、それは昨夜のあの唄のことなのですか」

今川が舌足らずに云う。今川は私と一緒に、あの娘の唄を聞いている。

「——そう。実は現在の鈴さんは、その山中に似つかわしくない姿形から、事情を知らない麓の人達に半ば妖怪のように思われているんです。いや、僕も今川さんから聞くまではそう思っていたから、昨晩見た——否、会った時は驚きました。そして、彼女の妖怪化を促している要素のひとつが、いつも唄っているらしい不思議な唄なんです」

「どんな唄です？」

「はあ、僕はどうも音階の記憶と云うのが曖昧で、再現は難しいが、今川さんは——」

「僕は音痴なのです」

「ああ——それではまあ、その数え歌のような、御詠歌のような節回しなんですが、人の子ならば竈で焼けとか、猿の子ならば山へ行けとか云う唄で」

「仏の子なら何としよう、とも唄っていたのです」

飯窪は首をかなり傾けた。

「聞いたことはない——ですねえ」

「そうですか」

それなら矢張り別人か。

また混乱した。

松宮鈴子がその唄を知らないのであれば、鈴子は今の『迷子』――鈴とも、十何年昔に現れた先の『迷子』とも別人と云うことになってしまう。ならば十何年前――鈴子が失踪したのと殆ど同じ時期に、この山には振袖を着た同年代の娘が二人もいたと云うことか？

錯綜している。

益田が云った。

「どうもすっとしないようですね関口さん」

「ああ。すっとしません」

「僕もですよ。その爺さん、どう考えたって素《す》っ惚《とぼ》けてるようにしか思えないですから。ねえ、その辺はどうでした飯窪さん？」

飯窪は伏し目がちのまま答えた。

「ええ――でもそれ以降は何も尋けなくなってしまったんです。そして三度目にお茶を勧められて、私少し怖くなって」

「また茶を？」

「ええ。とても物腰は柔らかくて、にこやかなんですが、そこが却って怖くって。私、早早に失礼したんです。それで、次に哲童さんにでも尋いてみようかとも思ったんですが――それより先《ま》ず鎌倉のお坊さんのお名前を確認しようと思い直して、慈行さんのところに行きました」

「ああ、松宮ヒトシの方ね。それで？」

「知客寮には誰もいなくって、三門に行ってみたら東司の方が騒がしく」

「ああ、行ってみたらあの騒ぎか。ううん——」

益田は両手を組んで後頭部に当て、押すようにして下を向いた。

「——寝不足のせいばかりじゃないですね。何が何だか解らない。僕が馬鹿なんですかね」

「いいえ益田さん。この事件、誰も何にも解ってないですよ。うん、私達には——解らないんです」

敦子が珍しく投げ遣りなことを云った。どんな苦境に陥《おちい》ろうと取り敢えず前向きで、僅かな光明を求めて建設的な発言をする——それが敦子の常であると私は思っていた。だから意外と云えば意外だった。

「——多分私達だけじゃなく、このお寺の人だって何も解っていないんだと思います。寧ろ今一番多くの情報を持っているのは私達かもしれない。でも何も形にならない。どんなに推理してみたって、それで如何に整合性を持った結論を出したところで、それは解った気になっているだけなんです。本当に解っているのは犯人だけじゃないでしょうか」

「はあ、大変なことになったなあ」

益田は組んだ手を離して後ろにつき、足を伸ばして反《そ》り返った。

その時突如《いきなり》戸が開く音がした。

「おい！　兄ちゃん。寛《くつろ》いでる暇はないぞ。何してるんだ」

野卑な声だった。

襖が開いて隙間から菅原が獅子頭のような顔を突き出した。

益田は跳ねるように体勢を元に戻した。

「く、寛いじゃないっすよ菅原さん」

「手が足りない。これじゃ下から応援が来る前に、あんたの上司は気が狂うぞ。手伝ってくれ」

「はあ、今どう云う状況で？」

「事情聴取してるがな。ほら、延《のべ》つあの調子だろ。進まないんだな。こっちは？」

「はい。一応事情聴取と云うか情報収集は済んでますよ。色色報告しなきゃいけないこともあるし」

「こっちもな。今朝捜査会議で決まったこともあるし。兎に角一緒に来てくれ」

「でも、この人達は」

「容疑者に遠慮してどうすんだ。あんたら、面倒だから坊さんと一緒の部屋に来てくれよ」

「それは構いませんが――」

敦子は鳥口を見た。

鳥口は――まだ熟睡していた。

またも、聞いた話である。

＊

明慧寺の知客寮を借りた箱根僧侶殺害事件臨時捜査本部での捜査会議は正に蛙鳴蟬噪《あめいせんそう》の様相を呈し、実《み》にならぬ空理空論はただ喧《やかま》しく山下の右耳から左耳へと抜けて行った。

応援要員が到着したのは十八時三十分だった。

明慧寺には電話はおろか電気や水道さえ引かれていない。科学捜査にはまるで不向きな現場である。巫山戯《ふざけ》た凶行の跡は既に夜の帳《とばり》に覆われており、反近代的な環境下での現場検証は難航を極めた。遺体だけは引き上げたものの、闇の中での作業続行は不可能と判断され、詳細な検証作業は明朝に持ち越されて、鑑識団は二十時に一時撤収した。

僧達の事情聴取を一旦打ち切り、会議が始まったのはそれから後のことである

冒頭の益田刑事に依る報告は実に興味深かった。

午前中の会議の段階では不明だった事柄が次次と顕かになったのだ。勿論個個の事柄に就いての確認作業が済むまでは益田の話を鵜《う》呑《の》みにする訳にも行かなかったのだが、それでも捜査の骨子を組み立てる上で有益な情報であったことは違いない。

また十三年前に起こったと云う殺人放火事件との奇妙な符合も気になるところだった。

不明瞭だった事件の輪郭はこれで——。

——益々曖昧になった。

山下は軽い偏頭痛を覚えた。

益田の報告を聞いていると、どうもこの寺の坊主を疑うのも筋違いと云う気がして来る。その松宮とか云う旅の僧侶——和田に確認をとっていないから、その僧侶が松宮だと断言できるものでも決してないのだが——も怪しい。飯窪と云う女も怪しい。今川の行動も更に怪しい。普通なら、今川などは別件逮捕して締め上げていてもおかしくない筈である。それ程までに怪しい。しかし山下はその一方で明慧寺共謀説——特に桑田常信犯人説に、根拠なき魅力を強く感じていた。

「兎に角、坊さんどもの行動を把握するには一覧表かなんか作らないと駄目だと思いますがね。きっちりしてる筈なんですが、この状態で把握するのは無理だと思いますね。どの時間どこに誰がいてそれを誰が見ていたのか、全体像がまるで解らないですよ。これでは犯行時刻が特定されたところでですね——」

「そんなことは最初《はな》から解ってるんだよ。仮令《たとえ》そんなもの作って坊主の動向把握したところで、ううん、どうなんでしょうな警部補さん。この場合坊さん同士の証言と云うのは有効なんですかな？」

「それは——」

「それは有効でしょう菅原さん。幾ら同じ寺の坊主同士と云っても、親兄弟じゃないのだから」

「君はここに始めて来たから解らないだろうがな、ここの坊主どもの話に比べれば親族の証言の方が余程信頼できると思うがな。そうだな、特殊関係人、内縁の妻なんかよりは坊さん同士の方が結びつきの方が断然強いぞ。宗教的一体感つうのかな」

「禅宗と云うのは念仏なんかと違って、ひとりでやる苦行みたいなのじゃないのかね？」

「違うでしょう皆で座るんですから。共犯臭い」

「そんなの僧侶に対する偏見ですよ――」

甲論《こうろん》乙駁《おつぱく》を仕切ったのは益田だった。

「――そんな議論は不毛ですよ不毛」

「何だ益田君。ひと晩泊まって洗脳されたのか？」

「そんなことないですよ。幾ら僧侶相手だからってそんな不毛な水掛け論は無駄ですよ。思い込みはいけません。印象で捜査はできないと警部補も仰ってたじゃないですか。閃《ひらめ》きも予断の内――なんです」

「この人何だか鼻息が荒いなあ。まあ正論だが。どうですね。警部？」

「警部補だ。しかし益田君、坊主同士が庇《かば》い合う、あるいは寺の名誉を守るために偽証すると云ったことは十分に考えられるだろう」

考えられる、ではなく、本当は考えたいのだと山下は一応認識している。立場上そうも云えないだけである。

益田はいつになく張り切って答えた。菅原の云っていた通り普段より元気にも見える。

「まあ山下主任の意見も正論かとは思いますが、先程報告しました通り、この明慧寺は教団一宗派の寺院じゃないんです。そう云う結びつきは寧ろ弱いのじゃないでしょうか。例えば了稔と泰全は同じ臨済宗でも派が違うようです」

「しかし臨済宗は臨済宗だろう？　その、君」

「本部の益田です。臨済にはええと――十四派あるんです。それは皆違うんです」

「違うと云うなら曹洞宗か？　そっちとの方が大きく違うのではないのかね？」

「仰る通り、曹洞宗と臨済宗は臨済内部の各派の差異より大きな違いがあると思いますが。専門ではないのでそれ以上は答えられませんが」

「君の報告だと殺害された小坂了稔と大西泰全は共に臨済宗の僧だそうだが」

「そのように聞いています」

「すると益田君。残る幹部の中で臨済系なのは？」

「和田慈行――ですかな」

「ああ慈行か。例えばですな。犯人は慈行も殺してこの寺から臨済色をなくそう――と、企んだとか」

「んな馬鹿な。菅さんそりゃないわ」

「そう云うが鉄っぁん」

「おい君達。略称で呼び合うのは止したまえ。これでも会議だ会議。この、蠟燭《ろうそく》がいかんのだなあ」

山下はまるで山賊の謀議の如き知客寮の雰囲気が甚だ気に入っていない。

「——益田君」

「はい？」

「君の報告通りならこの明慧寺には幾つかの宗派がある。それは間違いがないんだろう。それなら宗派同士の対立と云うのはないのか？　今菅原君の云ったようなことは事実起り得ないのか？」

「起り得ないと思いますよ。だって、例えばですね、ここの僧侶と云うのは皆どこどこの教団から遣わされて来ている訳ですよ。だから仮令《たとえ》慈行さん殺したところで後釜はすぐに補充される——筈です。あ、まあすぐと云うこともないか」

「じゃあ小坂や大西の後釜も来ると云うのか？」

「それは判りませんよ。補充されない場合もあるでしょう。それは、その教団がこれ以上この明慧寺に関わっても利点《メリット》がないと判断した場合ですね。事実、泰全老師の話だと各教団とも、今や惰性で関わっているだけみたいな感触だったらしいから」

「それなら、それこそさっきの話じゃないが、明慧寺の一宗派独裁支配と云うのは可能じゃないのか？」

「それは無意味なんですよ菅原さん」

益田は細い眉を歪ませた。

「――ここは各教団からの援助金で成り立っている寺なんです。明慧寺から臨済宗を排斥して曹洞宗で独裁すると云うことは、要するに臨済の援助を打ち切ると云うことでしょう。曹洞宗は一宗派だから一宗で凡てを賄うと云うことになってしまう。不経済です。大体殺人を犯さずとも話し合いで解決できますよ。そんなこと」

「そうかなあ。まあ私は宗教に偏見を持っているのかもしれんがな。昨日の感触だと、ここの坊さんどもは何をやらかしてもおかしくないような――」

「だから菅原さん。それは何をやらかしても殺人を犯すような動機にはなり難《にく》い、なり得ないと、そう受け取るべきなんですよ」

「そりゃあ――」

正反対だなぁ――と菅原は厚い唇を尖らせた。

「だが益田君。その意見はそもそも大西泰全の意見なのだろう。その泰全こそ第二の被害者なのだよ」

山下は強引に、自分にとって都合の良い方に話を持って行こうと思っている。

「どうだろうなぁ諸君。大西は真実、益田君の報告した通りの見解を持っていたと考えていいのだろうか。老獪な僧侶が何等かの諍《いさか》いを隠蔽《いんぺい》せんがために、この益田君に虚偽の見解を吹き込んだとも考えられる。更にその大西が殺害されてしまった以上、寺の中にいざこざがなかったと断言することもできないと思うんだがね。だから聞き込みに当たってその辺を重点的に糾《ただ》したいと——」

「それは主任さん。この寺の中で、宗派の違いから来る諍いや派閥抗争のようなものがあったか否かと云うことを尋くちゅうことですか？」

「そう云う認識を持つことは果たしてこの寺の中で非常識なことなのか否かを個個に問う訳だよ。全体見渡せば皆同じように見えるが、坊主だって顔はひとりひとり違う。考えていることも違うでしょう。もしや何か——これは宗派に無関係でも構わないのだが、二人の被害者に共通する事項でも出れば占めたものだからね。そう云う細かな作業こそ今の私達には必要なことなんだ」

山下は恣意的に方向を捩《ねじ》曲《ま》げたつもりだったのだが、口に出してみると案外筋が通っている。意外と好い線かもしれぬと悦に入っていると、所轄の刑事で一番年長の次田《つぎた》とか云う老刑事——先程菅原が鉄つぁんと呼んでいた男——が難色を示した。

「私のとこは代代曹洞宗で、まあ私も檀家総代やっていますが、そう云う話は、どうも俄《にわ》かには——」

「次田——さんだったかな？　慥かに本部《うち》の益田が云った通り、坊主は全部怪しい、信用できないと云う認識は偏見なんだろうが、だからと云って宗教者だから信用できるとか、この宗派を信仰しておるから犯罪を犯す筈がないとか云うのも——これは予断偏見の内ですよ。仮令《たとえ》信者の中から犯罪者が出たとしたって、それが即信仰自体を否定することにはならんだろう。あなたの信仰はあなたの信仰。別にどう云う結果になろうとも、私はあなたん家《ち》のお寺を悪くは云わないですよ」

「まあねえ——」

次田は苦虫を嚙み潰したような顔をした。

「——しかし主任さん。私は寧ろ外部の連中の方が怪しいように思いますがねぇ」

「外部って取材の連中か？」

「例えばあの古道具屋。今川ですか。今川は、あれ前の被害者とも関わりを持っている。今川と待ち合わせた日に了稔は失踪して死んでいるんだ。何のかんの云ってても、宿から抜け出せば犯行は可能でしょうや。それに今回だって泰全と単独で会見している。聞けば被害者を最後に目撃したのも今川な訳でしょう」

「見た訳じゃない。声を聞いただけです」

「その辺が信用できないんだなあ。実に——」

若い刑事が発言した。

「——今川は本当に泰全と会っているんですかね。益田君の報告を信用しない訳じゃあないが、その悟ったとか解ったとか、僕には納得できないなあ。今川の話を裏付けるような証言は今のところどの坊主からも出てないでしょう」

「あの男が寺の中をうろついているところは何人かの坊主が見ていますがな」

「それは八時過ぎの作務の間でしょう？　泰全のいた建物に向かったのを見た者はいない」

「哲童——か？　あれと出合ったと云っていたんだろ？　今川は」

「哲童は何も云いませんよ」

「云わないいんじゃない。云えないいんだ」

「何だか都合良くできてるなあ」

目の不自由な目撃者だの、言葉の不自由な証人だの——一方で能弁な関係者の言葉は理解できないし——。

「それから——」

次田は続けた。

「飯窪季世恵ですか？　彼女の話も裏取らないと。慥かに十三年前そんな事件はありましたがね。私は話に聞いただけだが——」

「あんたそんな頃から刑事をしてたん？」

「その頃は警官ですわい。菅さん、あんた成り立てだったろう。覚えてないか」

「そうでしたかな。私はそんな事件覚えてないが」

「そうかな。慥かにすっきりしない事件だったように覚えているが、まあお国の一大事を控えていたから綿密な捜査してたかどうかは怪しいですが。調べ直さんといかんですかな」

「そんな時効みたいな事件をかね？」

煩雑《はんざつ》な割りに成果は期待できない——と思う。

だが我《が》を張ればまた捜査員との信頼関係を失う。

ここは次田の意見を容れるべきだろうと思う。

山下は仙石楼の二の舞は金輪際御免だった。

孤立するのも軽蔑されるのも大嫌いだ。

山下は素早く考えを巡らせる。

明慧寺《こ こ》に来る道も最初は足が重かったのだ。

しかし。

益田から第二の殺人の報せを受けて気が変わった。

連続殺人となればまた話は別だ。手柄も——倍だ。

萎《な》えかけていた功名心が、むらむらと頭を擡《もた》げた。

今度こそと張り切って乗り込んだまでは好かったが、山下は到着早早に赤恥をかかされてしまったのである。

しかし、山下は少しだけしぶとくなっている。

――落ち度があった訳ではない。

失敗したと云う意識は全くなかった。

それに、幸いにも益田と菅原以外の増員達は境内での山下の醜態を知らない。ここは何としてでも仙石楼での汚名を返上し、敏腕警部補の誉《ほま》れを挽回せねばならない。そして、名誉挽回は早くしなければいけなかった。

――石井警部が捜査主任に着任、なんてのは。

死んでも厭だった。

「解ったよ次田さん。あなたその十三年前の事件に当たってください。それから他の者はこれから里に戻って、引き続き小坂の市井《しせい》に於《お》ける生活や、益田君の報告――つまり大西の申告の真偽の程を確かめて貰わなくちゃいけない訳だが――取り敢えず坊主全部下山させる訳にも行かないから、ここには相当数人数が要るな。だから――君と――君」

巧《たく》みな割り振りが必要だ。現時点では寺の内部も外部もどちらも怪しい。どちらから犯人が出ても山下の功となるような、周到な人物配置が肝要だ。

「――後の五人はここで引き続き寺の捜査に当たると、こんなところでどうだろう皆さん」

異議は出なかった。手堅い配置だったか。

取り敢えず――威厳は保てた。

「それはいいんですが山下捜査主任」

「なんだ益田君」

「僕等はここに泊まるんですね？　それなら捜査員の食事なんかはどうするおつもりなんですか？　真逆飲まず食わず徹夜で事情聴取する訳には行かないでしょう。山下主任」

「ああ？　それはね」

全然考えていなかった。

「それからあの、僧侶以外の容疑者もここにずっと置いとくんですか？　そうもいかんでしょう。まあ今川さんは慥かに怪しいようにも思えますがね、でも何にも証拠ないですからねえ。容疑者って最初に云っちゃったからずっと容疑者で通ってますが、あの人達は目撃者、精精《せいぜい》参考人でしょ？　いいんですかこんな待遇で？　逮捕でもしない限り法的拘束力なんてないでしょう」

「それは――」

益田は心の隅で自分を小馬鹿にしている。

山下には解った。山下が石井を軽蔑しているように益田は自分を軽蔑し始めている。

このままでは足を掬《すく》われる。否、捜査員の足並みが揃わない。

――邪魔だ。

当初は唯一話の通じる男だと思っていたのだが、今はもう違ってしまったようである。

そうは云うものの、益田の意見も至極尤もなのである。このまま朝までこうしている訳にも行かない。

「――そうだな、ここは便が悪いから――ああ、仙石楼を巧く活用させて貰おう。君達、どうだね？」

「どうだねって、あそこに泊まるんで？」

「まあ一時間程はかかるが、麓に下りるより遥かに近いからな。あそこは電話もあるし、何かと便利だろう。そうだ益田君。君、仙石楼にこの所轄の明慧寺組と、あの――」

山下が顎をしゃくると全員がそちらの方向を向いた。正確に彼等がいる方向ではないから少し可笑しかった。

「容疑者――否、取材の連中を連れて帰ってくれ」

「はあ？」

「それから益田君、君は以降仙石楼に残ってくれ」

「はあ。戻って来るなと？」

「所轄や本部との連絡もあるからな。あっちに居てくれ。後の者は明朝、鑑識が入る時刻までに明慧寺に戻ってください。そうだな、それから明日以降の食料なんかも仙石楼から調達させて貰おうか。益田君、手配を頼むよ。仙石楼は君が仕切れ。君が責任者だ」

益田は腹でも痛いような顔をした。

山下にしてみれば自分と切り離すこと、重責を与えて自尊心を満足させてやること、更に不手際があった時責任を被せられること——の一石三鳥を狙った絶妙の配置だった訳だが、益田にしてみればいい迷惑だったのかもしれない。益田は抗議するような口調で云った。

「山下さん——主任はどうするんですか」

「勿論私は明慧寺《こ》に残るよ。警官だけ残しておく訳にはいかんだろう。そうだなあ、ああ、菅原君」

「何ですな？」

菅原がごつい顔を上げる。

田舎臭い顔と野暮《やぼ》ったい反応。

しかし今やこの武骨な田舎刑事が山下の頼みの綱となっている。

「君も私と居残りだ。寺の事情に詳しいから。益田君。いいか、取材の連中は基本的には解放するが奴等の疑いが晴れた訳じゃない。泳がせるのもいいが行き先足取りは摑んでおくように。今川と飯窪はかなり怪しいから、逃がすなよ。頼んだぞ」

益田は首を傾《かし》げた。

山下に反論を聞いている暇などはない。

「それではこれで散会とします。早期解決を目指して各自確乎《しっか》り頼みます。麓まで下山する人はくれぐれも気をつけて。ああ菅原君一寸」

「はい？」

「話があるんだが——」

山下は菅原をわざと残した訳だが、あざとい配置だったかとも思っている。勘ぐられても厭なので山下は他の刑事達の動向を気にした。幸い他の刑事達は各各の職務を果たすべく既に部屋を、

——何だあいつ。

益田だけは部屋を出ずに、その場に立ったまま、不平でも呑み込んだような顔をして山下の方を見ている。山下は目を逸《そ》らしたが益田の方はそうも行かないらしく、近寄って来た。

「あのう」

「なんだ益田。早く頼むよ。行動は迅速にね。それとも、何か私の采配に不平でもあるのかな？」

何か不備があったのだろうか。

——そんな訳あるか。

こんな場所で、このような環境でこれ以上いったいどのようなことができると云うのだろう。それとも益田は山下の知らぬ特殊な情報でも摑んでいるのだろうか。何しろ益田はひと晩のうちにこの寺でかなりの情報を収集している。ならば、

——その可能性はあるか。

それで、事情の善く解らぬ山下の不首尾を詠《あざけ》り笑っているのだろうか。

それならば——。

しかし益田は恍惚《とぼ》けた顔で云った。

「はあ、そんなことないですけど。ただひとつ云い忘れたことがありまして」

「な、何だ？」

何を隠している？

「はあ、先程から話に出る度ずっと無視されていますが、その、仁秀老人のことです」

「じんしゅう——って誰だ？　おい」

「ほらここに住んでる爺様」

菅原が助言をくれた。

「あ？　ああ仁秀ね。それが？」

「僕は怪しいと云うなら彼が一番怪しいと思うんですね。仁秀老人は、ただ僧侶でない、あるいは仙石楼にいた訳ではないと云うだけの理由で、今完全に圏外でしょう。そりゃないですよ。坊主と同等に扱うべきです。次田さんの調べる十三年前の事件と関わって来るとすれば余計怪しいでしょう」

「わ、解ってるよ」

本当は——全然解っていなかったのだ。

できるならば——この上更なるややこしい登場人物の事件への参入は願い下げたいところである。これ以上の複雑な展開は山下の許容範囲を越えているような気がするからだ。だからそう云う願望が意志となり、暗黙のうちに仁秀老人を話題から遠のけていたのだろう。

「——ちゃんと解っているから。私に任せろ」

「はあ、それなら結構ですが——」

益田はすごすごと退場した。

本当は虚を突かれたのだ——と云うことを益田に気取《けど》られなかったか心配になって、山下の動悸はやや早くなった。菅原が心配そうに云った。

「それより何か用ですかな。警部補？」

襖や障子が開け放たれてわさわさと捜査員達が動き始めている。山下は菅原を手招きして顔を寄せ、耳打ちした。

「菅原君。私は矢張り桑田のことが気になるんだ」

「ああ。今日も何だか様子が変でしたしな」

「そこで今夜のうちに私と君で桑田を——」

「なる程ね。それで私を残した」

「まあね。本命は我我で落さないと。いいかな」

「勿論ですわ。自白させせましょう自白」

締めあげて、目論見通り桑田が吐いてしまえば面倒なことはない。菅原は自白させるのが趣味のようだし、相棒としてはうってつけである。

この段階で山下は推理することも捜査することも捨ててしまっている自分に気づいていない。最早真相を究明する努力は放棄されており、目の前には予定調和的な解決だけがある。

騒騒《ざわざわ》とした感じはいつまでも収まらなかった。

ガラガラと幾度も戸が開いては閉まり、そのうち開け放しになった。

「何だ何だ。だらしがないな。只でさえ寒いんだから閉めろよ」

菅原がブツブツ云いながら玄関に向かって、すぐに戻って来た。妙に固まった顔をしている。

「警部補さん。大変だ」

「何が？　どうした」

「桑田が」

「桑田？」

「桑田が騒いどるようで」

「騒いでる？」

「ああ来た」

山下が出て見ると外は騒然としていた。

騒いでいると菅原は表現したが、声が聞こえる訳ではなく、ただ落ち着きのない空気が到るところで渦を巻いているような感じである。

刑事達がそこここに突っ立って成り行きを見守っている。右手奥の建物の扉が開け放ってあり、幽《かす》かに洩れる微明《うすあ》かりの前には数人の人影が窺える。坊主ではないようだから、益田と取材の連中だろうか。その左横の建物には顕かに僧形の影が――和田慈行だと山下は思った――が立ちはだかっている。その後ろにも僧らしき人影が見える。それらを背景にして警官二三人に纏わりつかれた桑田常信が右肩を少し上げる独特の歩き方で近づいて来た。

桑田は山下の前に来ると立ち止まった。

まるでお供の坊主の代役のように警官が脇を固めている。月明かりと雪明かり、そして蠟燭の微明かりで照らし出された僧侶には陰影がない。ぺらりとした姿である。

「山下様でございましたな」

「な、何ごとかね」

――自首、か？

「拙僧を保護して戴きたい」

「保護？」

「左様。あそこには居られぬ」

「そりゃどう云うことですか。あなた」

「次は拙僧の番だ。拙僧が——殺される」

「そ、そんな馬鹿な」

山下は首鼠両端《しゅそりょうたん》に菅原の様子を窺った。

善く善く観察すれば桑田常信は怯えているのだった。

兎に角他の坊主から隔離して欲しい、自分は狙われているの一点張りである。

山下は困惑した。と云うより出端《でばな》を挫《くじ》かれて何だか遣る気をなくし、大層厭な気分になった。最有力の犯人候補が白ら保護を求めて来ているのだ。締め上げてやろうと思っていたその矢先に、護ってくれはないだろうと思う。もし本当に次に狙われているのが桑田なら桑田は犯人ではないと云うことになってしまう。

説得するのも聞き入れるのも妙な具合だ。

しかし桑田は頑なであった。

「解った。あなたじゃあこの建物——知客寮か？　ここにいなさい。私と菅原君が一緒にいるから」

「できましたら山を下ろして戴きたい」

「山を？　そうはいかんよ桑田さん。急にそんな」

「泰全様は寺の中で殺されたのです。しかも、警察の方が山内にいらっしゃると云うのにも拘《かかわ》らずです。ここも安全ではない」

「しかし小坂了稔は寺の外で殺されているじゃないか。同じことでしょう」

「ですからこうして警察の方に保護を求めているのです。派出所でも、否、留置場でも構いませぬ」

「だから根拠を云いなさい根拠を」

「山内では申せませぬ」

「ああもう」

どうしてこう行き違うのだろう。

「警部補さん一寸《ちょっと》」

菅原が小声で呼んだ。

山下は桑田から視線を外さぬまま身を後ろに引いて、十分に距離をおいてから上体を捻《ひね》って菅原の方に向き直った。菅原が無声音で云った。

「ありゃ変ですな」

「まあ変だよ。見込み違いかなぁ」

「いいや寧ろ見込み通りでしょうな」

「何でだ。あんなに恐れているじゃないか」

「ひとりだけ怯えるのは怪訝《おか》しいでしょうに。他の坊主は皆冷静ですわい。ほら、こう云う場合被害者面《づら》するのが一番怪しまれないと思ったんでしょう」

「おい菅原君、じゃあ君、これは狂言だと——」

菅原は人差し指を立ててしい、と云った。

「お静かに。どうでしょうな。ここはひとつ、桑田をひとりだけ仙石楼の方に移すと云うのは」

「仙石楼に？」

「まあ益田君の他に、今日仙石楼に泊まる刑事は三人もいる。あそこには警官もまだ残っているし、安全と云えば安全でしょうな。桑田も納得する。勿論逃げられやしない」

「それで？」

「だから、ほら、桑田の様子が怪訝しいのは他の坊主が見たって一目瞭然でしょう。桑田を他に移しといて、本人のいないところで奴に就いて聴き込むですよ。本人がいない方が坊主どもだって話し易いでしょう」

「ああ、外堀埋めて」

「そうそう。周り固めてから本丸落す訳です。それまでは益田君に確乎《しっか》り護って貰う——」

菅原は横目で益田達の方を見た。山下もそれに倣《なら》うように見た。益田達は急の事態に出発を延ばし、建物の入口に屯《たむろ》して所在なげに待ち惚けている。

「そうだなあ。そうするか」

山下は桑田に視線を戻す。

蟾蜍《ひきがえる》のように踏ん張っている。

「そう——しましょう。益田ァ！　益田君！」

益田は小走りに駆け寄って来た。

「桑田さん。御存知かとも思うが益田刑事です。あなた今夜から暫くこの益田君と一緒に仙石楼——知ってますね？　仙石楼の方に移ってください。いや心配ない。今夜は刑事が三人も一緒ですし、警官も大勢配備しましょう。安全です。但し連絡するまで勝手な行動を執らないようにね。仙石楼で温順《おとな》しくしていること。いいですね。解ったか益田」

益田はさっきにも増して怪訝な顔をした。

益田と桑田、取材班とその他の刑事達が引き上げて、寺が——と云うより山下が落ち着きを取り戻したのは結局二十二時を回った頃だった。過ぎ去ってしまうと静かなもので、坊主だの警官だのが大勢残っているにも拘らず、人の気配さえしない。僧達の拘束も一応は解いたのだが、全く動く気配はしなかった。幾ら警官が見張っているとは云え、この静寂は異常だ。それとも通常もこれ程静かなのか。

山下はこれ程の静けさと云うのを体験したことがなかった。深深と夜は更けて——と云うのはこのような夜のことなのだろうか。

「山下様」

「わあ」

気配がしなかったので欠《や》鱈《たら》驚いてしまった。

這入り口の戸が開いていて僧が立っていた。

「な、何だ君。驚いたじゃないか」

「遅くなってしまいましたが――お食事をお摂りになられますか。粗末なもので宜しければ用意致します」

「あ、ああそれは助かる」

「警備の方の分もお造り致しますか？　典座《てんぞ》がおりませんので少少手間取るかもしれませぬが、半時もあればご用意できるかと」

「そうしてください」

「それでは――」

去ろうとする僧を菅原が呼び止めた。

「ああ、英生君。祐賢さんを呼んで貰えるかな」

「畏《かしこ》まりました」

「菅原君、君は善く覚えてるな。あれは英生と云うのか？　私は区別がつかん」

「中島祐賢の従者ですよ。まだ十八だそうで、中中の美少年ですわい。さぁて、警部補殿。中島は桑田に就いて何と云いますかなぁ」

「聴き取りの順番は――中島からでいいのかな」

「いいでしょう。あれは維那《いの》だ。桑田が逃げて、叱られるのは中島ですわい。また棒で叩かれる。さっきの揉めごとも、最初中島と桑田の間で起きたんですな。腹に据え兼ねていますからあることないこと云うでしょうな」

「そうなのか——」

山下は巧く使っているつもりでいて、実は菅原に巧く使われているのかもしれぬと、ふと思った。

中島祐賢はすぐに現れた。

菅原に先を越されまいと山下は挨拶も早早に質問を開始した。

これ以上田舎者に主導権《イニシアチブ》を握られては堪らないと思ったのである。

「中島さん。どうも、何だか目茶苦茶になってしまって——お役目柄あなたも大変でしょうが、少しつき合って戴きますよ。宜しいかな」

「御意に。そちらも公務でございましょうからな。不祥事を起こしたのは当寺の雲水。貫首からも云われておりますし、何の不平がありましょうや」

「まあそう云って戴けると助かります。それにしても桑田さんはどうしたんですかね」

「理解し兼ねますな」

「被害妄想と云いますか、そう云う奴ですかね」

「さて、罪業《ざいごう》元より形なし妄想顚倒《もうぞうてんどう》の如しなり、と申しますからな。真偽の程は知れぬともいずれ修行僧の行動とも思われる妄言愚挙。あのような愚かしき振る舞いをするとは、心中に何か疾《やま》しきところでもあるものか――」

「怪しい、とお思いですか」

「怪しい？　怪しいとは如何なる意味でございましょうや。常信さんが犯人だと、警察はそうお考えか？」

「と、とんでもない。ただあんなに怯《おび》える訳が解らないのですよ。理由は全然話しちゃくれない。寺にはいられないって、あの人はいったい寺の中の誰を恐れていたんでしょうな？」

「――慈行さんのよう――だったが」

「慈行？――和田さんを恐れていたので？」

「勿論根も葉もない。それこそ妄想である。慈行がそのようなことをする筈もない。ただ常信さん程のお方があれ程周章するのも――」

「何か理由がありますか」

「なに、もう御存知のことであろうが、慈行さんは臨済僧。常信さんは私と同じく曹洞坊主だ。常信さんはな、兎に角臨済方と反《そ》りが合わなんだ。了稔泰全亡き後、今や臨済僧は慈行さんだけ――まあ弟子どもは居るが――兎に角常信さんにしてみれば、まず疑ってかかるとすれば慈行しか居らんと、そう云うことであるかもしれん」

「矢張り宗派が違うと諍いもありますか」

「諍いと云うのはございませんな。互いに相容れない部分があっただけだ」

「相容れぬ？　互いに譲れないところがある、と云うような意味ですか？」

「左様。禅僧は徒《いたずら》に他宗を誹謗したりはせんが、こと禅定に関しては生死を賭けて臨むもの。常信さんには常信さんの禅がある。相容れぬものは仕様がない」

「はあ。それにしても何故あんなに怯《おび》えるかな。被害者が小坂さんだけだった時分は、桑田さんあんなじゃなかった訳でしょう？　大西さんが殺された途端に豹変したように感じますがね。小坂、大西と臨済僧が続いた訳だから、次は和田さんと考えるのが普通なんじゃないですかね？　それを次は自分だと恐れると云うのは――」

――報復か。

「――例えば、これは例えばですよ。例えば桑田さんが小坂殺し大西殺しの真犯人だったとする。それで、ひとり残った臨済僧の和田さんからの報復を恐れているとか」

「それは如何かな」

中島祐賢は僅かに首を傾けた。

「次に慈行さんが狙われておると云う筋書きも、慈行さんが復讐を企むと云う筋書きも、共に考え難いですな。慈行さんは泰全老師とは話が合うておったようだが、了稔さんとは大きく袂《たもと》を分かっておった。臨済僧と云う大雑把な括《くく》り方には同意し兼ねる」

「なる程ね。しかし小坂、大西と続いて次に桑田——と云う線も私達には納得できないですな。その三人には更に共通項がないでしょう」

「そう仰られるとお答えのしようがないが——そうよな、私は常信さんの修証《しゅうしょう》に対する考え方が善く解っておらなんだやもしれんが——そう」

「何か？」

「常信さんは了稔さんとは氷炭《ひょうたん》相容れず、激しく対立しておった」

「ほう」

山下はそう云う話が聞きたかったのである。

「犬猿の仲だったと——考えていいのですな」

「まあ——そうであったなあ。常信さんは以前、了稔追放の嘆願までした程だ」

「追放？」

「そうだ。法衣を剝《は》ぎ、寺より放逐して、席を取り壊し、その下の土を七尺掘り捨て——これは、道元が弟子の玄明《げんみょう》にした仕打ちであるが、そうすべきだと云うておった。それ程常信さんが感情的になっていた——と云うことであるか」

——それだ。

菅原も云っていた。矢張り桑田と小坂は大変仲が悪かったのだ。桑田に対する疑惑の根幹はそこにある。

「それはその、例の相容れない何とやらで？」

「度を越していた——ようにも思えたがな。しかしこの寺は法脈がバラバラだ。貫首とて弟子でもないものを破門することはできぬし、勿論僧籍を剝奪する権限もない。そんな嘆願など筋違いではある。ただ、この嘆願に賛成したのが——慈行だった」

「慈行？　だって幾ら袂《たもと》を分かっていたと云っても和田さんは小坂さんと同じ臨済宗でしょうに」

「先程も申したが、臨済だから同じと云うことはない。慈行さんは常信さん以上に了稔さんと激しく対立しておった。常信さんは、だから慈行さんが了稔さんを殺したと思い込んでいたのかもしれぬ」

教義上の対立。禅僧の破戒。奇行——。

——それらは動機にならぬ。

益田はそう云っていた。しかし山下にはそうも思えない。激しく対立する二項のうちの一方がもう一方を抹殺しようと云う結論に到ることは、少なくとも山下の常識では不自然ではない。そう云う意味で云うなら、桑田、和田共に小坂殺しの動機はあったと捉えて良いのではないか。ならば——。

「大西泰全さんの立場——と云うか、その桑田さんや小坂さん達との関係はどうなっていました？　和田さんとの関係は良好だったのだね？」

「老師は——そうよな。了稔さんに対する理解はあったようである。あのお方は、ご自身も大愚良寛《たいぐりょうかん》の如き風貌であったが、盤珪だの正三《しょうさん》だの一休だのと云う、所謂《いわゆる》異流の禅匠に殊更《ことさら》心を寄せておられた」

「一休さんしか知りませんな」

山下はそれで無知とも思わない。自分があくまで基本である。自分の知らぬことは他の者も普通知らないと、そう思っている。

「左様か。例えば大法正眼《たいほうしょうげん》盤珪永琢《ようたく》は江戸の初め頃の臨済の巨匠だが、これは不生禅《ふしょうぜん》と云うのを唱えた。一切は不生で整う、と申すのだ。盤珪は公案を嫌い、疑団《ぎだん》を持つことすら否定して、俗の言葉で道を説き、かなでそれを記した。鈴木正三は二王《におう》禅を説き、在家仏法を提唱し、生涯嗣法《しほう》をせなんだお方である」

「ま——待ってください。基本的なことを尋きますがね、先《ま》ず臨済宗と曹洞宗はどう違うんですか？　相容れぬ部分とは何なのか、爽然《さっぱり》解らんのだ」

——そんなこと殺人事件の捜査とは無関係だ。

だから知る必要など全くない。山下はそうも思っている。興味もまるでない。しかしそれが動機と関わって来るなら、知っていてもいいか、と思ったのである。

祐賢はあまりにも基本的な質問に困惑したらしく少し云い澱《よど》んだ。考えてみれば刑事に警察とは何かと尋くようなものなのであろう。

「禅は、菩提達磨を祖として中国に齎され、以降二祖慧可《えか》、三祖僧璨《そうさん》、四祖道信《どうしん》、五祖弘忍《ぐにん》と受け嗣がれて、六祖慧能《えのう》で大成する。六祖で法系が別れ、青原《せいげん》から曹洞、雲門《うんもん》、法眼《ほうげん》の三宗、南嶽《なんがく》から臨済、潙仰《いぎょう》の二宗が更に別れて五葉となる。我が国に伝わったのはその中の臨済と曹洞の二つである。臨済宗は臨濟義玄に始まる。これは参禅する者に公案を与え、それを突き詰めることで修行をさせる、所謂看話禅《いわゆるかんなぜん》である。これに対して洞山良价に始まる曹洞宗は、黙照禅《もくしょうぜん》と呼ばれる。こちらはただ座るのみである」

「ふん、座るだけでいいのかな？」

「いいのだ」

「それで、そのバンケーとかショーサンとか云うのはどうなっているんです？」

「盤珪は臨済宗でありながら公案を厭《いと》うたのだな。頭で捻《ひね》くって突飛な解答を思いついたところで何もならん。何もせんでも仏は仏。これは道元に学んだ私などには親しみ易い。しかし当時の臨済坊主には馴染まぬ考えであろうか。だが盤珪の凄いところは疑団——疑うことすら否定してしまったところである」

「疑っちゃいけないと云うのかね？」

「禅に限らず、こと仏教に於ては疑うことは基本となる。己とは何者ぞ、人間とは何ぞと疑い、その疑いを打ち壊したところに悟りがある」

「悟り——ねえ」

善く解らない。ただ、少なくとも警察だけは疑わなければ始まらぬ商売である。

「しかし盤珪は疑団なきものに疑団担わせ仏心を疑団にしかえさせまするは誤り——と切って捨てる。鈴木正三は曹洞の僧だが、開祖道元を未だ仏境界《ぶっきょうかい》に非ず——と非難し、柔和で殊勝げで無欲な姿の僧どもを覇気《はき》がないと叱咤《しった》して、打ち沈んだ抹香臭き悟りの境地など気狂《ちが》い沙汰と云い放った。勇猛果敢な禅匠である」

「ほう、小坂さんも、そうだったのですかね」

「そうだった。まあ盤珪正三一休、皆今生きておれば煙たがられたろうから、了稔さん辺りは嫌われても仕様がなかろう。常信さんは正三を認めていないし、慈行さんは盤珪を認めない。だから了稔さんと反りが合わんでも已《やむ》を得ぬ」

「だが、その大西さんの方はどちらとも巧くやっていた訳ですね？」

「ああ、泰全老師と云うお方は、基本的に五山系の禅風であるからな。云うなれば——言葉は悪いが——可もなし不可もなし、批判されても柳に風と、お名前同様泰然とご自分の禅を続けていらっしゃったな。それにお人柄か、敵を作るような言動もなさらなかった。まあ、どう云う訳か常信さんとはあまり親交がなかったようだが」

「桑田さんとは仲が悪かった？」

「対立と云うまでには及ばなんだがな」

「そうですか——」

山下は考える。これは——桑田、和田共小坂殺しの動機はあっても大西殺しに関しては強い動機がないと云うことだ。しかし、小坂殺し大西殺しは連続殺人である可能性が高い。つまり同一人の犯行だろう。それなら二人共犯人ではあり得ないのか？　強《し》いて云うなら桑田の方が大西とは巧く行っていなかったと云うから、ならば矢張り桑田が犯人か。

例えば——大西は何か犯人を特定するような証拠を摑んでいて、それで口封じのために殺されたのではないか。その線は考えられる。

——ならば桑田が怯えているのは何故だ。

あれが演技だとしたら——犯人は矢張り桑田だ。

自らが被害者である振りをして、犯行を和田に被せようと企んでいるのではないのか。和田にも小坂殺しの動機なら十分にある訳だから、犯人に仕立てるなら和田は絶好の男だと云えるだろう。

——だが大西殺しの方はどうなる？

大西に対して和田は遺恨を持っていない。

動機のない和田に大西殺しの罪まで被せるのは難しい。

何か、どこかが違うような気がする。それにしたって桑田の様子は怪訝《おか》しい。

——あれは本当に怯えている。

どう見ても報復を恐れているような感じだ。

例えば——小坂殺しは桑田と大西の共謀だった、と云うのはどうだろう。その報復に先ず大西が殺られる。次は自分だと桑田は怯える。

——否。大西と小坂は親しかったのだ。

それで共犯と云うのもあり得ないのだろうか。

彼方《あちら》立てば此方《こちら》が立たず、どうにもすっきりとした形に仕上がらない。

「どうもなあ。中島さん、その——小坂さん、大西さん、桑田さんと続くような共通項は、矢張り考え難いのだろうねぇ」

祐賢は暫く目を閉じていたが、突然《いきなり》岩のような顔を上げて思い出したように云った。

「共通項は——ありますぞ」

「ある！　何ですか？」

山下はぐいと前に顔を突き出した。

「そう乗り出さんでも結構。私もあなたに云われるまでは、今の今まで気がつかなかったことであるが、了稔さん、泰全さん、そして常信さん、この三人はいずれも今回の帝大の脳波測定検査に賛成した者である」

「脳波検査賛成派——か！」

——そう云う括りもあるか。

山下の思考外の結論だった。

取材する方もされる方も同じ穴の貉《むじな》、況《まし》てやその先にある科学調査が明慧寺にとってどのような意味を持っているのかなど——山下は考えてもみなかったのである。益田の報告から当初は寺内に科学調査反対の意見があったらしいと云うことは凡そ知っていた。しかしそれに依って寺が二分する——とは全く考えなかった。

「その辺りのことを、脳波調査の依頼があった時のことを詳しく聞かせて貰えますか」

「最初は何を馬鹿気たこと——と、皆思うておりましたな。事実馬鹿なことである。私は今もそう思うております。科学を馬鹿にしているのではない。科学は偉大です。鉄の塊が空を飛び、木の箱が義太夫を語り、治らぬ病が癒《い》える。素晴らしきことである。しかしそれはそれ。我我には無関係だ。坐禅を科学で解き明かし、座らずに悟る技術ができたとしてもそれは禅とは無関係である。悉有仏性《しつうぶっしょう》、そもそも万物は生まれ乍らにして悟っておるのだ。だから坐禅と云うのは悟るために座るのではない。修行は、悟るためにするのではないのだな。只管打坐《しかんたざ》——我等はただ座るのみである。それだけで善い。坐禅を悟りの手段とするは、これ即ち外道の所業。修行と悟りは修証一等《しゅうしょういっとう》、常に同等でなくてはならぬのだ。ならば修行なくして悟りの仕組みを知ったところで、あるいは悟りなくして修行の仕組みを知ったところで、それは全く無駄である」

「はあ。そんなものですかな」

生返事である。山下には善く解っていない。

　祐賢は眉ひとつ動かさずに云った。

「解り易く云えば、例えば——そなたは飯を喰いますな？」

「そりゃ喰いますね。これからご馳走になる」

「何故喰うのかと問われれば」

「そりゃ腹が空くから——いや、栄養をですな」

「そう、栄養を摂《と》るためであろう。しからば食べずとも栄養が摂れる樞《からくり》ができて、明日から飯を喰わずとも良いと云われたらどうなさる」

「それは厭ですなぁ。喰う愉《たの》しみがない」

「では逆に喰う愉しみを満喫せんがため、幾ら食うても実にならぬ樞ができたとしたら」

「それもなあ。喰っても喰っても栄養を吸収せんのならいずれは死ぬでしょうし」

「そうであろう。そうしたものは分けては考えられぬもの。しかし科学とやらは分けることを可能にしてしまうであろう」

「ああ、まあねえ。そう云うことか——」

　山下は取り敢えず納得はしたものの、これが警察の事情聴取かと云う思いがふと脳裏を掠めた。

「まああなたのお考えは解りましたよ中島さん。しかし、桑田さんはあなたとは違う考えを持っていた訳ですね？」

「否。基本的には同じであったろう。了稔さんも泰全さんも同様であったと思う。ただ思惑はそれぞれにあったようだがな。どうあれ最初に調査依頼を引き受けようと云い出したのは常信さんだった」

「何故です？　同じように科学は無駄だと思っていたのなら、そんなことは云わんでしょうに」

「善くは解り申さぬ。ただ非常に熱心であった。禅を科学で解き明かすのではない、科学を禅に取り込むのだ、とか申しておったが、真意は知れぬ。直接本人にお尋きなさるが良かろう。しかしこれには慈行さんが猛反対した。それは大変な見幕であった。私は正直どちらでも善かったから静観しておったのだが、ところが——突然《いきなり》泰全老師が常信さんに賛同したのだ。続いて了稔さんが賛成した。老師のご本心は私などには計り知れぬが、了稔さんの気持ちの方は少しだけ解る」

「解る？　あなたに？」

「あの人はな、禅に科学は必要ないが、同じように伝統も神秘性も必要ないと云うた。宗派も、大義名分も芸術作品も無関係だとな。禅匠はただ無一物で良い。それなのにこの建物には拭い去れぬ歴史の闇と云う化け物が巣喰っている。僧の背後には教団と云う邪魔者が控えて居る。どうせ法脈もまちまち、いっそ凡てを捨てる良い機会ではないかと、了稔さんはそう思うたらしい」

「それで科学調査を実施させてどうなります？」

「あの人は科学と伝統を相殺《そうさい》しようと——企んでいた節がある。この明慧寺を覆う幻想を拭い去り、白日の下に曝してやろうと思うておったようだ。それから先どうするつもりだったかは知らんがな」

「なる程なあ。しかし聞いたところに依るとあなたがたはそもそも各教団から、この明慧寺に調査のために遣わされて来たのだとか。だったら勝手にそんなことをしてしまっていいのですか？」

「まあそうである。ただ——」

「ただ？」

「もう——そんなことは——」

「え？」

「否、了稔さんは多分——ここから出たかったのであろう」

「あの人は善く外出していたそうじゃないか？」

「外出したって出られるものではない」

祐賢はそう云って、黙った。

「——ああ、失礼」

そして一度目を閉じて、再び開いた。岩のような顔が表情を取り戻した。

「そう——脳波調査のことであったな。そう云う訳で賛成した知事は三人、反対したのは私を除いて三人——否、二人になり、最終的には覚丹禅師がお許しになったのであるが——それで、先ず最後に賛成した了稔さんが殺され、次に泰全さんが殺された。だからこそ、常信さんは次は自分だと恐れておったのかもしれぬ」

「しかし最後に賛成したのは貫首の覚丹さんなのでしょう？　それにあなただって」

「私は意思表示はせなんだからな。それに決定権は貫首にある。責任は重い。初めに積極的に賛成した自分自身と同じか、それ以上に重いと——常信さんはそうお考えになったのかもしれぬ」

——次は私か、否、貫首かもしれない。

慥かに桑田はそう云っていた。

「なる程ねえ。それでまあ、彼が怯えていた理由は解ったようにも思えるが——しかし、そんなことが殺人の動機になるのかな？　だって、それ程までに——賛成派の命を奪ってしまう程に、と云う意味だが、そこまで脳波検査に反対ならば、今からでも止めさせることは可能な訳でしょう？」

「可能であろうな。また縦《よし》んば不可能であったとしても、そのようなことは殺人の動機になどならぬ。だから、これはあくまで了稔泰全常信の三者の共通項と云うだけのこと。ただ常信さんご自身は、もしやそう思い込んで怯えておったのかもしれぬと」

「ああ。最初に云ってた被害妄想ね。ううん――それなら、桑田さんが和田さんを疑ってた説明にはなるだろうな。殺害された二人の共通項が脳波測定賛成派だったことしかないのなら、反対派の仕業と考えることはあるか。桑田さんがそう考えたのなら――反対派の急先鋒である和田さんか、あの人を――否、待てよ。最後まで反対してたのは和田さんひとりだった訳かね？」

「い、いや――それは――ああ、若い僧の中にも異を唱えとる者も居ったし、決してそう云う訳ではない。慈行が単独で異を唱えていたと云うことはない。ただ、常信さんは錯乱しておったし、先程も申した通り、日頃考えの合わなんだ臨済僧の慈行さんを取り敢えず疑うよりなかったのじゃないか。いずれ典座の知事としては修行がなっていなかった。幾ら何でもあの動揺振りは狂気の沙汰。狼狽にも程がある。況や同じ寺の雲水を疑うなど、とても普通とは――」

「あんた――祐賢さん」

胡坐をかいた菅原が急に呼びかけた。蠟燭を横に置き、まるで木曾の樵である。

「あんたはどう思うのです？　その慈行さんを」

そう云えば――慥か菅原は、中島祐賢は和田慈行とあまり仲が良くないとか云っていた。

「それは――」

「それは？」

「お――愚かしい、慈行さんが犯人だなどと、あり得ないことである。あの人は高潔な禅匠だ。いいや、今朝程慈行さん自身も云っておったが、当山に不殺生戒を破る僧など居りませぬ。だから――常信さんは今、魔境に入っておられるのだろう。いずれそこを過ぎれば愚かしい言行も改まるでことであろう」

「ふうん。でもあんた、昨日の様子じゃ慈行さんとはそれ程上手《うま》く行っていないように思えたがな、それもその、相容れぬとか云う奴なのかな？」

「私が？　慈行と？　否、そんなことはない」

「でも云っとったですな。合わぬものは合わぬとか瞋恚《しんい》とやらが断ち難いとか、な」

「そ、それはまあ、私が怒り易き性質を捨て切れぬ未熟者であると云う――ことである」

「そうかな」

「何か」

「あんたが肚を立てるのも、その相容れぬ宗教上の何とやらなんでしょうかな」

「何を仰りたいのか判り兼ねますがね」

「もっと他の理由は考えられんのですかな？　修行僧だって生身の人間だ。感情はあるでしょう。好きだとか嫌いだとか――いいですかな、下界ではそう云うことが動機になるんですな。どうです、中島さん。心当たりはないですかな？　例えば、そう山内での痴情の縺れとか――」

「何で山内で痴情が縺れるよ菅原君！」

「――そう云ったことはありませんかな」

「そんなことは――ない」

　――何だこの真面目な答え方は？

「ありませんか」

「苦吸《くど》いな。警官であれ何であれ、僧に対してそのような揣摩憶測《しまおくそく》、失礼千万である。仮令《たとえ》如何《いか》なる場合でも当山の雲水の中に人殺しが居ることなど考えられん！　もう少し外に目を向けるが宜しかろう」

「外部にね。そうですかな。まあいいですわい。ところでもう一度尋きますがな。今朝、大西さんは朝課に来なかったんでしたな」

「如何にも」

「善くあることなのですかな」

「初めてのことであった」

「それで維那のあんたとしちゃ、どうしたんで？」

「ご高齢であったから、お躰の具合でも悪いのかと思い、ご様子を伺いに行くよう云いつけ申した」

「英生君に？」

「否。英生と、それから常信さんの侍者の托雄の二人は、朝課の後取材班に同行するよう申しつけておったから、別の僧に――」

「ああ、そのようですな。つまり中島さん、あなたも桑田さんも、取材が終わるまでお付きの小坊主はいなかった。ひとりだった訳ですな？」

「そう――なるかな。私が老師のご様子を見て来るように指示したのは、正春《しょうしゅん》と云う僧である」

「それは誰の付き人でもない坊さんですな？　しかし大西さんのお付きの小坊主どもは朝起きたら、もう老師はいなかったのだと証言している。つまり大西さんは、前夜午前一時過ぎまで取材の連中と話をしていたにも拘らず、それで四時半前の早朝には出掛けていた、と云うことらしいですな」

「そのようであるな。しかし朝課前にそうした報告はなかった。朝課後も私は用があったものだから、泰全老師の侍者達には話を聞く時間がなかったのだ。正春はただ近くに居ったから申しつけただけである。老師は理致殿に居られるものと思うておった」

「時間がなかった――ねぇ。あんたは朝課の後用事があった訳ですな？」

「貫首に会わねばならなかった。前日の報告と、今後の対応に就いて話しておく必要があったのだ」

「和田さんや桑田さんも一緒に？」

「否、一緒ではない。常信さんは入れ違いで貫首のところに来た。慈行さんはおらなんだ」

「そう云ってましたな。桑田さんも。和田さんは、何やら調べものがあったんだと云っている。あんた、貫首のところには何分くらいいいました？」

「ものの十五分程」

「その後は？」

「その後は──粥座《しゅくざ》を」

「ご自分の庵──何と云いましたかな？」

「相見殿《しょうけんでん》」

「そこで朝食を摂った」

「その通りである」

「食事係の小坊主もそう云っていましたな」

「おい、何なんだ菅原君。そんなことは皆、先程の事情聴取で聞いたことだろう」

山下には菅原の質問の意図が解っていない。しかし菅原の尋問は実に刑事らしい。先程までの、尋いているんだか教えを乞うているんだか判らない山下の質問とは大違いである。

「まあ警部補、慥かにお聞きしたことだが──でも私はもう少し聞きたいのですな。中島さん、朝食は五時半からでしたな。お経が終わるのは五時。十五分話していたとしても、少し時間が開きますな」

「うん？　そう云う感覚ではなかったが。貫首のところを出て正見殿に戻るとすぐ粥座であったと――」

「食事は皆同じ時間に喰うのですな。すると入れ違いに来た桑田さんは食事時間の直前に貫首の許に訪れたちゅうことですかな？」

「常信さんは典座であるから、それは已《やむ》を得ぬのだ。用意を整えてからお伺いしたのだと思うが――」

「なる程な。朝飯を作り上げ、調理長の責務を果たしてから伺ったと云う訳だ」

「典座はただの料理人ではない。人望厚き修行僧ならずば勤まらぬ大切な役目である。そもそも――」

「そんなことはどうでもいいんですよ。中島さん。それであんた、大西さんが早朝からいなかったことに就いて報告を受けたのは？」

「粥罷《しゅくは》に」

「飯を食い終ってからその正春さんが正見殿にご注進に上がった訳だ」

「そうである。正春と泰全老師の侍者の僧が三人やって来て、老師の失踪を報せた」

「時間は？」

「六時を過ぎておったか」

「それで？」

「了稔さんのこともあったから——流石に悪い予感がした。四人には取り敢えず口止めをして、その辺を捜すように云いつけた。それから先ず慈行さんに報せに行った」

「ご自分で？」

「取材の者も山内に居るし、こうしたことは慎重にするべきだと思うたのだ。ことの次第を告げると慈行さんも困ったようでな。兎に角慌てるなと云うておった。私は次に常信さんに報せに行ったが、常信さんはおらなんだ」

「桑田さんの庵に行かれたのですかな？」

「先ず庫院に行き、それから覚証殿に行ってみたが居られなかった」

「あなたひとりで？」

「そうである。それから理致殿に行った」

「理致殿に着いたのは何時頃ですかな？」

「先の事情聴取でもお話ししたが、七時を過ぎておった」

「誰にも会わなかった？」

「会わなんだな」

「理致殿にも誰もいなかった」

「居らなんだ」

「中には？」

「這入らぬ」

「何故？　何故確認をしなかったんで」

「朝から居られなかったと聞いておったし、呼んでもご返事はなかった故――」

「それがね、大西さん、いたらしいんですよ」

「いた？」

祐賢は鼻の上に皺を寄せた。

「それはなかろう。居られたなら返事をされるであろうし、気配もせなんだが」

「いや――例の今川と云う古物商がね、六時半から七時くらいまでの間、理致殿で大西泰全と話をしたと証言しているんですよ」

――ああ、そうか。

山下は漸く菅原に追い着いた。山下は坊主達の動きと今川の動きを重ね合わせて考えていなかった。

「まあここにゃ時計がない。正確な時間は判らないですわい。凡そ七時と云っても六時五十分か七時十分か、その差は二十分もある。人目を避けて建物に這入るのも抜け出すのも簡単だな。だからあんたの証言を頭から否定することはできんがな――どうも何だかちぐはぐだとは思いませんかな」

「何が――であろう」

「いや、普通ね、失踪して屍体で発見されると云うのは、まああることですな。しかしね、小坂了稔。あの人は朝のお経の後失踪したと云われているが、失踪して半日以上経ってから托雄君に目撃されている。それで、そのすぐ後に殺されたらしい。今回の大西泰全。これも失踪したのは早朝と云うより深夜ですな。そう云われているが、矢張り今川によって一度目撃されている。屍体発見の時間から考えても殺害は今川が帰って間もなくでしょうな。どちらも一度失踪した者が、大分時間を経てからたったひとりに目撃されて、それからすぐ殺されておる。こりゃあ不自然でしょう。怪訝《おか》しいですわな」

「偶偶《たまたま》そうであったのだろう」

「そりゃそうだが、そう云っちまっちゃあにべもない。ここには三十人以上人がいるんですよ。その全員の目を翳《かす》めてこそこそ逃げ回るちゅうのは難しいんじゃないんですかな。まあ寺を抜け出してどこかに行ってしまったのなら判るんですがな。いずれもこの寺の中に隠れていた、或は一度帰って来たことになる訳でしょう？」

「そう申されればそうかもしれぬ。しかし私には与《あずか》り知らぬこと。そうとしか云いようがない」

「ふうん――常信さんは貫首と会った、後どこにいたんですかなあ。否、どこにいたと思います？」

「それは本人に尋かれるが宜しかろう」

「あなたの意見が聞きたいんだがなあ、中島さん。ねえ、警部補？」

「あ？　ああ」

山下は、田舎刑事と山法師の互いに肚に一物仕込んだような応酬に聞き入っていたのである。これでは主導権《イニシアチブ》も蜂の頭もない。ただの傍観者である。

「そ、そうだね、中島さん、あなたの見解をお聞きしたい」

山下は慌《あわ》てて取り繕う。

祐賢は射《い》竦《すく》めるような眼で山下を睨んだ。怯んではなるまい。

「知らぬものは答えようがない。どのような回答を期待されているのかは解らぬが、凡そご期待に応えることは無理である。邪推してもおらぬし、弁護する必要もなかろう」

「それはそうだが――」

「解りましたよ。どうも有り難うございました」

菅原が勝手に緊張の糸を切ってしまった。

「おい、菅原君。勝手に切り上げるなよ」

「警部補、あんた、まだお尋きすることでも？」

「いや、その――」

あるような――ないような。ただ、結局菅原に主導権を握られ放しだったことが悔しかっただけかもしれない。

「——そうだ、中島さん。大西さんの屍体発見に就いてだが、発見されたのは慥か」

適当な質問だった。

「午後二時を過ぎた頃のことである。東司に行った僧が発見して、先ず私に報せがあった。騒ぎになってもいかんと思い、現場に行ってみたらもう騒ぎになっておってな。取り敢えずその場を収め、僧達に東司を固めさせて——現場を保持するとか云うのが大切だと聞いていましたのでな。それで、確認してすぐ貫首に報せに走り、もう一度戻って僧に慈行さんを呼びにやらせた。そう——三十分は経っておったのかな。慈行さんは十分程で到着した。間をおかずに警察の益田殿——か？　彼が来られた。益田殿が寺を出られたのはだから二時五十分を過ぎたくらいのことであったかな。三時になっておったか」

山下は仙石楼に十分もいなかったから、仙石楼を出たのが十四時十分程。山中で益田と行き合ったのが十五時を十分ばかり過ぎた辺り。寺に到着したのが慥か十五時三十分だった。

計算は合っている。

「その、とうすですか？　便所ね。発見された便所は朝からそれまで誰も使ってなかったのかな？」

「朝課の後に掃除を致す。その際には何も異常はなかったと聞いておる。それ以降のことは知らぬが、使った者もおるかもしれぬ。しかし報せがあったのはその時間なのだから、それまでは誰も気づかなんだのであろう」

「そう——なんでしょうなあ」

「宜しいかな？」

「あ、ああ、どうも」

どうにも山下はだらしがない。

菅原が意味深長な目つきで山下を見た。

——こいつも、
馬鹿にしているのか。

「失礼致します」

襖が開いた、英生が膳を運んで来たのだ。

「おお、食事の膳が整ったようであるな。宜しければ私は失礼させて戴きたい」

「ああ結構です。いいね菅原君」

「ああ。私は構いませんがな」

祐賢はそれを聞くと音もなく立ち上がった。

英生が膳を持って這入って来る。その後ろに二人程若い僧が連なり、山下達の前に膳を置いた。

その時。

鐘が鳴った。

「何だ？　このような時間に」

山下は懐中時計を出した。二十二時四十二分。豪く半端な時刻である。

鐘は鳴り止まなかった。

調子も強さも目茶苦茶だ。乱打している。

「何だ！　何ごとだ」

祐賢が珍しく跫を立てて入口に向かった。

英生達が不安げに振り返る。

ばたばたと云う気配が玄関先に近づいて来て声だけが告げた。

「祐賢和尚、あの博行《はくぎょう》様が」

「馬鹿者！　ここでその名を云うな！」

祐賢は機敏な動作で振り向き、

「英生、来い」

と云って外に飛び出した。二人の僧は既に一礼の後、座を立って祐賢に続いている。英生は山下と菅原を小刻みに見比べて、

「す、すみません」

と小声で云って立ち上がった。動き出そうとする英生の袖を菅原が摑んだ。

「おい！　英生君。はくぎょうってのは誰だ！」

「そ、それは——」

「そんな名前の坊さんは名簿にないぞ！」

「す、すいません——」

英生はもう一度頭を下げて、振り切るように踵《きびす》を返したが、菅原は執《しつこ》かった。

「待て。ほら山下さん、飯喰ってる場合じゃない。おい英生君！　待ちなさいッ」

引き摺られるように立ち上がった菅原は英生の後を追って外に出た。山下も続いた。

——厭だ。とても厭だ。

山下は思う。自分の推理など何ひとつ当たらぬ。自分の経験など何ひとつ役に立たぬ。自分の肩書きは通用せぬ。自分はこの場に必要な人間ではない。


鐘楼の周りに僧が集《たか》っていた。警官も何人か雑《ま》じっているが圧倒的に数は少ない。騒ぎが起きたところですぐに持ち場を離れる訳にも行かぬだろうからこれは仕方がないだろう。奇声が聞こえた。

鐘楼の上には奇怪な人物が訳の解らぬことを喚きながら、数人の僧を相手に立ち回りを演じていた。

手には木槌のようなものを持っている。

衣服は襤《ぼ》褸《ろ》襤《ぼ》褸《ろ》で、髪も髭も伸び放題、剝き出しの手足は、折れそうな程に痩せ細っている。

「ありゃ誰だ？」

——仁秀とか云う爺ィか？

山下は一瞬そう思った。しかし先程の僧は、

——はくぎょう、と云っていたか？

慈行がいた。混乱の中にあっても美僧の姿勢は変わらないようだった。背筋が伸びているからやけに目立つ。山下達の姿を確認すると、慈行は眉を吊り上げて睨みつけた。お前達の所為だと云わんばかりの攻撃的な視線である。勿論そんなことはないのだが、それを撥ね返すだけの自信を山下は既に喪失しかけている。いや、心の何処かで、そうなのかもしれないと思いかけていたのかもしれない。

楼上の怪人物は大声で叫んだ。何を叫んでいるのかは解らなかった。

——何も解らないんだ。

夢でも見ているような気持ちになった。

僧のひとりが木槌で頭を殴られて昏《こん》倒《とう》した。

警官がひとり駆け上がった。

慌てた祐賢の姿を確認する。

「な——中島さんッ」

山下は大声で呼ぶ。

「何なんだこれ！　おい中島さん！　説明しろ説明！」

「こ、これは事件には無関係に——」

警官が横面を殴られて鼻血を出し乍ら鐘に打ち当たった。

ごん、と籠った音がした。

「関係なくないッ！　おい、大丈夫かッ」

菅原が二三人の僧を突き飛ばして楼上に飛び乗り、そのまま怪人に体当たりをした。蹌踉《よろ》けた男の上に数人の僧が覆い被さった。

山下は僧達の垣根を掻き分けて駆け寄る。

男はじたばたと踠《もが》いている。

捕縄《ほじよう》を手にした菅原が更に押え込む。

顔がこちらに向いた。

死んだ魚のような濁った目が、
山下を見て、

——笑った？

ぞっとした。

いつの間にか山下の横に来ていた慈行が、諦めたような面持ちで告げた。

「この者は——明慧寺三十七番目の僧侶、先の典座、菅野《すがの》博行と申します」

三十七番目ェ——と、山下は裏返った声を発した。

「まだ——いたのか」

「博行和尚は現在は心を病んでおります。不埒《ふらち》な行いをするのみならず、斯くの如く暴れますもので、土牢に隔離しておりました。警察の方に申し上げるのが遅くなりましたことはお詫びします」

「土牢？　土牢ってあんた」

「ご迷惑をおかけ致しました」

「そう云う問題じゃ——」

慈行の肩越しに山下は見た。

三門の陰からちらりと窺う振袖の少女。

鈴——もまた、
笑っていた。

見跡

尋牛

見牛

牧牛

得牛

忘牛存人

騎牛帰家

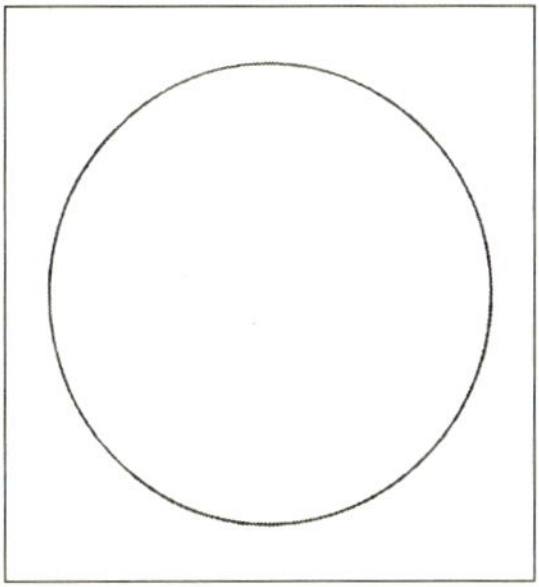

人牛俱忘

入鄽垂手

返本還源

京極堂の仏頂面を目にして、これ程の安心感が得られるとは——正直私は思ってもいなかった。

6

彼の憑物落しの作法は善く知っている。

私は、幾度も向こう側に行きかけて、この男に引き摺り戻された。境界でふらふらと揺れている者がいると、この友人は不機嫌な顔つきで音もなく近寄って来て、ある時は背中を押し、またある時は腕を強く引いて、収まるところに収めてしまうのである。

今回に限り私はそう云う状態ではない——つもりだった。

私は、主体性も目的意識もないまま、流されるように関わってしまった、ただの第三者でしかなかったからだ。

しかしそれを云うなら鳥口にしたって敦子にしたって同じことで、云ってみれば他人の不慮の事故に遭遇した旅行者程度の関わり方でしかない。己の深い部分と今回の事件が有機的に結びついているのは精精《せいぜい》飯窪女史だけであり、それにしたって根拠は甚《はなは》だ薄弱だ。いわくありげなお膳立こそ整っているものの、殺人事件そのものとは関わりがあるかどうかは解らない。今川とて同じことだと思う。

それにも拘《かかわ》らず、私達は一様に安堵した。

敦子も鳥口も、初対面の今川や飯窪も、である。

友人は眉根を寄せて、芥川龍之介のポートレートよろしく、顎に手を当てた得意のポーズで仙石楼の座敷に座っていた。そして私達の顔を見ると一層不機嫌な表情になり、ひと言、

「この粗忽者《そこつもの》どもが」

と云った。

何も云われないよりは遥かにマシだった。

続いて益田達刑事に囲まれるようにして桑田常信和尚が座敷に這入《はい》って来た。

怯えた禅僧はそれなりの威厳を精一杯の努力で保ちつつ、図らずも黒衣の陰陽師と対峙することとなった。


何時間か前。

否、あれは僅《わず》か六時間程前のことだ。

寝ている鳥口を無理矢理起こし、私達が禅堂に移動したのは夕方五時頃だったと思う。

禅堂の中を覗いた瞬間の得も云われぬ感動を——大袈裟な云い方だが——私は生涯忘れないだろう。

音がなかった。気配もなかった。しかしそこには大勢の人間が座っていた。

入口には警備の警官が一名立っていた。勿論番兵は無駄口を利く訳でもなく、直立不動の姿勢を崩す訳でもなかったのだが、どうにもいけなかった。通常折り目正しく見える制服の公僕も、禅堂の中では何だか俗っぽい――妙ちきりんな異分子に過ぎなかった。警官ですらそうなのだから、私達などは最悪の闖入者《ちんにゅう》である。張り詰めた空気の中に私達のような不届き者の居場所などは最初《はな》からなかった。声を出すことも儘《まま》ならず、腰掛ける訳にも行かなかった。私達は部屋の隅に申し訳なさそうに佇んだ。

暫くするとひとりの僧が戻って来て、入れ違いにひとりが出て行った。どうやら僧達はひとりずつ順に事情聴取に呼ばれているらしかった。

這入って来た僧は無言で己の座る場――単《たん》――の前に立ち、深く礼をして回れ右をし、再び礼をして後ろ向きのまま片足ずつ単に上り、座った。右足を左股に、左足を右股にのせ、前後左右に軽く躰を揺すり坐相を整える。半眼になり、呼吸を整えて後はもう微動だにしない。

集中しているのか。

拡散しているのか。

どちらでも――ないのだ。

禅は集中力を養うと誰かが云っていた。

或いは一種の瞑想法であるとも聞いた。

それはまるで違うと思った。

坐禅は命懸けの修行であると云う人もいる。

それ程気負ったものではないと云う話も聞いた。

それは両方中《あた》っている気がした。

何の気負いもなく全人生を賭けて座る。

潔《いさぎよ》い。いや、潔過ぎる。大きな気負いを以て臨まなければ瑣事《さじ》ですら熟《こな》せず、その癖人生を賭けるどころか僅かなリスクを負うことすら嫌う——私などにはとても勤まるものではなかった。私の人生は常に緊張感に欠けているのみならず、それでいて尚、漠とした不安に覆われてばかりいるのである。まるで正反対である。私は仄昏《ほのぐら》い禅堂の静寂の中に身を置いているだけで、どうにかなってしまいそうだった。

警策を胸に翳《かざ》した祐賢和尚が静静と僧達の間を行き来している。動くものと云えばそれだけで、私は無意識のうちに祐賢の動きに視線を合わせていた。光量に乏しい堂内では僧の識別は難しい。尤《もっと》も私は慈行と祐賢、そして案内をしてくれた英生と托雄、巨漢の哲童ぐらいしか判らないのだから、明るかったとしてもそう変わらなかったかもしれない。

昏沈《こんじん》——睡魔に襲われた場合や、心の乱れが見て取れるような場合、坐禅中の僧は警策で打たれる。

見ていられなかった。

早朝の取材の時もそうだった。

朝課も行鉢《ぎょうはつ》も平気だったのだが、坐禅の取材に到って私は堪え切れなくなり、ひとりこの禅堂を出たのだった。

敦子に坐禅の何たるかを問われたところで答えられる筈もなかった。

そして再び、禅堂に漲《みなぎ》る緊張感とうんざりするような重圧感が云い知れぬ斥力《せきりょく》となり、私を外へ押し出そうとしていた。

それに加えて、堂内はかなり冷えていた。外気温と変わりがない。鳥口はまだ赤い目を擦っている。道道事情は説明したが、未だ寝惚《ねぼ》けているようだ。

敦子は寒そうに己の肩を抱き、飯窪は窶《やつ》れた目で僧達を順に見渡していた。

僧がひとり戻って来た。私は入口に目を遣る。見張りの警官の足が小刻みに震えている。寒いのだ。その微《かす》かな振動こそが、彼を僧達と分かち、俗界に貶《おとし》めている原因なのだと私はその時漸《ようや》く知った。

早く外に出たかった。

そんな状態が一時間半も続いた。

飯窪は倒れかけて敦子に支えられ、結局しゃがみ込んだ。鳥口は早早と機材を入れたケエスに腰を下ろしている。立っているのは私と今川だけである。

今川は放心しているように——その時の私には見えた。

突然《いきなり》乱暴な風が吹いて、入口から粗暴な輩《やから》が粗野な音を立てて侵入して来た。数人の刑事と警官達だった。応援の捜査員が到着したのだ。

我我は表に出され、隣の小さな建物に移された。

しかし居心地が悪いのに変わりなかった。

ほんの少し暖かくなっただけである。

視覚的に遮蔽されたと云うだけのことなのだ。隣の建物に大勢の僧が座り続けていると云う現実は、捨て去ろうとしても捨てられるものではなかった。例えば箱の中に何か得体の知れぬものが入っているとする。幾ら蓋が開かぬから大丈夫だと云っても、それを手に持っているのは却って厭だろう。何か入っていることだけは確実に判っていて、見ることだけができぬ状態と云うのは、余計に不安を煽動する。

そんな気分だった。

勿論隣の大きな箱の中身は得体の知れぬ厭なものなどではなく、清浄なる修行僧の群れなのだが。

事情が判っているのかどうか怪しかったが、若い警官がひとり私達を見張るために室内に残った。外にもひとりいるらしい。その所為と云う訳でもないのだろうが口を利くものは居らず、座っている体勢を変えるのすら気が引けた。畳と衣服の擦過音が耳につくのである。

聞こえるのは遠く木木の騒めく音ばかりである。

山間を冬の夜風が渡って行くのだろう。

否。あれは——。

「何か——」

敦子が気づいた。

「——声が聞こえませんか」

「ん？」

上《あが》り框《かまち》に腰掛けていた警官がその言葉に反応して少し顔の角度を変えた。耳を澄ましているのだ。

「風じゃないすか」

鳥口がそう云ったので警官は安心したように元の形に戻った。しかし。

それは風ではなかった。

呻《うめ》き声——木の軋《きし》るような音。啜《すす》り泣きか。あれは——。

あれは鼠——か？

「いいえ。聞こえるのです。あれは声なのです」

今川が云った。

「うん——？」

警官が腰を上げて戸を開けた。

「おい君、異状ないか？」

「ないよ」

外の警官が素っ気ない返事をした。

「何か聞こえるか？」

「さあ。静かなもんだが」

警官は我我をちらりと盗み見た。

「そうだ――よなあ」

「丁度良い。寒い。君、交代してくれ」

「中も変わらないぞ」

「少しはマシさ」

外の警官が這入って来た。

その背後の闇にすうと白い影が過《よぎ》った。

鈴――だ。

私以外、誰も気がつかなかったらしい。

更に一時間程して、益田がやって来た。

「ああ、皆さん。こんな遅くまでほったらかしにしてしまって申し訳ない。お手数ですが、これから仙石楼に帰ることになっちゃいましてね」

「これからですか？」

「ここにいるより待遇はいいですよ。それに無事戻ったら解放します。容疑者扱いしなくていいそうですから。用意ができてるならすぐ出発します。少しでも早い方が良いでしょう」

「うへえ。解放は嬉しいっすけど、無事に帰れないこともあるんすか」

「そりゃ鳥口君。あの道だからなあ」

「そう。夜の山道は危険です。まあ僕の他にも刑事が三人ばかり――」

今度は瞭然《はっきり》と声が聞こえた。

しかも禅堂から――禅堂から声が。

それはあり得ないことだ。

「――なんだぁ？　おい君、あの声は何だ？」

「自分には判りません」

「そりゃそうだろ。一寸《ちょっと》見て来て、と云う意味だ」

「はあ」

警官が駆け出した。私は靴を慌てて履いて、戸口から外を覗いた。丁度その時、禅堂の扉が開いた。

「常信和尚！　いい加減になされよ！」

臓躁的《ヒステリック》な慈行の声だった。続く硬質な声は、

「離されよ。逃げも隠れもせぬ！」

派手な袈裟。桑田常信――。

警官が三人程出て来て常信を止めた。

「心配召さるな！」

常信は振り切るようにして知客寮の方にすたすたと歩き始めた。異変に気づいて知客寮の戸口から男――菅原刑事か――が顔を出した。私は外に出て益田と並んだ。あちこちに見かけない男が立ち竦《すく》んで様子を見ている。応援の刑事と思われた。

「どうしたんすか？」

鳥口が出て来た。敦子も続いて顔を出した。

常信は警官を引き連れるような形で知客寮に到着した。

「急展開一挙解決なら僕は嬉しい限りですが」

益田は目を細めてその様子を眺めつつ、そう云った。鳥口はその横顔を見て、

「そう巧く行っちゃあ警察は要りませんな」

と云った。案の定山下の叫ぶ声がした。

「益田ァ！　益田君！」

そして——。

どう云う事情か全く呑み込めなかったのだが——と云うよりも事情説明を受ける余裕が先《ま》ずなかったのだが——私達は数名の刑事と、更に、何故か桑田常信と共に山道を下ることとなったのである。

下りだと云うにも拘《かかわ》らず、来た時以上にそれは大変な道程だった。

刑事達は銘銘特大の懐中電灯を手にしていたのだが、幾筋かの光線に部分的に照らし出される風景の隙間は訳の判らぬ異様な光景でしかなく、地と図が反転して平衡感覚は失われ、登っているのか下っているのか、果ては天地の感覚さえなくなってしまった。

私はただ、冷たい湿った隧道を滑り落ちる小動物のように、為《な》すが儘《まま》に身を任せるしかなかったのである。

そのうち樹と雪と闇が渾然一体となり、私は——まるで夜の山に産み落とされた赤子のように——仙石楼に到着した。

午後十一時十七分だった。

番頭は大いに驚き、我我を大広間に通した。

そこに——友人——京極堂はいた訳である。

「この、粗忽者どもが」

「き、京極堂、君は何故ここにいる」

「いて悪いと云うことはなかろう。僕には僕の用事があるのだ。君達のお蔭で大いに迷惑している」

「こちらは？」

益田が怪しそうな視線で京極堂を値踏みした。

肺病病みのように顔色は悪いし、人相も機嫌も悪い。おまけに和装であるから、初対面の人間には怪しく見えて当然である。

「――兄です」

敦子が申し訳なさそうにそう云うと、益田は急に怪しむのを止した――ように見えた。

「そ、そうですか。判りました。思い出しました。こちらがあの化け物使いの先生ですか」

「化け物使い？　そりゃ落語でしょう益田さん」

「恍惚《とぼ》けちゃ困る関口さん。石井警部から聞いていましたよ。摩訶不思議な力で魔法のように事件を解決するとか云う人ですね。いやあ、敦子さんの兄上でしたか。早く云ってくださいよ」

益田は、寺にいるうちは敦子のことを中禅寺さんと呼んでいた癖に、いつの間にか敦子さん、などと呼ぶようになっている。いずれにしろ益田の発した言葉で、所轄の刑事達の方は余計怪しんだに違いない。

それにしても著しい勘違いではないか。榎木津を評して『摩訶不思議な力で魔法のように事件を混乱させる探偵』と云うなら判るが、京極堂は正反対だと思う。傍《はた》から見るとそう見えるのだろうか。

鳥口がこっそり敦子に云った。

「うへえ敦子さん、師匠は魔法使いでしたか」

「さあ。化け物使いであることは慥かですね」

敦子はそう答えた。

何と云われようと京極堂はどこ吹く風である。

仲居が数人起きて来て、我我は元元泊まっていた部屋に通された。食事の用意もしてくれるらしい。

警察は広間と、常信に宛《あ》てがわれた離れとに分かれて泊まることになった。榎木津も久遠寺翁も既に寝ているらしい。榎木津の部屋は私の右隣、京極堂は更にその右隣に部屋を取ったようだった。

疲れていたし眠くて仕様がなかったのだが、取り敢えず食事の支度ができる前に軽く湯に浸かることにした。

だだっ広い風呂だった。脱衣場——と云うには広過ぎる程の部屋なのだが——は、どうも私達の部屋の真下に位置しているらしい。廊下の下辺りが湯舟になるのだろうか。

大層な檜の湯舟には既に鳥口が浸かっていた。

へなへなの私に比べると、鳥口は如何《いか》にも屈強である。

鳥口は私を確認すると頭に載せていた手拭いで顔を拭き、

「ああ先生。極楽ですなこりゃ。空腹ですが」

と云った。

「君は呑気だなあ」

「はあ。僕ァ体力だけはありますからね。これで腹が膨れりゃ完全に復活します」

「ずっと寝ていたんだから当然だろう。気楽な男だ君は」

湯は熱かった。これからどうなるだろうと云うと鳥口はへへへと笑った。

「なあに、師匠が来りゃあ安心です」

「京極堂のことか？　あれは何か別の用事で来たんだ。きっと関わりを持ちたがらないぞ」

私は京極堂を見て豪《えら》く安心した癖に、一方でそんな確信めいた見解も持っていた。

躰が温まると余計に眠くなった。

部屋に戻るともう床が延べてあり、見計らったように仲居が握り飯とお茶を持って来た。酷《ひど》く空腹だった筈が、如何せん食欲が湧かず、握り飯をひとつ食ったただけで私は眠ってしまった。

獣のように丸くなって寝た。

*

私が寝ている間の話——当然伝聞——である。

風呂から上がった鳥口は何だか釈然としない気分を持て余していたのだと云う。

疲れ知らずの屈強な若者は、本人の言葉通り握り飯をたらふく食うとすっかり充電して、元気になってしまった訳である。どうのこうの云ってもかなり長く熟睡した訳だし、お蔭で昼夜はすっかり逆転し、目は益々冴えて、

——さてどうしよう。

と思ったのだそうだ。

寝ている間に大事が発生したらしい。起こされた時に一応説明はされたものの、小説家の冗長な話し振りは相変わらず要領を得ないもので、かと云って敦子や今川にことの次第を質せるような雰囲気でもなかったから、善く解らなかったのだ。それから後は何が何だか解らぬうちに矢継ぎ早に議事が進行して、気がついた時には仙石楼にいたのである。

——これは一寸《ちょいと》京極の師匠のところにでも、
行ってみようと、そう思ったのだそうだ。

京極堂は宵っ張りで、一時や二時で寝てしまうような玉ではないと、そう聞いていたからである。

廊下は真っ暗だった。刑事達も寝てしまったのだろう。

昨日の朝の、榎木津の演出に依るドタバタ騒ぎがもう遠い昔のような気がした。

ぎしぎし、と天井が鳴った。屋根に坊主がいるような気がして鳥口は足早になった。部屋は慥か隣の隣の隣だ。扉の隙間から細く明かりが洩れている。思った通り夜更かしの古本屋はまだ起きているようだった。鳥口は二度程軽く扉を叩き、開けた。

「あのう」

襖がすうと開いて、振り向いたのは浴衣姿の敦子だった。

「うへえ、御免なさい」

「え？　あ、いいんです。ここは兄貴の部屋です」

「は？　おお驚いた。僕ァ部屋を間違えたかと思いました。妙に勘ぐられちゃ命が危ない」

「命が危ないって、どう云う意味です？」

敦子が訝しげに云うと奥から京極堂の声がした。

「そりゃあお前のようなじゃじゃ馬の部屋に侵入したら命が幾つあっても足りないと云う意味だろう。鳥口君、寒いので閉めてくれないか」

「いや、そう云う意味じゃないんですがね――」

夜中に敦子の部屋に忍び込んだりしたら京極堂に呪い殺される――鳥口はそう思ったのであるが、そうも云えずに笑って誤魔化した。口は禍《わざわい》の素《もと》と云う格言を鳥口はどうしても学習できないらしい。

「じゃあどう云う意味なんです？」

　そう云って口を尖らせた洗い髪の敦子は、何だかいつもの敦子とは別人のようで、鳥口は目の遣り場に困った。


　敦子の説明を聞いて、漸く鳥口の失われた環《ミッシングリンク》は繋がった。慥かに大事である。

　しかして京極堂は鳥口より遥かに事情を把握していた。山道で益田に行き遭い大慌てで引き返して来た警官が、応援要請の電話を大声でかけているその時に、京極堂はこの仙石楼に到着したのだと云う。

　後は推《お》して知るべし、細君達から得た情報と、久遠寺翁や榎木津から得た情報を組み合わせて、大方の筋書きは読めていたらしい。

「全くこんな所まで来たと云うのにいい迷惑だ。悪い予感はしたのだけれども。明日早早に帰るよ」

　そう云って肉体労働を嫌う書斎派の古書店主は茶をひと口飲んだ。

「帰るって兄さん。何でここに来たの？　事件のことで来たのじゃなくって？」

「おい。何で僕が、そんな殺人事件の現場になんか好き好んで出向かなきゃならないんだ。警察があんなに大勢いるだろう。榎木津まで来てるじゃないか」

「だから、じゃあ何で来たのよ」

「仕事だよ仕事。明慧寺の貫首に尋きたいことがあったんだが、これじゃあなあ。ひとり目の被害者が坊主だと聞いて、もしかしたらとは思ったんだが、寺の中でもうひとり殺されたんじゃ、話を尋くどころじゃないじゃないか。本当に傍迷惑《はためいわく》な話だ」

敦子の兄は本当に機嫌の悪そうな顔をする。始めて会った時は酷く恐縮したが、どうもこれで普通らしい。本当に怒ったり不機嫌になったら、もっと怖い。怖いと云うより凶悪な面相になる。半年経ってそれを知った今鳥口はあまり気にしなくなった。

「じゃあ師匠、事件に関わる気はないと云うんですね？」

「僕は君のような善く寝る弟子を持った覚えはないよ鳥口君。しかし君の云うのはその通りだ。僕はそんなものにかかずらわっている程暇ではないのだ。そう云う如何わしいことは関口君にでも任せるがいいさ。きっと愉快な推理をしてくれる」

「冷たいなあ。しかしこの間も初めのうちはそんなこと云ってましたがねえ。最後は仕切ってたじゃないすか。大体僕等が戻って来るのを待っていたなんて、興味がないとも思えません」

「待っていた訳じゃないよ。僕は君達が今日戻ることなど知らないんだから待ちようがないだろう。僕はただ久遠寺さんと長話をして、榎木津の相手をしていたら遅くなってしまったてね。億劫《おっくう》だから一晩泊まることにしただけだ。見張りの警官相手に無駄口を叩いていたら君達が帰って来たんだ」

「そう云えば榎木津の大将はどうしたんです？」

「伸びた」

「伸びた？」

「夕食の後、鼠を退治するとか云い出して勇ましく天井裏に上がったら、そこに竈馬《かまどうま》の死骸があってね。鳥口君は知らないだろうが、榎木津は水気のない菓子と竈馬が何より嫌いなんだ。途端に気分が悪くなってバタンだ。探偵も何もできたもんじゃない」

「全宇宙に怖いものなしの大将が、虫嫌いなんですか？　はあ」

「しかしここの鼠もなあ――」

京極堂は天井を見上げる。

「――今泊まっている湯本の宿にも鼠が出てね。どうしたもんかなあ」

「そんなことはどうでもいいわよ兄さん。今私が話したこと、どう思う？」

「どうも思わないな。感想はない」

「感想じゃなくて考えを聞きたいの」

「考えったって述べようがないだろう。不在証明《アリバイ》のある者もいなけりゃ動機のある者もいない。それで犯行可能な関係者は延べ四十人以上いる。凶器の特定だの遺留品だのの物的証拠から絞り込むよりないだろう。警察に任せておけば解決するし、解決しなくたって、お前も鳥口君も困らないだろう」

「私達容疑者なんですよ。可愛い妹に殺人の嫌疑がかかっているのに善く平気ね」

「だってお前達犯人じゃないんだろ？　なら大丈夫だよ。逮捕されて起訴されて冤罪《えんざい》とか云うのなら断固戦うが、そうはならないって。それともお前犯人なのか？　真犯人だが捕まりたくないと云う相談ならそれはいけない。僕が通報する」

「何て厭な兄でしょう。ねえ」

敦子は浴衣の襟を直して鳥口の方を向いた。

鳥口は矢張り目の遣り場に困り、視線を掛け軸に移した。

鳥口の部屋に懸かっているものと負けず劣らずの間抜けな絵だった。牛の背に男が乗っかっている。のんびり散歩でもしている風である。

「ああ何でしたっけ？　牛乳図――」

「あれか？　『十牛圖《じゅうぎゅうず》』だよ」

「そうそう。ねえ師匠。ありゃどう云う絵なんですか？　昨日泰全さん――ああ死んじゃったんですねえ――あ、いや、その、二番目の被害者に説明を聞いたのですが、爽然《さっぱり》解らなかったです」

「だから僕は師匠じゃないよ。あれはね、禅門で云う『禪宗四部錄』のひとつだ。まあ基本の古典と云うことかな。『信心銘』『證道歌』『坐禪儀』と、そして『十牛圖』で四部だ。まあ文献としては価値があるが、そうだなあ余計なものだな。勘違いされ易いようだし」

「勘違い？」

「ああ。ものごとの解った、所謂師家《いわゆるしけ》が見るならば感得するところも多いのだろうが、その辺の禅を一寸齧《ちょいとかじ》った程度の三品《さんぴん》が見ると、まあ横生頭角《おうしょうとうかく》と慈遠《じおん》和尚の小序にもあるようにね、余計なところに嵌《はま》ってしまう」

「はあ、昨日聞いたのと変わらず難しいです」

「これはね、鳥口君。難しく云わなけりゃ身も蓋もないのだよ。一休さんもらしくしろと云っている。そこを敢えて身も蓋もなく云うとね、これは十枚組の漫画のようなもんだ」

「すると『のらくろ伍長』みたいなもんで？」

「そう『サザエさん』のようなものだ。先ずね、この部屋の掛け軸の牛に乗ってる男。これが主人公だね。一枚目でこの男はいきなり牛を失っていることに気づく訳だ」

「それまで牛飼ってたのですか？」

「否、この世界はそこから始まる。その前はない。この男は牛を失っていることに気づいて捜しに行こうとする。これが『尋牛《じんぎゅう》』だ。飯窪さんとか云う女性が最初に泊まっていた部屋の名前だね。次。二枚目。これは敦子の部屋の絵だな。男は物的証拠を発見する。牛の足跡だ。これは貴重な手懸かりだね」

「ああ、あれは足跡を見つけたところだったんだ。それで私の部屋は『見跡《けんせき》』なのね」

「そう。三枚目は鳥口君の部屋の奴だ」

「はあ。『見牛《けんぎゅう》』です」

「そうだね。牛を見つけたところだ」

「あれは見つけたとこですか。それで頭しか描いてないんだ。変だと思ったですよ」

「そう。牛の部分を目撃しただけだ。まだ全部は見ちゃいない。手にしてもいない。そこで次に牛に手綱をつけて、とっ捕まえようとする訳だ。それが四枚目の『得牛《とくぎゅう》』だね。これは今熟睡していると思われる関口君の枕元に掛かっている筈だ。そして、遂に牛を捕まえることに成功する。五枚目は牛を連れて歩く絵『牧牛《ぼくぎゅう》』だ。隣の榎木津の部屋に掛かってる。次が――これだ」

　能弁な古本屋は目だけで床の間を指し示した。

「これは六枚目の『騎牛帰家《きぎゅうきか》』と云う絵だ。この部屋は略して騎牛の間と云う名になっているがね。牛をすっかり飼い馴らして、背中に乗っかって笛まで吹いている。家に帰るんだ。さて鳥口君。君の部屋の牛は黒牛かい？　白牛かい？」

「黒かったですが。黒牛」

「この男が乗っている牛は――」

「ああ？　白い！　塗り忘れたんですか？」

「そんなことはない」

「なら別の牛――じゃないんですね？　それなら逃げている間は汚れてて黒かったとか」

「ははは、それは良い。牛は捕まえて飼い馴らした途端に黒から白になるのだ。ま、それは置いとくとして、さてこの次の絵はどう云う絵だと思う？」

京極堂は鳥口を見据えた。

「さあ。まあ、逃げて捕まえて家に帰って禧《めで》し禧しでしょうから――家で仲良く牛と暮らす絵でしょ」

鳥口には絵柄まで想像できた。

美味そうに草を喰う牛を満足げに眺める主人公――どんでん返しでもない限り、この展開ならばそれ以外にはあるまい。

だが京極堂は、それが違うんだよ――と云った。

「普通はそう考えるね。しかし違うんだ。家に帰って寛《くつろ》いでいるのは男ひとりだけだ。のみならず、男は牛のことなんざすっかり忘れているんだ。こっちの部屋に掛かっている筈の七番目『忘牛存人《ぼうぎゅうそんじん》』だ。見てはいないが、隣の部屋は忘牛の間だから間違いないね」

「善く解りませんなあ。苦労して捜して見つけて、やっと連れて帰ったものを忘れちゃうんですか？　無意味だなあ。また逃げたのですかね」

「否、なくなったのだね。以降はもう牛は出て来ない。その次、一番端の今川さん――僕は紹介されていないのだが――彼の部屋の絵には何も描かれていない筈だ。これが八番目に当たる『人牛倶忘《じんぎゅうぐぼう》』と云う」

「はあ？　何も描いていないって白紙？　手抜きですか」

　そうじゃないよと京極堂は笑った。

「これが四コマの漫画なら、それが三コマ目だね」

「起承転結の転と云うところですか？　するとその後にオチが待っている訳で？」

「オチがあるとしても、肝心のそのオチの部分だけがこの仙石楼にはない訳だ。その後は、水辺に花が咲いている『返本還源《へんぽんかんげん》』が九番目で、布袋尊の如き姿に様子がすっかり変わってしまった男――あるいは別人――が袋を担いでただ立っている『入鄽垂手《にってんすいしゅ》』が最後。十番目だね。これで終わりだ」

「ははあ。筋は解りましたが、意味は解りません。敦子さん解ります？」

　敦子は両手で包み込むように湯飲みを持って、掛け軸を見ていた。

「私は、『十牛圖』と云うのは悟りに到るまでの経緯《プロセス》を描いたものだって聞いていましたから――」

「悟り？　今川さんの云ってた奴ですか？　すると――はあ、解りましたよ。この牛ってのが悟りなんでしょう。悟りを求めて悟りを見つけ、悟りを得ると云う――」

「一般にはそう云われているね。そしてそれは正しいと云えば正しい。しかし悟りと云うのは得るものじゃない。だから悟りを捜しに行く絵と云うのはそもそも変だ。悟りは常にどんな状態でも自分の中に備わっている。逃げも隠れもしない」

「じゃあ違うの?」

「違わないよ。但し、悟りが逃げて行ったから追いかけよう、ああ悟りを見つけた、悟りを得た——そう云う風に見てしまうと、最初に云った通りに大いなる勘違い、と云うことになる。それにもしこれがそう云う話だったとしたら、こんな描き方はしない。僕が漫画家だったら、そうだな、そう云う筋の話を描くなら、最初のコマは男が牛と暮らしている絵を描くだろうね。そして牛が逃げる絵も描く。それにこれが悟りを得るまでの話だったなら、この部屋の六枚目『騎牛帰家』がお仕舞いのコマになるだろう。後の四枚は要らない。この絵の男は、何もないところから始まる。そして何もない状態で終わる。最初と最後のコマで違うのは男が袋を持っているところくらいだ」

「じゃあ悟りは牛ではなくてその袋なんですか?」

「いいや。『十牛圖』の場合、悟りは矢張り牛に見立てられている。悟りと云うより本来の自己と云うか——臨濟の言葉を借りれば『一無位の真人』と云うか——まあ表現上の問題だからそんなことはどうでもいいか。取り敢えず悟りにしておこうか。さっきも云ったが、悟りと云うのは外側にあるもんではない。その辺に落ちている訳じゃない。誰しも生まれながらにして持っている。いや持っていると云う云い方も適当ではないな——『存在していること』が即ち悟りなんだね。ありと凡百《あらゆる》ものには仏性《ぶっしょう》がある、と云うのが基本だ」

「それが——山川草木悉有仏性《しつうぶっしょう》?」

敦子が云った。

「そうだ。だから牛イクォール悟りだとすると、それを外部に尋ね歩くと云うのはおかしな話だ。だからこれはあくまで見立てだと捉えるしかない。見立てられないと勘違いをする」

「どう勘違いします？」

「だからね、牛と云うのが本来の自己だとすると、牛と男は同一人物と云うことになってしまうだろ？　男は本来自分が牛であることを知らず、牛——本当の自分——がどこか他にいるものだと思って捜す。そして見つける。見ただけではどうにもならない。牛を自分のものにしようとして四苦八苦——修行——する。そして飼い馴らす。本来の自分を手に入れる。そして元のところへ戻って来た時には——牛はいなくなっていなければならない」

「あ、一人二役か」

「そう、牛と男は元元同一人物なんだ。二つに分かれて同時に存在していると云う形は本来あり得ないし、況《まし》て同一の場に両方が存在することは、絶対にあり得ないのだ」

「それで牛はいなくなったんで？　いなくなったと云うよりいなかったんで？」

「そう。これに就いても解釈は色色あるが、例えばこう云う解釈もある。悟りと云う目的を牛に喩えると云う行為は、悟りと云う獲物を獲るための罠である——解り難《にく》いかな？　獲物が獲れてしまえば罠はいらない——うん、こう云う喩えの喩えが余計混乱を招くのだな。矢張り同一人物が同じ時空に複数存在することはできない、と云った方が解り易いか」

「まあ解りますよ。僕のような犯罪事件記者にはその云い方の方が解り易いです」

「そうか」

じゃあそう云うことにしておこうと京極堂は云った。

「こうして男はひとりになった。と、云うか最初からひとりなんだがね。しかし、牛──本来の自分がいなくなったと云うことは、自分自身がいなくなったと云うことにも等しい訳だよ。そこに到って凡てがなくなる。『無』だ。それが八番目の『人牛倶忘』だね」

「それは──仏教で善く云う、凡ては無である──と云うか何と云うか、その、所謂《いわゆる》『絶対無』を表しているの？　兄さん？」

「それはそうだ。勿論解釈は幾らでもできる。これは空を空ずる──絶対空の『円相』である。それはそうなのだ」

「解らんです」

「うん。じゃあ少し解り易く云おうか。目的があってそれを意識しているうちは本物ではない、とでも云うかな。病の者は健康を意識する。しかし本当に健康な者は健康を意識することはないだろ。健康と云う概念が失われている状態が真の健康なんだね。自己に対しても世界に対してもそれは同じで、自分とは何か世界とは何かと問うているうちは本当ではない。自分とか世界とか云うものがすっかりなくなって、初めて自分があり世界があると──」

「少し解った気がします」

「そんなところでいいんだよ鳥口君」

「はあ。解った気になっているだけですが」

どこかで聞いたような台詞だと鳥口は思った。

「それでいいのさ。解釈も説明も星の数程あるし、他人に説明されて解る類のものではないからね。しかし僕はそう云うこととは別にね、この『人牛倶忘』はかなり高度な技法のメッセージだと受け取っている。つまりこれまでの七枚の絵はまあ俗人に解り易く云えば見立て漫画だね。漫画を読む場合、客観的に筋立《ストーリー》や作画の妙を楽しむと云う方法もあるが、例えば小説などの場合は読む者が主人公に感情移入する、否、主人公になって読むと云う読み方があるね。この『十牛圖』は強烈にそう云う見方を主張している。つまり牛を捜している男はこれを見ている者自身だ、自分のこととして捉えよ、主人公はお前だ――」

「ああ、映画を見ていて、いきなり銀幕の中の俳優が観客に語りかけるような――そう云うショッキングな構造なのね」

敦子は解ったようだったが、鳥口には善く解らなかった。

「そう。読者――観客がここで突然《いきなり》、己が主人公だったことを自覚するのだ。これは中中に画期的だね。そしてこれは本来ここで終わりでもいい。しかし『十牛圖』にはあと二枚続きがある」

「さっき云っていたオチの二枚ですな」

「そう。正にオチなんだ。この二枚が『十牛圖』の一番大切なところなんだな。禅門の古典には『十牛圖』に先行して善く似たテキストが存在する。その名も『牧牛圖』と云う。これは黒い牛を飼い馴らし段段に白くする、また白く飼い馴らした牛を黒くすると云う内容の、八枚から十二枚続きのものだと云われる。そして『牧牛圖』はこの円相、つまり空で終わっているんだね」

「ははあ、この急に牛の色が変わるのはそれを手本にしたからですな？　しかし何で牛が白くなったり黒くなったりするんです？」

「勿論それも見立てだよ。説明するには多くの仏典禅籍を引かなきゃいけないから止そう。この『十牛圖』の作者は、その『牧牛圖』を踏まえて、それを圧縮し、二枚つけ加えて全く新しいものを作っちまった。そこが凄い」

「どう凄いんで？」

「だからさ。悟ることが最終目的ではないと云う主張だよ。悟りとか最終解《げ》脱《だつ》とか云うものは目的——つまり修行の終着点ではあり得ないのだ」

「そうなんすか？」

「そうさ。悟りは常にここにあり、悟りと修行は不可分で、つまりは生涯悟り続け、修行し続けることこそ本来の姿であると云う——それが禅の真髄だ」

「悟るために修行する訳ではないんですか」

「生きることが即ち修行であり、生きていることが悟りなんだよ。ただ足ることを知る、それだけでいいんだ」

「つまり、禅の修行者と云うのは、至上の目的があって、それを目指して日日精進努力を重ね、大悟に向けて邁進している——訳ではないのね？」

　敦子も困惑していた。

　しかし昨夜泰全老師も云っていた。

——悟るのは一度だけじゃないのですわ。

——悟後の修行が——問題なんだな。

「その通りだね。悟ることは必要だ。己に本来仏性が備わっていることを知らずに生きるのでは、仏性を持っていないのと変わらない。だから仏性に目を向ける、仏性を己のものにする——つまり『十牛圖』の前半部分は矢張り大切なんだ。だが結果大悟しても、決してそれで終わりではない。それは本来の姿に立ち戻っただけであり、その後も生き続ける——修行し続けなければ嘘だ、間違いだ、と『十牛圖』は教えている。悟後の修行が大事なんだよ」

　禅坊主でもない癖に、偏屈な古本屋は老禅師と同じような台詞で結んだ。

「じゃあ師匠、この仙石楼には——と云うか明慧寺で発見された『十牛圖』には、一番肝心なところが欠けていたつうことですね」

「そうなるね」

「はあ――流石に中禅寺秋彦、そっちの方のことは善ォく知っていますな。うん、立っていた蚯蚓《みみず》だ」

「蚯蚓？　そっちとはどっちのことだ？」

「何となくそっちですよ。まあ解り易いと云う意味ではどの坊さんの話より解り易かったですからね。偉い坊さんになれますな」

「馬鹿なことを云っちゃいけない。僕なんか彼等から見ればせいぜい文字《もんじ》習字《しゅうじ》の法師《ほっし》、仏法のなんたるかなど知り及ぶべきに非ずだ。仏法は概念でも思想でも論理でも哲学でもない。禅を知るには座るしかない。修行もしないで小理屈を捏《こ》ねたところで小賢《こざか》しいと云われるだけだ。下手をすれば警策でぶたれてしまうよ。せいぜい知ったかぶりの野狐禅《やこぜん》坊主よりは、謙虚な分だけ少しマシと云う程度だ」

「はあ――」

ごとごと、と天井が鳴った。

「どうも鼠がいるなあ。それに随分でかい」

京極堂は天井を見上げ、続いて床の間を見た。

「まあ、それにしたってこの『十牛圖』の掛け軸は相当古いものだ。これが明慧寺で出たとなると――いや敦子から聞いたその明慧寺のいびつな歴史が本当なのだとすると――これは矢張り一度行ってみなくちゃなるまいなあ。事件はいつ解決するんだ？」

「それはこっちが聞きたいのよ兄さん。だから、少しはその知らなくていいことばっかり知っている頭を使ってくれって頼んでるんじゃない」

「考えたって解るものじゃないだろう。調べるのは警察の役目だよ。明日榎木津が行くと云っていたからそしたら何とか――」

「なると思うの兄さん？」

「――思わんね」

京極堂はあっさりとそう云った。

「真相が解ったところで警察が納得しなけりゃ同じことだからな。困ったなあ」

「何を困ってるんです師匠。その、師匠の仕事ってのは何なんです？」

「だから鳥口君、落語家じゃないんだから師匠師匠云わないでくれよ。僕は本屋だよ。本を売ったり買ったりするのが仕事に決まっているじゃないか。関口君のように小説家だか事件記者だか判別し兼ねるような生活は送っちゃいない」

「本を売ったり買ったりするのに何で明慧寺の貫首に会わなきゃいけないんで？」

「うん――その泰全さんの師匠と云う人――その人が明慧寺を見つけたのが――明治二十八年とか云っていたな。うゝん、微妙なとこなんだなあ。実際に住職として泰全さんが明慧寺に入ったのが大正十五年――つまり昭和元年だろう。それまでの間どのくらいの頻度で明慧寺に通ったのかな――」

「初めのうちは熱心だったけれど、そのうちそうも行かなくなって――と泰全老師は仰っていたけれど。ご自身も二度程ご一緒に入山されているとか」

ふうんと云って京極堂は腕を組んだ。

「そうか。当時のことを知っているのはその泰全さんだけ――だったんだろうなあ。その泰全さんが亡くなられたのじゃあ、お話を聞くこともできなくなってしまった訳だ。次に古いのが――」

「死んだ了稔さんと貫首の覚丹禅師ね」

「そうか。また死んでるのか」

「死んでますな」

「貫首にも会えないだろうしなあ。そもそも今、明慧寺に入るのは難しいだろう」

それは難しいだろう。警察は徒《いたずら》に動揺しているようだし、坊主どもも過剰に神経を尖らせている。どんな事情があろうとも、この状況下で明慧寺《あそこ》に赴くことは得策とは云い難《がた》い。山下にしてみてもこれ以上怪しい人物が増えることは避けたいのだろうし、あの慈行が何と云うか知れたものではない。

寺の者に話を聞くことは当面難しいだろうなあと京極堂は顔を顰めた。

「そうだ、師匠。寺に行けなくても、仙石楼《こっち》に常信さんが来てるじゃないですか。会ってみちゃ如何です?」

　鳥口がそう云うと、京極堂は片方の眉を上げた。

「そうか。慥か典座《てんぞ》の知事だとか云っていたね」

「そうそう。板前みたいなもんでしょ」

「典座は重要な役職だよ」

「へえ。料理人が重要な地位なんで？」

「当然さ。食は凡ての基本だ。そうか、今仙石楼《こころう》に明慧寺の僧が来ているのだったね——」

「怯えてますがね」

「うん——先程ちらとお見受けしたが、相当差し迫った様子のようだったな」

「あの坊さん、山下りて来る時もひと言も口を利かなかったっすよ。足取りは確平《しっか》りしていましたがね。焦《あせ》り具合は関口先生といい勝負でした」

「彼は何を恐れている？」

　敦子が答えた。

「益田さんの話だと、次は自分だと仰っていたそうですが」

「次は自分だ？　殺されると云うのか？」

「ええ」

「すると桑田常信には犯人の見当がついていると云うことだな。しかも犯人は今明慧寺にいると、少なくとも常信さんはそう思っている訳だ」

「――そうなるかしら」

「多分それは間違いだろうな」

「え？」

京極堂は澱みなく、そう断言した。

「間違いなんですか？」

「常信さんは見当違いをしているのじゃないかな。そしてその勘違いの所為で――警察に疑われているとか云うのじゃないだろうな？」

「何でそんなことが解るのよ」

「魔法ですか師匠」

「魔法ってなぁなんだい？　ところで――その常信さん自身が真犯人である可能性と云うのはあるのか？　例えば、そう、警察の動向は？」

「警察が常信さんをどう思ってるかァ知りませんがね。僕はあのお坊さんが犯人とは思えないなあ。ねえ敦子さん」

「慥かに――山下さんなんかは疑っているかもしれないけど、根拠があるのかどうかは」

「そうか。ならば演技ではない訳だなあ。じゃあ自意識過剰の被害妄想なんだろうな。つまり常信さんには、何か疾《やま》しきところがあるんだろうね。そう云うことは警察にはすぐ知れるからなぁ。だから、矢ッ張り疑われてるだろうな」

気の毒そうな口調だった。

「でもあの怯え方は演技じゃないですよ。まるで、そう、何かに取り憑かれたような具合でしたからね」

「ああ、なら取り憑かれているんだ。鉄鼠にね」

古本屋はあっさりと云ってのけた。

「てっそって何です？」

「ああ、いいんだ。別に」

「よかないですよ。取り憑かれているんだったら祓わなきゃ。それが師匠の仕事じゃないですか」

「そうよ兄さん。何だか解らないけどそれなら出番じゃないの」

「おい、二人揃って何を勝手なこと云ってるんだ。憑物落しは商売でやってるんだぞ。頼まれもしないで働けるか。それにそんなものは放っておいたって自然に落ちる。犯人が捕まったら綺麗さっぱり落ちるよ。何で僕が坊さんの鉄鼠を祓わなきゃならないんだ。僕は猫じゃないぞ」

ごとごと、と天井が鳴った。

「鼠は――獲らなきゃならんかなあ」

古本屋の陰陽師は酷く渋い顔で溜め息を吐いた。

＊

私はまだ眠かったのだが、どう云う訳かかなり早い時間に目が醒めてしまった。廊下では一寸《ちょっと》した騒ぎが起きており、その物音で目覚めたものか。

騒ぎの大元――なのかどうか本当のところは知らないのだが――は榎木津のようだった。要するに私の耳に届いた騒音は榎木津の声だったのだ。

「わははは、鳥ちゃんの大馬鹿者！　逃がしてしまったじゃないか。そんなものに入るか」

「うへえしかしこりゃあバケツですよ」

「バケツになど入らない！」

「そんな鼠いないっすよ」

「いたんだ。いた！」

廊下では物凄いドタバタが演じられているらしく酷い振動が寝床まで伝わって来る。居たたまれなくなって私は廊下に出た。着替えに時間がかかったせいか、その時はもう廊下には誰もいなかった。

仕方なく階段を下り、大広間に行ってみた。

広間には番頭と仲居が三名、それに久遠寺翁、今川と鳥口、それから榎木津がいた。

「おお関君だな。やっと起きたか。僕は早起きして今鼠取りをしていたところだ！　羨ましいか！」

「鼠取り？」

「何でも齧って仕様がないのだ」

「齧る？」

「まだ寝惚《ねぼ》けているな？　この寝坊猿」

榎木津はつかつかと近寄って来た。こう云う場合はまず間違いなく私は小突《こづ》かれる。私は
久遠寺翁や今川に挨拶をするように見せかけて身を躱《かわ》し、鳥口の横に素早く移動した。

「おはようございます。あの、鼠と云うのは——」

——また鼠か。

「——何のことです？　その」

榎木津は空振りのまま走り去った。今川が呆れたように口を半開きにする。

「ああ。関口君。どうもな、二三日前から——ありゃあ、庭であの屍体が発見された日から
か？　そうだったな今川君？　そう、その日からネズ公が出よる」

久遠寺翁はそう云って、仲居達の方を向いた。

「それが何日経っても被害が減らんのだわ。儂は年寄りだから朝が早い。それで、今朝帳場
とか台所見張っとったらな、いたわい。こオんなでっかいのが」

老人は両手を広げた。猫か犬くらいはある。

鳥口が云った。

「ですからそんな大きいのはいないすよ。いたらば相当に齢取ってます。高高何日か前から出始めて、突然そんなに育っちゃ妖怪ですよ」

「でも、私も見たンですよ。尻尾だけでしたけど、この位ありましたかねェ」

仲居――慥かトキ――が両の人差し指で長さを示した。

一尺はあろうか。本当なら大鼠である。

「ふん！　それで僕がわざわざ昨日から退治してやろうと奮闘しているのだ！」

榎木津はそう云い乍ら再び近づいて来た。

私は本能的に久遠寺翁の方に身を寄せた。

翁は顎を引き、躰を斜めにして榎木津を眺めつつ云った。

「関口君、何か云ってやってくれんかな。この探偵、ちぃとも働かん。殺人事件より鼠取りの方が面白いと見えてなァ。そうだ――」

老人は急に躰を反回転させて私の方を見た。

「聞けば――君も、随分大変だったようだが――」

「ええ。まあ」

答えようがない。

目の前で人ひとり死んでいるのだから大変だったことに違いはない。

「今川君に聞いた。しっかし、真逆《まさか》また殺られるとは――思わなんだ――なあ」

　久遠寺翁はすうと深刻な顔つきになった。人の死を、特に殺人事件を語るのであるなら、それは当然の表情だったろうと思う。でも老人はその深刻を振り切るように続けた。

「――だから早く行こうと云うておるんだが、この調子だぁナ。一向腰を上げようとせんのだ。関口君少し喝を入れてやってくれんかナ」

「はあ」

　そうは云うものの――。

　あの閉塞感に満ちた檻の中にこんな場違いな男が乱入したら――いったいどうなってしまうのか。久遠寺翁は全幅の信頼を寄せているようだが、そもそも榎木津なんかが明慧寺に乗り込んでいたとしても、第二の殺人が防げたかどうかは怪しい。動機も何も判らないのだ。第二の被害者が何故泰全老師だったのか、それは犯人にしか、

　――榎木津なら判るのか？

　判る――のかもしれない。しかし、今更部外者が――しかもこんな煩瑣《うるさ》い男が――現場に入り込めるとも思えなかった。済んでから云うのも何だが、取材が強行できたこと自体、非常識なことだったのだろうと思う。

　問題の探偵は声高らかに云った。

「僕はその鼠のお化けが見たいんだ。見たことないからね。逃がした鼠はでかい！　関君、君だって見たいだろう！」

榎木津は背後から私をぽかりと叩いた。

「痛いなあ。見たくないですよそんなもの。大体榎さん、昨日の段階で久遠寺先生の依頼を受けてたじゃないですか。なら仕事しなくちゃ。昨日のうちならまだ良かったが、今日はもう入れちゃくれないですよ」

「何で？」

「だって明慧寺は殺人現場なんですよ。榎さんのような不謹慎な者は入れませんよ」

「何で僕が不謹慎なんだ？」

「ふ、不謹慎でしょうに。不敬と云ってもいい。この仙石楼だって一応屍体発見現場なんですよ。どうあれ人が亡くなっているんだから、もう少し態度を慎むべきでしょう。探偵なんだし」

「は！」

榎木津は侮蔑《ぶべつ》するような視線を私に寄越した。

「じゃあ何か、怖い顔して深刻にしていれば死者が蘇り、犯人が悔い改めて自首して来るとでも云うのか？　重苦しい深遠なテエマを語らぬ者は殺人事件の舞台劇に上がる資格はないと云うのかね？　おお、何と云う大時代的な発想。大体この中に坊さんが亡くなって悲しい気持ちになっている者がひとりでもいるのか？　死んだ坊さんの親兄弟や恋人でも近くにいるのなら、僕だってお悔やみのひとつくらい垂れるよ！　おお何とご愁傷様——とね」

「ほんの僅かの関わりだって縁の内でしょう。今川さんだって――」

そこで今川を盗み見ると、古物商は相変わらずの表情で、何を考えているのか全然判らなかった。

「――被害者の大西さんとは、その」

「馬鹿だなあ関君。君がめそめそしているのが好きだと云うならしてやってもいいがね。怒ったり泣いたりするのは僕等生きている者の勝手で、死んだ人には無関係じゃないか。それに笑ってるから故人に敬意を払ってないと云うこともないぞ。本当の敬意とは約束ごとのような涙ではない！　大体僕は坊主は偉いと云うことは知っている。頭剃って毎日経読んでるだけで偉いと思うね。尊敬しよう」

「何だか話がずれてしまったなあ。そう云う話じゃなかったでしょう。榎さん、あんたみたいな人は、現場に今更入れないと云う話ですよ」

「無用な心配だね！　僕は探偵だから平気だよ。関君、僕が何故この世界で探偵の役を選んだか、君も知ってるだろう」

「知りませんよそんなこと」

「は！　探偵はね、神だからだよ。さあ行きましょう左文字《さもんじ》さん！　おいマチコ、案内するのだ」

榎木津は急に真顔になって、今川を指差した。

きりりとした顔つきで決然《きっぱり》と云われて、朴訥《ぼくとつ》な古物商は狼狽したようだ。

「僕が――案内をするのですか？」

「当たり前じゃないか変な顔して。関君は物忘れが酷い物書きで、鳥ちゃんは道に迷う若者なんだ。君しかいないじゃないかマチコ。さあ早くしろ！」

榎木津はわぁわぁ喚きながら大股で出て行った。

今川は幾分猫背になり、私の方を見て、

「いったい、どうなるのでしょう？」

と、情けなく云って小走りに続いた。

「うむ。流石だな関口君。巧く乗せよって」

久遠寺翁はそう云って私の肩を二三度揺すり、更に続いた。何がどうなったものか解らぬまま、私は榎木津の遺る気に火を点けてしまったようである。

もうどうなっても知るものか。

鳥口が横で若《にゃ》けて云った。

「先生こりゃもしかして瓢簞《ひょうたん》から胡麻《ごま》でしょ」

「それは駒《こま》だよ鳥口君。しかしその通りだ。瓢簞から駒だ。いいじゃないか煩瑣《うるさ》い邪魔者がいなくなって。それより刑事達はどうしたんだ？」

昨夜は三人かそこらはいた筈だ。

「ああ、五時前には皆明慧寺に行きましたよ。朝から鑑識が入るそうで。今残ってるのは益田さんと、警官二三人だけです。ああ来ました」

　榎木津と入れ替わるような格好で、益田を先頭に敦子と飯窪女史が広間に這入って来た。どうやら結構早く目覚めたつもりが、起きたのは私が最後だったらしい。

　飯窪の後には京極堂が控えていた。

　益田が何か云っている。

「それでは――まあ、中禅寺さんの方もお仕事でしょうしねえ。致し方ないと云うか――ああ関口先生おはようございます」

　私の眠っている間に何があったのか。京極堂は事件に一丁噛む腹積もりにでもなったのだろうか。

「おい京極堂。君は何をする気だ？　行きがかり上事件にでも関わるつもりか？」

「人聞きの悪いことを云うな。僕は僕の用事があると何度云えば解るんだ。これから少しだけ常信和尚と会見したいと益田君に頼んでいたところだ。お伺いしたいことがあるんだよ」

「常信さんと？　いいのかね益田君」

「勿論、話してどうなるとも思えませんから許可しました。別に容疑者とかじゃないですしね。ここだけの話ですが、菅原さんは常信さんを疑ってるようですけどね。ははは、誰もいないから云い放題で」

「益田君。そう云うことを軽軽しく民間人の前で口にするのは問題だよ。人権侵害だ。捜査上の秘密厳守は警官の原則でしょう」

京極堂はいつもの調子で云ったのだが、益田はきつく叱られたと思ったらしい。

「も、申し訳ない。ど、どうも口が軽い」

「解ります」

鳥口が大きく頷《うなず》いた。


常信和尚は離れの座布団の上で硬直していた。

床の間を背にしている。

坐禅の形ではなく、正座だった。

例の派手な袈裟を纏《まと》い、口をきつく結び、目を剥《む》いて、首を竦めている。

床の間には花瓶が置いてあり、梅か何かが活《い》けてある。

背後には水墨画の描かれた掛け軸が掛かっている。

その前で明慧寺の典座は身を固くして座していた。

益田が右横に座った。

京極堂が正面に座り、私と敦子がその後ろに並んで座った。

鳥口と飯窪は障子の外に控えている。

常信は何も云わず、挨拶もしなかった。

多分常信は状況が判っていないのだ。いったい益田はどう話したものか。

いや、大体京極堂は何と云って益田を説得したのか。例えば何故この場に私達が同席しているのか、正直云って私自身が善く判っていないのである。

京極堂が一礼して云った。

「明慧寺典座知事、桑田常信様にいらっしゃいますか——」

慇懃《いんぎん》な態度である。

「い、如何にも桑田です」

「始めまして。僕は中禅寺秋彦と申します。武蔵野で古本屋を営んでおります。後ろに控えております敦子は私の妹です。一昨日昨日とご迷惑をおかけ致しましたように伺っております。先ずは代わってお詫びを申し上げます」

「い、いや」

「実を申しますと、僕は昨日明慧寺様にお伺いしようと思っておりました。しかしこの仙石楼に到着致しまして、凶事を知り、往生していたところでございます」

「何のご用か存じませぬが——今は——行っても用が適《かな》いませんでしょうな」

「はい。ですから——こちらに」

部屋はそれ程暖かくない。しかし常信は汗を浮かべていた。

「警察の話では――常信様はお命を狙われているとか。物騒ですので人数を増やしておきました。私ひとりでは何かとご心配かと」

「心配?」

「幾ら虚静恬淡《きよせいてんたん》、則天去私《そくてんきよし》の仏家師家と申しましょうとも、こと、お命に関わる大事となりますれば話は別。僕のような身許の知れぬ初見の人間をおいそれと信用はできませんでしょう?」

「そ、それは」

「生死事大《しようしじだい》。お命大切になさいませ」

常信は大きく息を吸い込んで呑み込むように溜めた。そして徐徐に吐き出し乍ら云った。

「何を――お知りになりたいのか」

「はい。実は他でもない。明慧寺の持ち主の所在が知りたいのです」

「持ち主? それは――」

京極堂は掌を翳し話を止めた。

「事情はお伺いしております。勿論それはお亡くなりになられた大西泰全老師が、後にいる者達にお話になった情報に拠っている訳で、それが真実かどうか判断するだけの材料を僕は持っておりません。ですから老師が虚偽の申告をなさっていないと云う条件付で、僕は明慧寺様の事情を知っています」

「泰全様は——嘘を申したりはしません」

「僕もそう思います」

「ならば、そのご質問が出ること自体得心が行きませんな。明慧寺は、あの寺は各宗各派の寄せ集め——」

「僕は宗旨宗門を問うているのではないのです。元より禅は仏心宗、宗派を問うことは無意味でございましょう。僕のお尋きしておりますのは、大正の震災の後にあの土地を寺ごと買い取ったのは誰か——それはある程度判ってはいるのですが——常信様はそれを御存知か否か、そこをお尋き致したい」

「——存じませんな」

「解りました。では質問を変えさせて戴きます。そうですね——明慧寺様には昭和に入ってから書かれた禅籍の類はありますでしょうか？」

「それは——ないことはない。否、しかし各人がどれだけ持っているかは——例えば亡くなった泰全様などはお山を下りられることは殆どございませんでしたから、書籍の類などは手に入れることも儘《まま》ならなかったと思いますが」

「それは——僧侶ひとりひとりの蔵書と云うことですね？　それでは寺の共有の書庫のようなものは？」

「ないです。経蔵はあるが、通常使用する教典が納められているだけだ」

「そうですか——」

予想はしていたものの残念だ、と云う口振りである。

いったいこの古本屋は何を知りたがっているのだろうか。明慧寺に関係する京極堂の仕事とは——あの埋まっている土蔵のことだろうか。真逆《まさか》、あの蔵が明慧寺の蔵だとでも云うのか？　そんな筈はない。遠過ぎる。数ある箱根の寺の中でも明慧寺はあの蔵を一番利用し悪《にく》い場所にあるのではないか——。

「解りました。それでは矢張り僕は持ち主に会うよりないようですね——つまりは——早期解決が必要だ、と云うこと——か」

京極堂は途中から独り言のような口調になり、俯き加減になって腕を組んだ。そして急に顔を上げ、

「ところで常信様」

と呼び掛け乍ら少しばかり前に乗り出した。

常信は逆に少し引いた。

「僕は禅に就いては齧る程度しか心得ない無信心者です。ただ現在、商売で禅に関わる書物を取り扱っておりまして、少少難渋致しております。そこでお伺いしたいのですが——常信様は慥か曹洞宗でしたか」

「そうです」

「典座の知事ともなればさぞや修行を積まれて居られるのでございましょうな」

「そんなことはございません」

「しかし典座は古来、道心《どうしん》の師僧発心《ほっしん》の高士充《あ》て来るの職。生半《なまなか》な者に勤まる役ではございますまい」

「拙僧は——謂《い》わば已《やむ》を得ず典座を任されておりました。こう云う云い方は何だが、拙僧は明慧寺の中であまり評価されておりませんでしたからな。典座の位置が空いて、残った雲水の中では拙僧が一番の古参であったと云う、ただそれだけのこと。単に年功序列に過ぎぬ」

「その、前の典座の人は躰を壊されたと——一昨日仰っておられましたね？」

益田が補足すると常信は実に不機嫌そうに、微《かす》かに頷《うなず》いた。

「まあ——そうです。拙僧の前の典座の知事は拙僧より六年がところ入山が後であった。まあ年齢は上であったが、あの人の方が拙僧よりも評価されていた、と云うことでしょうか」

「評価——ねえ」

京極堂は妙な云い方をした。

常信は何故か少し慌てて、弁解がましい台詞を吐いた。

「まあ大衆一如《だいしゅいちにょ》の僧堂に於て、評価の高い低いと云う云い方は如何にも不適当な表現でありましたな。抜群無益《ばつぐんむやく》とも申します」

「どう云う意味です？」

益田が京極堂に問うた。

「大衆と云うのは大勢の雲水のことです。これが皆一体となり同じ行動を執るのを大衆一如と云うのです。その中で、一人だけ群を抜いても何の得もないと云うのが抜群無益です。そうですね？　和尚様」

「如何にもその通り」

「でも、それじゃあいつまで経っても優れた坊さんは生まれないですよ。いつまでも皆一緒なんじゃねえ。突出した傑物が出て、それに追いつけ追い越せが進歩に繫がるんじゃないですか？　ねえ関口先生」

益田は私に同意を求めた。

この若い刑事は、どうもすぐに脱線する癖があるようだが、それはこの青年の頭の回転がそれなりに早く、且つ彼が真面目だと云うことの証明である。私などは何を聞いてもそんなものかと納得してしまうのだ。摂取する情報がすぐには身にならない。自分の考えとの差異を発見するまでに時間がかかってしまうのだ。

黙っている訳にも行かず、私はいい加減なことを云ってお茶を濁した。

「それは資本主義競争社会に僕等が慣れ親しんでいるからそう感じるのだよ。益田君」

実に尤もらしい意見だが、それ程深く考えて発した言葉ではない。

しかし常信は二度程頷いた。

「その通りです。修行とは競争することではない。悟りと云う最終目的があって、誰がそこに最初に行き着くかと競争することではないのです。ですから掃除するものは掃除をし食事を造るものは食事を造り、一行三昧《いちぎょうざんまい》、与えられた作務をただ無心に行うのが我等雲水の修行です。それは何も寺の中にばかり云えることではない。この社会とて同じことです。どのような職業も、欠けては社会が成り立たぬ。尽十方界真実人体《じんじっぽうかいしんじつにんたい》、ありと凡百《あらゆる》ものが真理である以上、一人の努力は全体への奉仕になる。拙僧も典座と云う大役を仰せ付けられて、ただ懸命に修行していただけ。文句を云うつもりはございません」

「はあ、何だかすぐに話が大きくなって、解るような解らないような——まあ、道徳的な話ではありますがねえ」

「道徳ではない」

「そうなんですか？　しかし——あなたは不平がないと仰いますが、その、与えられた職務に不満があったりはしなかったのですか？　いやね、桑田さんはお料理が苦にならなかったのかもしれませんが、中には料理が苦手な人だっているでしょう。職業選択の自由はないのですか？」

「ないです。そんなものは自由とは云わない。個性とはそのようなところで発露するものではない」

「そうですか？　個人の適性や嗜好を尊重するのが正しいあり方だと思いますがね」

「益田君。目的と手段を分けるからそう云う結果になるんだよ。この人達にとってはそれは不可分のものなんだ。君がそう考えるのは勝手だがね」

京極堂はそう云って益田の意見を退けた。

慥かに——私なども、目的成就のための手段として労働があるように思っているところはある。目的とは即ち金を稼ぐと云う、あるいは善い暮らしをすると云うような類のもので、それは直接的に労働に結びつくものではなかったりする。その場合労働に対する報酬《インセンティブ》が目的成就に繋がっている。見返りがあっての仕事なのだ。

しかし金銭名誉と無関係に仕事自体が好きだ、仕事が生き甲斐だと云う者もいない訳ではない。ただ、善く考えてみるとその場合もそう変わりがないことが解る。仕事が好きだと云う者は、要するに自分の嗜好欲求を充足すると云う目的があって、労働自体はその欲求を満たすための手段になっているに外ならない。労働によって得られる快楽が報酬の代わりになっているだけなのだ。

それは、例えば社会貢献、自己実現と云った少しばかり高尚な表現に云い換えたところで同じことである。目的は目的、手段と乖離《かいり》していることには変わりがないのだ。

しかし働くために働くのであれば、雑巾をかけるのも飯を研《と》ぐのも、手を動かすことに変わりはないし、動作としてはそう違うものではない。

「それはそれとしまして——」

京極堂は大きくずれた軌道を修正した。

尤も、こう云う茶茶が入ることは承知の上のことだろう。同席者の人選をしたのは益田ではなく、間違いなく京極堂だ。ならば凡て計算ずくの人選なのだろうと思う。何を企んでいるのかは知らないが、この男は常に用意周到な男なのだ。

「臨済と曹洞では修行が違いましょう」

策士の古書肆は、そう言葉を継いだ。

どちらも修行は修行ですと常信は答える。

「違うと云うならば、一人一人、皆それぞれに違うし、同じと云うならば凡て同じと云うことになりましょうな。先程あなたは、元より禅は仏心宗、宗派を問うことは無意味と仰せになったが、それは当《まさ》にその通りでございましょう」

なる程、と京極堂は感心したように頷いた。

「仰ることは善く解ります。仮令《たとえ》同じ宗門であろうとも、修行は人それぞれなのでございましょう。ただ、素人目《しろうとめ》には臨済と曹洞では入口が違うように見えるのです。慥かに教義は善く似ているが、一堂で修行をされるには色色と支障があったのではないのですか。いいえ、文献資料などを見ておりますと、歴史的には随分と対立もあったように書かれております。中には酷《ひど》い悪罵《あくば》を書き記したような文もある。どこがそれ程相容れぬのか、そこを知りたく思いましてね」

常信はゆっくりと右肩を上げた。

「深刻な抗争と云ったものは——歴史的にもそうあった訳ではないです。勿論、信ずるところを疑わず真摯《しんし》な姿勢を持って修行しておれば、相容れぬ部分で対立することもある。凡《およ》そ禅僧たる者、参禅には全身全霊、己の人生全てを賭けて臨みますからね。それは悪罵の類も出るでしょう。例えば現在曹洞宗は黙照禅《もくしょうぜん》と呼ばれ、或は自称しておるが、これはそもそも悪口でした。南宋の初め頃、中国臨済宗の大慧宗杲《だいえそうこう》が、同じく中国曹洞宗の宏智正覺《わんししょうかく》を誹謗《ひぼう》して云った言葉です。公案もせずただ座っているだけでは何もならぬ、と云う意味です。しかしそれを聞いた宏智和尚は『黙照録』を書いて黙照禅こそ正道と説いた。悪口を頂戴して褒め言葉に変えた訳です。そして逆に大慧の禅を看話禅《かんなぜん》と揶揄《やゆ》した。公案ばかり捻くってただ坐禅することをしない、口先で話ばかりしている禅だ、と云う意味です。しかし今では看話禅は臨済の禅風を表す良い言葉として使われている。つまりはそう云うことで、どちらが正しいと云った勝ち負けはない。違うだけです」

「ですから、その違った禅風の雲水が集まって大衆一如となるものでしょうか」

「それは——」

常信は極僅か下唇を噛んで

「——ならんだ。と云うよりないか」

と云った。

「そうでしょう。常信様のご苦労も多かったことと拝察致します。何しろ、相手が間違っているのであれば糾《ただ》せるが、相手も間違っている訳ではないのですから、文句の云いようもない。益田君から聞いたところによると監院の慈行和尚は臨済宗だとか。その前は亡くなった了稔和尚だったのですね。了稔和尚も臨済宗ですか」

「左様。あの方は——」

「破夏《はげ》ばかりの破戒僧——ですか」

「——拙僧にはそうとしか見えませんでした。曹洞臨済黄檗、皆違う。違うのはいいです。しかし了稔様の遣り方だけは許せなかった。慥かに座っているのも起きているのも修行は修行。だからと云って何をしていても良いと云うのは納得できない。金を儲けるのも修行なら金をを稼ぐのも修行、不邪淫戒《ふじゃいんかい》を破るのも修行では、市井《しせい》の無頼漢より始末に悪い」

「しかし泰全老師は——それで良いとか」

「あのお方は懐の深いお方だったのでしょう。尤も、老師様の禅風から推《お》し量《はか》れば、本来了稔様とは対立していて然《しか》りなのです。大体了稔様の方は、老師様の禅を役立たずの分別禅《ぶんべつぜん》と貶《けな》しておった。老師様はそれを聞いても、ただそうじゃそうじゃと」

「はあ、そうだったんですか——」

益田は私と敦子の方に顔を向けて、困ったように眉をへの字にして二度三度瞬きをした。

「——泰全さんの方は随分貫ってらっしゃったように聞こえましたがねぇ」

「老師様は——了稔様がお亡くなりになったので敢えてそう仰ったのではありますまいか。あの方は大した僧でなくとも死ねば大層な諡号《しごう》をお贈りになるような、そう云う類のお方でしたから」

常信は青黒い顔を一寸歪ませた。

京極堂は豪く同情するように云った。

「なる程。それ程了稔様の行状は酷かった——と」

「いや、死人《しびと》を悪くは云いたくないのですが——」

常信は頬をやや上気させて云った。

「朝課に出る以外は野放途にやっておられた。それこそ抜群無益。好き放題で修行がなるなら誰も修行など致しません。在家の禅匠とて戒律は守ります。あれでは出家なされた意味がない。慥かに、戒律さえ守っていれば良いと云うものではないが——守らなくて良いと云うものではないですし、況《いわん》や守るべきでないなどと云う態度は如何なものか。ご酒を浴び、肉を食らっていながら、真面目に修行しておるものを揶揄し、それでいて真の悟りは我にありと云うようなことを云う。外道です」

「なる程なる程。良く解ります——」

京極堂にしてはやけに物分かりの良い合いの手である。

「——口では何とでも云える、と」

「そうです。了稔様は公案を小馬鹿にする。理屈を捏《こ》ねて理の地獄に嵌《はま》ると仰る。そして、ただ座っておる者に向かっては、何を寝ておると叱咤《しった》される。ご尤もです。巧緻《こうち》を巡らせた公案の解答など修行の足しにはならぬでしょう。また、ただぼうと座っておるだけではそれは修行とは云えぬかもしれぬ。しかし善く考えてみれば了稔様とて同じこと。勝手気儘に次次と破戒して、それを正当化する理屈を捏ねていただけなのです。了稔様の行動は慥かに禅僧にしては理解不能、しかしその理解不能の己の行動に尤もらしい理屈をつけるのは、公案の洒落た解答を捻るのと変わりない。そして日日の行いの方はと云えば、寝ているよりもまだ質《たち》が悪い」

「それで──殺されたとお考えですか？」

「ば、馬鹿な。い、否、正直に申すなら最初はそうも思いました。あの方は問題だった。だから拙僧は──」

常信はそこで益田を気にして言葉を一度止めた。

「──了稔様が明慧寺で発見された書画骨董を皆売ってしまったことは──警察の力も御存知ですな？」

益田はいつもの調子で軽く答えた。

「聞いていますよ。しかし──それも、ええと禅に芸術は関係ないとか、だからいいんだ、とか」

「それは——修行に芸術は無関係です。ただ、禅匠がものを造るのは修行のうち。同じようにものを見るのもまた修行。否、仮令《たとえ》己の修行に無関係だからと云って、売り捌《さば》いて金銭に替えることが果たして褒められたことかどうか——結局、ただあるモノはあるが儘にしておけばそれでいいのです。金に換算したりするから、芸術だ骨董だと云う余計な価値がモノにつく。寺にあるうちはただの香炉、ただの紙切れが、業者の手に渡った途端に時価何万何十万と云う訳の解らぬモノになる。だから芸術性などと云う肩書きは、モノ自体にあるのではなく、それを取り扱う行為自体にあるのです。ですから——」

常信は拳を握り締めていた。

「——あの時もそれは問題になったのです」

「あの時？」

「拙僧と祐賢様が明慧寺に入ったのが十八年前。矢張り季節は今頃でした。当時明慧寺には老師様と貫首、そして了稔様だけしか居らなんだ。雲水も十人程しか居りませんでした。我我が入山して人数も増え、それで壊れていた建物を修繕し、掃除をして、要するに作務を兼ねた調査が行われたのです」

「ああ——そうだ、そもそもあなた達は調査に来たんでしたよねえ」

「如何にも。最初は一年もしたら結果も判り、お山も降りる目算でしたから、張り切っておりました」

「その時に色色出たと老師は仰ってましたがね」

「出ました。書画骨董の類です」

「それらから——特定はできなかったのですか？」

京極堂が突然《いきなり》鋭い声で訊いた。先程までの人の良さそうな物云いとは随分違う。

「——讃でも何でも、何か書いてあるでしょう」

「勿論。ただ知った名のものは少なかったです。知った名の入ったものも本物かどうかは判らなんだ。年代が決められるようなものはなかったです。修行僧に鑑定のできる者は居りません。それで了稔様にお任せした。その——結果です」

「売っちゃった？」

益田が声を上げた。京極堂はそれに就いてはそれ以上何も尋かなかった。

「そう。良い値で売れたから時代は古くてモノも良い、だから、この寺は相当古いのでしょうな——と了稔様はそう仰った。その金で畳を替えましょうとも。その時、了稔様は酔うておられた」

「なる程、そう云う人だったんだ」

「左様。我我は失望した。そして随分と——揉めました。最初は泰全老師も憤慨しておられた。あのお方、尊公等に果たしてどのように仰ったのかは存じませんが、書画の類はお好きなようでしたから」

泰全老師の話から想像した了稔像と、今語られている了稔像の間には酷く隔たりがある。しかしどちらかが嘘を云っている訳ではない。どちらも同じことを云っているのだ。その差こそが——相容れぬ部分なのだろうか。私には判断できなかった。

「その時、了稔様の処遇に就いては幾度も話し合いが持たれたのです。了稔様を間に置いて、拙僧と祐賢様の曹洞組と、泰全老師と覚丹様が対峙した。しかし話し合ってどうなるものでもないです。その時了稔様は自らを猫に喩えられた」

「ネコ？　今度は猫ですか」

益田は情けない視線を私に寄越した。

「それは『南泉斬猫《なんせんざんみよう》』ですか」

京極堂が云った。当然益田が尋き返す。

「にゃんにゃん何ですって？」

「有名な公案だよ益田君。それで了稔様はどう喩えられたのです？」

「了稔様はこう仰った——」

——はて愚僧を挟《はさ》みて睨《にら》み合い、東西の両堂猫児《みようじ》を争うにさも似たり。いずれか道い得ずんば即ち斬却せんか。この場に南泉普願《なんぜんふがん》居らず、はたまた草鞋《そうあい》を戴く趙州《じようしゆう》も居らず、さて如何に。

「——と」

「解りません。全然解りません」

益田が混乱した。京極堂が諭すように云った。

「益田君。了稔さんの言葉には元《オリジナル》があるのだ」

「公案――でしょう？　一応聞かせてください」

京極堂は常信の気配を窺い、僕が説明するのも変だがなあ、などと云った。しかし益田が更に乞うたので、友人は渋渋その公案を語った。

「ある時、南泉と云う高僧の弟子達が猫を挟んで議論していた。そこに南泉和尚がやって来て云った。今、ここで仏道に適う言葉を云え、云わねば猫を斬り殺す――と。弟子は答に詰まってしまった。南泉は猫を斬り殺した」

「殺した？　高僧が？」

「殺したんだね。それで、夕方弟子の趙州が帰って来て、南泉がその話をした。お前ならどうすると尋かれて、趙州は草履を頭に乗せてスタコラ部屋を出て行った。それを見た南泉はあの場に趙州がいたら猫を斬らずに済んだのに、と悔やんだそうだ」

「そりゃあ、余計解らないなあ。イカレてますね。その反応は」

「解らなくていいのだよ。兎に角了稔様はその時の猫に自分を擬《なぞら》えたんだね。それで、この裁判、仏道に適った意見が出なければ自分を殺すのだろうか、それにしたって殺す役の南泉も草履を頭に乗せた趙州もここにはいないぞ、さあどうする、と問い詰めたのでしょう」

「如何《いか》にもそうなのです。拙僧は勿論、誰も答えられなかった訳です。それで泰全様はお許しになった。祐賢様もそれ以上問うことを止めた。了稔様はそれ以降も同じような行いを繰り返したが、もう誰も何も云わなんだ。その後──監院が転役になりますまではそう云った売買行為は続いていたようです」

　益田が尋いた。

「あなた先日、了稔さんは最初からあの位置だったと仰っていましたが、それはあなたが入山した時から了稔さんは監院だった、と云う意味ですか？」

「ああ、それは少し違っています。拙僧があの位置と申し上げたのは、財務管理や教団との連絡、建物の修繕など、所謂《いわゆる》四知事の行う職務を一手に担当していらしたと云う意味で、寧《むし》ろあの方は最初からそのために入山したのだと聞いておりました」

「つまり、庶務一般をひとりで熟《こな》すために明慧寺に来た──と？」

「そうです。泰全老師が要請したと聞いています。調査するには人が要る。人が来ればそう云う役割の人間が要る。ですから了稔様は最初から知事として、覚丹様は貫首として明慧寺にお入りになった」

「はあ、しかし筋から云えば泰全さんが貫首になっても良かった筈でしょう？」

「その辺りの事情は判り兼ねます。泰全老師は──拙僧が入山した時分、当時はまだ七十そこそこでいらしたが、そう、初めは庫院で典座《てんぞ》のようなことをしていらっしゃった」

「典座？　お料理を？」

「そうです。そもそも禅寺の組織と申しますのは知事と頭首《ちょうしゅ》とでなっています。知事は経理管理を司り、頭首は修行の実務を司ります。頭首は首座、書記、蔵主《ぞうす》、知客、知殿《ちでん》、知浴《ちよく》の六役です。頭首を西班、知事を東班と称します。しかしこれは寺院の規模や宗派によって異なる。明慧寺は御存知の通りの混合ですから初めは中中すっと行きませんでした。今の形に定めたのは慥か昭和十四年のことです。それまで了稔様がおひとりでやられていた庶務を分担し、直歳《しっすい》は祐賢様、典座は泰全様、拙僧が維那《いの》を任され、了稔様は監院になった」

「それは、例えば雲水の人数が増えたために組織を整えたと云うことですか？」

「――そう云う訳ではないですが――これは、そうですね――人数が増えたと云うより、明慧寺として入門僧を受け入れたと云うことが大きいのです。それまではそれぞれが連れて来た侍僧しか居りませんでしたから、組織は不必要でした。初めて明慧寺に暫到《ざんとう》が入山したのは、昭和十三年のこと。あの時は五人だったか」

「え？　ええと、昭和十三年と云えば慥か慈行さんがお山に入った年じゃないのですか？」

益田は手帳を繰った。

「――ああ、矢ッ張りそうだ」

「そうです。慈行様もその年に入山した僧のひとりです。まだ十三かそこらだったが――ですから慈行様は拙僧などと違って余所《よそ》から来た僧ではない。明慧寺生《は》え抜きの僧なのです」

慈行はこの山で僧になったようなものなのか。

彼はあの寺で仏法を学び、あの建物で坐禅をして——。

あの——檻の中で——。

「どうにも不要な講釈ばかり長くなってしまいましたが——」

常信は益田の顔色を窺いながら、自ら軌道修正を行った。

「——その後幾度か転役があり、結局慈行様が監院になられた。その時了稔様のことが再び問題になったのです。慈行様は矢張り酷く了稔様と対立しておりました。それで拙僧と祐賢様が『南泉斬猫』の逸話を慈行様に話した。そうしたら」

「何です？」

常信の青黒い顔が一層蒼くなった。

「慈行様は、何故その時殺さなかったのか——と仰った」

「それは何と過激な」

「慈行様はこう仰った」

——趙州和尚程の優れた機転を工夫することは無理であったとしても、南泉禅師の如く斬り捨てることはできたでしょう。殺すべきでした。

「拙僧はその時ぞっとした。戯言《ざれごと》ではない。本心としか思えなかった」

「しかしなあ。猫と人じゃあ」

「人殺しであろうと猫殺しであろうと不殺生戒を破らば地獄へ堕ちるのは同じこと。南泉禅師はそれを承知で猫を殺したのです。つまり正に生死を賭けた覚悟を以て弟子に道を説いたのです。凡そ師家禅家と呼ばれる者であるのなら、その程度の覚悟が必要でしょうと――慈行様はそう云う意味で仰ったのだと、その時はそう思うたのですが」

常信はそこで正面から左に顔を背けて、撓垂《しなだ》れるようにして畳の上を見た。たったそれだけの動作で禅僧の特有の威厳と云うのは綺麗爽然《さっぱり》なくなってしまった。

「――了稔様が殺されたと聞いた時は、正直云ってその時のことを思い出しました。全く考えなかったと云えば嘘になる」

「じゃあ常信さん、あなた慈行さんが了稔さん殺したと思った訳ですか？」

「そうではない。慈行様個人を疑った訳ではないのだが――」

常信は言葉尻を有耶無耶《うやむや》にした。

京極堂が質した。

「慈行様が監院になられたのはいつのことです」

「戦中のことです。若い僧が次次出征して、拙僧等が連れて来た中堅の僧などは皆戦死してしまいましてね。それまで首座《しゅそ》を勤めておった慈行様が監院を任されたのです。戦後は知客も兼任している」

「首座と云うのは――修行僧のトップですね」

「まあそうです。彼は優秀な学僧でした」

「しかし戦時中慈行さんはまだ十九か二十歳の筈。それは大抜擢ではないのですか」

「他の僧は更に若いか、経験が不足していた」

「なる程。それで常信様、明慧寺生え抜きの慈行様はいったいどなたの法系なのです？」

「法系？　それはどう云う――」

「明慧寺は混合宗派、その中での生え抜きと云うのは、いったいどう云う宗派になるのかと思いましてね。聞けば慈行様は臨済僧なのでしょう？　それは例えば泰全老師のお弟子さんだとか、了稔様のお弟子さんだとか、そう云うことになるのですか？」

「ああ、そう云う――現在はそれぞれの知事が幾人かずつ雲水を任され、修行の指導をしております。しかし慈行様が入山された当時は暫到も各派から来ておりましたから、それぞれに寺系法系が一応はあった。慈行様にも本山に慧行《けいあん》様と云うお師匠様がいらしたのです。その方から得度を受け、その方のお口添えで明慧寺に来た。慧行様は泰全様の兄弟子と云うお方で、当時は年に一二度来ていらっしゃいましたが、戦禍でお亡くなりになった。さて、あの慧行様は如何なる法系であったか――拙僧は善く覚えておりませんが――そうですね、慈行様は所謂応燈関《おうとうかん》の一流、中でも白隠禅師を尊敬しておるようだが」

　益田が割って入った。

「応燈関とは何です？　いちいち腰を折るようで申し訳ないが」

京極堂が答えた。

「応燈関とはね、益田君。大応国師《だいおうこくし》南浦紹明《なんぽじょうみょう》、大燈国師《だいとうこくし》宗峰妙超《しゅうほうみょうちょう》、無相大師《むそうたいし》關山慧玄《かんざんえげん》の応と燈と關をとった臨済宗の法系だね」

「それは何か特殊なものなんで？」

「益田君の云う特殊と云うのがどう云う意味なのか解らないけれど——特殊ってことはないでしょう」

益田がやや真剣な口調になって云った。

「あのですね、無学な警察官には禅の凡てが特殊です。三日も四日も接しているので少しずつ解ったような錯覚に陥っていますが、矢張り解らんですよ。一昨日泰全老師の話を聞いて少し解った気がしましたが、今常信さんのお話を聞いていてまた解らなくなった。ひとつのお寺の中で起きた事件なのに、どうもひとつの価値観じゃすぱっと切れない。これが例えば企業内犯罪だと幾ら関係者が多くてもこんなに混乱しないです。そりゃ個人の思想や志向は皆違いますが、例えば動機が営利目的だったらどんな思想を背景に持っていようと営利目的に変わりはないんです。しかし今回の事件は何を聞いても珍紛漢紛《ちんぷんかんぷん》です。これではどうにもならないですよ」

「——そうだねえ。どうもややこしくなるから掻い摘んだ禅宗の歴史くらいは知っておいた方がいいんだろうか。警察も」

京極堂はそう云って顎を摩った。

「そうなんです。教えてくださいよ。捜査がすぐに行き詰まって仕様がないんです。基礎が解らないからどれだけ苦労したことか。泰全さんの話も解り易かったですが、半分ぐらいは想像で補っていましてーー」

それは私も同様だった。普通はこう云う場合勉強するんですよと益田は続けた。

「いや、警察官だって威張ってるだけじゃないですよ。特殊な環境下で発生した事件の解決に当たる場合は、まあ本くらいは読むし、直接犯罪と関係ないような話も聞いてですね、理解しようと努めるもんです。でもここじゃそれもできません。何と云うのかなあーー」

時間の流れ具合が少し違うんですよ、と若い刑事は困ったように云った。

「お坊さん達も忙しい。緩寛《ゆるゆる》話をお聞きできるような悠長な展開じゃない。でーーあの、こんな機会は中中ない訳ですよ。どうでしょう、その、禅のことを教えて戴けませんか」

益田は京極堂を見た。

「僕に云っているのかね？　僕は素人だよ。常信和尚のような禅匠の前で僕なんかが説明をするのは筋違いだし、気が引けるよーー」

「いや、解ってます。ただ、桑田さんに直接お聞きしてもですねーー僕に理解できるとは思えないですよ。話が難しいんじゃなくて、こっちが無知すぎて質問すらできない。造詣の深い民間の方に通訳でもして戴かないとですね」

「通訳？」

「拙僧は修行僧であり歴史学者ではない。聞いておる限り尊公の方が説明が巧いようです」

常信はそう云った。

「まあ、今更と云う気もするけれど、常信様がそう仰るならそうしますか。警察への協力は民間人の義務ですしねえ。和尚様は退屈でしょうが——間違っていたなら正してください」

京極堂はそう云って躰を捻り、私と敦子を見た。

その顔を見て私にはこの展開もまた彼が仕組んだことなのだとすぐに呑み込んだ。一筋縄で行く男ではない。ただ、何をしようとしているのか私には解らなかった。

そして唐突に講義《レクチャー》は始まった。

「これから話すのは、禅の豪く上っ面だけの流れです。深い部分までは簡単に語れるものではない。いや簡単でなくても語れない。言葉で語れないのが禅です。だから僕は禅に就いて話すのではない。禅の流れに就いて話すのだと云うことを了解して貰いたいですね。さて、話すまでもないところから始めるしかないか。禅のそもそもは——」

益田がすぐに口を挟んだ。

「達磨さんでしょ？　泰全さんもそう云っていた」

慥かにそれは事実だし、一昨日泰全もそう云っていた。

しかし京極堂は片眉を吊り上げた。

「益田君。馬鹿なことを云っちゃいけない。禅のそもそもはお釋迦様だよ。仏教なんだから当然だろう」

「はあ？　そこまで遡りますか」

「勿論だよ。お釋迦様が晩年、霊鷲山《りようじゆせん》と云う山の頂上で説法をなさっていた時のことだ。その日に限ってお釋迦様は何も仰らなかった。そして黙って近くに咲いていた金波羅華《こんぱらげ》と云う花を拈《ひね》り示した。弟子の殆どは何が何だか解らなかった訳だけれども、ただひとり摩訶迦葉《まかかしよう》と云う弟子がそのお姿を見てにっこりと微笑んだ。それを見て、お釋迦様はこう云った。我に正法眼蔵《しようぼうげんぞう》、涅槃妙心《ねはんみようしん》、実相無相《じつそうむそう》、微妙《みみよう》の法門あり。教外別伝《きようげべつでん》、不立文字《ふりゆうもんじ》、摩訶迦葉に付属す——つまり言葉で云えぬ、文字で書けぬ教えを、全部摩訶迦葉さんに伝えたと云う意味だね。これを拈華微笑《ねんげみしよう》と云う。これが禅の始まりさ。そうですね？」

常信は無言で頷く。

「こうして摩訶迦葉はお釋迦様から衣鉢《いはつ》、衣《ころも》と鉢《はち》だね。これを受け継いだ。この摩訶迦葉から、その言葉にできない教え——衣鉢は弟子の阿難《あなん》に、更にその弟子にと二十七回受け継がれ、二十八番目、千年近く経って漸く達磨に辿り着くのだよ。達磨は印度《インド》の禅では二十八祖だ。その後達磨は中国に渡り、禅を伝えた。つまり中国では達磨は伝禅者、中国禅にとっては開祖だ」

「何だ。矢ッ張り元はお釋迦さんなんだ——」

　益田は神妙な顔をした。

「——達磨さんが考えた訳でもないんですな」

「しかし菩提達磨がある意味で禅の始祖と云うのも慥かだ。今に続く禅の基本は達磨で完成した。釋迦から受け嗣いだ『不立文字』『教外別伝』に加えて『直指人心《じきしにんしん》』『見性成仏《けんしょうじょうぶつ》』、所謂『禅の四聖句《しせいく》』は達磨の唱えたものと云われている——まあ、本当は唐の時代に造られたものらしいから、達磨が唱えたと云うのは眉唾《まゆつば》ではあるけれど——」

「言葉自体は後世の作であろうとも、それが菩提達磨の心であったのでしょう。以心伝心、伝えられた心を後世の者が書き記したのです」

　常信はそう云った。京極堂は頷く。

「そうかもしれませんね。いずれにしろこの時代の禅は師資相承《ししそうしょう》と云う形で受け嗣がれた。つまり、ひとりの師匠からひとりの弟子に杯から杯に水を移すように、衣鉢——法は嗣がれた訳だ。その数達磨から数えて六回。この間、禅は弾圧され続けた。そうでしたね？」

「その時代中国では仏教自体が弾圧されておったようだ」

　常信は言葉短かに答えた。

「そうですね。しかし六番目、つまり六祖が問題なんです。ここで禅は二つに割れた」

「一子相伝で跡目争いでも？」

「何だか変な喩えだがその通り。五祖弘忍《ぐにん》には沢山の弟子がいたが、中でも優秀だったのが大通神秀《だいつうじんしゅう》と云う人で、この人は今で云う秀才選良《エリート》だね。この神秀こそ六祖となる――筈だったのだが、ここで思わぬ伏兵にその座を奪われてしまう。それが大鑑慧能《たいかんえのう》だね」

「何か抗争があったので？」

「ないですよ。慧能と云うのは樵《きこり》で、文字もろくに読めぬような無学な者だった。七百人からいる弘忍の弟子の中では一番最下層の、米搗《こめつ》き小僧だった訳です。それがどうした訳か、あっさりと法を嗣いでしまった。しかしそれで主流派が収まる訳もなく、慧能は衣鉢を嗣いで南へ逃げる訳です。これに就いては、実際は逃げた訳ではないようなのだけれど、解り易いからそうしておこう」

「何故南へ？」

「慧能がそもそも広東省《カントン》新州出身だったと云うこともあるかもしれないね。広東辺りは当時文化果つる辺境だったのだが、慧能はそこに根を張り、地方中心の布教を展開した。一方神秀は都――長安や洛陽を中心に活動し、一時は絶大な勢力を誇ったが――これは絶えてしまった。慧能の禅を南宗禅、それに対して神秀のものを北宗禅と云う」

「南北に別れてしまったんですね？」

「しかし北宗と自称していた訳ではないでしょう」

常信が云った。

「そうですね。北というのは慧能から見て北なのであって、神秀には自分が北にいるという認識はなかったでしょうし、先ず己が正統と信ずる者には南も北もないですからね。しかし北宗は絶えた。これは教義云云《うんぬん》の問題と云うよりも、安史の乱などによる社会情勢の激変で支持層を失ったことが大きな原因だったのではないでしょうか。漸悟《ぜんご》の北宗禅に対して南宗禅は頓悟《とんご》。貴族中心の北に対して農民中心の南――こうした構図は南宗が生き残ったことで勝敗を決します。これは結果的に中国仏教の教学仏教から実践仏教への展開を促した」

京極堂は首を曲げてちらと私を見た。

私は何となく首を竦《すく》めた。

何か、少しだけ気になった。

そんな大昔のことが何で気になったのか、それはやっぱり解らなかった。

益田が云った。

「なる程、北と南では支持層の基盤に差があった訳ですね。貴族や上流階級中心と農民や下層階級中心と云う。都会型と地方型と云うか、中央と周辺と云うか――中央癒着型は慥かに政変には弱いなあ。それで北は衰えたと――しかし、教義と云うか修行と云うか、それも南北で違うのですか？」

「そうだね。北宗禅は修行を続け、ゆっくりと段段に悟って行く。南宗禅は悟る時は一発で悟る」

「修行しないでも？」

「それはない。南宗の悟り——頓悟と云うのは、段段に、あるいは徐徐に悟りの段階に到る北宗と対比して『すぐに悟る』と云うような印象で受け止められがちだが、そもそも頓悟の『頓』は時間的経緯を表す言葉ではないし、そう、寧ろ徹底した現実肯定に根差した脱落した悟りと云うか——」

「だが頓悟を最初に説いたのは道生《どうしょう》ではありませんでしたか。ならば」

常信が私などには解らない次元で異を唱え、京極堂はそれに答えた。

「——そうですね。『二《に》諦論《たいろん》』でしたか。『佛性當有論《ぶっしょうとううろん》』でしたか——そうすると直ちに悟ると云った解釈でも差し支えないのですか。いずれ頓悟は漸悟より高次の宗教的立場との見方が浸透した——」

「ははあ。教義も南の丸勝ちだった訳だ」

「そう。ただ、それで禅宗の流れが一本化したかと云うとそんなことはない。この六祖慧能にはまた幾人か弟子がいて、それでその中からすんなりと七祖が選ばれたかと云うと、そこがまた問題で——そうですね。和尚様」

応じた常信は幾分落ち着いて来ているようだった。

「曹洞では七祖は青原行思《せいげんぎょうし》となっております。これに就いては六祖は誰かと云った論議も含め、若干の文献なども残っておりますが——」

「北宗の普寂《ふじゃく》禅師が七祖を名乗っていたこともあり、かなりの混乱があるようですね。南宗の神會《じんえ》が異を唱え、我こそ七祖と云ったとか。『中華傳心地禪門師資承襲圖』には普寂と神會が両方七祖として書かれていますし」

「善く——ご存知で——そんなことは拙僧も知らないこと——」

「書いてあるものを読むだけなら、字を知っていれば誰にでもできます。僕は本屋ですから驚かれるまでもない。しかし北宗禅が衰退して後に、南宗の中でも反《アンチ》神會派の中に七祖は青原なり——とする動きが出て来たことは事実です。そして更にその後、もうひとりの高弟、南嶽懐譲《なんがくえじょう》をも七祖として推す一派まで現れた。しかし考えてみればこれはどちらでもいいことで、結局慧能の弟子のうち尤も後の世に影響を与えた者が青原と南嶽であったと云うだけのことに外《ほか》なりません。つまりこの両名を七祖とするか、七祖はナシと見るか、それはいずれも同じこと。ここで南宗禅はまた二つに割れた訳です」

「その——せいげんとなんがくに？」

　益田は如何にも漢字を知らぬと云う発音をした。

「そう。図らずも南宗もまた青原系と南嶽系に分かれてしまった。南嶽系からは馬祖道一、百丈慧海《ひゃくじょうえかい》などの名僧が沢山出ている。そしてそれは更に二筋に別れ、一筋は潙仰《いぎょう》宗、そしてもう一筋は臨濟義玄の登場により臨済宗として結実するのです」

「ああ、やっと聞いた名が出て来ました」

益田が安心したような声を出した。私も同じように思った。しかし、善く考えてみればほんの数日前まで、その臨濟義玄すら私には馴染みのない名だったのだが。

「一方青原系は——曹洞宗にしてみればこちらが本流と云う意見もあるでしょうが——雲門宗、法眼宗と云う二宗を出し、更に洞山良价、曹山本寂《そうざんほんじゃく》の法系を承ける形で誕生したのが、曹山の曹、洞山の洞を取った曹洞宗です」

「なる程！」

益田が手を打った。

「それでこちらは青原七祖と仰ったのですね。曹洞宗は青原系な訳だ」

「まあそうでしょう。こうして中国禅、特に南宗は唐の時代には五家七宗と云われるまでになり、中国仏教界を席巻《せっけん》します」

暫く黙っていた敦子が発言した。

「五家と云うのはその潙仰、臨済、雲門、法眼、曹洞のことでしょう？　七派と云うのは何なの？」

「その五つのうち、臨済宗が更に黄龍派と楊岐派に別れたのだね。この二派を加えて七つになる。臨、雲、潙、曹、法は五緯なり、楊岐黄龍の五派に加わるが、尚太陽太陰の七曜を成すが如し——」

後半は何かからの引用だろうが、私などには矢張り解りはしない。

京極堂はそこで居住まいを正した。

「さて、これで漸く本朝の禅に移れる。日本に最初に禅を持って来たのは一般には天台僧だった榮西禅師だ——と云われる。彼は二度入宋《にっそう》し、天台山で臨済宗黄龍派の禅を学び、持ち帰った。しかしこれはすぐに根づいた訳ではないんですね。天台宗からの排撃を受け、中中に苦労している。ただ徹底的に幕府寄りの態度を貫き、他宗派との併存を目指したが故に絶えることはなかったのだね。その内容も真言や天台に遠慮した兼修禅だった。とは云うものの禅は禅。榮西禅師の評価が分かれるのは権勢への妥協的な態度故だが、それなくして今日の禅はなかった可能性もある訳だから、評価はするべきです。しかし同じ時期榮西と違った形で興禅《こうぜん》活動をしていた人がいる。大日房能忍です」

　その名は。

　——どこかで聞いた。

「一般的な知名度は高いのか低いのか僕は知らない。能忍に就いては正確な記述も少ないんですね。しかし日蓮上人などは浄土宗の法然と能忍を並び称して誹謗しているから、それなりの影響力はあった筈です」

「私は——聞いたことがないわ」

　敦子が云った。慥かに榮西に比べると聞き慣れぬ名だが、私はどこかで聞いている。しかもつい最近のことだ——。

「能忍は興禅活動をしたが、独学の人と云われていて誰に師事した訳でもないんだね。しかし嗣法を重視する禅宗だから、誰かの法系に属す必要がある。そこで宋に使いを出して法を嗣がせてくれと頼んだ」

「そんないい加減なこと——」

「それがあったのだよ。能忍は結局日本に居乍らにして臨済宗楊岐派の拙庵徳光《せったんとくこう》に嗣法を許され、頂相《ちんそう》と達磨像、禅籍を与えられた」

「ああ！　それはあそこにあった『潙山警策』を貰ったとか出版したとか云う——」

私は思い出した。それはあの埋まった蔵で聞いた名前だ。矢張り京極堂はただ禅の歴史を語るためにこの座を企てた訳ではないのだ。だとすると——。

京極堂は誰を、どうしようとしているのだ？　彼が今搦《から》め捕ろうとしているのは——桑田常信なのだろうか？　ならば彼は——そんなこと百も承知の禅僧ではないか。こんな講義に何の意味がある？

京極堂はほんの僅か私を顧みて、

「そうそう。善く覚えていたね関口君。そうだ、その通りだよ——」

と云った。そして続けてこう結んだ。

「——そして能忍は『日本達磨宗』と云う一宗を興した」

「聞いたことないですねえ。覚え易い名だが」

「それはそうだろう益田君。これで黄龍楊岐両派共に本邦に伝わったことは伝わった。しかし榮西は兎も角、能忍は殺されてしまった――のですよね？」

常信は何も答えなかった。

「殺されたぁ？」

益田がひと呼吸おいて変な声を出した。

「心配しなくても鎌倉時代のことだから時効だよ益田君。いずれにしても榮西も能忍も弾圧を受けたことは間違いなく、その裏に既成教団がいたことも間違いない。能忍の達磨宗は宣揚停止《ちょうじ》の処分を受けてしまう。能忍の弟子達は山野に下り禅を広め、やがて道元の門下に入り永平教団――曹洞宗を形成する重要な役割を担う、のでしたね」

「そう――であったかな」

常信は覇気がなかった。

「しかし榮西は先程も云った通り権勢とつかず離れずの距離を保って興禅を続けます。拠点を鎌倉に移し、幕府との関係もより密接になる。これが後後役に立った。榮西は京都に建仁寺、鎌倉に寿福《じゅふく》寺を建立する。そして――やっと道元の登場ですね」

やっと道元だ――私もそう思った。釋迦から語れば当然だ。勉強にはなるが、何の役にも立つまい。

「道元は天台僧として延暦寺、園城寺両方で学んだ後――」

延暦寺——山門と、園城寺——寺門に就いては先日聞いたばかりである。鼠の坊主のくだりだった。

「——更に建仁寺に入り、その後、榮西の門弟明全《みょうぜん》と共に入宋、求道の末に天童如浄と邂逅《かいこう》して嗣法、帰朝します。如浄は曹洞宗でした。こうして、ほぼ初めて臨済以外の伝禅が叶った訳です。しかし道元は酷い弾圧を受ける。勿論叡山からです。そして建仁寺の僧とも袂を分かつ。それはそうです。道元の嗣いだのは曹洞宗。遥かに六祖慧能まで遡らなければ臨済宗とは合流しないのですから——」

「叢林の堕落に失望したとも云われております」

常信は矢張り力なく云った。

落ち着いた分、気力が萎えたような感じである。

京極堂はなる程と頷きつつも問うた。

「しかし、例えば経行《きんひん》ひとつ取っても曹洞と臨済では作法が違うのでしょう？」

「それは——そうだが」

「きんひんとは？」

「まあ簡単に云えば歩き方です。叉手当胸《しゃしゅとうきょう》に変わりはないが、曹洞宗では一足半歩、つまりひと呼吸の間に半歩歩く。臨済では颯颯《さつさつ》と早足で歩く。曹洞の牛歩、臨済の虎走などと云われる」

私は法衣の袖を膨らませて駆ける慈行の姿を思い出した。慥かに颯爽としていた。

「それで、それだけ違っていて一緒に修行ができるとは僕には思えない。兎に角、道元は建仁寺を出て白山系天台宗や達磨宗の残党などの助力を得、やがて越前に永平寺を開く訳ですが――一方、鎌倉を中心に権勢と結びついた臨済宗の方は、続続と寺院を建立し、中国より無學祖元《むがくそげん》などの僧を招喚して、その宗勢は益々興隆して行った訳です。その結果が五山寺院であり五山派教団ですね。最初に北条貞時《さだとき》が浄智《じょうち》寺を五山に列し、以下建長寺円覚《えんがく》寺寿福寺と次次に五山の称号が与えられ、鎌倉五山が定められる。後には京都五山も定められた。これは中国南宋の真似です。中国の五山は印度《インド》の五精舎、天竺五山に倣《なら》ったとされるが、これはこじつけの感がある」

「そう――ですかな?」

常信は頸をかくりと傾けた。

「さて、正しいかどうかは解りませんが、僕の私見では中国南宋の五山は風水です。漢族の文化を正統化し、強化するために施された魔法みたいなものですね。後づけで仏教的根拠を付加するなら仏典に求めるよりないし、仏典は印度のものだからそうなっただけで、印度に倣った訳ではないと思います。しかし我が国の五山――これは中国に倣ったものだ」

「五山とは、その、山五つのこと――ではないことくらい警察官の僕でも知っていますが、その」

「ははは、これは数ではなくて称号だね。要するに寺格、偉いお寺の肩書きですね。五山の第一と云えば一番偉い。第五でも普通の寺よりずっと偉い。この場合は偉いと云う表現でいいのだね。南北朝から室町に移行する中で、その五山寺院を頂点とする寺格統制は着着と進み、数度の序列や選定の変更を経た後、夢窗《むそう》疎石《そせき》一門が頭角を現すのに呼応して、京都の南禅寺が『五山の上』と云うとんでもなく偉いお寺になったお蔭で京都の五山優位と云う形で落ち着いた」

「そこで位階性《ヒエラルキー》がほぼ整ったと？」

「ほぼね。しかし当然その流れに与《くみ》しなかった宗派はある。それらの宗派は『五山』に対して『林下《りんげ》』と呼ばれた。曹洞宗と、臨済宗系では大徳寺派と妙心寺派——つまり先程出て来た応燈関の一流だね」

「ああ、やっと出て来たか」

益田はほっとしたようだったが、今度は敦子が問うた。

「大徳寺って、でも——寺格は高いのじゃなかったかしら」

「高いね。この大徳寺の宗峰——応燈関の燈は夢窗と並び立つ程の器だった。そこに目をつけたのが、ほら、例の後醍醐《ごだいご》帝だ——」

後醍醐帝——。

去年。私達はその後醍醐の所為で酷い目に遭ったのである。

「——後醍醐帝はこの宗峰に興味を示して、例によって建武の新政の時に大徳寺に南禅寺と同じ寺格を与えちゃったんだね。多分、大した興味もなかった癖にね。それでいて後醍醐は夢窓に帰依したりしてる」

二股ですなと益田は云った。

「まあね。夢窓はどんどん五山内の勢力を拡大して行く。宗峰は夢窓のライバルだから夢窓の一大勢力と馴染み難かった。それに室町になると幕府は十方住持制《じっぽうじゅうじ》と云うのを布いた。五山寺院は法系と関係なく幕府に任じられた者が住持になることになった訳だ。大徳寺は昔乍らの師資相承を守っていたから、結果的に五山から離れるよりなかったのだね。こうして林下系——応燈関や曹洞宗は中央を離れて地方に根を張ることになる」

「はあ、曹洞宗も地方基盤なんですか？　ああ、そもそも越前とかでしたか？　永平寺ってどこにあるんです？」

「福井県」

「——そうですよね。京都や鎌倉とは離れている。道元さんと云うのはさっきの——誰でしたっけ？　ええと、中国の、六番目の——」

益田は今や真面目な聴講生のようなものだ。

「慧能かな？」

「そう。その人に似ちゃいませんか？」

「中央との癒着を嫌い地方に逃れたところが似ていると云うのかな？　なる程そう云えばそうだ。臨済将軍、曹洞土民とも云われる。師と出遭い頓悟して嗣法に到る場面も善く似ている。益田君は刑事にしては目のつけどころがいいかな。まあ、僕自身は道元と慧能は決定的に違うと思うけれども——どうです？　常信様」

「慥かに、比せらるることもある」

益田は得意げに云った。

「つまり地方基盤の教団は政変などがあった時にも生き残り易いんでしょう？」

「日本は中国みたいな劇的な政変はないからなあ」

「あらら、そうですか。それじゃ、その五山はその後も衰えることなく、なくなりもせずにずっと——」

「いやいやそうでもない。五山と云うのは諸寺から十刹、そして五山へと坊さんが段段に出世出来ると云う構造を持っている訳で、これは企業と同じだ。昇り詰めれば居座るし、安定すれば堕落する。一度堕ちると中中戻るのは難しい」

ああ解ります解りますと益田は大袈裟に云った。

「社長辞めても会長になったり顧問になったりして天辺《てっぺん》に居座る爺さんは多いですからね。風通しが悪くなると堕落しますな。企業じゃなくても、警察だって同じようなものですからね、あるでしょうそう云うことは」

「まあ、警察のことは知らないが、五山寺院は権勢の庇護の下、国の文化学芸の中心的機能を果たしつつも、最終的には文化人の集うサロンの如くなり果てた。しかし林下の諸派の方は、その間それこそ艱難辛苦《かんなんしんく》、苦心惨憺《くしんさんたん》して興禅活動を続けている。どっちにしても五山の隆盛期は禅宗が政権と最も強く結びついた時期であり、当然禅宗が最も繁栄した時期でもあることには違いないのだけれどもね。一時期は二十四もの禅流があった程だ。その後、戦国時代になると武将は挙《こぞ》って禅僧と親交を持ったが、林下に比べ五山系の活躍はやや精彩を欠く。政権基盤の安定した時にこそ権勢を揮える仕組みだから仕様がないね。林下の宗門は鍛えられた分根強く生き残った」

「矢ッ張り政変に強いんだ。曹洞宗は地方の時代に食い込んで勢力拡大した訳でしょう。大成功だ」

「そんな単純なものでもないし、教団は大きければいいと云うものでもないが——永平教団が戦国時代に拡大したのは事実だ。道元の死後、教団拡大の是非に就いては曹洞も二派に割れたのでしたか？」

常信は初めて表情を曇らせ、異を唱えた。

「割れたと云う表現は戴けないです。道元禅師の孤高な禅風を慕う者、民衆に広くその教えを広めようと考える者に——」

割れたんじゃないですかと益田が云った。

「一枚岩じゃなくなった訳でしょう。保守革新ですよね」

「保守と革新——ですかな?」

常信は困ったような顔をした。

益田はやっと僧達の言葉と刑事の言葉の間に妥協点を見つけたらしい。それなりに会話が成立している。

「益田君云うところの革新派は四世瑩山紹瑾《けいざんじょうきん》になるのかな? 瑩山禅師は組織作りの才能に長《た》けていたようですね。布教対象を地方武士や農民中心に絞り込んで展開すると云う作戦も瑩山禅師の尽力に因るところが大きいでのしょう?」

「しかし住職輪住制《りんじゅうせい》の導入などで教団の門派分裂を防いだのも瑩山禅師です。だから瑩山禅師は教団拡大の功労者でこそあり、保守派に対する革新派などと呼ぶのは——矢張り戴けないです」

常信は納得の行かぬと云う雰囲気だった。今までは兎も角、これは自分の信仰する宗派の話であるから当然だろう。京極堂はあっさり折れた。

「解りました。仰る通りです。慥かに曹洞宗は表面上、永平寺派と総持寺派などに分かれていない。両祖両本山でしかも寺格は永平寺が上位と収まりがいいですし、際立った抗争もない」

常信は頷いた。

「希玄道元は曹洞宗の——ご本人はそうお呼びにはならなかったが——宗旨修行の基盤を造ったお方。瑩山紹瑾は教団門徒組織の基盤を造ったお方。いずれが欠けても我が宗は成り立ちません。ひとりでも多くの衆生を救済することが宗教の勤めであるならば、幾ら貴い教えであろうとも、ただ山に籠っておったのではどうにもなりません。これを『只管打坐』を以て正道とする道元の教えに反すると仰る向きも中にはあるが、拙僧はそうは思わない。これだけ多くの民衆の指示を得て、全国各地に多くの道場寺院ができたのも、道元禅師の教えが素晴らしいもので、尚且それが正しく伝えられたからです」

「なる程善く解りました。慥か——明慧寺にはもうひとり曹洞宗の御坊がいらっしゃいましたね。中島祐賢和尚でしたか」

「如何にも」

「その辺りのことに就いては、祐賢和尚も常信様と同じ見解なのですか」

「は？——」

常信は虚をつかれたようで、一瞬狼狽《うろた》えた。

「何故そのようなことを？」

「いいえ。他意はございません。このようなお話をお伺いできる機会など、私もそうはないことですから」

「はあ——あのお方は——拙僧などから見ても立派な修行僧です。ただ」

「ただ？」

「祐賢様はこと教団や組織に関しては無関心であった」

「好んでは語られなかったと」

「否、厭うておられた。そう云う話は戯論《けろん》であると仰られる」

「けろん？」

「修行の役に立たない無意味な論と云うこと——ですね？　すると祐賢和尚は——」

「いえ、そう云う意味では」

「解ります。あなたとは違っていた」

「それは——拙僧とは違いましょう。あの人は足りていたのかもしれぬが」

常信は視線を畳に落とした。

「了解しました。さて益田君。話を戻そう。ここまで来れば後は簡単だ。まあ林下の臨済宗には幻住《げんじゆう》派の活動や地方の有力寺院の台頭など、見逃してはならない事項が幾つか残ってはいるが、弱体化しつつも権威だけは保持し続けた臨済五山系寺院と地方で勢力を拡大した曹洞宗——と云う構図のまま、時代は江戸時代へと傾《なだ》れ込む。そこに隠元隆琦《いんげんりゆうき》が黄檗宗を持って来た。これが刺激になって禅は活性化した。何しろ隠元と云えば当時は有名な高僧だった訳で、それがやって来たのだからね。『隠元語録』などは善く読まれていた訳でしょう」

「そのようです」

「隠元の来日に就いては内乱を避けての亡命染みたところもあったし、それに受け入れる日本側にもひと悶着あったらしいが、これはある意味で画期的だったことに違いはない。日本の禅は古い時代に種を輸入して日本の土壌が育み開花結実したものだが、隠元の禅は中国の土壌で育ったものだ。同じ種でも育成環境が違えば生《な》る実も違う。特に隠元の禅風は禅に浄土宗的要素を組み込んだ斬新な宗旨だった。曹洞宗も影響を受けたのでしょう？」

「具体的にどうとは云えませんが」

「祐賢様などはお詳しいのではないのですか？」

「え？」

「例えば祐賢様は黄檗禅を評価しているとか」

「それは――さあ、解りません」

「そうですか。まあ影響を受けたにしろ反発したにしろ、大きな刺激になったことは事実でしょう。それは臨済系に就いても云えることで、例えばこの黄檗の念仏禅に半ば反発するように衰えかけていた臨済の本流――応燈関の一流が徐徐に息を吹き返す訳です。そして江戸も半ばに差し掛かって、この応燈関の流れを汲む日本臨済宗中興の功労者、白隠慧鶴《えかく》が登場する。白隠は盤珪《ばんけい》などの痛烈な既成禅宗教団への批判を逆に批判的に取り込んで、旧来の公案禅を再生《リメイク》した。これは広く庶民にも――真意が伝わったか否かは別にして――親しまれた訳です。公案禅の日本的展開は禅の浸透に大きく貢献しました」

それに就いて異存はないですと常信は云った。

「こうして臨済曹洞黄檗、現在の日本の禅宗はこの時代に概ね原形を整えた――」

京極堂は意味ありげに常信を見た。

「さて、常信和尚の的確な注釈を戴きつつ、非常に大雑把に、且つ上面を滑るように、禅の歴史を語った訳ですが――少しは役に立ったかな？　益田君」

「はあ、やや賢くなったような気がしますが」

益田は額を掻きつつそう云った。予備知識が増えて捜査が潤滑に行える――程度の感想なのだろう。そこで京極堂はすう、と身を斜め後ろに引いた。私と敦子は障害物をなくして常信と直接顔を合わせた。明慧寺内律殿での対面の時とは大分様子が違う。それは常信和尚が怯えているとか元気がないとか、そう云うことではない。

ここは山ではない。

異物は常信の方なのだ。

明慧寺で私達が異物だったように。

例えば慈行和尚がこの仙石楼を訪れた時――あの時は慈行和尚のいた部屋の方が山内と同様の異界に変じた。しかし今の常信和尚にはあの時の慈行和尚のように身の回りに結界を張る程の威力がないのだろう。今この部屋に結界を張っているのは、どうやら僧侶ではない。

京極堂は云った。

「この——千年になんなんとする本邦の禅の歴史が明慧寺にはそっくり入っている。明慧寺は、まるで禅の箱庭のようです。意図的ではないにしろ、明慧寺は日本の禅史を詰め込んだ壺中天《こちゅうてん》のような場所になってしまっているようだ」

益田は不思議そうな顔をした。

「はあ、それはどう云う意味で？」

「例えば慈行和尚と云う方は応燈関の一流の末、白隠禅師に傾倒していると常信様は仰る。亡くなった泰全老師はどうも古き良き五山の臨済僧の禅風であったようだ。つまり泰全様と慈行様の間は三百年開いているんです。これは馴染まないものではないかもしれないが、同じ土俵には立ち得ない。祐賢和尚を初期永平教団、こちらの常信和尚を瑩山以降の曹洞宗に擬えると更に解り易い」

「畏《おそ》れ多いこと——を」

常信は顔を曇らせた。

「勿論見立てです。現実はそう図式通りに出来ているものではない。これは道元を慧能に比して説くようなもの。所謂《いわゆる》方便ですよ。そして了稔和尚は——一休であり、正三であり、盤珪である——つまり、あなたがた凡ての反立者《アンチテーゼ》だった訳です」

益田が腕を組んで云った。

「ああ、そう云われれば、警察は明慧寺の僧侶の相関関係がどうしても掴み難くって、難儀していたんですよ。何で同じ宗派で反りが合わないのか、どうして違う宗派の者が同じ対象を悪し様に云うのか。同じと云っても同じじゃない訳ですね。はあ、少し、少しですけれど解り易くなった気がする」

京極堂はもう益田には用はないと云う顔をして、

「しかし僕にはどうしても判らないことがひとつだけあるのです――」

と云い、今度は確乎《しっか》りと常信を見据えた。

「――これらを束ねる貫首様は――いったいどの位置におられるのか」

貫首の宗派――。

考えてみれば、そんなことは今まで誰も気にしていないことだった。

組織全体は寄せ集めであり混合なのだろうが、個人は別だ。禅僧である限り、臨済曹洞いずれの法系でもない、どの宗派にも属さない僧侶――と云うのはあり得ないのだろう。警察も派閥の力関係を把握したいなら、先ず一番上にいる者がどの派閥に属するのかを問うべきであったろう。

常信は一瞬虚ろな目をした。そして、

「覚丹禅師は――曹洞宗ではない」

と云った。

京極堂はそれを聞くと微かに眼を細めて、

「なる程。ご存じないか。それでは――」

と云い、己の正座した膝をぴしゃりと叩いた。

常信はびくりと肩を震わせた。

「あなたを殺そうとしているのは誰です」

「そ、それは――」

「死にたくない、死ぬのが畏《こわ》い、それは当たり前のことです。禅僧だから覚悟がなっているなどと云うことはない。ならば正直に仰ることです」

「し、しかし――」

「世の中は喰うてかせいで寝て起きて、さてその後は死ぬるばかりぞ――そんなのは開き直りだ。生きるも死ぬも同じこと、ならば死を覚悟することは生を覚悟することでもある。遠慮なさることも、見栄を張ることもない。痩せ我慢もいけません。云い直しましょう。あなたを殺そうとしていると、あなたが思い込んでいる人は――」

「それは――」

「それは中島祐賢様ですね？」

「そ、そうです」

「え？　そ、そりゃあ本当ですか！　うわあ大変だこりゃあ！」

慥かに意外な結論だった。

立ち上がろうと腰を浮かした益田を京極堂が止めた。

「いいんだ。益田君。座りなさい」

「しかし中禅寺さん」

「差し当たり中島さんは警察の監視下にあるのだから慌てることはない。それに中島さんが犯人でも、狙う相手はここにしかいない」

常信はふう、と大きく息を吐き出した。

「中禅寺様。尊公は何故――そのことを」

そうだ。どこにヒントがあったのか、私などには爽然《さっぱり》判らなかった。まるで読心術か当てずっぽう――いずれも京極堂とは無縁なものだろうが――であるとしか思えなかった。私などは『南泉斬猫』の逸話からして、一番疑わしきは慈行なり――と思っていた程である。

しかし京極堂は意外なことを云った。

「常信様。ご心配なく。僕は当てずっぽうで申し上げただけです。何しろ僕は明慧寺のことは何も知らないし、判断材料がない」

「しかし尊公は下手な禅僧より多くの知識を持っておられるようだ」

「何を仰る常信様。これくらいのことは誰でも知っていますよ。さあ、ここにいる益田君は刑事だ。警察は国民を護るためにいるのです。あなたはこの益田君に身を護らせる権利がある。だから胸の内を吐露《とろ》した方が宜しいでしょうね。今、ここで」

京極堂は釈迦を惑わす悪魔《マーラ》の如くに、低い声で囁くように云った。禅僧は瞼《まぶた》に力を込めて大きく息を吸い、結果その誘惑に負けた。

「拙僧は最初――了稔様殺害の報せを聞いた瞬間、一度は慈行様を疑ったのです。しかし冷静に熟慮すれば、そのようなことある訳もない。了稔様は寺にばかり居った訳ではないし、寺の外で殺されたのですから、外部の者の仕業と思い直しました。しかし、泰全様が殺されて、これは警告なのだと――」

「次はお前だ、用心しろと？」

「はい」

「どうしてです？　どうして了稔、泰全と続いて次はあなたなんです？」

「それは脳波調査に関係があるのですね」

「その通り――です」

敦子が云った。

「そう云えば、泰全老師は今回の調査に賛成したのは了稔さんと――こちらの常信様だとか仰っていませんでしたか？　老師ご自身も賛成なされて、慈行和尚が反対したとか」

「そうそう。泰全さんは常信さん、あなたが横車を押したと云っていた。え？　待てよ。その時——慥か、祐賢さんはどっちでも良かったんだ、とか云うようなことも仰ってませんでしたか？　ねえ関口さん」

「云ってたね」

益田の云う通りだ。老師の口振りからだと真っ向反対したのは慈行だけと云うような印象だった。

常信は興奮気味に云った。

「違う。祐賢様は反対だった。慈行様と違って口に出さなんだだけで、本当は一番反対しておられたのだ！　拙僧は調査実施が決定してから——どれだけ思い悩んだか知れぬ。拙僧はあの方の無言の圧力に堪え兼ねておったのです」

「しかしそんなに祐賢さんが怖いんだったら止めれば良かったじゃないですか。一度引き受けたものの矢ッ張り厭だと、手紙でも何でも出しゃいい」

「通信業務は了稔様がやっておられた。あの方は調査に賛同していたのです。それに、老師も貫首も、最終的には慈行様まで納得された。許諾の返信とて慈行様がお書きになった。拙僧の一存では今更断れなくなってしまった」

「しかし祐賢さんも厭なら厭で云えばいい。黙っていて本当は反対なんてのは却下ですよ。多数決で民主的に決裁を下したのでしょう。検討中に意見も述べずにそんなあなた」

「あの人はそう云う人だ」

「さっきは立派な修行僧だと云ってたでしょう」

「だからあの人は立派な修行僧でしかないのです」

そこで京極堂が益田を抑えるように云った。

「その仰り方から察するに――祐賢様はご自分の修行が完成することのみに執心されていたと云うことでしょうか」

常信は再び怯《びく》気りと痙攣《けいれん》し、弱弱しく答えた。

「そう云う仰られ方をされますと、少し違うような気が致しますが――」

「まあそのことは少し横に置いておきましょう。祐賢様がどう云う人であれ、あなたの目にはそう映ったと云うことでしょう」

「――そうです」

何だか常信は隙だらけだ。益田が透かさずその隙に突っ込んだ。

「まあ百歩譲って祐賢さんが脳波測定に否定的だったことは認めるとして、その、慈行さんなんかは真っ向反対していた訳でしょう？　もしその脳波測定反対が今回の殺人の動機だとするなら、先《ま》ず慈行さんを疑うのが筋でしょう。さっきの猫を殺す話もあるし、僕なんかが聞く分にはあの坊主《ひと》の方がよっぽど怪しい」

それを受けたのは敦子だった。

「でも益田さん。もしも脳波測定が動機なら——私はそんなこと動機になり得ないと思いますけど——慈行和尚は逆に犯人に想定し悪《にく》いですよ」

「なんでです？」

「だって慈行和尚は知客と監院を兼ねる程の実力者なんですよ。本気で反対するのなら幾らでも阻止できた筈です。実施が決定した後になって中止のために殺人まで犯す必然性なんて皆無ですよ。大体、お返事をくれたのは慈行和尚自身なんです。幾ら多数決で決定したことだろうが、貫首の決裁が下りたことだろうが、不殺生戒を犯して異を唱える程の信念があったなら自分で返事なんか書くでしょうか？」

「そりゃまあそうだが——そう云うことなんですかね？　常信さん」

益田の問いに、常信は頬を硬直させてぎこちなく答えた。

「慈行様は慥かに酷く反対されてはいましたが、今回の調査は結局あの方には無関係のことになってしまいましたから——だからあの人が犯人であるとは思えません。否——それは絶対にあり得ない」

「根拠でもあるんですか？」

「根拠はあります。それに、慈行様は少なくとも了稔様殺害の犯人ではあり得ないのです。まず、何と申しますのかな、その、その時そこに居らなんだと云う証明——ありば」

「ああ不在証明《アリバイ》」

「そう。警察の話だと了稔様が殺害されたのは失踪された夜のことであるとか。その夜拙僧は慈行様と一緒に居ったのです。拙僧は思うところあって、ここひと月程自主的に夜坐をしております。あの夜も禅堂に居りました。そこに慈行様が侍僧を伴っておいでになったのです」

「ああ、そう云えばそれは最初の事情聴取の時に聞きましたね。慈行さんも同じことを云っていた――待てよ。否、あの人は顔が見えなかったから真実それがあなたかどうかは判らないと云っていたな――あなたの方は判ったのですか？」

「それは判ります。否、拙僧は兎も角、慈行様の方は後からおいでになったのだから、仮令《たとえ》顔が見えなくとも拙僧が誰か判らぬ筈もないのだが」

「顔が見えないで何故判るのです？」

「座る場所――単は各人決まっています」

「ああ、指定席で？　なら判るなあ。しかしあなたの方はどうなんです。坐禅している間は集中してるんでしょ？　後ろ向いてりゃ誰が這入って来たのかなんて解らんでしょう」

「坐禅中は寝ている訳ではありません。目を閉じている訳でもない。神経は研ぎ澄まされ、普段よりもものは善く見え音も善く聞こえる。禅堂で針を落せば座っている僧は皆気づく。どの辺りに何人座ったかなど見ないでも判る。あれは慈行様だった」

「それを信じるなら――いきなり不在証明だなあ」

「それだけではない。実は――脳波測定の実験台になる雲水は拙僧と祐賢様の弟子、つまり、、、、、、、、、、曹洞系の僧侶の中から選ぶと云うのが、慈行様が調査を了解した条件だったのです」

「あ――それは何とも」

仮令《たとえ》どんな調査結果が出ようとも臨済系の僧侶には無関係と云うことだ。益田もそう思ったらしい。

「――そうなるのか。しかしあなた、そんな不利な条件まで出しちゃって、その時は祐賢さんの同意を得られたと、そう思ったのですか？」

「その条件を提案したのは了稔様でした。測定されて困るものではないと主張しますと、ならばそうしろ文句はなかろうと仰った。拙僧は構わぬと考えましたし、少なくとも祐賢様はそんなことはどうでもいいと云うお考えだと――その時は思ったのです」

「良くなかったんだ」

「――良くなかったのでございましょう。しかし慈行様は、やるならやられよ――と、仰った。了稔様や泰全老師が何故測定に賛同されたのか――その真意の程は拙僧には判り兼ねますが、覚丹禅師もそれで良しと仰った。ですから調査を厭がるのは曹洞系の者。否、祐賢様しかいない」

「なる程なあ。それにしてもあなた、常信さん。あなたは何でそれ程熱心に脳波測定実施を望んだのです？　望んだと云うより執着していたと云う感じじゃあないですか」

「それに就いては――是非お伺いしておきたいですね。常信和尚」

暫く刑事を野放しにしていた古本屋は、そのひと言で主導権を勝ち取った。

「泰全老師が調査に賛同なさった訳は、老師ご自身の口からこちらに控えた者どもに語られています。了稔和尚のお気持ちも概ね想像がつく。しかし、あなたがそれ程科学調査に執心される理由は――まあ判らないでもないが――今ひとつすっきりしない」

「それはただ」

「後学のためにお聞かせ願いたい」

「しかし」

「あなたがもし本当に狙われているのなら、それはその、あなたが抱え込んでいる理由故に狙われていると云うのと同義になる訳でしょう」

京極堂は懐から腕を出して己の顎を摩った。

「不《ふ》染汚《ぜんな》の修証を修められる曹洞の禅匠が如何なる理由を以て科学如きに身を寄せるに到ったのか、僕にはとても――興味がある」

常信は突っ張るようにしていた右肩を下げた。

「それは――何をお話しすれば――良いか」

悪魔《マーラ》は顎から手を離してつうと上に挙げ、額にかかった髪を掻き上げた。

「何からでも、どこからでもどうぞ。和尚様」

「ああ――」

　禅僧は再び甘言に屈した。

「拙僧が――得度致しましたのは、昭和元年のことでございます。当時は大学生でした。寺に生まれた訳でもなく、自ら望んで出家したのでございます。その頃は禅の何たるかも知らず、ただただ小生意気なことをほざいての出家でございました」

「小生意気とは」

「世の無常がどうしたとか――若い者が一度は陥る現実逃避であったと思います。しかし拙僧の師匠は厳格なお方でありました。拙僧は、最初の一年で叩きのめされた。作務に明け暮れ、作法に縛られた暮らしは、愚かな若造の増長を破壊するのに十分でありました。それから十年の間、拙僧はその師の許で修行した。しかし修行はならなかった。拙僧はどこにも到ることなく明慧寺に遣わされた。そして一度完膚なきまでに壊された世界観を、師なくしてひとりで再構築せねばならなくなったのです――」

　私は想像した。

　雪に閉ざされた獣径を登る、若き祐賢と常信の姿を。雪を踏む音。呴呴《こうこう》と啼く山鳥。

　この青黒い顔をした僧侶は、その時明慧寺の――。

　この山の虜囚となったのだ――。

　何故だろう。私はそう思った。

「――一緒に入山した祐賢様は拙僧より八歳程齢上で、その頃既に今の禅風を確立しておいでだった。拙僧は大いに影響を受けました」

「しかし、先程あなたは祐賢和尚のお人柄に就いてこう仰った。あの人は立派な修行者でしかない――と。その仰せようは如何《いか》ように聞きましてもお褒めになっているようには聞こえませんでしたが――僕の方の聞き方が悪かったのでしょうか？」

慇懃《いんぎん》な口調だが、意地悪な質問だと思った。このようにして悪魔《マーラ》は相手の皮を一枚ずつ剝《は》いで行く。そして対峙する者は生身を晒すことになる。

「それは――そうなのです。いえ、そうだったのです。しかし拙僧は祐賢様の禅風をを貶《けな》すつもりはありません。寧ろ、それは正しい在り方だと思うております。祐賢様は正当なのです。『辨道話《べんどうわ》』にもあります通り、単伝正直の仏法は最上のなかに最上なり、参見知識のはじめより、さらに焼香礼拝《らいはい》念仏修懺看経《しゅさんかんきん》をもちいず、ただし打坐《たざ》して身心脱落《しんしんとつらく》することを得よ――ただ、只管《ひたすら》に座る道元禅師の禅風を強く慕い、それでいてそれに止まらず、善く学ばれてもいた。いや、これは云い繕《つくろ》っているのではありません。拙僧は本当にそう思うておりました。同じ宗門の徒として尊敬しておりました」

「なる程。そうすると祐賢和尚は宗統復古的なお考えをお持ちだったと――そう云う訳ではないのですか？」

宗統復古、つまりは原点回帰と云うことだろう。

どれだけ単純《シンプル》な構造の教義であろうとも、長い歴史を経て伝えられたなら、必ずや歪曲し複雑化してしまうものである。そうした場合、ある時点で必ず原点《オリジナル》に戻ろうと云う動きは出て来る。曹洞宗にも過去そう云うことはあったのだろう。

常信は京極堂の質問の意図をすぐ呑み込んだ。

「ああ、それで尊公は先程黄檗云云《うんぬん》と仰ったのですね。否、復古運動の第一は一師印証、師資の面授《めんじゅ》嗣法の乱れを正すと云ったところが大きかったようですが――だからこそ江戸期のそれは戒律重視の黄檗禅に刺激されて興った訳ですが――祐賢様は、そう云うことはそれ程重視しておられなかったようです」

「それではどのような？」

「あの方は――ただ道元禅師のように修行し、道元禅師の如く悟ることを理想としておられたのです。『永平清規《えいへいしんぎ》』に則って道環《どうかん》の行持を執り行い、後は只管打座する。祐賢様は実に見事な座り方をなさった。坐禅に筋が通っておりました」

「それは素晴らしい」

「はい。祐賢様と拙僧とは師が違う、つまり法系こそ異なるのですが、曹洞宗は臨済程大きく法系が別れている訳ではない。ですから、拙僧は祐賢様の禅風に触れて大層感心致しました。しかし――」

常信の表情は不可解な壊れ方をした。

「――例えばそれは――それだけだったのです」

　京極堂はわが意を得たりと云う顔をした。

「足りていた？」

「そう。足りていらしたのです。拙僧はとてもその境涯には及ばなかった。だから、ただ座り、修行致しました。しかし――駄目だった」

「駄目とは？」

　益田が興味を持った。

「座ってて駄目と云うのは、例えばそのむらむらと雑念が湧いて来るとか。食欲が湧いて来るとか、例えばそう云うことでもあるんですか？」

「そんなことも――ないことではないでしょうが、拙僧の云うのはそう云う意味ではない。例えば、坐禅を長く続けていると慥かに眠くなって来ることがございます。それは昏沈《こんじん》と云う。そう云う場合は警策で打たれます」

「ああ、叩かれるんだ。寝ちゃいけないのですね」

「勿論です。しかし起きていて――つまり世俗のことに思いを巡らせていてもそれは駄目なのです。腹が減ったとか、昨日嫌なことがあったとか――」

「それは内面に目を向ける、つまりその――瞑想するのとは違うのですか？」

　敦子が尋いた。

勿論それは敦子が自発的にした質問である。しかし彼女はこうした質問をするためにこの座に用意された装置なのだ。つまりはこうした展開は、凡て悪魔《マーラ》――京極堂の手の内なのである。

「瞑想と――坐禅はまるで違うものだと心得ております。尤も、拙僧は瞑想の何たるかを詳しくは知らぬのですが――」

「瞑想とは目を瞑り、目前の世界と己を遮蔽して想像を巡らせ、静かなる安定を得ることです」

京極堂は字引の能書きのようなことを云った。

「そうですか。それなら違う。想像など巡らせてはならぬ。安定することもない。目も瞑りません。調息《ちょうそく》と云って呼吸を整えることは致しますから、それに因って身体は安定します。しかしそれはあくまで躰の安定。精神の安定とか不安定とか云うものは無関係です。またこれは精神修養でも自己鍛錬でもない。大きな意味では修養であり鍛錬なのでしょうが、己を鍛えると云うような狭い境地でいるうちは未だ到りません」

「善く解らないですねえ」

「解りませんか」

「仕方がありませんよ。禅を言葉で伝えることはできないのです。常信和尚」

京極堂がそう云うと常信は寂しそうな顔をした。

「おお。如何にも――そうでありました。然《さ》もあらん、拙僧など二十何年座り続けて未だ悟れない。そう、悟れないのです」

「そんなに難しいもんなんですかね。悟ると云うのは？　でも先程聞いた話では、慥か、今日本に伝わってる禅はトンゴとか、慥か一発で悟るとか」

「そう――悟ること自体は難しいことではない筈なのです。否、只管《ひたすら》に座って居りますと、ふ、と見えることはある」

「何がです？」

「そう、世界と己が一体になったと云いますか――先程も云いましたが、坐禅中は神経が研ぎ澄まされて参ります。普段見えぬものが見えて来る。聞こえる筈のない音――例えば禅堂の外の枯れ葉が一枚枝から外れる時の音――が聞こえたりする」

「それは――錯覚ですか？　それとも」

敦子はそこで兄を気にして言葉を切った。

多分敦子はその後、それとも超能力ですか、と続けたかったのだ。京極堂はその言葉が大嫌いだから遠慮したのだろう。

「さて。その時は錯覚だとは思いません。それにそう云うことが続くと、例えば普段見ている景色が矢鱈に新鮮に見えて来たりする。世界が新しくなったような、清浄な気持ちになれる。それこそ仏境界《ぶっきょうがい》かと云う気になる」

「それは矢張り悟りの境地とか云う奴でしょう。僕なんかどこに行ったってそんな新鮮な気持ちになんかなれないですから。商売柄犯罪の起きた場所ばかりに行くと云うのもあるが」

「違うのです。それこそが魔境なのです」

「魔境？　魔境と云うのは悪魔の魔？」

「そう。正に悪魔の境涯なのです」

「そんな清浄な境地がですか？」

「そう。それは単にそう云う気分でいるだけのことで、修行などせずとも善くあること。悟ったような気分にさせるただの魔境です。魔境は『楞嚴經《りょうごん》』に依ればその種類数十に及ぶ。そんなものは悟りでも何でもないのだ――そうです」

「そうかなあ。悪いことじゃないと思いますがね」

　京極堂が注釈を加えた。

「益田君。例えば朝起きて、ああいい気分だと思う日はあるだろう。それから、仮令《たとえ》つまらないことでも良いことがあった日はマシな気になる。それは自分と関係なく、例えば気候が良いとか、体調が良いとか、あるいは運が良いとか、そう云う外的要因で齎《もたら》される気分だ。しかし人はそれを自分の内的結果として捉え、ああ何て素晴らしいと思う。悪いことじゃないが、それが己の人徳のお蔭、日頃の行いが良いお蔭だと思ったんじゃ増長してしまう。内や外があるうちは禅とは無関係なんだね」

「天気が良くていい気分と変わらないいんですか？」

「変わらないいんだよ。いや、更に質《たち》が悪いのは、修行者が見るそれは偶偶《たまたま》訪れるそれと違って、能動的に顕現《けんげん》するものだからね。修行の結果と勘違いし易い。しかもそれはある日突然に顕れる。正に頓悟したような気になる。物凄い理屈が浮かぶ。目の前に仏様が現れて教えを説く。酷いのになると宇宙の声が聞こえたり、超越者と一体になったような神秘的な陶酔感を持つ。この手の奴は皆妄想だ。幻覚なのだ」

「幻覚ですか。仏さんが見えても？」

「そんなモノは幻だよ。一部の新興宗教なんかで、修行中に仏様を感得したとか解脱したとか云って騒いでる連中がいるが、そんなモノを見て喜んでいるような者は救い難い大馬鹿なんだよ、益田君」

「大馬鹿――ですか」

「大馬鹿だ。そんなモノは皆、物理的な、或は生物学的な説明のつけられる、所謂《いわゆる》生理現象に過ぎない。科学的思考を以て解決できる以上、それは神秘ではあり得ないし、悟りとは神秘的なものですらない。だから禅では、そう云う状態になった時は、それを当たり前のこととして受け流せと、そう云われる。そうですね？　和尚様」

「そう――なのです。しかし――」

　常信は動揺している。

「——益田様が仰ったように、頓悟禅では本当の悟りも突然に悟る。豁然《かつぜん》大悟致すのです。正直に申しますと——拙僧は未だ大悟を知らぬ駄目な修行僧なのです。いいえ、何も仰らないで戴きたい。それは承知のうえです。ですから、今のような言葉は出よう筈もない。修証一等ただ座ることこそが悟りであるのなら、これから語りますのは禅僧として語るのではございません。今まで偉そうに禅匠のような口を利いて参りましたが、それもこれも単なる知識。本証より出づる言葉ではではございませんでした」

常信は何かに屈服したらしい。

益田は大いに意外だと云わんばかりの口調で、

「はあ、そうなんですか。そうなんだと云う云い方も変ですが、僕には中禅寺さんも常信さんもどちらも同じく禅の達人としか思えませんがねえ」

と云った。京極堂は厭な顔をした。

「益田君。それは常信和尚に失礼だよ。僕は生まれてこの方、ただの一度も坐禅などしたことがない。一緒にしてはいけないよ」

「否。中禅寺様。それは違いましょう。尊公は多くの知識を持っていらっしゃる。ただ、仰る通り尊公は禅者ではありますまい。しかし、それならば拙僧とて禅者ではない。雲水の格好をしておるだけです。拙僧は格好だけつけているのです。だがそれは大切なことなようです。例えば——益田様。あなたは拙僧を見て何者だとお思いになりました？」

「そりゃお坊さんだな、と」

「左様であろう。仏弟子、仏教者であることはお解り戴けた訳だ。しかし禅僧であることはお解り戴けたであろうか」

「は？　いや、ですから、僕なんかはお坊さんに種類があること自体善く知らなかったんです。禅と云えば落語の『蒟蒻《こんにゃく》問答』で知ってたくらいでして。つい先日までお坊さんは悉く南《な》無《ん》阿《ま》弥《い》陀《だ》仏《ぶ》と云うものだと思っていたのです。葬式でお念仏を誦《とな》える以外の僧侶の姿を僕は知りません。だからお寺では皆、坐禅してるとも思っていました。まあお蔭様で今はかなり詳しくなりましたが、逆に禅宗以外のお坊さんにどんな方がいらっしゃるのか皆目解らないです。実に恥ずかしい、赤面の到りで——」

益田は絵に描いたように後ろ頭を掻いて照れた。

「そうでしょう。しかし恥ずることはない。それで普通でございます。中禅寺様のように仏教に造詣の深いお方の方が特殊でございましょう。つまり」

常信は眼を閉じた。

「我我は——無意味なのです」

「無意味？」

益田が眉を顰めた。

「無意味って——どう云うことです？」

「社会と切れているのです」

そう云ってから常信はゆっくり眼を開けた。

そして力ない視線で我我一同を順に見渡した。

しかしその視線は決して誰の視線とも交わることなく徒《いたずら》に膝頭や畳や座布団の上をするすると滑った。

「高僧が幾ら厳しい修行を積んだところで、世間の誰ひとりとして禅と云うものを知り得ないのです。否、仏の教えとは如何なるものかすら知る者は少ないのです。それが実情。拙僧辺りが座っていようが立っていようがどうにもなるものではない。禅匠が山に籠って座っていても、世の中は少しも良くはならないのです。これでいいのか――そう思いました。強く思ったのです。その考えに到って以来、拙僧は迷いを吹っ切ることができないのです。当《まさ》に魔境に堕ちている」

「魔境――ですか」

「左様。あれは戦時中のことです。世の中が大変なことになっている間も――拙僧は座っていた。暫到や若い雲水は皆戦争に行った。年寄りと中堅ばかり残りました。拙僧は四十だった。もう少し若ければ前線に出ておったでしょう。しかしその気配はなく山の中には遠く離れた銃声も届かなんだ。そこで、拙僧は――」

常信は京極堂を見据えた。

「――如何かな中禅寺様。先の戦争の時、果たして仏教者は何をしたと云うのですか。国策に異を唱え果敢に反戦運動をした僧侶が日本にどれだけいたと云うのでしょう。拙僧が元居った寺でも、銃後は雲水が僧兵宛《さなが》らの格好で盛んに軍事教練を行っておりました。梵鐘《ぼんしょう》は鋳《い》溶《と》かされて銃弾となり、多くの僧侶が出征して外国人を殺し、挙げ句命を落しました。これが正法を学ぶ僧侶の在り方でしょうか。拙僧は違うと思うた。拙僧は今、山を下りることこそが我等の勤めなのではないかと――そう思うたのです。否、戦争だからどうの、と云う意味ではない。山を捨てて野に下ることこそ禅僧に必要な修行ではないかと本気で思うた。真の悟りはそこにあると思えてならなかったのです。これは悟ったのとは違うかもしれぬが、ひとつの真理と拙僧には思えた。だから拙僧は祐賢様にその境地をお話したのです」

「祐賢様はそれも魔境だと仰ったのですね」

京極堂は冷酷に云い放った。

その通りですと常信は答えた。

「勿論、それは如何にも道徳的で、しかも理が勝ち過ぎている。悟りとは凡そかけ離れた見解でしょう。しかし間違っているでしょうか？　仮令《たとえ》悟りなどとは違うものでも、拙僧はそれは正しいと考えた。しかし祐賢様は退けられた」

「それはそうされるでしょう。あなたは先程、祐賢様は足りていた――と仰ったではありませんか」

「そう、足りていらした。ただ座り、己がそこに在ることに足りていた。しかし中禅寺様。それは、世に云う自己満足ではあるまいか。あの方は山を下りようとはせなんだ。その素晴らしき法を、広く世に知らしめることをしなかった。それはあの人にとっては無駄なことでしかなかった。禅匠と云うのはそれでいいのですかな？」

「良くないでしょう」

京極堂はあっさりと答えた。

「問うまでもない。誓って衆生を度し一身の為に独《ひと》り解脱《げだつ》を求めざるべきのみ――と『坐禅義』にもある」

「そ、その通りです。拙僧はそれが云いたかったのだ。しかし祐賢様は一笑に付された」

「あの」

益田が恐る恐る声を出した。凡てを云う前に察した京極堂は、透かさず解説を加えた。

「ああ、つまりね、禅をするものは迷える多くの人人を救うことを誓うべきで、自分ひとりのための解脱を求めてはならない――と云うことだね益田君」

「ははあ解りました。こちらの常信さんは、祐賢さんは立派な修行者ではあったけれど、立派な志を持っていない人だったと、こう云いたかった訳だ。祐賢さんは矢ッ張り自分だけ悟ればいいやと云う、勝手な人だったと云うことですね？」

「勝手と云うのとは違うが――」

常信は不可解な表情のまま当惑している。多分今ここで語られていることは、彼にとって長い間禁忌《タブー》に等しかったこと柄なのだろう。

「――例えば独りの優れた知者がいる。その優れた法をたったひとりの弟子が嗣ぐ。それをまたひとりの弟子が嗣ぐ。こうして脈脈と優れた法が受け嗣がれる。これは果たして意味のあることなのでしょうか。世の中には何億何万と云う人間がいるのです。その中のたったひとりが悟っていたところで何の意味があるのでしょう。その法を広く世に知らしめ、ひとりでも多くの者を救済するのが知者の勤めなのではないかと――拙僧は思うた。それが宗教ではないのでしょうか」

「それが宗教でしょうね。しかし禅は宗教なのですか？」

「何と？」

「慥かに曹洞宗は宗教教団です。しかし禅自体は宗教なのですか？　衆生を救うのは教団の役目です。禅は衆生を救う教団の一員として相応しい禅匠となるためにあるのではないのですか。衆生を救うと云う目的を立てて、その成就のために坐禅するのでは修行は成り立たないでしょう。坐禅は目的を持ってするものではない。自分が自分であり世界が世界であることを知るために座るのでしょう。最初にあなたは仰ったではありませんか――尽十方界、真実人体、ありとあらゆるものが真理である以上、ひとりの努力は全体への奉仕となると。ならば――祐賢様のあり方自体は誤ったものではないでしょう」

「しかし——中禅寺様、先程——」

「僕が良くないと云ったのは違う意味です。良くないのは祐賢様が、否、あなた方が教団を離れてしまったこと。教団を離れてしまった以上、祐賢様のように振る舞うよりありませんでしょうね」

「あ——」

常信は口を少し開けてそのまま固まった。

「常信さん」

京極堂は背筋を伸ばして禅僧と向き合った。

「もう解りました。あなたの腹に巣喰っている大きな鼠の正体が」

「ね——ずみ？」

「そう。あなたの命をあなたの中から狙っているその鼠です」

「せ、拙僧を狙っているのは——」

「あなたを狙っているのは中島祐賢様ではなく、中、島、祐、賢、の、格、好、を、し、た、大、鼠ですよ」

京極堂はそう云った。

常信は悩ましげな顔をした。

「意味が——解りませんが」

本当に解らなかった。

祐賢の形をした鼠とは――。

鉄鼠か？

「どう云うこと？　兄さん」

敦子が精一杯不審そうに尋いた。

「もう解ったって云ったけど、常信和尚は何故調査に賛成したのかまだひと言も仰ってないわ。今のお話と脳波測定とが巧く結びつかない。今のは寧ろ宗教とは何かと問うようなもっと深い問題じゃ――」

「馬鹿、問題に深いも浅いもないよ」

京極堂は妹の意見を一蹴した。

「いいか敦子。この常信さんと云うお方はね、ただの僧侶ではない。一般の僧が必要とする以上の科学的素養を持っている人だと僕は思う。大学で何を学ばれたのかは知らないが、脳波測定の結果などは当然予測されておられた筈だ。だからこそ脳波測定を許諾した。違いますか？」

「そ、それは」

「予測って――そんなの未知の領域です。主催者側の私だって、実施する学者にだって予測できないことなんですよ。予測できないからこそ調査測定するんです。それとも、兄さんは結果が判るとでも云うの？」

「勿論だ。簡単なことだよ。だって脳波測定だろ？　つまり大脳皮質の微量な電位差を測定する訳だな。脳波と云うくらいだから、それは波の形で測定される。つまり電位差を振幅として捉え、どのくらいの振幅が時間当り何回あるかと云う風に測定する訳で、時間軸上に振幅を記録するから蚯蚓《みみず》がのたくったような形になる。つまり脳波測定と云うのはどんな脳の状態もこの周波数形に置換してしまうと云うことだ。生きている限り脳波は出ている。だから泣いていようが怒っていようが、その理由が何であれ、皆波になってしまう。そうだろう敦子？」

「それはそうだけど」

「ならば。坐禅を始めた段階ではそれなりに緊張した状態、つまり通常の生活を送っているのと同じ波形だ。これはどうしたってそうだろう。それまで普通にしているんだから。この状態だと振幅の間隔は短い。それから後は徐徐に落ち着き始めて緊張は弛緩《しかん》し始める。つまり徐徐に振幅の間隔が開いて行く。最後は眠っているのと変わらない状態になる」

「眠っている状態？　寝ちゃいけないんでしょ」

「寝てないんだよ。それに限りなく近い波形になると云うだけだ。起きている状態でそんな波形になったら、普通は障碍があると思われるんだろうが、仕方がないよ。そうなるに違いない」

「何故？　どうして判るのよ兄さん」

「だってお前、波の形なんて皆一緒だからさ。間隔が長いか短いか振幅が大きいか小さいかしか差異はないんだよ」

「そうだけど」

「だったらそうなるしかないいいいいんだ。起きている時以上に間隔が短くなることはあり得ない。そんな脳の状態はそれこそ異常だ。変化があるなら間隔が開いて行く方向に向かうに決まっている。そんなもの何の判断基準にもならないよ」

「待ってよ兄さん。脳波は慥かにリラックスすれば周波数が低くなるわ。しかしそれは覚醒時から睡眠に移行する際に検知される変化と云うより、先ず眼を開けているか閉じているかで顕著な差が現れる筈よ。眼を開けて眠る人はいないからそれは当たり前だけれども、起きていても眼を閉じれば周波数は下がって行く。眼を開けた途端に周波数は高くなる。つまり脳波の周波数が下がる条件としては受容器官の遮断、特に視覚の遮蔽と云うのは大きなポイントになる筈だけれど。でも、坐禅中は眼を閉じないのでしょう？　眼を閉じないでいてそんな状態になるなんて、気絶している訳でもあるまいし――」

「眼を閉じるのと視覚遮蔽は同義ではないだろう」

「それもそうだけど。視神経から送られる情報を脳が遮断してしまえば瞼を開けていても見えなくなるでしょうね。でも先程から常信さんは坐禅中は普段より善くものが見えると仰っているわ。だからものは見えている、視覚系は生きている訳でしょう？」

「善く見えているのに見えないのと同じ状態になること、あるいは見えていないのに見えている時より善く見える状態が坐禅なんだよ。だからそんなもの脳波で測ったって判りませんと云うしかない。意識はあるのに意識を失っているような脳波が出ているおや困ったねと、科学者は云う筈だ」

「でも――」

「例えば心拍数だとか発汗だとか体温だとか、併せて測るとしたってそのくらいのものだろう。そんな貧しい情報からは何も得られないよ。被験者は豪く落ち着いていいます、くらいのものさ」

「じゃあ調査は無意味ってこと？」

「まあ無意味だと云うことを確認する上で意味はあるよ。数万倍も情報量が豊富な筈の言葉でも伝えられないものが一本の波線で判るか」

返す言葉を敦子は持たなかったようだ。

勿論益田も出番ではない。そして私は、まるで京極堂の思う壺のように発言した。

「しかし京極堂――それじゃあこちらの常信さんはそれを見越していたと云うのか？　実施したって何も解らないから平気だと」

「違うよ関口君。医学的には寝ているのも坐禅しているのも変わりない、況や魔境と悟りの間に差などないと――それこそを証明したかったのだ。違いますか？　常信和尚」

「そのようなこと——拙僧には解りません。脳波と云うものがどんなものなのか、今始めて知ったようなもので——」

「ならば何故熱心に調査に賛同したのです」

「そ——それは——そう。禅の思想を広く世間に解き放ちたかったのです！」

常信は少し上気して顔を上げたが、その視線は京極堂を僅か外していた。しかし京極堂の方は確乎りとその両生類染みた顔を視野に捉えていた。

「伺いましょう」

声が——違う。

憑物落しが始まっている。

——その大鼠か？

京極堂は常信から鉄鼠を落そうとしているのか。

常信は語り始めた。

「宗教を世に広める方法は、二つ程あります。ひとつは権勢に寄り添うこと。権力に迎合するなら、その宗派は大いなる庇護者を得る訳ですから、当然安定します。権力者が交代するまでは盤石の体制を維持できる。しかしこれは難しいことです。そして——堕落する。禅の歴史を繙《ひもと》けばそれは歴然としています。これは戴けない」

常信は微かに首を揺すった。

「もうひとつの方法は――民衆に広く教義を浸透させ支持を得ることです。この場合は多くの者に解り易く教えを説くと云う努力が要る。これも中中難しい。しかしこれこそ正しき在り方だと拙僧は思うた。衆生を救うことこそ宗教の勤めであるからです」

仰せの通りですと京極堂は云った。

「ならば、この昭和の世で興禅活動を行うためには何が必要なのか。拙僧はそのことばかり考えておった。そこに脳波調査の話が舞い込んだ。科学しかないと思うたのです。そもそも禅は座るだけのものではない。行住坐臥《ぎょうじゅうざが》の凡てが禅です。しかし多くの者はそうは思っていない。山に籠って座っているだけの禅など何の役にも立たないのです。それを世間に知らしめるためには――」

「取り敢えず、坐禅の有効性を破壊したかった」

京極堂の善く通る声が常信の言葉を遮った。

「な――何と」

常信は眼を見開いた。

悪魔《マーラ》は当《まさ》に悪魔的な語り口で続けた。

「違いますか常信和尚。勿論坐禅は悟りの玄関だ。しかしそれはひとつの入口に過ぎない。入口は幾つもある。何をしていても禅の修行はできると――」

「そ、それでは了稔と変わらない！」

「そう。変わらないからあなたは了稔和尚が嫌いだったのでしょう？　突き詰めて考えれば了稔和尚と同じになってしまうから——認めたくなかった」

「拙僧は了稔とはち、違う」

「それは、違うのは違うでしょうね。あなたは戒律を捨て、修行を捨てて悟れるなどと思っちゃいない。だが一方で戒律を守り修行を続けても悟れないかもしれぬ——とも思っていた筈だ」

常信は血の気がすっかり引けている。

元来青黒いその面相は正に顔面蒼白だった。

「しかし——あなたは矢張り不埒《ふらち》三昧の自堕落な暮らしの中に悟りなど見つけられなかったし、見つけたくもなかったのでしょう。だからと云って山の中で座り続けることにも意味を見失っていた。幸いにもと云うか不幸にもと云うか、あなたを取り巻く環境、明慧寺と云う閉鎖空間には、ステレオタイプな禅僧が勢揃いしていた。そしてその誰もがあなたの師とはなり得なかった。つまりあなたは、既成の禅の殆どに最早自分の居場所は見出せないと云う可能性に気づいてしまったのです。そこで、禅の新しき展開——科学との共生に、計り知れない魅力を感じた」

科学と宗教の共生——それは果たして——。

「京極堂、禅は果たして科学と馴染むのか？」

　それは——私の領分だ。

「科学側の禅に対するアプローチが最近徐徐に盛んになって来ていることは事実だよ、関口君。例えば、森田正馬《もりたまさたけ》が森田療法の確立に当たり、禅の思想に大きく影響されたことは知られているし、道元の著した『赴粥飯法《ふしゆくはんぽう》』や『典座教訓《てんぞきようくん》』などに食事療法や健康食の範を求める者もいる。元文部大臣橋田邦彦《はしだくにひこ》は帝大の生理学研究室にいた医者だが、この人は『正法眼藏』を愛読した。その一門は『全機《ぜんき》性医学』と云うものを云い出している。全機とは全てが機能することであり、部分と全体が呼応して機能し、恢復《かいふく》すると云う生命工学《バイオテクノロジー》的な発想の医学だが、この全機も禅の言葉だ」

　まるで予め用意されていたかのような回答だった。

「慥かに心理学や精神病理学も禅に注目し始めていると聞くなあ。そもそも今回の調査と云うのもその一環なんだろう」

　私がそう云うと、京極堂は頬を攣らせて、

「ああ——多分、君の知っているそれは駄目さ」

と云った。

「駄目？　駄目なのか」

「禅は錬金術じゃないからなあ。愚かなことさ」

「愚かだと云うのかい」

「愚かと云わざるを得ないかな。禅の方法論に学ぶのは良い。禅籍の記述を応用するのも良い。禅的な思想を背景に科学的思考を重ねるのも良い。つまり森田療法も全機性医学も有効だ。しかし心理学はいけない。愚かだ」

「しかしユング派の心理学者などは特に東洋的な神秘思想に接近して成果を上げているじゃないか。森田先生の立場と変わらないだろう」

「困るね関口君」

　京極堂は眉を歪めて私を見た。

「森田先生は西洋の観念論的な精神分析の模倣に限界を感じ、独自な臨床治療を開発するに当たって、禅的な発想を背景においたんだよ。しかし君の云うそれは違うだろう。憖か唯識《ゆいしき》論《ろん》と深層心理学を対応させたりする間抜けもいるのだろう？　例えば唯識で云う末那《まな》識を無意識に、阿頼耶《あらや》識を集合的無意識に比するなんてのは、大いなる勘違いだと僕は思うね。唯識喩伽行《ゆがぎょう》派の云う唯識は、般若経で云う空の理論に基づいたもので、ただ心があり、それを取り巻く事象は存在しないと云う考え方だから、どうやったってこれは抽象化のレベルが違う」

「それは唯物論に対する唯心論か？」

「違うよ関口君。ただ心ありと云うのが唯心論だろう。唯識は心さえ否定してしまう。ただあるのは心ではなく『識』なんだ」

「識とは何だ」

「簡単に尋くなあ。『識』は要するに認識の識で、これは認識するものとされるものの境界みたいなものだ。普通は外に事象があり内がそれを認識すると考える訳だが、仏教には外の事象は凡て内側、つまり心の動きの現れに過ぎないと云う考え方もある。これが唯心。次にその心自体も空であると考える。内外共になくたって、識だけは取り敢えずある、否ある筈だ——これが『唯識論』だね。認識対象は認識する自識の中にあるのだと云う考え方だ。この場合、識には認識するものとされるものの契機が両方内在する。耳鼻眼舌身意、末那、阿頼耶、これら八識は心理状態の説明でも精神構造の説明でもない」

「解り難いよ京極堂」

「そうかい。そうだなあ、君は未見だそうだが、テレビジョンを思い描いてくれ。形は判るだろう」

「テレビジョンだと？」

「そう。あれは画像が映る。映っている寄席だの座談会だのを番組と云う」

「それくらいは知っている。ラジオと同じだ」

「そうだ。いいか関口君、君は牢獄に入ってテレビジョンを見ている。檻の中だから君は動けない。テレビジョンしか見られない。受像機の外には君しかいない。そう云う状況を思い描け」

「何で僕が投獄されなきゃいけない？」

「今だって同じようなものじゃないか。まあ、囚人である君にとっては受像機に映っている番組が外界の事象の凡てだ。しかし見ている君にとっては番組は虚像でしかなくて実体はない。外界の事象は君なくしては認識されない。これを唯心論と考えろ。しかし見ている君はその通りの惚《ぼ》けた男だから甚《はなは》だ心許ない。いるんだかいないのだか判らない。寝てしまうかもしれない。しかし君が見ていなくてもブラウン管には絵が映っている。受信してなくてもブラウン管は存在する。取り敢えずブラウン管はある。これが唯識論だ」

「解った。解ったよ。心理学は番組の善し悪しをあれこれ云うべき学問の領域にある癖にブラウン管を引き合いに出している訳だな」

「そうそう。そもそも科学者は番組製作者のようなものなんだから、番組の内容に就いてだけしか論じられない筈なのに、心理学だけは大きな顔して聴視者を評論しているのだ。元より態度が悪い。聴視者のことを考えて番組を造るのは良いが、聴視者に口を出すのは慎重にして貰わなきゃどうかと思うな。況《まし》てやブラウン管の話を引き合いに出すのはなあ。取り上げるなら別の形にして貰わないと困る」

京極堂はそこで言葉を止めた。

「ああ——解った」

その僅かな間で、私は彼の云わんとしていることを何となく察した。

「例えば、禅の心を持った科学者がいるのは有益なことだが、禅を科学するのは有効ではないと——そう云うことか」

「まあそうだ。禅はね、特に難しいよ関口君」

京極堂は再度私を見て、すうと気を抜いた。

「禅は、印度で生まれ中国で育ったが、真実花開いたのは日本でのことだ。僕は、これは偶然ではないと思う」

「何故だ」

「言葉だ。禅は言葉では表せない。だが日本語は、その表し難いものを表すのに比較的適していたのではないだろうか。それに高度な抽象化を日常的に行っている日本の文化も、禅を受け入れるのに相応しいものだったのだろう。だから——例えば西洋人は禅的なことは理解できても表現することは下手だ。禅を瞑想《メディテーション》と訳してしまうようなことを平気でしてしまう。先程常信和尚も云っていたが、瞑想は禅とは別物だ。古い時代の支遁《しとん》の詩などに混同したような記述があるが、伝統的に仏教で瞑想と云う言葉は使わない。この混同は禅をメディテーションと英訳し、それを逆に瞑想と和訳したから起こった混乱だ。西洋人は悟る上で生物学的支障は勿論ないが、文化的支障は非常に多いだろう。だから所詮禅は彼等にとって歌舞伎や能と同じように、博物学的な興味の対象になるだけなんだ。だからね常信和尚——」

私は京極堂の呼びかけに合わせて常信に視線を送った。

常信は――怯えていた。

しかし今や彼を脅かしているのは祐賢ではなく京極堂だった。

「――日本語ですら表し難いものを英語なんかに訳したなら更に訳が解らなくなるだけなんです。況《まし》て数字や波形でそれが伝わりますかね？　数値化できないものは取り敢えず科学の対象にはなり得ないです。数値化すると云うのも一種の抽象化に外ならないですから、つまりは禅を科学すると云うのはカツレツの揚げ物を作るようなもの。喰えたものではありません」

「そ――れこそ――無意味と」

「そうです。禅を普及したいと云うあなたの思いは十分解る。しかしその手段として科学を選択するのは如何か。誤解を招くのが関の山です。慥かに白隠は公案を手段に爆発的に禅を広めることに成功したが、多くの衆生は公案を謎謎程度に思っていただけだ。今度の相手は科学。同じ轍を踏むならまだしも、下手をすると取り返しのつかぬことになる」

「取り返しの――つかぬ――こと？」

「良いですか。例えば魔境と悟りは生理学的には区別がつくものではない。ならば魔境こそ悟りと、多くの者は思うでしょう。すると例えば、悟るために薬物を使用するような馬鹿が出る」

「薬物？　幻覚剤のことか？」

「その通りだよ関口君。君が詳しい奴だ。特に短絡的な一部の西洋人はその道を選ぶだろうね。修行するより遥かに楽だし、何しろ医学的には魔境も悟りも区別がつかない。修証一等と云う言葉は訳し難いからね」

　ＬＳＤなどのアップ系の幻覚剤――麻薬は、慥かに五感を鋭敏にさせ、剰《あまつさ》え神秘体験を齎すものである。

「そうか。解ったぞ京極堂。坐禅と云うのは薬物を用いずに薬物を投与した時と同じような生理的効果を齎す行為なんだな。情報量の少ない状態で五感を研ぎ澄ましていれば、当然のように生理的な変化が起きる。脳内で麻薬が生成されることもあるのだったね。素晴らしき幻覚――神秘が訪れることもある訳だ。しかし、それを――受け流すから修行なんだな。いや、受け流すことができるようになるために修行をする――のかな？　ためにとか云ってはいけないのか」

「そうだ。魔境と云うのはその素晴らしく清浄な幻覚自体を云うのではない。その幻覚妄想を、悟りと勘違いしてしまう状況の方を云うのだ。同じ幻覚を見ていて、修行のなっていないものはそれに嵌り、なっているものは受け流すだけだ。だから生理的な区別はない。悟りは脳波で測れない――解りましたか常信和尚。科学と宗教は、補い合うことはあっても寄り添ってはならぬものなのです」

　それは――どこかで聞いた理屈だ。

「科学を過信してはならぬと仰るのか」

「いいえ。科学は信用できる」

　京極堂は断言した。

「昨今科学に不信を抱いて宗教に走ると云う族《やから》がいるが、それは筋が通らない。論理的整合性があるからこそ、間違っていないからこそ科学なのです。不信を抱く隙間はない。科学と云うものは全幅の信頼を寄せるべきものなのです。勿論科学的疑問を持つことは結構だし、科学技術の使用方法には大いに不信を持っていいのだが、科学的思考自体に不信を抱くと云うのは、基礎的な教育がなっていないとしか云いようがない。疑われるべきは科学を用いる人の側の方なのです。それと同様に――宗教に不審を持って科学に走ると云うのも間違っている。いいですか、宗教は決して科学の代用にはならないものです。否、なってはならないものだ。また科学を宗教の代用にすることもいけない。科学を信仰することも、信仰を科学することもしてはいけないことです。科学は科学、宗教は宗教。関わり方を間違えると、国が滅びます」

　常信は脂汗を浮かべていた。

「拙僧は――間違って――いたのでしょうか」

「間違ってはいませんよ」

　京極堂はやや上目使いに常信を見た。

「常信さん。あなたが宗教者として社会と関わりを持つことを真剣に考えていたことは慥かでしょう。しかし、例えば坊主の頭に電極をつけて脳波を測ったところで、その宗教的悲願が達成できるとは僕には到底思えないし——それはあなたにも判っていた筈です」

「それは——拙僧とてすぐにどうなるなどとは考えませんでしたが——」

「調査自体には意味がないとは云わない。精神医学側としちゃあ坊主もただの人間、被験者に過ぎない訳ですから、サンプルデータを収集すると云う意味では有意義だ。だが、それが興禅活動になるかと云えば、これはならないでしょう。精精《せいぜい》こいつの書いた雑誌の記事を読んだ訳知り顔の有象無象《うぞうむぞう》が興味本位に騒ぎ立てるだけです。あなたは——それもまた承知の上だった」

「いや——」

常信はたじろぐ。京極堂の舌鋒は止まらない。

「つまり意識的ではなかったにしろ、あなたが今語ったことは大義名分に過ぎなかったのです。あなたは単に——劣等感《コンプレックス》を持っていただけです」

「劣等感——？」

「あなたは修行しても修行しても大悟に到らず、のみならず足りることはなかった。だからただ座ることで足りていた祐賢さんが妬《ねた》ましかったのです」

「妬み——」

「そう。だがその嫉妬心は祐賢さん自身には向かなかった。僧としての在り方に対する疑問として発露したのです。しかし真面目なあなたは長い間続けてきた修行を放棄することもできなかった。だからさっさと修行を放棄して悟ったような顔をしている了稔さんに酷く反発した」

「——了稔さま」

高潔な禅匠の高邁な思想は悪魔によって次次と皮を剝され、見る間に卑俗な感情へと解体されて行った。悪魔の言葉は止まなかった。

「ですから常信さん。あなたが脳波測定に強い魅力を感じた直接的な理由は、矢張り坐禅の有効性を第三者の手で否定して欲しかったから——否、祐賢和尚の修行を解体したかったから——に外ならない」

常信は既に声を失っていた。

「だからこそ、あなたは祐賢さんの反応を恐れたのです。あなたは心の底で尊敬する祐賢さんを——否、道元禅師を心のどこかで汚していた。だからその顕現とも云える脳波測定の口が近付くに連れ、あなたは動揺した。これで良いと云う信念とこれで良いのかと云う疑念があなたの中で葛藤を生み、あなたは心の乱れを静めるために連夜に亙り夜坐をした」

「——ああ——そうです。結局拙僧は座っていた。習慣になっていたのです」

「祐賢様は——しかし普段と変わらずあなたに接したのですね？」

「そ――そうなのだ。もしやご自分の修行が無意味となってしまうやもしれぬと云うのに、あの方は動じなかった。そんな筈はなかろう。長年信じて来たものが崩れるやもしれぬと云うのに、あの態度は――」

「それがあなたの云う祐賢様の無言の圧力ですね。そこに相次いで凶事が発生した。あなたの中の罪悪感は裏返って、あなたを次の被害者に仕立ててしまったのです。それが僕の云う鼠です」

「鼠――鼠とは」

「京極堂。君は鉄鼠のことを云っているのか」

京極堂は私の方を見て、笑った。

「そうだ。その通りだ関口君。常信さん、あなたは頼豪はご存じですね？」

「園城寺の僧――ですな」

「はい。死して後、激しい怨嗟の末に鼠に変化転生《へんげてんしょう》して叡山の経文を噛み喰い荒らした頼豪阿闍利《あじゃり》です」

「それは史実ではない。俗信ではないですか」

「勿論俗信です。そんな馬鹿なことが現実にある筈はありません。しかし、これは実《まこと》しやかに囁かれ、多くの文献資料に記されて、面白可笑しく連綿と語り伝えられた。それは何故だと思います？」

「ですから頼豪阿闍利は悲願叶わず——」

「だから死人には何もできません。怨んで死んだって人は死ねばそれまで。魂魄《こんぱく》この世に止まることなどあり得ない。それで鼠に化けたりしちゃ鼠が可哀想です。これは生きている者の仕業です」

「ですから生前の遺恨を語り伝え——」

「それもないでしょう。慥かに悔しかったのでしょうが、儂は死んだら畜生道に堕らて鼠になるわいと高僧が遺言しますか？　反対に自分や自分の寺を虚仮《こけ》にした朝廷や叡山こそ地獄に堕ちよ、と呪詛するなら解るが」

「ならば戯言《たわごと》——流言蜚語《りゅうげんひご》であろうか」

「そんな噂、誰が何のために流すのです？」

「寺門側——園城寺は、戒壇設立が適わなかった上に阿闍利を失い、山門側を激しく怨んでいたから——」

「そんな馬鹿な。園城寺側がそんな噂を流す訳がないんです。寺門にしてみれば己が正当。仮令《たとえ》どれだけ酷い目に遭ったのだとしても、また山門方がどれ程悪辣《あくらつ》非道な行いをしたのだとしても、正法《しょうほう》を教え伝える寺門の高僧が、瞋恚《しんい》極まった末に魔道に落ちて畜生として転生するなど——自らの正統を捨てるようなものだ」

「それでは山門方が——寺門を貶《おとし》めるために？」

私がそう云うと敦子がそれを受けて云った。

「それも――善く考えると怪訝《おか》しな話ですよね。山門は山門で、そんな話が流れてしまえば己の非を認めるようなことになるんじゃないですか？　横車を押して戒壇設立を阻止したのは延暦寺だと認めることになってしまいますよね。それに有り難いお経を齧られたなんて、まるで自分のお寺に法力がないと宣伝しているようなものでしょう？」

京極堂は常信を見つめたまま答えた。

「そうなんだよ。だからね、これは最初、抗争を続ける寺門山門両方を揶揄する流言だったのだろう。しかし両門共こうした流言を押え込むことをしなかった。寧ろ改竄《かいざん》し流布したような節がある」

「改竄？」

「例えば寺門では頼豪は死の直前に八万四千の鼠を息と一緒に吐き出したと伝える。これは死して後転生した訳でも、怒りのあまり変化した訳でもない、法力で生臭山門を懲らしめると云った体裁の話だ。一方山門では大徳阿闍利が法力で大猫を出してこれを迎え撃ったと伝えられる。互いに法力合戦に摩《す》り替えているが、認めてはいるのだ。おまけに山門は坂本に猫の宮を建てたとか、寺門は鼠の宮を建てたとかまで云う。これじゃあ宗門の抗争ではなく忍術大合戦だよ」

慥かに教義も宗旨も関係ない、荒唐無稽な話である。

「まあ園城寺の戒壇設立がならなかったのは事実だし、山門寺門の間に対立抗争があったのも事実だが、実際延暦寺が朝廷に圧力をかけたのかどうか、本当のところは判らない。嘆願書を出したのが事実だとしても、それを採用したのは白河院であって、山門側は云い分を述べただけなんだから恨まれる筋合いはないだろう。こんな風聞、延暦寺側は封殺するまでもない。黙殺するので十分だった筈だ。それが——どう考えてもこれは遣り過ぎだ」

「何故なんだ。それは」

「延暦寺はね、園城寺に対して不当な罪悪感を抱えていたのだよ。関口君」

常信が落ち着きをなくす。

「不当な——罪悪感？」

「事実上これは寺門と朝廷のゴタゴタで、延暦寺が何かした訳ではない。山門は山門の正統を信じている。何も疚《やま》しきところはない筈だ。しかし——それなのに多分彼等は表向きにできない罪悪感を抱えていたに違いない。悪かったと謝る理由はどこにもないし、謝る必要もない。しかし口に出せない負い目がある。だから——経文を鼠に齧られたなんて恥ずかしい話にも甘んじた。寧ろそう云う話を生み出した。それは被害者になることで婉曲的に罪を認めると云う行為であり、屈折した自己正当化でもある。こちらこそ被害者と云う感情は罪悪感を相殺すると云う効果も持つのだ」

「ああ、拙僧は——とんでもない妄想を抱いていたのか——そうなのか中禅寺様」

「そうなのです常信様。中島祐賢様は殺人犯などではない。勿論、あなたを狙ってなどいない。あなたを狙っているのは、あなたの中の不当な罪悪感が生み出した妖怪です。その証拠に、あなたの中の疾《やま》しい気持ちを外してしまえば祐賢様を疑わなければならない要因は何ひとつないでしょう」

益田はあらら、と変な声を出して脱力した。

「常信様。祐賢様はね、脳波調査なんて全く気にしていなかった筈です。多分鼻もひっ掛けていなかった。何故なら、そんなものが何の効力も持たぬことを百も承知していらしたからです。僕を含めて、ここにいる俗世の者は今のように多くの言葉を費やさなければそれを知り得ないが、祐賢様はきっと最初から解っていた。だから普通に振る舞っていたのです」

常信は何か云おうとしたが京極堂はそれを遮ってひと際通る声で云った。

「禅は脳波測定の結果如きで揺るぐものではない」

常信はがくりと肩を落とし、少し前傾して畳に手をついた。

「拙僧は——否、私はいったい——」

衣も皮も剝されて、そこには袈裟を纏っただけのただの弛緩《しかん》した男が座っていた。

悪魔は——声音を柔らかくして云った。

「常信様。そのような禅僧らしからぬ形になることはない。毅然《きぜん》としておられねば」

「だが」

「あなたは立派な修行者です。あなたが真摯な信仰心を持ち、ひたむきに修行して来たことは誰よりあなたが知っている。あなたは何か取り返しのつかぬ間違いを犯した訳ではないではありませんか」

「しかし——私は——どうするべきだったのか」

「簡単ですよ」

「簡単——なのですか」

「あなたは、あなたの思った通り、こんな山は早く下りるべきだったのです」

「山を？」

　下りる——と常信は声を出さずに云った。

「日本人はあなたの云う通り、幾つかの戦争で大きな過ちを犯した。反省は必要でしょう。謝罪もしなければならない。しかし卑屈になることはない。正すべきところは正し、償うべきものは償えばいい。正すのも癒《いや》すのもあなた方の役目です」

「だが——私などに——何が」

「常信様。あなたはひとりではないでしょう」

「ひとりではない？」

「あなたと同様の志や問題意識を持った人人は下界には大勢いらっしゃる。あなたが明慧寺に籠っている間に、下界は大きく変わったのです。戦前の宗教団体法は敗戦と共に消え、ポツダム以来発令されていた宗教法人令は一昨年、正式に宗教法人法として発布されました。代わりに教団を取り巻く環境も変わった。不当な弾圧はなくなり、信教の自由が保障された。代わりに権勢は政教分離の原則に従って宗教を遠ざけた。そんな中で伝統的宗教は現在、現代社会との共存を模索しています。いいですか、だから、これからが肝心なのです。科学は十分な成果を上げげつつある。経済も発展し、世情も安定して来た。敗戦の穴はそれらで埋まりつつあるのです。ぼやぼやしているとあなた方宗教者が担うべき部分を他の——何かとんでもないモノに奪われてしまう可能性がある」

「とんでもない——モノ——」

「善く日本人には宗教心がないと云われる。しかしそんなことはない。日本人はどんな宗教でも受容できる程の賢さを持っているだけです。だから世界に誇るべき教義を持った宗教も沢山ある。勿論禅もそのひとつだ。今こそ伝統的宗教が真価を発揮せずにどうすると云うのですか。禅を博物館の陳列台に乗せてはなりません。だからあなたのような方こそ今の宗教界には必要なのです。あなたも仰ったではないですか。山を捨て野に下ることこそ必要だ、真の悟りはそこにあり——と。それは正しい——」

常信は眉間に力を込めた。

「常信和尚。あなたはどうして発願と同時に山を下りられなかったのです？　あなたは、つまらぬ奸計を巡らさずとも、さっさと明慧寺を去ることができた筈だ。何故にそれができなかったのです？　受け皿がなかった訳でもありますまいに」

「私は——何かに反発するように出家した。それは先程も云った通り、対象の瞭然《はっきり》しない抵抗、欲求不満の厭世観のようなものに根差した出家だったのです。しかしそんなものはすぐに消し飛んだ。そしてこれから、と云う時にこの山に入って——そして出られなくなってしまった。そう、出られなくなってしまったのです。本山とも、もう何年も——否、十何年も連絡すらとっていない。師も亡くなった。私は曹洞の坊主ではあるが、あなたの云う通り教団とは切れていたのだ。慥かに曹洞の寺や道場は日本には数限りなくあり、皆そこで修行をしているのですな。私はそれをすっかり、綺麗に忘れていた。彼等は皆——社会と切れずに修行しておったのか。しかし」

「私は何かに囚われていた」

常信はそう云った。

瞬間、京極堂はぞっとしたような、彼にしては珍しい表情を見せた。

何となく空気が清浄になった。

ただ、畳の上には未だ重たい気体が微かに漂っているような気がした。

京極堂が云った。

「ひとつ伺って宜しいですか。和尚様」

「何なりと」

「亡くなった了稔様のお言葉のようですが、和尚様は明慧寺が文化財などに指定される可能性があるとお考えでいらしたとか」

常信は初めて笑った。

「左様。馬鹿らしい話ですが、観光寺にでもなれば状況も変わるやもしれぬと、そう思うたのです。否、中禅寺様の仰った通り、そう云う卑俗なことで何かを打ち壊そうとでも思っておったのでしょう。了稔様と同じだ」

「正式に調査すればその可能性はあるとお考えですか？」

「ある——のではないでしょうか。私見ですが、あの寺は江戸期のものではない」

「そうですか。有り難うございます」

京極堂は丁寧に辞儀をした。

常信もまた低頭して、

「いや。礼を云うのはこちらです。中禅寺様」

と云った。

──ああ落ちている。

京極堂によって鉄鼠と名付けられたそれは、常信からすっかり祓い落とされていた。

しかし──。

──これで出られるとは思えない。

そんな思いが背筋を走った。

常信は次に益田の方を見て、

「益田様。祐賢様にあらぬ疑いなどおかけになりませんよう、くれぐれもお願い致します。私が──拙僧が世迷言を申しただけです。お許しください」

と云った。益田は開いた手帳を眺めてひと頻《しき》り困った様子を周囲に知らしめ、結局こう云った。

「いや、その、まあ、しかし常信さん、あなたは、いや何と云うか、正直に云えばあなたが疑われているんですよ。刑事の僕がこんなこと云うのは拙いのですが」

「拙僧が？　しかし、拙僧は犯人ではないです」

「はあ、その、あなた本当に夜坐してたんで？」

「しておりました」

「托雄さんは一緒じゃなくて」

「ああ、浅ましい思いに駆られておりました。とても他宗の者と一緒にはおられなんだ」

「他宗？　托雄さんは曹洞系じゃないのですか？」

「何何系と云うより、托雄は貫首の弟子です。元元前の典座の侍僧だったのです」

「貫首？」

京極堂がやけに怪訝《けげん》そうに云った。

「はい。托雄は終戦の年に入山致しましたが、慥か覚丹様のご縁であったと。托雄は二年目は貫首について修行し、三年目からは前の典座の行者になり、典座が拙僧に変わってからはずっと――」

「一寸《ちょっと》お待ちを。その、前の典座ってのは誰なんですか？　名簿を見るとそれらしい年齢の方もいらっしゃらないし、知事は回り持ちで？　違うな。あなたが入山した六年後の入山と仰っていたかな？」

常信は初めにそう云った筈だ。益田は手帳を見ている。僧の名簿が写し取ってあるのかもしれない。

「ああ」

常信は思い出したような顔をした。

「今更隠し立てしても始まりませんね。あの山にいるうちは口が裂けても云えぬ雰囲気だったが――拙僧の前の典座は博行様と申します。開戦の年の春に山に参られて、明慧寺で得度された」

「明慧寺で得度って、それまでお坊さんじゃなかったのですか」

「前職は知りませんが、そのようです。当時六十近いお齢だったと思います。正確には判りませんが。博行様はお齢のこともあり、貫首の元で大層ご立派に修行されていた。それで僅か三四年で典座にまでなられた。しかし、神経を病んでしまいました」

「ははあ、それで山を下りられた」

「いいえ。まだ山に居ります」

「え？」

「博行様はある事件を契機《きっかけ》にして己を失い、煩悩《ぼんのう》の地獄に堕ちてしまわれたのです。今は土牢で暮らしておられる」

「監禁して？　そりゃあ問題ですよ」

「そうも思います。ただいずれ——近いうちに——元に戻ると皆思うております。しかし、如何せん凶暴になる。乱暴狼藉《ろうぜき》を働くのです。已《やむ》を得なんだ」

「それは——いけません」

　私は思わず口を挟んだ。

「もしその人が分裂症などの精神障碍をお持ちなのだったら、ただ軟禁しておいてもどうにもなりません。医者の手に委《ゆだ》ねるのが本人のためです。いや、周囲の人にも良いこととは云えない」

縦《よし》んば軽い神経障碍であっても、軟禁——しかも土牢に閉じ込めておくような待遇が有効とは思えない。ここの分野に関して云えば、日本の風土は未だ後進的である。尤も余所の国が先進的かと云うと、そうでもないようなのだが。

私の言葉を聞き、常信は二度三度首を縦に振った。

「仰る通りかもしれませんな。ただ、博行様は己の愚行を悔い、最近では日日坐禅しておられると聞きます。だから、もう恢復しておられるのやもしれないが——解りました。それに就いては拙僧が何とか致しましょう——いずれにしろ、その事件があったお蔭で拙僧は典座の大役を任されてしまった」

「その事件とは何なのです？　何だかひとつ片付くとひとつ問題が発生するようで、刑事としちゃあ甚だ遣り難い訳です」

益田はそう云うと口許を歪ませて妙な顔をした。

「ああ——しかしそればかりは個人の名誉に関わることですから、今回の事件に関わりがあると云うことが瞭然《はっきり》するまでは、拙僧の口からは申し兼ねます」

「そうですか——まあその人の存在だけは山下に報告します。宜しいですね」

常信は結構です、と云った。

益田はすっかり落ち込んでしまったようだ。

無理もない。

何しろ京極堂の長く回り苦《く》吸《ど》い仕掛けは、今回に限ってどうやら事件解決には無関係だったようなのである。益田は、いいように京極堂の手駒として使われただけなのである。

「そうか――じゃあなあ。托雄さんの証言も嘘じゃないのかなあ。再び五里霧中か」

常信が妙な顔をした。

「益田様。托雄の証言とは？」

「ああ、あなたが夜坐している間に、了稔さんがあなたの庵――覚証殿から出て来たと云う奴です」

「それは――知りません。聞いておりません」

「は？　托雄さん何も云いませんでした？　お経の本を忘れたことがバレたら怒られると思っているのかな？」

「経本を忘れた？　それも知りません。警察にはそう云っているのですか？」

「云ってますね。だからあなた疑われてるんです」

「いや、托雄が覚証殿に経本を忘れることなどあろうか。まあ、万が一あったとしても、いやしかし――何故了稔様が覚証殿に――」

常信は首を捻った。

「そう云えばあれは托雄――だったのか」

「あれ？」

「昨日、僧食九拝《そうじききゅうはい》の後、浄人《じょうにん》に粥《かゆ》を託して貫首の元にお伺いした後のことです。拙僧は博行様の処に粥を持って行った。普段は庫院の僧が持って行くのですが、警察や取材の方が居るので念を入れよと慈行様に云われておりまして——ああ、博行様に就いては、牢から出ることも儘なりませぬ訳ですから、事件とは無関係と判断致しまして、伏せておくことになっておったのです」

益田は今度は少し口先を尖らせた。

「それで？」

「その時土牢から出て来た僧が居ったのです。遠目で誰なのかは確認できませんでしたが、拙僧は托雄だと思いました。その僧はそのまま食堂《じきどう》の方に向かって行った。しかし、考えてみればその時托雄は慥か——皆様と一緒でありましたな」

常信に急に振られたので敦子は一瞬戸惑い、人差し指を額に当てて考え込んでしまった。

「え？　それ、時間は何時頃ですか？」

「貫首のところには五時二十分くらいから十分程居りました。五時半には行鉢《ぎょうはつ》が始まる。貫首も同じ時間にお召し上がりになります。拙僧も同様です。しかし先ず博行様に粥を届けようと思うた。ですから、そう、行鉢の最中です」

「それなら私達は食堂にいましたが——托雄さんはいましたか？　覚えてないです。関口先生は覚えてます？」

全く記憶になかった。私の記憶の中では案内してくれた僧は二人とも同じ顔――否、のっぺら坊だった。名前も善く覚えていない。

「さあ。僕はお坊さんの食事に圧倒されて見蕩《みと》れていたから――でも、益田さんも一緒でしたよね」

「僕？　僕は鳥口さんが写真撮るのを見てました。あのですね、一応あの時は、皆さんの方が容疑者だったんです」

「それでは解りませんね」

「左様か――」

気の所為か常信の眸に暗い影が過《よぎ》った。

どうも――すっきりしない。

それでも常信はすっかり人が変わったように自分を取り戻したようだった。

怯えてもいない。慌ててもいない。落ち着いた、むしろ風格のある僧侶である。

そして迷える禅僧は一度明慧寺に戻って後、京極堂の忠告通り近近山を下りる――と云った。

益田は護衛の警官をつける手前、明慧寺に戻るのは明朝以降にするよう常信に頼んだ。本人がどう云おうと、依然として彼は重要参考人である訳だし、いずれにしても犯人が捕まっていない以上、色色な意味で単独行動が危険であることは慥かだった。

そう。事件は何ひとつ解決していないのだ。

京極堂は何か頻《しき》りに考えていた。

私達が座を立つと、常信は再び深く礼をした。


障子の外には鳥口と飯窪がいた。

どうもずっと聞いていたらしいが、どこまで状況が解っているものかは怪しかった。

益田を残して我我は大広間に移動した。

座敷の様子はまるで変わっていなかった。

京極堂は腕を組んで座布団に座ると、

「ああまた只働きをしてしまった。しかも相当に骨が折れたよ。もう厭だ。鉄鼠なんて珍しい奴は」

と云って、手で額を擦った。

「珍しいのか。君はこの前有名だと云っていたじゃないか。知らなかった僕は散散無知蒙昧《もうまい》呼ばわりされたんだぞ。日本人かどうかまで疑われたんだ。今更珍しいはないだろう」

「本当に馬鹿なことを云うなあ、関口君。頼豪は有名だが、ああ云う状態の坊さんが町にそうそういるか？　虎は子供でも知っているが町に野良《のら》虎がうようよいる訳じゃないだろう。町にいないからと行って虎を知らないのはやはり無知だろうに」

「悪かったよ。僕は無知さ。しかし君、その様子だと相当大変だったのか？」

「あれも僧侶でなきゃ大したことないんだ。ただの妄念だから。その場合は名前なんてどうでもいいのだがな。坊主であれだから矢張り鉄鼠なんだ。坊さん、特に禅僧はね、大変だ。あの常信さんは理性的で素直な人だったからまだ良かったが――それでも先ずあの人は自分がどう云う位置にいるのかと云うことすら見失っていたからね。お蔭であることないこと善く喋ったなあ。通常の三倍くらい料金を――ああ、只なんだな」

　京極堂は不機嫌そうに肩を叩いた。鳥口がこそこそと寄って来て尋いた。

「何だか凄かったですな。声を聞いてるだけですと難しくって、僕は門前にいましたが習っても経は読めませんな。漢字を知らない。寒いから眠る訳にもいきませんしね。それで、誰が犯人で？」

「相変わらず何が何だか解らない諺《ことわざ》だな。それに犯人って何のことだ鳥口君？」

「人が悪いな関口先生。犯人ですよ」

「犯人なんて解らないよ。ねえ敦っちゃん」

「ええ」

「へ？　だって師匠が得意の奴をぺらぺらと」

「僕は自分の仕事をしただけだよ鳥口君。事件とは無関係だと何度云ったら解るんだ」

「うへえ、じゃあ憑物落としは」

「そりゃ落ちたよ。僕は玄人《くろうと》だ」

「それなら」

「だから僕が落すのは憑物。犯人《ホシ》を落すのは警察。原稿を落すのは関口君だ。大体僕は本屋だぞ。殺人に興味はないんだ。こう云う形で禅坊主と関わるのも本来は厭なんだよ。難航している仕事を潤滑に運ぶために已《やむ》を得ずやったんだから」

「仕事って何です？」

「だから本屋の仕事だよ鳥口君。犯人より判型、殺人より冊数が問題なんだ。しかしなあ。どうも面倒なことになりそうだなあ」

京極堂は顎に手を当てて庭の大樹を見た。

「ああ——そうなんですか」

鳥口は少し寄った目の、その上の眉まで寄せて、おねだりをする犬のような顔で私の方を見た。

「センセイ」

「何だ。その顔は。腹でも減ったのかい」

「まあ腹も減ってますが、それより僕は今、思い出したことがある」

「だから何だよ。道に迷うとか寝たら起きないとかそう云うのは思い出すまでもないぞ」

「そうじゃないですよォ。酷いなあ。僕はね、先生。雑誌『實錄犯罪』の記者なんです」

「今はなき『實錄犯罪』だろ」

「今もあるんです。そして、僕は今写真機《カメラ》を持っている。フィルムもまだある。そして『稀譚月報』の撮影は終わっている。更に——僕は今、殺人事件の真っ只中にいる。第一発見者であり、一度は容疑者にまでなり、事件は未だ——解決していない」

「それが？」

「鈍いなあ。だから榎木津の大将に小突かれるんすよ。僕はこの事件を記事にします。これで半年振りに雑誌が出せます。僕は解決を見るまで取材を続けます。だから、もう一度明慧寺に行きます」

「しかし鳥口君。現時点では早期解決も難しそうな雲行きじゃないか？　それに明慧寺に行ったって、あの山下さんが——」

「大将が入ってるんですよ」

そう云えば榎木津は明慧寺に向かったのだった。

「必ずや現場は混乱してる筈です。潜入は可能です」

「それは確実な線だがなぁ。しかし捜査妨害で逮捕されるぞ」

「覚悟の上です。警察なんかに任しちゃいられませんよ。それにね先生——」

鳥口はやや精悍《せいかん》な顔つきになった。この瓢軽《ひょうきん》な青年も、澄《す》ましていればそこそこ二枚目なのだ。

「――僕はあの泰全さんが殺されたことが、実は結構ショックだったんです。寝ている間に殺されていたと云うのもあるが――実感がない。人の好さそうなお爺さんだったじゃないですか――」

鳥口はあの滑稽なまでに愚弄された泰全の屍体を見ていないのだ。彼の中で、泰全老師の死は未だ特権的な死なのである。

「――僕は事件記者ですから、こう云う事件には慣れてますが、記者と云うのは遍《あまね》く事件が起きてから取材に行くもんです。取材した直後に目と鼻の先で殺されるなんて――初めてです。記者根性も疼《うず》きますが悔しい気持ちもかなりある。正義漢振るつもりはないですが、興味本位ばかりでもないです」

「ああ、そうか――」

昨年の夏。鳥口が深く関わった惨劇の中でも大勢の人間が死んだ。しかし慥かに鳥口自身は被害者とこうした関わり方はしていなかったのだ。

私には今の鳥口の気持ちは少しだけ解った。

「先生、その」

「ああ。君の気持ちは解るが僕はもう――」

この檻から出たかった。

「そうですか。敦子さんや飯窪さんは――」

「私は──そうですね。どうせ今回の企画はボツでしょうし──」

「ボツにするのかい？　ああ、君は常信さんが寺に戻って脳波測定を止めさせると考えているのか？」

「ああ、脳波測定も──中止しなけりゃいけないでしょうね。少し頭を冷やして──まあ、帝大側は初めから頭は冷えてるんでしょうから、宗教と無関係の純粋な生理学的探究であることをご理解戴ける被験者を捜して状況を設定し直さないと──でも、それはそれとして、了稔さんが亡くなった段階ではまだ何とも云えなかったのですが、今やあそこは殺人事件の舞台となってしまいましたから──ですから」

　敦子は飯窪に同意を求めた。飯窪は微かに頷き、

「ええ」

　とだけ云った。

「ああ。そうだな。鳥口君のとこと違ってお堅い君のとこじゃあ、この状況で記事を載せるのは、幾ら事件と無関係の内容でも難しいかなあ」

　雑誌の性格上、公序良俗に反する記事の掲載は難しいのである。

「そうなんですよ。中村編集長にも今朝電話で事情を説明したのですが、まあ他の部や大学の方との兼ね合いもあるし、即決はできないとか、上と相談するから待機しろとか明瞭《はっきり》しないこと云ってましたけど──多分駄目でしょう」

駄目ですかねと鳥口が云う。

「駄目だと思います。寺名を伏せて掲載って訳にも行かないでしょうし、私もこんなの厭です。ただそうは云ってもこのままでは何だかどうにも——幸い私と飯窪さんは警察に足止めされていることにしてあるし——だからご一緒しますよ。鳥口さん」

「おお、そうですか。そりゃあ鬼に金物。ただ敦子さん、仙石楼《こちら》のお支払いの方は——」

「大丈夫でしょう。きっと経費で」

「それは何よりです。それでは行きましょう。あ、飯窪さんはどうなさいます？」

「私は——」

飯窪は決め兼ねると云った様子で、先ず敦子を見た。それから京極堂の方を見た。

そこで私も京極堂を気にした。堅実且つ捻くれている友人は、こう云う場合は概ねはしゃぐ若者に水を注《さ》して諫める。特に妹が探偵紛《まが》いの行動を執ることを、偏屈な兄は大いに嫌うのである。

しかし予想に反して京極堂は何も云わなかった。

否、何も云わないどころか、何も聞こえていないかの如き態度である。

しかしどっちを向いていようが何をしていようが、この男はいつも周囲の音をちゃんと聞いている。だからこれは知らぬ振り、見て見ぬ振りなのであろう。京極堂はまるで何かを堪《こら》えてでもいるかのような顔つきで——。

ただ庭の樹を見つめていた。

そこに。

どたどたとしまりのない跫《あしおと》が聞こえた。

襖を開けて這入って来たのは眼鏡の巡査だった。

「あの、こぢらに益田さんは居《お》らないですか？」

「ん？　いや、いないけど、すぐ来ますよ。今離れにいます」

「ああ」

巡査は離れに向かうべく、軽く地団駄を踏むようにして振り向いた。

その鼻先に益田がいた。

「どうしたの阿部さん。何かあった？」

「は、はいッ。あったデございます。湯本の駐在の方から先程連絡がありましてぇ、警部補殿に至急ご報告せねばと急いで参りましたです。その、怪しい坊さんを保護しだと云う報せが入ったのです」

「怪しい坊さん？」

敦子と飯窪が同時に顔を向けた。

「それは、どう云う？」

「はァ、先程の連絡内容に拠りますと、ええど、奥湯本の笹原武市さん宅に於ぎましてェ、住込の女中、ああ報告では女中となっておりますが、お手伝いさんでしょうな。ええ、女中の――」

「女中は解ったよ」

「笹原武市？　おい、京極堂それは――」

「いいから聞け」

京極堂は冷たく云った。

「その、お手伝いのですな、ええ横山《よこやま》するゑさんが、本日午前五時二十分、ああ、年寄りは朝が早いんでございますナ。ええ、五時二十分頃、庭先に於で不審な僧侶を発見、何か用かと訪ぬたところ、逃げ出したと。しかし偶偶《たまたま》居合わせただ作業員二名が後を追って取り押さい、通報、となってますな。ええ、これがどうも何を尋いても供述が曖昧《あいまい》だそうでして、箱根山連続僧侶殺害事件本部付けで不審な僧侶に対する保護の回状が回っておりましたもので、こぢらに連絡するよう、先ず本官の所に連絡が来たと」

「おやおや。こりゃあ――」

益田はどうしていいか判りませんとでも云うように京極堂を見た。

京極堂が片膝を立てて尋いた。

「それで、名乗ったのですか？」

「はア？　阿部宣次《のぶつぐ》と申しますが」

「いいや阿部さんそうじゃない。その僧は名を名乗ったのですか、とお尋きしています」

「ああ！　こっりゃあ失礼。ええと、ま」

阿部巡査は眼鏡の縁を抓《つま》んで帳面を見回した。

「ま、づ、みぃ――ええと」

「え？」

「ああ、松宮じんにょとか。じんにょと」

「松宮？　松宮と名乗ったのですか？――」

飯窪が切羽詰まった声で糾した。

彼女は昨日、慈行に接触することができなかったのだ。

正確に云うと坐禅中の慈行の近くにはいたのだが、話しかける機会を持てなかったのである。つまり、鎌倉から明慧寺を訪れた僧の名前――それが松宮ヒトシであるか否か――を確認することはできなかったのである。

「――そのお坊さんは松宮と名乗ったのですね？」

「ハァ？　いや、じんにょ」

「益田君！」

京極堂は善く通る声で刑事を呼んだ。

「その僧侶には会えないかな?」

益田は目を丸くした。

「え? そ、そりゃあ犯人だったら面会はできないでしょうが、無関係だったならすぐ会えるでしょうし、その判断は今できないですが、ですから」

「今どこにいる?」

「湯本の駐在所――ですね? 阿部さん」

「そうデす」

「どうするんだ京極堂!」

「捜す手間が省けた。僕は行くよ」

「捜す手間? 行くってその坊さんに会いにか?」

「そうだ。それで用が足りるかもしれない」

「用? 用って君の仕事か?」

「私も――私も行きます」

飯窪が云った。益田が慌てた。

「あのう、その勝手に、ええと」

「悪いが益田君。君の上司の意向を仰ぐ暇はない。心配しなくても君に迷惑はかけないよ。確乎り捜査してくれたまえ」

「は、はい？」

益田はただおろおろとした。

京極堂が立ち上がったのを契機《きっかけ》に私を除くほぼ全員が立ち上がった。

身の置き場も言葉もなくした益田に一瞥もくれず、京極堂は歩き出す。

飯窪がすぐに後を追った。

「私も——行きます。ご一緒させてください」

「おい待てよ。僕も行くよ」

私は腰を上げた。

どうせ富士見屋に帰るつもりだったのだ。

京極堂は突然《いきなり》振り返った。

そして立ち竦んでいる敦子と鳥口を見て、

「あまり深く入り込むなよ」

と云った。

今更何を云うのだ——と私は思った。

○青坊主——画図百鬼夜行・前篇——風

○野寺坊――画図百鬼夜行・前篇――陽

聞いた話である。

無性に遣《や》り切れない、得体の知れない息苦しさを感じて、今川は天空を見上げたのだそうだ。

空には空と云う蓋がされていた。所詮宇宙は有限だ。必ず果てがあるのだ。そこから出ることは適《かな》わない。自分の殻を破る。家を出る。社会から飛び出す。国から逃げ出す。掟を破る。何をしたって同じことである。宇宙から出ることはできぬ。

冬の抜けるような青空はどう云う訳かまるで清清しくなく、ただ厳格で、今川をそんな気にさせた。

7

久遠寺老人は相当に辛そうだった。息が上がっている。榎木津ははしゃぐことこそ止《や》めたが、ただ無意味に元気そうに見えた。こう云う元気はこの場合どことなく破壊的である。その精悍な目つきも、今川にとっては何だか射竦《いすく》められているような感じで、どうにも落ち着かなかったのだと云う。

等間隔で並ぶ木立ちの向こうに惣門が見えた。

黒黒としている。明慧寺だ。

「あそこ——なのです」

「ああ、辛どいわい。医者の不養生だ。如何にも運動が不足しとる」

「それはあなたが年寄りだからです。さあマチコ、行くぞ。君が先頭だ」

「せめて待古庵と呼んで欲しいのです。子供の頃の渾名《あだな》は、どうも擽《くすぐ》ったいのです」

「解った。いいから行けマチコサン！　あの変な門の所にも警官がいるじゃないか。その魔除けの鬼瓦みたいな顔で追い散らせ」

無茶である。何とかすると云っておいて、榎木津は何もしないつもりかもしれない。ここまで来て追い返されたのでは、今川は兎も角久遠寺翁は途中で参ってしまうだろう。

惣門に近づくと案の定警官達が走り寄って来た。

「おい！　関係者以外立入り禁止だ」

「はあ、その何と云いますか」

「やあご苦労さん！　僕は探偵の榎木津礼二郎だ。さあここを通しなさい」

「あ？」

警官のひとりが榎木津の顔を見て怪訝そうに首を傾けた。他の警官達はその警官を見て首を傾《かし》げた。

「どうした？」

「あんた、あの『黄金髑髏事件』の時の——」

「わははは、君はあの時教会に僕を迎えに来た車の運転警官だね！　こんな寒い所で立ちん坊とは君も出世しないいな。僕を見習え。今度あの蒙古《もうこ》系の警部に会ったら善く云っておくことにしよう。後で名前を教えなさい！」

「は、それでは石井警部の——」

「そう！」

榎木津は高らかにそう云って惣門を抜けてから、

「知り合いだっ」

と云った。警官には聞こえなかったらしい。

今川は冷や汗をかき乍ら後に続いた。

久遠寺翁は調子に乗って、

「確乎《しっか》りやり給え」

と、警官達に檄《げき》を飛ばした。

偶偶《たまたま》上手《うま》く行ったのか計算ずくなのか判ったものではない。そもそも、蒙古系と云っただけで誰のことだか判ってしまうその警部と云うのも——どうなのか。万事この調子ではこの先どうなるか知れたものではない。しかし、榎木津は戦時中もどうやらこうした遣り方で難局を掻い潜り、数数の武勲を上げているのである。従う部下の身にもなって欲しいと今川は幾度も思ったものである。

境内に人気はなかった。榎木津はすいすいとまるで自分の家の庭でも歩くように三門を潜って、そこで立ち止まった。

「おいマチコサン。どこから寺だ？」

慥かに判り難い。山のような境内のような景観である。榎木津の云う寺と云うのも、建物を指しているのか、敷地内に這入ったか否かと云う意味なのか判然としない。

「ここは寺の内部なのです」

そう答えた。間違ってはいないだろう。

少なくともここは——明慧寺の結界の内である。

榎木津は詰まらなさそうにふうん——と云った。

「なんだ。もう入っていたのか。それで坊さんはどこにいる？」

「さて——」

まだ禅堂にいるのだろうか。時間的には作務をしている頃だと思うが、昨日去った後の展開が判らないから何とも云えなかった。下手にうろうろ歩き回って刑事達に会ったりしたら抓《つま》み出されてしまう可能性もある。否、僧に出合っても大差はないだろう。いずれ異物は排除される筈である。

「何用か！」

鞭《むち》で打つような響きの声がした。

選《よ》りに選って――慈行だった。

黒衣の美僧は叉手当胸して姿良く立っていた。

「当山は現在関係者以外立入り禁止の筈。何用であるか。今川殿。尊公は既に当山での用向きはお済みの筈ではありませんか。今更如何なるご用です」

「それは――」

今川は慈行と云う僧の存在が善く理解できていない。自分とは人間の種類が違う。内容ではなく、外見が、である。同じ種類の生物とは思えないのだ。今川が四苦八苦している部分を慈行は全く備え持っていない気がする。慈行のような生物にとって人体に無駄な箇所などないのではないか。今川辺りは無駄を重ね着して歩いているようなものだ。

「――捜査なのです」

「捜査は警察のすること。古物商の立入るべき領域ではありますまい。お帰りください」

「しかし――」

今川は先《ま》ず久遠寺翁を盗み見た。そもそも今川は案内役《ポーター》であり、このような場面で矢面に立たされる筋合いはない。だが久遠寺翁も言葉を捜しているようだったので、今川は次に榎木津を見た。

――この人もあの人と同類か。

　榎木津は慈行の方を向いたまま仁王立ちになっていた。硝子玉《ガラス》のような眸は周囲の雪を映して灰色の光を放っている。作り物のようだ。

「こいつ——誰だ？」

　榎木津は濃い眉と口許を引き締めて慈行を見据えたまままそう云った。すうと半眼になる。益々造り物のようだ。今川は已《やむ》なく答えた。

「この人は監院の和田慈行さんなのです」

　慈行は叉手の姿勢を全く崩さず、滑るように接近して、榎木津の前で止まった。

「尊公は何者か」

「——探偵だ」

「探偵？」

　慈行は切れ長の目を細めた。

　榎木津は慈行を見つめたまま更に一歩近寄った。

　長身の榎木津は覗き込むように慈行を凝眸した。

　華奢で小柄な慈行は細い眉を吊り上げて、見上げるようにそれを睨《にら》み返した。

　榎木津は云った。

「あんた、何をして生きて来た？」

「何？」

「今まで何をして来たかと尋いてるんだ」

「――どう云う意味か」

「そのままの意味だよ」

「――仏道に」

「ふん。そう云うものかな」

榎木津は急に興味をなくしたように、気を抜いて目を逸らした。慈行も禁縛が解けたかのように視線を横に外した。

今川も見てはならぬものを見たような気がして、矢張り目を逸らした。

視線の先に鈴がいた。

――これは。

市松人形は、相変わらず底なしの昏《くら》い孔《あな》のような真っ黒い目でこちらをじっと見ていた。

い、いや、そそけ立つ程の悪寒が走った。

慈行が鈴に気がついた。

榎木津もそれを察して鈴を見た。

瞬間、三体の人形は舞台装置ごと凍てついた。

まるで三竦《さんすく》みのようだ。

鈴が云った。

「何しに来た」

「なんだ――お前――何者だ」

榎木津が切れ切れに云った。

「帰れ」

鈴はそう云った。

しかし次に叫んだのは慈行だった。

「誰《たれ》か、誰かある！」

人を呼んだと云うより悲鳴だった。

回廊を数名の僧が虎のように駆け抜け、三門から出て来た。ほぼ同時に知客《しか》寮から警官達が飛び出して来た。

「如何《いかが》なさいました」

「じ、仁秀をここに！　至急」

僧達は機敏に踵《きびす》を返して警官の間を抜けて走り去った。警官達は状況が把握できずに遠巻きにしている。どうも警官達は統率がとれていないようだった。未だ命令系統に混乱があるのだろうか。僧侶達の機敏な動きに比べるとガタガタに見える。

「どうしたんだ？　おや探偵じゃないか」

菅原だった。

「おかしいな。どこから入った？　警邏《けいら》は何をしていたんだ。油断も隙もないな。ん？　ああ、和田さんあんたか――」

菅原は警官を掻き分けて二人の前に出ると、珍しいものでも見るかのように上から下まで見回した。

「はああ、こりゃ一大事だな」

呑気な反応《リアクション》だが、今川には気持ちが解る。

菅原にとっては榎木津も慈行も五十歩百歩なのだ。

鈴は――。

鈴は姿を消していた。

「おい探偵さん。どうやってここに入ったのかは知らないがな、こいつは拙《まず》いなあ。こう騒ぎを起こされちゃあ――捜査妨害だな」

「騒いだのはこの人だ。僕じゃないぞ。嘘だと思うならあそこで四万十川《しまんとがわ》さんとマチコサンが見ていたんだから尋くがいい」

「ん？　あ、あんたらも来たのか。物好きだな。しかしこれは遊びじゃないんだ。おい、縄かけろ」

「は？」

「捕縄持ってるだろ。縛れ。公務執行妨害だ」

最悪である。

警官が駆け寄って来た。

そこに僧達が戻って来た。

警官達の動きが一瞬止まった。

僧達は見たこともない薄汚い男を連れている。

禿頭で襤褸《ぼろ》を纏っている。纏っていると云うより巻きつけている。躰も顔も、陽に灼けているのか汚れているのかやけに浅黒くて、衣服との境界も甚だ曖昧である。襤褸が手足を生やしたように見えた。襤褸は慈行の前に引き出されて雪の上に転がった。

慈行は姿勢を崩さず寧《むし》ろ硬直して、

「仁秀！」

と一喝した。

この襤褸こそが話に聞く仁秀老人――鈴の保護者であるらしかった。

今川は年長者――それもかなり齢の離れた――を無造作に呼び捨てる慈行の姿と、それまで彼が執っていた戒律主義的な態度との間に大きな落差を感じて、無闇に当惑した。尤も激昂している者を間近にした時、大方の者はその興奮に当てられるように心拍数が早くなるものなのだろうから、それは単にそう云うことだったのかもしれない。

慈行は仁秀を見下して語気を荒らげた。

「あの娘を境内に入れるなと、あれ程きつく申し付けておいたではないか！　私の令《いいつけ》が守れないのかこの痴《し》れ者がッ！」

慈行は叱っていると云うより罵《ののし》っている。

上気した目の縁がほんのりと赤く染まっている。

菅原も警官も何が起きたのかまるで理解できていないらしい。今川の横に来た警官などは捕縄を手にしたまま、否、縄をうとうとした格好のまま、そちらに気を取られて手を止めている。

仁秀は只管《ひたすら》謝罪した。

「どうも申し訳ございませぬ和尚様。あのような、ものの道理も解りませぬ小童《こわらわ》でございます故、どうか、どうかご勘弁くださりませ」

土下座ではない。這い蹲《つくば》っている。襤褸屑《ぼろくず》が地面でのたうっているような有様だ。

「煩瑣《うるさ》い。云い訳を聞く耳は持ちません！　山内の秩序を乱すなとあれ程申したのが――」

慈行が目配せをすると、控えていた僧が透かさず警策を手渡した。

慈行は警策を振り上げた。

「――解りませんかッ！」

仁秀は左肩をしこたま打たれて右に転げた。

慈行は容赦なく再び警策を振り上げた。

久遠寺翁が警官を振り切って仁秀に走り寄った。

「お、おい慈行さん。あんたお年寄りになんちゅうことをしおる！　それが坊さんのすることか」

「おどきなさい。尊公には無関係！」

「見て見ぬ振りができるかい！　儂や医者だ。おい警官！　儂等善良な民間人を捕縛する縄があるならこの野蛮な坊さんを縛らんか。これは暴力行為だ」

久遠寺翁は仁秀老人に覆い被さるようにして警官を睨んだ。

「おどきなさい！」

慈行は再び警策を構えた。今川は止めに入ろうとも強く思ったのだが、正直竦《すく》んでいた。昨日の午後のことを思い出したのである。昨日は慈行が打たれていた。そしてそれは暴力的制裁ではない――と説明され、今川は納得したのだ。しかし今の慈行は昨日の哲童とは顕《あきら》かに違っている。視線に加虐的《サディスティック》な毒がある。それなのに――。

「おい和田さん――」

菅原が一歩出た。

「――この人は坊さんじゃないいんだろ？　坊さん同志で叩き合うのは結構だが、こう云うのは拙いな。この医者の先生をぶったりしたらあんた傷害罪だ。私等は警察なんだ。どんな場合でもあんたらの理屈が通ると思うな」

慈行は軽蔑の籠った——ように見える——視線で武骨な刑事を見て、

「警察権力を行使して民間人に合法的に縄をうつのと、私の行為にどれ程の差があろう。慥かに、この者達は捕縛され監禁されても文句は申しますまい。しかしそれも公務執行妨害とか申す法があるからでございましょう。この者達が暗黙のうちに法に従うのと同じように、ここにはここの不文律がある。例えばこれなる仁秀が警察に助けを求め保護を求めて、剰《あまつさ》え私を告訴でもしたと云うのなら、その時は素直に従いましょうが、それ、この者はこうして打たれることに甘んじている。この者は当山の僧ではないが、当山内で暮らしを共にしている者だ。当然こうしたことは承知の上でここに居る。縄をかけ自由を奪うのも警策で打ち肉体的苦痛を与えるのも形こそ違え、結局は同じこと。我等はこうして、行持を変更してまで警察の遣り方に全面的に協力しているのです。ならば警察も寺の中のことに口を出すのはお止《よ》し願いたい」

菅原は開いた口が塞がらないと云うような——と云うより本当に口を半分程開けて己の耳の後ろを触った。仁秀はその様子を見上げて嗄《しわが》れ声で云った。

「お、お止しくださいませ。打たれて仕様のないことを致しました。打たれることは構いませぬ。打ってくださいませ。打たれとうございます」

仁秀は久遠寺翁をそっと退け、その場にいる全員に謝罪した。久遠寺翁は額に皺が寄る程両眉を吊り上げて、

「あんた、そりゃ卑屈じゃ」

　と云った。

　慈行はまるで汚物でも見るように投げ遣りな表情になり、仁秀を無言のまま侮蔑して、それから菅原を睨みつけ、

「そもそも博行和尚があのようになられたのはこの仁秀の——否、あの娘の所為なのだ。もう宜しい。仁秀、下がるが善い。去《い》ね！」

　と云った。

　仁秀は雪に窪みができる程頭を下げて、ゆっくりと立ち上がり、躰に付着した雪片を払いもせずに、とぼとぼと去って行った。今川はその後ろ姿を見てどうにも遣り切れない空虚な気持ちになった。

「和田さん。あの娘ってのは鈴とか云う娘かな？　いい加減に何があったのか話してくれないかな。山下警部補はもう朝から何時間もあの男にかかり切りでな。鈴が関係しているのかな？」

　菅原の不満げな発言はすぐに却下された。

「博行和尚の件とこの度の事件とは無関係にございましょう。語る必要はない」

「無関係じゃないんだな。現にあの牢屋は昨晩破られてるんだ。自分で出られなくたって、誰かが意図的にあの菅野とか云う男を出してだな——」

「菅野ォ？」

久遠寺翁がそう云って立ち上がった。裾が濡れている。菅原はそれを一寸《ちょっと》だけ気にして、続けた。

「──ん、あの菅野博行が殺人を犯した可能性は誰にも否定できないんだぞ。和田さん、あんたにもな。だから菅野が何故──」

「菅野──はくぎょう？　おい、はくぎょうとは、その、博士の博に行くと書くのじゃあるまいな？　どうなんだ菅原君。おい」

久遠寺翁は今度は完全に菅原の話の腰を折った。

菅原は已なく医者の問い掛けを受け入れた。

「何だって？　名前か？　そうだったかな。慥かそう書くんだな和田さん」

慈行は頷き、戸惑いの視線を老医師に向けた。

「そりゃ──慈行さん。その菅野博行と云う人は、真逆その、七十近い爺さんじゃないだろうな？　どうじゃい」

久遠寺翁は目を剝いている。菅原が尋いた。

「何だ、久遠寺さんだったか？　久遠寺さん、あんたあの坊主を知ってるのか？」

「否、同姓同名の者を知っておるだけだわい。おい、どうなんだ。それは爺さんか！　若いのか。教えてくれ慈行さん！」

慈行は予測不能の事態にやや色をなくし、細い眉を歪ませた。菅原が代わりに答える。

「ああ爺さんだ。相当な爺様だ。枯れ葉のような爺さんだな。訳の解らんことしか云わんから本当の齢は知らんがな。それがどうした！」

「菅野——菅野が——榎木津君！」

久遠寺翁は赤ら顔を更に赤くして榎木津に視線を投げかけた。今川は、まるで木偶《でく》人形かペンギン鳥のように、その動作を真似て探偵を見た。

探偵はそっぽを向いていた。

否、あれは、

——鈴の軌跡を目で追った形そのまま。

榎木津は何も聞いていないようだった。

久遠寺翁は探偵が放心しているので見切りをつけるように菅原に向き直った。

「それは——本当に——おい、その菅野、いつからここに——この寺にいる！」

「昭和十六年の入山です」

慈行が答えた。

「十六年——おい、刑事さん。菅原君か？　その男に儂を会わせい」

「会わせいって云われてもな。一寸」

「悩んでおる場合か。儂は九分九厘その爺ィ、菅野博行《ひろゆき》を知っておる。善く知っておる」

「知ってる？　本当か？」

「本当かどうか会えば解るわい。それにしたってこんなところに居たのか菅野——どこだ。どこに居るんだ」

久遠寺翁は行き先も聞かされぬうちに歩き始め、ずかずかと大股で警官の間を抜けて、振り向いて大声で云った。

「早くせい！」

目に気迫が籠っているように今川には思えた。

慈行は何故かかなり怯んだ。菅原が追い、警官達が従った。今川の横にいた警官も大勢に乗り遅れまじと、縄を手にしたまま後に続いた。慈行はそれらの動きを確認し、最後に榎木津を凝視してから突然《いきなり》三門の中に消えた。僧達もすぐに従った。

取り残された今川は未だ突っ立っている榎木津の横に行き、どう声を掛けたものか戸惑って、挙げ句、

「あのう」

とだけ云った。

西洋人形のような探偵はその色素の薄い白い肌を一層白くしてどこか遠くを見たまま、

「あんなのってあるか——」

と云った。

榎木津を引っ張るようにして今川は久遠寺翁と警官達を追った。

そこは昨日今川達が監禁されていた部屋――禅堂の横の建物――の真裏に位置していた。奇妙な光景である。山の斜面の前に塹壕《ざんごう》の如き雪の塊がある。その塹壕の溝の先に、真っ黒い洞穴が口を開けている。雪の盛り上がりのお蔭で、知っていなければ気づかないような穴だった。防空壕にも似ている。身を屈めてやっと這入れる程の穴には鉄格子が塡められている。鉄格子の扉は開いており、その前に警官と久遠寺翁が立っていた。今川は榎木津の袖を引いて溝に下り、その横にぴたりとつけた。離れていない方が良いような気がしたのだ。

鉄格子から屈んだ格好で菅原が出て来た。

「おお、もう沢山だこんな仕事。さああんた。這入って。おい、お前等も這入るのか？　まあいいか」

誰も這入るとは云っていなかったのだが、そう云われては這入らぬ訳にも行かなかった。

中は漆黒の闇だった。

「階段みたいになってるから気をつけるんだ」

後ろから菅原がついて来た。当然だろう。

入口の割りに天井は高く、隧道《トンネル》は下降していた。中はそれ程寒くない。室《むろ》のようになっているからかもしれない。僅か異臭が鼻腔を掠めた。

今川は前を行く久遠寺翁の背中に手を当てて、そのまま一度目を閉じた。開けていても変わりがないからである。目を閉じると、少し神経が昂《たか》ぶっていたことに気づいた。ゆっくりと瞼を開けるとその昂ぶりはやや鎮静化した。暗闇に目も慣《な》れて、中の景色が朦朧《ぼんやり》と浮かんだ。

どうも中は完全な闇ではないらしかった。

しかも隧道と云うよりは岩屋である。意外に中の空間は大きい。壁や天井はごつごつとした岩肌だが、床は平らになっていた。畳敷で十畳程はあろうか。壁面には更に幾つかの窪みがあり、中には石像のようなものが安置されているらしかった。しかし闇に溶けていて真実そこに石像かあるのかどうかは確認できなかった。天然の洞窟を加工したのか、炭鉱のように掘ったものかは解らない。

正面には大きな穴がある。次の部屋があるのだ。明かりはそこからのものだった。

「そこ這入る」

菅原が短く云った、残響音が残った。

淫淫《ひたひた》と水滴の落ちるような音がした。

次の部屋は——檻だった。

広さは同じくらいである。

ただ入口と同じような鉄格子が半分程で部屋を仕切っている。

鉄格子の手前で、二人の男が箱のようなものの上に腰かけていた。二人とも角灯《ランタン》のようなものを持っている。ひとりが角灯を顔の近くに翳して振り返った。それが山下だった。

檻の中には畳が一枚敷いてある。

その上に何かが座っていた。

檻の向こう側――牢屋の明かりは金具で壁に掛けられた蠟燭一本だけである。

幽かに燻っている。

だから善く見えなかった。

「少し面白い」

榎木津が小さな声で云った。それでも善く響く。

山下は敏感にそれを聴き取り、無声音に近い声で捲《まく》し立てるように云った。

「おいッ！　た、探偵も一緒なのか。声が響くんだから大声を出すな。頭が痛い。さあ早く面通しをしろ」

久遠寺翁が菅原に押されるようにして檻に近づいた。今川はその右斜め後ろにつりて山下と並んだ。

「うわはははははっ！」

榎木津が思い切り甲高《かんだか》い奇声を発した。

今川は腰が抜ける程驚いた。唸るように残響音が渡った。

榎木津はそれが面白いのか、うふふと笑った。

「煩瑣《うるさ》いってこら。子供か君は！　おい菅原君。何でこれを入れたんだ」

「何となくですな。さあ久遠寺さん」

微昏《うすぐら》いので久遠寺翁の表情は読めない。しかし元より今川にはこの老獪で洒脱な禿親爺の気持ちなど解りはしない。悪い人ではないと云うことだけは判るが、行動を共にしているのも殆ど惰性だ。ただもう慣れてしまったから安心感はあると云うだけだ。

久遠寺翁は内ポケットから眼鏡を出して掛け、目を凝らしているようだ。しかしこの状況下では眼鏡は無駄だろう。

「あんた――」

中のものは動かない。

「あんた菅野さんか？」

矢張り動かない。

老医師は振り返って山下に云った。

「おい！　何だってこんな場所に幽閉しとおる。彼は犯罪者なのか？　こ、こりゃあんまり待遇が――」

「頼むから大声出さんでくれ。これは警察の仕業じゃないんだ。元元こうだったんだから責めないで欲しいね」

「元元こうだったてあんた、それならすぐに解放しなけりゃならんのじゃないか？　解放せにゃならんでしょうに。人道的に許されん待遇だこりゃあ。人権問題だ。警察は何だってこう云うことに目を瞑るかな」

「だから。ちゃんと説明しておけよ菅原君。おい君狭いから出てくれ。久遠寺さん、この男は昨日ここを抜け出して大暴れしたんだ。立ち回りの末、坊主と警官が都合三人も怪我をしたんだぞ」

山下に云われて腰かけていた刑事は立ち上がり、入口の方に避《よ》けた。

「暴れた？　何じゃいそりゃ」

「だから凶暴なんだって。獰猛《どうもう》と云ってもいい。どうも神経がイカレているらしい。否、待て、凡《すべ》てを云うな。解っている。保護して医者に診せるのが先決かもしれないと云いたいんだろうが、取り敢えずここに入れるよりなかったんだよ。明日にでも専門の者を呼んで連れて行くから。それよりどうなんだ。この男口は利くんだが、何を云っているのか——」

「暗くて解らんわい。外に出せんのか」

「ここに入ってる限りは温順《おとな》しいんだ。結構な高齢なんだろうが、一歩外に出るとまるで野犬だ——」

「寺の人間は何か知らんのか？　さっき慈行和尚が昭和十六年に入山しよったと云うておったが」

「それなんだ。どうも突然にふらりとやって来て、ここで頭丸めたと云うんだよ。前職や経歴は誰も知らんと——おい、あんた。何で私が君等民間人にこんなことを語らなきゃいけないんだ。捜査協力するのはそっちだろうが」

「解っとるわい。協力しとうても暗くってできんちゅうとるんだわ」

「熊《くま》の胆《い》さん——」

「ああ？」

榎木津が発声した。名前は相変わらず全然違っていたが、声だけは真剣そうに今川には聞こえた。

「——僕は今、とても厭なものを思い出した。ここは微暗いので厭なものが善く見える。あの——」

「榎木津君。何が、何が見えるって？」

「だから厭なもの——」

閃光《せんこう》が走り、いびつな円の中にだらしのない大柄の縞模様が浮かび上がった。

——大日如来？

今川には何がどうなったのか解らなかった。何故そう思ったのかも解らない。

何故なら、それは確認する間もないほんの一瞬、刹那のことであり、すぐにいびつな円は縞模様を——少し遅らせて——伴いつつ移動し、異様な絵に変わったからだ。

それは絵などではなかった。縞模様は鉄格子の影であり、異様な絵は異様な男の姿だったのである。

つまり、いびつな円は榎木津の手元から発射された光線――懐中電灯の光によって色と形を与えられた、現実の光景だったのである。

「――は、こうして瞭然《はっきり》見ればいいのです」

男は顔を上げた。

「す、菅野。お前菅野！」

久遠寺翁は鉄格子に飛びついた。

浮かび上がったその顔は人のものではなかった。

鉄格子の縞の影と老医師の丸い影の隙間で、その異形の顔は目を見開いていた。瘦せこけた顔。白髪混じりの蓬髪《ほうはつ》。口と云わず顎と云わず細かい不精髭が覆っている。弾力性を失いかけた土色の肌には細かいひび割れのような皺が縦横無尽に走っていた。

しかし、そう云う少しずつ歪んだ部分の集積に因る異化効果が、その男を人から遠ざけていた訳ではない。

眼だ。眼が死んでいる。光線が直射しているにも拘《かかわ》らずその眸は濁っている。虹彩《こうさい》は弛緩して、開きぎみの瞳孔《どうこう》が凡ての光明を吸収してしまっていた。

死んだ魚のような眼――。

久遠寺翁は格子に顔を押しつけるようにした。

「おい、儂だ。解らんか。久遠寺、久遠寺嘉親だ。雑司が谷の久遠寺医院の院長だ。おい、菅野さん。あんた忘れた訳ではなかろう！」

菅野はまるで耄《ほう》けたように魚の眼を剝いていた。

久遠寺翁は鉄格子を揺すった。ぎし、ぎしと錆び付いた金属の軋《きし》る音がした。

「儂だ。おい、思い出せ。ええい――」

老医師は山下から角灯を奪い取り、己の顔を下から照らした。

「――この皺首に見覚えはないか！」

菅野は口を開けた。意志の力で開けたと云うより筋肉が弛緩して下顎が落ちたと云う方が近いか。

「あああああ――」

とても厭な声だった。

「――院長――院長先生――」

「お！　喋った。確認作業は完了だな。こいつはあんたの知り合いだ。よし。行こう。話は外で聞く」

山下は立ち上がった。穴の中はもう厭だと云わんばかりの仕草である。しかし久遠寺翁は檻から離れようとしなかった。

「おい、行こう。あんた」

「菅野。あんた、あんたなあ」

「ほら久遠寺さん。この男はまともに話なんかできないんだから、行こう」

「い、いや、儂はこいつと話がある！　は、は、話があるんだ」

興奮のあまり発音が不明瞭になっている。不安定な光に浮かぶ禿頭の顳顬《こめかみ》には血管が膨張している。老医師は今にも破裂しそうな勢いであった。

「おい、久遠寺さん！　こら菅原君手伝え」

刑事達が格子にしがみついている久遠寺翁を引き剝すべく肩に手を掛けた瞬間、ゆらゆらと大きく影が揺れた。今川には闇が伸び縮みしたかのように見えたのだが、それは光源が遠ざかったからだった。要するに懐中電灯を持った榎木津が何かの理由で移動したのである。飽きたのかもしれない。

暗くなると菅野は再び黙り、久遠寺翁もどうにもできなくなって、檻から離れた。

入口の方で榎木津の常人離れした奇声がした。それを聞いた途端、今川は一刻も早く外に出たいと云う強い衝動に駆られた。だから声の方に向かった。

久遠寺翁は知客寮《しかりょう》に移された。今川は榎木津を伴って金魚の糞のようにその後に続いた。他に考え得る妥当な行動もなかったから、仕方がなかった。

山下は、最初に今川がこの知客寮を訪れた時慈行が座っていた場所に腰を下ろし、今川達に座布団を勧めた。まるで自分の家のように振る舞っている。

山下は落ち着くなりすぐに尋いた。

「あの菅野と云うのは何をしてた男なんだ？」

「儂と同じく医者だよ。儂が留学時代に独逸《ドイツ》で世話になった先輩の同窓でな。戦前はうちの病院で小児科を担当しておった。昭和十六年の春先に失踪した」

菅原が呟いた。

「ここに来たのも十六年だそうだからな。和田の話を信用すれば辻褄は合っているな」

「そうだな。放浪しよるのか、どこかに隠れておるのか、死んだか——と思うておったが、出家して山に籠っておったとはなあ。流石の儂も知らぬ仏だ」

山下はそれを聞いて、暫くは天井の染みを眺めるようにしていたが、そのうち思い切るように、

「私はね久遠寺さん。瞭然《はっきり》云って最初の段階で仙石楼にいたあなたがた全部を逮捕していれば——少なくともこう云う状況は回避できたのではないかと、現在では少少後悔している。無謀だろうが独断だろうが、大きく外れちゃいなかった訳だからね。宿泊客全員共謀説は真実ならずとも有効ではあった」

と、云った。

「そりゃどう云う意味じゃ」

山下ははらりと落ちて来た一筋の前髪を撫でつけて云った。

「いいか、捜査会議であんた達が容疑者から目撃者に降格したのは、単に旅行者に動機はなかろう——程度の理由からなんだ。しかしあれから三日経って、いいか、たった三日だよ。その間にどうだ？　飯窪と云う女も実は関係者、そこの今川君は元より関係者。他の取材の連中だって何箇月も前からここの連中とは連絡をとってる。それに加えて今度はあんたも関係者だ。結局無関係なのは——おい、何してるんだ！」

ただひとり無関係な榎木津は立ち上がって伸び上がり、欄間を見ていた。

「座れよ！　本当に逮捕するぞ——兎に角今や無関係なのはこの馬鹿探偵だけだぞ。これは偶然か？　私にはそうは思えないな。こんな偶然はない」

「そりゃあその通りだよ警部補。これは偶然じゃないわい。必然だァな。なるようにしてこうなったんだ。某《なにがし》かの理由があって、つまり僅かでも微かでも関係があって人は集まり、行動しよるんだ。その結果事件でも何でも起こるんだから、丸切り無関係な奴が雑《まじ》っとる方が不自然じゃわい」

「じゃあ何だ、この寺の坊主にあんたの旧知の人間がいたことも偶然じゃないと云うのか」

「まあ、そうだろう——」

久遠寺翁は右に傾けていた重心を左にずらして、姿勢を正した。

「——儂は昭和の初め頃、大東亜戦争が始まるまではな、あの仙石楼には毎年来ておった。あそこは先代からの常宿だったからな。菅野が常勤になったのは昭和七年頃だったから、だからそう、菅野も幾度か連れて来たことがある」

「仙石楼に？　あの男を？」

「そうさ」

老人は何故か小さな眼を屢叩《しばたた》いて、それからとても柔和な表情を見せた。

「その頃はな、病院事業も拡大し、娘が病がちであったことを除けば、まあ、儂は幸せだった。云ってみればその頃から儂の人生は崩壊の兆《きざ》しを孕《はら》んでおった訳だが、そんなことは当時は気づかなんだ。何年のことだったかは忘れたがな、仙石楼で立派な坊さんの一行とかち合ったことがあった——」

それに就いては今川も聞いていた。

「——その時、菅野は坊主の姿を見て何か思うところがあったのか、儂にこう云うた。自分達は患者を切り刻んで縫い合わせ、薬に浸して、そうして生かしている。それでも死んでしまえばそれまでで、後のことは何もせん。次の患者がいるから仕方がないが、何だか疑問に思う——と。医者は、生きている者しか相手にしない、だから何が何でも生かしておこうとするが、本当にそれでいいのか、そう云う形でしか癒《いや》すことと云うのはできないのか——菅野はそう云いよった。善ォく覚えとる」

久遠寺翁は眼を閉じて何かを噛み締めるように顔を横に向けた。

「あん時儂ァ何と答えたのか」

久遠寺さん久遠寺さんと山下が無粋な声を発した。

「そんなこと云ったって医者は客を一日でも長く生かすのが商売でしょう。死んでしまったら元も子もない。遺族も悲しむし、病院だって儲からないだろうが。何を云ってるんだそいつは？　何の得もないでしょうに。そんな医者がいたんじゃ他の病院に客を盗られるでしょう」

「患者が客でしょう」

「客じゃない患者だ」

山下の反応に老医師は大きな溜め息を吐《つ》いた。

「あんたにゃ解らんかもしれんなぁ」

「解りますよ。刑事は悪人を捕らえ、医者は病気を治し、坊主は葬式をするのが商売だ。自分の商売に疑問を持っちゃいい仕事はできない」

「まあそうかもしれんわい。ただな、儂はその言葉がずっと印象に残っておった」

「それで？」

「その後何年かして菅野は失踪した」

「ほら見ろ。やって行けなくなった訳でしょう」

「そう勝ち誇ったように云わんでもいいわい。儂もそう思うた時もあったしな。事実、菅野が何で姿を隠したのか儂は知らん。皆目解らなかった。今は――少しだけ見当がついてる。しかしそれも予想に過ぎん。もしかしたら全く別の、借金だとか何だとか、儂の与《あずか》り知らぬ理由で身を隠したのかもしれん。ほんの気紛れで、大した理由もなかったちゅうこともあるかもしれれん。しかし奴がここにいたと云うことは――」

久遠寺翁は肉に埋もれた目を閉じた。

「――菅野はあの時の話を覚えておって、もしかするとそれでこの山に――」

「捜さなかったのかな？」

菅原が尋いた。

「その、小児科かな？　職場放棄だもの、困ったでしょうが。あんた菅野氏を捜そうとは思わなかったのかな」

「困ったですわい。結局閉めてしもうた」

「閉めた？」

「小児科をなくしてしまったんだ。そもそもうちの小児科は――否、菅野は評判が著しく悪かったんだ。そう云う意味では山下君の云う通りでな、患者も遠退いていたし、それに時局もな――」

「評判が悪い？　そう云えば、失礼だがあんたの病院の評判は悪かったらしいですな」

「ほう、調べたか？　だがその頃は病院自体の評判は悪くなかった。悪かったのは菅野個人の評判じゃい」

「腕が悪かったんだな？」

「一般の医者に腕のいいも悪いもない。治療に必要なのは豊富な知識と正確な判断力、後は人徳だ。高度な職人的技術を必要とするのは一部の者だけだ」

「そうかな？」

「そうだよ。藪《やぶ》の多くは知識がないか、判断を間違うか、後は人徳がないかだ」

「菅野氏は何がなかったんだね？」

山下が尋いた。

「人徳だ。否——人間は悪い訳ではなかったが——性癖と云うかなあ」

「性癖？」

「だから——あんた、そう云えば儂の身元は確認したのか？　東京の警察に尋けと云っただろ」

「え？」

山下は菅原を見た。菅原は憮然として答えた。

「まだ報告はないですな。尤も照会したのが一昨日ですからな。今日辺り仙石楼の益田君とこには報告書が届いておるかもしれんですな」

「そうだ。まだ三日だから。まだだ」

山下は苦しい云い訳をした。久遠寺翁はその様子を見て、下唇を少し突き出して不服そうに、且つ自嘲的に云った。

「あんたらは知らんのだろうが、儂は自分のことはよう知っておる。知っての通り儂は去年の夏に問題を起こした病院の院長だ。何人もの人間が不幸になったし、人も沢山死んだ。怪我人も出た。それで、儂だけ残った。だから東京警視庁やら検察庁やらには、儂に就いての情報がようけあるわい。調書だか供述書だか善く知らんが、同じことを微に入り細を穿《うが》って三十回は話した。書類は手で持てん程ある筈だ」

「それは——この間も聞いたが」

「だから、菅野のことも報告書に載っとる筈だ。それを読んでくれ。儂は云いたくない」

「あの男、その事件の関係者か？」

「関係者と云うか——まあ直接関係はない。あいつが失踪中の事件だからな。だからあれは事件の種を撒いた——否、矢ッ張り関係者かのう」

「犯人か？」

「犯人は儂じゃ」

「は？」

「儂が犯人も同様だと云う意味だ。犯人なんぞ——あの事件にゃ犯人なんぞいなかった」

「いない？　あんたの関わった事件は慥か『雑司が谷嬰児連続誘拐殺人事件』だろう？　犯人は捕まってなかったか？」

　菅原が答えた。

「私の記憶では捕まってないですな。尤も嬰児誘拐殺人に就いては、事件そのものが新聞報道すらされなかったようですからな。報道されたのは何でも事故だか自殺だか——私は知らんが。ほれ、所轄《うち》の次田が覚えておった。三流雑誌が尾籠《びろう》な中傷記事を書き立てて扇動したから、有名にはなったようですがな。だから解決していない可能性はありますな」

　——あんた、儂のことを知らんですか。

　久遠寺翁が初見の時にそう云っていたのを今川は思い出した。そう云うことなら質したくもなるだろうと、今川は今更に思った。山下が尋いた。

「未解決か？」

「解決はしておる。なあ榎木津君」

　久遠寺翁は探偵に同意を求めた。今川は事情こそ知らないが、久遠寺翁が榎木津のような男を信頼するのも、その時のことがあるかららしい。

　しかし頼みの探偵は居眠り寸前と云う状態だったらしく、半眼を通り越した三分眼で、

「僕が出張《でば》って解決してない事件はないぞ」

　と云った。

「嘘を云え。犯人なき解決なんてないでしょう」

山下は不服そうだった。

「それは――まあ報告が来りゃあ解るわい。警察も内輪に嘘吐いても始まらんじゃろ」

「まあ幾ら東京と神奈川の仲が悪いと云っても同じ警察だから嘘の報告書なんてのは来ないが――ま。いいでしょう。しかしなあ。医者が坊主になるもんかね菅原君？」

「まあねぇ。なるのじゃないですかな。人の躰切り刻んでいりゃあ虚しくもなる。私も復員した後は頭丸めたい気になったもんだ」

「君は非科学的だから気持ちも解るがね。それに小児科だぞ。どうだろうなぁ、その、久遠寺さん。あんた例えば、少しは菅野氏の気持ちは解るかね？　彼は科学を放棄して宗教に走った訳だろうか？」

「そんなもの放棄する馬鹿は居らん。もし居るなら最初から持っておらんのだ。信仰心が科学的思考の代用になる訳なかろう。菅野さんは医者が厭になったのじゃない。医者が務まらん自分が厭になったんだわい。その辺りをごちゃごちゃにすんな刑事」

久遠寺翁は飄《ひょう》飄《ひょう》と熱《いき》り立った。

山下は反論もせずに少少萎《しお》れた。

「まあなぁ。もうその手の話で満腹だ私は。坊主の屁理屈で消化不良を起こしそうだよ。あのな久遠寺さん、あんた何科だ？」

「儂ゃ去年まで産婦人科だったが、元は外科だ」

「そうか。あの菅野の症状は——じゃあ解らんね」

久遠寺翁は下唇を突き出して、躰を後ろに反らせた。

「どんな症状なんだね？　獰猛だとか云うとったが相当酷《ひど》いか？」

「昨日大暴れした。追い詰められた強盗なんかよりずっと凄い暴れようだったね。さっきも云ったが、どうもあの暗がりに籠っているうちは静からしいんだ。それが一歩外に出ると、もう手がつけられなくなるようなんだな。そう云う病なんだろうか。初めは酷い待遇だとも思ったが、あれじゃ坊さんどもも困っただろう。昨日なんかそりゃ凄かったから。な、菅原君」

「酷いですな。いや酷かった。そうだあんた、あの男いったい幾つなんだ？」

「儂より七つか八つ齢上だから、今七十越したくらいか」

そうすると——今川は余計なことを考えている。久遠寺翁はまだ六十二三なのだ。かなり老けて見える。今川は七十歳にはなっていると踏んでいた。

菅原は驚いたような声を出した。

「はあ七十か！　その齢で、あの枯れ枝のような腕のどこにあんな力があるかな。警官がひとり脳震盪起こしたんだ」

「その症状はいつからだ？」

答えたのは山下だった。

「何でも何か契機《きっかけ》になるような事件はあったらしいんだな。それ以来だそうだよ。それが何だったのか今のところ吐《は》いた坊さんはいない。今もそっちで事情聴取してるがね。どうも口が堅い。今度の事件には関係ないの一点張りで」

「関係ないんじゃないのか？　投獄されておる」

「だって昨日勝手に出て暴れたんだぞ。今までだって出ていないと云う保証はない。大体、警察に隠しごとをする坊主の態度は怪しい。菅野の存在は隠蔽されていたんだよ。怪しまない方がどうかしているだろう」

「関係ないから黙っておったのだろう。寺の恥だとか思うたのかもしれん。勿論褒められたことじゃないがなぁ。云いたくないこともある」

「何を云うんだ。警察官の前では一切虚偽の証言をしないのが善良な国民の常識だよ」

「何を云うか。犯罪に無関係なことは警察なんぞにゃひと言も喋らんのが愚民の心意気じゃい。だが、それじゃああんた——菅野疑っておるのか？」

「疑ってますよ。だってね、あの男はその——精神に異常を来している。だから——」

「だから屍体を便所に突き立てたり吹雪の夜に屋根に登ったりしても怪訝《おか》しゅうはないと、こう云いたいのかな？　そりゃ何でもかんでも異常者の所為にしてしまえば簡単でいいが、それは短絡に過ぎやせんか？　そんな簡単なものじゃないわい」

「いいや。簡単な筈だな。犯罪と云うのはそもそも簡単なものなんだ。ただ糸口が見つかり悪《にく》いだけだ。知恵の輪のようなもので、解りゃ簡単なんだよ。私は菅野はその糸口じゃないかと思っている」

「ほう。慥かに儂の関わった事件も簡単じゃった。その理由を聞きたいもんじゃな」

「この寺の坊主は落ち着き過ぎている。それは菅野と云う隠し玉があったからだ。例えば指紋などの決定的な証拠が出た場合も、あれが犯人なら他の坊主は平気だ。昨日の夜桑田と云う坊主が怯えて出奔したが、私はあれも臭いと思っている。騒ぎが起きるのを承知して逃げたような感じもするからな――」

慥かに昨夜の道行きで桑田常信は怯えていた。しかし怯えていると云うなら、今川の目にはあの小柄な小説家の方が更に怯えているように映った。

「――そして、その菅野が脱獄して暴れた時の坊主どもの乱れようと云ったらなかった。あれこそ不測の事態で、安全装置が外れたから大騒ぎになったんだ。以降坊主どもは前にも増して黙ってしまった」

「何だか筋が通っているのかいないのか解らん理屈だな、警部補さん。菅野が犯人なら、牢から出て来たところで坊主どもは慌てることも動揺することもないわい。存在隠すこともないじゃろ。寧ろ生贄山羊《スケープゴート》にしてしまった方が他の坊さんの保身は図れようが」

「あれは、だから誰かの命令で動いているとか」

「気が狂れておる者を遠隔操作《リモートコントロール》するのは難しい」

「佯狂《ようきょう》かもしれない」

「佯狂？」

「狂った真似のことだな！」

榎木津が急に叫んだ。

「はははは、そのくらいは知っている。しかしあの人は本物だよ。社長」

「何で貴様に判る！」

「判るよ。あんたの目は節穴か？」

「し、失礼な！」

「待て待て。そんなに怒るな。あんた偉いんだろ。榎木津君ももう少し婉曲なもの云いはできんものかな。しかし山下君。こりゃ榎木津君の云う通りだ。菅野が、佯狂なら何でそんな妙な、屍体を飾るような真似する？」

「そ、それは佯狂と云うのはこの男の云う通り気が狂った振りをする訳だから、凡ては演技なんだ。あの細工もそう見せかけるために――」

「何でそう見せかけにゃならんのだ？」

「それはだって」

山下が一瞬口を閉ざした透きに、だってもあさってもないわいと久遠寺翁は云った。

「菅野が真実精神に異常を来しているなら解る。しかし、そうでないのなら、そしてそうでないのにそう云う振りをしているのなら、異常者の仕業と見紛うばかりの屍体粉飾は俺がやったと名乗っているようなものなんじゃないか？　わざわざ異常者の仕業と見せかけたのなら、異常者でない振りをしないといかんだろうよ。その線で考えるなら、やっぱり菅野は本物の異常者で、脱獄しての単独犯行以外にない」

「ああ——いや——そうだ。判ったぞ。誰か他の坊主が菅野に罪を被せようとして異常な粉飾をした——」

「それも、駄目なのです」

今川は堪り兼ねて発言した。

「菅野さんの単独犯行説も、真犯人が別にいて菅野さんに罪を被せようとしたと云う説も、この場合は駄目なのです。もしそうだとしたら、その真犯人は偽装工作に失敗しているのです」

「失敗？　何で」

「それは、あの菅野さんの姿はどう見てもお坊さんには見えないからなのです。明治に入ってお坊さんの蓄髪は許されましたから、今東京などでは普通の髪型のお坊さんも少しはいますが、そう云う方も袈裟を来ている。つまりお坊さんかそうでないかを判断する基準と云うのは、衣服《コスチューム》、然《さ》もなければ髪型——それだけです」

「それがどうした？」

「だから、飯窪さんが見た犯人らしき男は、お坊さんだったのです」

「だからそれが――ああ」

山下は酷く厭な顔をした。今川は続けた。

「夜、吹雪の中、幾ら室内灯があったとは云え、矢張り暗いです。視認性はとても低いのです。それなのに飯窪さんはそれがお坊さんだと一瞬で認識したのです。つまり僕が思うに、その人は、袈裟のようなものを着ていたか――袈裟来て屋根には登らないでしょうが――少なくとも洋服は着ていない。そして何より剃髪していた。それ以外にないと思うのです。それでなくては、あら坊主だ、とは思わないです。しかし菅野さんは服装は兎も角髪の毛が生えているのです。だから屋根に登ったのは菅野さんではない筈なのです。そして菅野さんの仕業に見せかけようとした者の偽装だとすると」

「失敗していた――なる程な」

「だから菅野さんは、少なくとも了稔さんの屍体を遺棄した犯人ではないのです。その他に就いては判りませんが、あの樹上屍体遺棄事件だけは別人の犯行、つまり狂人の論理で行われた異常な行動ではないと思うのです」

「そうかなあ。否、何かあると思うが――飯窪の発言だって信用するに値するかどうか疑わしい」

久遠寺翁が云った。

「山下さん。あんた哲学者でもあるまいし、何でも疑えばいいと云うもんじゃない。そんな風に証言全部疑っておったら切りがない。例えば警察を含めた儂等は全員、生前の小坂了稔を知らない。屍体がほんに小坂かどうか解らんのだぞ。ここの坊主どもが云うとるだけだ。そこから疑い出せば、例えばまだこの寺には人数外の坊主が隠れているかもしれん。和田慈行だって本当は違う名前かもしれん。何もかも信じられんぞ」

「そう云うことは――なあ菅原君」

「そう。嘘云って得する奴以外、嘘は吐《っ》く奴はいないよ久遠寺さん。嘘見破って自白させるのが刑事の仕事なんだから疑うのは当然だな」

「最低限嘘じゃないだろうと云うところはあっさり信じてるじゃないか。しかし、そこんとこが利害関係に結びついとるかもしれんだろ。兎も角あのご婦人は怖がっておった。あんなに怖がってちゃ嘘吐けないわい。信じろ」

「それを云うなら桑田常信も怖がってたがね」

「ああ今朝、鼠取り騒ぎの時に一寸部屋を覗いてみたが、かなり怯えていたわい。あれも信じろ」

「そう云う基準じゃなあ。なあ菅原君」

菅原はごつい顔を少し揺らした。

山下はやけに菅原に頼るようになっているように思える。

今川の記憶では慥か最初、仙石楼でこの二人は対立していた筈だ。どんな形で信頼関係が形成されて行ったのだろう。今川は興味を持った。

久遠寺翁が尋いた。

「それはそうと、その、菅野がおかしゅうなった事件と云うのは、まあ内容は解らんのだろうが、時期はいつなんだ？　いつからああなった？」

「去年だそうだ。去年の夏」

「去年の夏か――」

久遠寺翁はそう云ったまま黙った。

「聞けばそれまでは大層品行方正な坊さんだったらしい。何しろその典座か？　そりゃ偉い役職なんだそうだ。三四年でそこまで出世したんだから」

山下の説明は老医師の耳には届いていないようだった。

何だかおかしな具合になってしまった。つい先程まで逮捕するとかされるとか云っていたのだが、この状況で公務執行妨害と云うのも変だろう。山下もそう思ったのだろう。なるべく早く帰るように、また勝手に境内を歩かないようにと、それだけ釘を打って座を立とうとした。

久遠寺翁が云った。

「山下さんよ」

「何か？」

「儂に——菅野と二人だけで話をする時間をくれないかな。ほんの二十分、否、十五分でいい。頼むわい」

「そんな、あれは喋らんぞ。云ってることも善く聴き取れない」

「構わん」

「構わんと云われても——あんただって怪しいし、あっちはもっと怪しい。単独会見は許可できないよ」

「何で儂が怪しい」

「例えばあんたが共犯、あるいは黒幕と云うこともある。それは十二分にあり得る」

「善く考えつくなそんなこと！　儂は今日初めてこの寺に来たんだぞ。信用せんか？」

「口では何とでも云えるだろう。菅野自身あんたが送り込んだスパイ——鼠なのかもしれんしな。否、それもあり得るな。うん。そうか」

山下は何か思いついたようだった。

「何じゃいそりゃ。そんな——何のために？　電話も手紙もない寺の土牢の中の男と、どうやって連絡とるんじゃい？」

「やろうと思えばできるさ。若い雲水は皆托鉢とか云う集金業務で町に出掛ける。湯本や元箱根辺りまでは出張するそうだ。その中にもう一匹、あんたの放った鼠がいるんだ。雲水を伝令に使えば通信連絡は可能だ。仙石楼辺りなら芝刈りの途中ですぐ行ける——」

山下はぽん、と手を打った。

「ああ、だからあんた仙石楼に逗留していたんじゃないのか？　菅野の発狂投獄は矢張り狂言で、その理由は犯行を不可能と思わせるためだ。牢に入っていれば誰も疑わないからな。しかし実際は雲水があんたの指示で鍵を開けて外に出して——」

山下は思いつきが予想外に纏まったので嬉しかったのだろうか。立ったまま演説を始めてしまった。久遠寺翁は呆れて言葉をなくし、今川を盗み見て肩を窄《すぼ》めた。

「——あんた、小坂と大西に私怨でもあったのじゃないか？　殺害計画は戦前菅野の入山当時から立てていて、何かの理由で頓挫していた——戦争か？　そんなところだろ。それで菅野に殺させておいて、ははあ、仙石楼に出た坊主はあんた自身だな。あんたの頭じゃ坊主と一緒だ」

「ああ煩瑣《うるさ》い。慥かに儂は禿げとるが、屋根なんか登れん爺ィだ。そんな体力ないわい。それに何だって今頃実行した？　戦後も今年で八年目だぞ」

「そんなこと知るか。しかし別の事件に引っ掛かってたと云うことはないか？　あるな。それだ」

「あんた警官より作家になれ。関口君より面白い本が書けるぞ。まあ何だか偶然に辻褄は合ったようだが、じゃあ尋くが、何で菅野は昨日暴れたんだね？　それも儂の指示か？」

「暴れるのはＳＯＳの意思表示と云うのはどうだ。秘密が暴露しそうになったので大暴れ、透かさずあんたがやって来た――」

「儂は暴れたのは知らんて。知りようがないじゃろうが。そもそもそれなら、何であんな変な殺し方を儂はさせたんかいな？　またはしたんかいな？」

山下は急に黙った。

「それ――だ。いつもそこなんだよなぁ」

天狗の鼻折れとはこのことである。

菅原が立ったまま云った。

「山下さん。まあこの久遠寺さんに就いての報告書が来てからにしましょうや。その頃には向こうの事情聴取も終わりますしな。鑑識も引き上げたし、何なら誰か警官にでも出口見張らせりゃいい」

「まあね――しかし証拠隠滅や口裏合わせの相談されちゃあ」

「平気ですよ。逃げられないんだったら。何をしようたって平気だ。寧《むし》ろボロを出す。証拠を全部燃やしてしまったって大丈夫だ。私が自白《ゲロ》させる」

「何でもいいわい。儂は待つよ。接見の許可が貰えるならな。疾《やま》しいところはない」

「そうかな。じゃあここで温順《おとな》しく待つんだな」

菅原は捨て台詞を残して山下と共に部屋を出た。

刑事達が出て行くと榎木津はすぐにごろりと横になった。

「ああどうしてこんなに煩わしいんだ。ここは良くない場所だ」

「どうじゃい榎木津君。何か解らんのか」

「解りましたよ。あの子供はお化けだ。あの坊主は何も中身がない。まるで人形みたいだ。否——あれは——まあいいか」

榎木津には鈴がお化けに見えたのか。今川にとっては鈴も慈行も榎木津も、自分と同じ人間には見えなかった。全部お化けの人形である。三人の中では寧ろ慈行が一番理解できそうに思えた。

「犯人は——どうじゃい？」

「犯人はいない」

「いない？」

「そう！」

榎木津はそう云ってごろりと背を向けた。

慥かに——それが一番、誰の意見よりも——的を射た意見であるように今川には思えた。

久遠寺翁は榎木津の背中を眺めていた。これだけ無残な探偵振りを見せつけられても、老医師は未だ探偵に失望した訳ではないようだった。視線にその気配はない。老医師はこの奇人のどこをこれ程信頼しているのか、今川は理解に苦しんだ。

その事件。

夏の事件の所為なのか。

「ご老体。その、夏の事件と云うのは――」

今川は始めてそれを尋く気になった。今川はそれまで目の前の老人の表面には興味を持っていたが、内面には殆ど関心がなかったのだ。それは老人に関してのみそうなのではなく、殆ど凡百《あらゆる》事象に就いて今川はそうした接し方をしていた。今川は所詮内面のことなど解らぬと、どこか切り捨てて生きて来た。別に変説した訳ではなかったが、強いて云うなら泰全との対話は影響しているかもしれない。

「――お辛い事件だったのですか？」

老人は顎を引いておう、と云った。

「今川君。辛いと云えばそりゃ辛かったですよ。儂はな、人生に関わる殆ど全部、思い出から財産から家族から、何もかんも、あの事件で皆失《うしの》うた。そりゃ、皆自分の所為、自業自得じゃな。死人に文句を云うても始まらんし、逆に謝っても死人は許しちゃくれん。しかしな――儂は菅野も死んだと思っておったですよ。それが――菅野は生きておった」

畳の上に碁石を置かれて勝負に負けるような――そんな出来事だったと、先日老医師は語っていた。

今川にはその意味は解らなかったのだが、思いの他老人の受けた心の傷は深いのかもしれないと――今川はこの期に及んでそう思った。もし本当にそうなのなら、この久遠寺と云う男はかなり強い男なのである。それとも、彼の弱い部分を今川が感じ取れなかっただけなのか。

「ご老体は、菅野さんがその事件の種を撒いたと仰った。それはいったい――」

久遠寺翁は顎を引き、まるで達磨のように顔を赤くして腕を組み、下を向いた。

「菅野がその昔何をしたのか、本当のところは何も解らん。憶測の域は出ない。だから儂は尋きたい。あれの所為かもしれん。否、多分そうなんだ。だが儂は――菅野に何もかも押しつけて、お前の所為だと責める気はない。しかしほんの少し、少しだけだが、儂の気持ちを解って欲しいわい」

今川は何も云わなかった。

自分の立ち入れる領域ではないような気がしたからだ。

暫くすると英生がやって来た。

「失礼――致します」

茶を持っている。

どことなく元気がなかった。立て続けに師と仰ぐ――仰いでいたのかどうか今川は知らないのだが――僧侶が亡くなったのだから、無理もないことだろうとは思う。今川などたった数時間のつき合いだったにも拘らず、泰全の死は結構堪《こた》えている。況や長年起居を共にしていた者であれば――仮令それ程仲が良くなかろうとも――辛い気持ちになるのではないのだろうか。

今川は久遠寺翁に英生を紹介した。そして寝息を立て始めていた榎木津を起こした。榎木津は一度仰向けになり、ボリス・カーロフが演じた活動写真の怪物のような姿勢でぬうと起き上がって、くるりと胡坐《あぐら》をかいた。そして英生を見た。

探偵と目が合ってしまった英生は怯えたように硬直した。茶を持つ手が震えている。

「痴話《ちわ》喧嘩か？」

「は――？」

「ぶたれたな」

「いいえ、その」

「痛いんだね？」

「え？」

「何を云っておる。榎木津君」

「いいんです熊ヶ崎《くまさき》さん。この若いお坊さんは何か云いたいことがあるようだ。ここには警察のような怖い人も坊主のような畏い人もいない。恐ろしいのはこの二人の顔だけだ。さあ云ってみなさい。短い話だったら聞いてやる。ほらその右腕の痣と口の端の切れている理由を云いなさい」

「こ、これは——行鉢中に粗相を致しまして、そう罰策を戴いたのです」

「バッサク？」

「さっきの奴だ。見ておっただろう」

「さっき？　何それ」

「ほら三門のところで慈行和尚がご老人を板ッ切れで叩いていただろうが。君も居ったじゃないか」

「老人？　見てなかったな——」

そう云えば榎木津は鈴に、或《あるい》は鈴の行方に気を取られて、今川が袖を引っ張るまで、あの騒ぎの間ずっと放心していたのだ。それにしたって目前で起きた大騒ぎが記憶にすら残らないとは、どう云う頭の構造をしているのだろう。

「——でも板で叩かれた訳じゃないよ。この人」

「何？　おい君。一寸見せてみろ」

久遠寺翁が手を差し出すと英生はぐいと己の手を引っ込めて、

「け、結構です」

と云った。

羞《はじ》らうような仕草だ。

「遠慮はいらん。儂は医者だ」

「お医者様——でいらっしゃいますか？」

「医者だ。医者は嫌いか？　別に儂はその、男色の気がある訳じゃないから安心せい。手を握ろうなんて思うとりゃせんわい」

「あ——」

英生は右腕をすうと出した。老医師は両手で下から支えるようにそれを軽く持った。

「こりゃ酷い。痛いだろ。酷い打撲だが——警策で打たれたつう感じじゃないな。転んで戸板にでも打ちつけたか？　これは痛いか？　ここは」

英生は痛みを声に出さず、口許と眉間の僅かな歪みで表現した。

「骨は大丈夫そうだなぁ。しかしちゃんと手当てしないとものも持てんだろうに。尤も湿布《しっぷ》も何もあったもんじゃないが。二三日腕使っちゃいかんぞ」

「それは——できません」

「できないことあるか。怪我したら養生せな」

「作務が——ございます」

「サムだかトムだか知らんが、怪我すりゃ吉田茂だって休むわい。欧米では怪我を押してまで働く者はおらん。勤勉なのは結構だが、度を越すと——」

「勤勉なのではございません。当たり前のことでございます。仕事ではございません。修行でございます。働いているのではなく、生きているだけでございます。お心遣い有り難く感謝致します。どうぞご勘弁ください」

英生は頭を下げた。

「君。師匠にはそう習ったかもしれんが、医者としちゃそうですかと云う訳にゃいかんぞ。腕が動かなくなったらどうする」

「菩提達磨の弟子二祖慧可《えか》は壁観する達磨に教えを乞うため、左臂《ひじ》を切り落して差し出しました。求道の決意は腕一本より遥かに重うございます。こればかりの痛みで抛《なげう》つ訳には参りません」

「エカだかイカだかそんなの知らん。あんたの師匠に儂が掛け合ってやるわい。そんな、腕切ってまで学ばにゃならんことなどこの世にあるか」

久遠寺翁は腰を浮かせた。

「あんたの師匠は何ちゅう坊さんだ？」

「はい——」

英生は中島祐賢の行者である。

今川はそう告げようとしたが、英生が少し潤んだ眼で今川を見ているのに気づいて——。

否、その英生の、頸の辺りの生っ白い若い膚が纏わり付くように網膜に焼きついて——。

今川は言葉を発するのを止めた。

久遠寺翁は何じゃいどうしてじゃい、などと云い乍ら完全に立ち上がった。

「大体あの菅野の待遇と云い仁秀老人への仕打ちと云い、それからこの英生君と云い、一寸酷過ぎる。儂は信仰は大いに認めるし、世に価値観の多くあることも認める。しかし、何より尊重されなけりゃならんのは人間だ。人の尊厳を無視した思想や行動は迷信冥妄の類《たぐい》と変らんわい。粉砕しちゃる」

「止《や》めた方がいい」

榎木津が止めた。

「あなたには無理だ」

「どう云うこっちゃ？」

「しかしそこの君も無理をするのは良くない」

「は？」

「今度叩かれたら腕が折れるよ」

榎木津はそう云って大儀そうに英生の方に向き直った。それから今川の方を横目で見て、

「気持ち悪いぞマチコサン」

と云った。

どう云う意味か判らなかったが、何となく核心を突かれた気がして、今川は珍しく赤面した。ただそれは単に今川の外見に対する誹謗である可能性もあった。

「ほら。あんな変な顔の男だって羞恥心と云うものは持っている。だから、君のような少年だか青年だか判らないようなお坊さんが恥かしがる気持ちも判るが、我慢していてはいけない」

「我慢――などしておりません」

「未熟者だね君は。僕を誰だと思っている」

「え――」

「ここは君には合わない。出ろ。出たくないのか」

「何を――？」

英生は榎木津の顔を真正面から見て――。

見蕩《みと》れた。

榎木津は眼光鋭く英生を睨《にら》み竦《すく》めたまま云った。

「そうか。判ったぞ。それで出たくないんだな。それじゃあ大したことはないな。この人は関係ない。腕の一本ぐらい折れてもいいから豪徳寺《ごうとくじ》さんもマチコサンもこの人にはもう構わない方がいい。お茶は戴くから帰って雑巾でもかけなさい」

「なんじゃい榎木津君それは？」

　豪徳寺こと久遠寺翁は立ったまま行き場をなくしてそう云った。英生は暫く蛇に見込まれた蛙のように怖《お》じ気づいて動かなかった。

「何をしておる英生――」

「ゆ」

　英生は襖の向こうからの声に敏感に反応して、正座したまま反射的に向きを変え、深く低頭した。

「――祐賢和尚様！　も、申し訳ございません」

　そこに祐賢が立っていた。

「いや、お茶を持って行った切りお前が中中戻って来ないのでな。状況が状況であるから心配になったのだ。何事もないか」

「な、何事も――ございません」

　久遠寺翁は偶偶《たまたま》立っていたこともあり、祐賢と向き合うようにして胸を張り、足を少し開いて、所謂仁王立ちの形になって云った。

「ないことはなかろう。あんたが師匠か？　この青年僧は怪我をしておるぞ。それも日常生活にさえ支障を来す程の怪我だ。怪我人に過度な労働を強要するのは感心できんな」

「あなたは？　探偵とか云う？」

「探偵は僕だ」

榎木津は胡坐をかいたままそう云った。

「ほう」

祐賢は岩のような顔を榎木津に向けて重心を低く取り、値踏みするように見回した。久遠寺翁はそれを汚らしいものでも見るかのような視線で見て、

「儂は医者だ」

と云った。祐賢は視線を久遠寺翁に戻した。

「ああ、博行和尚を知っているとか云うお人はあなたですか。慈行和尚に聞いておる。私は維那の中島祐賢と申します」

「儂の知っておるのは医者の菅野博行《ひろゆき》だ。博行《はくぎょう》でも気の狂《ちが》った坊主でもないわい。あんな不潔なところに閉じ込めおって、祐賢さんとやら、ここはいったいどう云う場所だ！」

祐賢は久遠寺翁の言葉を躱《かわ》すかのようにす、と身を屈めて、英生の右手を取った。

「怪我をしているとな？　どこかにぶつけたか？」

そして袖を捲《まく》り、青黒くなった患部を眺めて、

「ほう、これでは作務もできまいて。何故——」

更に英生の右耳に顔を寄せて云った。

「——黙っておった？」

英生は軽く口を開け、眸だけを横移動《シフト》させて祐賢の堅そうな顔を視た。

榎木津は硝子球のような眼でその様子を眺め、

「そりゃあんたにぶたれたからだろ」

そう云った。

「何？　何を――英生――お前何を」

「またその人をぶつ気か？　その若いお坊さんは、健気《けなげ》にもあんたのことは云わなかったんだぞ」

祐賢は三角の眉を吊り上げて英生の横顔を接接《まじまじ》と見て、それから立ち上がって榎木津を睨《にら》んだ。榎木津はそっぽを向いた。

「何故私が英生をぶたねばならん！　探偵とやら、妄言を吐くにも程があろう。大方警策で打たれる僧の姿でも見て、禅僧は遍く暴力的だとでも思うたのであろうが――そう云うのを蜀犬吠日《しょっけんべいじつ》と申すのだ」

「禅とか云うものは言葉で伝わらないとか京極が云っていたが、それは言葉が通じないの間違いなのか？　何を云われたってそんなお経は意味が判らないから僕は平気だ。おいマチコサン、中国語か何かで云い返してやれ！　慥か坊さんは嘘吐いちゃいけない規則だったな。違ったかな？」

「それは不妄語戒《ふもうごかい》と云うのだと聞いています」

「ほら見ろあるじゃないか。あんたはその何とかを破っているじゃないか」

「私が不妄語戒を破った？　いつ、如何なる嘘を」

「常に、自分自身にだ！　何で隠すんだ。いいじゃないか別にそんなこと。下界じゃ珍しくもない」

「意味が解らん！」

「意味なんかどうでもいい！」

榎木津はすっくと立ち上がり英生を避け、祐賢の前に出て、
祐賢は沈黙した。

「見ていなさい」

と云ってから——。

祐賢の横面を殴った。

祐賢は暫く痛みを堪えるように横を向いており、結局そのまま無言で後ろに引き下がり、
榎木津に対して顔を背けたまま静静と外に出て行った。

「お——おい、榎木津君！」

英生も久遠寺翁もあっけにとられている。

勿論今川とて同じことで、口に出す言葉もなければ為す術もない。

榎木津は別に何がどうしたと云うこともなく、なんの衒《てら》いもない声で、

「口で云って解らない時はこうするのだよ若いお坊さん。人を殴るような暴力的な奴は殴られても仕方ないのだ。さあ後は好きにしろ」

と云った。

普段あの気の弱そうな小説家をぽかぽか叩いているらしい男の言葉とは、とても思えない発言である。

「お——」

英生はそこで言葉に詰まって、ぺたりと頭を下げてから、逃げるようにその場を去った。

お——それ入りましたか、お——みそれしましたか、いずれ禅僧に相応しくない言葉しか浮かばなかったのであろう。今川はそう思った。

久遠寺翁は英生が外の戸を閉めるのを確認してから茹《ゆ》で蛸《だこ》のような顔をして榎木津に詰め寄った。

「どう云うことかな榎木津君？　如何なる理由があろうとも、ありゃあ拙《まず》いだろうよ」

「まあ、どうと云うことはないでしょう。ただ僕はああ云うのが好きじゃないんです」

「しかし君、何だ、彼を殴ったのがあの祐賢だと何故解った？　ああ、君ゃ何か——見えたんだな？　何を見た」

「三田も三鷹もないんです。あなたも見てたでしょう碑文谷《ひもんや》さん」

「何をだ？　儂は君とは違う。何も見えんかったが——今川君、君は何か見えたか？」

今川は見たままを云った。

「英生君の怪我を祐賢さんは知らないようでした。しかしそれでいて、何も聞かずに右手を取って袖を捲った。きっとそこが怪訝《おか》しいのです。英生君が右手を打撲していることを祐賢さんが知っていたのなら、何故知らぬ振りをしたのか。知らなかったのなら何故怪我の場所が判ったのか。ご老体はただ怪我をしているとだけ仰ったのです。右手とも、打撲とも云わなかったのです。僕が見たのは、それだけです」

「ああ、慥かに儂は怪我しているとは云ったが、それしか云わなかったわい！」

「マチコサンの云う通りだ。知っているのに知らぬ振りです。恥かしがるなら兎も角、見て見ぬ振りは駄目だ。駄目です」

榎木津は嬉しそうに云った。

——何が——あったのだろう。

今川は考える。殴られた祐賢の態度は顕《あきら》かに不自然だった。その不自然さは英生を殴ったのが真実祐賢であると云う証明なのだろうか。ならば何故——何か違う。榎木津の云う嘘とは、祐賢が英生を殴ったことを隠していたこと——ではない。

考えれば考える程に結論は遠退いた。

考えることを止めれば、その途端に真実はそこにあるように思えた。しかし真実があると認識した途端に、認識された真実と本来の真実の間には補い切れぬ程の齟齬《そご》が生まれる。

——何が——あったのか。

久遠寺翁は顎を引き、禿頭を掻きつつ尋いた。

「あれは——事件と関わりがあるのか？」

「ないでしょ。それに修行とか宗教とかとも関係ないでしょう。あるのかな？　それは京極にでも尋いてください。さあ、つまらないから僕は散歩して来ます」

榎木津は折角立ったのに座るのは御免だ、と云いつつ大股で外に出て行った。境内をうろつくなと警察に戒められている——と止めたところで始まるまい。どうせ最初から警察の話など聞いていなかったのだろうし、聞いていたところで云うことを聞く男ではないようだ。

榎木津がいなくなると急に気が抜けた。

今川は少しばかり気不味《きまず》かったが、老人にかける言葉もなく、これからどうしたらいいのかも判らず、榎木津が最初に見ていた欄間に目を遣った。

見たことのない様式——だ。

深く考えはしなかった。

老人は、くねくねと首を捻って考えごとをしているようである。見た目は剛毅《ごうき》にも見えるし、頑固と云うより融通の利く親爺なのだが、その禿頭の中には今川などには解りようもない——悲しい——事件が詰まっているのだろうか。だが、わざわざ口に出して言葉にせずとも、一旦そう考えてしまうとそれはそれでまた違うような気がした。

「今川君」

「はい」

「どうだ、儂等も探偵宜しく散歩でもせんか」

「しかし警察が」

「下手すりゃ最初から捕まっとったわい。捕まったら捕まったまでじゃ」

「それは――」

「そうだろ？　ま、何だか巻き込んじまった手前気が引けるが――それもこれも軍隊時代に一風変わった上官を持った悲劇と諦めい」

「はい。しかし最初は僕の方が関係者だったのです。ですからお互い様と云う奴なのです」

「そうか。あんた境内の地理は判るか？」

「ある程度判るのです。尤もどこまでが境内か判らないのですが」

「十分じゃ。行こう」

「どこへ？」

「あの年寄り――仁秀か。あの人に会おう」

「何故です？」

「菅野のことを尋く。坊さんどもは警察にも語らんそうだし、あの振袖娘がどうしたとか、慈行が云ってただろう」

「ああ――」

鈴のことは今川も気になっていた。

相変わらず屋外には誰もいなかった。

今川は知客寮の他は内律殿と理致殿、そして禅堂とその横の建物にしか這入ったことはない。回廊に沿って歩いては見たが、取材に同行した訳ではないから食堂だの仏殿だのには這入っていない。

飯窪の話だと、大雄宝殿の裏手の畑の、その更に先の藪の中に仁秀の庵はあるらしい。

素直に伸びた木立が空間を端正なものに仕上げている。余計な色がないことも、気温が低いことも、凡ての要素がその無駄のない風景を限りなく完成度の高いものに近づけている。

「落ち着くなぁ」

「は？」

「落ち着かんか。山ん中と云うのは」

「そうですか」

「儂は石でできた建物に長い間住んで、薬品の臭いばかり嗅いでおったから、こう云う環境は新鮮だ。清浄だな」

「しかしここは殺人現場なのです」

「そうよな。だが死人には悪いが、この山の中じゃそれも大したことないちゅう気がするわい。悠久の歴史に埋もれる名もない個人の死と似とおる」

「それは——少しだけ解ります」

「だから儂等辺りが躍起になることもないのかもしれんな。しかし、今更そうも行くまい」

久遠寺翁は大雄宝殿の屋根を見上げた。

今川の独断では——禅には色彩がない。

勿論水墨画辺りの印象が影響しているのに違いはなく、深い意味もないし根拠も薄弱だ。だが、矢張りどうしても今川にとって禅は無彩色である。仮令《たとえ》色がついていたとしても、それはもう夢の中の色彩のようであり、赤でも青でも結局はモノクロォムの変異《ヴァリエーション》にしか過ぎない。黒や白や灰色が少しばかりどちらかに振れているだけのことだ。

——無彩色の中の『色』——鈴。

あれは——異物か？ 否。違う。

「あの鈴と云う娘なのですが——」

「ああ、ありゃあ儂等が思うておったのとは大分違いよるなぁ。今日間近で初めて見たが、知能は遅滞などしとりゃせん。立派に知性があるわい。本然《ほんぜん》の性を失うとる訳じゃないな。寧ろ理知的じゃ。教育環境が悪い——否、違うとるだけだな」

「僕も——そう思うのです。思うのですが——」

——あの子供はお化けだ。

——行っちゃいけない、今川さん。

「——どうも正体が解りません」

「正体？　正体と云うても今川君。変化《へんげ》あやかしでないことは慥かだろ。儂も、君だって見とる。あれは実物で、幻覚の類じゃない。あのままのもんだ」

「あのままはあのままなのですが——」

「あの、飯窪君の話か？　今朝方鳥口君と中禅寺君に少しばかり聞いたがな」

「それと、関口さんの話」

「おう。聞いた限りで云わせて貰えば、まあ推測の域を出るもんじゃないし、儂が贅言《ぜいげん》を垂れるのも僭越《せんえつ》なことなんだが、あの鈴と云うのは、もしかしたら——その飯窪君の云う行方不明の娘——」

「松宮鈴子さん？」

「そう。あの鈴と云う娘は、その鈴子さんの子供なのじゃないのか？」

「え？」

子供——とは考えなかった。

「これだけ狭い場所でそこまでの類似は、山下君じゃあないが、それこそ偶然とは思えないわい。名前と云い服装といい、同調《シンクロ》しすぎとる。しかし勿論狐狸妖怪の類《たぐい》じゃないのは明白だ。妖怪じゃないなら偶然と、偶然で押し切るから気持ち悪いんだわい。そこに何か人的意図が介入して、それでそうなったんなら気持ち悪かぁなかろう。着物は親譲り。名前も親譲り。ありそうなこった。鈴子さんが失踪したのが十三年前だ。あの娘は十二三歳。勘定は合うとる」

「十三で——子供を産みますか？」

「今日日《きょうび》十三で出産したっておかしくはないやね。例えば、山で迷うとるところを不逞《ふてい》の族に襲われて蹂躙《じゅうりん》され、辱《はずかし》めを受け、身籠ってしまう——まああまり想像したくないし口にしたくもない話だが、そこをほれ、仁秀に救われて——」

「なる程——ここで出産したと云うのですね」

あり得る。と云うより、それが正解ではなかろうか。山中で陵辱された云云は何とも判断できぬが、鈴が鈴子の娘なのであれば大方の不思議も不自然さも解消されてしまう。ただ、

——唄だ。

小説家は唄を気にしていた。

しかしあの唄も母から娘に伝えられた唄なのだと考えればいいのではないか？　例えば子守唄代わりに聴かせていたとか、

——あの唄を？

不気味な唄だった。

否、民謡俗謡の類にはあの手の不気味なものが多いと聞く。あの唄が取り分け変わっていると云うこともないと思う。『かごめかごめ』だって豪く不気味な歌詞ではないか。

否、待て。

——聞いたことはない——ですねえ。

そうだった。

小説家の問いに、飯窪は子供の頃そんな唄は聴いていない、と回答したのだ。

今川はそのことを久遠寺老人に告げた。

「そんなもの覚えられるわい」

「覚えられる？　それはどう云う？」

「今川君。鈴子さんがここで鈴を産んだのなら、彼女は少なくともこの明慧寺の裏で十箇月は暮らしたことになる。鈴子さんはその間に唄を覚え、且つ唄ったのだろうさ。それを里の者が目撃した。そして産まれた子供——鈴が成長し、同じ着物を着て同じ唄を唄った。それを別の者が見た。だから十何年も目撃譚の間隔が開いておるんだろう。その空白は娘鈴の成長する間の時間だ」

合理的だし説得力もある意見だ。

「しかし、すると鈴子さん——飯窪さんの幼馴染みは現在どうされているのでしょう？」

「残念だが亡くなっておると儂は思う。産後の肥立ちが悪かったか、将《はた》また流行り病か、事故か、それは勿論解らんがな。儂はあの娘《こ》を産んですぐに亡くなったと思うな。でなけりゃ十三年間姿も見せずに暮らして行ける訳がない。だからこそ仁秀老人は飯窪君の問いに対して素《す》っ惚《とぼ》けたんじゃやなかろうか」

——松宮鈴子は既に死んでいる。

「じゃあ唄を鈴に教えたのは誰です？」

「そりゃああんた、仁秀さんが教えたんだ。母親の鈴子にも仁秀さんが教えたんだろ。母親が十月十日《とつきとおか》の間に覚えちまったくらいの唄だ。十三年もあれば厭でも覚えるわい」

「なる程。それはそうなのです」

「あの鈴は、だからまともな教育を受けてないんじゃな。生まれてからずっとここで暮らしとるんじゃろう。社会性も協調性も養われないわい。語彙《ごい》も少なかろう。こりゃ仕方がないわい。障碍があるのじゃない。野生児なのだな」

久遠寺翁の見解は今のところ無謬《むびゅう》の卓見である。それが多分真実だろうと、今川はそう思った。

それが鈴——振袖娘の正体だ。

——早くあの不安定な小説家に報せてやらねば。

今川はそう思った。酷く気にしていた様子だったからだ。尤もあの男はどこかで強く現実の幻想化を望んでいるような節があるから、鈴のことは妖怪変化だとでも思わせておいた方が――彼にとってはその方がいいことなのかもしれない。


畑らしきものが確認できた。

こんなところで何が穫れるのか。

藪――と云うより林――の陰に建物が見えた。

「あれですか」

「おう。逮捕されずに無事着いたわい」

他の庵と同じような――飯窪はそう云っていた。

慥かに外見はそう変わりはなかったが、今川には何だか一層古く感じられた。

久遠寺翁は戸口の前に立って今川を顧みた。

「何と云うのかね。こう云う場合。慣《な》れておらんから具合が悪いわな。往診ですとでも云うかいな」

今川は苦笑してそうなさいませ、と云った。

「先程の罰策時に受けた打撲症の具合を見に来たとでも仰ればいいのです」

「おう。そうじゃなぁ」

翁が笑って戸に手をかけた瞬間、戸が開いた。

鉢合《はちあ》わせした久遠寺翁は息を呑んで後退した。

初めは誰が立っているのか判らなかった。

「こ、これは——失礼致しました」

「あなた托雄さん——でしたか？」

托雄——仙石楼にいる桑田常信の行者の筈だ。

「——尊公は——今川様。慥か、昨夜皆様と共にお引き上げになったのではありませんでしたか？」

「また来たのです」

「こ、ここに何か御用でございますか」

「仁秀さんは居るかな？」

久遠寺翁が尋いた。

「こちらは？」

「お医者様の久遠寺先生なのです」

「お医者様が——何故？」

「まあいいじゃろう。あんた、ここにはあんたのような若い坊さんが善く来るのかい？」

慥かに場違いだと今川も思った。

「いいえ。賄《まかな》い方の僧だけでございます。拙僧は典座の行者を致しております。また、庫院でのお勤めも致しております。それで——」

　中から声がした。

「施しを受けておりまする」

　仁秀老人だった。

　老人は例によって卑屈に背を丸め、音もなく出て来た。托雄は機敏な動作で横に避けた。

「施し？　典座の施しと云うと喰い物かな？」

「はいはい。余り物残り物を戴いて喰うておりますのです」

「余る？　禅僧が喰いもんを余すのかな？」

　久遠寺翁は珍妙な顔をして若い托雄と中から出て来た襤《ぼ》褸《ろ》屑《くず》のような老人を見比べた。

「勿論そのようなことはございません。粥に十種の利益あり、食事を残すような雲水は居りません。しかし例えば——」

「漬物の尻尾でございまするとか、鍋の底や縁に残ったお粥でございまするとか、そう云う有り難い余りを戴いております。貴いことでございます」

　老人は一層卑屈に頭を下げた。

「はあ、そりゃつまり質素な坊さんの余り物、つまり洗い落としてしまうような、粥でも縁についた糊《のり》みたいなもんを、あんた喰うとるちゅう訳かい？」

久遠寺翁が額に皺を寄せた。托雄はそれを非難の意思表示ととったようで、やや弁解がましく、

「いいえ。一応——娘さんの分もございますので、今は——貫首様が」

と云った。多分名目上はそうなっているものの、現在では一応二食分多く作って運ぶと云う慣例になっているのだろう。久遠寺翁も托雄の口振りからそれを察したらしかった。

「しかし仁秀さん。あんたも畑仕事しとるんじゃろう？　そんなもの貰わんでも旧来あんたは自給自足しとった訳でしょう？」

「三十何人の食事を賄う程豊かな実りはありませんのでございます。ですから」

「ですからってあんたの畑じゃろ」

「畑は大地のもの。実りは大衆《だいしゅ》のものにございまする。貴いお坊様に戴いて貰えまするなら稗も粟もお役に立てて無我となりまする」

「ふん」

久遠寺翁が鼻を鳴らした。

「仁秀さん。儂は久遠寺と云います。この男は今川と云う。あんたに尋きたいことがあって来たんじゃが、一寸《ちょっと》いいかいな」

「はいはい。まあ中へ。お茶をどうぞ」

「それでは拙僧は——警察の方も居りますものですから、失礼致します」

托雄は久遠寺翁と今川に向けて礼をして後、足早に去って行った。

中の造りは他の庵と大分違っていた。

先《ま》ず土間がある。板間には筵《むしろ》が敷いてあり、囲炉裏がある。天井から下がった自在鉤《じざいかぎ》には鉄瓶が下がっている。古《いにしえ》の農家と云った風情である。次の間との仕切りの襖もなく、目隠しに筵が下がっていた。仁秀が納戸を開けて茶釜だのを出し、茶の支度を始めたのを見て、久遠寺翁は止めた。

「ああ、構わんでいいですわい。失礼だがこの暮らしではお茶っ葉も——葉じゃあないのかな？　まあ贅沢品《ぜいたく》じゃろう。こうして暖を取らせて戴くだけで結構じゃい」

「はいはい。畏まりました」

仁秀は手を止め、出したものを仕舞いもせずに、久遠寺翁と囲炉裏を挟んで向き合う形で座った。

「あんた、幾つじゃ？　儂は今年で六十三だが」

仁秀は目尻に深い皺を沢山蓄えて笑った。善く見ると目が大きく柔和そうな顔だ。

「さて、深山幽谷に起居致しますれば己の齢を数えることも忘れます。万古不易《ばんこふえき》の天然と暮らしますれば己も千古不易《せんこふえき》と勘違いいたしまするな。はたと気づけば老《お》い耄《ぼ》れてしもうておりまする」

「じゃあな、尋き方変えよう。あんたいつからここに居りなさる？　厭人癖でもありなさるか。何で町の暮らしを捨てた？　否、実は儂も追われるように山に来た口でな。気持ちは解らんじゃないい」

「初めから捨てる暮らしなど持ちませぬ。厭うべき人もありませぬ。生来無一物。人となりてよりずっとここに居ります る」

「ここで——生まれたとでも云うのか？　ご両親はどうされたんじゃ？　真逆木の股から生まれた訳でもあるまいに」

「木の股から生まれ申した。育んでくれた人は忘れる程昔に不帰の客となりました」

「おう、つまりあんたも——その大きな坊さん——何と云ったか今川君？」

「哲童さん」

「そう。哲童君と同じ、捨て子か何か——否、気を悪くせんでくれ。そう云う境遇だったのかな？」

「さて、昨日のことも覚束《おぼつか》ぬ。幼き頃のことなど、あって罔《な》きが如し。捨て子も鬼子も同じこと」

久遠寺翁は唇を突き出して強く顎を引いた。医者の下顎は三重顎になった。

「哲童君は——あんた、どこでどうして？」

「哲童は大きな地震《じふる》いのありました折りに」

「じふるい？　関東大震災か？」

「あれはそう申すのでございますするかな？　瓦礫の下より救い上げた。乳飲み児でございましたが、強き児でした。母御は亡くなられたが自力で生きた。即ちあれも生来無一物でございます」

震災の時の孤児を保護した――と云うことか。

「じゃあ鈴さんはどうなんじゃな？」

「さて、先達《せんだつ》て女人にも尋ねられたが、十二年か、十三年前か――」

「鈴も生来無一物か？　木の股から生まれたと？」

「如何にもそうでございましょう」

「ここで生まれたのではないんかな？」

「ここでは生まれませぬ――」

つまり鈴は哲童と同じように乳飲み子で拾われたと云うことだろう。ならば鈴子はどこか他の場所で鈴を生んで捨てたとでも云うのだろうか？

「――崖下で、息も絶え絶えのところを拾い申した。あれも強い児だったのでございましょう。生きた」

久遠寺翁も今川同様に思ったのか、視線をちらちら今川に送り、そして尋いた。

「じゃあ尋くがね仁秀さん。あんた鈴の母親には会ったことはないのか？」

「名前はどうして鈴なんじゃ？」

「それはそうなのだろう。しかし――。

「書いてあったか。そうか。今川君。矢張り鈴さんは鈴子さんの子供だきっと」

「守り袋に鈴とだけ――」

「あれで包《くる》んであったんかい？　じゃあ名前は？

「救うた時より。始めから――」

「じゃあああの振袖は？」

「ございません」

「あのう――」

今川は発言した。今尋いておかなければ、永遠に鈴の正体は確認できないと思ったからである。あの小説家と違って、現在の今川にはそうしたものを残しておくことが、少しだけ気持ち悪かったのだ。

久遠寺翁の推論はある程度正しいだろう。だが鈴子が鈴をこの場所ではなくどこか他の場所で産んでいたのだとすると、僅かな破綻が生じて来る。

鈴子自身は仁秀と接触していない。ならば鈴子には仁秀から唄を習う時間などない――と云うことになる。その場合あの唄は仁秀によって鈴子に齎《もたら》されたのではないと考えるしかない。それならば、最初から知っていた唄か、或は失踪して後にどこか別の場所であの唄を覚えたと考えるべきなのであろう。

しかしその場合、今度は母から娘に唄を伝える時間と云うのがなくなってしまう。

「唄は――」

「唄とは？」

「――鈴さんは善く唄を唄っているのです。僕も聴いたのですが、ご存知でしょうか？」

「ああ、あの戯《ざ》れ唄にござりまするか。あれはいつの間にか覚えておりました」

「覚えた？　ではあなたが教えたのですか？」

「教えた訳ではございませんが、覚え易き唄だったか、鈴はすぐに覚え、唄っておりましたか」

「しかしあなたから鈴さんに伝わったのに違いはないのですね？　あなたご自身はどなたから教わったのですか？」

「矢張り教わった覚えはございませんが、聴いて育ったのでございます。鈴も覚えた。哲童も知っておりますれば、子守の時にでも口をついて出ておったか。否、そもそも子守の唄であるやもしれず――」

仁秀は人懐こそうに笑った。

「――子守唄にしては辛気《しんき》臭《くそ》うございますか」

嘘を吐くような顔つきではない。

良し悪しは別にして狡猾《こうかつ》さとは縁遠い顔だ。

「つまりあなたを育ててくれた人が唄っておられた唄なのですか？」

「如何にもそうでございます」

　――何か。

　変だ。

　それでは何故鈴子が知っていたのだ？

　今川が首を傾けて視線を送ると、久遠寺翁は察したらしくすぐに応えた。

「今川君。あのな、歴史と云うもんは、記録と記憶と云う二種類の形でしか生き残ることはできん。そして記録も記憶も――人間に都合良く改竄されちまうもんだ」

「改竄？」

　改竄じゃと老人は再び云った。

「多分な、十三年前に迷子の鈴子さんを見た者は居ったのじゃろう。山の中で振袖だから奇異な感じは受けるわな。それを記憶した。記録もしたかもしれん。そして十何年後、同じような場所で同じようなもの――鈴さんが目撃されよる。これは唄を唄っておった。これは偶然とは思えん。事実儂等も思わなかったじゃろう。そう云う思いはこの二つを結びつけようとする。その働きが、先に見た者の記憶を遡って改竄してしまったのだろう」

「つまり、鈴子さんは唄ってもいない唄を唄った――と、されていたと云うことなのですか？」

「そうそう。場所や着物は一緒だったんじゃ。なら唄も唄っていたか、唄っていたような気もする、いや唄っていたに違いない、いいや唄っていました同じ唄です――とな。こうして記憶が改竄され、記録の方も書き換えられる。記憶を持った人間は死に、記録は事実として後世に残る。こうしたことは珍しいことじゃない」

「はあ」

そう云ったことは実際あることだ、とは思う。そしてそう思うなら何も問題はなくなり、久遠寺翁の説の破綻は繕《つくろ》われてしまうのである。

「仁秀さん。まあ、こんなところで子供を二人も育てるのは――この劣悪な環境――失礼。まああまり恵まれない環境じゃから、子供にとって良いかどうかは別にして、大変な苦労だったろうし、あんたのその卑屈なまでに人が好いのも――そうか、あんた自身そうやって生きて来たんじゃからなあ――うん。まあ、誰もあんたを悪くは云えんわい。しかし。鈴さんか、あれはできれば里子にでも出して教育受けさせるなり何なりした方がいい。お節介じゃがその方がいいて」

老医師は驚きと同情が綯《な》い交《ま》ぜになったような口調で説教染《じ》みたことを云った。

「はいはい。そうでございますかなあ。あれは真実、どこの子で、何であんな山の中に置き去りにされたか、救うた時は弱っておりました。口も利けませぬ程に。事情の知りようもなく――」

それはそうだろう。捨てられた事情を説明できる乳飲み児などいない。

「――恢復致しますまでかなり時間がかかりましてございます。漸く元気になり、歩けるようになった頃、あの娘、鈴は――」

仁秀老人は大きな目を糸のように細めた。

「――目を離した隙に山に迷い込んでしまった」

「歩けるようになったばかりでかな？」

「畑に出ている間にでございます。捜しに捜して、随分離れたところで倒れておりますのを見つけたのでございます。幸いにも生きておりましたが虫の息でございました」

それは――慥かに幼児から目を離した仁秀老人の責任ではあろうが、果たしてこの一種奇特な老人を無責任な部外者などが責められるものだろうか。

「しかし今度は中中良くはならなんだ。相当の月日がかかりました。だから長い年月、鈴は寝てばかりおりました。口も利かず、ただぼうと虚《うつ》ろにしておる。そう云う娘になった」

仁秀は悔恨の表情を浮かべた。それを見て、久遠寺翁は困ったような哀れむような顔つきになった。

「あんた――その責任感じているな。つまりあんたの不注意で、鈴さんは寝た切りになっちまった。そうなんだな？　しかしそりゃあさっさと医者に――ああ、そりゃ戦時中のことなのか？」

仁秀は頷いた。

「仰せの通りにございましょう。ただ先程申しました通り、十年一日《いちじつ》の如し、明日は治る明日は起きると思うておりますうちに、時は過ぎておりました。鈴が元気になり、出歩けるようになりましたのは、そう、昨年か一昨年か。ついこの間のこと。そんなことでもなければお坊様方にお願い致しまして、すぐにでも里子に出しましたものを、不憫なことを致しました」

「まあ――しかしあんたの長年の看病の甲斐《かい》あって元気になったんじゃからなぁ。まだあの娘は若い。これからだわい。考えようによっちゃあんたは、見ず知らずの娘の命を二度も救った訳じゃろう。しかもこの環境で何とか育てたんだから。善行じゃ」

仁秀は勿体ない、滅相《めっそう》もございません、と云って頭を下げた。

平身低頭そのものである。

「頭を上げてくだされ。年長者に低頭されちゃ、こっちが極《きま》り悪いわい。時に、仁秀さん、その――」

本来久遠寺翁は鈴のことを質しにここに来たのではない。菅野氏の話を尋くと云うのが来意である。

「――もうひとりのほら、哲童君は、今もここに住んでおるのかいな？」

しかし老医師も中中本題を切り出せないようだった。

「哲童は鈴を連れて来ましたおりに、お坊様方にお預かり戴きました。それまでも作務畑仕事は手伝わせておりましたし、何よりもこの小屋で鈴と一緒に暮らさせる訳にも参りますまい。あの通りで未だ経のひとつも覚えませぬが、洞宗令聴《とうじゅうれいそう》様の例もございますれば、いずれ善き禅匠にならんやと」

「なる程のう。そのとうじゅうと云うのは?」

「は?」

「否、結構ですわい。そのな、まあ色色立ち入ったことばかり尋いて——そのな、何なんだが、うん。今も辛い話をさせたがな。尋き序《つい》でじゃ。あんたその、菅野と云う坊主はご存知か?」

「博行様——でございますか?」

「そうじゃ。その博行が、去年の夏にいったいどうなったのか、何をしたのか——仁秀さんあんた、ご存知あるまいか?」

俄《にわ》かに仁秀の表情が曇った。

「あの——方は——否、あの方には——お詫びのしようもないのでございます。この身を慈行様に幾ら打たれようとも仕方のないことなのでございます」

「そりゃ鈴さんと関係あるんか? 訊けど尋ねど誰も教えてくれん。坊主ども、まるで貝のように口を閉ざしおって、なァんにも語らん」

「そうでございますか。それでは――申し上げる訳には」

仁秀は大きな目で囲炉裏の炭を見つめ、堅く口を一文字に結んだ。

燻《いぶ》したような浅黒い塊にぎょろりとした眼だけがついている。

僧達に遠慮しているらしい。

久遠寺翁は一層真剣に喰い下がった。

「あんた、坊さんに気を遣っとるのかね。儂は菅野が出家する前から知っておる。あれのことは善く知っとるんだ。いっときは家族同様にしておった。頼む。聞かせてくれい」

仁秀はその眼さえ閉じ、ただの塊になってしまった。

「仁秀さん。あんたが何かしよったのか？」

「そう――でございます――あのお方の、博行様の折角積まれた修行を――凡て台なしにしてしまったのでございます」

「あんたがか？」

「鈴が――でございます」

「鈴さんが菅野の修行を台なしにした？　どう云うことじゃ？　おい、仁秀さん！」

自在鉤が揺れた。

今川の座っている場所からだと、まるで久遠寺翁の気迫がそれを揺らしでもしたかのように見えた。気迫に圧されるように仁秀は重い口を開いた。

「鈴が——出歩けるまで恢復し、それはそれで良いことでありました。ただ斯《かく》の如き深山《みやま》のこと、娘の着るものなぞない。それで已なくあの晴れ着を着せたのでございます。そして外に出したのでございます。着せ方が難しゅうて苦労致しましたが——いずれ十年ばかりも経って、漸く着られるようになったのでございます。そして鈴はあの格好で山歩きをするようになった——」

山の振袖娘——小説家の云うところの成長しない迷子——の誕生である。

それは数奇な運命を辿った山の申し子だった訳だ。

「——そして鈴は、あのような格好で、境内にも入るようになったのでございます。そして昨年の——夏に」

「それが何じゃ？　鈴さんが振袖着て境内に行くことが何故菅野の修行の邪魔にな——」

久遠寺翁はそこで突然言葉を切り、そのままの形で口を開けたまま止まった。

「な——」

仁秀は云った。

「あの方は一番断ち難い煩悩を断たんがために仏門に入られた。そしてその修行は日日年年なっていたのでございます。それを——」

「い——否。皆まで云わんでくだされ。わ、解った。解りましたわい。しかし、それでは鈴さんは——」

久遠寺翁はそこで再び言葉を切り、右手で顔を覆うと、その厚い肉を掴んで、絞り出すように嗚咽を洩らした。

今川は面喰らった。

「それじゃあ――あの菅野は――」

ああ、なんと云うことじゃと呻《うめ》くように云って、老人はきつく眼を閉じた。

「否、仁秀さん、それは――それは菅野が悪い。あれが加害者だ。鈴さんは被害者じゃないか。それをあんた何であんな卑屈に――」

「被害者？　卑屈？」

仁秀は怪訝な顔をした。多分、それらは彼にとって聞き覚えのない言葉なのである。

「そうじゃ。謝るべきは寺の連中だ！　懺悔《ざんげ》すべきは菅野の方じゃ！　そんな、まだもののよう解らんような幼い娘に――」

久遠寺翁は憤《いきどお》っている。

そして今川は先程と同じような不思議な気持ちになっている。今川には老医師が憤る理由は解らぬ。言葉にならない部分で何が語られているのか、見当がつかないからだ。しかし、二人の会話の真相を今川は何故か知っている気がする。しかし、それは意識すると途端に真相ではなくなってしまうのだ。

仁秀が云った。

「被害者加害者と申されるのは解り兼ねます。善因善果悪因悪果、三時業《さんじごう》は世の定め。害し害されるのも業報《ごっぽう》拭い去れぬが故。三聚浄戒《さんじゅじょうかい》を守れなんだ博行様も、守らせなんだ鈴も罪と云うなら同じ罪にございましょう」

「解らん。あんたらの云うことは解らんよ！　どこの国に強姦されて、謝るなんてェ馬鹿な話が——あ」

翁はそこで今川に気づき、

三度言葉を止めた。

「——今川君。ああ、すまん。否、こればかりは相手のあることだから、いや、鈴さんの気持ちを考えると——申し訳ない。仁秀さん」

久遠寺翁は下を向いた。

今川は何も云わなかった。

つまり、菅野と云う人の『断ち難い煩悩』の正体は性欲だったと云うことだろうか。

ならば菅野氏は修行して性欲を断ち切ろうとしていたのだろうか。そしてそれは鈴と云う女人——と云うまでの年齢には達していないように今川は思うのだが——を目にすることで脆《もろ》くも崩れ去ったと云うことになる。菅野氏は鈴を陵辱し、それを契機《きっかけ》に彼の人格は崩壊して、結果僧達によって幽閉された——。

そんなことがあるか？

今川にとっては現実的な話ではなかった。

先ず今川には、そこまでして押え込まねばならぬ性欲があると云うのが解らない。否、性欲を断つと云う考え方自体が善く解らない。度を越せばろくなことはないのだろうとは思う。しかし、それはあくまで社会規範や道徳倫理に照らしてそう思う、と云うだけのことである。

個人差こそあれ生物である限りそれはあるのだ。それを否定することが、或は断ち切ってしまえることが何故正しかったり偉かったり——そう云うことではないのだろうが——するのか、矢張り今川には解らないとしか云いようがなかった。勿論僧侶や修道士など、禁欲的《ストイック》な暮らしができる者もいるだろうし、そうした暮らしは何かの規範になり、かつ何かを産み出す原動力にもなるのだとは思う。しかしそれはできる者だからできているのだ——と今川は思っていた。誰もがそうあるべきだとは思わないし、当然それでは種は滅ぶ。

僅か十二三の破瓜《はか》にも到らぬ小娘を目の当たりにしただけで、医者まで勤めた大の男が自制心も何もかも失ってしまった——と云うことは、菅野氏は修行することで自我崩壊寸前のぎりぎりのところまでそれを押え込んでいたと云うことだろう。

それが修行なのだろうか。

ぱち、と炭が爆《は》ぜた。

「仁秀さん。儂は——あんたらのためになることだったらできることは何でもする。何でも遠慮なく云うてくれ。儂は下の仙石楼に居る。鈴さんの引き取り先も捜そう。経済的な援助も、金はそうないが、できるだけはするわい。あんたに今更山を下りろと云うのは酷な話なのかもしれんがな。あの娘はこれからだ。否、断らんでくれ」

仁秀老人は不思議な程に柔和な笑顔を浮かべた。

「愛語《あいご》有り難く」

外に出ると陽が翳《かげ》っていた。

老医師は額に汗をかいており、消耗もしているように見えた。今川は益々掛ける言葉がなくなり、ただ己の脚下を眺めつつ後ろに従った。

振り向きもせず、老医師は云った。

「今川君」

「はい」

「君も何だ、厭な気分だろう。ああ云う話は」

「鈴さんのことを思うとお答えし悪《にく》いのです。ただ本当にその——仁秀老人は瞭然《はっきり》とは仰らなかったですが、云えることでもないのでしょうが——ええ。矢張りお答えし悪いのです。事実なのでしょうか」

「ああ。本当だろうな。菅野はとんでもない破廉恥《はれんち》なことをしよったのじゃろう」

「何故解るのです？」

「あれはそう云う病だったんだ」

「そう云う？　その性的欲求が異常に強いとか」

「違う。それはただの絶倫とか助平とか云うんじゃろうが。それなら世の中掃いて捨てる程居るわい。苦労はない。今川君。どうもあの、菅野と云う男はね、その、年端も行かぬ娘だけにしか性的な欲情を抱けない、幼女以外性的対象になり得ないと云う、そう云う病だったようだ」

「ああ」

それは――聞いたことがあった。

「世間じゃそれを変態性欲者とか云って蔑《さげす》むがね、そりゃ誰だってそう云う嗜好ってのは多かれ少なかれあるものだ。加虐趣味だとか被虐趣味だとか、あるじゃろそう云うのが。中には理解し難い程に下劣な趣味の者も居るが、皆上手いこと解消しておるだけだ。しかし菅野の場合は解消できんのだな。どうしたって犯罪になってしまう。そう云う男に生まれついた以上、どうしようもなかったのじゃろうなあ」

「それでご老体は先程警察に『性癖』と仰ったのですね？　それで菅野氏は――」

それなら少し理解できると、今川は思った。

「あれはあれで辛かったのじゃろうな。医学は何も解決してくれなかった。医学の領分とは違うのかもしれんしなあ。そう云うのは世間では異常者と見られとるが医学的には正常だ。精神神経の病と云えば病だが、分裂病でも神経症でもない。それを病気と云ってしまえば人類皆病気だ。それであの男——」

「ご老体、どうなさるのです？」

「菅野に会う」

「会ってどうなさるのです？」

「話す。あれに意見できるのは世界でも儂だけだ。つまり癒したり許したりできるのも儂だけだ」

「どう云う意味ですか？」

「ああ——あ？」

突然前を歩く久遠寺翁が立ち止まったので今川は既《すん》でぶつかりそうになって止まった。

「ありゃあ、大きな坊さんだなあ」

木立の向こうに人影があった。

哲童だった。

「いいのかな出歩いて？　警察に内緒か？　どこへ行くんじゃい。方向があべこべじゃないか？」

慥かに仙石楼方面ではない。多分仙石楼を経由せずに麓には行けぬ筈である。山に分け入って行くようにしか見えなかった。作務衣に背負子をつけているから、柴刈りにでも行くのかもしれない。

　あれが哲童だと云うと、老医師はほう、巨漢じゃな、と云った。


　土牢の前には案の定警官が立っていた。


「這入れないのです」

「何。大丈夫だ。何とかなる。あのな、さっき初めて行った時に菅原刑事が云うとったが、入口の錠前は昨日何者かに開けられて以来、鍵がないから閉められんのだそうだ」

「それでは中の檻も開いているのですか？」

「あっちの牢の鍵は鍵穴に挿し放しになっていたのだそうじゃ。だから中の檻の錠前は生きておる。しかしそれは関係ないわい。話ができればいいんだ。寧ろ閉まってた方がいい。入口さえ開いてれば問題ない」

「しかし警官が見張っているのです。このまま黙って部屋に戻っていれば、いずれ接見が適《かな》うかもしれないのです」

　菅原がそんなことを云っていた。

「そんなもの君、いつになるかまるで解らん。犯人が捕まるまで駄目かもしれんしな。それなら場合によっちゃいつまで経っても、おや？　あれを見ろ」

今川が目を転じると禅堂の前辺りで騒ぎが起きていた。

警官が三名程大声を出している。

「流石に並の探偵ではないな。まったく、絶妙のタイミングじゃ。と云うより、あちこちで総当たり的に悶着《もんちゃく》起こしておったかな？」

どうやら榎木津が火元らしい。

悶着は間違いなく総当たりで起こしている筈だ。

翁の見込み通り、見張りの警官は溝から伸び上がるようにその様子を見て、慌てて穴の前を離れて騒ぎの起きている方に向かった。誰も穴に這入る奴などいないと、高を括っているのだろう。

身を潜めていた訳でもないし物陰に隠れていた訳でもないのに、警官の視野には今川も久遠寺翁も入っていない。警官の目には兎に角目立つ榎木津の姿が見えているだけだったようである。

久遠寺翁は素早く雪の塹壕の陰に入り、そのまま溝に沿って身を屈めて走り、鉄格子の扉を開けて闇の中に消えた。今川は少し躊躇して続いた。

一度這入っている訳だから勝手が解っている筈なのにも拘らず、今川は躓《つまず》いて転んだ。

床は少し湿っていて、ついた掌がひやりと冷たかった。起き上がった今川は念の為に入口の格子戸を締めた。鍵が壊れているのを知ってい乍ら、その時今川はもう出られなくなるような不安感を持った。

最初の時は気づかなかったが、歩くとこつこつと結構大きな跫が響く。

これだけ大きな音であってもその時の状況に因っては聴き取れないのだ。

今川は暗闇の中を慎重に。実に慎重に歩を進め、牢のある部屋に侵入した。

牢内に明かりはなかった。

「菅野。菅野さん」

久遠寺翁の声だ。

「そこに——居るな？　儂だ。久遠寺嘉親だ」

気配はあった。

声はしない。

「返事をせい。狂うておる訳ではあるまい」

「狂うております」

漸く声が聞こえた。

「狂っちゃおらんだろう。先程儂のことを識別できたであろうが」

「解りませぬ」

「院長、と云うた」

　声は黙った。

「理性が残っている証拠だ。話はできよう」

「お話しすることは――否、お話しできるようなことは何もございません。野拙《やせつ》は魔道に堕ち、冥妄の虜《とりこ》となりたる畜生坊主。あなた様の知る菅野とか申す戯《たわ》け者とは別人でございます」

「馬鹿云うな。あんたが万人に崇《あが》められる高僧になりおって、昔の自分は別人だちゅうとるのなら、儂はのこのこ出て来たりせんわい。あんたは今更乍らに迷うて苦しんどるじゃないか。だから儂はこうして来よったんじゃ。大体、出家しようが出世しようが、あんたは先ずこの儂に、何か云うことがある筈なんじゃないのかな」

「それを――聞きにいらしたのですか」

「まあな。聞かせいと云うても罰は当らんぞ」

「ご存知でしたか」

「知っておる」

「あなたに――云うべき言葉が見つからなんだ。それを捜しに野拙はここに参りました。しかしその言葉は未だ見つかりません」

「そんなものが見つかるまで待っとったら儂は死んでしまうわい。儂が死なずともあんたが死ぬわ。自分の齢を考えろ。幾許《いくばく》もない余命のうちで決着がつくようなことでもあるまい」

「ならば——野拙をどうなさいます」

「——どうにもせんよ」

「しかし野拙の致しましたことは取り返しのつかぬことでございますぞ。あなた様は——」

「取り返しのつかぬことなら取り返せなどとは云わんわい。百も承知だ。それにもう——」

声は両方同時に止んだ。二種類の声の残響は雑じり合い、聞き覚えのない妖しい響きとなって今川を包んだ。低温で湿度の高い空気は流れることなく澱み、ねっとりと皮膚に密着している。声がする度にその皮膚が振動するのである。音は空気の振動であると云うことを、今川はこんな場所で実感した。

目はいつまでも暗闇に慣れることはなかった。

暫くの沈黙。

「お嬢様は——」

「死んだ」

「亡くなった？」

「二人とも死んだ」

「何故——それは」

「あんたの所為だ菅野さん」

「野拙の——」

「そう。そして儂の所為じゃ。皆の所為じゃ。ひとりだけ悪い奴なんざ居らんわい。だから儂はあんたを責める気はない。ただ、あんたがひとりで苦しんでいるんだったら、ひと言云ってやりたかっただけじゃい」

「何を——」

「苦しいのはあんただけじゃない。思い上がるな」

「思い上がり——？」

「あんたは破廉恥だ。下劣だ。どうしようもない馬鹿じゃわい。それを恥じるのは当然だ。行いを悔い改めようと精進するのも当然だ。しかしな、それはあんただけの問題だ。あんたの所為で世の中がどうにかなったと思うな。あんたは所詮ちっぽけな契機《きっかけ》に過ぎないんだ。そしてあんた自身が大きな社会の生んだ瑣末《さまつ》な結果に過ぎんのだ」

　牢の中の気配が増幅した。

「儂は医者じゃからな。坊さんと違《ちご》うてこう云うことに就いて語る言葉は持たんわい。儂の知っとるのは精精疾病の種類やら薬品の名前くらいのものだ。こりゃ簡単だがな。五に三足せば八になる。三から二引けば一になる。そう云う言葉じゃ。だからあんたに言葉で何か伝えようなどと思いやせん。だから云いたいことだけ云って帰るわい」

「院長先生——」

「もう院長じゃない。あの病院は滅んだ。菅野さんよ。儂はな、何もかも失ってしまった。同で、あの仙石楼に逃げて来た。卑怯にも逃げた。社会に対して弁解する気力もなかった。同情を引く努力もせなんだ。家族や病院の汚名を雪《すす》ぐこともせなんだ。卑怯者だ。それで逃げて。逃避して何か変わったかと云うと、何も変らなんだ。ただ仙石楼に来てな、菅野さん。あんたのこと思い出した。儂はあんたは幸せだと思うた」

「幸せ？」

「そうじゃい。あんたは種だけ撒いて結果も見ずに逃げよったんじゃ。どんな結果が出るか怖くなったのか、それとも最悪の結果が予想できたから厭になったのか、いずれにしても何も見ないうちにさっさと逃げ出した。それは幸せなことだと、儂は仙石楼《あそこ》でずっとそう思っておったわい」

「幸せ——？」

「儂はあんたも死んだと思っとったんだ。好き勝手して、さっさと逃げ出して死んだとな。しかしあんた生きとった。こんなところでな。ああ、上手《うま》く云えんな——どうだ、聞かせてくれ。あんた何でいなくなった？　あんたいったい何から、逃げた？」

　呻き声——闇の振動。

　あの、厭な声だった。しかし、その振動は徐徐に秩序を獲得し、言葉となった。

「——院長先生。いや、そう呼ばせてください。あなたに何が起きたのか、野拙は知りません。しかしあなたが何を仰りたいのかは解る気がする」

それは、あの死んだ魚の目を持つ異相の男が語っているとはとても思えない、理知的な口調だった。

闇は語り出した。

「お察しの通り、野拙は若き頃より他人《ひと》に云えぬ性癖を持っておりました。性愛の対象を幼女にしか見出せぬ——そう云う男でありました。それは悪いことだと、若いうちはそう思っていた。しかしそれは本当に悪いことなのだろうかと云う疑問も同時に湧いた。勿論社会の中では悪いことです。だか野拙の中では仕方のない、当たり前のことだ。ならば、野拙は社会に適合しない人間と云うことなのか。逸脱者の基準はどこにあるのか。それに就いては、ずっと考えていた。知命《ちめい》を過ぎるまで馬齢《ばれい》を重ね、それでもまだ、そんなことばかり考えておった。そしてそれは結局魔境を呼び寄せたのです。野拙は——」

「患者の女児に手を出したんだな」

「——そうです」

「我慢できなく——なるのか？」

「その時は悪いことだなどと思わないのです。お解り戴けるとは思わないが、本当に思わないのです。道徳も倫理も知性もない訳ではない。情欲だけがある訳でもない」

「しちゃいかんことと解っておるか」

「理屈は解っておりますが——その時は、そう云う時は、そう云う行動が理屈に適っているように感じられる。しかし情動が過ぎ去って、その後で来る」

「何が？」

「後悔——ではない。それこそ言葉では云えない。子供が限りなく清らかなものに見える。親の慈しみや愛情や祝福に包まれた、限りなく聖なるものに見えるのです。そして自分が最悪の冒瀆者《ぼうとく》であることを思い知るのです。汚い、褻《けが》らわしい汚物のように思える。罪悪感とでも云うか、嫌悪感と云うか——」

「解る——とは云わん」

「苦悶《くもん》しました。二度とするまいと思う。その時は神に誓う。しかしそれは澱《おり》のように腹の底に溜り、気がつくと知略《ちりやく》を巡らせている」

「知略とは何だ？」

「例えば幼女を誘拐する方法。例えば幼女を思うままに操る方法。例えば幼女の記憶を消す方法。人知れず思いを遂げ、誰も傷つけず己も罰せられずに済む方法——そう云う計略を、気がつくと縷縷《るる》練っているのです。合法的には適わぬ望み。ならば如何に上手くやるかと考えを巡らせておる」

「それでは犯罪者だ。しかも確信犯だ」

「そう。しかしそれには本来、ことが露見《ろけん》さえしなければ社会的な罪は発生しないから、罪の意識はなくなるかもしれない——と云う思いがある。つまり罪悪感を軽減し、遡行して行為の方を正当化しようと云う考えが働いている。しかし、これも所詮社会と社会から逸脱した自分との折り合いをつける作業に過ぎなかった。その罪悪感のような感情は社会との軋轢《あつれき》から来るものではなかったのです。個人対社会と云う構造は皮相に過ぎなかった」

「何故だ」

「院長先生。あなたは——野拙があなたのお嬢さんにどのようなことをしたのか、いつお知りになったのでございますか」

「——それは——つい最近だ」

「そうですか。長い間ご存知なかった」

「思ってもみなかったよ。それが儂の罪だ」

「そうですか。そう——なのです。卑劣で破廉恥な野拙は、誰にも知られずに欲求を充足する方法を見つけた。そして——野拙はあなたのの」

今川はそこで、それまで敢えて考えないようにしていた久遠寺翁と菅野の関係を厭が応にも確信することになった。老医師の亡くなった娘さんは、この菅野によって——。

「聞きたくないな。それだけは」

老医師の声は震えていた。

「——解りました。しかしあなたは知らなかった。真相を知るまであなたは野拙のことを憎みも蔑みも恨みもしなかった筈だ。それは誰も知らぬことであれば、社会的、法的制裁を受けることもない筈だった。ところが罪は。罪と云うのは——そう。誰にも知られなくとも、幾ら上手く行こうとも、己の中の罪悪感は増すばかりだったのです」

「それはそうだろう。そう云うのを背徳と云うんじゃぁい。現実社会とは無関係でも、己の中にある個人を越えた道徳規範のようなものと反する行動を執っておれば、罪悪感は消えん。それは謂わば個人対超個人、結果的には個人対社会の葛藤の位相であることに変わりはないわい」

闇は闇自体を震わせて答えた。

「いいえ。そうではない。これは善悪の価値判断やモラル、道徳と云ったレヴェルの問題ではなかったのです院長先生。生殖の中枢が性的刺激をうけて活性化し、情動となって発露する。これ自体は何等異常なことではない。その性的刺激となる対象が通常と違う——何故違うのか、それこそが野拙の抱えた問題だった。生殖と云う本来の目的から逸脱したところで機能し始める情動、その差異こそが野拙の罪悪感の根本だったのです」

むう、と闇が膨れた気がした。

「それはあんたに限ってあるもんじゃない。人間は皆そうだ。生殖のためだけに性交する者はおらんだろう」

「そう——思い込んでいるだけですよ。家族も社会も、ヒトと云う種を保存するために実に巧緻な仕組みで出来上がっている装置なのです。性行為は快楽に非ず、文化に非ず、子孫を残すための行為なり——と云う意見も、性行為は生物学的な営みのみに非ず、愛情であり慈しみでありコミュニケーションである——と云う見解も、いずれも許される範囲内の振幅でしかない。その範囲内で揺れることで、人間と云う生物は効率的に種を保存して行く手段を勝ち得たのです」

「その許される範囲と云うのは何だ」

「脳髄ですよ院長。問いを発するのも脳。それに答えるのも脳。凡ての問いは、発せられた段階で予定調和的に解答を内包しているのです。一見正反対に思える二つの解答も、実は凡て脳髄の手の内。人間は、社会ごと脳の茶番劇の舞台に乗せられているだけなのです。その調和の外にある問いを脳は認めない。それは『畏れ』や『穢れ』として脳の埒外《らちがい》に追い遣られる運命にある。そして野拙は自分の脳髄に追い立てられ、脅かされていた。あなたのお嬢さんのお蔭で、野拙はそれを思い知った」

「娘の——お蔭？」

「はい。畏怖と云う感情を——野拙は瞭然《はっきり》と知った。そして、それから逃げるために、薬を使ったのです」

「薬物か？」

「はい。あの頃、病院を逃げ出した頃、野拙は重度の薬物依存症患者だったのです。逃げ出したのはそこに薬物——偽りの救いと、あの女《ひと》——具現化した畏れの、その両方があったからです。逃げた——そう。逃げました。逃げても逃げても逃げ切れぬ。それを承知で逃げ出した。どこに逃げようと逃れた先の状況を認識するのは己の脳髄。脳髄からは絶対に逃れられぬ。檻の中です。それでも野拙は、己の影を振り切るように逃げて、ここに来た」

「明慧寺《こ こ》か」

「最初はあてもなく逃げた。気がつくと仙石楼にいた。そして野拙も同様に院長先生、あなたのことを思い出した。あれは、昭和八年だったか九年だったか、あなたに連れられて来た時のことを——」

僧侶と行き合ったと——云う時のことか。

「あの頃は——何とかなると思うておったです。それに当時、野拙は医学に疑団《ぎだん》を持っていた。科学を信頼し、物怖《ものお》じせず医療を実践するあなたが少しばかり妬ましく思えたりもしていた。病んでいた野拙はそんな気持ちすら忘れていたのです。駄目だと思った。そして死のうとして、山に入った。そしてここに踏み込んでしまったのです。そして——救われた」

「救われたのか？」

「少なくとも薬物依存症からは解放された。重度の神経症から来る自律神経系の失調障碍も治った」

「治るか」

「治ります。尤も神秘の力で治る訳ではない。医学的にも説明のつく処方です。病んでいた野拙は、まず内観秘法を教わり、続いて軟酥《なんそ》の法を授けられた。臨済宗の中興と誉れの高い白隠禅師が白幽子《はくゆうし》と云う仙人より伝授されたと云われるもので、最初は一種の瞑想だと理解しましたが——」

「聞いたことがあるわい。精神修養のようなものじゃないのか？」

「それは少し違います。自律訓練であることは間違いないですが。ただそうした理屈を考えているうちは何もならないのです。そう云う理が、ある時ふ、と消える時がある。そうすると己の心音が太鼓のように聞こえ、血管の中の血流の音までも聞こえる。躰の隅隅に神経が行き届く」

「そりゃ生体饋還治療《バイオフィードバック》でもないのか？　いずれ人体の自然治癒力を増進させる訳じゃろう」

「ある部分でそう云ったものと同じ効果を発揮するのは事実でしょう。だからこそ、身体は癒えて行きました。しかしすっかり病が癒えた時、それで少しはマシな気分になった時、それは魔境だと斬って捨てられた。それで出家しました」

「何故だ？　解らんな」

「脳の埒外の結論だったのです」

「禅がか？」

「そうです。そして十年修行した」

「役に——立ったか？」

「十年分は——」

「十年分？」

「少なくとも。十年の間は。しかし——」

今川は二人の会話を聞き乍ら漆黒の闇を凝視している。闇は今川にも老医師にも、そして異形の禅僧にも同時に密着して、幽かに顫動《せんどう》している。

今にも同化してしまいそうだ。

もう同化しているのかもしれなかった。

「——あの日。去年の夏。梅雨《つゆ》も明けようかと云う暑い頃でした。野拙は公案を工夫しておりました。如何にしても解答は見出せず、しかしまた真剣でもあった。そこでどう履き違えたものか、理を極め行に陥《おちい》り、瞬時にしてより一層の魔境に堕ちた。魔境は受け流せと云われる。ところがそこに——遠い昔遠い所に置いて来た筈の『畏れ』が、突如形を得て目前に現れたのです」

「鈴さん——か。この馬鹿者が」

久遠寺翁は言葉を吐き捨てる。

「正に馬鹿者です——」

闇の虜囚の声は抑揚がなくなって来ている。

「――野拙は内律殿と云う建物に起居しておりました。あの日、そう哲童和尚が来た。そして『他是阿誰《たぜあすい》』と云う公案に就いて質問した。釋迦も彌《み》勒《ろく》も彼の下僕に過ぎない、さあ云ってみよ、彼とは誰か――野拙は巧く答えられなんだ。野拙はそれを工夫し、それは十日続いた。十日目の朝だった。あの娘が、色のついた晴れ着を着て庵の前に立っておったのです。野拙は我が目を疑うた。女人が山中に居る訳がない。否、それだけではない。娘は――」

抑揚のない口調からは知性は剝離《はくり》して行く。

視覚伝達的表現に規制のある闇の中で、それは特に顕著である。嗅覚や触覚は聴覚を補うものではない。それらは寧ろ渾然《こんぜん》一体となって話者から知性を奪い去る手助けをしているように思えた。

「――ああ、もう駄目だと思った。野拙は――」

「聞きたくないわい！」

久遠寺翁は一層強く憤った。

「鈴さんの保護者――仁秀さんは、あんたが折角積み上げた修行を鈴が台なしにしてしまったと、頻《しき》りに謝っておったんだぞ。あんた、そんな酷いことしておいて何が修行じゃ。修行ちゅうのは賽《さい》の河原の石みたいに積んでも積んでも一瞬で崩れるもんか？　それとも秋成《あきなり》の青頭巾《あおずきん》宜しく、鈴さんの姿見て鬼にでもなりよったのか？」

「鬼──いや、怖かったのです。同じでした。昔と同じでした。道徳も倫理も知性もちゃんと働いている。しかし止められぬ。それが違う娘だと、理屈では解っている。でも、止まらぬ。止まらぬ──」

「修行なんか役に立っていないではないか。十年何をしておった！　おのれ、儂はいい。娘も死んだ。しかしあの鈴さんは──」

「解っております」

「何が解っとるか！」

「解っております。己がどれ程浅ましき畜生道に堕ちておるかは善っく承知しております。野拙は三度鈴を辱めて、止める托雄和尚を殴りここに入れられた。その時にもう、凡《すべ》ては終わった」

「終わった？」

「そして私は半ば望んで壊れたのです。佯狂ではない。本当に狂うた。意志の力で狂うたのです」

「馬鹿云え。人が狂おうと思うて狂えるか」

「狂えます。ここに閉じ込められ、暗闇を見つめて半年、魔境はそこにも、ここにも、あなた達の周りにもある！　ここは地獄だが、それでも畏ろしくはない！　野拙は狂うております。脳髄の埒外に逃げ出したのです」

「何を云うか。どこが脳髄の埒外だ。そんなもの脳髄の思う壺だ。修行は——どうした！」

「山川草木悉く皆仏性あらば修行は要らぬ。悟るも悟らぬも一緒にございます」

「何じゃと？」

「魔境に遊び悪鬼羅刹になるも良し。所詮はこの頭蓋に詰まった蛋白質の檻の中。ならばこの土牢から一歩も出ずに朽ちようと、同じことではありませぬか！」

「馬鹿者！　貴様人を辞める気か！」

久遠寺翁の声が湿った谺になって反響する。

その響きが止んだ時——。

知性を失った闇の声は、徐徐に人間性すら失いつつあった。

「おう、おう、こうして暗闇に座っておりますと、金色《こんじき》の仏が天から舞い降りて来ることもござる。大宇宙の声が聞こえることもござる。これなる境涯のどこが魔境か。これぞ彼岸でございましょうや」

「菅野、そんなものは受け流せと、そう坊さんは云うておったのであろう。その通りじゃ。そりゃあただの生理現象だ。脳内麻薬が見せる幻影だっ。お前も医者なら解る筈だ！　そこは脳の外なんかじゃないッ！　お前はまだ檻の中だッ」

がちゃりと音がした。久遠寺翁が鉄格子を摑んだのだ。

ぎしぎしと空間が軋んだ。揺さぶっているのか。

「そんな所に逝ッちまうのはずるいわい！　折角見つけたのに、儂を置き去りにしてお前ひとりでまた遠くへ逃げる気か！　儂は慥かに卑怯者だが、そんな場所には行きとうはないわい！」

闇は最早、おう、おうと答えるだけだ。

「菅野——」

光った。

——大日如来？

まただ。また見えた。

空間がびりびりと振動した。

何が起きたのか解らなかった。

「どうだッ！」

振動は豪《えら》く切れの良い言葉で終わった。

わんわんと残響があちこちの闇を揺らした。

「これが宇宙の声だ！」

「榎木津——君——か？」

振動は榎木津の大声だった。

「さあ！　そんなうじうじした者に拘《かかわ》っているとあなたまで腐ってしまいます。こんな厭な場所からは出るんだ！　僕は穴の中と竃馬はクッキーより嫌いだ。おいマチコ。早くしないと警察が来るぞ」

「警察？　それはあなたが連れて来たのではないのですか？」

「馬鹿者。僕は親切で報せに来たのだ。そこの人」

「え——榎木津君、おい」

榎木津は懐中電灯をくるくる振り回して菅野に近づいた。瀰漫《びまん》した闇の秩序は奔放な光の筋に翻弄され、攪拌《かくはん》されて、石室内は混乱した。

「あんただ。全くあんたは馬鹿だ！」

「馬鹿——？」

「馬鹿と云われたら怒るんです」

榎木津は懐中電灯を菅野に当てた。

闇が切り取られて、異相が浮かぶ。

眼が違う。最初の時とは違っている。

「ふん。正気だ」

「そうだろう。榎木津君。こいつは正気だろう？　君はさっき警察にこいつの狂気は本物だと云ったが、儂とこいつは今、ちゃんと会話を——なあ今川君」

「久遠寺さん」

「は？」

多分初めて正しい名を呼ばれ、久遠寺翁は返答に窮したようだった。

「あんた、なんでこんな奴に拘泥《こだわ》るんです？　こいつはただの幼女強姦魔でしょう。あんたにはもう関係ない。もうどうでもいいじゃないですか」

「しかし」

「しかしも四角もない。この人は狂いとまともの間を行ったり来たりしてる。つまり善くない薬をまた始めたんです。今回の事件には関係ない」

「薬？　本当か？　おい菅野！」

「あ――あなたは誰か」

「僕は探偵だ。だから真実しか云わないんだ。あなた達の言葉で云えば天魔《てんま》だ。さあ幼女強姦魔、あんたが愚痴愚痴《ぐちぐち》云うからこの人の調子まで狂っちまったじゃないか。狂うのも薬やるのも幼女を強姦するのもあんたの自由だが人を巻き込むのは止せ。ひとりでやれ！　さっきから聞いていればだらだらとつまらない話を語っていたが、僕は京極じゃないからいちいち答えないんだ！　早い話あんたは幼女強姦魔だと云われたくないだけだろうが。いい加減に認めろよ幼女強姦魔なんだから。世間には同性愛者も倒錯者もいっぱいいるんだ。あんただけ苦悩を背負ってる訳じゃないぞ幼女強姦魔！」

榎木津は何が痼《かん》に触ったのか糾弾するような強い口調で菅野に詰め寄った。

「僕はあんたのような人が大嫌いだ。幼女強姦して何十年の医者生活を捨て、また幼女強姦して十年の坊主生活捨てるのか？　何がそんなに気に入らないんだ。その気になれば幼女強姦魔だって立派な医者や坊主になれるだろうが！」

榎木津は鉄格子を蹴っ飛ばした。

びん、と異様な音が響いた。

照らし出された菅野は目を剝いてだらしなく榎木津を見ている。

榎木津はその前に希臘《ギリシア》彫刻のように立ちはだかった。

「さあ、云ってみろ。答を教えてやるッ」

菅野は怯え、先程の公案を口走った。

完全に混乱している。

「し——釈迦も弥勒も彼の下僕に過ぎない——さあ云ってみろ——彼とは誰か——」

「ぼ、ぼくだ」

「あ——」

菅野は絶句した。

「薬は止めろ。死ぬよ。さあこんな所は出よう」

榎木津はそう云って踵を返した。

懐中電灯の光が大きく回った。その光が外れる瞬間、今川は菅野が両手を前についたのを確認した。榎木津は靴音を高らかに響かせて外に向かった。

久遠寺翁は脱力したようにまだ立っている。

菅野はもう暗闇の中だったが、地を這うような高さから声がした。

土下座をしているようだった。

菅野博行は、

「大悟致しました」

と、慥かにそう云った。


外は昏くなりつつあったが、闇から生還した今川には十分明るかった。榎木津は警察が来るなどと云っていたが、辺りには誰もいなかった。見張りの警官すらまだ戻っていない。

久遠寺翁が蹣跚《よろけ》ながら出て来た。憔悴《しょうすい》している所為かひと回り小さく見える。

「今川君。君は聞いたか？　今の」

「聞いた――のです」

「おい、榎木津君。菅野は――大悟したと云うた」

「だから久保寺《くぼでら》さん。僕は中国語は全然解らないんですよ。大体あんな穴蔵、僕は大ッ嫌いです。あの人にも早く出るように命令して来れば良かった」

矢張り先程久遠寺翁の名前を正しく呼んだのは偶然だったらしい。数知れぬ間違いの中から、あの時偶偶《たまたま》正解が選択されたと云うだけなのだろう。

「ところで榎木津君。君はいつ穴に這入った？」

「さあ。探偵は神出鬼没と相場が決まっています」

「し、執こいようだが聞かせてくれ。あれが薬をやっていると云うのは本当か？」

「本当ですとも。あの臭いは乾燥した麻です」

「臭い？　麻って大麻か？」

「僕は鼻がいい！　誰かがあの人に渡している」

「暴れたのもその所為《せい》かいな？　否、大麻で凶暴になることなどはないか。ありゃ禁断症状もないしのぅ」

「暴れたのはあの人が暴れたくて暴れたんです。だから僕はあの人が嫌いなんだ」

「しかし大麻は慥か五年前に栽培禁止になってる筈だ。法律ができよっただろう」

「そんなことは僕は知りません。どこかその辺に生えているんでしょう」

「ありゃ温かなとこに生えるんだ。栃木とか広島とかな。それに日本産の麻は向精神物質の含有量が少ないから、専《もっぱ》ら繊維の――」

「だから僕は知りませんよ。あの人に尋くか、あの人に云われてそれを運んで来るお坊さんに尋けばいいんです。そんなことは警察の仕事でしょう」

榎木津はつかつかと歩を休めずに進んだ。

今川と久遠寺翁はその後を小走りで追いかける。

榎木津は足が早い。

「どこに行く？」

「帰るんです」

「帰る？」

「ここに犯人はいない」

「そうか？」

「そうです」

榎木津は三門に差し掛かった。今川は知客寮——と云うより警察の捜査本部と云った方が良いか——を気にして振り向いた。

——あれは。

仁秀老人が知客寮の脇に立っていた。久遠寺翁は今川の素振りに倣って同じように知客寮の方を見て、そこに仁秀老人の姿を確認すると、

「榎木津君、待ってくれい。一寸待っててくれ」

と云って、そちらに駆け出した。今川は惰性でその後に続いた。多分、久遠寺翁は仁秀老人に挨拶するつもりだと思ったからである。今川も挨拶くらいはしておきたかった。

　仁秀は駆け寄る今川達を見て、大きな目を細めてにこにこと笑った。見慣れると襤褸屑などではなくて、眼も鼻もある人間である。菅野辺りと比べるとその人間らしさは歴然としていた。

「おおい、仁秀さん。儂等は帰るが」

「ああ、はいはい、どうも左様なら」

「今日は色色済まなかった」

「いいえ滅相もない。小汚い小屋にお越し戴きまして、お茶も出さずに失礼致しました」

「なあに。この寺も何かと物騒だが、あんたも気をつけてくだされ、実はな仁秀さん。儂は今、菅野――博行さんと話して来たんじゃ」

「はいはい」

「あれのしたことは何をしたところで償い切れるもんじゃないが、あの男も今な、一寸したことがあって、大悟したとか云うておった」

「大悟？」

「おう。そう云っておった。だからあんたも鈴さんも、修行の邪魔したなんて思うのは止《よ》しなされ」

　なる程久遠寺翁はそれが云いたかったのだ。

　鈴や仁秀が引け目を感じなければいけない理由はどこにもない。

しかし彼等は不当なまでに謙譲の姿勢を崩さない。菅野の大悟が真実か否かは別にしてそうでも云わない限りその卑屈さは治るまい。

榎木津も少しは役に立ったと云うことだ。

それを聞くと仁秀老人は
「大悟されたか――」

とひと言云って、有り難そうに目を閉じ、土牢の方向に向けて合掌一礼した。

その時今川はいきなり後ろから襟首を摑まれた。

耳元で銅鑼《どら》声がした。

「おい。今川さんよ。あんたら随分と好き勝手してくれたようだな。慥かここで大人しく待っていろと云わなかったかな？」

菅原だった。身を捩《よじ》るようにして見ると知客寮の戸が開いており、中から警官がぞろぞろ出て来た。

「おお、否、今帰るところじゃ。すまなんだ。今川君に罪はない。儂が散歩に誘ってこの仁秀さんのとこに――あれ？」

仁秀はもういなかった。

「何が罪はないだ。帰す訳にはいかんぞ」

「何でじゃ？　さっきはさっさと帰れと」

「さっさと帰れがさっさと吐《は》けになったんだな。お前達がこそこそ何かしている間に仙石楼から報告が入ってな。捜査会議が行われたんだよ」

「それで？」

「おう、色色新事実が判明してな。今川雅澄」

「はい」

「場所柄逮捕状が取れないんだがな、任意で取り調べたい。厭だと吐《ぬ》かすようなことがあったら緊急逮捕だ」

「僕をですか？」

「他に今川がいるか？」

「おい！　この今川君が何をしたちゅうんだ」

今川の前に出た老人を菅原はぐいと横にどけた。

「おい、お前骨董屋だから科学知識が不足してたな。おいこら今川。お前大西泰全と話したのは何時だって？」

「七時前なのです」

「ほお。お前はイタコか？」

「は？」

「大西の死亡推定時刻は午前三時だ」

「三時——なのですか」

そんな訳は。

そんな訳はなかった。

今川は今でもあの時の声が——。


——見事。見事な領解である。


「では、あの時の声は」

「恍惚《とぼ》けても駄目なんだ。今は判るんだよ。科学捜査は絶対だな」

「それでは、ぼ、僕は、死人と話したのですか？」

「巫山戯《ふざけ》るな。お前は偽証している。来い！」

今川を警官が取り囲む。両脇を摑まれる。

「だから早くしろと云ったんだ！」

榎木津が遠くで叫んだ。

○払子守——画図百器徒然袋——巻之上

趙州無《でうしうむ》の則《そく》に、狗子《くし》さへ仏性《ぶつしやう》ありけり。
まして伝灯《でんとう》をかゝぐる坐禅《ざぜん》の床に、
九年が間うちふつたる払子の精《せい》は、
結加趺坐《けつかふざ》の相《さう》をもあらはすべしと、
夢のうちにおもひぬ。

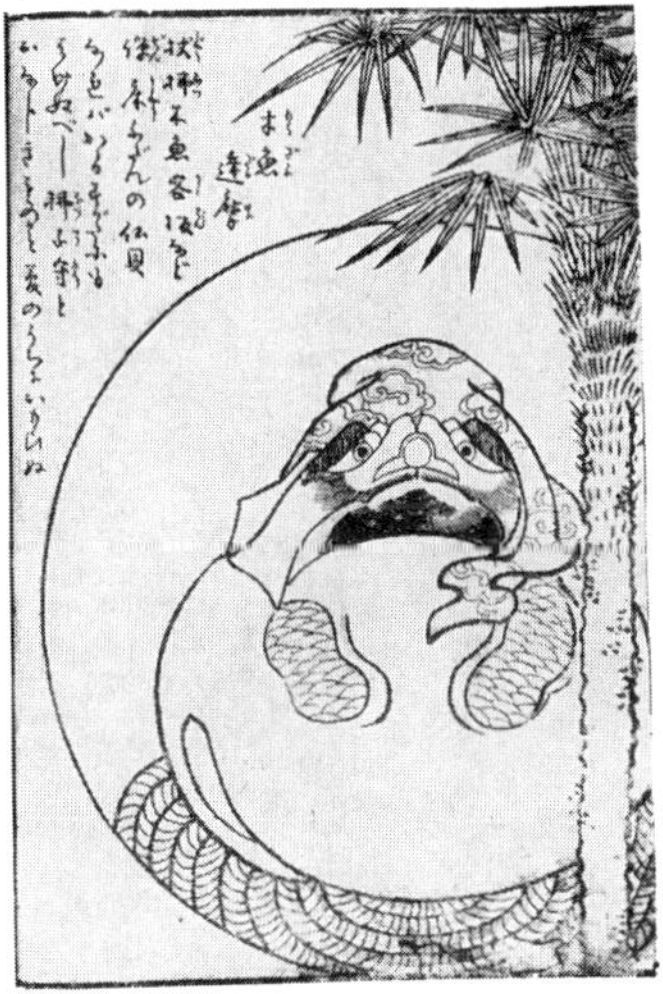

〇木魚達摩——図画百鬼徒然袋——巻之中

杖払《じゃうふつ》木魚客板《かくばん》など、
禅床《ぜんしゃう》ふだんの仏具なれば、
かゝるすがたにもばけぬべし。
払子《ほっす》守《もり》とおなじきものかと
夢のうちにおもひぬ。

8

実直な青年だった。

青年と云っても年齢は私とそう変わらない。若干年下ではあるが精精《せいぜい》一二歳の差である。尤《もっと》も、肉体年齢で云えば私は大いに劣っている。如何《いか》にも鍛えられたと云う頑健な体躯は無言で何かを誇っている。何だか立ち入る隙がない。

背が高い訳でもなく、おまけに姿勢も悪く、常にどっちかに傾《かし》いでいるような私は、それでも通常肉体的な劣等感を抱くことはあまりないのだが、こう云う健全な肉体を見るとどうにも自分の存在自体が恥ずかしくなる。

明慧寺の僧達とは少し様子が違った。

背筋が伸びている。

眼が真正面を向いている。

私はこの僧——松宮仁如《じんにょ》に好感を持った。

「仁如と仰るのは元は仁《ひとし》如とお読みになっていたのですね？」

京極堂は仁如と向き合っている。

箱根湯本の駐在所の一室である。と云っても東京などのそれと違い、中はただの民家で、当然座敷に座布団を敷いて我我は座っている。

「いいえ。元は仁の一文字でひとしと読ませておりました。如の文字は得度の際に出家をお勧めくださったお方より授かったのでございます」

「それは底倉村のお寺の？」

「善くご存知で」

「実は仁如和尚。こちらにいらっしゃるご婦人はあなたを十三年来捜していらっしゃったと仰る。あなたがその尋ね人であるのなら、この人の願いは達成されたと云うことになるのですが——如何《いかが》ですか？」

仁如は私の方に顔を向けた。正確には私の脇に控えて下を向いている飯窪女史に向けたのだが、私は顔を見られるのがどことなく気恥ずかしくて、その気恥ずかしさを隠すように頸を曲げ、矢張り飯窪を見た。

息を潜めて——と云う表現がぴったりだ。飯窪は肩を竦《すく》めて身を縮め、決して仁如の方を見ようとはしない。京極堂は横目でその姿を見て云った。

「さあ。飯窪さん。こちらが松宮仁如さんです。あなたの捜していた人はこの人ですか？」

「飯窪——？」

仁如はそう口にして、黒黒とした眉の眉根に少しだけ皺を寄せ、飯窪を凝視した。

「きよさん――か。あなたは」

「ひとし――さん――ですね」

「ご記憶ですか？」

「覚えています。あの頃はまだ十歳か――否、亡くなった妹の同窓だから――十二か――」

「十三です」

「そうだ。いやあ、お元気でしたか。様子がすっかり変わってしまったから、全く判りませんでした」

「そうですか。飯窪さん。あなたの尋ね人はここにいた。さて、募《つの》る話もあるのだろうが、僕の用事を先に済ませてしまいたい。いいだろうか」

「は――はい」

京極堂は十三年振りの邂逅《かいこう》をさっさと仕切ってしまった。尤も会えないでいるうちは幻想だの希望だの憶測だのと云う余計なものが尾鰭《おひれ》をつけて肥大しているが、いざ会ってしまうとそれ程特別な感情と云うものは湧かぬものだから――私がそうだからと云って飯窪もそうだとは限らないのだが――多分そうなのだろうと私は無責任に断じた。

「さて仁如和尚。私が尋きたいのはただひとつだけです。あの、大平台の、と云うより浅間山の土地はあなたのもの――なのか否か」

とんでもない展開だった。

「おい、京極堂。君そりゃあ」

「黙っていてくれよ関口君。君の出る幕ではないのだ。如何《いかが》です和尚様？」

「中禅寺様。それは拙僧があの明慧寺の建っている土地の所有者か否か、と云うご質問でしょうか」

「正《まさ》にその通りです」

「正確に云えば――正式には相続しておりませんし権利書も持っておりません。それに建物家屋に就いての所有権は本来は――多分ございません」

「なる程。それでは税務署も困ったでしょうね」

「困ったようです」

「おい、解るように云えよ」

「煩瑣《うるさ》いなあ。君はおまけなんだからせいぜい黙っていろよ。固定資産税が一昨昨年《さきおととし》に制定されただろう。それで税務署がこの人のところに――あ、そうすると散逸していた登記簿か何かが出て来たのですか？」

「そのようです。戸籍自体が戦禍で一部消失しており、中中手間取ったようですが、警察の方に資料が残っておったようです。拙僧は父が亡くなって暫くは警察に勾留されておりましたから――真逆《まさか》相続する財産があるとは思いませんでした」

「しかし資産家でいらしたのでしょう」

「見栄です。内状は火の車だったのです。事業自体は巧く行っていなかった。箱根に越したのも横浜の屋敷を売ったからで、苦肉の計で地場の産業にも手を出しましたが、何ひとつ巧く行くものはなかったようです。元元産業に乏しき土地柄でしたし、地元の方とも軋轢《あつれき》があり、他所者《よそもの》が苦し紛れに何かしたところでどうなるものでもございますまい。尤も父は拙僧に実情を一切語りませんでしたが――」

飯窪の話とは微妙に食い違っている。

事実関係はそのままだが、視点が異なれば語り口も違って来るのだろう。

「――ですから借財だけは沢山あったようでございます。家が焼け、両親が亡くなって、債鬼は私のところへやって来ました。会社や何かを凡て処分致しまして相殺したのでございますが、その時は不動産のことは知りませんでした」

「その際に諸手続きなどは弁護士に依頼したのですか？」

「自分で致しました。その方面には明るくないので苦労致しましたが、素直に弁護士に頼んでいれば――土地のこともその時に判っていたのかもしれませんが」

「おい京極堂。それじゃあ明慧寺を買ったのはこちらのお父上だと云うのか？」

「関口君。こちらはたった今きちんと仰ったじゃあないか。所有しているのは土地だけで、建物の所有権はない筈だ、と」

「そうだけれども」

「全く君なんか連れて来るんじゃなかったなあ。あのね、こちらの仁如和尚の御尊父、松宮仁一郎《じんいちろう》氏は、その昔——僕の雇い主である笹原宗五郎氏の相棒《パートナー》だったのだ。いやなに、大正の震災の混乱時にね、笹原氏は松宮氏に箱根の開発を見越した土地の先物買いを持ちかけたのだそうだよ。尤も観光に適した良い場所はとっくに買われているし、値段も高い。元箱根や強羅《ごうら》、湯本の辺りは駄目で、結局あそこしかなかったと云う話だが、いずれにせよあの浅間山の端っこの天辺《てっぺん》を、笹原氏と松宮氏は縦に割って半分ずつ買ったんだ。笹原氏の談に依れば、これは賭けだったのだそうだよ」

「賭け？」

「そう。松宮氏の買った側——大平台側には、登山鉄道が通っている。一方反対側、笹原氏の買った側——奥湯本側には旧東海道がある。どちらも街道や鉄道から距離があってすぐに使いものにはならなかったが、開発が進めばいずれは何とかなる筈だと考えた訳だ。さて、どちらに金の生《な》る木は生《は》えるかと、まあ金のかかる気の長い賭けだ」

「父は賭けに負けた——のです」

「それは違います。どちらも負けたのです。そんな根性で商売は上手く行きません。それにあなたのお父さんは亡くなったのでしょう？　昭和十五年に」

「そうです。そう云う意味でも負けたのでしょう。それに多分笹原氏にとっては道楽だったのでしょうが、父にしてみれば起死回生を狙った、正《まさ》に勝負だったのだと思います」

「ああ、逼迫《ひっぱく》した状態だったのだとしたらそうなのかもしれないが——いずれ笹原さんは勝っていませんから、どうしても勝敗をつけたいなら引き分けでしょう」

「そうかもしれません。父は強欲ではなかったが、兎に角虚栄心の強い人でした。蛇骨川《じゃこつがわ》のあの家も——立派な屋敷でしたが、借家でしたから」

「借家？　あのお宅は借家だったのですか」

飯窪は真実《ほんとう》に驚いたようだった。

仁如は微笑んで云った。「そうです。ご存知なかったですか。どうであれ——多分、あの山の土地を買ったことが父の躓《つまず》きの始まりだったのだと、この度調べてみて改めてそう思いました」

「でも使用人もいらして、車もお持ちで——裕福なご家庭だと思っておりました」

「裕福ではありました。しかしお金が余っていた訳ではないのです。質素な暮らしをすれば困ることもなかったのでしょうが——」

「そう——だったのですか」

飯窪は黙った。

京極堂は腕を組んだ。

「仁如和尚。昔のことは兎も角も、あなたがここに十三年振りに舞い戻ったのは、その相続や税金云云の処理——つまり土地を処分するためだった」

「左様です。その旨書簡で打診されましたのが昨年の八月末頃のこと。驚きました。そこで拙僧の居りました叢林の貫首に相談致しましたところ、驚いたことに貫首はあの土地のことをご存知だった。そこで乞暇《こうか》願いを出しまして——」

「乞暇？　それだけのことで乞暇までされることはないでしょう。ほんの何日かで済む用だと思いますが」

「はい。これはしかし前前からお願いしておりましたことでございました。拙僧はいずれ箱根に戻り、どこかの寺に——」

飯窪は、仁如のいたらしい寺の知客《しか》から、松宮と云う僧は『貫首直直の云いつけで』長旅に出た——と聞いたと云っていた。どうやらそれはその知客の僧の誤認であったようだ。

京極堂は云った。

「なる程。しかし仁如和尚。あなたはいったいどこを経由してここに来たのです？」

去年の九月に鎌倉を出たのなら、既に五箇月も経っている。益田刑事の言に依れば『直行なら半日』と云うことになるから慥《たし》かに怪訝《おか》しい。

「当時の事情をご存知の方にお話を伺いに参っておりました。皆様ご高齢でいらっしゃいます上、本山大本山の貫首高僧や教団幹部などの重鎮ばかりでございますれば、電話や書簡で失礼する訳にも参りませず、ご面談叶いまするお方のところには直接お伺い致しました。行き先が全国に跨がっておりますので時間がかかってしまいました」

「当時の事情と云うと？」

「あの土地を買った時の事情です。その——笹原氏の存在を拙僧は存じませんでしたし、土地相続など正に降って湧いたような話で、初めは正直困惑しておりました。しかし貫首の話を聞きますと、どうやらその土地は禅宗と因縁が深いらしい。売りに出た時には禅宗各派で買い取ろうと云う動きも——少しはあったらしかった。しかし、禅宗各派が何故土地を買おうとしたのか、そしてそれが何故父の手に渡ったのか——貫首の話から、拙僧は善く理解できなかったのです。そこで紹介状を認《したた》めて戴き、都合全国六箇寺を回りました」

「それで——何か判りましたか」

「判りました。まあ明慧寺の特殊性に就きましては皆さんの方が善くご存知のようですから省略致しますが、兎に角、その当時既に明慧寺はお荷物になっていたのだそうです」

「お荷物と云うと？」

「皆様そう仰っておりましたけれども。明慧寺が発見されたのは五十七八年程前のことだそうですが、その頃と現在では状況が激変しているのはご承知かと思います。父があの土地を買いましたのは今から数えて二十八年前の大正十四年ですが、その当時も当然状況は違っておったようです」

「それはそうでしょうが——ならば、現在明慧寺は更にお荷物になっている、と云うことでしょうか？」

「そのようです。文化財として価値はある。しかし変わり行く現代社会に対応するべく新しい道を模索する宗教教団にとっては無価値かと」

「そんな訳の判らぬ寺には、関わる暇も、出す金もない——と？」

「ええ。しかしそれを云うなら、最初からそう云う意見の方が主流だったのだそうです。ただ、あそこが発見された当時——明治時代には、本末関係や教団の組織固めがまだ完全ではなかったですから」

「明慧寺は本末関係の整備や自派の正当性を示すための有効な証拠となり得た、と云うことですね？」

「仰る通りです——」

私も飯窪も、敦子や泰全の話からその辺りの事情は大方了解していた。京極堂などは勿論善く知っていることなのだろう。

「——ですから明治の頃はそう云う各派の思惑もあり、明慧寺の取り壊しだけは阻止するよう、あの土地の最初の持ち主である某企業との間に数度話し合いが持たれたのだそうでございます。結果存続はしましたが、これは積極的な展開ではなく、寧《むし》ろ企業としても手のつけ難《にく》い土地だったと云うのが真実のようです」

「なる程。しかし観光開発の拠点となり得なかったことに加えて震災が重なり、その企業は土地を手放すと云い出したのですね？」

「そのようです。しかしその当時——昭和の初め頃には、本末関係や教団の組織造りは既にある程度固まっておったようなのでございます。廃仏毀釈《きしやく》の如き不遇の時代も終わり、新興宗教は兎も角、伝統宗教には強い弾圧もなかった。最早少しばかり歴史が古いから正統だなどと主張する時代ではなかったようですし、それで信徒が増える訳でもなかったようでございます。観光寺的な発想も当時はなかったでしょうし、あの立地では幾ら箱根でもそれは無理です。しかし、一方で仏教史的な見地に立てば明慧寺の位置づけと云うのがある程度重要なのは事実で、調査の必要性もない訳ではない。そこでさる僧——どうも明慧寺の発見者だったそうですが——」

それなら大西泰全の師匠のことであろう。

「——その方が音頭をとって禅宗各派で寺を買い取ろうと云う動きが起きたのだそうでございます。発言力のある長老クラスの方だったようですが、しかし最初に申しました通り、それは主流派の意見とはなり難かったようでございます。買うとなれば生半《なまなか》な金額ではない訳ですし、買えば所有権が発生します。しかし調査結果如何《いかん》ではそれは共有財産になり得ないものになる。各派とも自派の寺でない可能性がある訳ですから、出資するのに躊躇《ちゆうちよ》するのも当然でございましょう。だからこそ研究機関に委《ゆだ》ねられることもなく、発見から三十年近く放置されていた訳ですから、地価が下落して売りに出たからと云ってどこか一派が買うかと云えば買わないでしょう。仮令《たとえ》買ったところで何の役にも立たない」

「仰る通りですね。買わないでしょう」

慥《たし》かに何の得もない。

「各派各宗の統一見解は中中とれなかったらしいですが、そこに拙僧の父が土地を買うと申し入れて来た。それで、今度は教団代表と父との間で取り引きが行われたのですね。父があの大平台側を選択したのは偶然だったのか、或いはそこに寺があったから選択したのかは、今となっては解りませんが――」

「寺があったから選んだとは？」

「現金収入が見込めたからです」

「現金収入ですか」

「そうです。土地を有効利用するには開発をしなければならない。先行投資も必要になる。いずれにしても収益を上げるようになるまでには歳月がかかる。ところが、寺は何もせずとも、既にそこにある訳です。それを利用しない手はないと」

「なる程、土地を貸す――と云うより、保管する手間賃を出せと云うことですか」

「そうです。父は保存するからには月月保管料を払えと主張した。教団側はそれを呑んで、両者の間にそう云う契約が交わされたらしい。購入するのと違って所有権がどこかの特定教団に帰属する訳ではないですし、出資の額も微微たるもの。こうなると話は別で、日本黄檗宗を除く各教団が僅かずつ、寄付と云う名目で出資することになったのだそうです」

「何故黄檗宗は出資しなかったんです？」

私の愚問は間髪を容れずに却下された。

勿論京極堂によってである。

「君は本当に健忘症だなぁ。さっき長長と説明したのを忘れたのかい？　黄檗宗は江戸期に伝来したんだから、末寺も瞭然《はっきり》している。明慧寺は江戸期以前の建築であることはまず間違いないようだし、それならば黄檗宗の寺院でないことは明白じゃないか。話の腰を折りまして実《まこと》に申し訳ない仁如和尚。この知人は物覚えが悪いのです」

私はまた虚仮《こけ》にされ、仁如はそれにどう答えたらいいものか一瞬躊躇したようだったが、結局それはなかったこととされて、話は続けられた。

「――しかし結局、買って二三年で父は経済的に破綻してしまい、逃げるようにして私達一家は箱根に越しました。しかし土地だけは売らなかった。事実上、各教団からの送金が父にとって唯一の安定収入だったからでしょうか」

「一寸《ちょっと》待ってください仁如さん」

私は納得が行かなかった。黄檗宗に就いてではない。その寄付と云う名目の保管料に就いてである。

「その、各教団は、あなたのお父さんにお金を払っていたのですね？」

「そうです」

「では寺自体には？」

「寺――明慧寺にですか？　それはありません。明慧寺自体に各教団が金銭を送る謂れはないんです」

「しかし――」

明慧寺は各教団からの援助で生計を立てていると大西泰全は証言した。

そして私達は敦子の呈した疑問――寺院経営の不可能性――を、その言葉に依って解決と見做《みな》していたのである。

「それでは、その――」

「解ります。しかしこれは事実です。教団の事務局にそのような記録は残っていないし、現在もそうした名目の援助金は出ていないようです。しかし各教団からではないと云う括弧《かっこ》付きでなら、援助金らしきものが一時的に出ていた事実はあるようです」

「教団からではない？　それは？」

「つまり宗派――教団としてではなく、個別の寺院から――と云う意味でございます」

「それぞれのお寺から？」

「そうです。明慧寺に僧を送った幾つかの大寺院とその系列寺院が、某《なにがし》かの名目で送金や援助をしていたと云う事実はあったようです。それは教団としての会計ではなく、寺院の個別の支出として賄《まかな》っていたようです」

つまり、覚丹貫首を初め、大西泰全、小坂了稔、中島祐賢、桑田常信の五人を派遣した五つの寺から援助があった、と云うことだろうか。

私がそう云うと仁如はそうですね、と云った。

「各教団としては建築物の保存のみに出資する。調査の方は各寺院の判断に任せる——と、云う体裁になっていた訳です。そして——」

やりたい寺は勝手にしろ、と云うことか。

「——調べてみれば何のことはない。拙僧が居りました叢林からも、僧がひとり派遣されていたのでございます」

「はあ？　誰です？」

「小坂了稔様です」

「小坂了稔？」

そう云えば泰全老師が云っていた。

——了稔さんがその昔居った寺から——雲水がひとり来たとか来るとか。

その雲水が仁如なのだ。

「そうなのです。だからこそ現在の貫首も明慧寺に関することを僅かなりとも存じておったのでございましょう。了稔様を派遣した先の貫首は現在京都の方に居られます重鎮のおひとりで、拙僧もお会いしてお話を伺って参りました」

「すると明慧寺の僧達は教団の派遣した公的使者《エージェント》ではなく、その五箇寺が勝手に送り込んだ、云うなれば私的調査隊だったと云うことですか？　明慧寺を援助していたのは五つのお寺だけ——？」

　禅宗各教団の後ろ盾がたった五箇寺にまで減ってしまった。

　これは如何にも心細い気がする。

「尤も拙僧の居りました叢林を含め、その五箇寺はいずれ末寺も沢山ある有力寺院でございますから——」

「資金力はあったと？」

「いいえ。ですから系列の末寺が——」

「ははあ。配下の寺院からも援助があったかもしれないと仰るのですね？」

「そうです。必ずしも五箇寺だけが援助していたのかと云えば、そんなこともなかったようです。更に末寺以外にも複数の同門寺院から臨時の援助があった可能性も否定できない。事実、戦前は入山したばかりの暫到の僧を何人か明慧寺に手伝いに湀った寺もあったらしいですし、遊説《ゆうぜい》の途中立ち寄ったりと、そう云う交流も多くあったようです」

　その暫到のうちのひとりが慈行である。

　久遠寺翁が仙石楼で目撃した高貴な僧侶と云うのも、その遊説途中に立ち寄った僧なのだろう。遠方から明慧寺に来た者は、あの宿に泊まるよりないのだろうし。

しかし――と仁如は続けた。

「それも一時的なことではあったようです。当時明慧寺に僧侶を派遣した関係者のお話を聞きますと、それらの援助は凡て開戦を以て打ち切られていると云うことでした」

「開戦を以て？　戦中戦後は？」

「ないと云うことです。のみならず、派遣した僧は召還しても戻らなかったと仰っていた」

「召還した？　もう調査はいいから帰って来いと、そう云ったと仰るのですか？」

「そうらしいです。拙僧はその五箇寺の関係者凡てにお会いした訳ではございませんし、五箇寺凡てを回った訳ではないのですが、少なくとも拙僧のお会いした関係者の方は悉《ことごと》くそう申されていた」

「すると――」

――彼等は好んであそこにいたと云うことだ。

私は口に出して云わなかったのだが、京極堂は私の顔を見て、

「そうだ。彼等は望んで明慧寺に残ったのだ」

と云った。

「何故だ？」

「さあね。今日常信和尚も云っていたじゃないか。自分はもう十何年本山と連絡をとっていない、出られなくなってしまった――と」

「そうは——云っていたが」

「幾ら広い寺と雖《いえど》も、常信さんはもう十八年、泰全老師に到っては二十八年もあそこにいるんだ。真面目に調査してし切れないと云うことはないよ。十分過ぎる時間が経過している」

「じゃあ」

「だから出られない、なくなったのだろう」

——出られない？

「だが——そうするとあの寺はどうやって」

——ここからは出られない。

「どうやって生計を立てていたんだ！」

「そこに仕掛けがあったんだなきっと。そうですね仁如さん」

「はい」

仁如は決然《きっぱり》と答えた。

「父は、ご存知の通り昭和十五年に亡くなりました。経営していた会社も、何もかも拙僧が凡て処分致しました。ただ、あの土地を父が所有していることだけは拙僧も知らなかった。勿論各教団から父に金が支払われていることなど知る由もなかった。しかしその、父宛ての寄付金——つまり明慧寺の保管料は、銃後の一時的な支払い中止時期を除いて現在に到るまで延延十三年間、送金され続けていたのです」

「それは——面妖《めんよう》な」

「そうですね——」

仁如は私の方を澄んだ眼で見た。

「——慥かに契約自体は無期限だったし、土地が人手に渡った訳でもありません。細かく条項が決められた契約でもなく、父が亡くなったからと云って反古《ほご》になる類《たぐい》のものでもなかった訳です。かと云って相続人である拙僧は何も知らない。つまり、受取人不在の状態で契約は履行され続けていた訳です」

京極堂は云った。

「つまりはそれこそが仕掛けだった訳だ。その契約が生きていたと云うことは——松宮仁一郎さんがお亡くなりになってすぐに、寄付金受取人の名義変更が為されていたと、こう云うことになる訳ですね」

「そうです」

「そ、それは仁如さん、要するに寄付金が詐取されていた、と云うことになるじゃないですか。だが、仏教界の重鎮が、いとも簡単にそんな詐欺に引っ掛かるとはなあ」

「関口君。重鎮はそんな寄付先の名義変更なんかいちいち確認したりしないよ。それにこれは法的には詐欺じゃない。教団側は明慧寺保管料として金を支払っていたのではなく、あくまで名目上は寄付だからね。名義変更も納得ずくなんだろうし」

「そんなこと云ったたって詐欺は詐欺だろう。大体松宮さんは、聞けば大きな火災事故でお亡くなりになっている。訃報は当然耳に入るだろう」

「否、寧ろ訃報が流れたからこそ、それに乗じて名義変更を申し入れたんだろうね」

「じゃあ益々詐欺じゃないか」

「君も詐欺が好きだなあ。そう云う問題じゃないのでしょう？　仁如和尚」

「詐欺だとは——どの教団も思っていなかったようです。一教団当たりの寄付金の額は豪《えら》く少ない。それに中禅寺様も仰いました通り、事情を知る者は皆実務を執《と》るような位置には居らぬか、あるいは亡くなっております。父が亡くなりますまでの十五年間、瞭然《はっきり》した理由も知らされぬまま諾諾《だくだく》と支払われておりました寄付金が、その後十三年間も続けて支払われていたと云うだけのこと。誰もその真意を顧みる者はなかったのでございます」

「誰も？」

——教団の上層部ですらここのこと何ぞ綺麗に忘れているようですわい。

——何のための援助だか判らんようになっとるんじゃなかろうかな。

援助でこそなかったが、その通りだったのだ。

「受取人は誰になっていたのですか？」

「領収書の名義は『箱根の天然を守る会』——自然保護団体です」

「自然保護？　それは——」

「なる程。小坂了稔さんが明慧寺存続のためにひと芝居打ったということですね」

京極堂はそう云った。

「おい、それじゃあ寺からの援助金が打ち切られるのを察した了稔さんは、松宮氏の訃報に乗じて、今度は各教団から維持費を捻出することを思いついたと、そう云うことか？」

了稔は環境保全団体と関係している——と、泰全老師も慥かに云っていた。

「そうだね。彼は策士だ。これは松宮家の家庭内事情に精通していなければできない芸当だからね。各寺院との窓口も彼が勤めていたのだろうね。調査開始から十五年、世情の不安も手伝い、寺院側も調査打ち切りの意思表示をし始め、召還命令も出ていた筈だ。召還に応じなければ援助は打ち切ると云われたのかもしれない。そこで了稔さんは手を打った」

まるで了稔を知っているような口振りだった。

死骸も見てない癖に——。

「小坂了稔とはどう云う男なんだ！」

彼は、私達の前に突如屍体として登場した。

そして——初め彼は女犯飲酒の挙げ句横領を働く破戒僧だと告げられた。しかしそれもひとつの修行の形だと知らされ、それらの奇行は単なる野放途な自堕落ではないと——私などは半ば信じ始めていたのだ。あの桑田常信ですら、最後には小坂を認めるような言動を執ったのである。小坂了稔は——何かを打ち壊そうとしていたのだ——と。

私は、彼の行動は凡て彼なりの脱出意志の表出なのだと解釈していた。しかしその了稔が明慧寺存続のために詐欺紛いの行いをしていたと云うのである。

私は混乱した。

——出たくなかったのか？

仁如は云った。

「そうです。援助をしていた各寺院との連絡係は小坂様に一本化されていたようです。そして——自然保護団体の方を調べてみたところ、発起人のひとりに小坂様の名がありました」

「それでは矢張り詐欺的要素はあるぞ京極堂。君はそう云う問題じゃないと云うが——その団体と云うのは、もしや架空の幽霊団体なのじゃないのですか？」

「いいえ。その団体自体は実際に存在します。発会は昭和十五年、会員も三十名からいる。現在も細細と活動をしています」

「しかし仁如さん。その団体がどれだけ組織として確乎《しっか》りしたものなのかは勿論判りませんが、団体名義に寄付された金を寺の存続のために流用したのなら、これは——横領ではないのですか？」

「それがそうではないのです関口様。調べてみますと、何と無名の筈の明慧寺が、その団体の保護対象に挙げられている。だから嘘はどこにもないのでございます」

「巧妙だ」

京極堂は感心したように云った。

「宗教団体が環境保護団体に僅かばかりの寄付をする——これは別に珍しいことじゃない。露見したところで誰も怪しまない。しかし、一からその仕組みを作り上げるのは大変だ。各教団との交渉は時間もかかるし労力もかかる。それを了稔さんは、それこそいとも簡単に成し遂げた訳だ。だがそうした巧妙さも社会の混乱期には有効だったが、世の中が落ち着いて来ると流石に効力を失ったと云う訳だね。思わぬところで綻《ほころ》びが出た。そこで仁如和尚、あなたは明慧寺に事実確認のために赴いた——と云う訳ですね？」

「そうです。先ず書簡を差し上げました。昨年十一月くらいでしたでしょうか。京都に止宿致しましてお返事を待ちましたが結局戴けず、訪問を決意致しまして、その旨認《したた》めた手紙をお出ししましたのが十二月、それから越後を回り、そこで年を越しまして、先日、四日程前にお伺いしたのです」

「四日前と云えば——」

あの朝。湯本駅の方から歩いて来た僧。

それではあの僧は仁如ではなかったのだろうか。

もうひとり雲水がいるとは考え難かった。

私は尋いた。

「仁如さんあなた、もしかして四日前の朝、そこの湯本駅方面からから旧街道沿いにその、歩いてはいませんでしたか？」

「歩いておりました。拙僧は奥湯本側から登ってしまったのです。手紙の住所は大平台なのですから、そちらから行けば良かったのですが——」

奥湯本側からも明慧寺には行ける——飯窪女史がそう云っていた。事実だったようだ。

「——地図上で見ますと奥湯本側からの方が直線距離では近いのです。ただ、こちらは勾配が急だったのでございます。幾ら修行僧でもとても登れたものではありませんでした。豪《えら》く難渋いたしましたが、何とか到着致しました。しかし」

「小坂はいなかった」

失踪していた——否、死んでいたのである。

「はい。慈行和尚様のご説明ですと小坂様は外出されていらっしゃるとのこと。戻る日時は未定と云うことでしたので、当方の事情を説明致しまして、翌日の午前中まで待たせて戴きましたが、お戻りになる様子はございませんでした。後日改めてお伺いすると申し上げまして下山致しました。今度は大平台方面に抜けました。ただ——」

その時敦子や鳥口と擦れ違ったのであろう。

「——真逆《まさか》了稔様が殺害されておりましょうとは、今朝捕まりまして警官の方にお聞きするまで夢にも思いませんでした。恐ろしいことでございます」

仁如は判で捺《お》したような感想を述べた。

何だか好青年過ぎる。

京極堂はぶっきらぼうに云った。

「もうひとり殺されている」

「そう――のようですね」

「あなたも疑われていますよ仁如和尚」

「はい。捕まってしまいました」

「ここで捕まったのは寧ろ幸運だったかもしれませんよ。あなたが姿を消していたら、更に疑われていたかもしれない。下手をすれば指名手配だ」

「そうでしょうか」

「当然です。このまま膠着《こうちゃく》状態が続けば、あなたは警察の格好の標的となる。さっさと身の潔白を示しておいた方が賢明でしょう。それにしても――あなた、どうして笹原のご隠居の所に？」

「はい。どうするか決めあぐねて湯本に三日ばかり逗留していたのですが、その宿泊先で、偶偶《たまたま》お名前を耳にしましたものですから――」

「ほう。笹原氏のことはどうして？」

「京都で元元の土地の持ち主であった企業の連絡先を知りまして――」

「その企業から？」

「ええ。大阪の会社でしたので連絡をとりました。しかし面談こそ叶ったのですが――土地の売買自体は三十年近く前のこと。戦争を挟んで社名も変わっており、詳しい事情は解りませんでした。ただ地図は残っていて、そこで笹原氏が半分土地を買っていることを知りました。知ったはいいが、ご住所も何も解らず困っていたのです。そんな折り」

「なる程。この辺りではあの人は割と有名人らしいですからね。耳にしてもおかしいと云うことはない」

「はい。宿の方に尋いてみるとどうも拙僧の捜していたお方らしいので一度お伺いしてみようと考えました。僧の習慣で朝は早うございます。それで、まだ早いかとも思ったのですが、取り敢えず伺ってみた。その時は一応場所だけ確認して、再度午後にでも出直そうかと思っていたのですが、どこをどう間違えたか、こう云うことに――」

　仁如は部屋を見回した。京極堂は苦笑した。

「刑事の話だと怪しい僧には警戒するようにと連絡が回っていたのだそうですよ。ここの駐在さんは真面目な人だから、お年寄り所帯でしかも集落から離れて住んでいる笹原さんのお宅には特に注意するよう厳重に申し渡していたのだそうです。お手伝いさんにしてみれば、殺人鬼でも来たと思ったのでしょう」

「悲鳴を上げられたのは初めてです」

「普通はあまりないでしょう。こちらの関口君は善く悲鳴を上げはしますがね。それにしても——警察はあなたの証言が曖昧だとか云っていた。お聞きする限り非常に確乎りした発言をされているように思われましたが」

「笹原氏との関係を問われ、複雑な事情をお話しただけのことですが」

善く考えられた回答だ——と私も思った。しかし、それにしても実際予備知識のない者には何が何だか判らないのかもしれない。幾ら善く考えて話そうと、どこから話そうと、判り難いのに違いはなかろう。駐在の許容量は軽く越えていたのだろう。

京極堂は更に困った風だった。

「しかしこれは困ったことになったなあ。運良くあなたに会えたはいいが——こう云う場合はどうなるのかなあ。最近は法律が変わったり出来たりして善く解らないし。増岡さんにでも尋こうかなあ」

「弁護士に？　判らないなあ。大体君は何だってそんなに困っているんだ。いい加減に云ったらどうだ！」

「それはここで云うことじゃないだろう。ここは駐在所だよ関口君。人の好い駐在さんだったし、石井警部に根回しをしたからこそこうして暖かい座敷でのんびりと話なんかできてるが、普通はできないんだよ。ああ——仁如和尚。あなたはこれからどうする——否、どうさ れると云われました？」

「さあ——こんなことにならなければ一度鎌倉へ戻り、ご挨拶を致しまして後、底倉にでも行こうかと思うておりましたが、それも」

「できないでしょうね。最低二三日、最悪なら事件解決まで勾留されるでしょうね——飯窪さん」

「は、はい」

飯窪は虚ろになっていた。

「あなたは多分この人と二人切りで話がしたいのではないかと、僕はそう思ったのだが——それは邪推でしょうか？」

「できますか——そのようなこと」

「何。我我が消えればいいだけのこと。今日のところは僕の用は済みました。あなたがそうしたいのなら時間を稼ぎましょう。ただその場合、この仁如和尚が殺人犯人であろうとなかろうと逃亡幇助などしたら痛くもない腹を探られますから、くれぐれもそう云うことのないように——ああ、本当に犯人だった場合はあなたが危険な訳ですが、それは大丈夫ですね、仁如和尚？」

仁如は健康的に笑い、

「心配ご無用に」

と云った。

どうにもでき過ぎた笑顔だった。

京極堂は慇懃無礼に礼を述べ、すっと立って障子を開けた。

私は例によって例の如く痺れを切らし、這うようにドタバタと後に続いた。

「お話が済んだら声をかけてください」

京極堂が急に振り向いてそう云ったので、私は転びそうになって障子に手をかけた。


目覚し時計のような顔をした駐在は土間で茶を呑んでいた。

土間には達磨ストーブが置いてあり、その向こうには襟巻をぐるぐる巻きに巻いた倫敦堂主人が椅子に座っていた。私達が仁如と話をしている最中に訪れたのだろう。どうもこの英国風の古書肆は、その怪しい風体に反して相手から警戒心を奪う術を体得しているようである。何故なら、それまで彼は多分初対面である筈の駐在と、親しげに話し込んでいたらしかったからである。駐在は我我に気づくと茶を机の上に置き、

「お、終わりましたですか？」

と尋いた。

京極堂はすっと人差し指を立てた。

「もう暫くお願いします。ああ山内さんどうも」

「どーも。ああ関口さんもどうも。それで京極君。どうだった？」

達磨ストーブの上には薬罐が置いてあり、そこから出る湯気で倫敦堂主人の黒眼鏡は白く曇っている。

「どうもこうも駄目ですね」

「ああ駄目？　イヤ、長引いてるようだからそうじゃないかな、とは思っていたんだけど。じゃあ矢ッ張りあのまま行く？」

「いやそうはいかんでしょう。あれは——出所が明確にならないことには鑑定のしようもないし、値段だってつけられない。笹原さんは売買を前提にしている訳だから、このままじゃ矢ッ張り駄目ですよ。僕が買い取る訳には行きませんし」

「そうだね。禅籍偏執狂《マニア》垂涎《すいぜん》！　とか云って黙って好事家に売っちゃえば？　と、云うような無責任なことも云えないか。鑑定不能じゃ買う奴もいないよなあ。嘘吐《つ》いて京極君が安く買っちゃうって手もあるが、詐欺みたいだしなあ。ここにお巡りさんもいるし——でも幸いまだブツも出てないし、もう少し時間はあるよ」

「まあねえ。しかし今のままだと出て来ても評価は偽書ですよ。それにもし物好きがいたとしても禅籍好きがどうと云うより」

「ああ。密教偏愛者《フェチ》の方？　解らないなあ。いるのそう云う人は？」

「いますよ。ただどうあれ個人が死蔵してしまうのは問題ですね。まあ博物館に入れればいいかと云うと、そう云う問題でもないんですが、蒐集家偏執狂《コレクターマニア》の類の手に落とすのもなあ」

「それじゃあ矢ッ張り所有権を明確にした上で、正しい手続きを踏んで公にするべきだろうね。笹原さんは強欲だから云いなりは拙《まず》いな」

何を話しているのか爽然《さっぱり》解らない。

駐在が割って出た。

「あのう、お話し中何ですがね。いまその、坊さんとご婦人は二人切りですか？」

「二人切りですが」

「いいんですか、その、あれはなんだ」

「ああ、殺人鬼ではないでしょう。そうだとしても逃げ場のない駐在所で凶行に及ぶことはないです」

「はあ」

駐在は口を窄めた。

倫敦堂主人は曇った眼鏡を外して拭きながら、

「ところで駐在さん。どうですさっきの回答は」

と尋いた。駐在は
「いやあ、お手上げですねえ」

と云って茶を飲んだ。

倫敦堂主人はにこにこしながら眼鏡を掛け直して、こちらに向き直り、

「こちらの駐在さんはね、こう見えて、ああ失礼。探偵小説の愛読者なんだそうですよ。それであの蔵の話をしたらば、面白いことに関口さんと同じことを云う」

と云った。

「僕と？」

「そうそう。お坊さんごと生き埋め説ね。それで、まあそれは誤答なので正解を考えて戴いていた訳」

「誤答？　すると正解が解ったのですか？」

「あれ？　京極君、関口さんに云ってないの？」

「関口君はそれどころじゃなかったんですよ。鼠だの坊主だの迷子だのお荷物が多くって、蔵まではとても」

「何だ、それじゃあ何で京極君がお寺に行こうとしたか知らないんだ？」

「些細《ちっ》とも教えてくれないんですよ山内さん。こいつは底意地が悪いんです」

私がそう云ったにも拘《かかわ》らず、京極堂はその辺に腰を下ろして知らぬ振りをしていた。

「ああ。じゃあヒントをあげよう。関口さんは知らないかもしれないが駐在さんはご存知でしょう？　芦ノ湖の『逆さ杉』――」

「知っておりますが、あれが何か？」

私は知らなかったので知らないと素直に云った。

「逆さ杉は芦ノ湖の中に、中にですよ、こう、立ってるですよ。船に乗って覗くと判るが、水の中にこう、普通に生えている訳ですわ」

駐在は手振りを加えて説明してくれた。

「生えているって、樹木が水中に生える訳ないですよね？　海草じゃないんだから」

「つっても生えてるんですわ。まあ葉っぱはついてないから枯れちゃいますがね。それが湖面からにゅっと顔だしてるのが水面《みなも》に映り込んで、ほれ、逆さ富士ってのがあるでしょ？

あの歌麿《うたまろ》の浮世絵にもある」

「北斎《ほくさい》です。冨嶽《ふがく》三十六景」

京極堂は駐在にも厳しい。

「そうか北斎か。あれみたいに逆さに見えるから、逆さ杉って云うんだよなあ慥か。だからそれがどうかしたんですか？」

駐在は真剣である。本当に真面目な男なのだろう。

一方倫敦堂は楽しそうに尋いた。

「そうなんだ。解らない？」

「解らんですよ。あれは、ほら、きっと昔はあの辺陸だったのでしょう？　それでこう段段沈んで、窪みに水が溜るように湖になって、それで」

「ああ、なる程」

「何がなる程なんだ関口君。君はそれでも理系の最高学府を修了した男か？　箱根は活火山だ。二重の鍋状凹地《カルデラ》だよ。幾ら鍋だからってそんな悠長に水が溜るもんじゃないよ。噴火すりゃ吹っ飛ぶし、木は燃えるだろう」

「そんな風に云うなよ駐在さんの意見だぞ」

「私は自慢じゃないが学がない」

「わははは、いいや。何だか駐在さんが可哀想だから、もう教えよう。あのね、関口さん、駐在さんも。京極君はああ云うけど、あの芦ノ湖はね、その昔はこう、陥没してできたと思われていて、杉の木もそれで水没したと考えられていた。何だっけケンペルのあの本？　和名は解らないよ」

「和名は『江戸参府紀行』です」

「そうね。その辺りが古い。しかし明治の頃の地質学雑誌や震災予防の箱根熱海両火山地質調査報文なんか読んでみるともうその考えは退けられていて、火口湖内火山の噴火や破砕により幾度か大きく地形が変わって、谷などが遮《さえぎ》られてそれまで陸だったところが水没したと云うような——これはどちらも比較的駐在さんの意見に近いよなあ」

倫敦堂主人はそう云ってからにやりと笑って、

「近くもないか」

と云った。

「まあいいけど。いずれ当時は火口湖と鍋状凹地の区別もなくてさ。まあ、湖生成の仕方は置いておくとして、今では芦ノ湖は三千年くらい前に出来たってことは大体解ってる。しかしあの杉の木はどうにもそんなに古くない――と僕は思うのね。だからあの逆さ杉はどうやら、あの芦ノ湖の上の丘陵に生えてた奴が、芦ノ湖が出来た後、立ったまま滑るように移動して行ったのじゃないかと、考えてみた」

「立ったまま？　木に足はない。根っこで歩けますか？」

「歩くんじゃなくて滑落。滑ったんだね」

「滑るって、木が立ったまま滑りゃせんでしょう。倒れて滑るなら判るが」

「いや、山崩れで地べたごとスライドしたんだと思う。地表がずり落ちたんじゃない」

「そんなことはあるかなあ」

「倒れずに樹木が移動する例はあるんですよ」

京極堂が補強した。

「山内さんは詳しく聞くと地質学――特に層位学的観点から考察してその結論に達したらしいけれど、僕は単に実例を幾つか聞き知っていただけだ。気にして文献を見てみるとこれがない訳ではない。善くある訳ではないが、あり得ることなんだ。特にこの辺りでは起き易いようだった。二十三年前の豆相《ずそう》地震の時にもね、箱根町の本還寺に樅の木が立ったまま押し流されて来て、大層な被害が出た」

「そうそう。これ、地質学者の人や地震学者で、絶対もう考えている人がいると思うよ。近いうち逆さ杉調べに来るんじゃないかと思うけど。まあそれはいいとして、だから——あの蔵もね」

「ああ」

私は思わず変な声を出した。

「そうなんだ。あの蔵は立ち木を伴って滑落して来たんだと、こう考えた訳ですよ我我は。それで、樹齢百五十年の大木が生えているにも拘らず、あの蔵が滑り落ちて来たのは多分、大正十二年」

「関東——大震災の時ですか？」

「そうなんだ関口さん。だからあれが落ちて来たのは、高高三十年くらい前なんじゃないかと考えたんだけど、多分あってるでしょう」

立ち木もろとも滑り落ちてくるなどと云うことが実際にあるのなら、それはいつでもいいことになる。

京極堂が再び補強した。

「もしかしたら豆相地震の時にも滑落した可能性はあると思うけどね。二段階滑落であそこに落ち着いたのかもしれない。しかし最初の滑落は関東大震災の時に間違いはない」

「どうしてだ？」

「だからさ。あの蔵は元どこにあったかと云うことさ。落ちて来たなら上からだ。あの蔵の真っ直ぐ上は」

「みょ、明慧寺か」

「そう。だからね、君達に聞いて色色解ったのだが今あそこにいる坊さん達は全員関東大震災以降にあの寺に入ったのだろう？　だから——」

「そうか。その豆相地震は——昭和五年か？　もしその時に落ちたなら、少なくとも泰全、了稔、それに覚丹貫首は、あの蔵のことを知っていたことになるのか」

そのうち二人は死んでいる。

「でも知らなかったのだろうね。多分。知っていればこんなことにはならなかっただろう。僕も出張ることはない。寺の調査も飛躍的に進んでいた筈だ。何しろ彼等には時間があったからな。僕はもう五日もやってるが、まだ入口の辺りが整理できただけだ。しかし惜しむらくは彼等が入山した時、既に蔵は寺にはなかった。そんな崖下の土砂の中に蔵書があるとは思わないだろうし、一方寺の中には——」

「捜しても何も——ないのか？」

「そうだ。ないんだ何も。寺の中には何もなかったのだ。しかし、逆にあの蔵にはとんでもないものが沢山入っている可能性がある。あの僧達は脚下に至宝を眺めつつ、そこを照らすことをしなかったのだ」

——あってはならないものがあるかもしれない。

そう云えば京極堂はそう云っていた。

「そんな凄いのがあったのか？」

「否、今のところは『潙山警策』が一番かな。あれがいつの時代の誰の手になる写本か、正直云って僕にも判らないんだが——他に珍品も何点かは出てるんだが、ただ問題はね、目録めいたものが出たことで——これがとても信用できる内容じゃないんだ。目録を信用するなら、これは大発見と云うのが、奥の方に五万とあることになる」

何だか引っ掛かった。

——そうか。

「ち、一寸待て京極堂。あの時君は慥か、その『潙山警策』とか云う本を、あの孔の中から二冊持って出ただろ」

「一冊は『潙山警策講義』だ」

「何でもいい。そりゃ明治の本だと云っていたな？」

「明治三十九年」

「それなら、その時期明慧寺にはまだ誰も——」

「いたんだろう。泰全老師の師匠が」

「ああ——」

明治二十八年に明慧寺を発見して以来、それに取り憑かれ、明慧寺保存と調査に奔走して客死した、庭造りの得意な老僧――。

「――じゃあ彼だけはその蔵の存在を知っていたと、君はそう云うのだね？」

「知っていたどころか使っていたんだと思うよ」

「使っていた？」

「だから、あの『濡山警策講義』はその人の蔵書なんだと思うんだ。比較的入り口近辺から明治期の活字本が結構出たんだが、それもその人が持ち込んだものだろう。何度も通ったのだろうし、こつこつ調査していたんだな。『濡山警策講義』だってあそこにあった『濡山警策』がどう云う位置づけになるのか調べたくて持ち込んだとしか思えない。関連書籍や資料も纏めて収めてあったからね」

「そうか――じゃあ亡くなった泰全老師は本来蔵のことを知っていてもおかしくはなかったんだな？　二度程お供で来たとか云っていた。でも当時泰全老師は二十代か。単なる荷物持ちで蔵は未見だったのかな？」

「齢は関係ないよ。慈行とか云う監院もまだ二十代だそうじゃないか。泰全老師が蔵のことを知らなかったのか、知らぬ振りをして二十八年も過ごしたのか――死んでしまっては確かめようもないが」

泰全が知らぬ振りをする訳はない。

老師は師の遺志を継ぎ、明慧寺に最初に調査に入った僧である。

そして最後まで調査を忘れなかった人でもあったろう。今以て明慧寺の由来調査に拘泥していたのは多分、泰全だけだったように思う。脳波測定に賛成したのも、彼の場合は調査再開の一助となる筈だと云う動機があったのだと語っていた。

しかし。それでも尚、彼が知っていて知らぬ振りをしていた可能性と云うのを私は捨て切れない。科学調査団は外からやって来る。そして秘密は暴かれて、泰全の使命は消滅する。つまり彼は外部の者の手で、強制的に外に連れ出して欲しかったのではなかろうか。自力で外に出るのは——。

矢張り厭だったのか。

「ところで関口君。その泰全老師の師匠と云うのは何と云う名前なんだ？」

知らなかった。

「何だ知らないのか？　まったく、望んで事件に首を突っ込むならそのくらいのことは尋いておきたまえよ」

「重要か？」

「常信和尚が云っていたじゃないか。慈行和尚の師匠筋に当たる慧行和尚とか云う人は泰全老師の兄弟子だって。つまりは慈行和尚もその人の孫弟子になる訳だろ？」

「ああそうか」

「そうかじゃないよ。仁如和尚もそこまでは知らないようだし——仙石楼のご主人にでも尋いてみるか。いや——無駄かなあ。しかし、その発見者と云う人もいったいどう云うつもりだったのだろうな。ひとりであんな蔵の書籍を一冊ずつ調査していたら、何十年あったたって終わらないだろうに。事実人生の方が先に終わってしまった。その段階で公にしていれば良かったのだ」

京極堂は悔しそうな顔をした。

「笹原さんはさ、売りたくて仕様がないんだよ関口さん」

京極堂が黙ったので山内氏が後を続けた。

「売りたいって、あの蔵の中の本ですか？」

「そうそう。京極君はこの通りの人だから、評価額も正当につけたい。しかしそれじゃあ僕等町の古本屋風情には買えないんだよね。高価でさ。しかも査定不能が何冊かある。これはもう文化財扱いね。でも僕達が買わなきゃ、笹原さんは誰か不心得な奴に売るだろう。そうするとその文化財は——」

「本物であっても偽書になる」

京極堂は険のある声でそう云った。

「だって本物は本物だろう。誰が持っていたって玉は玉、石は石じゃないか」

そうじゃないんだよと和装の古書肆はいっそう厭そうな顔をした。

「金でも石でもない、本だよ本。本だけは別なんだ。本は美術品じゃないんだから、骨董的価値や考古学的価値があるだけではないんだ。本には情報が記されている。写本だろうが贋作だろうが、同じことが記されていたなら情報としての価値は一緒だろう。しかし、器が贋物なら中味も贋物と、そう判断されてしまうのが普通なんだよ。そもそもそんなものが売買される訳はない筈だから、仮令《たとえ》本物であろうとも、裏で流れてしまえば公の場――学会等で取り扱われることは難しいし、縦《よし》んば俎上《そじょう》に上《のぼ》ったとしても出所が確認できないのは如何《いかん》せん弱いんだよ」

京極堂は眉間に皺を寄せて腕を懐に仕舞い、倫敦堂は両手をストーブに翳《かざ》した。

「それにね、関口さん。本の所有者は本当に笹原宗五郎なのかと云う問題もある訳だよ。それで京極君は柄になく活発に行動している訳だ」

京極堂はそうなんです、そうなんですよ、と、本当に柄にない態度を執《と》った。

「元元明慧寺のものだとすると所有権は誰に帰属するのか解らない。明慧寺のある土地はさっき聞いていた通りの事情で松宮仁如さんのものだ。しかし明慧寺自体は誰のものなのか不明だ。あの寺を保存したのは教団なのか、それとも教団と切れてあの寺に残っている僧侶達なのかも瞭然《はっきり》しない。居住権のような権利があるとするなら仁秀と云う老人が一番長く住んでるのだろうし――まあそう云うことは関係ないのかもしれないが、どっちにしたって笹原氏の云いなりに処理する訳には行かないんだよ」

京極堂は怖い顔でそう云った。

「それ程凄いものらしいよ。あればだけれど」

山内氏は飄　飄《ひょうひょう》と結んだ。

爽然《さっぱり》意味が通じないらしく、駐在は神妙な顔で一度空の茶碗を見つめてから、底に残っている屑の混じった茶を飲み干した。

私は薬罐の安っぽい金色を見乍ら考える。

——結局。

なるようになるのだ。

謎の埋没蔵も了稔和尚の死骸と同じで、蓋を開けてみれば何と云うことはないただの地滑りでしかなく、その持ち主は、これまた何のことはないあの明慧寺であった訳だ。

謎の寺明慧寺を覆う幻想もどんどん引き剝されて行く。

これでもう納得できる、と思うと更に解体され、その度に無味乾燥の現実が姿を表す。

今やあそこは謎の寺どころか仏教界のお荷物になってしまった。

僧達も、その背後に各派各宗を背負っているどころか、自分のいた寺からも見捨てられてしまった——否、戻ることを拒否した——ただの個人の集団に過ぎなかった。冷静になって考えれば、天下の大教団にこんな如何わしいものに関わっている暇はないだろう。もっと高潔な目標があるのだ。

ただ、当たり前のことが当たり前のところに落ち着いただけだ。最早怪奇も幻想も現実の器の中の彩りに過ぎず、意外性すらも蓋然《がいぜん》の忠実な僕《しもべ》である。

この世に不思議なことなど何ひとつないのだ。

しかし。

事件は何も解決していない。

何だろう——この得体の知れぬ閉塞感は。

殺人犯人が捕まらないから、あるいはその動機が不明瞭だから、だからこんな息詰まった感じがするのだろうか。何だか物凄く不自由な、まるで密室にいるような、

圧迫感——疲弊感——脱力感。

そう、どうせ出られやしないと云う、

——何故僧達は残ったのだ？

そこが問題なのだろうか。

例えばあの鈴——。

そう云えば——。

松宮仁如は明慧寺で鈴に遭いはしなかったのだろうか？　もしも十三年前に亡くなったらしい妹とそっくり同じ格好の娘に遭ったとしたら、あのように模範的な笑顔が像造《かたちづ》れるものではあるまい。

もし遭っていて、その上で先程のような態度が執れるのならば、私には彼が理解できないとしか云いようがない。

しゅ、しゅ、と薬罐が泡を伴った蒸気を吹き出した。

時計を見ると五時十五分だった。

「おい京極堂」

私は友人を呼んだ。

「君の出番は今回もうないのか?」

「どう云う意味だ?」

「否——その」

「憑物は落ちている。僕は関係ない」

「坊さん全部に会った訳じゃないだろう」

「禅僧に取り憑く妖怪何ぞない。天狗かなんかだ。古より禅魔《ぜんま》を降伏《ごうぶく》せんと向かう者悉く禅に取り込まれるのがオチ。無言なる者に百箇言を費やすは貝殻で海を量るが如し。法を説いても河童《かっぱ》に水練だ」

「鉄鼠はどうした」

「あれは落した」

「しかし」

そこで京極堂が顔を上げた。

「ん？　あっちは何か憑いたのかな？」

いつの間にか硝子戸が開いており、そこには蒼冷めた飯窪がいた。

背後に端正な仁如の顔が覗いている。飯窪は小柄だから軽く頭二つ分飛び出している。

青年僧は、何故か形容し難い、不可解な表情を見せていた。顔面の筋肉が硬直している。

──何を話したのだ？

あの白白しい程の健全さがなくなっている。

仁如に何かが憑いたと──京極堂は云ったのか。

「ああ、終わりかな？」

駐在がそう云って立ち上がった途端に、電話のベルがけたたましく騒いだ。時計のような顔の巡査は慌《あわ》ててそれを取り押さえて、耳許に運んだ。

「はあ。はあ。はい。へ？」

巡査は京極堂を見た。

そして受話器の下半分を右手で覆って云った。

「あの、中禅寺さんと云うのは、あんただな？」

「そうですが」

「ああ、あのこりゃあ仙石楼からなんだが」

「僕にですか？」

「何でもな、今川とか云う人、知っているかな？」

「ああ。まあ知っています。この知人の方が善く知っていると思うが」

　知人とは私のことだ。

「ああ、その今川さんとか云う人が参考人として逮捕されたんだと、電話口の向こうで云っているんだが？」

「今川君が？　参考人として逮捕と云うのはどう云う意味です？」

「はあ、代わりますか？　本部の益田刑事だが」

「代わりましょう」

　京極堂は受話器を受け取った。

「ああ中禅寺です。何です？　今川君がどうしたって？　それは、任意の取り調べなんですか？　うん、逮捕状が執行された訳ではないのだね。え？　誰ですか？　尾島佑平さんをどうするって？　ああ仁如和尚と一緒に？　益田君、そう云うことは駐在さんに云ってくれないか？　僕は忙しいし、え？　久遠寺さんが僕を呼んでくれと？　久遠寺さんはお戻りなのですか？　榎木津？　善く解らないな。益田君、落ち着きたまえ。君が混乱してどうするんだ。整理して話してください――」

　倫敦堂主人を除く全員が緊張した。

何か——あったのだ。

「ああ。解った。伝えます。栗林《くりばやし》さんと云うのはあなたですか？」

時計の巡査ははいそうです、と云って背筋を伸ばした。

京極堂は事務的な早口で云った。

「あのね、先ず、もうすぐここに神奈川本部から派遣されている警官と、こちらの所轄の次田と云う刑事が来ます。その刑事にこちらの松宮さんの身柄を渡してください。詳しい事情は判りませんが、仙石楼に移すんだそうです。それから、できれば、揉み療治の尾島と云う人に任意出頭と云う形で来て貰いたいと本部は云っている。こちらの管轄のようなので連絡を取って欲しいとのことでした。明慧寺に行って貰って、首実検ならぬ声の聞き分けをお願いしたい——と云う話だ。こちらは先方の都合もあるだろうから、それに就いては明日でいいそうです。それから——関口君！」

「なんだ？」

「明慧寺に菅野氏がいた」

「菅野——？」

「それから今川君が重要参考人に昇格した。久遠寺先生と榎木津は仙石楼に強制送還だ。君は——どうする？」

京極堂はいっそう眉間の皺を深めた。

丁度その頃のことなのだと聞いた。

＊

山下はそろそろ業を煮やした石井が乗り込んで来そうな気配を察していた。

解決しない。

山下は、事件を解決するために捜査しているのか、犯人を逮捕するために捜査しているのか、出世や功名心のために捜査しているのか、捜査のために捜査しているのか——解らなくなって来ていた。

今まではただ捜査の常道《マニュアル》に従って点数を稼ぐように事件を解決して来た。それはそれで悪いことではなかった筈だ。事件解決と犯人逮捕と出世と功名心と捜査は過去に於て完全にイクォールだった。

それがバラけて行くような不安はあった。

菅原は今川を締め上げている。

昨夜までこの田舎刑事は桑田常信犯人説を掲げていた。しかし、昨夜菅野博行の存在が発覚するや否や菅野犯人説に転向し、先程の検死報告以来は今川犯人説にご執心である。

山下はしらけている。

菅野を疑うことはこの場合当然だと山下も思う。

それに今川が怪しいと云うのもまた事実だろう。

今川の証言が虚偽か勘違いであることはまず間違いないだろう。そうでないなら、検案調書が間違っていると云うことになってしまう。

しかし、だからどうなのだ――と山下は思っている。

一方で豪く怪しい奴が出て来た所為で、それまで怪しかった奴が怪しくなくなるかと云えばそんなことはないと思うのだ。怪しさと云うのは相対的なものではあるまい。

己《おのれ》の武器が何一つ通用しない状況下に於て、何等縋《すが》るもののなかった山下は、比較的頑健で地に足がついているように見える菅原に、どこかで依存するようになっていたのだ。山下が菅原の桑田犯人説を支持したのもそれだけの理由だったと思う。

しかしその菅原が桑田説を採った理由は、早い話が上司である山下が支持したからに過ぎなかったらしい。それを上回る根拠――例えば幽閉された異常な人物だとか白地《あからさま》な偽証だとか――そう云うものが現れさえすれば、さっさと捨てられる程度のものだったようだ。

山下はそんな男を頼りにしていたことになる。

桑田犯人説に到っては自分の影に凭《もた》れかかるようなものだった訳だ。

食傷気味にもなる。だからと云ってじゃあ今川だ、と云う気に山下はなれぬ。

慥かに今川は怪しい。今川の店と小坂了稔との間に戦前より商取り引きがあったことも東京警視庁によって確認された。更に今川は小坂からの手紙を所持しており、了稔から呼び出しがかかったことも事実のようだった。そして会見予定日にその小坂は殺害された。

だが、これは今川と小坂の関わりを示す証拠ではあるものの犯罪の証《あか》しにはなり得ない。殺してすぐに逃げもせず、自分の逗留している宿の庭の樹上に屍体を隠す馬鹿はいないし、それらを逐一正直に警察に申告する馬鹿もいない。犯人がそんな行動を執るだろうかと云われれば、それは絶対に執らないだろうとも思う。

しかし大西泰全殺しが嚙んで来ると話は別だ。

例えば今川は大西を殺すために現場に残ったと云うのはどうだろう。そしてできるだけ自然な形で明慧寺に潜入し、まんまと大西を殺害する——そうした筋書きは書けないこともないだろう。実際こちらの方も最後に大西と会っているのは今川で、勿論不在証明もない。そこで偽証めいた誤謬が露見すれば疑われても仕方がない。

だから菅原が野暮ったい頰骨の出た顔を紅潮させて今川を責めるのも解らないではない。しかし、この件ばかりはどうも違うような気がするのだ。否、気がするとか感じがするとか、直感や印象でものごとを判断しないと云うのが山下のこれまでの基本姿勢だったのである。証拠と論理こそが警部補たる山下の支えだったのだ。だから、仮令《たとえ》口が裂けても人前でそんなことは云えないのだが、

——矢ッ張りこいつは違う。

そう思った。

「おいおい、いい加減にしてくれないかな。今川さんよ。さっきから聞いていれば犬がどうした悟りがどうした、そんなお題目を聞きたいんじゃないんだな。大西と何の話をしたのか訊いてるんだ！」

「僕は真実を云っているのです。狗子仏性《くしぶっしょう》の領解《りょうげ》に就いて、ご意見を伺いに行ったのです」

「串何だって？」

「狗子仏性」

「それはどんな儲け話なんだ？」

「儲かりはしないのです」

「骨董屋が儲かりもしない話で何でこんなところに長逗留してるんだッ！　おいおいおい今川さんよ。善くも色色誑《たぶら》かしてくれたな。私はあんたと違って純朴な田舎者だからな。すっかり信用してしまったがなァ」

「何も嘘は云ってないのです」

「ほう。あんたそれじゃあ後頭部が割れて脳漿《のうしょう》が流れ出ちまった爺さんと障子越しに話をしたのか。即死だ即死。息があったのは僅か何秒だ」

「そんな云い方をしないで欲しいです。あの人は」

「私が殺しました、か？」

「殺していないのです」

「だからどう云うことなんだ！」

「判らないのです。ただ」

「ただ何だ！」

「ですから」

「ですから何だよッ！」

「菅原君。少しは話を聞けよ。何か云おうとしてるだろうに」

「いちいち弁解は聞いてられんですな」

「何を云ってるんだ君は。仮令《たとえ》犯人だって弁解の余地はあるよ。こう云う場合だってあるんだ。特高じゃないんだから、言葉を慎めよ」

「それじゃあ自白は取れないですわい」

「自白は強要するもんじゃないッ！」

菅原は憮然とした。

今川は鯉幟《こいのぼり》の目のようなぎょろりとした目で山下を見た。口許がだらしなくて不細工なのだが愛敬はある。それにこの男は見た目より知性がある。

「今川君。再三云うが、司法解剖の結果、大西泰全は午前二時四十分から三時十分くらいの間に殺害されている。つまり君達取材班が引き上げてから僅か一時間強、起床時間の僅か二十分程前に殺害されたことになる。これに就いて異論はないね？」

異論を称《とな》えようがないのですと今川は云った。

「そうだろう。ところが君は六時三十分から七時近くまでの間大西と会話をした、と云っている。これはまあ幾つか解釈の仕方があるね。先ず、君が嘘を吐いている場合。現在我我はそう解釈している。次に君が時間を勘違いしている場合。しかしこれは非常に特殊な場合を除けばないね。三時と六時三十分。三時間以上時間を読み違えることはない。幾らこの寺に時計がないと云ったって――」

「僕は懐中時計を持っているのです」

「ああ。それなら尚更だ。君の時計が進んでいたとしてもそんなには狂わないだろ？」

「止まっていてもそんな勘違いはしないのです」

「そうだな。だからそれはない。するともう道はないいんじゃないか？　だから君はこの菅原君に怒鳴られるんだ。さあ反論はあるのかね？」

「僕は真実を云っています。老師とは話しをしたのです。一字一句正確にとは云いませんが再現しろと云われれば再現できる程なのです」

「それが再現なのか創作なのか判断する基準は我我にはないんだがねえ。それにね。検死結果と目撃証言が喰い違った場合に、目撃者の云い分を通して司法解剖の結果を退けると云うのは一寸《ちょっと》――」

――しかし、例えば監察医が共犯だったら？

そんな非常識なことはあり得ない。哲学者でもあるまいし何でも疑えばいいと云うものでは——。

——それは久遠寺の言葉だ。

「——一寸戴けない。矢張りこの場合は」

「いいえ。その、検死結果を疑うようなことは非常識ですし、そんなことを疑ってしまっては成り立たないと思うのです。最低限の約束事として、これだけは信用できると云う根幹の部分は残しておかないといけないのです」

「おい、今川君。君、それは自分の証言を翻すと云う意味かね？」

「いいえ。僕もまた、自分の体験したことを夢や幻とは思いはしないのです。それは僕にとって、矢張りこれだけは信用できると云う根幹の部分なのです」

「それじゃあ」

「ただし、僕は先程から色色考えたのですが——その、僕が体験した事実に就いては」

「死人が喋ったとか云うんだろう！」

「だから静かにしろよ菅原君。それで？」

「はい。ですから、僕が理致殿の庭で、六時半から小半時ばかり、障子越しに禅に造詣の深いご老人か、ご老人のように聞こえる声を発する人と問答をした——と云うのは事実なのです。だから正確に云えば泰全老師と話したと云う事実はないのです」

「はい？」

整理するのに時間がかかったが、整理し切る前に菅原が云った。

「ほら。結局そんな弁解をする。回り苦�》い云い方してるが、結局自分が話したのは大西以外、誰か別の人だったのです、と云ってるだけだな」

「そりゃあ——菅原君無視できないよ」

「何で？」

「だって君、そうなら、それが犯人だろう」

「そうだが——山下さんあんた腹の具合でも悪《わる》いのかな？　覇気《はき》がないぞ。それとも——」

その原因は君だ、と山下は先ず云いたかった。

「——それとも何か摑んだのかな？」

「そんなことはないが——」

屋根に登った坊主。屋根から落ちて来た坊主。

これを同一と見たから、当初事件は奇怪な様相を呈したのだ。登った坊主は犯人で、落ちて来たのが被害者だった。これは今やほぼ間違いない。

障子越しに語る坊主。雪隠で死んでいる坊主。

これを同一と見ると、矢張り死者が語り出すような怪異が生まれる。だから今回も語った坊主が犯人と考えてみてはどうか。その方が形が整う。

だから今川を疑うよりも信じた方が展望が拓《ひら》ける気がした。

「――あり得ることじゃないか」

巧く説明できなかった。と云うより説明する気力がなかった。

菅原は軽蔑の表情を浮かべた。

「あり得ないでしょう。声はどうなんだ？　あんた何時間か前までその大西と話をしていたんだろ？　それで聞き間違えるかな？　だって山下さん、あんた襖の向こうで私が喋ってるのとこの男が喋ってるの聞き分けられんですかな？」

「聞き分けられるよ。それは――」

自信はなかった。似た声の者など沢山いる。

地声が似ていなくとも声色は変えられる。一課内にだって声帯模写をする者くらいいる。それに障子越しなら一層判り難いだろう。中に別人がいるなど予想だにしないような状況だったら、思い入れだけでも同じ声に聞こえるのではないか。その上――。

坊主の説教臭い語りは独特である。あの判り難い言葉を交えて話されれば、誰だって相手は坊さんだと思うのではないだろうか。更に――。

それで話が通じれば――。

「――状況によるのではないかな？」

また巧く云えなかった。

「そりゃ状況によると云やあ何でもありだ」

「あの理致殿か？　指紋やら遺留物の方はどうなんだね」

「指紋は出ませんや。否、出たと云えば出たが、新旧複数雑じりあって何だか判らん。それにここの坊さんの指紋全部採って調べる指示をあんたまだ出してないでしょう」

「そうだったな」

「ま、理致殿は殺害現場でないことだけは慥かでしょうがな。だから何だってこいつがこんな偽証をしたのか意味が解らん。誰かの不在証明になるとも思えない」

「偽証かどうか解らんだろ」

「さて山下さん。どうもこの期に及んで腰が引けたな。まあ、こいつが犯人だった場合、あんたの直属の部下——益田君は大失態だ。監視中の容疑者が目を離した隙に目の前で堂堂の犯行だ。これは責任問題ですな。下手すりゃあんたの進退伺いだって」

「そう云う問題じゃないよ」

そう云われて山下は初めて気がついた。慥かに菅原の云う通りだ。

しかし、菅原だって益田を残して山を下りた責任があるのではないか——否、これは誰が見ても山下の責任だ。捜査主任は山下なのだ。

肩書きは武器にはならず枷《かせ》となった。

これが本来の肩書きの機能である。

「まあ菅原君。そう視野を狭くしないで、総括的な判断力を以て捜査に当たってくれよ。他にも怪しい奴は大勢いるのだし」

「何だか急に丸くなったですな。しかしその総括だとかをするのはあんたの仕事だ。私の仕事はまた別ですな。ここは任せて貰いましょうか」

山下は返事をせずに立ち上がった。

そして菅原をできるだけ見下すようにして、

「暴力行為だけは慎んでくれよ。そう云うのも私の責任なんだ」

と云った。

山下は部屋を出た。

隣室では交代の警備要員が仮眠している。

微昏い隅に座った。

そして考える。

報告によると謎の僧侶が確保できたと云う。一応仙石楼に召喚しておいたが、どんなものだろう。無関係のような気もした。寧ろ無関係であることを願う気持ちが強かった。

尾島佑平の証言はどれ程当てになるだろうか。最初に声の検分を思いついた時、山下は桑田常信が真犯人《ホンボシ》と半ば確信していたから、これは有効なような気もした。桑田が犯人なら精神的に揺さぶりをかける有効な切り札となる。

そしてもし桑田が違っても、その時は多分菅野で決まりだと、そう思った。

だから手配したのだが、先程今川の話を聞いているうちに、山下はそれもどうかと思うようになっている。声だけでは何も判らない。判っても決め手にはなるまい。証拠能力はないのだ。他に犯人がいるのなら殆ど無効だ。

そして山下が今一番気になっているのは、この寺全体のことである。

禅宗の各宗各派、各教団——宗派と教団がどう違うのか山下は善く解らないのだが——その凡てを調査した訳ではないようだったが、今日の中間報告を聞く限り、接触した教団のいずれもがこの明慧寺のことを知らないと答えたらしい。少なくともそんな寺に援助金を出したりはしていないと云っていると云うのである。益田の話とは大きく喰い違っている。益田が大西から聞き出した内容を半ば鵜呑《うの》みにしていた山下は、よもやそのような結果がでるとは思ってもいなかった。ところが、刑事達の大半は、そんな些細《ささい》なことに就いて殆ど興味を示さなかった。捜査会議でもそれ程重要視されることはなかった。

山下は、少なくとも菅原だけは気にすると考えていた。最初菅原は収入源を持たない明慧寺に大きな疑惑を持っていたからである。明慧寺共謀説は、桑田常信犯人説に先立つ菅原の説だった筈だ。だが、その菅原の疑惑はすっかり今川に向いてしまったようだった。

今川が犯人か、もしくは共犯者だとすれば、そんな寺の収入源を探るなどと云う遠回りをするより遥かに簡単に事件は終わるし、坊主全員を疑うよりぐんと気は楽だ。

だが、変であることに変わりはない。

それでもこの寺は実在するし、坊主どもはここで暮らしているのだ。畑とやらも見て来たがとても自給自足ができる程の収穫が見込めるような代物ではなかった。だから金は要る。

小坂の下界の暮らしも明らかになった。

何のことはない。地元の好事家や教員、自称文化人などで構成する環境保護団体の発起人になっていただけだった。他は何もなかった。借りていた家と云うのもその事務局を兼ねたものであり、家賃はその団体が賄っていた。団体の活動内容は現在調査中であるが、凡そ殺人事件とは遠いものである。

久遠寺嘉親に就いての資料も到着した。本人が云っていた通り、抄と云っても膨大な量の報告書だったので、全体に就いてはまだ未読だったが、菅野博行の下りは検索して読んだ。

菅野は性的倒錯者である疑いが極めて濃厚であると記されていた。しかも幼女対象の倒錯者である。この手の犯罪は最も露見しない。被害者は名乗りでることも告訴することも極めて少ないからだ。特に被害者が幼女となれば尚更だろう。案の定被害届等は一切出ていない上に、本人失踪のため未確認となっていた。

しかしどうやらあの久遠寺と云う医者はこの菅野の被害者の家族であるらしい。それで漸くあの激昂したような異常な態度も頷けた。久遠寺を疑ったことに就いて、山下はほんの少しだけ反省した。

山下は殺人より性犯罪の方が嫌いだ。

しかし、それに就いても捜査会議の議題とはならなかった。座は菅原に仕切られ、そして今川は確保されたのだった。

山下は大きく溜め息を吐いた。

これではまるで自分の存在価値などない。もしかすると石井の捜査参加は気配と云うより希望だったのかもしれない。犯人逮捕より出世より名声より、山下は今、何よりも解決を望んでいる。否、解決でもない。早くこの山を下りてぐっすり眠りたかった。


そして山下は、結局知客寮を出た。

こんな状態になっても自分は間違っていないと強く信じている自分が信じられなかった。

この場合主体はどちらにあるのか。分裂していると思う。しかし自分は自分だ。これらは凡て言葉の上だけの問題で、信じている自分も信じていない自分も本来分裂などはしていない。

外はもう夜だった。

急に心細くなる。当たり前のことだが自分に比べてこの山は恐ろしく大きい。この捜査は犯人対刑事の攻防ではなく、個人対『山』の闘いなのだ。

そう云う気がして来る。

騒騒《ざわざわ》と森が騒いだ。

知客寮には明明《あかあか》と明かりが灯っている。

禅堂の脇の建物からも気配がする。事情聴取がまだ続いているのだ。三門には警官が二名寒そうに立っている。慥かにこの山内には大勢人がいる。

多分禅堂にも何人もの坊主が座っているのだ。

薄気味が悪い。自分以外の連中は皆山に採り込まれてしまっているような気がする。

菅原が怒鳴るのも、慈行が喚くのも、木木が騒ぐのと一緒だ。

背後にあの振袖娘でも立っていれば、ここはもう立派な山中異界である。

——ああ。考えなければ良かった。

本当にそんな気がして振り向けなくなってしまった。振り向いて、もしそこに娘がいたら死ぬ程厭だ。果たしてこの世のものがこれ程怖いだろうか。

山下は仕方がなく大きく迂回するように境内を歩き、禅堂の方に近づいた。坊さんは好きではないが、まだ大勢人間がいる場所に近い方が心持ち安心だ。禅堂の脇の小屋でも覗いてみようか——いや。

——久遠寺が何か云っていたな。

今川を捕まえて、あの探偵と久遠寺を仙石楼に向かわせた時のことだ。

あの老医師は慥か、

——大麻を捜せ。

と云った。久遠寺達がそれまで会っていたのは、あの仁秀と、それから菅野だ。

菅野と——大麻？

大麻取締法は昭和二十三年に施行されている。以来許可のない栽培も譲渡も罪になる。それはつまり、秘密に栽培すれば金になると云うことだ。

——資金源はそれか？

もっと詳しく聞いておくべきだったか。

今更遅い。あの時は菅原の気迫にすっかり圧されてしまい、山下は知客寮から出さえしなかったのだ。

——菅野か。

山下はいつの間にか小屋を通り越し、菅野のいる土牢の前に立っていた。

外套を着て来るべきだった。矢鱈《やたら》に冷える。足の先が芯まで冷え切っている。

雪の小山を回り込むと、月明かりの中に警官がぽつんとひとり、立っていた。

「ご苦労。変わったことはないか」

「ご、ございませんッ」

警官は敬礼して硬直した。

「交代はちゃんとしてるのか？」

「はいッ。じ、自分は先達て過失を犯しましたッ。そのも、申し訳ございませんでしたッ」

「私は責めている訳じゃない。交代はしているのかと労《ねぎら》っている。それに——過失と云うのは何だ？」

「はいッ。先程、三門付近で騒ぎがありました折りに、自分はこの持ち場を離れまして、その後時間になりましたものでそのまま休憩をとってしまいましたッ。交代の者は控え室で自分が戻るのを待っておりましたようで、結果的にこの土牢の入口は約五十分間無人になっておりましたッ」

「ああ」

その隙に久遠寺と今川はこの土牢に侵入して菅野に会っているのだ。菅原は医者の身柄も拘束することを主張したが、報告書を読んでいた山下は久遠寺を返すことにしたのである。菅野を責めたい気持ちは解る。久遠寺が菅野の傍にいるのは、だからいいことではない。それにいずれ仙石楼に止宿しているのであれば、留置しているのと何等変わらない。

「それは連絡の不行き届きだ。いいよ。それで？」

「先程菅原刑事様にその責を問われまして、こうして交代なしで見張っておりますッ」

「菅原が？　勝手なことしおって。責任者は私だぞ。いいよ。交代しろよ。私が見ているから代わり呼んで来い」

「警部補様がそんな見張りなど」

「いいんだ。一寸中《ちょっと》に用があるんだ。穴の中にいるから知客寮に戻って代わりの警邏《けいら》を呼んで来い。三人も寝ていたから」

「本来ですと、自分の交代要員はこちらの建物の控え室に居るのでありますッ」

「ああどっちでもいい。近い方がいいか。あのな、懐中電灯持っていたら、置いて行きなさい」

警官は懐中電灯を恭《うやうや》しく差し出して、再び気をつけの姿勢になり、お心遣い光栄に存じますッと、大声で云って走り去った。

山下は中に這入った。この穴には朝から、と云うより昨日の夜から何度も這入《はい》っている。その癖慣れないのは山下が若干閉所恐怖症気味だからだ。穴に這入ると心拍数が増して少少発汗する。学生の頃富士の風穴に入って貧血を起こしたこともある。普通こんな穴に這入り込むことは仮令閉所恐怖症でなくとも畏ろしいものだ。好きな奴は少ない。しかしここの状況では外よりマシかもしれなかった。

中は少し暖かい。風がないからだ。

――どうせ大した話はできない。

それは解っている。久遠寺がどれ程菅野と会話したのかは知らないが、少なくとも山下には囚われの僧が何を云っているのか爽然《さっぱり》解らなかった。やれ大宇宙の声が耳許で囁《ささや》いているとか、壁から布袋《ほてい》様の格好をした彌勒《みろく》菩薩が次次出て来るとか。

赤ん坊を抱いた女が笑っているとか。

天井が回っているとか床が波打っているとか。まるで酔っ払いだった。

——あれが大麻の幻覚だったとしたら。

大麻は他の麻薬に比べると禁断症状も出悪《にく》いから暴れたりすることはない筈だ。しかし幻覚を見たり感覚が鋭くなったり、そう云うことはあるらしい。特に環境設定が大事なのだと山下は麻薬班から聞いたことがある。要するに相乗効果で覿面《てきめん》に効くのだ。この暗室はお膳立としてはうってつけだ。

微量の月光が仄《ほの》かに壁面を照らし出す。石窟の中に掘られた、訳の解らない石仏。周りに小仏がうようよと掘ってある。曼陀羅《まんだら》と云うものか？　知らなかった。これでは大麻などなくても酔いそうだ。

山下は檻のある部屋に這入った。

昼間は角灯を持っていたが、今はない。懐中電灯は点けなかった。明かりがないと妙に落ち着く。天井も床も壁もないに等しいから、却って閉所と云う感覚を持たないのだろう。唯一の明かりである筈の牢内壁面の蠟燭も消えていた。完全な闇である。気配もしない。しかし気配がないのは今朝這入った時も同じだった。

菅野が大麻を吸引していたのだとすると。

——あの蠟燭か。

当然、それは乾燥させて解《ほぐ》し、煙管《きせる》か何かで煙草のように吸っていたに違いない。ならば火さえあればことは足りる。山下達はずっとこの中にいた訳ではないから、今日も隙を狙って吸っていたのかもしれぬ。

それなら多分——鼻の利く麻薬取り締まりの連中だったら中に這入っただけで判ったのかもしれぬ。山下など服や髪の毛に線香の匂いが染みついてしまい、何を嗅いでも抹香臭い。嗅覚自体が馬鹿になっているから辟易するばかりで怪しむどころではない。

それに、光量不足で視覚が衰えると同様に嗅覚も衰えるような、そんな気もした。そして何よりも先ず、この土牢と云う常識から大きく外れた前時代的な設定が曲者だ。この中にいては、仮令どんなに変わった臭いがしても別段不思議ではないように思える。

いずれにしても山下は何も気がつかなかった。

それにしても気配がない。息遣いもない。山下はゆっくりしゃがみ込んだ。

「菅野——菅野さん。あんた正気なのか？」

声が嫌と云う程響いて、何を云っているのか自分でも判らなくなった。昼間より響いて感じるのは、外が静かだからか。そうではない。静かと云うなら昼間も静かだったのだから、矢張り錯覚か。

「私は国家警察——」

そこで止めた。わあん、と残響音がした。

「山下だ。話がしたい」

こんな穴の中で、あんな男相手に、組織や肩書きが意味を持つ訳はない。

返事はなかった。

山下はその時、豪く果敢ない予感を覚えた。

もしかしたら。

天井も床も壁もない無限の闇は、出ることの叶わない檻の中にいるより更に――。

山下は慌てて懐中電灯を点《とも》した。スイッチを入れる音が響いて光の筋が生まれ、明後日《あさって》の方向を照らした。懐中電灯を持ち替えて、確乎《しっか》りと檻の中を照らす。昼間は善く見なかったが、檻の中の奥行きは思ったよりあるようだ。真正面の岩肌にあるのは壁画だろうか。場所柄仏画か何かだろう。

ところどころ剝げているが元は極彩色らしい。

勿論それが何だか山下には判らない。

――何だか変だ。

変な筈だ。どこか違っている。

妙なものがある。柴か、否、あれは、

――塵芥《ごみ》？　植物か？　麻か？

あれは乾燥大麻の束だ。

乾燥大麻――らしき干からびた植物が、小分けの束になって三筋、畳の横に置いてあるのだ。

――あんなものは昼間はなかった。

絶対になかった。角灯を近づけて何度も見た。

朦朧《ぼんやり》とした角灯の明かりは壁面まで照らすことはなかったが、少なくとも床の上だけは照らしていた筈だ。経卓のような小さな台の上に鉢が載っていてずっと奥には用を足すための虎洲《こちん》がある。後は畳が一枚敷いてありその上に――。

――死んでいる。

ひと目で判った。

畳は黒ずんでいる、その黒は血痕である。

光り乏しき中では赤は黒の一種に過ぎない。

菅野博行は畳の上につっ伏して、息絶えていた。

「う、うわあああああっ」

その時、肩書きを全部外していた山下は肚の底から畏ろしくなって、喉が裂ける程の大声で叫んだ。

私は結局仙石楼に舞い戻った。

＊

京極堂も久遠寺翁のお呼びとあらば断ることもできなかったらしく、後を山内氏に託して同行した。飯窪は元より仙石楼に帰るつもりだった訳だから、警察に囲まれた仁如も含めると結局豪《えら》く大勢が仙石楼に向かったことになる。

次田と云う老刑事は多くを語らなかった。私はその寡黙《かもく》さから、彼が今回の事件を担当するのは厭で厭で仕様がないのではないかと云う感触を持った。

つい最近まで、私は刑事と云う奴は鋳型に流し込んだ如くに皆同じだと思っていた。要は体制側の人間としてひと括《くく》りにしていた訳である。友人に豪く跳ねっ返りの刑事がひとりいるが、私は単にその男だけが特殊な例なのだ——と勝手に判じていた訳である。しかし、どうもそうではないのである。

当たり前のことである。

しかし次田に輪をかけて寡黙だったのが仁如和尚だった。これは豹変《ひょうへん》と云ってもいいだろう。私は最初健全な彼に好感を持った。そのうちその健全さが段段に鼻につき始めて、その忌憚《きたん》のない物腰への評価は微妙に変質した。そして飯窪と会談した後の彼は、すっかり変わってしまった。

私の想像では、豹変の原因はあの鈴である。

彼は飯窪の口から明慧寺に亡き妹の生まれ変わりの如き娘がいると——聞いたのではないだろうか。

それまで鈴のことは知らなかったのだろう。

それを知って動揺しているのだろう。

動揺と云うより怯《おび》えか。

何に怯える？


到着は七時を回ったぐらいだった。

例の座敷には益田と久遠寺翁が深刻な顔で座っていた。

次田は益田を見るとほっとしたような顔をした。

「益田君。どうなっていますか？」

「混迷ですよ。次田さん。混迷」

「菅さんは悪い男ではないが猪のような刑事だで、あの神経質そうな警部さんでは使い熟《こな》せないでしょうなあ。ああ、お連れしましたぞ。松宮仁如さんだ」

仁如は折り目正しく礼をした。

覇気《はき》や元気は失っても礼節だけはなくならないようだ。

こう云う礼儀正しさは形式的で、却って健全さを殺《そ》ぐような気がする。

警官は別室に移り、後の全員は座敷に残った。京極堂は仙石楼に漂う倦怠の空気を敏感に察したらしく、さっと部屋中を見渡して全体を見切ってから、

「益田君。常信和尚はどうした?」

と尋いた。

「先程明慧寺に戻られました」

「戻った? 出発は明朝じゃなかったのかね」

「それが、こんな大変な時期にひとりだけつまらぬ邪心を起こして逃げておるのは宜しくない、と仰いましてね」

「警官は? ひとりで登ったんじゃないだろうね」

「幾ら僕でもそんなことはしませんよ。久遠寺先生と榎木津さんを山から護送して来た警官に蜻蛉《とんぼ》返りで護送させました。それに敦子さんと鳥口君がくっついて行きましたから。大勢ですよ。僕も行きたかったくらいです」

「矢張り行ったのかあの馬鹿。しかし益田君、僕が云うのも変なのだが、民間人がこう雑じってちゃ大義名分が立たないだろう。いいのかね?」

「拘束力はないですよ。行って追い返されるなら仕方がないが、ここで止める訳には行かない」

「本当に逮捕でもして貰った方がいいかもしれないな。榎木津はどうしました？」

久遠寺翁が答えた。

「それがな。謝礼も取らずに帰ってしまったわい。明慧寺に犯人は居らんのだそうだよ。中禅寺君」

「そう云っていましたか」

「云っておった」

京極堂は怖い顔で畳を見つめた。

「どうじゃ。君は忙しそうだが、事件に乗り出す気は矢ッ張りないのか？」

「――ないです」

「今川君が犯人にされるかもしれんぞ」

「彼が真犯人でなければ大丈夫です」

「そうかな。冤罪になることはないんかな」

「そんなことは――僕がさせませんよ」

益田はそう云ったが、それ程の発言力を持っているとは到底思えぬ萎《な》えた口振りだった。

「兎に角僕は、明慧寺に入ることも事件と関わることもしたくないんです」

京極堂は宣言するように云った。

彼は大抵この手の事件と関わりを持ちたがらないのだ。

　京極堂の性格から考えれば、そう云う態度は判らないでもない。だが過去数度に亙り、ある時は巻き込まれ、またある時は担ぎ出されて、結局彼は関わっているのである。だから今更何だと云う気もするが、ただ今回に限ってこの偏屈者の決意は異様に固いらしい。

「そうか。まあ仕方あるまい」

　久遠寺翁は落胆したように肩を落した。

「僭越《せんえつ》ですがご老体もこれ以上のお関わり合いは避けた方が宜しいかと思います。これはあなたが知っているような類の事件ではないように思います」

「そりゃどう云う意味だ？」

「まあその通りの意味です。いいですか、この事件には、僕の知る限り謎らしい謎はどこにもない。誰にも何も憑いていない」

「そうですか？」

　益田はきょとんとした。

「そうですよ。だって幻想的な謎などどこにもないでしょう？　例えば人間が消えた訳でもない。死人が生き返る訳でもない。人の心を弄ぶ術者がいる訳でもない。幽霊妖怪魑魅魍魎が跋扈《ばっこ》している訳では勿論ない。冥妄《めいもう》に惑う者はどこにもいないのです。登場するのは凡て高邁な宗旨を掲げた修行僧。彼等はそんなものを信じないのです」

「だがな、中禅寺君、その――」

「そうだよ京極堂。君は常信さんから鉄鼠を落したようなことを云ってたじゃないか」

「そう。関口君の云う通り僕は常信さんの憑物落しをした。そしてそれは落ちた。慥かに修行僧だって迷うことはある——」

京極堂はそこで仁如を射竦《いすく》めるように見た。

「——しかし修行僧と云うのは本来そうしたものと戦っているのだ。一般人とは違う。だから仮令《たとえ》時間がかかろうと苦しかろうと、己で落すのが本分だ。捜査をミスリードし兼ねなかったから已《やむ》を得ず手を出したが、本来は僕などの出る幕ではない。云ってみれば修行の邪魔をしてしまったようなものだ。だから僕は警察からお金を貰ってもいいくらいだ」

「はあ、そうした経費は」

「冗談だ益田君。いいですか久遠寺先生、だから、今回の事件に僕の立ち入る隙間はないのです。今回判らないのは『誰が犯人か』と云う、ただそれだけのこと。それは警察の領分です。物的証拠でも証言でも何でもいい。そうしたところから絞り込んで犯人を挙げるべきが筋道。鳥口君や敦子は事件記者ですから首を突っ込みたくなる気持ちも解るが、ご老体はお止《よ》しになった方がいい。関口君、君もだ。このまま解決が遅れれば、今川君の次に疑われるのは久遠寺先生。あなたか、関口君でしょう。否、久遠寺先生はもう一度疑われたかな」

「な、何で——判るね？」

「菅野さんですよ。いらっしゃったのでしょう？」

「ああ——そうじゃ。疑われたわい。菅野は——」

菅野。それは私にとってあまり聞きたい類の名前ではなかった。私はその人の顔も知らない。しかしその忌まわしき名前は私の胸に深く刻まれている。

そして——その名は私以上に久遠寺翁にとって辛い名前の筈である。その心中を慮《おもんぱか》るとどうにも遣り切れぬものがあった。何故なら——。

「まあいいでしょう——」

京極堂は私の思考をわざと妨げるように、大声で仕切った。

「——この場では憚《はばか》ることもある。帰ってから榎木津にでも聞きます。そう云う訳で、僕はこれで」

「これでって、真逆《まさか》帰る気か？」

「この時間だから泊まるがね。ここにいても始まらないだろう」

「お、おい待てよ。あ、あの明慧寺の鈴は——」

あの鈴は——京極堂の領分なのではないのか。

京極堂は振り返ると私をきつく睨んだ。

「おう、それだ——」

久遠寺翁が膝を叩いた。

「——そのことで松宮君に話があるんじゃ」

飯窪がびくりと仁如に顔を向けた。仁如は動かずただ久遠寺翁を見た。京極堂はその様子を横目で見てそのますうと出て行った。

「益田君。それからその、そちらの」

「次田でございます」

「ああ次田さんも、別にこの人は容疑者ちゅう訳じゃああるまい？　話しても構わんな？」

「僕は構いませんが、次田さんは？」

「私もこの人にはお尋きしたいことが――まあ、ないではないが、私が尋きたいのはその、十三年前の事件のことでな――」

仁如はただ黙っている。

ほんの二三時間前までは歯切れ善く能弁に語っていたのに見る影もない。

「――その、鈴ちゅうのはあの明慧寺の仁秀老人の養女のことですな？　ええと」

「ああ久遠寺です。その通り、あの振袖娘のことですわい。儂はその、直接飯窪君から聞いた訳じゃないが、概ねの事情は了解しておるつもりじゃ。それでな、それを踏まえて、今日警察の目を駭めて――おお警察の前だったな！　まあいいじゃろう。儂は仁秀さんと話して来たんだ」

「仁秀――さんと、お話しになったのですか」

飯窪は髪に手をやった。不安そうである。

「話した。それで大方判った」

「判った？　何が判ったんです？」

「何じゃ、関口君は随分とあの娘を気にしとるようだな。何、あの娘の正体じゃ」

「正体？」

「正体って何のことです？」

「おお。松宮君。お節介のようだが、成り行きでな。あんたのいなくなった妹御。鈴子さんだったかな」

「──はい」

「鈴さんは鈴子さんの娘さんじゃ」

「え？　今何と」

「だから鈴子さんは行方不明になった後に子供を産んで亡くなったらしいんじゃな。それをあの爺様が拾い上げて苦労して育てよったんだ」

「そ──そんな馬鹿な、す、鈴子は──」

仁如は飯窪を、そして私を忙《せわ》しなく見て、最後に久遠寺翁に向かって、

「鈴子は──まだ十三だっ、た」

と云った。語尾が消え入るように弱弱しい。

仁如は顕《あきら》かに狼狽している。無理もないだろう。

　正直云って私も狼狽していた。

　鈴子と鈴の分離は妖怪『成長しない迷子』を解体した。それでも尚、時を隔てた二人の少女達はこの世のものに素直に還元してくれなかった。その過剰な類似性と特殊性が彼女達を未だ彼岸の住人に仕立てていたのだ。しかしその特殊性も類似性も、二人が母娘だとするならば——。

　——幻想的な謎などどこにもないでしょう。

「十三でも子は産める」

「しかし、何か——証拠が」

「それがあの振袖だ。鈴の着ておる晴れ着は母親の形見で、鈴はあれに包まれて捨ててあったそうだ。それから名前だ。鈴と一文字守り袋に——」

「守り袋？」

「覚えはあるかな？」

　仁如は混乱を気力で無理に押え込んでいる。

「せ、拙僧の守り袋には仁、鈴子の守り袋には鈴と慥かに——」

「ほれ見ろ。間違いないわい」

　仁如は硬直したまま何か言葉を捜している。

　俄《にわ》かに信じられることではないだろう。

「――そんな――馬鹿なこと」

「吃驚《びっくり》するのも無理はないがな。まあものごとと云うのは入口間違えると中中ちゃんと姿が見えようらんものじゃい。どうだね松宮君。その、例えばそう云う心当たりなど――」

「た、戯《たわ》けたことを！」

仁如は声を張り上げた。しかしそれは瞬間的な、痙攣《けいれん》のようなものだった。

「あ、失礼しました、その――そう云うつもりではありませんでしたが、鈴子はその――」

「ああ、死者を冒瀆するようなつもりはないんだ。そう聞こえたのなら謝りますわい。すまなんだ」

「いいえ。ただ鈴子は――」

「鈴子ちゃんはそんな娘《こ》じゃありませんでした」

飯窪が云った。

久遠寺翁は手を翳《かざ》し、茹《ゆ》で蛸《だこ》のように顔を赤くして弁解した。

「解っとる。だからそう云うつもりじゃないんだわい。鈴子さんが何だ、ふしだらな娘だとか、そう云う受け取り方はせんでくれ。しっかしこう云う話は語り悪《にく》いもんだのう。そうしてみると医者の言葉は簡単だわい。その、ああ、次田さん、あんた詳しいか？　鈴子さんは火事の後必死の捜索虚《むな》しく発見されなかったとか？」

次田刑事は淡淡《たんたん》と答える。

「そのようですな。底倉や大平台、それに湯本辺りの消防団や青年団と警察が一緒になって山狩りが行われたが、見つからなかったらしい。子供の足だからそれ程遠くに行くとも思えなかったようで、明慧寺までは捜さなかったようだが。久遠寺さんか？　あなた、松宮鈴子さんは明慧寺で保護されて、そこで子供を産んだと、こう云いなさるか？」

「儂も最初はそう思うた。しかしどうも違うらしいんだな。まあ松宮君、君には辛い話だろうが、考えられる道筋はこうだ。山中に迷い込んだ鈴子さんは何者かに勾引《かどわか》されて、陵辱されて懐妊、いずこかで出産し、その赤ん坊を明慧寺の裏手の崖か何かに捨てた。捨てたのは鈴子さんか他の者かは判からんがな――こりゃ推測に過ぎないが、鈴子さんが生きておったなら子供捨てたりせんのじゃないか。だからその――」

「鈴子さんは子供を産んで亡くなったと？　それとも殺されたのかな？　それでその勾引した者が子供を捨てた？」

「益田君。殺されたなんて、あんまり無神経に物騒なこと云わんでくれぃ。儂だって慣れない神経使って喋っておるんだ」

仁如は正座して膝の上に手を置き、拳を固く握り締めている。飯窪は心配そうに見守っている。十三年振りの邂逅の胸の内を私は計り兼ねている。

「まあこの、殺されたってことはまずなかろうよ。鈴子さん殺すような奴だったら子供も捨てたりしないで殺すだろうし、それより産ませやしないわい」

「一寸《ちょっと》待ってくださいな久遠寺さん」

次田が止めた。

「お説は中中ご尤もでござりまするがな、私にゃ腑《ふ》に落ちんところがある。先ず——そんな十三と云えば子供ですわなあ。それを勾引すちゅうのは解るが、陵辱したりしますかな」

「するよ。居るんだそう云う男は——」

久遠寺翁は明瞭《はっきり》菅野を思い起こしている。

菅野と云うのはそう云う男だった——らしい。

「——不幸なことなのかそうでないのか、そう云う癖《へき》のない儂には何とも云えんし、まあ、普通に暮らしている者には信じられないことだが、居るんだ。そう云う性癖を持った者は。なあ、関口君」

私は返事ができなかった。私には彼等を異常者扱いすることはできない。

私は——。

私は赤面して失語した。

それまで何とか均衡を保って来た私の神経は一気に支えを失った。

久遠寺翁は私を見ている。私は目を逸らし身を縮めた。肩を竦め殻を閉ざした。血が逆流する。どくどくと耳の後ろの血管が脈打って世界が遠くなった。

「——した?——ぶか?」

呼ばないでくれ。私は私の檻の中に――。

「どう―た？　だ―夫か？」

そこからは、絶対に――。

「どうした？　大丈夫か？　関口君」

「ああ」

私は気を失っていたような時間の欠落感を覚えたのだが、どうやらそれは連続していたらしい。

時間と時間の隙間で私は永遠に気を失っている。しかし、その隙間は通常意識されないから――時間は連続しているように感じられるから――私はこうして生きているように錯覚しているのだ。

次田が云った。

「まあ了解しました。そう云う者が居るちゅう話は、幾ら田舎者の年寄りでも、このご時世だ。そう云う話も聞かない訳じゃない。それで、まあそう云う目的で攫《さら》ったのなら殺しもせんだろうし、身籠ることもあるのだろうが、そんな性癖の山賊《さんぞく》みたいなもんがこの箱根山に居るかと、箱根の治安を預かる者としちゃあこう云いたい。居らんですよ。そんな奴は。ここは東京や横浜みたいな都会じゃないですからな」

「じゃあ尋くがね、あんた明慧寺知っておったか」

「否——知りはしませんでしたがね」

「あんな大けな寺を今まで誰も知らなかったんじゃろう？　仁秀さんのことだって知らなんだ筈だ。あの人は儂より多分齢上だ。なら七十年かそこらあそこに住んでいる。その育ての親の代から考えりゃ百年からですぞ。誰かあの人を知っていたのかな？」

「そ、そんなに長く住んでいるのかな！」

次田は余程驚いたようで、確認するように益田を見た。益田は大きく頷いた。

「僕もさっき聞いて驚きました。どうもその仁秀とか云う人は拾われてあそこで育ったらしい。それでどうやら戸籍も住民票もない。今日報告が来た」

「そうじゃろう。近代国家振っておるが、日本なんて国はついこの間までそう云う国だったんだ。文明国気取ったって戸籍のないような者もまだ居るわい。山賊でも野盗でもいないとは云い切れん」

山賊でも野盗でもない。それは、
彼のことではないのか。

「く——久遠寺先生。その、鈴子さんを——その」

凡てを云うまでもなかった。

「ああ。関口君。それは菅野じゃない。菅野が失踪したのは鈴子さんが失踪した一年以上後のこった。だから、それはな——違う」

「そうですか」

　私は久遠寺翁が熱心に鈴の世話を焼く気持ちがやっと解った。久遠寺翁は鈴子に自分の、亡くなった娘達を重ね合わせているのだ。

　仁如は無言だった。

「だからな、普通は考え難《にく》いし、発生し難い事件なのかもしれないが、結果から類推するにそれに近いことはあった筈なんだ。鈴子さんは実に不幸だが、これは悔やんでも始まらんわい。まあ科学的に証明された訳ではないが、そう云う状況証拠から推《お》し量れば、今あそこに居る鈴は鈴子さんの子供であることに違いないと、儂は思う。そこでだ。松宮君」

「――はい」

「あんた、力を貸してくれ」

「それはどのような」

「あの仁秀と云う爺様は云っちゃぁ悪いが最低生活だ。貧しい坊主から施しを受けるような暮らしだ。鈴さんは生まれてからずっとそこで暮らしておる。ろくな教育も受けず、着るものもなく、話し相手も居らず、もう限界だ。あの劣悪な環境にこれ以上置いておく訳にはいかん。それに――」

　久遠寺翁は一瞬戸惑いの表情を見せた。

「――まあ、そのことはいいか。だから――」

「——解りました。それは——」

「早い方がいい。儂もできるだけのことはする。どうにも人ごととは思えんのだ」

「あ、有り難うございます。しかし、鈴子に子供がいたなど——未だ信じられません」

仁如は少し震えていた。

それを見守る飯窪は——。

——何だこの視線は？

飯窪は仁如を見守っているのではない。

この冷え切った、それでいて熱の籠った、そう燐《りん》が青白く燃え立つような視線は——憎しみ。否、怨みか。違う。縋《すが》っているのか？　私には理解できなかった。多分私の知らない感情を、この女性は眸《ひとみ》に滾《たぎ》らせているようだ。

——何を話したのだ。

この二人の間には何があるのだ？

久遠寺翁は仁如が納得したと判断したらしい。

「まあ会えば解る。同じ格好をしておるしな。知らぬ者には怖がられておるが、それもこれも環境の所為じゃ。きちんと教育を受けさせれば大丈夫。いい娘になる。唄なんかも唄うらしいし、知能も遅れておらん」

唄か。

待て——唄は——。

「ところで松宮さん。それから飯窪さん」

私より一瞬早く次田刑事が発言した。

「私はあの十三年前の事件を——まあ資料など閲覧して調べているのだがね。どうにも腑に落ちないところがある。この際尋いてしまいたいのだが、いいかな？　久遠寺さんも、もう宜しいかな？」

「儂はもういい」

「じゃあ尋いてもいいな益田君」

「いいでしょう。どうせお寺はてんやわんやです。ろくな事情聴取はできないでしょう。寧ろここで尋けることは尋いてしまった方がいいでしょうね。この仙石楼での責任者は僕なんだそうだし。大先輩の次田さんにお任せします」

「ああ。まあ、それじゃあそうします」

次田は座り直した。小さい刑事だ。

「あんたが何故明慧寺に現れたかと云うことは多分後後何度も尋かれるだろうから今は尋きません。あんたお坊様ですし、私は疑ったりしたくはないんだが、ただこの時期だから疑われている。それは仕様がないです。そのためにも瞭然《はっきり》させとかんといかんと思う。思い出したくないかもしれんが、一応ね。あの火事の夜——本当はどこにいたんですかな？」

「それはどう云う——意味でございますか」

「あんた釈放になっているし、今更蒸し返したくないことですがのう。こと放火殺人事件ですからな。今回の事件と関連づけて考える者もいる。それで、あんた、その調書に拠ると、ええと、亡くなったお父上と口論の揚げ句、前年昭和十四年十二月二十八日に家を出て、底倉村の寺院に身を寄せていた、となっているが」

「間違いございません。その通りにございます」

「そうですか。ええと、そこで年を越し、事件当日一月三日の午後に寺を出て、翌四日まで町中山野を放浪、とこうなっておる」

「それも間違いございません」

　仁如は背筋を伸ばした。

　私は背を丸め、益田は胡坐の足を組み替えた。

「そこなんだなあ。当時の担当刑事を覚えてますかな？　あの狛犬《こまいぬ》みたいな顔した男」

「はい。ただ、お名前までは——一寸」

「あの人はもう引退してな。戦争で足やられて今は下駄屋の親爺だがね。今日会って来たです。そしたらこう云っていた。どうも嘘を云う男とは思えなんだが、何か隠しとる、真冬の夜中にただ外を彷徨《さまよ》っておったと云われても、どうも信用ならなんだ——と、こう云うんだな。そりゃ私もそう思う。一月の三日じゃこりゃあ凍える。寒いです」

仁如は表情を変えない。

「しかし——本当です」

私は漸く気がついた。

この青年僧は心情がそれ程顔に出ない質なのだ。引き締まった口許や澄んだ瞳や逞《たくま》しい眉は、内面の葛藤と無関係なのだ。それは、自信に満ち溢れている時は非の打ち所のない程健全に見えるが、自信を失うと外側だけの張りぼてになる。だから愛想良くしているとどことなく白白しく思え、そうでない時は強張《こわば》って見えるのであろう。

「まあお坊様は嘘を云わんと私は思いたい。それに普通はなかろうが、あり得ないことではない。寒いのを堪えておったのかもしれませんからな。その、飯窪さん、あんたこの益田君に、手紙の話をしたそうですな？」

「手紙？——きよさん、君は何を」

仁如は何か云いかけたのだが飯窪が遮った。

「ええ。致しました。私は手紙を預かってお寺に行きました。しかしヒトシ——仁如さんはお寺にはいなくて」

「中は——読みませんよなあ」

「も——勿論です」

「そうかな。松宮さん。父上との口論の理由とは何なのです？　家を出る程の喧嘩とは」

「それはひと口には申し上げられません。父の生き方、考え方、凡てが我慢なりませんでした。拝金主義的なところも厭でしたが、何より貧しい者を軽蔑するような言動が堪らなかった。出家致しましてより十年以上世俗を離れて修行しておりますが、未だそうした考え方だけには憤りを禁じ得ません――」

それは――嘘とは思えなかった。

「――ただ、亡くなってしまったことに就きましては悔しく思います。そのような者を戒《いまし》め救い導くのが僧の勤めでございますから」

そこが――私には白白しく聞こえるのだ。

「なる程ねえ。それで大喧嘩。あなたは正義感の強い方だったのだな」

「いいえ。それで家を飛び出したのですから、ただのろくでなしにございます。拙僧があの場に居りましたら、母も死なずに済んだ。また妹も――」

また言葉尻が消えた。

「それじゃあ全面的に信用するよりないんだなあ」

次田は一層小さくなった。

「あのう――」

私はある着想を持っている。確証はない。

殺人放火犯は小坂了稔なのではあるまいか。

　これは元元益田が云っていたことなのだ。慥かその時は敦子に一蹴されてしまった筈だ。今日明慧寺と松宮仁一郎氏の密接な関わりは、その時は知られざる事実だったからである。今日仁如の話を聞き、両者の間に利害関係が発生することが判った今となっては、強《あなが》ち外れてもいないと思ったのである。

　当時了稔は教団から再三召還されていた。しかし、それが何故かは解らないのだが——了稔は山を下りたくなかった。のみならず、それが何故かも解らないが——他の僧達も山から下ろしたくなかった。幸いにも外部との連絡は了稔に一本化されていたようだから、他の僧への召還命令も了稔が握り潰してしまったのではあるまいか。そうしているうちに援助打ち切りの最後通告が来る。そこで——。

　了稔は、松宮仁一郎が教団から得ていた明慧寺保管料を半永久的に詐取する手口を思いついたのだ。そのために——。

　松宮某を殺して放火する。

　私は、仁如と明慧寺の関係を含めて、二人の刑事に——たどたどしくではあるが——その推理めいた筋書きを説明した。

「なる程なあ。しかし関口さん。それは——」

　益田も次田も妙に感心した。

「——土地の持ち主ねえ。こちらが」

「いや、益田君。僕は了稔さんがその復讐のために殺害されたとは思えないし、それに泰全老師は少なくとも放火殺人に関わってはいないように思うんですよ。だから勿論、こちらの仁如さんを疑ってる訳じゃないのですが——如何です？」

仁如は不思議な顔をした。

「それは拙僧には何とも——申し上げられません」

「まあそうでしょうね」

予測できる回答だった。

益田が云った。

「しかしその山を下りたくないとか、下ろしたくないとか云うのは善く解らないですね。あの寺にいるのはそんなに好いことなんですかな？　否、殺人放火などと云う犯罪を仕出かしてまであそこにいたかった、その理由とは何です？」

それは私にも解らなかった。

僧達は皆、出られないのだと一様に云う。

しかしそれは出ないだけなのかもしれぬ。

僧達は皆、あの寺から出ようとしている。

しかし矢張り出たくないようにも思える。

まあなあ——と、益田は嘆息雑じりに云った。

「桑田さんも出られないとは云っていましたよねぇ、慥か。でも召還されていたとはひと言も云ってなかったし、すると小坂が情報止めてたのかなあ。理解に苦しむなあ。久遠寺さん解りますか？」

「そう云や菅野も云っておったわい。現実逃避じゃないんかね。そう云うのは？　違うんかなあ。もっと何か、こう、呪いみたいなもんじゃろか？」

呪い――呪いなら今二階にいるあの男が解くべきなのだ。しかし、それは多分そんなものではないのだろう。だからあいつは引っ込んだのだ。

次田が云った。

「しかしそれが本当なら、矢張り松宮さん、あんたは怪しい。その税金だか相続だかのためにやって来たと云うのは事実なんだろうが、時期を同じくして殺人だからねえ。しかし、お坊様が殺人放火とは――」

「そんなことをする僧は居りません！」

仁如は当然云うであろうことを云った。

「解っとりますよ松宮さん。私は熱心な信徒なんだから、お坊様がどれだけ大変か知っとります。そんな邪心を持ってちゃお勤めは勤まらんです」

「勤まらん坊さんもいるわい」

久遠寺翁はつまらなさそうに云った。

その後、何故か急に空白が生まれた。

全員が黙したのは、それぞれが何かが来る予感を持ったからだった。

予感は的中した。

乱暴に襖を開けたのは菅原刑事だった。

「す、菅さんどうした」

「鉄つぁん、あんた何のんびりしている。おいッ！」

「なな何だ、どうしたんです菅原さん」

「おお益田君。あんたの上司は腰抜けだな。もういかんぞ。ガタガタだな」

「山下がどうかしたんで？」

「あれは捜査主任から第一発見者に降格だな」

「第一発見者って何です？」

菅原はわざと足を鳴らして下品に這入って来た。

警官が四人続いている。

菅原は仁如を侮蔑するように横目で見て、それから私を跨ぐように通り越し、久遠寺翁の前で止まった。

「久遠寺嘉親。逮捕する」

「た、逮捕たァなんだ。どう云う了見じゃ！」

「誤魔化すなよ。お前がやったことじゃないか。菅野博行殺害容疑だ。逮捕状はないがな、これは逮捕だ」

「な、何を云うかおのれ。何で儂が——逮捕状のない逮捕ってのはなんだっ」

「つべこべ云うな。逮捕状なんてのは今ここで電話して取ってやる。いいから来い！」

警官が久遠寺翁の両脇を摑んで引き上げた。

「待て。おい、菅原君！　菅野、今菅野と云ったのか？　菅野がどうしたんじゃい！」

「煩瑣《うるさ》い黙れ。殺人者に君づけで呼ばれる筋合いはないぞ。菅野博行は死んだッ。お前が殴り殺したんだ。娘の復讐だな。他の二件は兎も角、それは間違いない！　しらばっくれるなこの野郎」

「馬鹿云うな！　おい離せ！　儂はひとりで立てるわい。足は丈夫だッ」

「益田君。あの探偵はどうした？」

「榎木津さんですか？　帰りましたが」

「か——帰したのか！　困るな兄ちゃん！　あれも参考人だ。下手すりゃ共犯だ。すぐ手配しなくちゃあ。こいつァ責任問題だぞ！」

「そ、そんなこと急に——」

私は漸く状況を呑み込んだ。

京極堂、京極堂を——。

その、少しばかり前の話だと聞く。

＊

鳥口は高揚していた。深い理由《わけ》も大きな契機《きっかけ》もないのに、辺りの空気が、空気がと云うより気配が、沸沸《ふつふつ》と沸き立つような、そんな風に感じられる瞬間《とき》と云うのはある。

明慧寺の門を見た時が正にそうだった。

渦を巻いている。陽炎《かげろう》のように形容し難い気配が立ち上《のぼ》っている。理由は簡単だった。明るかったのだ。もう山山は夕闇に包まれていると云うのに、境内には光があったのである。日中でさえ雪景に黒黒と映える三門が、これ以上の黒はないと云う程に真っ黒の景影《シルエット》となって存在を誇示していた。

「何かあったんです！」

敦子が云った。

常信和尚の表情が曇った。

「このうえ何が——」

「だって和尚様。通常このような照明をすることなんてないでしょう」

敦子は少し足早に駆け上がって立ち止まり、踵《かかと》を上げて三門を見た。その小さな後ろ姿を見て鳥口は己の興奮とは裏腹な、後悔に似た感情が湧いた。

——こんなところに連れて来るんじゃなかった。

敦子と云う娘は猫の子のようにものごとに集中し、のめり込む。好奇心猫を殺すの喩《たと》え通り、それは常に良いこととは限らない。ここはこの娘《こ》には良くない場所なのだ。鳥口のように表面を滑るように生きている男でないと——。

——取り込まれてしまう。

そう思った。

常信が袖をはためかせて敦子の隣に駆け上がる。

映画で見る旅仕度の僧のような出で立ちである。

袈裟《けさ》は着ていない。

「慥かにこのような情景は明慧寺始まって以来——否、拙僧が明慧寺に来て以来始めてのことです。果たして何があったのか」

「ありゃあ松明《たいまつ》か何か焚《た》いてるんでしょう。ねえ」

二人の警官は鳥口の問いに答えず、矢張り駆け上がるように常信や敦子の隣に行って様子を確認し、二人同時に振り向いて鳥口のいるのを確認してから何故か敦子に告げた。

「緊急事態の場合は門前でお引き取り戴きます。そう云われていますから」

「解ってます。しかし——早く行ってみましょう」

敦子は三門に駆け寄る。鳥口は、どうしてだろう、敦子に一番乗りをさせてはいけない気がして、小走りに常信と警官を追い越して、先頭に出た。

三門の前の木立に差し掛かった辺りで、中が動く気配がした。鳥口は慌てて敦子を引き寄せて木立の一本に身を隠した。予想は的中し、中から警官らしき一団が飛び出て来た。血相を変えた菅原が先頭である。一団は鳥口達より先ず常信と二人の警官に気づいたらしい。菅原は大声で、

「何だあんた。真逆《まさか》自首か！」

と叫んだ。常信に当てた言葉だろう。

「戻っただけにございます。何か――」

「まあいい。お前達、あの医者はまだ仙石楼にいるな？　お前等が送った医者だ！」

「はい、居りましたが」

「よしッ。ああ後は中にいる者に事情を聞け。逃げられちゃ適《かな》わん。だから帰すなと云ったのにまったく！　いいか、確《しっ》乎《か》りしろよ」

菅原は二三度警官の尻を景気良く叩いて、脱兎の如く――そう、罠から逃げ出した小動物のように――山道を下って行った。

「医者って――久遠寺先生のことですよね？　そう云えば少し様子が変でしたけど」

「そうですか？　僕はただ疲れてたのだと思いましたがね。しかし敦子さん。この場合警察は間違った判断で動いていると云うのが僕等カストリ野郎の常識です。榎木津さんもついてるし心配ないですよ。それより――」

侵入するにはうってつけの状況だった。

三門の見張り役はいなくなっていた。

あっけない程簡単な侵入だった。

あちこちに篝火《かがりび》が焚かれている。

——合戦前夜の陣中のような雰囲気だ。

勿論鳥口は武将でも足軽でもないから合戦に参加したことなどはないのだが、何故かそう思った。

静かなのには変わりがない。

パチパチと木が燃えて弾ける音まで聞こえる程である。

警官と常信が後を追うようにして追いついて来た。

「緊急事態ではあるようですが、ここで帰すなんて云いませんね？」

警官は二人とも、何も答えなかった。その代わり落ち着きなく方方を見渡した。

味方を——否、指示をしてくれる者を捜しているのだ。きっと心細いのだろう。彼等末端の者は判断することに慣れていない。

自然歩く速度は遅くなる。真っ直ぐ前は見たくない。寺の背後の森がやけに脅迫的に夜空を覆っているからだ。法堂だか本堂だか知らないが、その辺りは何となく怖い。鳥口の足は知客寮に向かった。無言で意志は伝播して、警官も敦子も、常信ですらそちらに向かった。

鳥口は知客寮の扉の前に立ち、警官を手招きして、人を紹介する時のように扉を紹介してやった。

警官は慌てて扉を開け、身分と名前を名乗った。

「仙石楼特設本部益田巡査のご指示により、桑田常信様を護送致しまして、た、ただ今戻りました。その、ご、ご指示を」

「桑田？　聞いていないが」

若い刑事が出て来た。憔悴《しょうすい》しているのか、嫌悪感たっぷりの物腰だ。

「す、菅原巡査部長に、こちらでご指示を戴くよう、そ、その門のところで」

「菅さん？　お前等菅さんに会ったのか。まあ這入って。お前等じゃない坊さんの方だ。お通しして。あれ？　あんたら取材の人じゃないか？　なんだ君達、新しい容疑者か？」

「と云うより最初の容疑者ですね。それより刑事さん、何があったんです？　勿論民間人に語ってはいけないことも多いでしょうが、僕等はこれでも報道ですから。それなりに扱って戴かないと記事にしちゃいます」

「ああ、話すから書かないでくれ。ここのことは何にも書くな。雑誌の記事に書けるような場所じゃないんだ。寒いから戸を閉めて這入りなさい。今は完全な膠着《こうちゃく》状態でね」

肩透かしと云うのはこのことである。猫騙《ねこだま》しをかけた相手がふ、と消えて、合掌した形のまま前のめりに倒れたようなものだ。

山下がいた。

ぺたんと座布団の上に座って脱力している。乱れた前髪がおりて額にかかり、意外と若いと云うことがバレてしまっている。山下はゆっくりと我我を見上げて無表情に云った。

「ああ。君達。桑田さんも。どうしました」

「どうしたんです警部補――」

ここでも孤立したのか、と鳥口は先ず考えた。しかしそうではなかった。

また殺されたのだ。しかも、第一発見者は山下自身なのだそうだ。

「桑田さん。私は正直云ってあんたを疑っていた。大した根拠はない。今思えば、馬鹿馬鹿しい」

「拙僧を――そうでしたか」

「なあに。その時はこの寺がどんなところか知らなかったんだ。私は功名心と云うか――少し違うんだが、まあ、一分一秒でも早く解決したくてね。小坂と仲の悪いあんたを先ず疑った。仲が悪いと云うなら和田さんだって同じように仲が悪かったんだが、何故だかあんたを疑った。予断や先入観じゃない。希望だったんだな。情報の取捨選択を都合良くしていただけだ。事実最後の菅野殺しはあんたには不可能だし、これが別の事件だとは思えない。あんたは――白なんだろ？」

「拙僧は人殺しなどしておりません」

「ああ。信じるよ」

山下はあっさりそう云った。敦子が意外だと云うように問うた。

「山下さんは、常常《つねづね》直感や感性で事実を推し量っちゃいけないと仰ってるんだって、益田刑事が――」

「お嬢さん。これは直感じゃないんだ。直感で云うなら、私はあなた達全部怪しいと直感したから」

「もっと本質的な――直観？」

「そう云う言葉は解らない。私は哲学者じゃないから。ただ、そう――言葉じゃ巧く云えないが、そうだなあ、我が身に降りかかってみて始めて知ったんだ。例えば、この菅野殺しの場合――」

山下は漸く前髪を掻き上げた。

「――被害者は土牢の中にいて、その前に番兵が立っていた。連絡の行き違いで五十分だけ警官が持ち場を離れて、そこは無人になっていた。私達は彼が加害者にはなり得ても被害者にはなり得ないと思っていたからね。脱走した形跡もなく安心していたんだが、その五十分の間に彼は殺害された。そしてその間、土牢に這入ったのがあの医者と今川君と探偵だったんだ。それでね」

「久遠寺先生が犯人？　でも、例えば他に侵入できた者は？」

「それは誰でも這入れたさ。坊主どもの動きは完全に掌握し切れてない。ただ今川君の自供だと、医者と彼は三十分以上は中にいたらしい。探偵はその間仙石楼から届いた食料を巡って警官と諍《いさか》いを起こしていた。しかし最後の十分程は判らない。これも今川君の自供に依れば、探偵は最後に牢にやって来て二人を外に連れ出したのだそうだ。今川君はその時、菅野は生きていた、と云っている。但し最後に穴から出て来たのは医者だ」

「でも――」

「解っている。私はその後、気になることがあってその牢に行き、見張りを外して単独中に這入った。そうしたら菅野は死んでいた。つまり、私だって怪しい。今川君の証言を信じれば、私が一番怪しいんだ」

　山下はそう云ってネクタイに手をかけ、緩めた。

　いっそう草臥《くたび》れた感じになった。倒産した中小企業の社長のようだと鳥口は思った。

　敦子がその様子を見て心配そうに云った。

「しかし山下さんは――勿論犯人じゃないじゃないですか。ただの発見者なんでしょう？」

　敦子は心配と云うより不安なのだろう。

　慥かに一連の述懐は、これまで権威主義の権化のように思われていた男の発言とは思えないものである。山下は薄い唇を無理にひん曲げて笑った。

「あなた達だって発見者だったのでしょう。私は自分がやってないことを知っているが、それは私が知っているだけのこと。私以外の凡ての人間はそのことを知らない。果たしてそれは事実と云えるか？　私が『実は私が殺しました』とひと言云えばそれが事実になるんだ」

「山下さん疑われているんですか」

「疑われてはいない。ただ、私が現在容疑者圏外にいるのは、事実が確認されたからではない。私に国家警察神奈川県本部捜査一課の警部補と云う肩書きがついていたからだ。肩書きがあったから疑われなかったというだけだ。私が一介の民間人であったなら私は今頃あの菅原君に怒鳴られて絞られているに違いないのだ。だからね、偶偶《たまたま》私に肩書きがついていたから、次にあの医者が疑われた――」

「山下さんの次に確率が高いと？」

「そう。でも真犯人は確率で決まるものじゃないでしょう。ただ菅原君はそう思ってない。確率の高い奴を締めあげて自白さえ取れれば真実が判ると、彼はそう考えている。私にはそうは思えない。こんな捜査は嘘だ。犯人はいる。必ずいる訳でしょう。それは確率で云えば十割なんだ。一割でもそうでない確率があるうちは白だよ。だから今川君もあの医者も、それから桑田さん、あんたも、私がやっていないのと同じ確率で白だと、私にはこう思えてならない。これは直感と云うのじゃないだろう？」

　敦子はええ、と云った。

　鳥口は山下の変節にやや躊躇している。

「捜査はね、否、警察の捜査はね、だから物証でもなんでも、証拠を挙げて、こつこつ事実を積み上げて行くのでなくちゃ駄目なんだ。特に今回はそう云う事件だったんだと——今は思っている」

「科学的な思考の範疇での解決以外ないと？」

「そう。それ以外ない。動機だとか自白だとかは、軽軽しく論じても信じてもいけない。特にこの事件は心の領域に入り込んで解決できるようなものじゃなかった。心と云うものを私達は単純化し過ぎていた。甘く見ていたんだ」

　どうやら山下は本気でそう思っている。

　臓躁的《ヒステリック》な采配しか目にしていない鳥口には、この三日の間彼の中にどのような葛藤があったのか解らない。鳥口はその真意を問いたかったが、そうも行かず、

「今川さんはどうしているんです？」

　と尋いた。

　山下は素直に答えた。

「彼は禅堂の横の建物にいる。逃亡する様子はないが、一応縄を打たれている。捜査妨害と云う名目だが、それはあくまで名目だ。ただ、彼はさっきまで真犯人《ホンボシ》だったが、今は共犯者に降格しつつある。菅原君は医者が真犯人だと考え直したようだからな」

「もしかして――菅原刑事は久遠寺先生が菅野氏に対して怨恨を抱いていたとお考えなのですか？」

「ああ。資料を読むとお嬢さんはあの『嬰児失踪事件』の関係者だそうだな。実は私が報告書を読んでね、喋ってしまった。菅原君は医者も今川君と一緒に縛っておけと云ったが、あの医者と菅野が報告書通りの関係なら――傍《そば》にいるのは忍《しの》びないと思ったのだ。だから仙石楼に帰せと、そう云うつもりで云ったのだが、菅野が死んでしまった今となっては疑われる一番の根拠になってしまった」

そこで常信が静かに尋いた。

「博行様は――どのように？」

「ああ。それは――」

山下は再び髪を搔き上げた。

玄関口に出て来たあの若い刑事が不審そうに見ている。こう云う状況を云い表す巧い四文字熟語があったと思うが、当然鳥口に思いつくものではない。

山下は云った。

「桑田さん。あんた大麻知っているか？」

「大麻――と仰せられますと植物の麻のことですかな？　繊維を採る」

「そう。あの大麻です。彼はそれを常用してた節があるんですよ」

「常用？　麻を常用とは」

「麻薬です。煙草みたいにして吸う。勿論違法行為です。そんなのは修行じゃないんでしょう？」

「当然です。一番修行と遠いところにある。山下様、それは——」

「まだ鑑識が来ないし現場検証ができないから、真実かどうか解らないがね。あの探偵が見抜いたんだと今川君は云っていたが——」

「大将が？　それなら——」

多分本当だ。鳥口は榎木津の言動に対する信用の仕方と云うのを少しは心得ているつもりだ。何もかも支離滅裂のようだが、嘘だけは云わぬ。ただ一般人と違うところを見ているから一般人に伝わらないのだ。それが榎木津の超能力の実体なのか、彼の変な能力が彼をそうしてしまったのか、それは解らない。

「——本当でしょう」

「信じられぬことですな。博行様は、今でこそあのようになさっておられたが、一時は実に立派な——」

常信はそこで言葉を止めた。

「——どんな者でも過ちを起こさぬとは云えぬか」

山下は項垂《うなだ》れるように頷いた。

「ああ。常用してたかどうかまでは解らないんだがね、屍体の脇に乾燥大麻が束になって置いてあったんだ。私が発見した」

「置いてあった？　牢内にですか？　それを吸っていたんですか？」

敦子が不審そうに問うた。

「否、あれは犯人が置いたんだと思う。それ以外に考えられない。あれではまるで断罪だ。殺して、その横に罪の証《あかし》し——殺害された理由を陳列したように見えた。しかし、あんなもの、どこで入手したのか——」

「この閉鎖的な状況を考えれば、持ち込んだとは到底思えないですね。それこそ、寺ぐるみの——あ、そう云う可能性だけの発言は——避けましょうか」

敦子は常信と山下を見て言葉を止めた。

山下も常信を気にし乍ら続けた。

「まあ私も、例えば托鉢と云うのかな？　その際にどこかで入手して持ち込んだ——と云うようなことも考えないではなかったが、違うな。今は寧ろ、どこかに生えているのではないかとすら思っている」

箱根に大麻が自生するだろうか？

「野生ってのは考え難いんじゃないですかね。箱根はまあ温暖な方ですが、この山の有様を見れば麻が生えてるって感じはしません。土地柄も——」

「鳥口君だったな。あんた詳しいのか？」

「僕ぁ三流事件記者です。そう云うことは詳しいですな。栽培して実刑喰らった奴も知ってます。栽培は、土の善し悪しと水捌《は》けや温度に気をつけていれば、すぐに芽は出るし何箇月かで収穫できるみたいで、比較的簡単らしいすが。種子《たね》が手に入らない。日本の奴はあんまり効かないそうですしね」

「全然駄目なのかね？」

「駄目じゃないっすよ。駄目じゃないから法律があるんです。ただ効き目が弱い――はァ。弱いってことは少しは効くってことですね。まあ野生は兎も角、栽培したのなら生えるかもしれませんし、生えてりゃ吸って効かないこともないかな」

「大麻取締法は栽培しただけで実刑だ。もしそうなら――私達は取り締まらなけりゃいけない。どうあれ死骸の横に大麻があったことは事実だからね」

「山下様」

常信が云った。

「菅野様は典座をしておりました折りに、薬草の畑をお造りになっておりましたぞ」

「何？」

「素姓こそ存じませんでしたが、博行様は本草《ほんぞう》に詳しく生薬《しょうやく》に長《た》けておった。それで――」

「それだ！　慥かお嬢さん、あの菅野は――」

「菅野さんは元お医者様で、しかも、そう、そう云うことには慥かにお詳しい筈です」

常信は静かに制した。

「勘違いされては困りますが、博行様は決して麻薬とやらをお造りになっていたのではございません。戦争中に愈々《いよいよ》食に困り、高齢の泰全老師がお体を壊されたことがありました。その際に薬草などを用いて博行様がお治しになった。それであの方は典座の役を泰全様より引き継がれたのです。元お医者様であったならそれも判る。あの方は種子や株をお持ちだったのかもしれぬ。医食同源と申します通り、禅では食と云うものをとても大切に致します。畑を耕し、収穫し、調理して器に盛って戴くまで、凡てに雑念を取り払い精進致します。これが凡ての基本。それを任されますのが典座です。ですから菅野様は大衆の健康をお考えになり、それをお造りなったのでございます。ただ、その幾種もの薬草の中にその麻がなかったとは云えないかと――」

「麻は鳥の餌にはなりますが、健康食や薬にはならんでしょう？　判りませんが。ただ取締法ができたのはつい最近ですからね。その菅野さんは違法行為だと知らなかったんじゃないですか？」

と――云うより、こんなところに住んでいればまず知らない筈である。この度こんな法律ができましたと、逐一報せに来てくれる訳ではないのだ。

「その畑はどこに？」

「大雄宝殿の横を少し登った山肌です。博行様が幽閉されてより後は、拙僧が典座を任されましたが、残念乍ら拙僧は知識に乏しく草の種類も薬効も存じませんでした故、その畑には手をつけておりませんが」

「誰か知っている者は？」

「皆知ってはおりましょうが——ああ、托雄が一番善く存じておりましょう。托雄は博行様の行者であった」

「托雄——さん」

　敦子は複雑な表情になった。

　鳥口は托雄と英生の区別がつかない。

「それは見てみないと——いけないいか」

　鳥口はその語調から消極的な印象を受けた。

「山下さん、大丈夫っすか？　なんか、その」

「ああ、私は多分、明朝捜査主任を外される。本部から誰か——多分石井さんかな。代わりの者が来るだろうね。だから私は鑑識が到着するまで——多分それも明朝だろうが、それまでこの現場を保存するのが仕事だ。だから警護を現場付近に限定してね、明日に備えて、できるだけ捜査員に休養を取らせているんだよ」

「しかし——その間に証拠を隠滅される惧《おそ》れや、逃亡される惧れもあるんじゃないすか？」

「まあ、でも犯人はこの山から多分、出られないような気がする。これは何の根拠もない感想なんだが」

「はあ——」

変われば変わるものだ。

鳥口は本来神経質そうな選良警部補《エリート》が不精髭も剃らず、ネクタイを緩めて脱力して座っている姿を見て何だか少し肚が立って来た。

「駄目ですよそんなじゃ」

「駄目？」

「代わりの人が来たらまた山下さんと同じことを繰り返すんじゃないんですか？ここはそう云う場所みたいだし。山下さんだって最初あんなに鼻息荒かったじゃないですか。なんだ貴様等ッ！とか云って。どうした変わりようですか」

「ああ——まあねえ」

山下は大きな溜め息を吐いた。そして上目遣いに常信を見た。

「桑田さん。変わったと云えば、あんた何で帰って来た？あんなに怯えていて。あんた、和田さん疑ってたんだろ？」

「拙僧が？慈行様を？否、それは誤解だ。拙僧は肚の中の鼠に齧られておった——のだそうだ」

「ネズミ？」

「拙僧は己《おのれ》の影に怯えて寺の一大事にも拘らず脱兎の如き勢いで逃げ出してしまった。今はそう云う時ではありますまい。気がついて戻って参った」

「ああ――そうなのか？　和田は無関係なのか」

「どなたがそのようなことを申された？」

「ああ。中島さんだ。あの人はその、脳波測定反対の急先鋒である和田が賛成した小坂大西を殺し、次にあんたを狙っていると――あんた、桑田さんはそうした疑いを持っているのかもしれないと、云ったんだ。ただそれは事実じゃないからあんたはすぐに気づくとも云ってたがな。ま、和田を疑っていなかったにしろ、あんたはすぐに気づいた訳だ」

「そうですか。祐賢様は何か他に――その脳波測定に就いて仰っておりませなんだか」

「ああ。興味ないと云ってたね」

「左様か」

常信は納得したように笑った。

「そうか。和田を疑ってたってのはじゃあガセか。全く何を聞いてもそうかと思う。自分と云うものがないんだな。私はもう自信をなくした」

自信を失った自信家程情けないものはないと鳥口は改めて思う。最初から自信のかけらもない某小説家のように、自信のない状態に慣れていないのだ。

「山下様——」

常信が云った。

「——拙僧は今日、さるお方とお話を致しました。そしてふと幾つもの言葉に思い至った」

「言葉？　言葉は駄目だとか、ただ座れとか色色と聞いたがなあ。それが？」

「仰せの通り禅は以心伝心、教外別伝と申します。心を以て心に伝え、教えは文献教典の外にある。言葉では何も伝わらぬ。それでいて禅には多くの教典がある。これは何故か。それだけ多くの言葉を用いずば、言葉ならぬものが表せぬからです。拙僧は当たり前のように禅籍を読んで、多くの言葉を識《し》っておりました。しかし、それはただ文字を読んでいただけだった。何も伝わっていなかったのです。今思えば、拙僧の迷いの答はどの禅籍にも明確に書いてあったのです。そこに思い至った」

「はあなる程。それで？」

「道元禅師が帰朝されて最初に著された『普勧坐禪儀《ふかんざぜんぎ》』にこんなことが書かれておる。毫釐《ごうり》も差あれば天地懸《はる》かに隔たり、違順纔《いじゅんわず》かに起れば紛然として心を失う——仏性は凡ての者が持っています。改めて修行などせずとも、生き方を工夫などせずとも、皆仏性を持ち仏法を使い熟《こな》しておりまする。しかしてほんの一寸《ちょっと》でも間違うと、仏の道と己の道は天地程隔たってしまう。すると次から次へと迷いが出て来て己の本来の心を罔《な》くしてしまいます」

「次から次に迷いが——出るねえ。うん」

山下は何かを噛み締めた。

「だから、幾ら正しき道を知ろうとも真理に到達しようとも、それはほんの入口。釋迦でさえ端坐六年、達磨でさえ面壁九年。凡夫の修行しないでいい訳がない——とそう云うことが書かれている。さて、山下様」

「はい？」

「尊公の信ずるものも同じかと思われます」

「私の信じるもの？　私は取り立てて信仰しているものはないんだが」

そうではございませんと常信は云った。

「山下様は警察と云う、社会のためになくてはならぬであろう組織の一員でいらっしゃいますな。しかも警部補と云う、高い地位にいらっしゃる」

「警部補はそんなに偉くはないが——まあ下級管理職だがね。いや、私はね、今だから云うが、正直に云えば出世したかった。だから懸命に仕事して来たんだ。それが悪いことだとも思ってなかったよ。だって警察で成績を上げると云うことは、即ち事件を解決したり未然に防いだり、世の中のため人のためになってる訳でしょう。でも、まあそれもものは云いようでね、こりゃまあ——欲なんだろうね。出世欲」

「契機に何があろうともなされることは一緒。ならば信ずるものもあった筈」

「それは——そうですよ。社会正義のようなものを信じずに警察官はできない」

「ならば——それ自体が間違っている訳ではないでしょう。尊公は始めから犯罪捜査の何たるかを知っておった筈。真実を見極め、法に照らして、大衆の災いを取り除く——尊公の信ずるもの自体が間違っている訳がない。しかし、尊公はどこかで一寸《ちょっと》だけ違《ちご》うてしまったのでしょう。捜査も坐禅も同じでございます。間違ったからと云って止めてしまえばそれまでのこと。取り返しのつかぬことをした訳でもなかろう。魔境は受け流し、ただなされるが宜しかろうと、まあ余計な老婆心ですが」

「いや。ああ、うん。慥かに私は——どこかで一寸、間違えてはいたんだ。いや、ここに来て、今始めて坊さんの云っていることが理解できたような気がするな」

山下がそう云うと常信は笑った。その時、若い刑事の声がした。

「山下さんッ！　山下さんあの——」

何か——あったのだ。鳥口は跳ねるように立ち上がった。そして山下を促した。

「ほら！　事件は警部補を許してくれなかった訳ですね。山下さん、新規蒔《ま》き直し——であってますよね？　ああ正しい。じゃあ、蒔き直しましょう」

山下は常信を横目で見乍らひょろりと立ち上がり、少少引っ繰り返った声で、

「何だどうした亀井《かめい》君？」

と云った。

禅堂は大変なことになっていた。

慈行と祐賢が対峙していた。慈行の背後には多くの僧が控えている。少し間隔をおいて英生か托雄かどちらかが真っ青になって座っていた。警官が遠巻きに見ている。山下と、弾みでどう云う訳かそれに引っ付いて行くことに成功した鳥口が侵入したのを確認して、祐賢が大声で云った。

「おお！　は、早う、早うこのき、狂人を逮捕しろこ、こ奴が犯人ぞ！」

祐賢は力強く慈行を指差した。

慈行は修羅の如き憤怒の表情になり、堂内に響き渡る張りのある声で云った。

「忙忙地《ぼうぼうち》見苦しゅうございますぞ祐賢和尚！　かの万境《ばんきょう》に回換《えかん》せられて自由を得ず、暴流《ぼうる》の如き煩悩《ぼんのう》に押し流され、畜生道に堕ちて尚罵言《ばげん》を吐きなさるか！　潔うなされよ」

「人情を破り除いて仏法を向上に提持《ていじ》するは地獄に入ること矢を射るが如し。況《まし》て戒めを破り除いて提持する仏法などあり得べからず。慈行、矢を射るよりも速く魔道に堕ちたるはお前がことだ！」

「戒めを破りたるは尊公にござりましょう！　しかも、戒めを破りて掲げるは情欲邪淫の煩悩である！　三聚浄戒《さんじゅじょうかい》を受くるべき永平道元の法を嗣《つ》ぐ者とは到底思えぬ。情を恣《ほしいまま》にして制戒を犯すべからず。この既式を違越するが如くんば、衆議を作《な》し寺院を出すべし。出すべし！」

「ええい、慈行。お前にそのようなことを云う資格があろうか！　出てやる。望み通り出てやる。殺されるより寺を出る！」

祐賢は岩の如き顔を振り立ててこちらを向いた。

鳥口には二人の僧が何を云っているのか全く判らなかった。進駐軍同士の喧嘩の方が余程意味が判る。

警官や刑事達の手前もあってか、山下はひょろひょろと蹣跚《よろけ》乍ら中に踏み込んで祐賢のところに行った。

「な、中島さん。事情を尋きたい」

慈行が大声で云った。

「事件とは無関係。お下がり召されい！」

「あ、あなたに尋いていない！　そ、それとも中島さんの発言はあんたにとって都合悪いのか！　無関係無関係って隠しておいて、それで菅野さんは死んだんだ。いいですか、菅野さんは亡くなったのだ。小坂さん時みたいにそれがどうしたとか云うなよ！　人ひとり死んでるんだぞ。ぶ——無作法だろうがふしだらだろうが人は人だ。法律の前には高僧も破戒僧も一緒なんだッ」

声が震えている。

慈行は黙した。

「な、中島さん。ど、どう云う理由だろうがこう云う諍いはいかん。警察としては黙認する訳には行きませんぞ。し、知客寮に移って」

祐賢は何も語らず山下に従った。

山下は何だかがくがくしながら祐賢を伴って入口まで来ると、振り向いて突っ立って茫然としている警官に云った。

「明日応援が到着するまで交代で見張るんだ。それからわ、和田さん。騒ぎはこ、困るッ」

慈行はただ睨んだ。禅堂に静寂が復活した。

鳥口は山下を少し見直して、

「かっこ良かったっすよ」

と軽口を叩いたが、山下は答えなかった。


祐賢は始終無言で知客寮に入り、そこに常信の姿を認めて豪く驚いた。

「じ、常信さんあんた、いつ」

常信は深く低頭した。

「昨日は僧にあるまじき軽挙妄動を致しました。実《まこと》にあいすみませぬ。深く恥じ入り、戻りましてございます」

「い、いや、頭を上げてくだされ」

祐賢は相変わらず固い顔つきだったが、その首筋に冷や汗が浮いているのを鳥口は見逃さなかった。僧にあるまじきと云うならば、今まさに祐賢は僧にあるまじき態度だったのではなかろうか。

「常信さん。博行さんが」

「聞きました。酷《むご》いことにございます」

「あんたの思うた通り、犯人は慈行だ」

「は、今何と仰いました？」

常信は顔を曇らせた。祐賢は常信を見ずに少し乱暴に云った。

「だから犯人は慈行だと申した。あんたそれを察して逃げたのであろう。ならばそのように恥じ入ることはない。それは正しい見解である」

「そのような——」

常信が何か云おうとするのを山下は止めた。

「まあ、お話を聞きましょう中島さん。ああ、菅原の奴が帰って来るなあ。場所を移そうかな？　いや、菅原君に向こうに行って貰おう。おい亀井」

「は？」

「今刑事は何人残っている？」

「三人ですが」

「今川君の所に二人か。君、和田を張って。ああ、いいか、容疑者じゃない。あれが動くと坊さん皆動くから、動向が掴み易い。それだけだから」

　若い刑事は頸を二度三度左右に傾けて去った。

　急に活動し出した警部補に疑念を持っている。

　鳥口はやや調子に乗って尋いてみた。

「いていいっすか？」

「ああ。同席してくれ。お嬢さん、中禅寺君か。君も、それから桑田さんもいてください」

　山下はネクタイを締め直して祐賢の前に座った。どうやら復調しつつあるようだ。

「さて中島さん。聞き捨てならないことをあんた云ったな。和田慈行が犯人だと」

「い、如何にも」

「あのね、あんた丁度一日前この場所で、和田犯人説を『根も葉もない妄想』だと云った。覚えているな？」

「覚えておる。私は慥かにそう云った。しかし昨日と今では状況が違っておる。昨日私はこう申し上げた筈。了稔、泰全、そしてこちらの常信さんを結ぶなら、脳波測定推進派であったことくらいしか共通項はない。そして反対しておったのは慈行だけ。だがそのような理由で殺人に及ぶとは到底思えぬ。だから妄想と申し上げた。しかし次に殺されたのは常信さんではなく博行さんだった。ならば脳波測定は無関係である」

「まあね。牢屋に押し込められてたんだからな」

「左様。それに博行さんはそのような調査には反対であったろうと推察する。そこで——」

「ああ小坂大西菅野を結ぶ線を考えたんだな？」

「左様。それは戒律破り——破戒である」

「破戒？」

「そう、慈行は戒律至上主義者だ。戒律の地獄に堕ちておる。戒律は修行のためにある。修行することが戒律を作り、それが行持となる。しかしあの男は逆である。本末転倒とはこのこと」

常信は何か云いたそうだったが、山下が止めた。

「小坂がその、町で金を遣い飲み食いしてたことは確認したよ。しかし特殊関係人の存在は確認できていない。女囲っちゃいなかったようだ。この山の中だ。下界に下りたってね、田舎だからね、女遊びと云っても高が知れている。遊んでなかったとは云わんがね。事業の内容や横領の事実に就いては確認できていない。しかし、あんたらの尺度で量ればこれらが破戒になるんだろう。それから菅野。これはまあ異常な性癖を持っていたと云う。しかし、これは出家する前のことだ。それも破戒になるのかね？」

「それはならぬ。しかし博行さんは——まあ云い難いことだが——」

「祐賢様。口をお慎みなされよ」

「否。常信さん。云ってしまった方がいい。もう博行さんは死んだ。いや、殺されたんだからな。山下殿、博行さんは、その——仁秀の娘を」

「鈴か？　ああ、そうか、それであの医者——なる程、それは云い難い。それで皆黙っていたか。それはその、ここで？　寺の中でか？」

「左様。大衆の目前で己を失いおった」

「それで幽閉ね。解った。了解した。それ以上はいい。慥かにそれは破戒だ。それなら一般社会でも破戒だからな。しかし大西はどうなんだね？　うちの益田の話だと、それ程素行は悪くないような、否、あんただって大西老師を悪くは云わなかったぞ」

「泰全老師はその昔——慈行を無理矢理小姓に——否、手込めにしようとしたことがある」

「小姓ってその——」

　山下が息を呑み込んだ。鳥口は慣れている。

「男色ですな山下さん。俗に云う。衆道《しゅどう》の契り」

　カストリ雑誌では珍しい話題ではない。

「ど、同性愛者——本当か？　桑田さん、あんたは知ってたか」

「ご本人からは聞いておりません。流言蜚語、否、禅林に綺語《きご》妄語《もうご》はあるまじきもの——」

「常信さん。私はご本人の口から直接聞いておる。古稀《こき》を過ぎての若気の到り、美童は罪なものと仰ってお笑いになった。戦前のことであるが」

「祐賢様、それは老師のご冗談にございましょう」

「あの慈行に冗談は通じぬ。爾来十数年間、慈行は泰全老師を赦《ゆる》さなんだのだ。斯《かく》も畏ろしき執着《しゅうじゃく》なり」

「おい中島さん」

「何か」

「あんた昨日、坊主疑うのは失礼千万と云った。そのあんたがたったひと晩でどうしてそこまで変わるんだ？　坊主同士疑うのは失礼にならないのか？」

山下は妙に凄みが増している。祐賢は生唾を呑み込んだ。

「中島さん。あんたそれで、何だってさっき、あんな罵声を張り上げてまで熱《いき》り立っていたんだ？　あんたは怒りっぽい未熟な性格だと菅原に云っていたが、だから和田のことを怒っていたのか？　それは違うんじゃないのか？　あんなに怒る理由は何か他にあるんじゃないのかね？」

「何を云われたいのか解り兼ねますな」

「私は昨日菅原があんたにした質問の意味が解らなかった。今解ったよ。寺の中での痴情の縺《もつ》れ——なる程あるんだ。あの時あんた善く喋ったが、菅原がそう云った途端に怒ったな。矢張り失礼千万とか云って。ただ質問には真面目に答えた。ない、と否定した。もしかしたらあんた、あんたがそうなんじゃないのかね？　その同性愛——」

「た、戯けたことを――」

「戯けたことを尋くのが商売なんだ。警察と云うのは。私はそう云う趣味はないが、珍しいことじゃないんだろうし、法に抵触することでもない。だから本来尋くこともないんだが、あんたそうやって他人のことはべらべら喋ってる。常信さん、どうなんです？　お坊さんと云うのは女じゃなければその、良い訳ですかね、そう云う行為は？」

「宜しい訳がない。現在は蓄髪妻帯は許されておりますが、そう云うことは寧ろ――」

「それじゃあ隠したくもなるか。あんたそれで和田に責められてたんじゃないのか？　その腹いせに和田を犯人扱いしたと云うのなら、警察は尋く耳は持たないよ」

「ち、違う。じ、慈行は――」

「じゃあ何で喧嘩してたんだ」

「それは私めの所為にございます」

「英生！　お前――」

いつの間にか亀井刑事と若い僧――英生の方――が襖の向こうに立っていた。

「何だ亀井君。張ってろと云ったじゃないか」

「この人がどうしてもと云うんですよ。何だか思い詰めていて。それに、他の人は坐禅始めちゃって動きやしない」

英生は刑事達の会話を余所にすうっと入室して来て、ぺたりと座って頭を下げた。

「祐賢和尚様。申し訳ございませんでした。私のためにあのような大騒ぎになりまして。お許しください。お許し戴けないのでしたら私は——」

「え、英生——お前」

祐賢の額に脂汗が浮いている。

英生は頭を下げたまま上目使いにその顔を見ている。その眼に——涙か？　泣いている？

鳥口はそれを見て凡てを察した。

「私は——愚かでございました和尚様」

「止《や》めろ。じょ、常信さんがいらっしゃる」

「いいえ。常信和尚様にも聞いて戴きとうございます。私は——」

「止めろ！」

祐賢が摑みかかったので鳥口はその衣を摑んだ。

祐賢は畳に滑って前のめりになった。鳥口はその右手を摑んだ。踠《もが》く腕を軽く捻る。

「乱暴はいけないですよ。言葉で通じないのは解るけど。この人ァ和尚さんのことを——」

英生が這うように近づいて鳥口に縋《すが》った。

「お、お止しください。和尚様は」

「あんたこんななってもこの坊さんのこと——」

黙れ黙れ、離せ、離さぬかと祐賢は怒鳴った。

「祐賢様。お静かになされよ！」

常信が一喝した。

祐賢は鳥口の腕の下で力を抜いてくにゃくにゃになった。

鳥口は力を弱めた。常信が云う。

「英生。宜しい。申しなさい」

「私は昨夜、祐賢和尚様に酷《ひど》く折檻《せっかん》されました。それを逆恨み致しまして、その――」

「折檻？　折檻とは？　罰策ではないのか」

「錫杖《しゃくじょう》で――」

「何？　祐賢様、何故にそのような狼藉《ろうぜき》を――仮令維那であろうとも、それは暴力」

「そ、それは」

「私が――拒んだからでございます」

「拒んだ？　拒んだって、おい中島さんあんた、この英生君を、ええと――襲ったのか？」

山下がやや混乱して英生と祐賢を見比べた。祐賢が再び腕の中でびくついた。

「だ、黙れ黙れ、私は違う。私はそのような淫らなけ、褻《けが》らわしい！」

英生が涙声で叫んだ。

「不邪淫戒を犯しましたのは私なのでございます。祐賢和尚様は――何もされて――おりません」

そして――羞らうように英生は下を向いた。

「ほ、ほら見ろ、私は何も――ええい、離せ」

鳥口は再び暴れ出した祐賢を抑え込んだ。

一同が無言でそうしろと云っている。常信が云った。

「英生。続けなさい」

「私は当山の僧にあるまじき破戒僧にございます。放逐されましても、どのような罰を受けましても仕方のない者でございます。私は、その――祐賢様には内緒に――ずっと、そのような淫らな――」

「相手は？」

「それは――申せません。ただ、それが祐賢和尚様に知れて、否、和尚様は以前より知っておられたのかもしれず、ただ、それで――」

「叱られるかと思いきや、求められたと？」

「うへえ」

鳥口は祐賢を離した。同性愛者を差別する気はない。鳥口はそう云う人達に対して世間より遥かに先進的な理解と道徳的許容力を持っている。ただ、鳥口は今の今まで、祐賢が英生に手を出して、英生が師匠のそのふしだらな行動を庇《かば》っているのだ、と思い込んでいた。しかしどうもそうではない。中年の僧を挟んだ三角関係となると少少戴けなかった。

常信は呆れたように祐賢を見た。

英生はその表情を見て、慌《あわ》てて云った。

「ち、違うのでございます常信和尚様。祐賢和尚様はそのようなおつもりはなかったのでございます。凡て、凡て私の行いが悪かったのです。祐賢和尚様は私の行いを正すため、敢えてあのような振る舞いをなさったのだと——」

英生はそこで顔を上げた。まだ少年である。

「——そうでございましょう和尚様？」

祐賢は何も答えなかった。

「しかし、愚かな私は何も和尚様の有り難い意を汲めず、ただ拒みました。拒みますと祐賢和尚様は酷くお怒りになられて——」

「それで折檻されたと？」

「そうでございます。ですから祐賢和尚様は、仰る通り何もなされておりませぬ。私はふしだらな行いに対する罰を受けただけ、そう思っておりました。いえ、今もそう思うております。ただ——今日、あの探偵様と——お医者様が——」

「探偵？　榎木津さん？」

それにしても——榎木津と云う男はいったいどう云う場所で、どう云う形の影響力を発揮しているのだろう。

「探偵様は怪我のことも凡てお見通しでございました。それにあのお医者様にも大層優しくして戴きました。でも、祐賢和尚様はあの方達に——嘘を吐かれた。私の過ちを正した折檻だったのなら、何もお隠しになることはないのです。それが——嘘を」

英生の眸《ひとみ》の焦点が暈《ぼ》けた。

「だから、もしやあれは本当にそう云うおつもりだったのかと——」

「煩瑣《うるさ》い英生黙れ黙れ。あの野蛮な男は私をいきなり殴ったのだぞ！」

「殴った？　うへえ、大将も——大したものだ」

鳥口は祐賢の傍《そば》から更に離れた。

「そうです。しかし殴られて、和尚様は何も云わずに出て行かれた。あれは何故にございます？」

「そ、それは——」

「つまり探偵様の眼は確かだったのだと——そう云う意味だと、私には思えたのです。つまり、あれは——ですから、ですから、私は豪《えら》く悲しくなって、慈行和尚様に転役を——」

「それで和田は凡てを悟り、あんたを更迭しようとしたのか。その争いだったのだな」

「違う。私はそのような淫らな想いを抱いていたのではない。ただ——お前の」

「祐賢様。お認めなされよ！」

「じ、常信さん」

「祐賢様。周囲は騙せても己の気持ちは騙せますまい。己を欺き続けるのであれば、折角の修行もなりませぬぞ」

「しかし、私は——」

「重ねて己の疾《やま》しさを裏返して慈行様を貶《おとし》めるなど以ての外。今の尊公は昨日の拙僧と同じでございます。拙僧は己の疾しさを尊公の所為にして、尊公を畏《おそ》れ怯《おび》えて山を下りたのです。拙僧の畏れたは慈行様に非ず、尊公、祐賢様にございます」

「私を——畏れて？」

「左様にございます。しかし、拙僧は間違っておりました。今は違いますぞ。もう魔境は抜けました。一人あり。劫《ごう》を論じて途中に在って家舎《かしゃ》を離れず。一人あり。家舎を離れて途中に在らず。那箇《なこ》か人天《にんてん》の供養を受く合《べ》き——拙僧はこれが解らなんだ」

「そ、それは『臨濟錄』の——」

「左様にございます。拙僧はそれが解らず、それに迷って、それを尊公の所為にした。しかしもう解りました。そしてこの解答をお与えくださったのは外ならぬ尊公でございます」

「わ、私が——何故？」

「只管打坐《しかんたざ》。身を以って知らしめてくれたのは尊公です。拙僧はさるお方にそれを云われ、改めて尊公を師と仰ごうと思った」

「常信さん——」

「仮令《たとえ》尊公が男色家であろうとも、否、どのような迷いを抱えておろうとも、尊公の価値は変わりませぬ。尊公の修行は立派。拙僧は尊敬しております。その気持ちは変わらぬ。ですからお認めなさい。英生はそれを認めておる分、修行がなっておる。修行は一日にして成らず、而して一日にしてなくなるものでもない。ただ続けることが修行であり、修行することこそが悟りです。このようなことを拙僧辺りが申しますのは、正に釈迦に説法ではございますが——修証一等、身心脱落《しんしんとつらく》、それは尊公が一番善く知っておられよう」

祐賢はおお、と短な嗚咽《おえつ》を洩《も》らし、這い蹲《つくば》ったような格好のまま語り出した。

「あの探偵もそう申しておった。私は常に、自分を騙しておると——その通りである。私は沸沸《ふつふつ》と滾《たぎ》る情欲を抑え、抑え切るのが修行と、そう思うておった。五根《ごこん》を培い清浄心を求むるも末那《まな》識には煩悩の影が過《よぎ》る。断ち切れぬ。ならば抑え込めと、そう思うておった。見て見ぬ振りをして来たのだ。否、いつもそうだったのではない。しかしそれは真実だ」

「和尚様、そのような」

手をかけようとする英生を常信が制した。

祐賢は語りながらゆっくりと身を起こす。

「だから英生、お前は私が何もしていないと庇ってくれたが、それは違う、私は心の中で幾度もお前を弄んだのだ。お前が——他の若い僧とそう云う関係であることも知っておった。知っておって、見て見ぬ振りをしておった。私は嫉妬していた。だからお前の感じた通り」

祐賢は漸く真っ直ぐに英生を見た。

「あの時私は——本気だった」

「お——和尚様」

「あの探偵は良い眼をしておる。凡て見透かされているようで、私は心底怖かった。己は本当はただの凡夫、何の修行のなっているものか——そう云われているようで怖かったのだ。認めた途端修行が壊れてしまうようで怖かったのだ。だから私は殴られて何の答も出せなんだ。まるで公案を地で行くようなあの状況に、私は何の見解《けんげ》も持てなんだのだ。私はただ去るのみであった。しかし、驕《おご》っておった。己が凡夫であることを知るところから——修行は始まるのであったな——」

祐賢は英生の方を向いて座り直した。

「英生」

そして深深と頭を下げた。

「すまなかった」

英生はそれをただ見つめている。

祐賢は顔を上げた。

「常信さん。あんたの云う通りだ。私は私の迷いを慈行さんの所為にしておった」

祐賢は常信の方に向いた。

「探偵に殴られて、これが公案に残るような高僧であったなら、豁然《かつぜん》大悟ともなる場面であったのだろうが、私は駄目だった。振り切ろうと座っても座り切らぬ。そのような状態であるならば当然である。そこに——博行様の死の報せが届いた」

鳥口は想像する。

真っ暗い牢内で死んでいる僧。

その脇に大麻の束。

「私は大いに畏れた。そして私はある疑団《ぎだん》に囚われた。これは、慈行の手になる破戒僧の粛清だ——と、そう思い込んでしまったのだ。慈行さんを疑っておったのはな、常信さんあんたじゃない。私だった。私はすっぱり断ち切っておるあの人を妬《ねた》んでおったのであろう。ずっと前からな。その癖あの慈行さんはあの顔立ちだ。今思えば私の中のそう云う素質を、あの人はずっと刺激し続けていたのだな」

山下が云った。

「すると昨日のあの意見、あれはあんた自身の見解が多分に入っていた訳だな?」

「その通りであろうな。私はそう——慥かに昨夜の常信さんのように怯えた。何故なら疚しいところがあったからだ。そしてそれを認めたくなかったからだ。しかし——そこに、こともあろうに慈行本人がやって来たのだ。そして、私にこう申した」

――祐賢和尚、英生が凡て申しましたぞ。


「次はお前だ――そう云う意味に聞こえた」

「それは――怖いですよ」

鳥口は思わず口に出した。

あの顔で、あの声で、慈行にそんな風に云われれば、誰だってそう感じると思う。鳥口など身に覚えがなくとも疾しくなる。そうでなくともぞっとするのに違いない。

英生が云った。

「私が慈行和尚様に云ってしまったのです」

張り詰めたような声は一層に若い。

「私はそれでも祐賢様を信じておりました。ただ、あのお姿はただごとではない。このままにしておきますと私は兎も角――祐賢様の修行の妨げになるのではと思い、それで慈行様にご相談致しました。しかし慈行様の追及は厳しく――ついー」

「良いのだ英生。当然である」

祐賢はそう云ったが英生は言葉を止めなかった。

「私の父も僧でした」

「英生――」

「厳格な方でしたが短命で、私が七歳の折に亡くなりました。本山からお坊様をお迎えして寺は存続致しましたが、その寺も戦禍で焼け、路頭に迷っておりましたところを了稔和尚様に拾われて、この寺に参りました。一昨年、祐賢和尚様の行者にして戴き、そのお人柄に触れ、教えを乞いますうち、いつしか祐賢様に亡き父を重ねておったのでございます。ですから――」

「もう良い英生。山下殿。あなたの云った通りである。私は我が身の疾しさ故に慈行和尚を貶めた。それ以外に根拠は何もない」

山下は口を噤《つぐ》んでうん、と云った。

「いや、あんたが確乎《しっか》り尋いてくれたお蔭で私は慈行さんにあらぬ疑いをかけずに済んだ。礼を云いますぞ、山下殿」

「ああ。まあ。そうだが」

「常信さん」

「何ですか」

「あんた、先程私の修行は立派と仰った。このような浅ましき思いに駆られても尚、それはそうなのであろうか」

「如何にも」

「私はこの後も僧を続けて行けるだろうか」

「修行は一生続きますするぞ祐賢様。今までできて今後できぬことはございますまい。否、今が肝要、そしてこれから先が肝要でございます」

「そうか」

「如何《いかが》か祐賢様。この山を下りませぬか」

祐賢は岩のような顔を固くして暫く考えた。

「下りて如何に」

「下りるところから始まりましょう」

祐賢は何かを吹っ切ったような顔をした。

「承知した。ならば英生」

「はい」

「私を打て。その拳で打て」

「何を——仰います和尚様」

「探偵が申しておったであろう。打たれたら打つのだ。さあ打て。遠慮は要らぬ」

祐賢は姿勢を正して目を瞑った。

英生はその頬を打った。

「うむ」

祐賢は腹に溜ったような声を出した。そして立ち上がった。

「いずこへ？」

「貫首に会う。一刻も早くこんな事件はおしまいにしよう。そしてここから、出るのだ」

「貫首に会ってどうするんだ、中島さん。真逆《まさか》、あの貫首が何か知っているとでも？」

「山下殿。もうこの寺に隠し事はない。私はこの山で最初で最後の参禅に行くだけだ」

祐賢はそう云うと一礼して堂堂と退席した。

英生が後を追おうとして常信に止められた。

「止《よ》しなさい英生。あの方は頓悟《とんご》されたのだ」

「頓悟——でございますか」

「左様。貫首は何と仰るか——」

常信も英生も祐賢の影を目で追っている。

「頓悟ってのは悟ったと云うことで？」

「そうです」

「最初で最後とか云ってなかったすか？」

「この寺は法系がまちまちですからな。誰も貫首に参禅した者は——いないのではないだろうか。参禅の後、祐賢様は慈行様に乞暇《こうか》願いを出すつもりでございますな」

山を出る気なのだ。

鳥口は英生を見た。

どうしていいか判らないと云った表情である。

英生は蕾《つぼみ》の如き唇を軽く噛んで、云った。

「私も――僧を続けて行けますするか。常信和尚様」

「無論続けられよう」

常信は穏やかな口調でそう答えた。

昨夜の怯えた様子など今や微塵も窺い知ることができない。

「しかし――ただ、私は多分この明慧寺から追われまする。慈行和尚様は凡てお見通しなのです。祐賢和尚様を放逐し、そして私も――いずれ」

「ここ以外にも寺は沢山ある。英生。お前も一緒に山を下りるか。そのような淫らな想いは断ち切り、修行をし直すのは如何か。それとも還俗《げんぞく》するか」

「それはできません。私は僧でいとうございます」

「ならば道は幾筋もある。心配は要らぬ」

常信はそう云った。英生は低頭した。

「あ――」

敦子の声だ。妙に新鮮だった。

「何――かしら？」

敦子が耳を澄ますような素振りをして、云った。

「きっと菅原さん達です」

「へ？　敦子さん何で解るんです？」

「あの音——慥かあれは」

しゃん、と音がした。

自然の奏《かな》でる音ではない。

「あの坊主——飯窪さんの捜していた？」

あの時の音だ。

「戻ったか。よし」

山下が立ち上がった。鳥口辺りがそう思うのも変な話だが、ほんの二三時間の間に、情けのなかった警部補は豪《えら》く逞《たくま》しくなった気がする。


外の風景は相変わらずだった。

ただ空が異様に黒い。時間はもう午後十時を過ぎている。あの日以来この時計もないのに規則正しい山のスケジュールは狂いっ放しなのだ。

三門から一団が黒い塊になって近付いて来る。

「あ——久遠寺先生」

敦子が行こうとするのを山下が止めた。

「君達は衝突の元だ。あの医者が犯人じゃないなら不当な扱いは止めさせるから引っ込んでいなさい」

山下はそう云ってその一団に向き合った。

久遠寺翁は後ろ手に縛り上げられ、縄の先は二人の警官によって握られている。その後ろに菅原、そしてその更に後ろには——。

あの坊主——。

鳥口は思わず敦子を見た。

敦子は大きな眼でそれら全部を見つめている。

篝火《かがりび》が眸にちかちかと瞬くので、敦子が一団の中の誰を視ているのか、鳥口には判断ができなかった。久遠寺はふらふらしていた。しかし僧は最初に擦れ違った時と同じような歩幅の同じような歩き方で近づいて来た。

網代笠《あじろがさ》に袈裟《けさ》行李《こうり》。絡子に緇衣《しえ》。水墨画の中の雲水は絵にならぬ警官に囲まれている。

菅原の鬼瓦のような顔が山下を認めた。

「おお山下さんどうした。あんた、まだ怖いのかな？」

「その口の利き方は何だ菅原君。それより君——そちらの扱いは何だ？　まるで被疑者扱いじゃないか。逮捕状でも取れたのか」

「連絡はしておきましたがな。鑑識にもそれから神奈川県本部にも。心配せんでも明日の朝には代わりの現場責任者が到着しますわい」

「そんなことを尋いているんじゃないッ。久遠寺さんの扱いについて尋いているんだッ。おい菅原君、今すぐ縄を解け。それともこの人は自白でもしたのか？　そうだとしても貴様が強要したんだろう！」

　山下が物凄い剣幕で云い寄ったので、菅原は一瞬何が起きたのか解らなくなったようで、口を少しだけ開けて久遠寺翁を見た。

「おう、山下君、よう云った。わ、儂は何もしておらんぞ。この、この男――」

　威勢だけは相変わらず良いようだったが、上げられた久遠寺翁の顔は、げっそりと窶れていた。老人はかなり虚勢を張って、無理をしているようだった。

前屈みになって覗き上げるように菅原を睨んでいる。鬢《びん》に残った白髪がまるで歌舞伎《かぶき》役者のシケのように垂れていて、篝火に照らし出されたその顔は一層に赤黒く、細い眼も充血していて、一種悽惨な表情である。膝が震えているのは疲れたと云うより寒いのだろう。この雪山に如何にも無防備な恰好である。

　この年齢であの道を往復するのは慥かに無茶だ。

　菅原は妙な顔で止まっていた。僅かな間に山下が回復した、その原因を捜しているに違いない。その山下は漸く以前と同じ神経質そうな表情を取り戻していた。

「何をしている、早く解けよ」

「だ——だが山下さん」

「明日の朝までは私は捜査主任だ！　気安く呼ぶなっ。ほら、ぼやぼやしていないでさっさと捕縄を外して、知客寮で休ませなさい」

菅原は憮然として警官に指示をした。

僧——松宮だったか——は黙ってその様子を見ている。

強張っているように鳥口には見えた。一言も口を利かない。

背の低い年老いた刑事がその前に出て、

「松宮仁如さんをお連れしました」

と云った。僧は山下に一礼した。

「ああ、ご苦労さん。松宮さんもご足労でした。私は国家警察神奈川県本部捜査一課の山下です。あちらへどうぞ」

松宮が警官を伴って移動する。老いた刑事は山下の元に近寄って、

「警部補、あちらに関しては色色とご報告したいこともございます」

と云った。山下は了解しましたと答えて、刑事に休むよう云った。

縄を解かれた久遠寺翁が蹣跚《よろけ》た。敦子が透かさず肩を貸して助けた。鳥口も横に回る。久遠寺翁の右脇から腕を回して担ぐように立たせ、ふと顔を上げると——。

――あれは。

振袖。話に聞く、

――鈴。鈴だ。

法堂の前に鈴がいた。

――こりゃあ、

怖い。この娘は怖い。

何だか肝が凍ってしまいそうだ。

久遠寺翁が顔を上げてそれに気づき声を上げた。

「おう、鈴さん、鈴さんか――」

知客寮に向かいつつあった松宮が、その声に立ち止まって振り向いた。そして、そのままぴたりと止まった。

笠の下から覗く顔には恐怖が張り付いていた。

篝火が顔に映ってふしだらに紅い。

そして全員が鈴に注目した。

時間が少し止まった。

鈴は睨んでいる。

それとも――。

表情がない。違う。この娘には心がないのだ。
だからこんなに、鳥肌が立つ程に怖いのだ。
どのくらいそうしていたのだろう。
いつの間にか鈴の背後に巨大な影が立っていた。
手に長い長い、棒のようなものを持っている。
巨大な影はその棒を思い切り倒した。
ぶうん、と風を切るような音がした。
棒が地面に叩きつけられて、バシンと大きな音が境内に谺《こだま》した。
ゆっくりとした動作だ。
鈴は動かない。
松宮も動かない。
久遠寺翁も、敦子も、菅原も山下も警官達も止まっている。
知客寮から常信と英生が顔を出してそのまま固まった。
禅堂の入口には亀井刑事がつっ立っている。
鳥口は関口の気持ちが善く解った。
ここは――。
ここは異界だ。

巨大な影は幾度か首を傾けてブツブツと低い声で呟き乍ら、鈴を追い越して三門の方に歩き出した。


——泉曰く、不是心、不是仏、不是物。

——祖曰く、即心即仏。

——祖曰く、非心非仏。


「や、山下さんあの巨漢は！　あれは」

「哲童——杉山哲童だ。あれは杉山哲童だ」

「て、哲童？　ああ！　哲童和尚——」


法堂の方向から悲鳴が聞こえた。

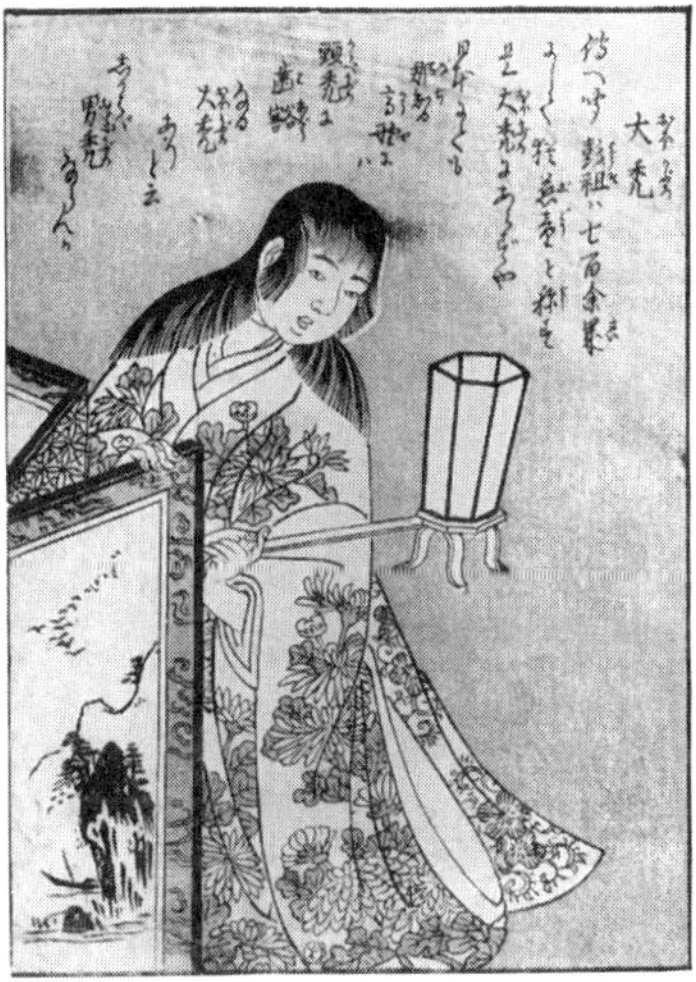

○大禿――今昔画図続百鬼巻之下――明

伝へ聞、彭祖《ほうそ》ハ七百余歳《さい》にして猶
慈童《じどう》と称《せう》す
是大禿《おほかぶろ》にあらずや
日本にても那智《なち》高野《かうや》にハ
頭禿《こうべかぶろ》に歯豁《はあばら》なる大禿《おほかぶろ》ありと云
志からバ男禿《おとこかぶろ》ならんか

9

部屋に行くのは厭だった。

何もかも抛《なげう》って消えたい気持ちだ。

富士見屋に、否、我が家に帰りたかった。

飯窪は私から少し離れたところに横座りして放心している。ただひとり残った警察官益田は、かなり離れたところにある座卓につっ伏している。私は夜の庭を眺めて——聞こえる筈もない——樹上の枝が騒騒と蠢《うごめ》く音を聞いていた。

菅原刑事は久遠寺翁を縛り上げて連れて行った。

仁如和尚は次田刑事につき添われ、こちらも半ば連行されるように明慧寺に向かった。

——みんなもう帰って来ない。

そう思う。出られやしない。だからここで、

——何を待つ？

待ったって誰も来やしない。

菅野氏が殺されたと云う。

差し当たってどう云う感想を述べたものか私は解らなかった。

勿論誰も私に感想など求めはしない。しないのだが、つまり私は自分自身に対して何と説明していいのか解らなかったのだ。

私は菅野と云う人に会ったことがない。しかし彼は確実に私の中にいる。だが、その私の中の菅野は、去年の夏に既に死んでいるのだ。その死んでいる菅野が今日殺されたと云うのである。

死んだ人間を殺すなんて無意味だ。

死人が死んだと聞いたところで答えようもない。

殺したのは——久遠寺嘉親だと云う。

そんな筈は——ない。

あの人の中でもまた菅野氏は死んでいる筈だからだ。仮令《たとえ》あの人が生きている菅野氏に会ったとしても、殺意など抱く訳がないのだ。幽霊を見たら驚きこそすれ、殺してやろうなどと思う訳がない。成仏してくれと願うだけである。

何だか馬鹿馬鹿しくなった。

そうしたら急に寂しくなった。

「——益田君」

私は小声で益田を呼んでみた。返事はない。

多分眠っているのだろう。

明慧寺の刑事達は到頭帰って来なかった。上司でもない菅原刑事に待機していろと命令されて、益田は馬鹿正直にこの座敷で彼等を待ち続け、待ち惚けて寝てしまったのである。


京極堂は動かなかった。

榎木津に到っては手配されてしまったらしい。

あの探偵は目立つから、すぐに捕まるだろう。

結局あの男はここで何をしたと云うのだろう。

鳥口も敦子も午前中まで一緒にいたにも拘《かかわ》らず、今だってほんの一時間半ばかり歩けば行けるところにいると云うのに、何だかもう二度と会えないような気さえする。

もう誰も帰って来ない。あの山からは出ることができない。

あの山は、入ったら二度と出られない——檻だ。

だから榎木津は帰ってしまったのだ。

だから京極堂は登らないのだ。

だから私は——。

私は檻の中にいるのか。

それとも外にいるのか。

私は。

私は次に飯窪を呼んだ。

「飯窪さん――」

呼ぶと飯窪はふう、と顔を上げた。

私は、彼女が笑ったところをまだ見ていない。

「――いや」

巧く云えなかった。

「私――」

しかし飯窪は何か了解したらしかった。

「私――忘れているんです」

「え？」

「何か大事なこと」

「大事なこと？」

さあっと雪が落ちた。

私はろくな返事ができなかった。

それでも飯窪は問わず語りに話し始めた。

「関口先生、こんな話知りません――」

「は？」

部屋は広い。

電燈が隅隅まで行き届かないから、飯窪の影は一層薄く、まるで襖に映った影絵のように果敢《はか》なげだ。澄んでいるような、でもどこか粒子の粗い風景の中に、その希薄な在り様は、善く馴染んでいるように私には思えた。

子供に話しかけるような口調だった。

「百足《むかで》がいたんです」

「ムカデ？」

「ええ。百足がね、百足って、ほら、足がいっぱいあるでしょう。いったい何本あるのか知りませんけれど――」

「ああ」

「それでね、ある人が尋いたんですって。百足に。あなたはそんなに沢山足があるのに、どうしてそんなに器用に、一本一本動かせるんですか――ッて」

「ああ」

「そしたらね、百足は考え込んじゃって、いったいどうやって動かしていたのか、改めて考えたら何だか判らなくなったんでしょうね。その途端に足が動かせなくなッて、考えれば考える程動かせなくッて、死んじゃッたんですって――」

「はあ――」

「わざわざどうしてかって考えなくても、皆全部解ってて、それで生きているんでしょう。それを考えて言葉にしてしまうと、途端に解ンなくなッちゃって、それでもうどうしようもなくなって──」

微昏い、暖色系の明かりの中で、今まで頑《かたく》なに何かを拒んで来た彼女は、何故か豪《えら》く饒舌だった。飯窪は私に語っている訳ではない。

虚空に語りかけているのだ。

こうして話したのか？

松宮仁如と──。

「あの人とは──ちゃんと話ができたのですか？」

私は尋いた。

飯窪が松宮とあの時何を話したのか、どうしても尋き難かった。尋き難いと云うより、今の今まで私は彼女と会話らしい会話をしていなかったのだ。それが、何故か今は素直に尋けた。この虚構染みた景色の中では、何故か平気だった。

飯窪はすう、と息を吐いた。

そして今度は囀《さえず》るような声で云った。

「沢山──お話しすることがあったんですけど」

「時間が足りなかったのですか？」

「いいえ。何にも——伝わらなかったんです」

「伝わらない——とは？」

「伝わったのはひと言だけ。鈴さんのこと」

「ああ」

矢張り仁如が豹変した理由は鈴にあるのだ。

明慧寺で——仁如は鈴に会うことがなかったのだろう。会わなければ寺の僧達は鈴のことなど絶対に教えはしないだろうから、その存在を知ることはできない。真逆《まさか》訪ねてきた僧がその肉親だなどと思う訳もないのだ。だから彼は飯窪の話に依って鈴の存在を初めて知ったのに違いない。そうでなくてはあれ程急にペエスを崩しはすまい。

「何だか——気が抜けてしまいましたの。矢ッ張り鈴子ちゃんには勝てないのね——と、そう思いました」

意味が善く解らなかった。

飯窪はどこか上の空で答える。

「折角会えたのに。本当に会えたのにねぇ」

あの会見自体が既に遠い昔であるような口調だ。

松宮仁如。厭になる程に健全なる立ち居振る舞いの僧侶。

喜怒哀楽を折り目正しい出来過ぎの鋳型《いがた》に流し込んだ好青年。

「あなたは慥か――鈴子さんから預かった手紙を渡せなかったことを、ずっと後悔していたと――そう云っていた」

　十三年前の手紙に纏わる後悔――。

「後悔？　そうですねえ。後悔はしていないんですけど、そこが――善く解らないんです。どうしても。忘れているのか――思い出せないのか――初めから知らないのか」

「それは同じことです」

「そうなんでしょうか。でも――私、十三年前のこと、片時も忘れたことはないんです。寝ても覚めても、ずっとそれは心の一部を占領していた。でも、いざ言葉にして説明しようとすると、どうしても説明できない。何か――違うんです」

　それは善く解る。

「私、あの人――仁さんのことが、好きだったんです」

「好きだった――」

「とっても。鈴子ちゃんとも仲が良かった。あの人達の家族が村の人達に嫌われてるのは知っていたけど、そんなことあんまり関係なかったし――」

「それじゃあ、あなたが彼を捜し続けていたのは」

　違うんですよ、と飯窪は云った。

「違う――のですか」

「どう違うのか巧く云えないし、もしかしたら違わないのかもしれません。でも、私が十三年間ずっと仁さんを捜していたのは、好きだったからとか会いたかったからとか、そう云うのじゃなくって、何かその、そう、欠落感を補いたかったからなんです。欠落と云うより、言葉にできないもどかしい、何か——」

「それで——それは埋まったのですか」

「それがね関口先生。埋まらないんです。あの人、まるで人形みたいに解り切ったことばかり云うんですよ。そして私が何か云う度に、どんどんどこか遠くに行っちゃうんです。私の方も、そこを埋めようと話せば話す程どんどん遠くなっちゃうんです。可笑《おか》しいですね」

飯窪は初めて笑った。

きっとこれは独り言だ。

今回私は空気のようなものだから。

だからこうして話ができるのだろう。

「私、一生懸命話したんですよ。何しろ十三年間も抱えていたことなんですから。でもどうしても逃げて行くんです。善く、言葉にすると逃げて行くって云うけど、逃げて行くんじゃない。それは何かこう、檻の中みたいな暗いところに入っていて、私達は言葉と云う檻の鍵をいっぱい持ってて、でもどれも合わないんです。どんどん合わなくなって行くんです。その恋文の話をした時だって、あの人——」

「――恋文？」

そう聞こえた。

飯窪の声が止んだ。

「恋文――とは？」

「何ですって――関口先生？」

「今、あなたは慥かに恋文と云った」

「え？」

飯窪の影絵は動きを止めた。

さあっと雪が落ちた。

「飯窪さん。あなたは手紙を読んだのですね」

「え？」

「でなければ何故恋文と判るのです。それは恋文だったのですね？　妹から兄に宛てた」

「え――」

それが檻の鍵だ。

「あ――」

ああ。鍵が開く。

その気分は――善く解る。

記憶の扉が開いて、大事なものが解き放たれる。

それは解き放たれた途端に言葉と云う野暮なものに身を窶《やつ》し、完膚なきまでに解体されてあっと云う間に霞《かすみ》となり塵《ちり》となって消えて行くのだ。

思い出すと云うことは思い出を殺すことなのだ。

「ああ、私――」

「飯窪さん。云ってしまったら――」

云ってしまったら最後だぞ。

云ってしまったら。


「私は手紙を読みました」


飯窪の思い出は死んだ。

「読んだ――のですか」

「ええ。読んだんです」

影絵の女は空気の私に顔を向けた。

「私、そしてそれを鈴子ちゃんのお父さんに渡した」

「お父さん――松宮仁一郎――さんに？」

「ああ」

飯窪は大きく動いた。

「鈴さんは、鈴さんはきっと——」

「鈴？　それは明慧寺の鈴のことですか？」

「ああ、私が私が殺したんです」

「殺した？　殺したって」

「あの一家をあんな目に遭わせたのは私。私が鈴子ちゃんを殺したんです。鈴子ちゃんは泣いて山に逃げて行った。そして二度と戻らなかった。紅《あか》い焔《ひ》。蒼《あお》い炎《ひ》。業業《ごうごう》燃える火。鼠がいっぱい逃げて行った。私は封筒を、ひとし様って宛て名が書かれた封筒を、その火にくべて、燃やしてしまった！」

「それはどう云うことです？」

飯窪はぐらっと揺れて倒れた。

私は慌てて近寄り飯窪を抱き起こした。

「私が——」

「おい、確《しっ》乎《か》りして。益田君、おい」

「な、何ですって？　どうしたんです」

「私が殺したんです——」

＊

悲鳴を上げたのは牧村托雄だった。

大雄宝殿の真裏にある貫首の庵——大日殿《だいにちでん》前で、托雄は腰を抜かしていた。

庵の入口には、頭をかち割られた中島祐賢が、岩のような顔を横に向けて俯伏せに倒れていた。どす黒い血溜が広がっている。

入口の戸が開いており、そこには二人の僧、その後ろには円覚丹が立ち竦んでいた。

鳥口はその時、かなり驚いていた。

驚きと云う一種の刺激が人間的な感情に変換されるまでには結構な時間がかかるらしい。だから鳥口はどれだけ死骸を注視《みつめ》てみても、悲しいとか悔しいとか、そう云う人間らしい気持ちには、どうしてもなれなかった。

死骸と云うのはただの物体なのだ。

モノには尊厳も威厳もない。そう云うものは、云うなれば肩書きなのだ。屍体と云うモノ自体にそれがある訳ではないのだ。それはその周りにある。多分、泰全老師の時は死骸を見なかったからこそ、あんな虚しい気持ちになったのだろう。鳥口はそう思った。

ほんの十分程前——。

悲鳴を聞いた刑事達は各各機敏に走り出した。

　鳥口は山下の指示を受け、先ず久遠寺翁を今川のいる建物に預けてから刑事達の後を追って全速力で駆けた。結構距離がある。この静かな山中でなければ決して届かなかった悲鳴である。

　最初に現場に到着したのは山下だったらしい。うわあ、と彼の声がした。続く刑事達は、絶句した。鳥口の後ろについて来た敦子は、短く小さな悲鳴を上げた。鳥口は敦子の悲鳴をその時初めて聞いた。

　托雄は喚《わめ》いていた。

「せ、拙僧じゃない。ぼ、僕はやってない。何もしていない！　か。覚丹様、か」

「こ、これは——どう云うことだねッ。せ、説明をお願いします貫首さんッ」

　金切り声に目を遣《や》ると山下が貫首を睨んでいた。

　菅原刑事がしゃがみ込んで倒れているそれを覗き込み、立ちはだかっている上司を顧みて首を数度横に振った。そこにあるそれは怪我をした祐賢ではなく祐賢の遺体であると云う意味だ。ひと目見れば解るのに、念の入ったことだと鳥口は思った。

　警部補——山下が叫ぶように云った。

「か、貫首！　これは警察に、否、法治国家に対する挑戦ですかッ。こう云うことは、ここでは、この明慧寺では許されますか。わ、私はもう、沢山だ」

　貫首の表情は全く解らない。

眠っているように半ば閉じかけた瞼の中の眸は、屍体を見ているのか発言者の山下を見ているのかすら鳥口には解らなかった。

貫首——覚丹は鷹揚《おうよう》に答えた。

「拙僧は与《あずか》り知らぬこと！　山下殿——今の尊公のその言葉、そっくりお返し致しましょうぞ！　そもそもこれだけ警官がいて、いったい何人当山の雲水を殺せば気が済むのか。これは警察の怠慢であるッ！　我が国が法治国家を標榜《ひょうぼう》しておるのであれば、斯様《かよう》な犯罪を野放しにしておる警察の方こそが国家を愚弄しておるのだ！」

貫首の言葉はこの状況でも尚威厳があった。

——こいつも怪物だ。

そう感じた。鳥口は経を誦む覚丹の後ろ姿しか知らなかった。後ろから見ても堂堂としていたが、正面から見るとまるで威厳が袈裟を着ているようなものだったのだ。山下警部補は結構果敢《かかん》にその怪物と視線を闘わせていたのだが、す、と祐賢に視線を落して、

「ああ。そう思うよ。大いに思う。私達は何も解らないし何もできなかったよ。凶悪な連続殺人の前にあまりにも私は、否、私達警察は無力だった。しかし私は許さんぞ。この人は、中島さんはほんの三十分前まで私と話をしていたんだ。こんなこと——」

と力なく云って、そこで大きく息を溜め、

「——こんなこたぁ許されんのだ」

と吐き出すように云った。それを受けて菅原刑事が立ち上がりぶっきらぼうに云った。

「山下さん。否、捜査主任。あんたの気持ちは解るがな——」

そして貫首を一瞥してから上司の前に立つと、

「——いいかな。これは、中島さんはたった今死んだばっかりだ。だから犯人挙げるなら今しかないぞ。朝までなんか待ってられない。これは、今川の仕業でも久遠寺や桑田の仕業でもない！　私が間違ってた。あんた、主任。山下捜査主任、さあ、采配してくれ。私はあんたに従う」

そう云った。部下に従うと云われて主任は痙攣気味に頷いた。

「よ、よし。貫首さん。それからそこの二人。それからそこの托雄君。あんた達は知客寮に移って貰う。ええ君、亀井が坊さん見張っているからそっちに行って、先ず人数確認してくれ。次田さん。あんた仁秀を連れて来てください。この建物の真裏の畑の先だ。あの娘と、それから——哲童——哲童がさっき出て行ったな！」

あの大男か。

哲童。巨漢の僧である。

何やら長い棒を地面に叩きつけ、哲童はこれでいいのだろうか——と云うように首を曲げて、そのままお経の文句のような意味不明の呟きを残して三門から出て行ったのだった。

支離滅裂な行動だ。鳥口にはまるで意味が判らない。

その哲童に気を取られているうちに鈴の姿は消えていた。遠い悲鳴を聞いて一同が駆け出した時には、あの畏ろしい少女はもういなかったのだ。

「哲童はどこへ行ったんだ？」

警部補のその言葉に反応し、警官に引き摺られるようにして立ち上がった托雄が叫んだ。

「て——哲童がやったんだ！　哲童の奴が、そう、気がついたらあいつがいたんだ。そ、そこに立っていやがった！」

托雄が指差したのは、警部補自身のいる場所だった。

錯乱しているとは云え僧の発する言葉とは思えない。指差された山下は聞き咎めた。

「気がついたら？　それはどう云うことだね」

「ぼ——僕——拙僧はここで待っていたんだ。そしたらいきなりガンと——」

「殴られた？　それで気絶を？　気がついたら中島さんが死んでいたと云うんだな。しかし君は誰を待っていたんだ？　こんなところで？」

「勿論この——」

托雄は紅潮した顔をすうと真顔に戻して、視線を下ろした。

その先には祐賢だったものが転がっている。

「君はこの中島さんを待っていたのか？　中島さんがこの貫首の庵から出て来るところを、ここで待っていたと云うのかね？」

「殺そうとしてか？」

「菅原君。徒《いたずら》に攪乱《かくらん》するようなことを云うな。兎に角話はあちらで聞こう。ああ、この人は私達が連れて行くから。君等は現場の保持を頼む。誰も入れるな。何かあったら警笛《けいてき》でも吹いて。絶対聞こえるから。勝手な判断で単独行動はしないでくれよ」

警官達は姿勢を正し敬礼した。

ちゃんとやれば人望も生まれるものらしい。鳥口はそう思った。そして云った。

「山下さん。人手が足りないなら手伝いましょう。警察に協力するのが民間人の義務だと、死んだ祖母《ばあ》様から聞いたような気もします」

「そうか。それでは鳥口君。仙石楼に益田がいる。事情を説明して、至急応援や鑑識を呼ぶように伝えてくれないかね。一刻も速くと。それから久遠寺さんに臨時の検死を――まあ、死因も死亡時刻も瞭然《はっきり》してはいるが――それから、そのお嬢さんは連れて帰ってくれ。危険だよここは。大丈夫か？　それとも少し休むかな？」

暫く鳥口の後ろで口を押さえて屍体を見つめていた敦子が云った。

「平気です。場慣れしましたした」

敦子は精一杯無理をしている。目が潤《うる》んでいる。

「よし。それじゃあ――」

最悪の新規蒔き直しだ。

＊

突然《いきなり》戸が開いて、そこに見慣れた顔を確認した時、今川は正直云ってほっとした。

鳥口と中禅寺敦子に支えられた久遠寺翁が倒れ込むように這入って来て、続いて見たことのない長身の僧が這入って来た。

山下が入口から顔だけ突っ込んで、

「おい君。その今川君の縄を解け。それからこちらを介抱して。その後はここで待機。君は来い」

と叫んで消えた。二人いた刑事のうち太った方が後を追った。鳥口はじゃあ宜しく、と云って更にその後を追った。何故彼が警察と行動を共にしているのか、それより外で何が起きたのか、微睡《まどろ》んでいた今川には皆目判らなかったが、いずれ事態に進展があったことは間違いなかった。中禅寺敦子は久遠寺翁を座らせ乍ら今川の姿を認めて、

「今川さん！　大丈夫ですか」

と尋いた。今川は一寸照れて、

「縄目が痛いだけなのです。平気なのです」

と云った。それを聞いて刑事が不審そうに、且つ大儀そうに縄を解き始めた。久遠寺翁はどさり、と畳に腰を下ろし、介抱をしようとする中禅寺敦子を翳した掌の指を思い切り広げて制して、

「中禅寺君。儂ももう平気だ。行きなさい」

と云った。肩で息をしている。

中禅寺敦子はやや躊躇してから、

「それじゃあ刑事さん、後宜しくお願いします」

と云って建物を飛び出して行った。

残った刑事はその言葉に酷く当惑した。

僧は入口の脇に立ち外の様子を窺っている。

笠を外そうともしない。かと云って現場に行きたいと云う風でもない。

刑事は当然見咎めた。

「あんた、手配中の坊さんか？　何でここに連れて来られた？　何があったんだ？」

「この人は手配されとる訳じゃない。任意出頭の参考人だ。松宮仁如さんだ」

久遠寺翁はもう引けないと云う程顎を引き、下唇を突き出して云った。

老人は元元撥ねっ返り気味だったが、一層警察に敵意を持ち始めている。それでも僧は身じろぎもしない。刑事は益々困惑したようだった。

「おっと、そう云うあんたは犯人じゃなかったのかな？　ええと、く――くま」

「馬鹿もん。今の山下君の言葉を聞かんかったのか君は！　それから儂の名は久遠寺だ。間違って呼んでもいいのはひとりだけじゃい――」

老人は息が切れているのに怪気炎を上げている。

「ああ辛どい。早く介抱せい介抱。茶ぐらいないのか！　おお今川君、君も災難だったな」

漸《ようや》く今川に気がついたと云う感じだ。

「ご老体こそ容疑は晴れたのですか？　菅野さんが殺されて、菅原刑事はご老体が真犯人だと息巻いていたのです。僕は、それまで真犯人で、今は共犯者なのです」

刑事が薬罐《やかん》の茶を湯飲みに注ぎながら云った。

「お前さん達ゃ犯人じゃなかったんだ。まあそうじゃないかとも思ったが――こう真犯人がいっぱいいいるんじゃ話にならんね。こう云う場合は大抵一番怪しくない奴が犯人とか云うことになるんだ。意外な結末と云う奴だ。大体そうなんだいつも」

ぼやきに近い。しかも稚拙《ちせつ》な論旨である。

「しかしそう云うことが続くと、一番怪しくない奴こそが一番怪しいと云うことになるのではないのですか？　怪しい奴程怪しくないと云う」

「ああ、そう云う時は矢ッ張り一番怪しい奴が犯人なんだよな。巧く行かないようになってる。まあ犯人じゃないのなら一杯どうぞ」

刑事が茶を勧めた。凄く間抜けだった。

受け取る時に腕を見ると縄の跡が泥濘《ぬかるみ》の轍《わだち》のように赤くなっていた。茶はもう何時間も前に仙石楼から差し入れられたもので、要するに冷めている。

久遠寺翁が座るよう促したので、立ちっ放しだった僧がやっと笠を外した。整った顔立ちだった。しかし、榎木津とも慈行とも違う。どこが違うのかは判らない。僧は錫杖を壁に立て掛け、旅装を解いて、刑事と今川に一礼してから座敷に上り、正座した。練習でもしたかのように折り目正しい動作だった。これが飯窪女史の尋ね人——松宮ヒトシであるらしい。つまり、あの鈴の母の兄と云うことになるのだろうか。

久遠寺翁は酒でも飲むような仕草で茶を飲んで、不味《まず》そうに顔を顰《しか》めた。そして松宮の機械のような動作を横目で見つつ尋いた。

「時に松宮君。見ただろ——？」

松宮は表情を変えずに老人の方を向いた。

「君はこの前ここに来た時は慥《たし》か会わなかったのだろ？　さっきのあれが鈴さんだ」

松宮はええ、と短く答えた。

今川は興味深く観察する。

——彼は鈴に会ったのか。

どんな気がしたのだろう？

悲しいでも辛いでもないだろう。寂しい筈もないし、懐かしいと云うのも違うだろうと思う。亡くなった妹さんの生まれ変わりのような——否、僧侶ならそんな風に思いはしないだろう。想像ができない。

老人は更に尋いた。

「どうだ、あの晴れ着は鈴子さんの着物じゃあないか？　豪《えら》く汚れておるし暗くって判り難かったが、その——柄だとか、覚えはないかな。何分昔のことだから覚えておらんか？」

なる程彼は生き証人なのだ。

彼の記憶は久遠寺翁の推理を裏付ける何よりの証拠なのである。

松宮は端正な顔を強張らせて暫く黙っていたが、独り言のように、切れ切れに答えた。

「——あれは亡くなった、鈴子のものです。十三年前に——慥かに着ていたものです」

暗い声だった。

「覚えが——あるんか？」

「覚えています。明瞭に——柄も、色も凡て——」

声は段段大きくなり、そのうちに上擦《うわず》って、
松宮はそして堰《せき》を切ったように話し出した。

「——父は鈴子を目に入れても痛くない程可愛がっておりました。見栄張りだった父は経済的に逼迫《ひっぱく》していたのにも拘《かか》わらず、毎年毎年鈴子の晴れ着だけは新調した。仕立て直したりはしなかった。仕立て直しなど貧乏人のすることだと——我が家は貧乏だったのに、それなのに父はそう云った。だから鈴子の晴れ着は父の見栄の、虚栄の象徴だった。鈴子は素直に喜んでいたが、拙僧は——」

僧はそこで絶句した。

どうやらそれは良い思い出ではないらしい。

久遠寺翁は話題を変えた。

「そうか。まあ――色色あったのだろうが――昔のことはいいわい。今はあの娘のことだ。そう、あの鈴の、顔はどうだ？　鈴子さんに似とるか？　否、例えば追剝が晴れ着を剝いで他の娘に着せた――ちゅうようなことも、考えて考えられん訳ではないからな。遠目だったが、どうだ？　鈴子さんの面差しはあるか？」

松宮は再び沈思した。十三年前の古い記憶と、つい先程の記憶を照合しているのだろう。

そして僧は再び切れ切れに答えた。

「――似ていました――否。そっくりでした。鈴子そのものでございます。あれは――あなたの仰る通り――鈴子の娘だと――」

「そんなに似ておったか？」

「はい。顔も、形も、あの振袖も、凡てあのまま、あの日のまま。あれは――あれは鈴子の娘です！」

松宮は一瞬高揚してすぐ目を閉じた。

無理矢理に平静を保とうとしているようだ。

今川は何か違和感を持っている。それは――。

大したことではないのだが、それは——。

久遠寺翁が嬉しそうに云った。

「そうか。じゃああの娘はあんたの姪ちゅうことになるな！　今川君聞いたか。儂の思うた通りだ！」

「あの日のまま？」

「何じゃ今川君。どうした？」

「あの日とはいつのことなのです？」

「そりゃあの火事の——火事のあった日のことじゃろ？　決まっておる。思い出したくない日だろ」

「しかしご老体。それは僕もそう思うのですが」

「何だ？　都合悪いか？」

「飯窪さんです。飯窪さんはヒトシさん——この方ですか？　この方は火事のあった日の翌朝に家に戻ったと云っていたのです。僕はそう聞きましたが、それは間違いなのですか？」

「刑事もそう云うとったな」

今川は松宮を見る。表情は変わらない。

「そして、年末からそれまでの間、この方は家出していたと、飯窪さんはそう云っていたのです」

「そうだったようだな」

「それだけです」

「それだけって――今川君」

松宮の頬がやや強張った。

「ですからご老体。そうすると鈴子さんはこちらが家出する以前、前の年の年末から晴れ着を着ていたのですか？　それともそれは例えば前の年のお正月やその他の行事の際に着ていたものなのですか？　否、こちらはたった今、晴れ着は毎年新調していたと仰ったのです。ならば仮縫いの時でも見たのですか？　いや、洋服ではないので、反物で見たとか」

松宮の硬直の度合いが増した。

「あの日とは――いつなのです？」

松宮は答えない。ただ固くなって行く。

久遠寺翁は暫く禿げ頭を突いていたが、やがて、

「おう！」

と妙な声を上げた。

「松宮君――あんた、あんた真逆《まさか》嘘を――」

松宮は更に顔面蒼白になった。

「あんた、火事の時に現場にいたんだな？　そうなんか？　おい」

　何も答えない。

「云えないんか？　何故だ。いったいその日に何があった？　家族を失った気持ちは儂は善く解る。儂も同じなんだ。人ごととは思えないんだわい！　儂はあの鈴と云う娘が自分の娘のような——」

「久遠寺様！」

　松宮は漸く血の通った大声を出した。

「お止しください！　あの日と申しましたのは拙僧の思い違いです。多分あの晴れ着は未見のものでございます。鈴子だ、鈴子に似ていると云う気持ちが思い出の方を捩《ねじ》曲《ま》げてしまったのでございましょうか。しかし、仰る通りあの娘さんが鈴子の娘であることは間違いないかと思います。顔立ち、それに守り袋の文字、年齢——いいえ、そんなことを抜きにしても拙僧には解ります。証拠など要りません」

　久遠寺翁は眉間に複雑な皺を寄せた。

「じゃあ——ひとつだけ答えてくれ。松宮君。あんた、放火殺人の犯人じゃないのか？」

　刑事が怯《び》気《く》りとした。

「云ってくれ。儂はあの鈴をあんたに託そうと思うとるんだ。見れば信用できそうな礼儀正しい坊主だわい。正義感も強そうだ。だから、云ってくれ」

「拙僧は——」

「——父も母も殺してはいません」

「そうか。信じていいな」

松宮は頷いた。

「じゃあ尋かんわい。今川君も気にするな」

刑事は気になるようだった。

突然戸が開いて鳥口が飛び込んで来た。

「く、久遠寺さん」

「なんじゃ血相変えてどうし——」

中島祐賢が殺された——と鳥口は大声で云った。刑事が——本当に跳ね上がった。

「お、おい、君、今何と——ま、また」

「ですから中島祐賢さんが殺されたんすよッ。久遠寺先生、お疲れでしょうが、山下さんが検死を頼むって！」

「何じゃと！　そりゃあ大変だ。おい君は？」

「僕は仙石楼に応援を呼びに行きます。刑事さん、ここは寝ている警官にでも任せて現場行った方がいいっすよ！　それじゃあ！」

こいつは犯人じゃない——と、山下はまたしてもそう思った。こんな風に消去して行けば多分誰も残らない。しかし違うものは違う、犯人は最初から犯人で、警察が造るものじゃない。本当に誰も残らなければ、犯人はいないと云うことだ。

＊

牧村托雄は失禁していた。

その上かなり混乱していて、知客寮にいた桑田達の姿を見るや否やかなり興奮した。桑田常信は事情を知って驚愕し、動揺し、放心し、貧血でも起こして倒れそうな状態であったにも拘らず、それでも自分の行者のあまりの為体《ていたらく》に眉を顰《ひそ》め、一喝した。

托雄はへなへなと腰を沈めて座った。

山下はその透きを狙って再び質問を開始した。

「あのね、牧村君。順を追って話してくれないか」

「僕は——拙僧は何もしていません。何も」

「あのね、君は重要な参考人なんだ。誰も犯人だとは云ってないんだ」

托雄は下を向いた。

「桑田さんや、ええと——君、苗字は？」

「加賀《かが》——英生——です」

「そう。加賀君がいちゃ話し難いか？」

牧村は頷いた。山下は二人に隣室に移るように云った。

菅原や亀井は外を精力的に走り回っている。山下は牧村托雄と二人切りになった。

「落ち着いたかな」

牧村は無言だった。

しかし動揺はかなり治まっているように思えた。

「何であそこにいたんだ？」

「祐賢和尚を――追いかけて」

「それで？」

「貫首様の庵に入られたので、出て来られるのを待っていました」

「何故？」

「英生を――盗《と》られたくなかった」

「何だと？」

「祐賢和尚はお山を降りられるおつもりなのでしょう？　だから、英生を一緒に連れて行くんじゃないかと心配になって――」

「君か！　英生――加賀君の相手は」

青年僧は微かに頷いた。

あの時。

山下達が中島祐賢を連れて禅堂を出た後、僧達は坐禅を始めたのだそうだ。ここ数日、彼等は取り調べのない時は坐禅すると云うことになっていたらしい。行動を規制していた訳ではなかったが、こう闖入者《ちんにゅうしゃ》が多くてはまともに行持を取り行う訳にも行かなかったらしい。四六時中座っていておかしくならないかと山下が聞くと、

「臘八大接心《ろうはつだいせっしん》では一週間座り続けます」

と云われた。

いずれにしても僧達は坐禅を開始したのだ。

小坂、大西、菅野が死に、桑田が姿を消し、中島祐賢すら去ったとなると、残る幹部は和田慈行だけである。従って和田の権力は絶対だった。和田が座れば全員が座る。そう云う感じだったらしい。和田は無言で単に上り、全員がそれに従った。

しかし加賀英生は坐禅をしなかったのだそうだ。

加賀英生はひとり座らずに暫く立ち続けた。牧村はその様子に気が行って、まるで坐禅に集中できなかったのだと云った。和田も加賀を咎めることをせず、結局入口にいた加賀は亀井刑事に話し掛けて一緒に外に出てしまったのである。

牧村は居ても立ってもいられなくなったらしい。

それでなくても牧村は豪くショックを受けていたようだ。

同性愛者ではない山下にその心境の程は解らなかったが、云ってみれば恋人が中年に強姦されかけて、それに就いての公開裁判に立ち合っているような——独身の山下はそう云う境遇になったこともまたないのだが——強いて云うならそう云う心境だったであろうか。

その恋人がこともあろうに強姦者を追って行ったのである。それで牧村は——。

「どうやって抜け出したんだ君は？」

「庫院の竈の火が心配だと云いました。典座の常信和尚が昨夜より居りませんでしたので、僕、拙僧が責任者だと慈行和尚に令《いいつけ》られておりました」

禅堂を抜け出した牧村はこっそり知客寮に近づいて様子を窺ったのだと云う。

「お山を下りませんか、と云う常信和尚のお声がしました。祐賢和尚は寺を出る——と云い残して禅堂をお出になったので、これはもう、お二人ともこの明慧寺を出られるのだと思いました。英生は祐賢様のお弟子ですから、一緒に下山するのかと——」

弟子だからと云うより、心変わりしたのではないかと思ったらしい。

そのうち中島祐賢は知客寮からひとり出て来た。

牧村は反射的に身を隠し、逡巡した挙げ句にその後を追った。法堂を抜け、大雄宝殿を通り越して、その間幾度も声を掛けようと思ったらしいが、何と云っていいのかまるで解らなかったと牧村は云った。中島が大日殿に入ってしまい、牧村は已《やむ》なく入口で出て来るのを待ったのだそうだ。そこで彼の記憶は途切れている。

「殴られた——のです」

山下が見てみると後頭部に疵《きず》ができていた。背後から殴られたようだった。自分でつけられるような疵ではない。

「ああ——これは痛そうだな。この様子だと——首まで痛めてるかな」

山下がそう云うと牧村は痛そうに疵を摩《さす》った。

「で、君は昏倒したのか」

「ええ」

「殴られた時、君は屈んでいた？　立っていた？」

「ええ。身を低くしてはいました」

「立っていた訳ではない？」

「片膝をついていたように思います」

疵の位置から考えればそうなるだろう。ただ、牧村を殴ったのが真実杉山哲童なのであれば——彼は巨漢であるから——そうと断言もできないのかもしれなかったが。裏を返せば、立っていて殴られたのなら犯人は哲童くらいしかいないと云うことにもなる。

「どのくらい倒れていたのか——気絶していたのじゃ判らないかな」

「それは——判りません。ただ、気がつくと——」

「哲童——杉山哲童が立っていたのだな？」

「そう——あいつ——あいつがやったんだ。祐賢和尚をあの旗竿で殴り殺したんだ」

「はたざお？」

「旗竿です。持っていました」

「ああ、あの棒——そうか」

　山下は外に配備した警官に棒の回収を命じた。

　幸いにもそれはまだ法堂の石畳のところに転がっていたようだった。

「しかし——哲童は、さっき私が立っていたところにいたんだろう。どんな風に立っていたんだ？」

「棒を持って仁王立ちになって——あいつ、どこを見ているのか善く判らなくて。その時はまだ朦朧としていて、いつの間にかいなくなって——気がつくと目の前に何かがあって、それが何か判らなくて、そしたらそれが——ああ——だから——」

「心配しなくても疑ってないって。ん——でも待てよ。あそこは出入り口だよなあ。君、その哲童が立っていた時、死骸は既にあったのかな？」

「あった——ような——なかったような——瞭然《はっきり》とは思い出せません。朦朧としていて、ただ哲童がいるのは判って、それで——ええ、誰かが倒れていて、それが祐賢和尚だと気がついたのは、多分、中から貫首様達が出ていらして、祐賢様とお名前を呼ばれた時のことだと思うんです。ちゃんと気がついた時は、ただ血が流れていたので——それで怖くなって」

「悲鳴を？　しかし――」

どこかおかしい。

哲童を犯人だと仮定してみる。

気絶していた牧村が一時的に覚醒し、犯人哲童の姿を認める。それは犯行前とする。すると哲童は、先ず大日殿の入口脇に潜んでいた牧村の背後にいたことになる。そして牧村を殴って昏倒させ、わざわざ反対側――人目につき易いところに突っ立って中島が出て来るのを待っていたことになる。しかも牧村は玄関先に倒れっ放しなのである。これでは待ち伏せにならない。牧村がこうして傷を負って生きている以上、犯人が牧村を昏倒させた理由は、中島殺しの犯行を目撃されたくなかったからに違いないのだ。ならば普通は倒れている牧村を現場から移動させるのではないか。その時間がなくても、少なくともわざわざ反対側には行くまい。

牧村が覚醒した時、既に犯行が済んでいたのだとしても――矢張りこれは変である。哲童は、折角昏倒させた牧村の意識が戻るまで、自分が殺した中島の遺体をぼうっと眺めていたことになるからだ。それでは牧村を殴った意味がない。のみならず哲童は、悲鳴を上げた牧村を置き去りにして――つまり牧村が己の犯行を確認したことを承知で――凶器を持ったまま悠然と衆人の目前に現れ、凶器を法堂の前の石畳に叩きつけて――。

おかしい。

絶対おかしい。

哲童の知能の発達が一般よりもやや遅れ気味らしいことは山下にも判る。だが、それは人きな遅れではないと思う。いや、特殊な環境下で育ったためにそう見えているだけである可能性もあるのだ。慥かに基礎教育すら受けていないのだから語彙などは少ないだろうし、知識も偏っているのだ。寡黙で朴訥《ぼくとつ》な性質や魁偉《かいい》なる容貌も相まって、どこか怪物的存在として理解しているだろう。それは凡て偏見と云うものだろう。偏見を取り払って後に、障碍があるのかないのか、あったとしてもどの程度のものなのか、山下は医者ではないから判断できない。しかしひとつだけ確実なのは、杉山哲童は異常ではないと云うことだ。

異常なのはこの山自体だ。

だからこう云う場合、ああ云う男だから異常な行動を執ってもおかしくはないなどとは、決して考えるべきではないのである。哲童は殺人淫楽症の異常者などではないのだ。そう云う意味で哲童は、健常者と何等変わりはない。それらを混同してはならない。それは不当な差別だと山下は思う。この場合、寧ろ哲童には下手な小細工ができないと考えるべきなのである。証拠を隠滅したり不在証明を捏造したり、そうした隠蔽工作は慥かにできない筈だ。

――でも。

ふ、と厭な思いが過った。

――哲童が殺人淫楽症だったとしたら。

暗かった。それに酷く足場も悪かった。

気持ちも漸く動揺し始めていた。

次次人が死んで行く。

＊

理由が解らない。

鳥口は少しだけ恐怖の正体を見た気がした。

理屈の通じない——理解不能の恐怖である。

鳥口は小さい頃から幽霊がそれ程怖くない。自分は祟られるようなことなどしないと思っていたからだ。因果応報、幽霊に祟られる奴は所詮悪い奴だ。四谷怪談などを読むと溜飲《りゅういん》が下がる。民谷伊右衛門《たみやいえもん》は大抵極悪人に書かれている。可哀想なお岩さんよ頑張れ、伊右衛門を倒せと、つい思ってしまう。

ただ、理由《わけ》の解らないモノは怖い。

だから戦争は厭だった。どうして死なければいけないのか理由が解らないからだ。敵を殺さなければならない理由も善く解らない。国のためとか云う大袈裟な大義名分は、個人の死とは馴染まないものだと思う。

復讐とか怨恨とか営利目的とか、悉皆世《しっかい》の犯罪にそう云う理由がついているのは、もしや戦死と区別するためではなかろうか。そうも思う。

理由があると人は矢ッ張り安心できるのだ。しかし一方でこの世の中には、無差別連続殺人や動機なき殺人と云うのも慥かにある。それは前回関わった事件で厭と云う程知った。でも、それも戦死とは違うものである。それらはまだ事件の中心に人間がいたのである。

今回は——人間がいない。

怖い。少しずつ怖い。

だから鳥口は、華奢《きゃしゃ》な敦子の手を少し強く握って足早になった。

ざざ、と雪が落ちた。

急ぐと滑る。道を間違えれば命に拘る。

自分の方向音痴をこれ程怨んだことはなかった。

懐中電灯の照らす範囲は狭く、そこがどこなのか判断できるような目印は何もないのだ。

「こっちでしたね？」

「多分——でも——判りません」

「下っていることには違いないですから」

「ええ」

いちいち確認しないと不安になる。

顔が見えないから誰の手を引いているのか判らなくなるのだ。敦子だと思っていても、いつの間にかそれが鈴になっていたりしたら——。

「敦子さん？」

「はい？」

敦子の声だ。

「さっきの。松宮さん。あの人と擦れ違った時」

「はい」

「敦子さん少し変じゃなかったですか？」

「変でした」

「は？」

鳥口は軽く滑った。

「それは――」

「あの人――でき過ぎている」

「でき過ぎ？」

「模範的なお坊さんと云う感じがしたから――態度も、口調も格好も。何だかでき過ぎだったでしょう」

「それで？」

「私みたいだなと思って」

「意味が解りません」

「如何にもこう云う奴はいるよなって人間は大抵嘘っぽくて、何か造ってるんじゃないかと思われがちでしょう。でもそれが本性って人間もいるんです」

「はあ、敦子さんがそうだと？」

「そうですよ」

「そうすかねえ。慥かにできた人なんでしょうが」

「だって、浮いた話のひとつもなくて、仕事ばっかりしてて、こう云った事件に首を突っ込むために生きてるような——でもそう云う女なんです私」

「そんなことないですがね」

全然そんなことはないと思う。

色色な悩みはあるものだ。そう思うと恐怖が少し和らいだ。

しかし道に対する自信は大分揺らいでいる。

光の筋の先に見えるのは木や藪や雪や、

——振袖。

「あ！」

「どうしました？」

「い、いや、今鈴さんが——」

「え？　どこに？」

敦子は鳥口の躰に摑まるようにして前傾し、前を見た。

鳥口は少し怖じ気づいて、それでもそちらを照らした。

光は障害物さえあればそれを捉えて有効に照らし出すが、網の目のように込み入った樹木の無限の奥行きには到底効力を発揮せず、手前の枝枝が白く浮かんだだけで、行く手は矢張り闇だった。

焼け石に水と云う諺があるが、この場合正にそれで、山が抱え込んだ闇の大きさに対して懐中電灯の光などちっぽけ過ぎるのだ。役に立ちやしない。夜の闇は山を覆っているのではない。山に染み込んでいるのだから。

「気の所為ですかな。急ぎましょう」

「ええ。でもあの鈴さんって――」

「何です？」

敦子は答えなかった。

その時。

がさがさと何かを搔き分けるような音がした。

背後だ。凄い気配の塊《かたまり》が来る。

鳥口は手を強く引き敦子を引き寄せると、己の前に回し、振り返って音と対峙した。

音はすぐに止んだ。

立ち止まっていると豪《えら》く寒い。山道を下るのは重労働である。厚着をしているから汗もかく。動いている時は意識しないが、止まると途端に冷える。

足先も凍てついている。

指先も、耳も鼻先も凍るように冷たいことに気がつく。

気がついてしまうともう寒くて仕様がなくなる。

敦子も震えているようだった。

震えているのは寒さの所為ばかりではない。

「音——しましたよね、敦子さん」

「しました」

「獣でも——山犬とか出たですかな」

「もっとずっと——大きなモノだと思いますが」

「熊とかいますかね？　いないすよね」

進むに進めない。音の方に背を向けるのは怖い。

しかし今背を向けている方向には——。

鈴がいるかもしれない。

——怖い。

鳥口は突然《いきなり》振り返って、懐中電灯で行く手を照らした。

こう云う時は思いきって見てしまうのに限るのだ。

どうせ光の筋は白黒の雪と樹樹しか——。

色？


鈴がいた。


「わああっ！」

「何です！」

光の筋はすぐに鈴を見失ってしまった。

のみならず光の筋は極狭い範囲を照らし乍ら、かさこそと音を立てて深い藪の海に沈んで行った。

鳥口は懐中電灯を落してしまったのだ。

致命的な過失である。

「い、今、鈴さんが——」

網膜に残像が残っている。禿《かぶろ》に切り揃えた髪と真っ白な顔。穴のような眸。

慥かにいた。いたのだが——そんなことを気にしている場合ではなかった。怖かろうと何だろうと相手は十二三の子供である。鈴よりもまず懐中電灯だ。

幸いにも懐中電灯は点いたままだった。位置は確認できる。斜面の途中に引っ掛かっているようだ。善く判らないがそれ程の距離ではないと思う。

「ああ——敦子さん申し訳ない。ここ動かないで。今その、取って来ますから」

「でも——駄目です。危険です。止してください」

「それは危険ですけど、仙石楼じゃ帰って来ると思っていないし、明慧寺はあの通りですから救助は来ません。自力で下りるには絶対必要です！」

鳥口が恐る恐る足を差し出したその瞬間。

がさがさと樹樹が揺れた。黒い、巨大な影だ。

「嗄《さ》！　さあっ！」

鳥口は半身滑り落ちた。慌てて敦子が手を摑んだが、当然敦子も蹣跚《よろけ》た。影がわさわさと迫った。

「だ、誰！　だれっ」

「咦《いい》！」

「て、哲童さん！」

大きく揺れて二人は滑落した。

久遠寺医師が知客寮に来て、判り切ったことだがと前置きをしてから祐賢の検死結果を述べた。

＊

頭蓋骨骨折。脳挫傷。山下はこれ程生生しく医学用語が聴き取れた覚えは過去に一度もない。老医師が何か云う度にあの中島祐賢の死に顔が浮かび、更にはすぐそこで怯えたり喚いたりしていた姿が浮かぶ。商売柄変死体は数多く見て来たが、僅か三十分前まで会話していた相手が死んだことはない。戦争中も山下の部隊は穴を掘ったり芋を作ったりばかりしていて、目の前で仲間が死んだりしたことはなかった。

「凶器は特定できますか」

「石や鈍器じゃない。棒だな。堅い棒。一撃だが——凶器に重量があるのか、犯人が馬鹿力なのかどっちかだな。頭に切り通しの道ができたみたいになっとった」

疲労気味の老医師に礼を述べ、禅堂の脇に引き取って貰ってから、再び山下は牧村托雄と向かい合った。

青年僧はやや落ち着きを取り戻していた。

「さて——牧村君。さっき起きたことは概《おおむ》ね判ったがね。他にもう少し聞きたいことがある。君、その、小坂さんを目撃した話ね。何日前になるのかな——」

日時の感覚が麻痺《まひ》していた。

「——失踪した、否、殺された日だから、一週間も経《た》つのか？　あのお経の本を忘れたとか云って、桑田さんの庵に——何と云うんだ？」

「覚証殿——ですか？」

「そう。そこから小坂が出て来たと云う君の話なんだがね。その証言は——本当かね？　まあ疑う訳ではないんだが」

その証言が桑田を疑う端緒となったことは慥かである。

だから山下は尋いておきたかった。

答えるまでにやや間があった。

「了稔和尚を見たのは本当です」

「のは、ってのはなんだね。のは、ってのは」

「覚証殿から出て来たと云うのは——」

「う、嘘なのか？　じゃあどこか他の場所で？」

「いいえ。正しくは——覚証殿の寝所の窓から——見たのです」

「寝所？　だって君、お経の本を忘れ——あ、それが嘘なのか？」

牧村ははにかむように真相を語った。

桑田常信はその頃毎晩夜坐と称して禅堂に通っていた。しかし、何故か行者である牧村には夜坐を強要せず、逆に共に坐禅することを許さなかったのだそうだ。

牧村は夜坐の間は遠ざけられた。その頃、桑田もまた心に疾しき鼠を飼っていたのだ。桑田の戻る時間はまちまちだったらしく、いずれ消灯前には戻らなかったのだと云う。その間牧村は自由であり、覚証殿は空家となる。

そして覚証殿は——。

牧村と加賀英生の密会の場所となったのだそうだ。

「あの日は——風呂に入る振りをして英生を誘い出しました。それで——」

「そう云う詳しいことはいいです。いや。本当に」

山下は腹の底がむず痒くなるような、その上照れ臭いような、何とも不思議な感覚を持った。この手の話は矢張り秘すべきもので、このように白地《あからさま》に語ることではないのだ。語る方も聞く方も身の置き場がない。

「その——帰り際に寝所の窓の障子が薄く開いているのに気づいて閉めようとしたのです。そうしたら、了稔和尚様が歩いて行くのが見えたんです」

「それだけか？」

牧村は頷いた。一応目撃はしていたようだ。

「しかし——それなら別に建物から出て来たなんて云わんでも良かったじゃないか」

「ええ。でも——」

覚証殿は山を背にして建っている。

寝所の窓は覚証殿の裏側にあるから、そこから窺える風景は建物の表側からは見えない。つまり、小坂了稔の姿は、そこ——覚証殿の寝所の窓——からしか見えないものだったのである。その辺を通り掛かって見える場面ではなかったのだ。しかし牧村が寝所に這入る理由はどこにもない。何故そんなところに這入ったのだと問われたら、それこそ答えようがないのだ。だから最初は黙っていようかと思ったらしいが、そのうち怖くなって姿を見たとだけ云ったのだそうだ。

「そうしたら——あの刑事さんが厳しく——」

「追及したんだな？」

菅原だ。

菅原が締め上げたのだ。

山下の脳裏には、あの田舎刑事が口角泡を飛ばして牧村を追及する場面が、見て来たように浮かんだ。

——見た？　どこで見たんだ？　時間は？

そうきつく問われて、牧村は最初、覚証殿で——とだけ答えたと云う。

時間は真実目撃した時間——八時四十分から九時——と云ったのだそうだ。何しろ殺人事件なのであるから、その辺はきちんと答えなくてはいけないだろうと牧村は考えたらしい。

そこまでは嘘ではない。牧村托雄はなんら偽証をしていない。しかし。

それで済むと思ったところが菅原の追及は止まなかったのだそうだ。あの猪のような男のことだから厳しく喰い下がったのだろう。何しろ唯一に近い目撃証言なのだから、それは山下でもそうしていたと思うけれど。

何故そこにいたと尋かれて、牧村は困窮した。

本当のことは云えない。逢引をしていたなどとは口が裂けても云えない。それはそうだろう。だから経本を取りに——と出任せを云ったのだ。

——嘘を吐け。詳しく云ってみろ？

菅原はそう云ったと云う。山下は当てにしていないけれど、それでも長年の経験の蓄積から生まれる刑事の勘と云うのはあると思う。勿論確実ではないが、嘘かどうかと云うのは意外と判るものなのである。秘め事を隠し通すために口先から生まれた嘘であるから、これは判り易かったのだろう。しかし詳しく云えと云われても、こればかりは詳しく云えないことなのだ。それが露見してしまった今とは違う。しかし、如何にしても追及は止まず、牧村はつい口が滑ってしまったのだと云う。

「覚証殿の奥の部屋から——とまで答えて、そしたら出て来たのかッと強く尋かれ、つい、はいと」

「奥の部屋から出て来たんじゃなくて、奥の部屋から見た、だったのか」

思い込み——と云うより成り行きだ。

菅原は非協力的な環境の中で功を焦ったのだ。

しかし、ならば小坂はいったい、どこからどこへ行こうとしていたのだろう。

それを問うと牧村は、

「どこからかは判りませんが、多分湯本側に下りようとしていたのではないですか」

と云った。それなら尾島の証言とも嚙み合う。証言としても整合性が増す。

山下は腕を組んだ。この青年にはまだ尋くことがあった筈だ。

「そうだ。大雄宝殿の横っちょの薬草畑だ」

「はい――？」

「それは今どうなっているんだね？　桑田さんは手をつけてないと云ってたが」

「ああ、もう大半は駄目です。博行様以外は、煎じ方はおろか草の種類も判りませんから。手入れは難しくて育て方も判りません。枯れたものもあるし、雑草と混じってしまって。雪も降ったし、もう――ただ、昨年の夏までに作りましたものを乾かしたり粉末にしたりしたものはまだ沢山あります」

「あるか。どこに？」

「その――薬草畑の横に小さな納屋と云うか、雨除けのような庇《ひさし》が造ってありまして、土器《かわらけ》などに入れてそこに――」

「その中に麻はあるか？」

「何故――それをご存知で？」

「あるのかね？」

「去年の春に刈りましたものを陰干しして」

「それを？」

「はい、博行様は昨年の夏、ご乱心の上隔離されましたが、その――訳は」

「全部知っているよ。理由も判ってる。だからそれに就いては云わないでいいが――君はその乾燥麻をだね、菅野さんに渡さなかったか」

「はい。毎日処方してお持ちしてましたが？」

「しょ、処方？　毎日って」

「拙僧が当番の時は朝のお粥をお持ちする時に。当番でない時は、その後作務の時にお持ちします」

「当番？　何の当番だね？」

「博行様のお食事は賄い方の僧が交代で届けていたんです。警察の方がいらしてからは常信和尚様がお届けになっておられましたが、それまでは当番制で、拙僧も三日に一度は行っていたんです。あの方は去年の暮れくらいまでは錯乱されておられましたが、徐徐に恢復されて、今年になってから、そう、神経の癒える薬だからと所望されまして」

「君に所望したのか？」

「他の者では判りません。拙僧は博行様の行者でございましたから」

「そうか。なる程な」

牧村は何も知らずに大麻を運ばされていたのだろう。

「ですから、云われるままに処方致しまして、毎日微量ずつお運びしておりました。粥と一緒にお食べになっているものか、それとも――」

「吸ってたんだよ。煙草みたいに。それは、まあ麻薬だ。日本では麻薬の仲間だ」

「麻薬って――阿片みたいな？」

「そうだ。日本では違法なんだ」

みたいな、と云うくだりが年齢を感じさせる――と山下は思った。

しかし聞けば菅野は大麻を以前より常用していたのではないようにも思える。穴の中に幽閉されて後に何か精神に変調を来して、結果その吸引を思いついた、とも考えられる。

反面、元行者の牧村に依頼する辺りは中中知略を巡らせている。定期的に必ず訪れるし、己のことも善く知っている。薬草作りを手伝っていたなら手際も良く、かつそれが不道徳なものとは思うまい。これは計画的である。ならば彼は既に正常に近い状態にまで恢復していたのか。つまりは精神の変調と云うより心境の変化と表現するべきか。

「――し、信じられません。あのようなことになるまではその、ご立派な方でしたから」

「だが本当だ。それで、今日それは？」

「今日は——昨夜より常信様がいらっしゃいませんでしたから、朝の粥と一緒に持って行きました」

今日の朝食は桑田がいないので少し遅れたようだった。それでも六時前だった。仙石楼に宿泊した刑事達が到着したのは六時半。鑑識や増員の到着が七時である。打ち合わせを済ませて山下が土牢に這入ったのはその後だ。吸う時間はある。その後も幾度も中座しているから、隙を狙えば何度でも吸える。だから話が支離滅裂だったのだろう。

しかし——あの束はなかった。

「それだけか？　その後、束で差し入れたとか」

「束？　そんなことはしません。きちんと——」

「しない——か」

ならば屍体の横に陳列してあったあの大麻の束は——間違いなく殺人者が置いたものである筈だ。

「そう云えば——」

「何だね？　何でもいい。云って」

「哲童の奴が——麻とはどんなものだ、この辺りには麻は生えていないのか、とか尋いて来たんで——生えてはいないが干したものはあると」

また哲童だ——。

「哲童だと！　それで、君は在り処を教えたのかね？」

「はい。そんな悪いものだとは知りませんでしたから、置き場所と、これこれこう云う形のものだと」

「いつ、どこで」

「今日の午後——です。仁秀さんに食事を届けた時ですが——どうもあいつ、先ず仁秀さんに尋きに行ったみたいなんです。それで知らないとか生えてないとか云われたらしくて、丁度そこに僕が」

「午後って午後何時？」

「鳴らしものが鳴りませんから時間が判らないですけど——そう、仁秀さんの小屋から出たところに、丁度あの今川さんと、お医者様とか云う方が——」

それなら十四時くらいだろう。今川達一行は正午過ぎに訪れて、そのくらいまでは知客寮《こ　こ》に温順《おとな》しく——実際は探偵が祐賢を殴ったらしいが——していた筈だ。その後で仁秀の所に行ったと云っていた。今川に尋けばもう少し正確に判る筈だ。

「それで哲童はどうした？」

「さあ。見に行ったかもしれないな」

「何であいつ大麻なんかに興味を——」

自ら用いようと云うのでないことは慥かだ。

屍体を飾るため――

否、そうではないだろう。その時間菅野はまだ生きていた筈だ。今川と久遠寺医師は仁秀の小屋を出て後、菅野の土牢に向かい、被害者と三十分程話しをしているのだ。

ならばそれは殺す準備をしていたと云うことか。

死骸の横にその原罪を晒して、菅野殺しを完成させるために、その材料を捜していたと云う訳か？

土牢には昨晩から見張りが立っていた。見張りが外れたのが十五時前後。入れ違いに久遠寺医師と今川が侵入した。探偵が呼びに入って彼等が出て来たのが十五時三十分くらいか。その間の犯行は不可能だ。その直後に今川が捕縛され、菅原の指示で警邏が見張りに復帰したのが十五時五十分。その間二十分開いている。犯行が可能なのはそこだ。

その隙を虎視《こし》眈眈《たんたん》と狙っていて――。

――哲童が？

考えてみれば、理由はどうあれ、小坂を樹上に持ち上げるのも、大西を便所に突き立てるのも、あの男なら簡単なことだろう。

慥かに小坂は小柄で目方が軽い。山下でも無理をすれば担げるだろう。しかし、縦《よ》しんば担げたとしたって担いだまま屋根にまで登れるだろうか。しかも犯行当日条件は非常に悪かったのだ。山下の体力では荷物を持っていなくても屋根になど登れないと思う。

大西殺しに到っては山下には不可能だ。勿論大西も痩せているから担げないことはない。しかし大西の遺体は鎖骨や肋骨が折れていた。勿論便所の床を壊す程の勢いで突き立てたからだ。そんな力士のようなことは常人にできるものではない。

それに山下などは今の今まで忘れていたのだが、大西が殺害された夜――と云うか朝、哲童は理致殿を訪れていたのである。取材班及び益田がその姿を目撃している。それも、殺害時刻の一時間半前である。

それで。

菅野の遺体の脇に置いてあった大麻を用意したのも哲童だったとしたら――。

中島の検死をした久遠寺医師は、犯人は馬鹿力であると云った。更に凶器は棒状のものだと云う。哲童は現場及び現場付近で旗竿――棒を持って大勢に目撃されている。あの棒から血痕が出れば――。

怪力で尚身が軽い。挙動も不審な点が多い。

動機は一切判らない。否、動機は一切ない。

勿論他の僧と同じく不在証明はない。

哲童が――犯人だと云うのか？

山下は断定できない。

「刑事さん」

「――ん？」

思考は妙に鼻にかかった声で中断した。

「あの、英生とのことは――」

「あ、ああ。警察は私事秘密《プライヴァシー》は厳守するから」

「くれぐれも、慈行和尚様だけには――その」

「云わないよ」

牧村は淀んだ眼をした。

曇《くも》り硝子《ガラス》のように不透明な安心をしている。

山下は気怠《けだる》い気持ちになって牧村を解放した。

視覚的に遮蔽されていたとは云え、襖一枚隔てた隣室には師である桑田常信と、そして特別な関係を持っていた加賀英生がいたのである。当然牧村の告白は聞こえていただろうし、それは牧村本人も承知の上のことだったろう。

そっと隣室を覗くと二人とも坐禅をしていた。

加賀は山を下りると云っていた。中島祐賢が死んだ今もそのつもりなのだろうか。加賀が山を下りてしまったら、牧村はどうするつもりなのだろう。仮令《たとえ》和田慈行に届かなかったとしても、この先牧村にどんな展望が拓けると云うのか？　これで安心するのは刹那《せつな》的であると――山下でさえ思う。山下はあの若い僧のことが少し心配になったりした。

次田が戻って来た。菅原に代わり法堂で貫首への事情聴取をしていたのである。

「どうですな、あの若い僧は？」

「非常に色色収穫があったと──思うが」

年寄りには刺激が強過ぎて詳しく語れない。

「そちらはどうだね？　あの貫首は手強いだろう」

次田ははあ、と云った。

「こちらは殆ど収穫はないですなぁ。突然祐賢和尚が参禅に来た、頓悟していたので袈裟をくれてやった──と。出て行った後は悲鳴がするまで知らないと云っている。二人の行者も善く鍛えられておりましてな。まるで同じことしか云いませんなあ」

「袈裟？　袈裟なんか現場にあったかね？」

「腹の下に敷くようにして死んでいたようですが」

「菅原は？」

「哲童と鈴を捜しに行きましたが」

貫首のような奴にこそ菅原の締め上げは有効なのではないかと、山下はそう思った。ただ自分より偉い奴には菅原は辛く当たらないのかもしれない。

それにしても哲童は──不審過ぎる。

後一歩だと山下は思っている。

前触れなく流れ出て来た過去と、現在との折り合いを巧くつけることができず、飯窪は錯乱した。

＊

私は番頭に頼んで離れに床を延べて貰い、益田と二人で飯窪を運んで休ませた。

仲居——トキがつき添って様子を見ていてくれる、と云った。

結局広間に戻った頃には日付けが変わっていた。

しかし日付けが変わったところでどうにかなるものではなかった。私達は脱力した。

番頭が茶を煎れてくれたので二人で飲んだ。

益田は云った。

「あの——飯窪さんは何を思い出したんです？」

「ああ。思い出さなくていいことですよ」

「思い出さなくていいこと？」

「そう。思い出さないでいるうちは、得体は知れないまでも甘美で愛《いと》おしいものだけれども思い出した途端に醜い現実に姿を変える——その手のことを思い出したんです」

益田は神妙な顔をした。

「それはつまり、忘れてしまった方がいいこと——と云うことなんですか？」

少し違う。

「それは、一度認識してしまったら最後なんです。だから、彼女はもう後戻りはできない。多分――」

「多分？」

「――次に目覚めた時には十三年前の事件の真相はある程度判ると思います。彼女には辛い告白になるかもしれませんが」

――私が殺したんだ。

そう云っていた。

「はあ。何故解るんです？」

「去年の夏に学習しました」

私がそう云うと益田は再び神妙な顔をした。

けたたましい音が気怠《けだる》い空気を引き締めた。

電話のベルである。

益田は慌てて、飛び跳ねるように立ち上がった。深夜であるから緊急事態に外ならない。しかしそれは予想に反して京極堂宛ての電話だった。一般的に電話をかけるには非常識な時間なのだが、この状況下に於ては宿から苦情の出る筈もなく、受けた番頭も淡淡として非常識な客を呼びに行った。

京極堂は着替えるでもなく、来た時そのままの格好で二階から下りて来た。

偏屈な友人は考えごとでもしていたのか、不機嫌を通り越した凶悪な面相である。眼の下には隈ができている。私などには一瞥もくれない。益田は、廊下を過ぎるその姿を目で追って、まるで人ごとのように云った。

「どうなっているんでしょう。明慧寺」

見当もつかなかった。寺の中にいる時はそんなことは思わないのだが、一歩外に出てしまうと豪《えら》く遠い。異国のことを想像するような気になる。しかし私は京極堂の忠告通り、手を引くこともできるが、警官である益田はそうもいかないのだ。

「鑑識だの応援だのが到着するのは矢張り明朝になるんですか？」

「はあ、連絡したのが八時過ぎでしょう。現場には刑事や警官が、まだ二十人はいますからね。差し当たって何か起きない限りは、現場さえ保持しておければ検死は明日で十分だと、まあそう云う判断したんですね。本部は。でも山下さんどうしたんだろうな。菅原さんも暴走してるみたいだし——菅野さんですか？　まあ警察が殺したようなもんですよ。まあ大西さんの場合もそうなんだが——」

「責任を感じているんですか。益田君は」

「ええ。刑事になってこの方、責任を感じたのは初めてですよ。しかしどう云う——事件なんですかね」

益田は疲労している。

「きっとね。僕等が騒いでいるようなことは、殆ど関係ないことなんだと思う」

「僕もそう思います。関口さんも解ってるでしょうが、僕達警察は、見逃していることが沢山あるんです。普通の事件ではこれは拙《まず》い。ザルで水を掬《すく》うような捜査してるんです。今、僕達は。でも——」

益田は溜め息を吐く。

「例えば——午後届いた報告をさっき読んでいたんですが、菅原さんがあんなだったから渡しそびれたんですがね。教団側と明慧寺の関係が、まあ瞭然《はっきり》しました。昨日の段階ではそんな寺は知りませんとか云う話だったんですが、その後また追加報告が来ましてね。あの、松宮さんですか？　関口さんから聞いたあの人の証言に就いてはほぼ裏が取れた格好ですね。それから明慧寺の坊主どもの来歴もある程度判明した。まあそう云うことは調べて判らんものじゃないですし、別段怪しいことはないです。でも——」

「でも？」

「解らないんです。関係ない。そこから何も見えて来ないんです僕には。善く考えれば小坂と云う人は実際怪しいですよ。だって行動に一貫性がない。例えば環境保護団体ひとつとっても、あれは要するに明慧寺存続のための維持費を捻出するための、詐欺的動機に端を発していた訳でしょう？」

「そうのようだがね」

「でもですね、小坂は結構真面目に活動していた。団体の人から確認が取れている。活動内容自体は怪しいところなんかないし、構成員もまともな人ばかりだ。これはどう云うことなんです？」

「それは――途中からその気になったのかな」

「それはそれでいいです。しかし小坂さんは再三の召還命令――これは真実出されていたようですが――その命令にも背いて、もう、本山に顔向けできないような状態だった訳でしょう？　それに各教団に対しては詐欺紛いの行いをして金を引き出している訳です。しかし小坂は結構他の寺の住職だの教団関係者とも未だに親しく交流があったと云うんです。これは解《げ》せないですよ。勿論教団は組織化していますから経理部門とその他のセクションは分離しています。小坂が懇意にしていたのは、まあ古いお寺の住職や何かですから、彼等が直接教団の歳出や過去の諍《いさか》いに関係していた訳ではないですが、そう云う人は、教団内の交流は勿論、小坂の元いた寺院の方とも当然つき合いがある訳ですよ。何かの拍子に小坂了稔が話題に上らないとも限らない――」

それはその通りだと思う。

「――しかし小坂はそんなこと全然気にしていた様子はないんです。自分のしていることが当たり前であるかのように振る舞っている」

「当たり前？」

「はい。罪悪感とか体面とか、そうしたものに対する配慮はない。これは普通の感覚で云えばもっと追及するべき点です。その陰に何かある筈だ——と。でも多分何もないんです。それに、もし何かあっても事件と関係ない。だから調べる気がしない——」

「うん——」

そうなのだ。小坂は自分のしていることが分裂しているなどとは微塵《みじん》も思っていなかったのだろう。明慧寺に僧として住む。そして彼なりに社会と関わりを持って生活する。それは当たり前のことだったのだ。

つまりそれは——。

明慧寺と云う、本来あってはならない、或はあるべきでない寺を、あるものとして一度絶対化してしまっているから得られる自信なのだ。

明慧寺の存在自体がそもそも不自然だと云う認識の下に立って見れば、支離滅裂に映って当然なのだ。

益田は続けた。

「大体あの人が今川さんに売ろうとしていたものは何なのか——これすらも皆目判らんのです。調べれば何か事実は出て来るが、それがどう云う意味を持つのかが解らない。否、どうせそんなことはきっと事件に関係ないことなんです——」

益田はずっと茶を飲まずに見つめていたが、そこで一気に飲み干した。

「――だから、本来の犯罪捜査で注目すべきような問題点は皆無駄になる。調べても判っても、単にああそうだったのかと云うだけのことです。過去のことが判ったところで、その場合我我の受けはない訳です。それで？　と云うだけなんです」

「それは――」

そうなのだろう。関係ないのだ。

「だから究明すべき謎はもっと別なところにあるんです。中禅寺さんは、今回の事件には謎がないと仰ったけれど、慥《たし》かに物理的に不可能な怪奇現象も発生していなければ、探偵小説のような密室も存在しないのですが――しかし、どうも事実関係だけ追いかけていても正体が見えない。僕には、今朝中禅寺さんが話してくれた禅の講釈の方が余程今回の事件の確信に近いような気がしてならない」

「ああ――」

漠然としている。しかし益田は確実に何かを捉えつつあるような気がする。

「震災孤児哲童の身元。戸籍のない仁秀老人のこと。それから松宮家の事件との関わり。調べなければいけないことは一杯あるんですが――」

益田は考え込む。

「益田君！」

突然呼ばれて益田は怯気《びく》りとした。私も驚いて振り向いた。

京極堂が立っていた。

「何だ。吃驚《びっくり》するだろうに」

「君のことは呼んじゃいないよ関口君。それより益田君。君、先程その明慧寺の僧の来歴などが報告されたと云ったね？」

「はあ、そうです」

「おい聞いていたのか君は？　電話してたんじゃないのか？」

「煩瑣《うるさ》いな、電話し乍ら聞いていたんだ。聞こえるよ。夜は静かだから」

京極堂はそう云うが、彼の電話の声など私には爽然《さっぱり》聞こえなかった。地獄耳である。友人は怖い顔のまま、滑るように近づいて来ると座卓を挟んで私の向かいに座った。

「益田君。じゃあ一寸《ちょっと》教えてくれないか。彼等が元いた寺のこと――拙《まず》いかな？」

益田は一寸待ってくださいと云って立ち上がり、次の間から書類を持って来て、

「これは別に機密事項じゃなくて調べれば誰にでも判ることですから、お教えします」

と云った。

「先ず大西泰全。この人は京都のお寺で――」

私は寺の名など聞いても判らなかったが当然京極堂は判っているようだった。

「泰全老師の師匠の名前は解るかね？」

「ええと――和田――和田智稔《ちねん》ですね」

「和田？　和田って——それは、益田君」

「ああ、気がつかなかった。そうですね。そう云えば慈行さんも和田だなあ。関係はあるのかな？」

「ある。孫だ」

「何故判る？」

「今電話で聞いた」

「なら尋くなよ」

「和田智稔の孫が和田慈行だと聞いただけだよ。それ以外は知らないんだ。だから益田君に聞いて確かめているんじゃないか。黙っていてくれ」

「ふうん。だが、智稔の弟子が泰全と慧行、その慧行の弟子が慈行で慈行の祖父が智稔。ややこしいな」

「ややこしくないよ。関口君、君、聞いても解らないんだったら悪いけど黙っていてくれないかな。それから——小坂了稔は松宮仁如和尚のいた叢林から来たのだったね。それは鎌倉の——？」

　益田が寺名を云うと京極堂はすぐに納得した。

「それは智稔老師の影響下にあった寺だ。寺系も、末寺でこそないが関係は深い。それで、その寺での小坂の行状は判っているのかね？」

「鎌倉のお寺では問題児だったようですね」

「そう報告されているのかね」

益田は書類を見乍らええ、と云った。

「ですから——調査に遣わしたと云うよりこりゃ体《てい》の良い左遷でしょう。その、智稔さんですか？　彼の発言力は強かったらしく、明慧寺入りに当たっての手伝いを前前から要請していたらしい。大西が後を継いで明慧寺入りした際に再び要請して、その結果の派遣です」

「なる程。中島祐賢と桑田常信は？」

益田はたどたどしく寺の名を告げた。

「これは、寺の名前は判ってますが、中島と桑田の両名が派遣されるに到った詳しい経緯はまだ調査中です。どうもこちらは政治的判断だったらしいですね。曹洞宗はあまり明慧寺には関心がなかったんです。いずれ大西老師が云っていたような熱心な調査ではなかった。最初は、ですが」

「最初と云うのは？」

「そう。本来は一年か二年で呼び戻そうとしていたようです。しかし連絡がとれなくなってしまったと云う。そしてそのうち戦争が始まったんです」

「連絡がとれないとはどう云うことだ？　益田君」

私の問いに答えたのは京極堂だった。

「曹洞系の二人の許には帰れと云う命令が届いていなかったんだろうね。しかし彼等の寺は両方とも遠方だ。書簡が本人の手許に届いているかどうかも確認できなかったのだろう。多分——それは小坂了稔が握り潰していたと云うことだ」

「何故判る？」

「昨日の常信和尚の態度から考えて、召還令が出ていることを知っていたとは思えないからさ。益田君、寺院側が連絡がとれないと云っているなら、発送された召還令に対しての回答はなしの礫《つぶて》だった訳かな？」

「いいえ。それが最後の最後に召還令拒否の書簡が届き、寺院側は諦めたらしいです」

「ならばそれも——小坂が書いたんだろうな」

「小坂が？　確証はあるのかね？」

「ないよ。益田君。その手紙は現存するのかな？」

「それは二つの寺共に残っていました。でも、その手紙には——ええと、明慧寺貫首円覚丹と署名がしてあったようですが？」

「名前なんか誰にでも書けるよ。今川君の持っている小坂の手紙で筆跡鑑定でもすれば判るだろうが——そこまですることはないか——」

「警察は小坂が自分の寺に出した命令拒否の手紙を証拠物件として押収しています。ですから筆跡鑑定は兎も角、手紙を見た刑事に確認させればある程度は判ると思いますが」

それはいいなと京極堂は呟いた。

「それが？　依頼しましょうか？」

「うん――まあ、して貰った方が――いいかな」

京極堂らしからぬ煮え切らぬ態度である。

「何だか瞭然《はっきり》しないなあ。それはこの事件と関わりないことなんじゃないのか？　益田君、警察はこいつの仕事にまで協力することはないぞ」

「ええ、まあ――でも」

「それで大西泰全に対する召還はあったのか？」

京極堂は私を無視した。

「京都からは召還令は出ていないです。大西は云ってみればその和田智稔ですか？　その人の勅命つうか遺言で明慧寺入りした訳ですから口出しはできなかったんでしょうかね。その智稔の息のかかった寺院は皆明慧寺に少しずつ関わっている。ただこれは要するにその智稔の影響力が残っているうちだけの話だったようですね。つまり直弟子の、ええと慧行だとかがまだ生きているうちですね。その辺が亡くなったりしてしまうともう――」

「なる程。昨日、仁如和尚は戦争を境に援助は打ち切られ、交流もなくなったと云っていたが、それはそう云うことか――」

京極堂は腕を組み俯《うつむ》向き加減になって、

「——和田智稔と云う人は本当にあの寺に取り憑かれてしまっていたようだな」

と云った。

「時に益田君。円覚丹の寺は——判ってるのか？」

「え？——ああそれは——ええと」

「判らないんだね？」

「判らないみたいです——ね」

「牧村托雄は覚丹貫首の縁続きだと聞いたが」

「牧村？　あああの青年か。そ、れ、は、ああ、ありました。判ってますね。ん？　秩父の寺の息子ですね。親父の代で廃寺になっているようですな」

「何と云う寺だね？」

「え？　照山院《しょうざんいん》ですね。照らす山の院」

「秩父の照山院？」

「知っているのか？」

京極堂はまた私を無視した。そして、

「有り難う益田君。善く理解できたよ」

と、云った切り深く考え込んでしまった。

悩んでいる——否、迷っているように見える。

いつになく深刻な友人に私は声をかけあぐねた。

京極堂は自分の仕事――あの埋没蔵に眠る明慧寺の書籍群の処置に関して――苦悩しているのだろうか。

どうもそうではないような気がする。

私は遂に堪《たま》り兼ねて尋いた。

「おい京極堂。君はあの蔵のことでそんなに――その、悩んでいるのか？」

友人は上の空で答えた。

「ああ。そっちはね。まあカタがつきそうだ」

「え？　どうやって片付ける？」

「ああ。本当に価値のあるモノが出たら、仮令《たとえ》誰が持ち主であっても、所持するに相応《ふさわ》しいところに何としてでも買って貰えるように根回しして貰った」

「所持するのに相応しいとは？」

「本に依るよ。大学か、教団か」

「じゃあ君はもう掘ればいいだけか？」

「まあ、正当な所持者を定める作業は残っているが、最悪笹原氏が持ち主と云うことで落ち着いても資金ぐりの問題は解決した。収まるべきところに収まりそうだ」

京極堂は顎を摩《さす》った。

「しかしいったい誰に？　そんなこと」

「明石先生だよ。さっき連絡があった。迷ったが相談して良かった」

「明石先生？」

私は面識がないのだが、京極堂が師と仰ぐ人物であるらしい。

「あの、中央区一のいい男とか云う、君の尊敬する先生か？　その先生が古文書に関する後処理を引き受けてくれたとでも云うのか？　いったい何者なんだ？」

「だから判らないんだって。僕も知らないんだよ。ただ明石先生は仏教界の重鎮や管長クラスの人とも懇意にしていらっしゃるからね。話を通して戴いたんだ」

「管長クラスって、禅宗の——教団のか？」

「そうだよ」

「じゃあここのことも最初から尋けば良かったじゃないか。それならすぐに判ったんじゃないのか？　警察の手を煩《わずら》わせるまでもない！」

京極堂は私の顔を軽蔑の籠った眼差しで見た。

「自分で調べもしないで尋いたって教えてくれるものか。誰にでもできることなら自分でしろと云われるよ。それは当然だろう」

「ああ——厳しい人だと云っていたな」

知的怠慢を許さない人——なのだそうだ。

「それに明石先生が懇意にしているのは教団のトップだよ。つまり日本仏教界を背負って立つ現役の頂点だ。そう云う人達は明慧寺のことなんか知らなかったようだよ。知っているのは一部の長老や、中でも特に和田智稔に関わりがあった人達だけなんだ。管長達は明慧寺のことを聞いて驚き、憂《うれ》えていたそうだよ。当然だ」

「憂えた？　警察が――来たからか？」

「まあそれもあるよ。粛《しゅく》粛《しゅく》たる修行の場である禅林で殺人事件など以ての外だからね。ただ彼等が憂えている本当の理由は、個人の妄執がこのようにいびつな形で結実してしまったと云う事実の方にある」

　益田が資料を閉じて云った。

「個人と云うのは――和田智稔ですか？　つまりは和田智稔と云う男のたったひとりの妄執が、あの明慧寺を生んだと云うことですか？」

「ああ――その通りだよ益田君」

「しかし京極堂。彼が明慧寺に執心していたことは事実なんだろうが、だが彼は明慧寺に入るなりに亡くなっているんだぞ。そんな――」

「益田君も云っていたじゃないか。智稔老師は生前かなりの影響力を持った人だったのだ。死して後、その影響力だけが恰《あたか》も亡霊のように残って、弟子や傘下寺院を一時的に呪縛したのだ」

妄執の——嗣子相承か——。

「何だか空畏ろしい気がします」

益田が云った。

「だが、そんなものは所詮時間と共に薄れ、風化して行く運命にある。崇高な思想や教えは何代何十代も受け嗣がれるが、個人の妄執如きは然然《そうそう》長続きするものじゃない。事実十五年がところでその呪縛は綺麗爽然《さっぱり》なくなってしまった。ただ——」

「明慧寺の中でだけ——その影響力は風化しなかったと云うことか」

「結局明慧寺は孤立した——訳ですね？」

「そうだ。隔離された環境の中で直弟子大西泰全だけは最後まで和田智稔の影響下にあり続けたのだ。君達は明慧寺に対する疑惑を、先ずその泰全老師の言葉を鵜呑みにすることで埋めてしまった。しかし考えてもみたまえ。禅宗の各教団が躍起《やっき》になって調査に乗り出し、僧を派遣し、剰《あまつさ》え毎月援助金を出すなんて——非常識だよ。あり得ない」

「そうなのか——そうなんだろうな」

明慧寺を覆う霧は完全に晴れた。

最初明慧寺はまるで謎の塊だった。

その背後に最初に浮かんだのは——仏教界と云う朦朧《ぼんやり》とした大きなものだった。それは徐徐に輪郭を整えて行き、禅宗各宗派各教団と云うこれも破格の後見を私達に予感させた。

だが結局それも虚像でしかなく、その実体は幾つかの有力寺院の援助と云う実に妥当なものであることが判明した。ところが、その援助自体も和田智稔と云う男の個人的妄執の産物に過ぎなかった訳である。

これが——真実だ。

そんなものなのだ。

誰も隠していなかった。

ひとつも嘘はなかった。

しかし凡てはまやかしだったのだ。

「彼は——大西泰全老師は、その——真実を認識していなかったのかな？」

「老師にとってはそれが真実だったのだよ。嘘を吐いていなかったからこそ、君達も信用したのだろう。泰全老師は生涯和田智稔の呪縛の圏内にいた人なんだ」

——社会と切れている。

桑田常信がそう思うのも当然である。

明慧寺は矢張り山中他界——だったのだ。

「それは凡て和田智稔の妄執の生んだ幻想だったんだよ。君達が聞いたのはあの寺の中だけの真実だ。あの明慧寺の中では時間は止まっているのだ」

「時間が止まっている？」

「そうだ。大西泰全にとって世界は未だ昭和元年のまま。桑田常信にとっては昭和十年のままだった。入山した時のまま彼等の時間は止まっていた。彼等は皆、その閉鎖空間の過去の時間を生きていたんだ」

時間の流れ方が違う。それは実感としてあった。

「だから外の時間で生きている僕等が入り込んでも、惑わされるだけなんだ。しかし止まっていた時間はここ昭和二十八年に至って突然《いきなり》流れ出した。小坂の死によって、その閉じた世界に風穴が開いてしまったのだ」

「小坂——了稔の死によって？」

「そうさ。実際に明慧寺を造ったのは小坂了稔だ。小坂と云う策士なくして明慧寺はあり得なかった。明慧寺に結界を張ったのは小坂だ」

「小坂が結界を張ったとはどう云うことだ」

「小坂は和田智稔の呪縛に便乗してあそこに自分だけの小さな宇宙——閉鎖社会を造り上げたのだ。彼の裁量で、本来はあるべきでない寺がすっかり普通の寺として機能してしまったんだよ」

資金繰りをする。来た奴は帰さない。新しい坊主をスカウトしてくる——慥かに小坂は明慧寺の骨格を造るために精力的に活動している。

だが——。

「小坂了稔の凄いところはね、結界の内部を単なる楽園にしなかったところだ。外部の対立構造や歴史的成り立ちをそっくり持ち込んで密封した。そして自分は外部と内部を自在に行き来して内宇宙に適度な刺激を与えつつ、そこが疲弊し衰微することを巧く防いだ。彼は明慧寺の道化師《トリックスター》だったのだ」

「何故——何故彼はそんなことを——？」

私が凡て云い切る前に益田が小さく叫んだ。

「小坂と云う人はどう云う人なんです！」

益田はそして頭を抱えた。

「仰る通り小坂は明慧寺を苦労して造るために知略謀略を尽くして奔走してたようです。それなにまでして巧緻に造り上げた明慧寺を、彼は守りたかったのですか？　それとも壊したかったのですか？　小坂が過去にしたことは、犯罪紛いの行動を執ってまで明慧寺を守ることだった。でも小坂は明慧寺の伝統だの神秘性だのを壊したかったのだと、大西老師も桑田さんも云った。分裂してますよ！　理解できない」

「分裂なんかしてないよ」

「え？」

「束縛なくして自由はない。つまり檻がなくては檻から出ることはできない。檻から出たがっている者は、先ず檻を造らなければならないんだ」

「見立てだよ。見立て。明慧寺は宇宙の見立て。脳髄の見立てだ。彼は出たいから造ったのだ」

「は?」

京極堂は解らないことを云って黙った。

益田は不思議な顔をした。

「それで——結局その小坂を殺したのは誰なんだ」

私がそう云うと京極堂は黙ってしまった。

「君は善く解ったと云ったじゃないか」

答えない。

「おい」

「誰が駒鳥《コックロビン》を殺したか——」

「え?」

「山内さんがこの間云っていた。西洋の俗謡だ」

「何だそれは?」

「——僕は先程、電話で明石先生にたっぷりと叱られたよ」

「叱られた? 何でだ」

「うん」

　京極堂は一層深刻な顔をした。

「あの寺で今起こっていることは——矢張り許してはいけないことなんだろうな」

「何を当たり前のこと云っているんだ。もう何人死んでいると思っている」

「解っているよ。だから叱られたんだ」

「それは君に解決しろと云う意味か？」

「違うよ。できないのなら半端に関わらず、さっさと手を引けと云うことだ。僕も——そのつもりだったのだ。最初から」

「できない？」

「明石先生はこう仰った。朱雀《すじゃく》を求めて北門より出《いず》れば、辿り着く前に息絶えるぞ——と」

「どう云う意味だ？」

「だから——南隣の家に行くのに北を目指して出発したらどうなる？　そりゃあ地球を一周すれば着かないことはないが、着く前に死んでしまうだろ。僕がこの事件に関わると云うことは、そう云う愚かな行為だと——そう云う意味だ」

「ああ——」

　私は瞬時に了解した。彼——京極堂は、多分一番禅と遠いところにいる人間なのだ。彼の方法論では何か障害があるのに違いない。それは——。

「それは言葉か？」

「そう——かな」

　京極堂は頷いた。

「宗教には神秘体験が必要不可欠だ。しかし神秘体験と云うのは絶対に個人的認識なのだ。仮令《たとえ》どれ程凄い体験であろうとも、神秘は凡て個人の脳内で解決できてしまうものだ。その神秘体験を何等かの説明体系を用いて個人から解き放ち、普遍的なものに置き換えると宗教が生まれる。つまり神秘を共有するために、凡ての宗教は道具——言葉を必要とするのだ」

「禅は——違うのだな？」

「そう。禅は個人的神秘体験を退け、言葉を否定してしまう。禅で云う神秘体験とは神秘体験を凌駕した日常のことを指すのだ。つまり、数ある宗教の形の中で、殆ど唯一、生き乍らにして脳の呪縛から解き放たれようとする法が禅なのだ」

「脳の——呪縛？」

「そうだ。勿論脳は躰の器官に過ぎない。しかし悲しいかな、我我は我我を取り囲む外側の世界をもまた、脳を以てしか識ることはできないのだ。外側すらも内包してしまう、それが脳と云う化け物だ。そして言葉は脳が外側を取り込んで改竄《かいざん》再編集するために生み出した記号だ。この言葉を用いないと云うことは、脳を無視した世界認識をすると云うことに等しいのだ。我なくして世界はあらず、同時に我なくしても世界はあり——その二つの真理を同時に識ることが悟りだ」

「君は呪術の基本は言葉だと云ったな？」

「ああ——そうだ」

「じゃあ禅に呪術は利かないのか？」

「呪《しゅ》はね、脳が仕掛ける罠だ。だから遍《あまね》く脳の中だけで有効だ。そして人為的な呪——呪術は、言葉や呪物を用いずしては絶対に成り立たない。しかし、禅の半分は脳の外側にあるのだ。だから——」

「利かない——のだな」

「そう云う意味で禅は仏法のある側面での完成型と云える。本当の意味で人間を越えたものと接することができるのは——ああ、こう云う表現を使うから勘違いする馬鹿が出て来るんだな。この段階で——僕は既に負けている」

慥かに禅は、言葉を操《あやつ》り蠱物《まじもの》を繰《く》り出す陰陽師《おんみょうじ》如きに手の出せる領域ではないのだ。

不立文字の四文字で京極堂は既に否定されているのである。

己には荷が勝ち過ぎている、分不相応な闘いはするなと、彼の師は諭したのだ。

今度ばかりは——。

京極堂に勝てる訳がないのだ。

私は闘わずして敗北している友人を見た。しかし、この男は何かまだ諦めていない。

――今更何を考えているのだ？

京極堂は座卓を注視《みつめ》て、誰に云うとなく呟《つぶや》いた。

――空と海の間にいるのは朱雀だけではないよ。

――玄武《げんぶ》もいれば青龍《せいりょう》もいるんだから。

意味がまるで解らなかった。

「何だそれは？」

「明石先生が仰ったのだ。その意は――」

京極堂は考えている。

その時。

庭で気配がした。

「な、何だ？」

益田が立ち上がった途端。

どん、と大きな音がした。

がたがた、と乱暴に硝子戸が開く音がした。私は慌てて目を遣る。益田が駆け寄って障子を開け放った。

庭の大木の前に何か大きなものがいた。

何かを担いだ、巨大な真っ黒な影。あれは——。

「て、哲童！」

数日前、小坂了稔の屍《しかばね》が座っていたその場所に、哲童和尚が立っていた。

担いでいるのは。

——人間？

否。あれは、あれは、あれは鳥口だ。そして——脇に抱えているのは——。

「敦子！」

京極堂が立ち上がった。縁側まで駆け寄る。

哲童が野太い声で云った。

「四大分離して何処《いずこ》へと去る？」

「何処へも行かず！」

京極堂がそう答えた。

哲童は二人を縁側に寝かせて、そのまま夜の闇に消えた。

私は悪夢から醒めた直後の如き、現実感の伴わない眩暈《めまい》を感じた。

*

世尊拈花《せそんねんげ》——

世尊、昔、靈山會上《りやうぜんゑじやう》に在つて、花を拈ぢつて衆に示す。是の時、衆皆默然《もくねん》たり。唯迦葉尊者《かせふそんじや》のみ破顔微笑《はがんみせふ》す。世尊云く、吾に正法眼藏涅槃妙心實相無相微妙《みめう》の法門あり。不立文字。教外別傳なり、摩訶迦葉に付囑す。

趙州狗子《でうしうくし》——

趙州和尚。因《ちなみ》に僧問ふ。狗子の還《かへ》つて佛性ありや也《ま》た無《なし》や。州云く、無《む》。

牛過窗櫺《ぎうかさうれい》——

五祖曰く、譬へば水牯牛の窗櫺を過ぐるが如し、頭角四蹄《づかくしてい》都《すべ》て過ぎ了る。甚麼《なん》に因つてか尾巴《びは》過ぐることを得ざる。

庭前柏樹《ていぜんはくじゅ》――
趙州、因に僧問ふ、如何なるか是ら祖師西來意。州意く、庭前の柏樹子。
雲門屎橛《うんもんしけつ》――
雲門。因に僧に問ふ、如何なるか是れ佛。門云く、乾《かん》屎橛。
洞山三斤《とうざんさんぎん》――
洞山和尚、因に問ふ、如何なるか是れ佛。山云く、麻《ま》三斤《さんぎん》。
迦葉刹竿《かせふせつかん》――
迦葉、因に阿難《あなん》問ふて云く、世尊金襴《きんらん》の袈裟を傳ふる外、別に何者をか傳ふ。葉《せふ》喚んで云く、阿難と。難應諾《なんおうだく》す。葉云く、門前の刹竿を倒却《たうきやく》著《ぢやく》せよ。

南泉斬猫――

南泉和尚、因に東西の兩堂猫兒《めうじ》を爭ふ。泉乃ち提起して云く、大衆道《い》ひ得ば卽ち救ひ得ん。道ひ得ずんば卽ち斬却せん。衆、對《こた》ふる無し。泉、遂に之を斬る。晩に趙州外より歸る。泉、州に擧似《こじ》す。州、乃ち履《くつ》を脱して頭上に安じて出づ。泉、云く子若《も》し在なば卽ち猫兒を救ひ得ん。

他是阿誰――

東山演師祖曰く、釋迦彌勒は猶是れ他の奴、且く道《い》へ、他は是れ阿誰そ。

不是佛心――

南泉和尚、因に僧問ふ云く、還つて人の與《ため》に説かざる底の法有りや。泉云く有り。如何なるか是れ人の與に説かざる底の法。泉云く、不是心、不是佛、不是物。

即心即佛――
馬祖《ばそ》、因に大梅《たいばい》問ふ、如何なるか是れ佛。祖云く、即心即佛。

非心非佛――
馬祖、因に僧問ふ、如何なるか是れ佛。祖云く、非心非佛。

兜率三關《とそつさんかん》――
兜率悦《えつ》和尚、三關を設けて學者に問ふ、撥草参玄《はつさうさんげん》は只見性《けんしやう》を圖る、即今上人の性、甚《いづ》れの處にか在る。自性《じしやう》を識得《しきとく》すれば方《まさ》に生死《しやうじ》を脱す、眼光落つる時作麼生《そもさん》か脱せん。生死を脱得すれば便ち去處《きよしよ》を知る。四大分離して甚の處に向つてか去る。

＊

10

鳥口はどうも骨折しているらしかったが、幸い敦子は気絶しているだけで、三十分程で意識を取り戻した。益田は敦子の口から中島祐賢が殺害されたことを聞き、大慌てで一旦電話口に走った。

京極堂は妹を優しく介抱するでもなく、労《いたわ》るでもなく、かと云ってきつく叱るでもなく、眼を細め眉を顰《ひそ》めてたったひと言、

「馬鹿者」

と云った。それまで敦子は、それでも少しは気丈夫に振る舞っていたのだが、その言葉を聞くなりみるみる青くなって、冷たい兄に従順に謝った。

益田が戻った。

まだ慌てている。

「ああ、いったいどうしてしまったんでしょう!」

「慌てるな益田君。応援はいつ来る?」

「矢張り明朝ですよ。今からじゃ」

「近在の所轄辺りは動けないのか」

「あの寺は電気も何にもないから鑑識の作業は日中でないと出来ません。この時間は行っても殆ど無駄足です。出来たとしても捜査員や警備の増強程度ですよ。それにしたって、ここまで来るのに一時間以上、ここから一時間でもう夜が明けます」

「解った。それから鳥口君のための救急隊は手配してくれたかな？　応急手当はしたが、どうも足が折れているようだから山は下れない」

「はあ、そちらはすぐに来ます。消防団の人に下の病院まで運んで貰います。しかし中禅寺さん。妹さん——敦子さんは——いいのですか？」

「こいつはいい。敦子」

「はい」

「話せるか」

「——はい」

　敦子は明慧寺で何が起きたかを詳細に語った。

「中島祐賢は——頓悟して貫首の許に参禅に向かい、それを済ませて出て来たところを何者かに撲殺されたと——こう云う訳か？」

「そうです。托雄さんはどうも祐賢和尚に用があったようで、入口で待っていたところを殴られて昏倒し、気がついて悲鳴を上げたようです」

「しかし——貫首は参問に応じた——のかな？」

「最初で最後の参禅だと祐賢和尚は仰っていましたが。常信和尚も、今まで誰も参禅した者はいないと仰っていました」

「二十五年間誰も？　そうか。それで哲童――さっきの大きな僧はどうしたって？」

「それが――」

敦子は哲童の奇態な行動を語った。

「その棒は凶器と断定されたのか？」

「さあ。私はそう思ったんですが――」

「何故そう思った？」

「托雄さんが犯人は哲童さんだと、現場に立っていたと云ったんです。だから――先入観でそう思ったのかしら」

「どんな棒だ？」

「そうね――そう、あの国旗とかを掲げる――」

「旗竿か？　そうか。それじゃあ――そうだな、祐賢さんの屍体の傍には何か落ちていなかったか？　例えば――絡子だとか袈裟だとか」

「気がつきませんでした」

「ふうん」

京極堂は不気味に沈黙した。

「そうすると、さっき哲童を逃がしちゃったのは問題でしたかね。逃亡――したんでしょうねえ――こりゃ困ったことになったなあ。でもあの腕力ですから二人でかかったって敵《かな》わないですよね。怪我するのがオチだ。無謀ですよね」

益田はそう云ったが、私は兎も角京極堂が立ち回りに参加するとは思えなかった。

「益田君。哲童君は逃亡などしないよ。明慧寺に帰った筈だ」

「は？　何で？　自首ですか？」

「違うよ。ただ帰っただけだ」

「しかし哲童は犯人じゃないのですか？」

「犯人が怪我人を救出して送り届けてくれるか？」

「え？　襲われたんでしょう？　敦子さん？」

「いいえ。襲われたと云うより驚いて足を滑らせたんです。前方に鈴さんがいて――私は見てないんですけれど、それで立ち竦《すく》んで懐中電灯を落してしまって――鳥口さんがそれを取ろうとしたら背後から突然『さあっ』と叫ばれて、もう驚いてしまって――」

「さああ？」

「それはね、敦子。嗄《しゃ》と云ったのだ。まあその場合は、おいこら危ない、と云う警告の意味だ」

「そう――なの？　その後『いい』と云って――」

「それは吠《い》だろう。馬鹿止めろ、と云う意味だな。強い警告などの時に発する言葉だ」

「それじゃああの時哲童さんは――」

「お前達の立っていたところはきっと足場が悪かったのだろう。それで哲童君は注意したんだよ。そしたら落ちたから救けてくれたんだ。全く救いようのない馬鹿だお前は」

敦子は黙った。

しかし深夜の山道であの哲童がそんな風に迫って来たなら、私などは転落する前に心不全を起こし兼ねない――と思う。

「しかしこれは警察の手落ちですよ。あんな危ない山道を――せめて警官ひとりくらい」

「それは違うよ。殺人者がうろうろしている殺人現場にのこのこ潜り込む民間人の方が悪いのだ。警察に一切の落ち度はないよ。鳥口君は一本道でも迷うんだ。お前だってそのくらいは知ってただろうが」

「――ごめんなさい」

「まあいい。もう寝ろ。明日以降は温順《おとな》しくしていろよ。警察の事情聴取にだけ協力しなさい。後は動くな。用が済んだらさっさと帰れよ」

敦子はもう一度兄に頭を下げた。京極堂はその様子を憮然として眺め、そのまま立ち上がった。

優しい言葉をかける気はないらしい。

「益田君。哲童君は——いや、いいか。確乎《しっか》り捜査してくれ」

「あのう——」

含みのある捨て台詞に益田は不安が増幅したらしく、既に襖に手をかけていた京極堂を怖ず怖ずと引き止めた。

「——こんなこと尋くのは変なのですが——これで終わりだ——と、お思いですか？　中禅寺さんは」

京極堂は額に手を当てて少し躊躇し、

「ああ。桑田さんの身辺には十分な警戒が必要かもしれない。まあそうは云っても——」

と、そこで更に躊躇して、

「——こればっかりは次が誰でもいい訳か」

と小声で云って、そのまま部屋を出て行った。

益田が更に引き止めようとしたのを私は制した。

「あいつはもう関わらないよ」

「そうですか——」

益田は口をきつく結んで沈黙した。

兎に角部屋に戻った。

少しでも眠った方がいい。

気がつくと四時になっていた。

何故私は時間を気にするのだろう。

三時が四時でもどこかが変わる訳ではない。

しかし結局は私は今何時か知っていないと落ち着かないのだ。いつもより十分早いから、まだ二十分もあるからと云って安心している。時間に追われぬ解放感と云うのは時間に縛られてこその解放感である。私も好んで檻に這入っていたのだ。

そう云うことか。

蒲団はとても冷たかった。


夜はすぐに明けた。

早朝、相当数の警官と鑑識、そして更に数名の刑事が仙石楼に到着した。先頭は国家警察神奈川県本部捜査一課の石井寛爾《かんじ》警部である。

石井と私とは浅からぬ縁がある。浅からぬと云っても知り合ってまだ五箇月、口を利くようになったのは昨年末に関わった事件以来であるから、短いつき合いではあるが、どうにも因縁はあるらしい。

石井は銀縁の眼鏡を指先で神経質そうに触りながら大広間に這入って来た。

鼻先が赤くなっている。寒いのだ。

私は結局浅い眠りのまま目覚め、益田と二人で大広間にいた。益田は寝なかったようだ。

「ああ関口さん。君も中中どうして、随分と前世の行いが悪いようですね。こう云う場所でばかりお目にかかる。木場君は元気——元気だろうな、あの男は。まあいいです。おい益田君。山下君はいったい何をしておるんだね！」

「はい。解りません」

「警察が介入した後に三人も殺されてしまったのでは私は何と云って記者会見をすればいいんだ。大体昨日の夕刊に、警察大失態被害者増える捜査の進捗《しんちょく》なし——とでかでかと出てしまったぞ」

「新聞に載ってるんですか？」

「当たり前じゃないか何を云っているんだ」

石井の云う通りなのだろうが、私もこの世に新聞などと云うものがあったことは忘れていた。こんな所に長くいればそう云う感覚はなくなる。

「で、どうするんです？」

「どうもこうもない。坊主全部下ろす。寺は一度空《から》にする。大体ね、こんな屈辱的な事件はないよ君」

「全員容疑者と云うことで？」

「違うよ。全員被害者になる可能性がある。中禅寺さんから昨日そう聞いたんだ。聞いた尻からひとり殺《や》られて、また殺られた。あの男《ひと》の予言は実に善く当たる。まるで魔法のようだが——もう少しいい予言をして欲しいものだね。だからこれは保護ですよ」

松宮仁如との接触交渉の際に、京極堂は石井に電話を入れているから、その時に話したのだろうとは思うが、予測と予言に区別が着いていない辺りは如何《いか》にも石井らしい。その上どうやら京極堂を魔法使い扱いした張本人は石井のようだった。

しかし今回に限り——その魔法は効かないと云うのである。

石井と益田を残して大勢の警官達は明慧寺に出発した。膠着《こうちゃく》状態の現状を力技で押し切ろうと云う石井新体制を象徴するが如き勇壮な出陣だった。

新しい指揮官たる警部自身は、しかし現場には入らないらしい。

「中禅寺さんはどうしたんです？　ああお兄さんの方だ。いるのでしょう？」

石井はまだ少し赤みの残った鼻を手で暖めながら私に尋いて来た。私は知らなかったので仲居に尋くと、まだお部屋ですと云うことだった。珍しく寝ているのだろうか。そう思って時計を見るとそれでもまだ六時前だった。遅く寝たのだから、まだ寝ていても珍しくない時間である。

「そうですか。おい益田君。一寸《ちょっと》整理しておきたいのだがね。まあ昼には坊さんと警官が大挙して下りて来るからその前にね」

石井警部は座布団を裏返して二度程叩き、埃《ほこり》を払ってから敷き直して座った。

「ええと——最初の被害者が小坂了稔。六十歳。これは失踪して後に奥湯本で撲殺、遺体は三日後の深夜にこの仙石楼の——ああの樹か？　ええと庭の樹上に遺棄され、翌日樹上より滑落、発見——」

樹の上に捨てられた小坂了稔。

「次の被害者は大西泰全。八十八歳。小坂の遺体発見の翌日、明慧寺内理致殿に於て君達と接見し、その直後にこれも撲殺。遺体は暫く誰の眼にも触れず、更に翌日の午後、明慧寺東《とう》司《す》——こりゃ便所だね？　便所に逆様に突き立っていた」

便所に突き立てられた大西泰全。

「三人目は昨日だ。ええと被害者は菅野博行。七十歳。明慧寺土牢——こう云う舞台装置は時代錯誤だなあ。土牢内で撲殺。遺体の横には乾燥大麻が置かれていたと——菅原と云う所轄の刑事から報告があった」

乾燥大麻——が置かれていたのか？　私は聞いていなかった。出家しても尚菅野氏は大麻などを吸っていたのだろうか。

「四人目が同じく昨夜。中島祐賢。五十六歳。明慧寺大日殿前で撲殺。これは詳細不明と」

敦子は哲童が旗竿を振り回したとか倒したとか云っていたが、彼が犯人でないのなら、それは何の意思表示なのだろうか。

「要するに撲殺なんだよな。手口は凝ったものじゃない。凶器は棒状のものだろう。小坂と大西を殺した凶器は同一のものと断定──は、されてないのか。これはまあ変な事後工作さえなければ一般的には衝動殺人でもいける口だよ。計画性はない。書類だけ見ているとそう難しい事件《やま》とも思えないがなあ」

「計画性はないですか？」

「ないだろう。君現場にずっといて判らないか？　間隔もまちまち。どう見たって行き当たりばったりに殺しているよ。まあ動機だなあ。動機がないとも思えないし──」

「行き当たりばったりの場合、どう云う動機が考えられるんです？」

「君、それは簡単だ。例えばひとり殺して、それを目撃されて、目撃者も殺して、また見られて、また殺してと連鎖的に犯行を重ねる場合。これは犯行自体が次の犯行の動機を生んで行く場合だ。それから例えば何等かの秘密を共有する集団があったとして、口を割りそうな素振りを見せた奴から順次始末して行くような場合。誰がいつ裏切るか判らないから、咄嗟《とっさ》の判断で突発的に犯行を犯すしかない。つまり先行して動機だけはあって、犯行に到る契機《きっかけ》がいつ訪れるか判らない場合だな」

　外から見ればそう云う事件なのだろう。

　中にいる者にはそんな理路整然とした姿はちっとも見えて来なかった。

　益田も同様だろう。

石井が来るまでの間、益田は頻《しき》りに石井が山下の二の舞になる可能性を危惧していた。聞けば、山下も最初は捜査に対する整然とした持論を持ってはいたらしいのだが、この環境下に於てそれは簡単に壊れてしまったらしい。しかし今のところ石井自体にはそうした自覚はないようである。

「山下君もどうしたんだろうなあ実際。理屈は多いが苦労が足りないんだよなぁ彼は」

「苦労してる割りに理屈の少ない菅原さんも往生してましたがね」

「まあ経験不足だ。その中禅寺さんの妹さんは証言できるのかな？　少し話を聴いておきましょうか。そうだ。あの鳥口とか云う記者はどうした？」

「明け方病院に連れて行きましたが、軽口を叩けるくらいですから心配はないでしょう」

「まあ治療　旁《かたがた》緩寛《ゆっくり》と話を聞きますか」

石井は落ち着いている。

慥かに僧達をあの寺から解放してしまえば、もう心配はないような気がする。石井の云うように結界の外側では、この事件は単なる無計画な撲殺事件なのだ。内側に入り込んで解決するよりも外側に引き摺り出した方がいいのかもしれない。

益田が不安そうに尋いた。

「石井さん。今回の事態は失態――ですよね」

「まあ大失態だな」

「山下さんは処分を受けますかね？　降格とか」

「馬鹿だな君は。そう云うのは先ず下から処分されるんだぞ。山下君が降格なら君は懲戒免職だ。私も訓告減俸だ。人のこと心配するより自分のことを心配しなさい。先ず今は解決が先でしょう。さあ中禅寺さんの妹さんの所に――あ」

「あの――」

「どちら様？」

飯窪季世恵だった。

「また――誰か亡くなったのですね」

「君は？」

飯窪は悲しそうでも辛そうでもなく、強《し》いて云うなら疲れているようだった。それを云うなら彼女の存在は今までだって十分に疲労感を伴っていた訳だが、同じような疲労感の中にも何か決心したような潔さを私は僅かに見て取った。

その潔さは口調からも知ることができた。

「殺人事件の公訴時効は何年なのですか？」

決然《きっぱり》としている。

「まあ時効停止の申し立てなどをしていない場合は十五年かな」

「そうですか――」

「あなたは十三年前の松宮家の事件の関係者か？」

「そうです。私、色色考えたのですが」

飯窪はやけに澄んだ眼で私を見た。私は寝不足で霞んだ眼でそれを見返した。益田が何か云いたげに更に視線を送って来た。

「十三年前の事件は今起きている事件とは無関係なんです。だから早くそのことを云わないと、また何か起きるんじゃないかと思って」

「それは云ってくれた方がいいが――私は――ああ私は石井と云います。私はその件に関しては報告書を斜めに読んだだけで詳しくは知らないのだが、その報告書にある以外の情報なら聴きましょう」

益田が云った。

「飯窪さん。あなた先日明慧寺で語ってくれた、あれが全部ではなかったのですね？」

「あの時はあれが全部でした」

「今は――？」

「思い出したのです凡て――」

昨日。昏《くら》い思い出の森の奥の檻はその扉を開け、囚われの記憶は解き放たれたのだ。

「私は、鈴子ちゃんに託された仁さん宛の手紙をすぐに開封して中身を読んでしまったのです。私はその事実だけを忘れて――いいえ、仕舞い込んでいた」

「それを思い出したのですか？」

「私が仕舞い込んでいた記憶は、慥かに『手紙を読んだこと』だけでした。しかし、それを消去してしまったが故に、それに関連して起きたことを事実として認識していなかったのです――」

飯窪は語り出した。

村の異分子だった松宮鈴子には飯窪の他に友達らしい友達はいなかったらしい。だから鈴子は飯窪に対して絶対的な信頼を抱いていた。飯窪に手紙を託したのも、絶対に読んだり他人に渡したりしないと強い信頼感を持っていたからと思われる。

一方、飯窪の方はそれ程確乎りした意識を持っていた訳ではなかった。寧《むし》ろ飯窪は、鈴子に対する友情よりも、鈴子の兄、松宮仁に対する憧れの気持ちの方が強かったと思うと語った。

「鈴子ちゃんのことも嫌いじゃなかったし、友達だとは思っていましたけど――」

飯窪はそう云った。

鈴子の父、松宮仁一郎は飯窪のことを娘の学校の行き帰りの虫除けか露払いくらいに思っていたのではないか――と、飯窪は語った。だから屋敷に入れて貰ったこともないし、父親とは言葉を交わしたことすらなかったらしい。

松宮仁一郎は、娘鈴子を溺愛していたようである。帰りの時間が僅かでも遅れると、玄関先で鈴子は大声で責められ、遅れた理由をきつく問い糾されたそうである。松宮家を経由して帰宅する飯窪は、また明日ね、と云った後に幾度もその声を聞いたと云う。

仁一郎はつまり殆ど家にいたと云うことである。

「仁さんとお父さんの対立の原因も、本当は鈴子ちゃんにあったようです。私は薄薄感じてはいたのですが――」

その日。

飯窪は松宮家の使用人に呼び出された。

使用人は太った大柄の英国人の老婆だったと云う。

飯窪は初めて松宮家の裏口に通された。

振袖をきちんと着込んだ鈴子がいた。

――絶対渡してね。

――私はこの家から出られないの。

――だから、帰って来てと云っていたと伝えて。

渡された封筒には『ひとし様』と書かれていた。

宛て名の書き方が飯窪に何かを予感させた。

兄上でも兄さんでも兄様《にいさま》でもない。

「私は託された手紙をすぐに開封して読んでしまったのです。それは――」

「恋文だったのですね」

「――残酷な方ですのね。関口先生」

飯窪は何故か少しだけ残念そうな顔をした。

「ほ――本当ですか飯窪さん？」

「慥かに関口先生の仰る通りです」

益田はとても困ったような顔をした。

「それは――しかし飯窪さん、だって二人は兄妹なんでしょう？　その仁一郎さんと云う人がどう云う父親だったのかは判りませんが、それは妹が兄を思い遣《や》る手紙だったのではないのですか？　どう書いたって、いずれ文面は似たり寄ったりになるでしょう？」

「いいえ。それはそう云う手紙ではありませんでした。それは――女なら」

飯窪はそこで言葉を空中に捜し、

「恋文かどうかは子供でも――判ります」

そう断言した。

ならばそれは恋文だったのだろう。

「あるんだ。そう云うことは」

口を開けている益田に石井はそう云った。

手紙にはこう綴られていた。

父様《とうさま》はおかしい。気が狂《ちが》っている。一日も兄様と離れていたくない。でも私は家から一歩も出られない。父様がいるから戻れないと云うのなら、私が父様を殺す。父様を殺してでも一緒にいたい。父様さえいなければ私も外に出て行ける。愛しい、会いたい――。会いたい。

「最初は信じられなかったです。そのうち怖くなりました。兄と妹でそんなこと、許されないことでしょう？　おかしなもので、その時私は警察に届けなければと思ったんです。子供でしたからそれは罪だと思ったのですね。それで善く考えて、段段穢《けが》らわしい、不潔だと云う思いが募り初めました。その頃――私は仁さんが好きだったから、余計にそう思ったのでしょう」

飯窪は結局寺の前まで行って引き返した。

その時、仁は寺にまだいたのだそうだ。中を見た以上、どうしても渡せなかった。

飯窪は逡巡の末にそのまま松宮家に戻り、呼び鈴を鳴らしたのだそうである。

「私が何故そんな気になったのか――今思えば単に嫉妬していたんです。鈴子ちゃんに。悔しかったから密告してやろうと思ったんだと思います――」

――矢ッ張り鈴子ちゃんには勝てない。

そう云う意味だったか。

鈴子が玄関口に出て来ないことを飯窪は知っていたと云う。

鈴子はそれを父に禁じられていたのだ。飯窪は本人から聞いていたらしい。

松宮仁一郎は、突然訪れた娘の友達の小娘が娘ならず自分に面会を求めて来たことに対して豪《えら》く困惑していたらしい。

「――何故そうしたのか判らないのですが、私は封筒から手紙を出して中身だけを渡しました。どうしてかは――解りません」

仁一郎はひと眼見て娘の手になるものだと看破した。

筆跡を熟知していたか、或は某《なにがし》かの予感を持っていたものか、多分前者だろうと飯窪は云った。

内容を読み進むに連れ、仁一郎の様子は目に見えて変化していったと云う。

朱を塗ったように顔が赤くなり、静脈は浮き上がり、眼は血走った。そして仁一郎は手紙を握り潰すようにして、立ち竦《すく》む飯窪には目もくれず、大声で娘の名を呼んだ。

飯窪は逃げた。

父親に手紙を渡してしまった以上、飯窪の裏切りは時を置かずして、否、瞬時に知れることである。それで鈴子との関係が破綻《はたん》することは決定的だった。壊れてしまえばもう二度と修復はできないだろう。最低最悪の裏切りである。それでも不思議なもので、飯窪は鈴子自体には憎しみも何も感じていなかったらしいから、ただただ背徳《うしろめた》くなったのだと云う。顔を合わせるのだけは厭だったのだそうだ。

だから——逃げたのである。

「鈴子ちゃんは殺される——と思いました。いいえ、もしかしたらそれは私の願望だったのかもしれません。鈴子ちゃんのことは本当に嫌いじゃなかったんです。でも、嫉妬はしていたかもしれないですから。鈴子ちゃんに何だか取り返しのつかないことをした気がして——」

一旦家に戻ったはいいが、居ても立ってもいられなかったらしい。

それは当然だと思う。

益田が問うた。

「それで、慥か夕方になって家人の透《す》きを狙って抜け出そうとしているうちに——火事になったのでしたね？　するとその後の証言は一緒で？」

「いいえ。私は火事が起きてから行ったのではなく私が火事を発見したのです」

「抜け出して行ってみると火事になっていた？」

「——それが」

「それから先は寧《むし》ろ云って貰わなくては困りますねお嬢さん。兄妹で好き合うことは法に触れるものではないですが、放火殺人となると話は別だ。あなたはもしかしたら誰かが罪に問われる可能性があったから、最初私に時効のことを尋いたのでしょう？　その覚悟で話し始めたと、そう理解しましたが？」

石井はそう云って、人差し指で眼鏡を上げた。

飯窪は一度目を瞑《つむ》ってから云った。

「私はあの人を罪に陥《おとしい》れようと思っているのではありません。ただ――」

多分松宮仁如のことを慮《おもんぱか》って決定的なことを云えずにいるのだろう。しかし――。

扉を開けてしまったものは仕方がないのだ。それが大切なものを壊す結果になろうとも、解き放ってしまったものは――。

私は少し逡巡して云った。

「あなただけの問題にして決着をつけるのは無理があります。それに――それは過ぎたことです。仮令《たとえ》真実がどうであれ、あの人は何かを悔いて出家したのです。それが真実であるのなら、現在の松宮さんは何も云わないでしょう」

飯窪はそうなんでしょうね、と云った。

「母屋はもう燃えていました。火の手は二箇所以上から上がっていて、裏口の方も燃えていた。そして仁さんが――玄関に火を放っていました」

「矢ッ張り──松宮は犯人か」

益田はそう云った。

昨夜の次田刑事の追及に対する躱《かわ》し方も不透明であったことに違いはない。

「いいえ、犯人かどうかは判りません」

しかし飯窪は益田の言葉を否定した。

「私が見たのは仁さんが玄関に火を放っていたところだけです。他のことは解りません。ご両親の殺害や母屋の出火とは無関係かもしれない」

「でも玄関にだけ放火と云うのもなぁ。それで？」

「仁さんは何か叫び乍ら山の方に逃げて行ったんです。そして振り袖を着た鈴子ちゃんが、泣き乍らその後を追うように駆けて行ったんです」

「二人で逃げたのか？」

「私はどうしていいのか解らなくって──暫く茫然としていた。そのうち、もう手のつけられない状態になって、流石《さすが》に人が集まって来たんです。私はそっと封筒を火にくべて燃やしました。私の行為がこの惨事の原因であることは多分──間違いがないと思ったから、怖くなったんです。そして私は、封筒と一緒に記憶も燃やしてしまったのです」

「飯窪さん──」

「ええ。今まで十三年間私が捜していたのは、今お話した記憶自体だったんです——関口先生。どこかに捜しに行って見つかるものじゃなかった。仁さんに会って話したところで解るものでもなかったのです。忘れ物は自分の中にあったんです。私は、答を最初から知っていた——」

慥かに松宮が自分で語る訳もないことである。

——知っているなら最初から云いなさい。

榎木津がそんなことを云っていたか。

「私がここに来た時、窓にお坊さんの姿を見てあれ程怯《おび》えたのは——仁さんに対しての罪の意識があったからです。私が松宮家を崩壊に導いたことは間違いがないんです。あの手紙だって、今思えば鈴子ちゃんは冗談で書いたのかもしれないでしょう。もしそうなら、私が殺したようなものなんです」

飯窪はもう怯えてはいなかった。

この女性は私より強い女《ひと》なのだと、私は思った。

「昨日あなたはその松宮さんに、当然今のような話はしていないのですね？」

「はい」

「その、松宮さんの方もそれらしいことは何も？」

「ええ」

「解りました、後は警察に任せて貰いましょう。縦《よし》んば原因があなたにあったのだとしても犯行を犯したのは別の人間だ。警察を信頼してください」

石井はそう纏《まと》めた。

「ただね、その事件自体は、まあ今回の事件とは無関係なのでしょうね。しかし飯窪さん、あなたは最初の被害者小坂了稔死体遺棄事件の目撃者だ。また第二の被害者大西泰全とは犯行間際まで一緒にいた。その上明慧寺にいる鈴とか云う娘は——何だ、その鈴子さんと無関係とは思えないのか益田君？」

「娘ではないかとの疑いが」

「そうなのか。それに何？　その松宮と云う人は明慧寺の建ってる土地の——」

「相続人なんだそうです」

「ね、ですからあなた達は今回の事件に関しても無関係ではないのです。例えば全く他の理由であなたや松宮さんが犯人である可能性もないことはない。それは頭に入れておいてください。だからもう少しだけ、協力してください。すぐに終わりますから」

石井はそう云った。

そして益田を伴い敦子の部屋に向かった。

飯窪は広間に残った。

私は心密かに思う。

考えてはならぬ妄想である。

明慧寺の鈴の父親は——松宮仁如ではないのか。

近親相姦——その結果としての妊娠。それは深刻な父子相克《そうこく》の原因としては十分ではないのか。諍《いさか》いの末、仁は両親を殺害、放火して鈴子と共に出奔する。使用人はいつもの親子喧嘩と高を括《くく》り寝ていたかして、逃げ遅れ焼死する。仁が玄関に放火したのは使用人から逃げ場を奪うためだったかもしれぬ。

しかし兄妹は山中で逸《はぐ》れてしまう。鈴は——丁度昨夜の鳥口達のように——崖から転落するかして、仁秀老人に救助され、明慧寺に連れて行かれる。山狩りで発見される訳もない。仁は舞い戻り、司直の手は逃れたものの悔恨やる方なく、得度剃髪して仏門に入る。一方鈴子は鈴を出産して帰らぬ人となる。

否。久遠寺翁の話だと鈴は仁秀の許で生まれたのではなく、あの振袖に包まれて捨ててあったのだと云う。ならば——。

——何か変だ。

否。それは大きな齟齬《そご》ではない。全体の構造に違いはなかろう。

この段階での他の筋書きは私には考えられない。

久遠寺翁の推理と併せて考えれば——。

私はどこが変なのかが理解できず、考えることを止めた。

飯窪は心持ち元気そうだった。

私はふ、と思い出す。昨日松宮仁如を見つめていた飯窪の視線――私には理解不能の視線は、無意識のうちの疑惑――否、鈴子に対する嫉妬か――いずれ言葉にできぬものによって醸《かも》し出されたものだったのだ。それも言葉にして解き放ってしまった今は、もう彼女はあの眼をすることはないのだろう。

石井の言葉を信じるならもうすぐなのだ。

山から僧侶達が、仁秀老人が、鈴が下りてくれば凡ては解決する。

もう何もない。結界の中は伽藍堂《がらんどう》になるのだ。もうすぐ。

しかし――そうはならなかった。

午前十時。

仙石楼に戻って来たのは石井が連れて来た警官二人と、刑事がひとりだけだった。

石井は出端《でばな》を挫《くじ》かれた。

刑事は云った。

「駄目です。奴等は山を下りません」

僧達が動いたのは午前四時のことだった。

＊

山下が一旦捜査打ち切りの判断をしたのが午前二時のことである。

夜の山は危険だ。捜査員も疲労困憊していた。手も足りない。

菅原の奔走虚《むな》しく、杉山哲童の身柄は確保できなかった。仮に哲童が犯人だったとするなら開き直って逃亡したと云う可能性も考慮しなければならないだろう。山を下りてしまっていたなら捜すだけ無駄と云うことになる。日を改めて山狩りでも行うしかない。同時に県下全域に手配する必要もあるだろう。

仁秀老人は次田に保護されたが、どう云う訳か鈴の行方だけは知れなかった。山下は幼い鈴の行方が知れないことを大いに憂慮したが、如何《いかん》せん打つ手もなく、当の仁秀が心配要らぬと云うので已《やむ》を得ず捜索を打ち切ったのである。そうは云っても心配だった。

僧達は禅堂で夜坐を続けていた。

警備の警官を禅堂の周りに配備し、禅堂脇の建物には次田と亀井を配した。

久遠寺医師と今川、松宮の三人はそこに預けた。知客寮には桑田常信と加賀英生、そして菅原を入れた。牧村托雄は、流石《さすが》に加賀と一緒に知客寮におく訳にも行かず、かと云って禅堂に戻す訳にも行かないので、刑事を二人つけて内律殿に向かわせた。

仁秀老人も内律殿で休ませることにした。

犯人の動機などは一切判らない訳だから、この場合仁秀もまた危険なのである。僧侶ばかりを狙っているとは限らないのだ。この山に住んでいる者と云うカテゴリーには仁秀も入ってしまう。用心するに越したことはない。

鈴が戻った時のため、或は哲童が立ち寄る可能性もあるので、仁秀の庵には警官を二名配備した。哲童相手にことを構えて、ひとりでは心許《こころもと》ない。二人でも本当は危ないと思う。

問題は貫首の円覚丹と二人の侍僧である。

貫首の起居していた大日殿は殺人現場である。しかもまだ現場検証は済んでいないのだ。だからそこに戻す訳には行かなかった。いっそ一緒に夜坐でもしてくれればいいと思ったのだが、どうも貫首は夜坐をする気がないらしく、これまた已を得ず、知客寮の奥の間に三人を収容した。そうして山下は朝を待った。

それから二時間。

先ず、禅堂で夜坐をしていた和田慈行が知客寮の覚丹貫首の許に訪れた。

山下は応援の到着を一日千秋の思いで待っていたから、当然眠れるものではない。桑田と加賀も中島が殺されたと云う動揺は隠せず、次の間で夜坐を続けていた。菅原達は眠っていた。

突然《いきなり》戸が開き、山下は飛び起きた。

戸口にはあの日本人形のような男が立っていた。

「な、何ですか和田さん、な、何かあったか」

「ご心配召さるな。お騒ぎあるな。私は貫首をお迎えに来ただけです」

「か、貫首？」

襖が開いた。

そこに立っていたのは桑田だった。

「慈行様。斯様《かよう》な刻限に如何《いかが》なされた」

「常信和尚――」

和田は形の良い眉を顰《ひそ》めた。

「尊公如何《いか》なるおつもりでお戻りになったのです？　山を捨てた者の居る場所はないッ」

「結構。拙僧はこの山に居る気はない。ただ、目の前で祐賢様があのようなことになりました以上、このままずごすごと引き下がる訳には参りません」

「引き下がらずに――尊公に何ができると申される」

「そちらこそ何をなされるおつもりか」

和田は桑田を睨《にら》みつけた。

「兎に角私は尊公などに用はない。貫首にお目通りを願おうと来ているのです」

「何事であるか慈行」

更に襖が開き、貫首が立っていた。袈裟も法衣も着ていない。白い着流し姿である。微昏《うすぐら》いから着物しか見えない。幽霊のようだった。

「覚丹禅師――」

桑田はたじろいだ。幽霊のようでも貫首は強い磁場を発している。

和田が恭《うやうや》しく礼をした。

「猊下《げいか》。法堂にお越しくださいますよう」

「法堂？　朝課にはまだ早い」

「法会《ほうえ》にございます」

「法会？」

「了稔和尚。泰全老師。博行和尚。そして祐賢和尚――このままにしておくは些《いささ》か――」

「お、おい！　あなた達まさか葬式を始めようと云うのじゃなかろうな？」

「如何にも」

「慈行様！　弁《わきま》えられい。尊公は現状認識と云うものができないのですか！　た、ただ今お山は殺人事件の渦中にあるのですぞ。今は事件解決が」

「下がれ常信！　慈行。相解った。今参る」

「貫首――あなたは」

桑田常信は何故か絶句した。

*

「山を下りないってどう云うことだね」

石井警部は神経質そうに両手の指を動かして云った。

「奴等は非常識にも葬式しています。強制的に連れ出すことができるのかどうか警部の判断を仰ぎたいと思いまして——」

「強制的って君、話して解らないのか？」

「解らないですよ。お経を誦んでます。手がつけられないです」

「馬鹿、殺人現場で葬式など前代未聞だ。止めさせられないのか？」

「だから、踏み込んで強制的に連行していいものかどうか、こうしてお伺いを立てに来ています」

「山下君は——何と？」

「ああ。憔悴《しょうすい》していましたな。あの環境では已を得ません。僕なら気が狂う」

「そんなに——凄いのか？」

石井は緩寛《ゆっくり》と振り向いて私を見た。

「関口さん。その、葬式と云うのはどのくらいで終わるもんかな？」

「さあ。大法要なんて何日もやるし——普通は何時間でしょうけど」

「朝の四時だか五時だかからやっているようです。四人分ですからね。何しろ」

「――終わる――まで待て」

「は？」

「終わるまで待機だ。無駄なトラブルは避ける。彼等は容疑者ではない。また容疑者であったとしても葬式していちゃ犯行を重ねることも証拠隠滅作業もできない。最低限の配備を残して以下は下山。ここ仙石楼で待機。鑑識の現場検証は続行。遺体は回収して即座に解剖。哲童と鈴の捜査のみ続行。以上」

石井はそう指示して踵を返し、すたすたと広間を出て行った。

刑事と警官は大して休みもせずに再び明慧寺へと向かった。

私は何故か、急に――厭な予感がした。

そして京極堂の部屋へ向かった。


京極堂は座っていた。

坐禅をしている訳ではない。

座卓に両肘をつき、組んだ手の甲に顎を乗せて床の間の十牛圖を見つめていた。

彼の部屋の十牛圖は――。

慥か『騎牛帰家』――だったか。

私は緩寛《ゆっくり》と回り込み、友人の横顔が見える辺りで腰を下ろした。

「京極堂」

「何だ」

顔も見ずに返事をする。いつものことだ。

「僕はもう、疲れたよ」

「御互い様だ」

素っ気ない返事も変わらない。

「明慧寺の僧達は葬式を始めたそうだ」

「葬式？　そうか。往生際の悪いことだ」

「往生際？」

「そうだ。全く——往生際が悪い」

善く意味が解らなかった。

私は八つ当たりでもするように云った。

「おい京極堂。君は何を考えている？　君はもうここには用はない筈だ。さっさと帰ってあの蔵でも掘ればいいじゃないか。何を愚図愚図《ぐずぐず》しているんだ。君らしくないぞ。ここは君の家の座敷でもなければ君の店の帳場でもない。君のいる場所じゃないだろうに！」

反応はなかった。

友人は暫く動かずにいて、そうして漸く私の方を向き、こう云った。

「関口君。世界中が皆、同じ時間の流れの中にいると云う状態は――果たして正常な状態なのだろうか？」

「何を云っている？」

「僕は――厭だ」

「厭？」

「ああ。だから僕は小坂了稔が――否、和田智稔が少し憎い。否。豪《えら》く憎い」

「云っている意味が善く解らないな」

「そうか。さっきね。山内さんから電話が来たよ。君が飯窪君と話している間だ」

「ああ？　気がつかなかったが」

「駄目だったそうだ」

「駄目？」

「ああ。何もかも――駄目だった。これで良かったのか。良くなかったのか。僕は今、それを考えている。勿論考えてどうなるものでもないがな」

「駄目って何がだ」

「あるべきでないものは――矢張りない方がいい」

「だから解るように云ってくれ」

「発見なんかされなきゃ良かったんだ」

京極堂は悪鬼の如き形相で十牛圖を睨んだ。

三時には尾島佑平が到着した。首実検ならぬ声色実検をする予定だったらしいが、肝心の僧はひとりも居らず、結局は無駄足になった。私の齎《もたら》した情報は何の役にも立たなかった。

そして結局、今朝明慧寺に入った大半の警官は二つの屍体と共に仙石楼に戻って来た。

午後四時になっていた。

私はビニールのようなものでぐるぐるに巻かれ、まるで荷物のようになって運ばれて来た二つの屍体を見た。片方は中島祐賢。そしてもう片方は——。

——菅野さん。

私の中で最初から死んでいた男。だから逢う時は矢張り屍体だ。それも梱包されていて顔も見えやしない。些細《ちつ》とも、

ちっとも感慨が湧かなかった。

不思議だったのは、山下警部補も菅原刑事も次田刑事も、のみならず久遠寺翁や今川、松宮仁如さえも戻って来なかったことだった。警官などはどうも交代して戻って来たらしい。石井警部は大いに不審がった。亀井と云う若い刑事が石井警部に懸命に事情を説明したが、どうも石井にはあの特殊な閉鎖空間のニュアンスは伝わらなかったようだ。

「結局何人残した？」

「はい。ええと元元刑事は山下さん入れて六人いたんですが、我我三人は下りまして、今朝来てくれた応援が二人残りましたから計五名。警官は今朝入った分から十名。鑑識は全員撤収しました」

「何で山下君は下りなかったんだ？　いいんだよ交代送ったんだから下りて。疲れているんだろうに。それに民間人は下ろすべきだろう。これからの食事なんかどうするんだ。ここから持ってったのは食べちゃっただろう？」

「ああ。あの桑田と云う僧が典座——賄い方だったんで用意してくれてますよ。精進料理ですが。料理ちゅうか、まあお粥ですけれど——」

「粥なんかじゃあ力が出ないでしょう。本当に何で下りて来ないんだ山下君。尋きたいことも沢山あるし、大体捜査会議ができないだろう」

「石井さんが行かないからですよ」

亀井はそう結んだ。

しかし答は簡単である。

彼等は出られなくなったのだ。

山の虜囚となったのに違いない。

私は広間にいられなくなり廊下に出た。

艶艶《つやつや》に磨かれた廊下には埃《ほこり》が浮いていた。暫く掃除がされていないのだ。廊下は昏い。嘗《な》めるように廊下の板目を見る。そして私は鳥口がいつか云っていた、昔臭いと云う臭いを眼から嗅いだ気がした。

廊下の先にはあの二階へ続く階段がある。

橋の欄干のような手摺に凭《もた》れて誰か人が立っていた。

飯窪と敦子だった。

「関口先生――」

敦子が云った。

その時、
階段を真っ黒い影が下りて来た。

それは――。

憑物落しの黒装束に身を固めた京極堂だった。

黒い手甲に黒い足袋。黒い襟巻。

黒い着流しには晴明桔梗が染め抜いてある。

手には黒い二重回しと黒下駄を持っている。

鼻緒だけが赤い。

「き、君、どうする気だ！」

「ああ。意味が解ったぞ関口君。空と海の間には北も東もあるんだ」

「あ？　それじゃあ君は——」

「行くよ。結界に結界張るようなややこしいことはやはりいけないんだ」

「勝算はあるのか！」

「勝ち負けで云えば僕は最初から負けている」

京極堂は敦子と飯窪を見た。

「敦子。怪我はどうだ」

「平気です」

「そうか。飯窪さん」

「はい」

「十三年前の事件を終わらせなくてはいけない」

「え——」

「松宮鈴子に憑いた——大禿《おおかぶろ》を落そうと思う」

「それは——？」

京極堂はそれだけ云って昏い廊下に消えた。

敦子と飯窪は呆気《あっけ》にとられてその後ろ姿を見ていたが、それはすぐに暗がりの黒に同化して見えなくなってしまった。

私は――。
階段を駆け上がり、外套だけを摑んで、
全速力で後を追った。

広間には大勢の警官がいた。

帳場には仲居も番頭もいた。

誰も黒衣の男に気づく者はいない。

京極堂は歩を休めずそのままの速度で外に出た。

靴を履いているうちに私は再び大きく離されてしまった。外に飛び出す。

微昏《うすぐら》くなっている。

「おい！ 待て！ ひとりで行くな」

「君は残っていろ。転げて怪我をするぞ」

「馬鹿云うな。君ひとりに行かせるか――」

「この先に面白い顚末《てんまつ》はないぞ。不愉快な結末があるだけだ」

「構うものか！」

雪が音を立てて落ちた。白い背景に黒衣の男はまるで切り絵のようにくっきりと見えた。

その先に――。

足を大きく開いた長身の男が立っていた。

「この馬鹿本屋が！　行くのか」

「行くよ」

それは榎木津だった。

「榎さん！」

私は榎木津の方に数歩駆け寄った。

「あんた、どこにいたんだ。帰ったんじゃなかったのか！　榎さんあんた、手配されているんだぞ」

榎木津は私を完全に無視して云った。

「京極だけじゃあ荷が重かろうと思ってね。わざわざ待っていてやったのだ——有り難く思え」

京極堂は擦れ違いざまに榎木津の顔も見ずに、

「心遣いに涙が出るよ」

と云った。

榎木津は京極堂をすっかり遣り過ごしてから頸を曲げてその姿を顧み、それからくるりと回って大股でその後に続いた。

そして私は足の早い二人の背中を見乍ら、山中の牢獄へと再び踏み込んだ。

動悸が早くなった。

山中は既に暗い。

惣門が見えた。

京極堂はその前で立ち止まり、檻のような木立を眺め乍ら呟くように云った。


「この世には——不思議なものなど何ひとつないのだよ。関口君」


明慧寺が蜃気楼のように浮き上がって見えた。

惣門を抜けた。

京極堂は獣のように建造物を見る。網膜《め》に焼きつけるかのように見る。

参道には等間隔で篝火《かがりび》が焚かれている。ぱちぱちと薪が爆《は》ぜる音がする。

既に昏くなっている虚空に、もうもうと煙が溶けている。

三門の前で京極堂は立ち止まり、少しばかり悲しそうな素振りで大袈裟にでかいそれを見回した。

「持国《じこく》。多聞《たもん》。上が見たいが。ん？　千体釈迦《せんたいしゃか》か」

警官が駆け寄って来た。

「あ、あの」

黒衣の男は警官を完全に無視して、するりと抜けるように三門の中に侵入した。警官は何がどうなっているのか解らないと云った風でおたおたしていたが、榎木津が、

「静かにしろ」

と云ったので黙った。

京極堂は顔を正面に向けたまま眼だけ動かし、

「あれが東司――浴室」

と云った。云われて見ると慥かにそこは大西泰全が死んでいた便所の建物の方向である。

回廊へは入らず真っ直ぐ中庭に出る。

ここで殆どの狂態は演じられた。

「ほう。中庭に木がないのか。それで――か」

中庭には慥かに木は生えていない。

そのまま直進する。

篝火が燃えている。中庭は不思議な色に染まっている。読経が地の底から響くように聞こえ始めた。

京極堂が矢張り私の方を見ずに尋いた。

「あれは仏殿か？」

「いや――法堂と呼んでいる」

「法堂？　祖師堂も土地堂もない。あれは庫院か。あそこに知事の寮がある訳じゃないんだな。こっちの僧堂が君達の云う禅堂だな？　あれは？　あれが知客寮か？　独立しているのか。元は——何だ？」

京極堂は知客寮を見て眉根を寄せた。

「ここは様式が——違うのかい？」

「何か——無理矢理だ。そんなものないから本当のことは判らないが——否、彼等も判らなかったから七堂伽藍を勝手に決めたな。法堂の後ろは大雄宝殿とでも呼んでいるのか？」

「そう——云っていたが」

「そう。何もかも折衷で行くか」

京極堂は短くそう云った。

読経の声はどんどん大きくなって行く。否、声が大きくなっている訳ではない。我我が近づいている所為でもない。躰がここの内部の空気に馴染んでいるのだ。

知客寮の前に山下が立っていた。我我に気づく。

中から久遠寺翁が出て来た。今川も菅原も続いて出て来た。

桑田常信と——英生が更に庫院の方から現れた。

京極堂はそれらには目もくれず、真っ直ぐに法堂目掛けて進んだ。

読経の声はどんどん大きくなる。

法堂の前に到っても京極堂は止まらず、そのまま階段を登った。外にいた全員がバラバラと集まって来て法堂の前に屯《たむろ》した。

「おい！　榎木津君！　仙石楼では巧く隠れ完《おお》せたのか！」

久遠寺翁がそう叫んだ。

榎木津は大声で答えた。

「僕は隠れてなどいません熊本さん。裸の馬鹿には王様は見えないのです！」

「榎さん、じゃああんた帰ってなかったのか？　宿からも出ず部屋にいたんだな！」

「煩瑣《うるさ》い関」


京極堂は遂に法堂の扉を開けた。


読経が止んだ。

本尊の前に覚丹貫首。

その後ろに和田慈行。

そして左右に十数名ずつの僧。

私が名前を知る僧は——もうここにはいない。慈行が振り向いた。

墨衣の美僧と闇を纏った陰陽師はここに初めて対峙した。

「何者かッ」

「御開山拝登《ごかいざんはいとう》、並びに免掛搭《めんことう》よろしゅう！」

京極堂はそう云って慈行を見据えた。

慈行は細い眉を顰《ひそ》めた。

「尊公は何者かと問うておる！　無礼であろう」

「あなたが慈行和尚——智稔老師のご令孫ですか。初めまして。僕は中禅寺と申します。この間は——愚妹がお世話になりました」

「た、ただ今を何と心得る！　法会の最中です！」

「そのくらいは心得ております。焼香献花のひとつでも致そうかと罷《まか》り越しました」

「な——何を！　愚弄する気か」

慈行はす、と立ち上がった。法衣の袖がふわりと膨らみ、すぐに萎《しぼ》んだ。姿がいい。同時に京極堂が滑るように法堂にすう、と這入った。

種類の違う影が並んだ。先ず慈行が威嚇《いかく》した。

「斯様な非礼が罷り通るとお思いかな中禅寺殿！　先ずは尊公の身分を明かされるが宜しかろう。いずれ司直の者とは思えぬ出で立ち、これが当局の捜査と云うのならまだしも我慢しましょうが、場合によっては承知しませぬぞ！」

これしきの剣幕でたじろぐ程に京極堂は脆《もろ》くはない。

「僕は大策子上《だいさくす》に死老漢《げろうかん》の語を抄《うつ》し、名句を執し、凡聖の名に礙《さ》えらる外道の学人です。十二分教の如き表顕《ひょうけん》の説、悉《ことごと》く知りたれども未だ仏法の何たるかを知らぬ者——本屋です」

「本屋？」

美僧は白面に微笑を湛えて外道を威嚇した。

「これはまた口の達者な本屋であろう。しかも己をようく弁《わきま》えている。しからば外道が正法に盾突《たてつ》くおつもりか？　身の程知らずとは尊公のこと！」

「世尊をして良馬《りょうめ》の鞭影《べんえい》を見て行くが如しと云わしめた外道もありやと聞き及びますが」

「ならば有言を問わず無言を問わず、良馬の如く去るが良かろう！」

慈行はまるで外道から貫首を庇うかのようにじりじりと移動した。

京極堂もそれに合わせて少しずつ動く。

慈行の動きが止まった。

京極堂の背後に榎木津を認めたのだ。

途端、慈行が少し乱れた。

探偵はそれを待っていたかのように乱暴に靴を脱ぎ、どかどかと跫《あしおと》を立てて入室した。

私も慌ててそれに続く。

「お、おのれ——探偵！　無礼であろう。ここは法を説く法堂、しかも貫首様の御前であるぞ！　貴様の如き俗人の来るところではない！　で、出て行け」

榎木津はずかずかと慈行の前に進んだ。

「ふん。第六天魔王《だいろくてんまおう》榎木津礼二郎がお供の猿を連れて葬式を見物に来たんだ！　無礼なのはお前だッ」

「天魔？」

「京極になら勝てると踏んだのだろうがそうは行かないぞ。お前みたいな空《から》っぽはこうだ」

榎木津は慈行の胸倉を摑んだ。

「な――何を」

そして引き摺るように貫首の前から除け、どんと突き飛ばした。

「何をする！」

「子供の癖に偉そうなこと、を、云うな！」

慈行は慈行らしからぬ格好で脱力した。

「さあこいつはもう腰が抜けたぞ京極。さっさと済ませてしまえ」

榎木津が勝ち誇ったように云った。

左右の僧達に動揺が走った。

貫首が緩緩《ゆるゆる》とこちらを向いた。

京極堂はぴたりと云った。

「尊答《そんとう》を謝《じゃ》し奉る」

円覚丹はゆっくりと威厳ある口調で云った。

「法会に闖入《ちんにゅう》し乱暴狼藉、大衆《だいしゅ》に散乱を齎《もたら》す不届き者の問いに答うる必要などない！」

そして更にゆっくりと居住まいを正した。

そうすると磁場のような威圧感を発する。

いつの間にか私のすぐ後ろには久遠寺翁と今川、そして山下が立っていた。その後ろには桑田常信がいる。托雄と英生、そして松宮仁如は、他の刑事達と一緒に外から様子を窺っているようだ。

皆、見守っている。

貫首の横に透かさず二人の侍僧がついた。

左右の僧達も各各片膝を立て臨戦状態に入った。

法堂は緊迫した。

覚丹が吠えるように云った。

「仏前に於ての斯様《かよう》な騒ぎは遷化《せんげ》された先達に対しての非礼である。直《ただ》ちに止められよ！」

「いい加減に禅僧の真似ごとはお止《よ》しなさい！」

京極堂は怒鳴った。

「あなたはただの飾りだ。もうこんな無意味な茶番劇はお止しなさい。小坂了稔の張った結界は――破れた」

「何を——云っているのか——判らぬ」

「往生際が悪いですぞ。あなたが捜していたもの、そして了稔和尚が隠し続けていたものはもうこの世にはないのです」

「——それを——尊公」

「だからあなたがここに居座っていてもあなたの求めている座は得られないし、社会的に認知される訳でもない。あなたは永遠にここで禅寺ごっこを続けて、朽《く》ちて死ぬだけです。それでもいいのですか？」

覚丹は初めて瞼《まぶた》を見開いた。途端に彼の躰から発散していた磁場のような威圧感は皆その眼から洩《も》れてしまった。覚丹は急にただの老人になってしまったかのように私の目には見えた。

京極堂はその覚丹の姿を見据えつつ、腰を抜かしている慈行目掛けて云った。

「慈行さん。あなたはここで育ったような人だから知らなかったでしょう——また」

そして両脇で茫然としている二十五人の僧侶達を順に見回して続けた。

「——左右に控えられた大衆《だいしゅ》の方方もお聞きください。ここに坐《おわ》す円覚丹様は、禅師ではない。禅のことなど何も知らずにここに呼ばれ、ただ貫首と云う名の仕事をされていただけのお方です。僕は今すぐあなた達に下山を勧めます。何故なら——」

京極堂はもう一度坊主どもを見回して瞭然《はっきり》と威嚇した。

「——この貫首はあなたがたに伝えるべき鉢も衣も持っていないからです」

「ぶ、無礼なことを申すと承知しないぞ！」

「無礼なのはあなたただ円さん！　否——」

「元真言宗《しんごん》金剛三密会《こんごうさんみっかい》教主円覚丹！」

「し——真言宗？」

慈行が気の抜けた声を出した。

「中禅寺様。それは——真実《まこと》か？」

常信が問うた。京極堂は僅か頷いた。

「本当ですよ常信和尚。いいですか、大衆の方方。了稔、泰全、祐賢と云う三人の禅匠を失い、そちらに坐す常信和尚も近近山を下りられると仰っているのです。だから、あなた達は最早、この寺にいる限り誰からも嗣法ができないのです」

僧達は声を出さずに狼狽した。

「う、嘘を吐くな！　出鱈目《でたらめ》を云うな！」

慈行はまるで本当に子供に戻ったかのように目一杯叫んで、凶暴な眼で京極堂を睨みつけた。

京極堂はそれを無視して、動かなくなってしまった覚丹に一歩近づいて云った。

「覚丹さん、あなたが学んだのは禅と似て非なるもの、宇宙を個人の中に再構築しようと云う――真言《マントラ》」

覚丹の表情は変わらない。

「金剛三密会は明治初年にできた真言宗系の新興宗派でしたが、今はありません。廃仏毀釈の煽《あお》りを受けて寺院の八割が廃寺となり、昭和に入る頃には途絶えてしまった。初代教主は慥か――円覚道《かくどう》――あなたのお祖父《じい》様ですね？」

京極堂は容赦なく続ける。

「覚道教主は慥か当山派《とうざんは》修験道《しゅげんどう》の行者《ぎょうじゃ》で、厳しい修行のうえ天眼通《てんがんつう》の神通力を身に着け、多くの信者を獲得して後、東寺《とうじ》に入って修行、そして真言宗某派の寺院の住職となったのでしたね？　しかしこれは宗教活動をするための方便で、結局真言宗金剛三密会と云う宗派を開いた。これは一時的に栄華を誇った。でも時代が悪かった。金剛三密会は十年も保《も》たずして衰微《すいび》した。更に教主の座は世襲できても怪しげな神通力は如何《いかん》せん一代限り。あなたのお父上の代で殆ど教団は滅んでしまった。それまで様様な宗派を渡り歩いて修行をしていたあなたは、結果戻る場所をなくして路頭に迷い、同じ真言系寺院で、お祖父様の弟子筋に当たる方が住職をしていた秩父照山院を頼り、長年食客として身を寄せていた――そうですね？」

「秩父の照山院？　それは托雄君の――」

「そう。それが鍵だったのだ関口君。この人の出身寺院がどうしても判らなかったのは、この人が禅宗でなかっただけでなく、本当にどこの寺にもいなかったからなんだ」

「京極堂、それは、どこで調べた？」

「僕が去年の暮れに謎の真言僧のことを調べたのは覚えているだろう？　その時に円覚道のことも知ったのだ。同じ円姓だから気にはなっていたんだが——昨日照山院の名を聞いて、漸く繋がったのだ」

謎の真言僧とは去年の暮れ、ある事件の渦中で即身成仏した怪僧のことである。

「そ、そんな他宗の、しかも絶えた宗派の教主などが、何故にこの寺に——しかも貫首として？」

常信は愕然とした表情でそう云った。

彼は十八年の間、この異教徒を貫首と仰いで来たのだ。

「さあ、そこですよ常信和尚。この人はね、小坂了稔に言葉巧みにスカウトされたんです。考えてもみてください。調査のために入る寺に貫首も蜂の頭もないのです。調査だけすればいい。小坂了稔さんは、最初からこの寺を普通の寺として機能するように、否、社会の、宇宙の縮図として設計したのです」

京極堂は覚丹に背を向けて、僧達全部と向き合った。山下も今川も久遠寺翁も法堂に這入り、松宮や英生達も扉のところに近寄っている。

「小坂さんは鎌倉の古刹で修行されていたが、彼の禅風は疎《うと》まれていたらしい。『無戒』こそ真の禅であると彼は考えていたようです。しかしそれは叢林の中では単なる破戒に過ぎなかった。そして、古《いにしえ》の禅匠の如くに己の禅風を貫いて生きることはできぬ——と、彼は勘違いしてしまった」

京極堂は語り乍ら緩緩《ゆるゆる》と移動し始める。

「彼は『無戒』と『脱他律的規範』を取り違えてしまった。そして——この明慧寺に島流しにされて、彼は途方に暮れたのでしょう。逸脱すべき他律的規範がなければ、逸脱はできないと云うことを知ったからです。そして彼はこの明慧寺に自分を縛ってくれる他律的規範を造ろうとした。しかしこれは簡略なものではいけなかった。自分を閉じ込める檻——他律的規範は一種の箱庭社会——小宇宙にまで高められた完成度を持っていなければ意味がなかったのです」

京極堂は覚丹の背後に立った。

「だから彼は先ずこの明慧寺を社会と断絶し、且つ存続できるよう巧緻な仕掛けを施した。更に貫首を置き、老師を置き、暫到を迎えて形を整え、尚臨済と曹洞と云う二流の禅を密封した。そして、一般社会とも教団とも切れた閉鎖社会は出来上がった」

常信が云った。

「簡単には——信じられんことだ」

「信じるよりない。常信和尚。あなたは、あなた自身に教団から数度に亙る召還令が出ていたことをご存知か？」

「せ、拙僧に召還？　真逆《まさか》」

矢張り常信は召還令を知らなかったようだ。

「これは事実なのです。しかも幾度も出ていたのだそうです。しかしそれは凡て小坂了稔が握り潰し、拒否してしまったのです」

「そ――そんな馬鹿なこと――何故」

「だからあなたもまた必要な要素のひとつだったからですよ。帰す訳には行かなかった」

「必要な――要素？」

常信は困惑を極めている。

「しかし――納得できぬ。中禅寺様。如何《いか》なる場所に居ろうとも、禅風など貫こうと思えば貫ける。仮令《たとえ》教団から疎まれようとも社会から蔑《さげす》まれようともそれはできます。わざわざそのような奇態なことをする意味の方が拙僧には判らない――」

「常信和尚。それに就いてはあなたが一番善く知っている筈です。もし小坂了稔が鎌倉で己の禅風を貫き孤高に修行を続けられていたとしても――行き着くところは愚夫所行《ぐふしょぎょう》の禅。精《せい》が観察相義《かんさつそうぎ》の禅、攀縁如実《はんえんにょじつ》の禅です。孤高の修行では如来清浄《にょらいしょうじょう》の禅の境地には遥《はる》か及ばないと――小坂了稔は考えたのです」

「どう云うことだ？　京極堂」

「つまりね関口君。自分だけ悟る、仏性があることを知る、仏の教えを知り行に努める、そこまではできるが、直《じか》に仏の境地に入ったそれは摑めない、と云うことだね。ただ悟ったところで社会や衆生を救うには遥か及ばない。そちらの常信和尚は、だからこそ修行者は社会と切れて山中に籠っていてはいけない——と考えられた。しかし小坂了稔は全く逆の発想をした。つまり関わるべき社会、救うべき衆生を山中に囲い込んで造ることを考えたのです。だから——あなた達は全員、その箱庭の材料に過ぎなかったのです」

「それで拙僧も——必要な要素」

「小坂了稔は自分のためだけの宇宙を造り、そこから逸脱することで禅匠としての己を確立した。これはしかし恐るべき妄想《もうぞう》です。禅の境地とは遥かに隔《へだ》たる最悪の境地です。小坂了稔こそ模様を作《な》す者、一般の好悪《こうお》を識《し》らぬ禿奴《とくぬ》。彼は単に自分の輪郭を拡張して他人を取り込んだだけでした。あなた達は小坂の中で何年も暮らして来たのです」

　桑田常信は言葉をなくしてその場に座り込んだ。

「それは——もし、もしそれが本当であっても——しかし、しかしわざわざ他宗の者を貫首に迎えると云うのは解りませぬ。覚丹様。あなた本当に、本当に真言僧なのですか！」

　常信が強く問うても、覚丹は何も答えなかった。

　京極堂は背後から覚丹を見下ろすように云った。

「この中でこの人のところに参禅なされた僧がひとりでも居られるのですか？　誰もいない筈です。それがこの人が禅師でない何よりの証拠です。最初で最後の参禅者、祐賢和尚はさぞや落胆されたことでしょうね。多分——頓悟致しました、おおそうか、とでも云ったのでしょう。それとも光明真言《こうみょうしんごん》でも誦《とな》えたのですか！」

覚丹は俯向いた。途端に萎縮した。

「袈裟を与えたんだ。その坊主は。中島さんに」

山下がそう云った。

「そうですか。くだらない。あなたから袈裟を貰っても坐布《ざふ》にしかなりません。慥かにこの覚丹さんはこの寺の貫首です。しかしこの人が明慧寺のために何をしたと云うのです。暗躍しているのは必ず小坂了稔。この人が、ただ貫首の役をやるために用意された傀儡《かいらい》であることは火を見るよりも明らかです。いいですか皆さん。この人は祖父の栄華を夢見ていたんです。多くの信徒に囲まれて、敬《うやま》われて、崇められて暮らす、そう云う暮らしが欲しかっただけだ。俗物なのです。しかも、剰《あまつさ》えこの人は、あなたがたを抱え込んで金剛三密会を再興しようとしていたんだ。違いますか！」

僧達に白地《あからさま》な衝撃が走った。

慈行は漸く姿勢を正して元貫首を見た。

京極堂は躰を低くし、覚丹の肩口で囁《ささや》く。

「円さん、あなたは先ず貫首と云う肩書きに心を動かした。しかし、あなたがここに入った本当の理由は——」

「この明慧寺が真言宗の寺だったからですね」

「う、嘘だ、ここは——禅寺だ！」

「馬鹿な。中禅寺様、それは幾ら何でも——」

「本当ですよ。ここは慥かに禅寺だが——開山したのは空海か、空海に連なる者である可能性が非常に高いのです」

「で、出任せを申すな！　そのような妄語綺語、聞く耳持たぬ！　大衆！　惑わされてはならぬ！　耳を貸すでないッ！　こ奴は嘘を云っておるぞ！」

慈行はそう喚いたが、既に僧達には聞こえていないようだった。

京極堂は立ち上がった。

「禅を日本に伝えたのは榮西だと云われていますが、それは正確ではありません。例えば、元興寺《がんこうじ》にも禅院があった。これを建てた道昭《どうしょう》は飛鳥朝《あすかちょう》の人だ。道昭は入唐して禅を学んでいる。奈良時代にだって禅は入って来ている。天台宗の開祖伝教大師最澄《さいちょう》が唐より持ち帰ったのも円、密、禅、戒の四宗です。そして空海もまた——禅を伝えたと云われる」

「だからと云って明慧寺の開山が空海だなどと云うのは矢張り世迷言としか思えません」

「僕もそんなことは考えてもみなかった。勿論誰がいつ建てたのかは未だに判りません。それにこれだけの伽藍が記録に残っていないと云うのは、そもそも何等かの理由で記録から抹消されたと考えるよりない。ならばそれは調べようもないし、推論の域は出ない。だから断言はできない。しかしこの――覚丹さんは信じてしまったのです」

「り、理由は？」

「それは『禪宗祕法記《ぜんしゅうひほうき》』です」

「それか！　君の云っていたあってはならぬものとは！」

「そうだよ関口君。『禪宗祕法記』は空海が著したとされる禅の教典です。今は失われていると云われている。現存はしません。その幻の本がこの明慧寺にあった。それが証拠です」

「そんなものがここにある訳はないです！」

常信は力を込めて云った。

京極堂は覚丹の背後から更に語りかけた。

「覚丹さんは了稔和尚にこう誘われたのでしょう。尊公は苟《いやしく》も一宗の長である、それが斯様な屈辱的な生活を送っておるのは如何《いかが》なものか、どうだ貫首にならぬか――何、それさえ出ればそこは真言の寺、尊公を教主に守《も》り立てて再びの栄華も夢ではなかろう――しかもそれは仏教界が引っ繰り返る程の発見である――ただ座っておれば――露見はせぬ」

覚丹はわなわなと震え出した。

ずっと脇にいて京極堂を眺めていた侍僧が、覚丹から離れた。

京極堂は覚丹の耳元で云った。

「その気になったのでしょう？」

「し──しかしもう、もうどうでも良かった！」

覚丹はそれを撥ね除けるように顔を上げてそう叫んだ。そして立ち上がった。

被りものが飛んで禿頭が露《あらわ》になる。

威厳はかけらもなくなっていた。

「そうだ、あんたの云う通りだ。儂はな、天眼通円覚道の孫だ。二十五年前まで、毎日毎日帰命不空光明遍照大印相摩尼宝珠蓮華焔光転大誓願《おんあぼぎゃべいろしゃのうまかぼだらまにはんどまじんばらはらばりたやうん》と真言を誦えておった。真言坊主だ！　了稔は慥かにあんたが今云うた通りのことを儂に云いおった。儂は信じた。だがもうどうでもいいわい。あんたの云う通りこの山中で禅寺遊びして死んでもいいと思うとった。長過ぎた。長過ぎたのじゃ。儂はな、騙されておったのよ。あの了稔に！　常信、お前だって騙されてたんだ！」

「覚丹様──」

「そんな、そんなものは最初からなかったんだ。必ずあると思うて五年。どこかにあると信じて五年。気がつくともう二十五年だ！」

「仰せの通りだ。拙僧は十七年、亡くなった泰全老師は二十八年捜した。しかしそんなものはどこにもなかったです。なかったんです。中禅寺様」

「期間だけ長くたって駄目です。何か見つける気があったのは最初だけでしょう常信和尚。この覚丹さんだって、もう半ば諦めていた。既にこのお齢ですから。あなたがたはそうして皆——完全に小坂の術中に嵌っていたんです」

「ならば中禅寺様。それすらも、その幻の本もまた覚丹様を誘うための了稔様の謀《はかりごと》だったのではないのですか？　ならばここが真言宗の寺だなどと申すのも——」

「あったんです」

「あったのか！」

覚丹は目を剝いた。

「最初にあんたはもうないと——」

「もうないのだと申しあげた。あったのですよ。ここの発見者——和田智稔——慈行さんの祖父——は勿論ご存知だった筈です」

「和田——智稔老師か」

「智稔老師がここに通ったのは、その『禪宗祕法記』の所為ではないかとすら、僕は思う。慈行さん——」

呼ばれた慈行は怯《おび》えた犬のような眼で京極堂を睨みつけた。

「あなたは——白隠慧鶴に傾倒しているとか」

　慈行はそっぽを向いた。

「白隠は慥かに日本禅宗史上屈指の禅匠です。あれだけ民衆に解り易く禅を説いた人はいない。しかし慈行さん。聞く限りあなたの禅風とはどうも馴染《なじ》まない。しかしあなたが智稔老師のご令孫と聞いて納得できました。聞くところに依ると智稔老師は晩年自らを大正の白隠と称していたそうですね。あなたが本当に尊敬していたのは白隠慧鶴ではなく、会ったこともない祖父、和田智稔だったのですね？」

　慈行は黙っていた。

「しかし智稔老師が己を白隠に擬《なぞら》えたのは才覚禅風が近しかったからではない。それはご存知でしたか」

　慈行は更に顔を背けた。

　黒衣の悪魔は鋭い眼の、その瞳の奥でだけ笑った——ように私は思った。

「智稔老師が自らを白隠に擬たのは、白隠が山中で仙人白幽子と出会い、神秘の法を授かったと云う『夜船閑話《やせんかんわ》』の逸話に依るものなのです」

「おう。その仙人の話は聞いたわい」

　久遠寺翁はそう云った。

「菅野が云うておったわい」

京極堂はそれをちらりと見てから続けた。

「智稔老師は迷い込んだ山中でここ明慧寺を発見し、多分蔵の中から『禪宗祕法記』も発見したのです。そして密教と禅定の融合した全く新しい禅に触れ――彼は取り憑かれてしまった。しかしそれが本物なのか偽書なのか、彼には判断できなかったんです。勿論他に一冊もないのですから当たり前です。だから一緒に納められている他の書物を検討して、その真偽の程を料《はか》っていた。彼にはこの寺を手に入れて途絶えた神秘の禅風を復活させたいと云う野望があったのでしょう。でもここを買ってしまうまでは表向きにはできない。何故なら『禪宗祕法記』がある以上、ここは真言宗の寺である可能性が高かったからです」

「しかしそんな蔵はここにはないですぞ」

「そう。ここにそんな蔵はない。今はもうないんです。大正の震災で南側斜面を滑落し、土中に埋没してしまったのです」

「そんなこと――」

「あなた達にはずっと脚下にあるそれが見えなかった。それが結界の外に出てしまったからです。しかし――皮肉なことに震災は土地価格の下落も生み、三十年膠着《こうちゃく》状態だったこの土地は売買されて、寺は人手に渡った。松宮仁一郎さんが買い取ったのですね。智稔老師は蔵がなくなったことは知らなかったから教団を謀《たばか》り松宮氏との間に契約を結ばせて、系列寺院から援助金を出させ、三十年来の悲願を果たすべく――」

「こ——ここに入るなり亡くなってしまわれたのだな」

常信は板の間に両手をついた。

「そして後のことは泰全老師に託されたのですな。やがて了稔様が呼ばれたと——しかし、中禅寺様。泰全老師はその蔵のことを」

「それは判りませんね。僕の感触では泰全老師はご存知なかったのだと思う。しかし了稔和尚が知っていたことは、この覚丹さんの証言からも顕かだ。智稔老師は生前より了稔和尚のいた寺にここの調査の手伝いを要請していたと云うから——了稔さんは接触を持っていたのかもしれない。否、ここへの派遣だって、もしかしたら自ら希望されたのかもしれません」

「拙僧は——」

「出られない筈です。和田智稔の妄執に引き寄せられ、小坂了稔の妄想に囲われ、この円覚丹さんの我執に見張られた——ここは檻だったのです。あなたがたは咎《とが》なき虜囚だ」

僧達がひとり、ふたりと立ち上がった。

「さあ如《い》何《か》に！」

既にばらばらと半分程立ち上がっていた僧達は無気力そうに京極堂を見た。

「あなた達はまだ、この明慧寺で斯《か》様《よう》な茶番を続けますか？　この真言坊主の偽貫首しか、今のあなた達にはいないのです！　さあ！　如何《いかが》！」

京極堂は法堂凡てに響き渡る程の大声を出した。

座っていた僧は深く低頭《ていず》した。

立っている僧は竦んだ。

結局全員が立った。

山を出る気だ。

「――山下さんと云うのは？」

「私だ」

京極堂は鋭い眼で山下を見て云った。

「ここのお坊さん達は、もうこの山を下りられるようです。予定通り一旦仙石楼に行って戴きましょうか。もし心配なら手配の方を」

「解った。いいんだね」

山下は菅原と次田を呼んだ。

続いて警官が何名かやって来た。

僧達は元貫首と慈行に各各一礼をして次次に法堂を出た。

小坂了稔の結界が完全に破れたのだ。

「お、おのれッ！」

突然――。

慈行が中央に走り出た。

「おい！　斯の如き戯言にま、惑わされるな！　こ奴は！　こ奴は嘘を云っているッ！　おい！　私の声が聞こえぬか。私の令《いいつけ》が守れぬのかッ！」

慈行は僧のひとりに殴りかかろうとした。

振り上げた腕を榎木津が摑んだ。

「は、離せッ！」

京極堂はその傍に寄り、

「慈行さん。外道の僕ですら禅匠相手は命懸けなのです。あまり見苦しい真似はお止めください」

と云った。

何か云おうとする慈行を榎木津は見下ろし、

「僕は天魔だから何も賭けないぞ。京極！　こいつは中身が空っぽだから落とそうにも何にも落ちないぞ。何を云っても無駄だ。手に負えない！　おい社長。暴れると後が続かないから押えていろ！」

と云った。

山下は社長と云われて怒りもせずに尋き返した。

「後って――まだ後があるのか？」

「これからが本番ですよ」

京極堂はそこで汗を拭った。

普段汗などかかぬ男が、この寒いのに汗をかいていたらしい。そして外道の本屋は祭壇の前で蹲《うずくま》っている元貫首に哀れむような視線を送った。

「覚丹さん。あんたはどうする？」

「儂もここにはいられまい。いずれ山は下りようが、このまま下りる訳には行かぬ。仮令《たとえ》飾り物であろうと他宗派であろうと儂は明慧寺貫首として二十五年もここに居ったのだ。せめて最後まで居させてくれないか。あんたの話は——これで終わりじゃないんだろう」

「ああ。あんただけが相手だったら楽だったんだがな」

京極堂はすうと本尊の方に向かった。

僧達が退散して法堂はがらんとした。

慈行は菅原に押えられて退場し、座に残ったのは私に榎木津、久遠寺翁と今川、そして常信和尚と覚丹、それに山下と松宮仁如だけになった。

京極堂は云った。

「本来僕の役割はこれで終わりです。古の仏具禅床の法具も長き時を経れば怪異をなす、それは承知のことと、今凡て祓い落とした。もうここに残っている者の中に巣喰う憑物などない。しかし——」

躊躇している。

久遠寺翁が云う。

「中禅寺君。君が何を畏れとるのかは知らんがな、儂が思うにこれ以上被害者が増えることはなかろう。畏れることたぁないわい」

久遠寺先生——と、京極堂は暗い声を発した。

「止まっていた時間が急に流れ出した時にいったい何が起こるか——久遠寺先生、あなたはそれを善く知っている筈です。関口君、君もだ。僕は、ああ云うのはもう厭なんだ」

久遠寺翁は瞬時に何かを理解して、急に顔を赤くして目頭を抑えた。

京極堂は云った。

「ここは二重の結界によって長期間封印されていたのです。だから——この間の比じゃあないのです」

止まっていた時間。実は、そこには幸福があったりする。

その甘美な時を私は知っている。

私は松宮仁如を見た。

判で捺したように同じ顔をしていた。

外が静かになった。僧達は粛粛と投降したのだ。

法堂の外は夜だ。時間が判らない。着いてから何時間たったのだろう?

私は急に不安になった。

――結界は破れていないのか？


「中禅寺君」

久遠寺翁が尋いた。

「君の云う二重の結界と云うのは――その小坂と、和田智稔の？」

「いいえ。それは同じものです」

「それじゃあ――」

「この明慧寺には元元結界が張られていたのです」

私は目を閉じた。

京極堂の声が響いた。

「和田智稔は、その結界の内部に入り込んで山中異界を見た。故にここの虜となった。智稔は、その結界をなぞって己の結界を張った。だからこれ程強固な結界が張れたのです。小坂了稔は、その強い結界を利用して己の小宇宙を創っただけです。小坂は慥かに知恵者だが、この山全体を包み隠せる程の器ではありません。この明慧寺なくして小坂の呪法――これは一種の呪術でしょう――は決してなし得なかった。他の場所では無理だった」

「そうだろうなあ。先ずこの立地。そして何より、誰にも知られておらず、記録にも載っておらず、それまで何百年だか――あ」

久遠寺翁はそこで言葉を止めた。

「そう——それが最初から張られていた結界です。山中の寺領の結界は珍しいものではないです。しかしそれら床《ゆか》しき契約事項は開発と云う腹芸の通じない野蛮な行為に依って、今やまるでなかったことにされてしまった。石ひとつ置いてあるだけで『入《い》るべからず』の契約が成立した善き時代は、遠い昔です。しかしここはこの条件で、何百年もの間誰にも発見されなかったのです。多分——最強の結界ですね」

ぱちっと炭の爆ぜる音が聞こえた。

気の所為だろう。

「それは誰が張った——結界なのですか」

常信の声だ。

じりじり云うのは蠟燭の芯の焦げる音だ。

さらさらと瓦の雪が風に舞う。

「ここを——何百年も守って来た人です」

「え？」

「その人が犯人です」

「犯人は——誰じゃ？」

「だから犯人はここの本当の貫首です」

「何？」

「犯人はそこにいる仁秀さんですよ」


京極堂が表を指差した。

戸口に襤褸《ぼろ》襤褸《ぼろ》の仁秀老人が立っていた。

「あ、あんた！　何——ええッ？」

山下が大きな声を上げた。

仁秀老人は大きな眼を細めて、目尻に皺を一杯作って、満面に笑みを浮かべていた。

「じ——仁秀さん！　あんた犯人か！」

久遠寺翁がこれ以上ないと云う程赤くなった。


「はいはい。左様にございます」


仁秀はそう云った。

「始めまして。僕は中禅寺と云います。仁秀和尚、とお呼びしたら宜しいのでしょうか」

「見ての通りの乞食坊主でございます」

「あんた坊主だったんか！」

久遠寺翁は己の禿頭をぺしゃりと叩いた。

常信と覚丹は呼吸を止めたかのように硬直した。

「もういいのですよ。仁秀和尚。隠す気もなかったんでしょうし、自首する気もなかったのですね？」

「為すが儘に」

「そんな、おい、君」

山下はただ落ち着きなく色色な場所を見て、それから髪を掻き上げた。

仁秀は背筋を幾分伸ばして京極堂と向き合った。

「お若い人。先程からここで聞いておりましたが、何故拙僧の仕業と見抜かれましたか」

「簡単なことです。あなたは最初に名乗っておられたのです」

「ほう、何処《いずこ》で名乗りましたでしょうや」

「小坂了稔を殺した時です。僕は今日、本当は仙石楼で声の聴き分けをする予定だった揉み療治の尾島佑平さんに会いました。お目の不自由なところ無理をして来て戴いたはいいが、結局無駄足で帰られた。その尾島さんが云っていました。その犯人と思しき僧侶は、所詮、漸修で悟入は難しいと云ったと」

——それは私も聞いた。

「ほう。それが如何に？」

——声が変わった。口調も違う。

「如何にも何もありません。漸修で悟る——漸悟禅と云うなら、それは北宗禅です。北宗禅は奈良時代に唐僧によって伝えられはしましたが全く根づかなかった。日本の現在の禅は凡て南宗禅の流れを汲むもの。つまり全部頓悟禅なんです。と、云うことは、犯人は臨済僧でも曹洞僧でもあり得ないと云うことになる。況《まし》て僧でもないものが口にする言葉ではない。そうすると残る可能性は幾つもない。北宗が衰微する前に漸悟禅を本朝に伝えることができたのは、時期的には最澄空海がぎりぎりでしょう。しかし最澄は違う。ならば空海が持ち帰った禅こそが北宗禅だったのではないか——明慧寺が空海に関係した禅寺であるのなら、そこを護る者は北宗の漸悟禅を伝えているのではないか——ならばそれは北宗の祖、六祖神秀と同じ読みの名を持つあなた——」

「見事。見事な領解《りょうげ》である！」

仁秀は堂堂とした声で云った。

「ああ！」

今川が大声を上げた。

「あれはあなた——だったのですか」

「左様——先日、理致殿に於て尊公のお相手を致したは、如何にも拙僧である。趙州狗子の領解、見事であった」

「い、今川君、間違いないのか？」

山下はただ慌てた。

すっかり威厳をなくした覚丹が尋いた。

「仁秀——否、仁秀さん、あ、あんたいったい何者なんだ？　ほ、本当に、この男の云うたことは——」

「拙僧はこちらの仰せの通り代代この山を護る仁秀の名を継ぐ者である」

「ほ、北宗禅——を？」

常信の声は震えていた。

「北宗を自ら標榜したことはない。元より宗に名などない。南も北もない。仏弟子である以外本来無一物」

「空海——と云うのは？」

「そう伝えられてはおるが、どうでも良いこと。我が法脈は六祖神秀より師資相承にて受け継がれしもの。山を開いた者が誰であれ、それもまた無関係なこと」

覚丹は大きな溜め息を吐《つ》いた。

仁秀は——語り出した。

「その昔——智稔和尚が始めて訪れし頃、拙僧はまだ不惑を迎えた辺りであったろうか。智稔和尚は拙僧を見て驚かれた。無理もない。この格好である。そして拙僧もまた驚いた。先代は里に下り書を善く求め、また代代受け継ぎし禅籍は多くあったから、拙僧は知識だけは多く持っておったが、先代以外の僧と云うものを不惑を過ぎて初めて見たのだ。智稔和尚は拙僧を白幽子に喩《たと》え、大いに驚かれたようであった」

「それで——あ、あなたは智稔老師とは——」

常信は当惑している。十七年間同じ山内で暮らしていて尚、常信はこの老人の正体を見破ることができなかったのだ。

「あのお方は既に大悟数度、小悟数知れずと仰った。拙僧にはその境涯が判らなかった。だから拙僧は初回を除き、二度と会わなんだ」

「——しかし何度も来たと云う話だったが」

「来れども会いはせなんだ。何度いらしたかは存じ上げぬ。その後、あの大きな地震いの後に、泰全様がおいでになった。そして泰全様は帰らなんだ」

「その後に、儂と了稔が入ったのだが——」

覚丹は肩を落し、額に手を当てて、酷く辛そうな顔をした。

この山で過ごした二十五年間の時間どもが、纏めて伸し掛かって来たのだろう。

京極堂が尋いた。

「了稔さんはあなたの正体を知っていたのですか」

「──知らなんだかと」

「蔵のことは？」

「己で調べたのでありましょう。元より拙僧は地震いの時に崩れ落ちてよりそこに行っておらぬ。探しもせなんだから何処に埋まりおるかも知らなんだ」

「行ってない？　だって『禪宗祕法記』は、そこにあったのだろうが！」

覚丹が下卑《げび》た尋き方をした。

仁秀は歯切れ善く答えた。

「そのようなものはただの紙切れ。無駄なる文字が書き連ねられておるだけのこと。執着するは──愚かなり」

覚丹はいっそう頷垂《うなだ》れた。立場は完全に逆転していた。

「じ──」

山下は漸く立ち直ったようだった。

「──仁秀さん。その、話して──貰おうか」

警部補はそう云って内ポケットから手帳を出した。

「あんたが犯人なら──私は尋かなきゃならないんだ。警察官だから」

小坂了稔を殺したんだなと山下は問うた。仁秀は深く頷いた。

そして仁秀は淡淡と語り出した。

「了稔様はあの日、朝課の後より拙僧の庵に参られて、夕刻まで居られた」

「あんたの――とこにいたのか？」

「左様。そしてこう仰った」

――仁秀さん。今度な、この山は売られるかもしれんのだ。だからな、そうしたら出て行かにゃならん。それは困るじゃろう？

――はいはい困りましょう。

――だからこの土地を買い取るために、あるものを売ろうと思うとる。儂はその昔、智稔老師に聞いたのだが、あんた元からここに居ったならご存知だろう。この寺にあった、あの大きな蔵。あれはな、何と崖下に滑り落ちて埋まっておった。そん中のものを売ろうと思う。それで、その売った金でここを買い取りますのじゃ。他に頼める坊主もおらん。手伝うてくれんかのう？

「それでは了稔さんが僕にくれた手紙に書いてあった、世に出ることはあるまじき神品と云うのは、件の本のことだったのですか！」

今川は手を打ってそう云った。

「拙僧は野良仕事がござれば、その後で宜しければと申し上げて中座し、戻ってみれば了稔様はまだ居られた。それでご同道願うと申されるので、ご一緒した」

「覚証殿の裏手を通ったか?」

「如何にも」

「そこを牧村托雄が見た——のか」

——仁秀さん。あんたここにどれだけ居る?

——さて齢《よわい》を数ゆるも無駄な程。

——左様か。儂は二十五年だ。二十五年間、儂は馬鹿なことをし続けたわい。あんたも僧ではないが学はある。悟ると云うは解るかいな?

——さてそのような仏境界《ぶっきょうがい》には程遠く。

——仁秀さん。そう云うがな、あんた、ただの鼠ではあるまい。

——はあ、鼠とは何でござりまするか。

——智稔さんが亡くなる前にな。あんたのことを云うとった。ありゃあ白幽子だと。

——仙境に遊ぶ程優雅な者ではございませぬ。

——そうかいな。儂はこの山に檻を造った。何故だか解るかいな?

——はて一向に。

──そうかな。儂はな、檻を造って、檻から牛を逃がしたのよ。そして漸く捕まえたわ。儂ゃな、今、将《まさ》に牛を得たところじゃ。これからじゃな。だから今、この土地取られてはかなわん。大学も来よるしな。

──牛にござりまするかな？

──そうじゃ。牛じゃ。

──さてその牛は如何《いずこ》に？

──ここにおる。そしてもうおらん。己が牛と知ったわい。儂は昨日、豁然大悟した。長かった。二十五年もかかったわい。

──大悟──にございまするか。

──大悟じゃ。

──本当に大悟されたか？

──本当じゃ。生きるも死ぬるも一緒じゃ。

──一緒？　死ぬのは畏《こ》おうございましょう。

──畏くはないわい。

──本当に大悟されたのですな。

──何を疑う。この境地じゃ。

「了稔様はそこで潔く座られた。すう、と背筋が伸びて、実に良い座相であった。慥かに見事に大悟されておった。そう思うた」

「それで？」

「殺《あや》めた」

「は？」

「拙僧が殺めたのである」

「だ、だから何で！」

山下は少し震えていた。

「拙僧は未だ大悟を知らず。ただ、只管《ひたすら》修行を続けるも未だ小悟をも知らず。拙僧はそうして百年近う生きて参った。何の高高二十五年」

「ひ、百年？」

山下は化け物でも見るかのような眼で仁秀を見た。

「拙僧はただ諾諾《だくだく》と暮らし、百年かかって悟り未だ半ばなのだ。播磨《はりま》の国より出でて箱根に到り、先代仁秀に拾われたが万延《まんえん》元年であった。書を読み、坐禅をし、経を誦み、作務をして、一切知覚《いっさいちかく》、不捨十方《ふしゃじっぽう》、これだけ長く生きて参ったが、未だ修行ならず。何と我が身の到らぬことよ」

「だから——ど、動機は何だ！」

「豁然大悟なり」

「何？」

「京極堂。この仁秀さんは――」

京極堂は云った。

「そうです。この人は悟った人を悟った順に次次殺して行ったのです。そうですね？」

「如何《いか》にも」

「何だそれは？　おい仁秀さんあんた――」

「如何にもこちらの仰られた通り。拙僧は豁然大悟なされた貴い方を殺めたのである」

先ず今川が上擦《うわず》った声で云った。

「ああ――泰全老師はあの夜僕に、そうであったか有り難うと、そう仰ったのです。僕に向けて狗子仏性をお話しになっているうちに、きっとご自身も頓悟されたのだと思うのです。すると――それで？　それだけで殺されたのですか」

「泰全様大悟と哲童が申した。拙僧は早速お伺いしてその見解《けんげ》をお尋きした。実に――見事な見解だった」

次に久遠寺翁が痙攣《ひきつけ》たような声で云った。

「そ、それじゃあ仁秀さん、あんた、儂が、儂があん時、あんたに菅野が大悟したと伝えたから——」

「左様。博行様は老境に入られてから出家なさったにも拘らず、断ち難き煩悩を抱えつつもご立派に大悟なされた」

「——それで殺したんか！　む、無茶だわい！」

老医師は血管を浮かせて大声を肚に呑み込んだ。

そして常信が青黒い暗い顔で云った。

「祐賢様も——そうなのですか——仁秀様」

「貫首参禅の後、衣鉢を嗣いで出て参られたので」

「殺した——のですか。拙僧と問答の末の大悟であったが——何のために——おお」

常信は手で顔を抑えた。

「馬鹿か？　狂ってる！」

山下は再び立ち上がった。

「おかしいだろうそれは。おかしいでしょう？　それとも私が狂ってるのか？　悟る悟らないってなんなんだ！　そ、それは生死に関わることなのか！」

山下は幾度か板間を踏み鳴らした。

京極堂は静かに、しかし厳しく云った。

「山下さん！　刑事が被疑者より錯乱してどうするのです。いいですか。あなたの今の見解は間違っています。大金を手にするために殺したり嫉妬して殺したりするのは狂っていなくて、大悟した者を殺すのだけは狂っていると――そう云うことになる」

「へ？」

「殺人は殺人。許されることではない。しかし自分に解る動機は許容して解らない動機は拒絶してしまうのはどうでしょう。この――仁秀さんは幼い頃より古今の禅籍だけを読み、殆ど俗界と切れた生活を百年から送っていらっしゃる。国家も法律も民主主義も無関係なのですよ。この明慧寺は元元この人しかいなかったんだ。この仁秀さんの常識こそがこの山での常識なんです。それは――発見されてい、ま、しまった今はもう――通らないことですがね」

　京極堂も立ち上がった。

「ここは北宗の聖地。漸悟禅の修行の場です。そこに南宗の末裔が大挙して、しかも勝手に入り込み、結界を張って頓悟だ大悟だと叫んでいたんです。排斥されるべき異端は――あなた達だった」

　常信と覚丹はきつく目を瞑《つむ》り表情を強張らせていた。

　彼等もまた我我同様異分子だったのだ。

　山下は暫く考えていたが座った。

　久遠寺翁が云った。

「一寸待《ちょっと》て。あの細工は何じゃ？」

「そ、そうだ、あの細工は——あれもこの人がしたことなのか？　あれでどれだけ——」

樹の上の小坂了稔。

便所に突き立てられた大西泰全。

大麻を添えられていた菅野博行。

棒を倒された中島祐賢。

意味不明の見立てか。

装飾か。

「——それは供養ですよ」

「供養？」

「供養と云うのとは少し違うかな。哲童君——の仕業ですね？」

「そうのようですな」

「おい、中禅寺君。解るように云ってくれい」

「解るようには云えないですよ。久遠寺先生。あれは公案ですから」

「公案？」

榎木津を除く全員が異口同音にそう云った。

「仁秀さん。あなたは殺した小坂をどうしたんですか？　隠したとか？」

「隠しはせぬ。ただ——」

「哲童君が現場に来たのですね？」

「そうである。哲童は大力故、消灯後は手伝わせてくれと了稔さんが云うておったので、場所を云うておいた。あの盲《めし》いた方が去られて後に追いかけて来たのだ。それで、どうした、と尋くから殺したと答えた。了稔和尚は何でこのようなところに来たのか、と尋くから、さて自分で考えろと答えた」

「泰全様の時は」

「理致殿に哲童と共にお伺いして、その場で殺し、これぞ仏であると申した」

「その場で？　おかしいなあ——ああそうか」

山下は頭を抱えた。

「あんた証拠隠滅のために理致殿にいたのか？」

「汚れたところは綺麗に致したが」

「そう云う感覚か——念入りにやったのかね」

「掃除の時は掃除三昧に。幸い板間に少少血がついただけであったので。そこに——尊公がいらした」

「それで——あんたも解けたか、だったのですか」

今川は納得した。

「菅野さんの時は」

「あの時は哲童がこう尋いて来おった。仏はどこに居りますか、と。だから奥の院に居られると申した」

「奥の院？　あの土牢が？」

常信が不審そうに尋いた。

「拙僧はそう呼んでおる。幼き折にあの檻の中で修行させられた。畏ろしゅうてな」

「ああ、大日如来が」

今川が云った。

「描いてありますな。ご本尊です」

「ご本尊――矢張り真言宗――あれが、奥の院」

常信は改めて驚きを嚙み締めたようだった。

「祐賢和尚の時は袈裟を戴いたのだと哲童君に云ったのですね？」

京極堂の問いに仁秀は左様ですと答えた。山下が尋いた。

「あそこで牧村君を殴ったのは――見られたくなかった訳――ではないのか」

「托雄様は祐賢様に危害を加えるべく狙っておられたようであった。棒を持って構えておられたからな。だから――気絶させたのです」

「棒？　そんなことは云ってなかったがな」

　山下が首を捻る。

「持っておりました。もし、托雄様が祐賢様を害するようなことがあってはならぬと、そう思うた」

「先を越されては困ると？」

「いいえ。托雄様もまた地獄に堕ちまするかと」

「ううん。解らん――それよりそれで何が解るのだね――中禅寺さん」

　京極堂は先ず久遠寺翁に向けて云った。

「ある時、僧が趙州和尚に尋いた。達磨は何故西から来たのですか？　和尚は答えた。庭の柏の木だ」

「あ――じゃあ飯窪君が見たのは哲童かい！　しかし、何故あの日だったんじゃ？　三日も経っておる」

「それは久遠寺先生。哲童君は探していたんです。柏の木を。箱根山に柏は少ないのです。普通禅寺の中庭には柏を植えるものです。だからこの公案もある訳ですが、この寺には柏はない。しかも庭の柏でなくてはいけない。だから――」

　山下が不審そうに仁秀に尋いた。

「その間屍体はどうしていたんだ？」

「ずっと背負子《しょいこ》に乗っておりましたな」

「背負子に？」

「俺の土間にあった」

「誰も気づかなかったのか！　典座の坊主も来るんだろうに！　なんと云う無防備な」

「あるんじゃ山下君。そう云うことはな」

久遠寺翁は、しんみりとそう云った。

京極堂は続いて今川に向けて云った。

「ある時、ひとりの僧が雲門和尚に尋いた。仏とは、どんなものですか？　和尚は答えた。乾いた屎橛《しけつ》だ」

「シケツ？　シケツとは——」

「屎搔き箆《くそかべら》のことだね」

慥かにあの時。泰全の部屋に来た哲童は、シケツとは何か、と聞いた。哲童がその公案を考えていたせいで、それで——大西泰全は、便所に突き立てられることで仏になったのだ。

京極堂は次に山下に云った。

「ある時、ひとりの僧が洞山和尚に尋いた。仏とはどんなものですか？　和尚は答えた。麻が三斤だ」

「杉山哲童は昨日、その公案を考えていた訳だ。麻がどうしたとか――それで牧村君に大麻の在処《ありか》を聞いて見に行ったのか？　つまりあれは用意してた訳じゃなく、丁度それを考えている時に、あんたが殺人を犯したと云うことだった訳か。そうか。慥かに麻は三束に分けられていた。麻三斤だ」

「おう、罪の摘発では――なかったか」

久遠寺翁が更に寂しそうに云った。

京極堂は最後に常信に向かって云った。

「あなたはもう判っておいでですね。摩訶迦葉に阿難尊者が尋いた。あなたは釋尊から金襴の袈裟以外に何を戴いたのか？　迦葉は阿難を呼び、その返事を聞いてからこう云った。門前の旗竿を倒せ」

「迦葉刹竿――であるか。じゃあああの竿を倒した時に、頻《しき》りに頸を傾げておったのは――」

「門前と云うのがどこか解らなかったのですよ。この寺には門が沢山ある。建物の前かもしれないし、三門か、惣門か――」

「その――ままだ。全部」

「そのままです。いずれも『無門關《むもんかん》』や『碧巖錄《へきがんろく》』などに出ている有名な公案だ。彼はそれを――考えていたのだろうね。毎日」

「そう――そう云うことを知っていればなあ」

山下はがっくりと頷垂《うなだ》れた。

知らないからと云って責められるものではないだろう。知っていたって誰もそんなことは考えまい。

山下は下を向いたまま、

「これは、小坂の場合は死体遺棄、大西の場合は遺体損壊と云う罪なのかもしれないが――しかし、これは犯罪なのだろうか？　慥かに、私達の世界の言葉で云うなら、供養と云うのが近いのかもしれない」

そう云った。京極堂は云った。

「僕達がここに来てしまったから、それはもう犯罪になってしまいました」

「そんな謎謎幾らだって作れるぞ！」

ひとり入口の階段に腰かけていた榎木津はそう云った。

京極堂は仁秀の前に行って尋いた。

「仁秀さん」

「はいはいなんでございましょう」

元通りの好好爺の口調だ。しかしこれだけ口調や物腰が変わるのに、この老人の印象は全く変わらない。毅然としていても、卑屈にしていても同じである。松宮仁如とは大きく違っている。

私は松宮を捜した。彼は杜の陰で堪えるような顔をして座っていた。

京極堂はしゃがみ込んで云った。

「多くの宗教はその、禅で云うところの悟りの境地を最終目的として据えている場合が多いようです。だから死ねば仏になる。何故死ねば仏になるかと云えば、最終目的はその辺に設定しておかないと、生きているうちに達成して仏になっちゃもう精進しなくなるからです。密教は即身成仏、死んだ後ならず生身でそのまま仏になると云う。しかし即身成仏は、結果的に修行の末の自殺と、行為としては同義になっているのが現状です。しかし禅は目的と云う概念をとっ払《ぱら》うことでその辺を難なくクリアしている——仁秀さん。ひとつだけ聞かせてください。あなたが学ばれた禅、否、修行されている禅は、悟りを最終目標としているような——例えば最終解脱や即身成仏的な発想がある——そう云う教義に則った——禅なのですか？」

「とんでもない」

仁秀は破顔して笑った。

「修証一等。悟りと修行は同じものです。であれば、悟りには始まりなく終わりなく、悟りは常にここにありと心得てはおる。如何に嗣法が違えどそれは同じである」

「そ、それは同じだ。どこも違わない」

常信はそう云った。

仁秀はそれを聞くと更に笑って、

「悟り得ると謂わば日頃なかりつるかと覚ゆ。悟り来れりと謂わば日頃いずこありけるぞと覚ゆ。悟りとなれりと謂わば悟りに始めありきと覚ゆ。片腹痛し。不立文字教外別伝と嘯《うそぶ》けども、それも凡ては言葉の上のことである。身心脱落とは片腹痛し。天童如浄が宣《のたま》いしは、心塵《しんじん》脱落なり。所詮道元禅は法華経禅。臨済の如きは、或は殴り、或は鴉の声を聞きて豁然大悟致すなど笑止千万――と思うたこともありましたがな、何、世の中に幾筋道があろうとも、人の歩く道は似たり寄ったり。険しいか緩いか、遠いか近いか、精精そのくらいの差であろうて」

と云った。

「そうですか――」

京極堂は少し不審な顔をした。

「仁秀さん。人の心や意識と云うのは連続したものではないです。連続しているように錯覚しているだけで、朝と夕、さっきと今ではまるで違っていたりする。脳と云うのはその辻褄を合わせようとします。頓悟とか、大悟とか云うのは、だからほんの一瞬のこと。それ以降ずっと人格が変わるものではない。だからこそ悟後の修行が大切なのです。ならばあなたは何故——」

仁秀は呵呵《かか》と笑った。

「百年経って、拙僧にはその一瞬がないのである。だから、瞬時にしてそれの訪れたる者が妬ましかったのである。悔しかったのである。何と修行の足りないことよ。徳の足りない僧であることよ。だからその、もし己が悟ることあらば、悟っておる状態のまま死んでしまえば一番幸せと、そう思ってもいたのである。浅ましい、浅ましい、浅ましいことよ。正に了稔様の仰せの通り、拙僧は檻の中の鼠である」

そして立ち上がって先程まで覚丹が座っていた場所に行き、座った。

「ここにこうして座りよるのは二十八年振り。本尊も変わってしまいよった。警察のお人「何かな?」

「裁いてくだされや」

山下は少しふらつきながら仁秀の後ろに座った。

「裁くのは法律で、私ではないが——あなた戸籍もないのだろう。どうしたものかな」

「何でも申します」

「まあ証拠は慥かにないんだが――」

「証拠――ならば凶器――と申すのかな？　それはいずれも了稔様のお持ちだった錫杖である。今でも庵に置いてござる。了稔様を殺した場所は湯本側の獣径。拙僧はその蔵がどこに埋まっておるか知らぬから、蔵にはどう行くのか解らぬが、こちら側から一番勾配の緩い径を辿りました麓のあたりである」

「うん。否――信じるよ。あなたが犯人なんだな。物証も何もなくても、きっとそうなんだろうな」

「後は――そちらのお方がこと細かに皆説明してくれた。お手数をおかけした。まだまだ殺すところであった」

立ったまま、京極堂は無言で外を見ていた。

これで――終わったのか？

否――。

「哲童は罪になりまするか」

「まあ――なる」

「そうですか。できれば哲童が戻りまして後、衣鉢を嗣いでしまいとうございます。その後はどこにでも行きまする。如何様にもなさいますよう」

哲童に法を嗣ぐ――つまりこの山に哲童だけが残ると云うことだろうか。

ならばこの山の結界は未だちっとも破れていないのか！

私は京極堂を見た。

京極堂は凡てを察して、暗い、悲しい顔をした。

最初から負けている――。

そう云うことなのか。

「そこのお医者様」

「ん？　儂か？」

「鈴のことお願い致す」

「お。おう。解っておるぞ」

松宮が怯《びく》気りと顔を上げた。

私は彼が気になって仕方がない。

「鈴は昨日の夜からどこぞへ行ってしまいました。いま哲童が捜しております。まあ以前より善くふらふらといなくなりましたからな。取り分け心配はいらんと思うが――」

「す――」

松宮が掠れた声を上げた。

「鈴は――」

　京極堂が松宮を睨《にら》んでいた。

　榎木津もまた肩越しに彼を見つめている。

　久遠寺翁が立ち上がった。

「仁秀さん。あの男は鈴さんの叔父だ。松宮君、こっちへ来てくれ」

　仁秀は座ったままこちらに向き直った。松宮仁如はぎくしゃくとした動きで立ち上がり、仁秀の前で正座すると、丁寧に辞儀をした。

「松宮仁如と申します雲水にございます」

「頭を上げてくだされ。そのように頭を下げられる程徳の高い僧ではないのだよ。今聞いておったであろう。破戒も破戒、殺生坊主である」

「破戒に大小はございませぬ。禽獣虫魚の類を殺《あや》めるも人殺めるも不殺生戒を破る重さは同じ。慥かに御坊は破戒僧、しかし破戒と云うなら拙僧も破戒僧でございますれば、修行の浅い拙僧が礼を尽くすのは当然でございます」

「そうか」

「鈴は――私の」

「ああならば――そうよな。鈴は博行様の――」

「仁秀さん。それはなかったことにせい。菅野は死んだ。もういいじゃろう」

「そう云えば――」

山下が不審そうに云った。

「あの菅野を土牢から出したのは誰だ？」

「え？」

何故だろう。

いきなりぞおっとした。

「それは鈴である」

仁秀はぼつりと云った。

「え？　本当か？」

「博行様を誘い、狂わせたのは鈴の方なのです」

「何だって？　仁秀さんそりゃあ」

「あれは——そうした娘」

「そうした娘？」

「善く——人を惑わす」

あの眼。あの顔。

私は再びの恐怖が瘧《おこり》のように湧いた。

「そ——」

松宮仁如はそこで漸く頭を上げた。

「そうでございましょう。拙僧は今、ここで行われた一部始終を見て、聞いて、恥じ入りましてございます。あの娘がもしそう育ったのなら、それは拙僧の不徳、破戒の証。拙僧は僧としての戒めならぬ、人の倫《みち》に外れた破戒を致しました」

「おい、松宮君、君——」

「久遠寺様。今川様。そして中禅寺様、関口様。拙僧は十三年間己を謀《たばか》って生きて参りました。醜い己の本性に目を瞑り、耳を塞いで、その上に僧侶と云う面を被って知らぬ顔をして生きて来た。過去の過ちを忘れることが修行と勘違いしておりました。己の檻から出るどころか、己の檻に閉じ籠もり、鍵を掛けて来たのです」

「松宮君、君は——何を」

「久遠寺先生。その人に——告白させてやってください！　今、ここで！」

「関口君、君、何じゃ、どうした？」

動悸が激しい。

恐怖を興奮で押《お》し遣《や》るのだ。

「松宮さん。飯窪さんが思い出したんです。あなたは山を下りれば——必ずそれを云わなければならなくなる。だからここで——あなたは」

私の腕を京極堂が摑んだ。

「なんだ！」

「止せ。関口」

睨んでいる。

私は沈黙した。

「いいえ、止しませぬ。中禅寺様、関口様の仰る通り。飯窪様が何を覚えていらしたのか拙僧は存じません。しかし——あの家を焼いたのは拙僧でございます。拙僧は、妹鈴子から逃れるためにあの家に火を放ち、そして逃亡致しました」

「何だって？」

山下が振り返って松宮を呆れたように見た。

「松宮和尚！」

京極堂が呼んでもそれは届かなかった。

「父と諍い、家を出ておりました拙僧が——あの日戻ってみますと、家の中は静かで、明かりも点っておりませんでした。使用人は善く寝ており、しかし、玄関の鍵は開いておりました。茶の間に行き、洋燈《ランプ》に火を入れますと——父と母が死んでいた。驚きました。声が出なかった。両親は——頭を目茶苦茶に割られて亡くなっていた。多分息絶えてからも殴り続けたのでしょう。使用人を呼ぼうと思い立ち、その時、鈴子のことが気になった。振り返ると鈴子が立っていた、、、」

「じゃあ——犯人は妹さんか！」

「それは判りません。ただ、鈴子は手に灰皿か何かを持っていた。拙僧は——否、私は、妹を疑うよりも、労《いたわ》るよりも先ず——水を浴びせられたようにぞっとして——怖くなったのです。妹は——笑っていた。そして云った」

——兄様——子供が出来たの。兄様の子よ。

「そう。私は妹と男女の関係を結んでいた。だから仁秀和尚様。鈴は、私と妹鈴子の子。斯《か》様《よう》な不埒《ふらち》な行いの末に生まれた、不幸な子供なのです」

仁秀は形容し難い表情になった。

「私は鈴子を跳ね除けて洋燈を床に叩きつけた。火はすぐに燃え移った。鈴子は動かなかった。私はもうすっかり動転して部屋を飛び出し、勝手口に火をつけ、使用人達のいる離れの廊下に火を放ち、最後に玄関に火をかけた。鈴子も、父も、皆燃えてしまえ、と思った。そして逃げ出したのです」

「そんなことはここで云うことじゃない！」

京極堂が一喝した。

「あなたの罪はあなたのもの。解き放てば楽になるかもしれないが、あなたが楽になるだけだ！　それで誰かが救われますか！」

「し、しかし」

「あなたには先に下りて戴くべきだったか」

「なぜ──」

「僕はこの状況で鈴さんから──」

「鈴」

仁秀が云った。全員がそちらを見た。


入口に鈴がいた。


「す、鈴！」

松宮が叫んで一歩踏み出した。

「寄るな！」

鈴の後ろに哲童が立っていた。

「鈴はお前が嫌いだ」

「何を──」

「お前が来た故山に逃げた。帰れ」

哲童は鈴を抱え上げた。

「師よ。何処へ帰らん」

「哲童、ここにいよ」

時間がまた止まった。

鈴が全員を見渡す。

暗黒の眸に吸い込まれそうだ。

禿《かぶろ》に切り揃えた髪。あどけない、整った顔立ち。

蕾《つぼみ》のような小振りの朱唇《くちびる》。雪のような肌。

榎木津が一歩後退った。

京極堂が一歩出た。

今川も久遠寺翁も、常信も覚丹も微動だに出来ない。山下は凍りついている。

その時パチパチと炭の爆《は》ぜる音がした。

「わああああつ」

何かが哲童にぶつかった。

不意を突かれて哲童は前のめりになり、鈴は跳ねるように地面に降りた。哲童は鈴を放してから。ひと声、おお――と吠えて立ち上がった。巨大だ。

英生が哲童の背中を叩いていた。否、叩いているのではない。英生は包丁を持っている。

菜切り包丁で哲童の背中に斬りつけていたのである。

「この馬鹿者ッ！」

　榎木津が透かさず英生に飛びついた。山下と今川が慌てて飛び出す。哲童はもう一度吠えて英生を突き飛ばした。榎木津に羽交い締めにされていた血塗《ちまみ》れの少年僧は探偵ごと飛ばされた。

「おおお」

「哲童！」

　仁秀が駆け寄る。京極堂が外に出た。全員が動いている。それはほんの一瞬のことであったらしい。私だけが酷く緩寛《ゆっくり》としていたのだ。

　私は転げるようにして後を追って外に出た。

　警官が五人駆け寄る。常信と京極堂が哲童に、今川が英生に取りつく。哲童は常信と京極堂を振り払い立ち上がった。英生は顔を真っ赤にして叫んだ。

「お師匠様を何故殺したたッ」

　常信がその肩を強く抑えて云った。

「祐賢様を殺したのは哲童ではないのだ英生。あの方は拙僧が殺したのだ。否、殺したようなものなのだ」

「――何と？」

「否、この山が、この寺が殺したのだ。愚かな真似は止《よ》せ」

英生は包丁を落した。

警官が英生を取り押さえた。菅原刑事と次田刑事が知客寮から駆け出して来て暴れる哲童を抑えた。

「哲童！」

仁秀が一喝した。哲童は警官と刑事に支えられるようにして座り込んだ。

「あなたはお医者様でしたな。哲童を」

「おう」

久遠寺翁が哲童の背中に回る。

今川が見守る。

この山にいる全員が中庭に集合した格好になる。

榎木津がすっくと立ち上がって禅堂の方を見た。

私も目を遣る。

そこに鈴が立っていた。

松宮はひとり群れを離れて鈴に近寄った。

鈴は初めて会うのであろう父親を睨んでいる。

私は京極堂の言葉が気になった。

さっきは何故止めた？

——僕は鈴さんから。
その後は何だ？
京極堂は眼を細め苦痛の表情で顔を背けていた。
松宮は更に踏み出した。
悪足掻《わるあが》きだ。この状況。
この寺は最後までこの世と地続きであることを拒絶している。もう何もないのに。
凡て解体されたと云うのに、今更何を——何を拒むと云うのだ？
私は豪《えら》く動揺して、そして松宮と同調《シンクロ》した。
菅野は鈴にあの女《ひと》を見たのだろう。
あの女《ひと》はいつも呼び覚ます。
人の中の人ならぬものを。
人は獣の脳を抱え込んでいると云う。
人の脳は人が使わぬ脳に包まれていると云う。
悟りは脳の外にあると云う。
思い出は檻の中にあると云う。
私は——。
松宮は鈴の前まで近寄った。

「鈴──」

鈴は睨んでいる。

「鈴。鈴さん。私は君の──君の──」

鈴は睨み続けている。動かない。

まるで人形だ。表情がない。

唇が動いた。

「帰れ」

「否、そうはいかない。私は──」

「帰れと云うているに」

「しかし私は君の──」


「今更何しに来たのか兄様」


「え？」

「兄様のために父様も母様も殺してあげたのに」

「す──」

「鈴子のことを焼き殺そうとしたね」

「すず――」

「兄様の子供なんか流れてしまったわ」

「わ、わあああ」

松宮は跳ね飛ばされるように後ろに飛んだ。

「す、鈴子――すずこお」


「折角ここで静かに幾年《いくとせ》も過ごしておッたものを、今更に訪れても知るものか。兄様なんか大嫌いだ。時が――流れてしもうたッ」


「う、うわあああああ」

私は悲鳴を上げた。松宮は上げる悲鳴もなく腰を抜かして逃げ出そうとした。

京極堂がその前方を塞いだ。

「落ち着け松宮君！　あれは君の子供なんかじゃないぞ。妹の鈴子さんだ！　ちゃんと。ちゃんと見ろ！」

「う、うああ」

京極堂は松宮の頬を打った。

「確乎《しっか》りしろ！　現実を見ろ。彼女は幽霊でもなければ何でもない。この世のものだ。君も禅僧なら弁《わきま》えろ！　君が余計な思い込みをするから——いい形で落すことが出来なくなってしまったんだ！」

鈴子は京極堂を睨んだ。

京極堂はゆっくりと鈴子を見た。

「すまなかったな」

鈴子は沈黙した。

その時。

私は空に異変を見た。

天が赤かった。

全員が上を見上げた。

ぱちぱちと燃えるのは篝火ではない。

「な、なんだ？　何ごとだ！」

山下が大声で云った。

空が赤く歪んでいる。

庫院が——燃えていた。

いや、火の手は他からも上がっているようだ。

大日殿。理致殿。雪窓殿。覚証殿。内律殿。

山下が叫んだ。

「何だ！　貴様らどこ見張っていた！」

「む、向こうには誰もいませんから」

「馬鹿者、さっさと見て来いっ！　お前は早く下行って消防を呼べ！　おい菅原！　ぼやぼやするなッ」

山下は腕を振る。

菅原が走る。警官達が駆りる。

続いて禅堂から火の手が上がった。

「拙《まず》い。危険だ。ここでは消火活動は不可能だ！」

「中禅寺君の云う通りじゃ。逃んと拙い。山火事になったら終《しま》いだ！」

「あれを――」

今川が回廊を指差した。

狐火の如き明かりがすうと一文字に筋を引いて、虎のように回廊を駆け抜けた。

鈴子がその透きを狙って駆け出した。

「危ない。誰か鈴子さんを」

私は鈴子を追って法堂の方に駆けた。

あれはあの世のものじゃなかったのだ。
しかしこの世のものでもなかったのだ。
時間と時間の隙間に落ちた娘だったのだ。
愛情が欠乏して成長が止まることがあると云う。
彼女は何かが欠けたまま、この明慧寺の結界に取り込まれたのだ。ならば救うべきだ。
鈴子は法堂に這入った。
「鈴子さんッ！」
「来《き》やるなッ」
榎木津が大股で私を追い越した。
鈴子は大雄宝殿に紛れ込んだ。
榎木津が大雄宝殿の扉を全開にする。
私は榎木津を追い越す。後ろから山下と京極堂が続いた。
更に常信と今川、仁秀が続いた。

鈴子は止まっていた。
暗黒の眸がゆらゆらと橙色の光を湛えている。
それは——炎だった。

大雄宝殿の中央に慈行が立っていた。

手に松明を持っている。めらめらと橙色の明かりが美僧の頰を艶めかしく染めている。

ゆらゆらと陽炎のように整った顔が揺れた。


「慈行さん。あんた――」

「黙れ外道！　おのれ、寄って集《たか》って拙僧の邪魔ばかりしおって！　こ、この山は拙僧のものぞ！　この寺は拙僧のものぞ！　これが祖父よりの悲願なり！」

「魔に魅入られたか！　正法を伝えし禅僧の振る舞いではない！　あんたは禅など学んでいない。修行などしていない。禅の言葉を学び禅の戒律を修しただけだ。伝えられた心がないんだ！　誰からも心は伝わらなかったか！」

「無駄だ京極！　こいつには何も通じない」

榎木津が叫んだ。

「如何にも！　拙僧は中身なき伽藍堂。ならば拙僧は結界自体なり！　結界破るるならば消えてなくなれ。外道如きに落せるか！　諸共死ねっ！」

慈行は松明を振り翳した。ぼう、と炎の風を切る音がした。忽《たちま》ちその炎は祭壇の幕に燃え移った。火焔《かえん》地獄の業火が祭壇をあっと云う間に包んだ。

めらめらと揺れ動く真っ赤な光は渦になって、
大日如来が浮かび上がった。
京極堂が息を呑んだ。
炎はすぐに天蓋に達した。
動くことが出来ない。
「喝！」
仁秀が叫んだ。
慈行が松明を向けた。
ぼう、と音がする。
「仁秀！　おのれ拙僧の令《いいつけ》がきけぬか！」
ぱちぱちと火焔が爆《は》ぜる。
紅《あか》い焔《ひ》。蒼《あお》い炎《ひ》。業業と燃える火。
それでも鈴子はまだ着飾っている。
緋《ひ》の模様。紺《こん》の模様。紫《むらさき》の模様。
色彩のない禅寺が、今は極彩色だった。
仁秀は云った。
「大悟。ただ今大悟致した」

「仁秀さんそれは——」

「拙僧の嗣ぎし法はこれを以て絶ゆる。常信様！」

「な、何か？」

「哲童を正法でお導きくだされ。生きる禅を——」

齢百歳の老僧はそう云い残して狂気の美僧に飛びかかり、その腕を摑んだ。

慈行の衣が風を孕み、その風は炎を呼んだ。

がらがらと祭壇が崩れた。

「鈴、去《い》ね！」

「拙い。出るんだ！」

山下が常信を扉の外に押し出した。

榎木津が京極堂を抱えるようにして炎から遠ざけた。

京極堂は大声で云った。

「鈴子さん！　戻って来るんだ！」

鈴子は炎の中で——。

笑った。


そして私に云った。

「兄様、御免なさいね」

私は強い眩暈を感じて倒れた。
耳元で唄が聞こえた。

釈迦殿教えを間違えて
数千《ちぢ》の仏が湧いたとな
数千の仏が――。

○隠里——今昔百鬼拾遺下之巻——雨

＊

火災が完全に鎮火するには丸二日かかった。

報せを聞いた消防団はあの手この手で消火活動を試みたが、水源に乏しい上に火元近くまで自動車が上がれなかったため、結局類焼を防ぐことに手一杯で、明慧寺は全焼した。

しかし消防団の尽力の賜物で大きな山火事に発展することだけは防げたらしい。

消えてみれば丁度明慧寺の寺領だけが燃えた格好になっていたと云う。

つまり結界の中だけが綺麗に焼けた訳である。

偶然とは云え不思議なことは矢張りあるものだ。

不思議なことと云えば、焼け跡で発見された遺体は、何故か一体で、それは慈行のものと思われた。鈴子はまた火災から逃れて、別の結界に入ったのかもしれぬ。そして、仁秀老人は——最初からこの世のものではなかったのかもしれぬ。

戸籍すらないのだから。

そう云えば榎木津もあの寺に犯人はいないと断言したと云う。聞けば榎木津は最初に明慧寺に行った時には仁秀老人とも哲童とも会わなかったらしいのだが、もし会っていたとしても——矢張りそう云っていたかもしれぬ。そんな気がした。

他の僧達は全員仙石楼に入っており、無事だった。僧達は山が赤赤と染まる様を見て一様に終末を予感したと云う。

哲童の怪我は幸いにも致命傷ではなく、鳥口と同じ病院に収容された。また彼はその杉山と云う名字から係累が知れた。本名は杉山哲夫と云うのだそうである。震災で亡くなったものと思われており、三十年振りの生存確認に縁者は大いに驚いたと云う。

私はと云えば大雄宝殿で気を失い、危うく落ちてくる梁か何かに挟まれそうになるところを、今川に担ぎ出されて助かったのだそうだ。気がついたのは仙石楼の部屋だった。誰が運んでくれたものか気になったが、聞いても詮方ないので止した。

現場にいた者は殆ど無事だったが、何故か山下は右後頭部に火傷を負った。それも酷いものではなく、精精禿げる程度で済んだらしい。

石井警部は得意の動物的危機感知能力を遺憾なく発揮して最善の事後処理に当たった。山下はどう云う訳か萎れるでもなくそれに協力した。

事情聴取があるので私は仙石楼に足止めされた。

僧達はそれぞれに様様な禅寺叢林に入ることになったらしい。京極堂が築地の先生に根回ししたのかもしれないし、そう云うことはしてくれないお方なのかもしれない。でも、私はそんな気がした。

加賀英生は桑田常信と共に桑田の元いた寺に行くそうである。牧村托雄は松宮のいた鎌倉の叢林に行くことが決まったらしい。ただ、ひとり円覚丹だけは行き場所がなかったようである。しかし、今更改宗するのも潔くなし、禅宗にも真言宗にも顔向けできぬと云って、還俗することに決めたと聞いた。


こうして、箱根山連続僧侶殺人事件は終わった。


豪く永く感じていたのだが、暦を見ると箱根に入ってからまだ一週間しか経っていなかったようだ。もう何箇月も経っているような気がしていた。

私は思考を完全に中止することで取り敢えず自分を保っている。京極堂はこれ以上人相の悪い奴はいないと云った風で暫く口も利かなかった。榎木津は殆ど眠っていた。

私は初めて庭に出てみた。

庭は眺めるものではなく出てみるものだ。

すっとした。

大木も下から見ると雰囲気がまるで違う。

庭には松宮仁如と飯窪季世恵がいた。

松宮は深深と頭を下げた。

「関口先生。この度はお世話になりました」

「僕は何もしてない。ねえ飯窪さん」

「いいえ」

飯窪は笑った。

「松宮君。君は罪に問われるのですか？」

「解りません。逮捕等はされないようです。昔のことですし、山下警部補が色色確認してくださっているようです」

「そうですか。で、これからどうするのですか？」

「はい。鎌倉の本山に連絡を取りました。こちらの末寺で修行の遣り直しを致します。鈴子の菩提《ぼだい》も弔わねばなりませんし、小坂様のやっておられた環境保護団体の仕事も引き継いで致そうかと思っております」

「鈴子さんは――」

――まだどこかに。

「はい。あの時中禅寺様が仰せになった通り、私さえ確乎《しっか》りしておれば、鈴子はあんなことにはならなんだ。私は結局、十三年前と同じことを繰り返してしまいました。ただ、これは今更悔いても始まらぬこと。幸い遺体は見つからぬ由、生存を心の隅で望んで生きる所存にございます。もし生きておったなら、今度は確乎り兄として迎えてやるつもりです」

「兄として？」

「はい。妹と——どこかで思うておりませなんだ。あれは妹。ならば何を畏れることがあったかと、不思議な気さえ致します。中禅寺様に打たれて目が覚めました。私は己の中の病んだ部分を見ていたのでございましょう。正せぬ過ちなどないのでございましょうから。これからでございます」

松宮仁如は健全だ。この青年は実は肚の底からこうなのだ。ただ京極堂の云う通り、人格などは一定したものではないのだろうから、健全な時は誰しも健全なのかもしれない。

私は柏の木を見上げた。

もう落ちる程雪はない。結構見通しが善くなっているじゃないか。そう思った。

座敷には今川と久遠寺翁がいた。

真ん中には碁盤が出ているが碁を打っている様子はない。私は松宮と飯窪に会釈をして、そちらに向かった。

「おお。関口君。年寄りの冷や水だ。足腰がガタガタだわい。今川君何ぞまだ元気だ」

今川は私を見て少し笑った。私はこの喜怒哀楽の摑み悪い男の表情の機微を少し感じ取れるようになっている。

「どうも——何と云っていいか。今川さん」

「待古庵でいいです。皆そう呼ぶのです」

「はあ」

今川は何だか解らぬ笑みを浮かべた。

「ああ。儂は——また娘を失った気分だわい」

久遠寺翁は深刻なことを平然と云った。

「そのな、今度また、東京で開業しようかと思うておる」

「本当ですか」

「本当じゃ。ここにいつまでも居る訳にもいかんだろうて」

翁は顎を引いて躰を倒した。癖なのだ。

「中禅寺君は——あれもかなり消耗しとったようだが、大丈夫かな？」

「ああ。平気です」

平気な筈だ。

「そうか。強いのう。榎木津君なんざ君を担いであの山下りたんだから大したもんだ」

「榎木津が――ですか？」

私を運んでくれたのは榎木津だったらしい。

「関口さんはまた借りを作ってしまったのです」

今川はそう云った。


ふと富士見屋にいる妻のことを思い出した。

無性に懐かしく思えたが、顔を合わせた時に云う言葉が見つからなかった。こう云う事件がある度、私は妻に背徳《うしろめた》さを感じるようになっている。


二日後、私達は解放された。

私と京極堂は敦子と榎木津を伴い富士見屋に帰った。

富士見屋の子熊のような親爺は私達を見ると、

「ああ、善く、まあご無事で」

と云った。駐在から少し話を聞いたらしい。

部屋には松葉杖を携えた鳥口が妻達と共に待っていた。鳥口は京極堂を見るなりに、

「僕がついていながら面目無い。と云うより僕が面目無いです。反省しています」

と変な姿勢で謝った。

「まったくだ。罰として今後僕のことを師匠と呼ぶのは止してくれ」

「うへえ。そりゃあ手厳しい」

鳥口は相変わらずの軽口振りである。懲りていない。私は何となく妻の顔がまともに見られず、ろくに挨拶もせぬまま黙って外套を渡した。妻は、

「まあ。髭くらい剃ってくださいな」

と云った。

京極堂の細君は黙って茶を淹れてくれた。

しかし京極堂は矢張り口数が少なく、そのまま茶も飲まずにあの蔵に向かった。

愛想のない男だ。

——あの蔵。

唯一残った幻想の残骸。あれがこの世のことであったと云う証し。その中には——。

——あの本はどうしたのだろう？

京極堂は三時間程で戻った。

友人は妙に爽然《さっぱり》した顔をしていた。

榎木津が横になったまま京極堂の足を蹴った。

私は尋いた。

「京極堂。あの蔵の中にその――」

「ああ。云っただろう。駄目だったって」

相変わらずの即答である。

「駄目って――」

「ああ。入口付近の奴は無事だったんだが、中身は全部駄目さ。善くあそこまで齧るもんだと云わんばかりの惨状だ」

「齧るってなんだ？」

「文字通り齧るだ。鼠の巣になっていたのだ。しかもただの鼠じゃないぞ。海狸鼠《ヌートリア》だ」

「ヌートリア？　あの毛皮を取る大鼠か？」

「そうさ。普通は湿地にいるんだがな、奥の方がどこか地下の方に繋がっていたのかもしれないね。暖かいし、住み易かったのか大繁殖だよ。僕等が蔵に入ったんで、それが大挙して逃げ出したんだ。お蔭で近隣一帯から苦情が殺到だそうだよ。笹原さんが責任とって駆除すると云っていたが、彼も結局大損だ」

大鼠は本当にいたのだ。

「じゃあ、ここの奴も――仙石楼のもか！」

「そうなんだ」

「ヌートリアたあ何です？」

鳥口が尋いた。

敦子が答えた。

「戦前から輸入している大きな鼠です。最近野生化したのもいるらしいけど、このくらいあるの」

「うへえそりゃあでかい」

「まあ——気味の悪い」

京極堂の細君が顔を顰めた。

「矢ッ張りいたじゃないか鳥ちゃん！」

榎木津は寝乍ら偉そうに云った。

「奥から子鼠がうようよ出て来た。本は玉石混交のまま、全部紙屑で復元不可能。お蔭で僕のいない間は大騒ぎだ。屑の中からまともなのを捜すのが大変だったらしい。結局ぱあだ」

「じゃあ『禪宗祕法記』は」

「あったんだろうが、だから——紙屑さ」

京極堂はそう云った。

——結局何もなくなってしまったのだ。

京極堂はそして窓の方に行き、

「廓然無聖《かくねんむしょう》。これで良かったのだな」

と念を押すように云った。

私はその横に行って一緒に窓の外を見た。

嘘のように静かだ。せせらぎが聞こえる。

「十牛圖の——」

京極堂は云った。

「あの十牛圖の最後の二枚は——きっと仁秀さんが捨ててしまったのだろうなあ。あの人がどんな気持ちで入鄽垂手を見たかと思うと——どうにもなあ」

入鄽垂手——それは、悟後野に下りて衆生を救う図なのだそうだ。布袋は中国では彌勒菩薩なのだと云う。ならばそれが現れるのは五十六億七千万年後なのだ。そんな気の遠くなるような時間でも、待っていれば必ず来ると云うのなら、待つこともできようが——。

私はあの、消えてしまった寺に思いを馳せた。

「そうだ。なあ京極堂、和田慈行は——何で嘘を吐いたんだろうな」

「嘘？」

「夜坐していたのが常信さんかどうか判らなかったとか云ったんだろう。本当は必ず判る筈なのに」

「ああ」

京極堂は連れない声を出した。

「あの人——慈行さんにはさっと本当に判らなかったんだよ。あの人は——」

そしてそこで黙った。

横に長くなっていた榎木津が急にむくりと起き上がって私の横に並んだ。京極堂がいつものように片眉を吊り上げて、私の方を見もせずに云った。

「僕はまた明石先生に叱られたよ」

「何だ。また叱られたのか」

「ああ。腕が悪いなら大きな仕事はするな、扱うものが難し過ぎて手に余っている、危なっかしくて見ていられない——とね」

「ああ」

「全くその通りだったな」

京極堂は遠くを見ている。

「君は榎さんよりは役に立っただろう」

「黙れ猿。僕は正しいから君よりはマシだ」

榎木津はそう云った。そうなのかもしれない。

「明石先生と云えば——おい京極堂。例の謎掛けの答を教えてくれよ。解ったのだろう」

「何だ、君は判ってなかったのか？　困った男だなあ。あれはね、こう云うことだ。朱雀は南、玄武は北。青龍は東を表すだろう。空と海の間——空海の寺にいたのは南宗の末裔だけじゃない、東寺出身の貫首も、北宗禅の継承者もいたじゃないか。明石先生はだから、僕なんかでも少しは勝ち目はあるぞ、と教えてくれたのだがね——」

京極堂は再び黙った。そしてこう続けた。

「——鈴子さんを引き戻すことはできなかったよ」

「此岸《こっち》にいるばかりが——いい訳じゃないよ」

愚かな慰め方だ。しかし半分は本心だった。

勿論京極堂は答えなかった。

「あの寺は——矢ッ張り幻想だったのかな」

「そんな訳はない。蔵が残っている」

「そうだが——」

「ああ云う場所はもう——これから先はなくなってしまうのだろうな。そうした場所はこれから先個人個人が抱え込まなくちゃいけなくなるんだ」

京極堂はそこでふう、と気を抜いて、

「まあ時代の流れだ——仕方がないか」

そう云って窓の外を見た。

私も一緒に雪景を眺める。
雪は降っていない。でも外は白い。
その白に、私は残像のように幻影を見る。
雪の中を矍鑠と姿勢良く歩いて来る黒い影法師。
網代笠に錫杖。絡子に緇衣。
まるで水墨画の如き僧。
そしてその後ろに、
振袖を着た少女。
もう畏くはない。
京極堂は呟いた。

「拙僧が――殺めたのだ」

もう暫く箱根にいようと、私は思った。

（了）

参考文献

『鳥山石燕画図百鬼夜行』高田衛監修／国書刊行会

＊

『正法眼藏』衛藤即應訳注／岩波書店
『臨済録』入矢義高訳注／岩波書店
『碧巖録』朝比奈宗源訳注／岩波書店
『日本禅宗史』竹貫元勝著／大蔵出版
『中国禅宗史話』石井修道著／禅文化研究所
『無門関講話』柴山全慶著／創元社
『禅門の異流』秋月龍珉著／筑摩書房
『禅学大辞典』駒澤大学編纂所編／大修館書店
『臨済録提唱』足利紫山著／大法輪閣
『箱根山の近代交通』加藤利之著／かなしん出版
『箱根の逆さ杉』大木靖衛他共著／かなしん出版

＊作品中に引用しております無門関公案の表記に就きましては、左記『無門関講話』の表記を参考にさせて戴きました。

解　説——宗教体験は人を殺すか

正木　晃

（解説文中で「犯人」の犯行動機について触れています。未読の方はご注意ください。）

正木　晃（まさき・あきら）

一九五三年、神奈川県生まれ。筑波大学大学院博士課程修了。国際日本文化研究センター客員助教授、中京女子大学助教授などを経て、現在、早稲田大学大学院非常勤講師。国立民族学博物館共同研究員。専門は宗教学（チベット・日本密教）、とくに修行における心身変容や図像表現を研究。著書（共著を含む）に『密教の可能性』（大法輪閣）、『空海の世界』（佼成出版社）、『チベット仏教図像研究』（国立民族学博物館）、『チベット密教の神秘』（学習研究社）、『チベットの「死の修行」』（角川選書）、『チベット密教』（ちくま新書）、『はじめての宗教学　「風の谷のナウシカ」を読み解く』（春秋社）などがある。

＊

達磨毒殺

禅宗の祖、達磨《だるま》は毒殺された——。

という説がある。あるどころか、禅宗文献の大半がこの達磨毒殺説を採用してきたのだから、定説と呼んだほうが当たっている。

ことの真偽はわからない。しかし、晩年の達磨が洛陽《らくよう》で苛烈な弾圧にさらされ、まもなく示寂《じじゃく》したことは事実である。ちなみに、達磨毒殺説を最初に唱えたのは、この『鉄鼠の檻』の「犯人」が属する北宗禅（漸悟禅）系の書物。犯人は、ある高名な仏典翻訳僧と伝えられる。以上は、仏教史上、最大級のミステリーといっていい。

仏教は、他の宗教、たとえばキリスト教やイスラム教に比べれば、温和かつ非戦闘的な宗教とおもわれている。たしかに仏教には、魔女裁判もなければ、異端審問もなかった。したがって、殺人とは縁がないはずだが、この達磨の例のみならず、じつは存外、血塗られた歴史がある。

まず仏陀の二大弟子のうちの一人、神通第一とうたわれた目連《もくれん》（モッガーラーナ）が、惨殺されている。仏教の台頭をこころよく思わない裸形外道《らぎょうげどう》（ジャイナ教徒）が雇った盗賊の犯行だったという。大乗仏教最大の論師（哲学者）にして八宗の祖とたたえられる龍樹《りゅうじゅ》（ナーガルージュナ）は、外道との抗争のなかで殺害されたとも自死したとも伝えられる。その後を継いだ聖天《しょうてん》（アーリヤデーヴァ）は、仏教には珍しくかなり挑発的な人格だったようで、外道と激しく論争したあげく、彼等の崇める神像の両眼をくり抜き、案の定、恨みをかって殺害された。

チベット仏教も、血塗られた話に事欠かない。チベットに初めてインドの正統仏教を伝えたシャーンタラクシタは、乗っていた馬が突如、暴走し墜死した。中国仏教に肩入れする勢力の仕業だったらしい。その弟子のカマラシーラも、同じく敵対者にそそのかされた者に内臓をえぐり出されて殺された。チベット仏教の四大宗派の一つ、カギュー派の偉大な祖師で、同時にチベット最高の詩人でもあったミラレパは、最晩年に到り、彼の成功をねたむ僧侶によって毒殺されている。チベットの聖俗を統べるダライラマにしても、実質的な初代に当たる三世（一世と二世は後付け）から現在の十四世に至る間に、六世、九世、十世、十一世、十二世が権力闘争の犠牲となって暗殺された。

日本仏教でも、殺人事件はあまりなかったとはいえ、陰湿で忌まわしい事件が多々起こっている。『鉄鼠の檻』のタイトルの由来となった頼豪《らいごう》が寺門（園城寺《おんじょうじ》）の僧なら、長らく敵対関係にあった山門（延暦寺《えんりゃくじ》）には良源《りょうげん》（慈慧大師・元三大師）がいた。この第十八世天台座主《てんだいざす》は抜群の霊力と行動力で名高かったが、生前、寺門を滅ぼそうとして朝廷から止められたがために鬱屈し、死後、亡霊となって甲冑《かっちゅう》をまとい、寺門を攻めて焼き払ったという伝承がある。

そうしたこととは無縁に見えがちな禅でも、事情はさして変わらない。明治時代には、某禅寺の管長職をめぐって刃傷沙汰《にんじょうざた》が生じたこともあったと聞く。戦後に限っても、ご存じのとおり、金閣寺の放火事件があった。報道はされなかったが、京都のさる有名な禅寺では、同性愛を拒絶された禅僧が嫉妬に狂って放火におよび、逮捕後、精神病院に収容されるという事件も起こっている。

薔薇の名前

宗教といえども、所詮は人間の営みというしかないところがついてまわる。そこに、嫉妬や羨望など、人間性の負の面が露《あら》わになったとしても、不思議ではない。

ましてて寺院や教団といった組織が誕生すれば、いやでも組織の論理がはたらく。その内部では熾烈《しれつ》な権力闘争が勃発しがちである。ゆえに、本来ならば宗教からほど遠い行為をあえて冒《おか》す事態も出来《しゅったい》する。

俗界の組織であれば、どんな問題も、最終的には金と暴力でかたが付く。しかし、仏教に限らず、こと宗教の世界では、そうはゆかない。仮にその行為が専《もっぱ》ら俗的な要素に由来している場合であっても、宗教的な観点から正当化してくるから、話が面倒になる。

それでも、その行為が俗的な要素のみに由来している場合なら、まだましかもしれない。俗には俗の常識というものが介入してくるので、そう極端な結果は生まないからである。

問題は、その行為が、少なくとも当事者にとって、専ら宗教的な要素に由来していると認識されている場合である。この場合、往々にしてとんでもない結果が生まれる。いわゆる狂信とか原理主義とか呼ばれる類の行動が、それに当たる。

現実には、以上述べた二つのケースが、ごちゃ混ぜになっていることが多い。そうなると事態はいっそう錯綜して、言い古された表現で恐縮だが、謎が謎を呼ぶ。

だから、寺院を舞台とするミステリーがあってもいいのではないか、と長らく待望してきた。それも、できれば、事件の原因が、愛憎とか権力とか政治的陰謀といった、ふつうのミステリーにありがちな類ではなく、宗教哲学的な要素と絡み合っているような作品を、である。宗教哲学的な要素とは、もう少し具体的にいうと、教義および教義に由来する特有の組織形態と継承法を指す。実は、これが門外漢にとっては非常に入りにくい領域なのだ。

これまで寺院を舞台とするミステリーがほとんど書かれなかった理由の一つは、ここにある。ミステリーの中に必要不可欠の要素として、いま述べた領域を取り込むのは、作家に相当の知識と理解力と筆力がないと実現しない。残念ながら、日本にはそれだけの力量を備えた作家は出ていなかった。

その意味で、こちらはキリスト教だが、イタリアの記号論の大家として著名なウンベルト・エーコが書いた『薔薇の名前』はみごとな作品である。

笑いのすばらしさを明らかにした古代ギリシアの大哲学者アリストテレスの文献を、みずから異境に危険をかえりみず探し求め、僧院附属の図書館に収蔵していながら、殺人を犯してまでひたすら隠そうとする年老いた修道僧ホルへ。笑いを人間性の不可欠な発露とみなし、新たなキリスト教の可能性を模索する修道士ウィリアム。両者の間には、「イエスは笑わなかった。ゆえにキリスト教に笑いは必要ない。知性ある人間は笑ってはならない。笑うと人間は醜く、猿のようになる」という、中世キリスト教の頑なな教条がわだかまっていた。

エーコは、この二人の葛藤を巧妙極まりないミステリーに仕立てあげた。しかも、読者は謎を追って読み進むうちに、エーコの本業ともいうべき記号論をそれとは気付かぬうちに学びつつ、中世キリスト教という壮麗無比かつ摩訶不思議な大迷宮に誘い込まれ、結果的にごく自然に、ヨーロッパの精神的原風景に出会うべく書かれている。

禅は難しい

今回、京極夏彦氏の『鉄鼠の檻』を読了して、日本にもようやく宗教をミステリーとして書ける作家が出現したことを実感した。前作の『狂骨の夢』も、謎に満ちた性の宗教として知られる真言立川流を素材とする見事なミステリーだったが、この『鉄鼠の檻』では、さらに宗教の深奥に筆が及んだ印象がつよい。

宗教学者のはしくれの私がいうのも変だが、禅の世界はまことに理解しがたい。私自身は、日本密教の研究からはじまって、(師のツルティム・ケサン先生にいわせれば前世からの因縁で)チベット密教の世界に入り、最近はこれまたひょんな因縁から禅の研究をするはめになった。この間、精神病や心身症に苦しむ人々を救済するために、宗教にひそむさまざまな智恵や情報を求めて、精神科医との共同研究もつづけている。そうした経験からすると、今も述べたとおり、禅は難しい。

その最大の理由の一つは、禅は文献を重んじない点にある。まさに「不立文字《ふりゅうもんじ》」なのである。むろん、各種の公案《こうあん》や道元《どうげん》の『正法眼蔵《しょうぼうげんぞう》』のように、重要な文献がないわけではない。

しかし、その公案や『正法眼蔵』にしたところで、読んで悟れる、というような代物ではない。

だいたい読んだだけで悟れるなら、こんな簡単な話はないのであって、仏教という宗教全体がそのようにはできていない。大半の仏教文献は、体験と照らし合わせて初めて意味をもつべく書かれている。したがって、文字面だけを追っても、さして意味はない。

それでも、密教は、儀礼を重んじたり、マンダラをはじめとするいろいろな図像を用いたりするので、まだわかりやすい面がある。とくにチベット密教の場合、修行のノウハウなどがじつに詳細に記されているから、書かれているとおりに実践してみると、それらしい体験が案外、簡単に実現してしまう。逆にいえば、この点はかなり危険でもあり、オウム真理教が勢力を拡大できた原因の一半は、ここにあった。

しかし、禅はそうはゆかない。チベット密教とは全く反対に、ノウハウは徹頭徹尾、排除されているからである。また禅は、密教と並んで、仏教美術の宝庫だが、密教と違って、禅の美術をいくら見ていても、修行の助けにはならない。なぜなら、密教図像は、最初から修行のための、いわば装置として制作されているのに対して、禅の絵画は、到達した境地を、いわば素描しただけで、なにごとか語ることを拒否しているからである。

そうした難物中の難物の禅に、当代一流の表現者たる作家が挑んだ結果が、今、『鉄鼠の檻』というかたちで、私の机上にある。

驚くべきことに、『鉄鼠の檻』には、少なくとも私が現時点で了解している「禅」について、ほぼ完全に描き出されている。読者はこのミステリーを読むことで、禅の何たるか、を実に高いレヴェルで知ることができる。それも、苦心惨憺しながら、難解な論文を読むことなしに、楽しみつつ、である。北宗禅が空海のころ日本に伝来したという大胆な仮説はむろん傾聴に値するし、京極堂が縷々《るる》かたった禅に関する情報は、そんじょそこらの宗教学者が書いた読みづらい論文よりも正確かつ豊富といってもいい。

わけても、巻末近くで京極堂と仁秀がかわす問答は秀逸の極みといってよく、これまで書かれた禅の解説書など、足元にも及ばない充実ぶりである。

すなわち私たちは、京極夏彦氏のおかげで、エーコの『薔薇の名前』に匹敵する宗教ミステリーを読める幸福に恵まれたというわけだ。となれば、次は『鉄鼠の檻』を英訳して、欧米の人々にも読んでもらえるようにしていただきたいとおもう。そうすれば、日本理解の有力な一助となるはずだ。これは、是非ともお願いしたい。

悟りとは何か

今も述べたとおり、『鉄鼠の檻』は、丁寧に読んでゆきさえすれば、専門論文とちがって、参考文献も何もなしで、禅の全体像を把握できる。したがって、これ以上の詮索は、本来、無用である。しかし、それでは、文芸評論家ならぬ宗教学者を解説者に選んだ意味がないかもしれず、蛇足を承知の上で、あえて解説めいた駄文を弄してみたい。

このミステリーを読む者が最も理解しがたいのは、さきほど指摘したように、悟りの問題だろう。しかも、『鉄鼠の檻』では、悟りの問題こそ、次々に起こる殺人事件を解くカギであるから、ここらあたりが納得できないと、読者は作家に置き去りにされたような気になってしまう。

悟りとは、いったい何か。とりわけ、禅における悟りとは何か。

結論からいえば、この質問には答えられない。なぜなら、悟りは言葉による表現を全く拒否しているからである。もし、悟りを定義するとすれば、その最有力候補は、言語表現の彼方《かなた》、ということになるかもしれない。

しかし、こういってしまっては、話にならない。以下、私の臆断ということで、見解を述べさせていただこう。

仏陀自身はさておき、仏陀在世のころは、悟りはさほど難しく考えられていなかった形跡がある。仏陀の弟子たちから、比較的短期間のうちに悟りを得た者が何人もあらわれ、仏陀と同じく「覚者」と呼ばれているからである。

たとえば、仏弟子の第一号とされるコーンダンニャの場合、他の四人の修行者とともに、仏陀を相手に丁々発止すること一、二週間ほどで、「わかった」と大声を上げ、仏陀も「コーンダンニャはわかった」と叫んだ。この場合の「わかった」は、「悟った」という意味にとっていい。つまり、コーンダンニャは「悟った」といい、仏陀もそれを認定したのである。そして、コーンダンニャの「わかった」をきっかけに、残る四人も次々に「わかった(=悟った)」といい、ここに仏教教団が誕生した。

しかし、時の経過につれ、原因は定かではないが、悟りは非常に得がたいものとなってゆく。紀元前後ころから起こった大乗仏教の時代になると、「三劫成仏」が唱えられるようになる。劫については諸説あるが、いずれにしても人間的な基準からすれば、ほとんど無限に近い時間の長さを意味する。つまり、悟りを得て成仏するには「約無限×3」という時間が必要と考えられていたわけだ。そうなると、悟りとは何か、という設問はさしたる意味をもたなくなる。

乱暴な言い方をすれば、「それでは堪らん!」という悲鳴から生まれたのが、禅と密教かもしれない。禅は来世以降のことを語らない。密教もまた「即身成仏」、すなわち「この世で生きた身体のままで悟れる」ことをめざすべく構想された。「悟りはこの世で」という点において、禅と密教は共通する。いってみれば、禅と密教は、一度は無限の時間の彼方に退けられた悟りを、仏陀在世時と同じように、この世に引き戻したのである。この意味からすると、京極夏彦氏が、『狂骨の夢』で密教を扱い、それからこの『鉄鼠の檻』で禅を扱ったのは、私には腑に落ちる。

脳という檻

しかし、悟りをこの世に引き戻してみると、悟りとは何か、という問題がまた急浮上してこざるをえない。この問いに対して、禅は宗教体験という場を最大限、活用した。要するに、悟りは宗教体験という場に顕現する、もしくは宗教体験という場を経て得られる、とみなしたのである。この方式は、なにも新奇なものではない。仏陀が菩提樹下で解脱を遂げたときの原点に回帰したまでである。

もちろん、ここでも多くの難問が出来する。宗教体験の深浅はどのように判別するのか。宗教体験は一回だけで良いのか。悟る前と悟った後で、人は変わるのか否か、などなどである。このあたりのことは、さきほども指摘したように、『鉄鼠の檻』巻末近くの京極堂と仁秀の問答で、実に的確に繰り広げられている。

それらと並んで、このミステリーの中で最も私の関心を引いたのは、作品全体からすれば中程のやや後ろに当たる部分（八二二ページ）でなされる京極堂と関口の問答である。

関口――……坐禅と云うのは薬物を用いずに薬物を投与した時と同じような生理的効果を齎す行為なんだな。（中略）素晴らしき幻覚――神秘が訪れることもある訳だ。しかし、それを――受け流すから修行なんだな。いや、受け流すことができるようになるために修行をする――のかな？　ためにとか云ってはいけないのか。

京極堂――そうだ。魔境と云うのはその素晴らしく清浄な幻覚自体を云うのではない。その幻覚妄想を、悟りと勘違いしてしまう状況の方を云うのだ。同じ幻覚を見ていて、修行のなっていないものはそれに嵌り、なっているものは受け流すだけだ。だから生理的な区別はない。悟りは脳波では測れない――解りましたか常信和尚。科学と宗教は、補い合うことはあっても寄り添ってはならぬものなのです。

ここには、禅や密教には必ずといっていいほどついて回る神秘体験（≠宗教体験）に対する、すこぶる健全な見解が開陳されている。

とくに魔境に対する見解は、秀逸というしかない。さらに、宗教と科学という、永遠の課題について、正鵠《せいこく》を射た見解も述べられている。

この『鉄鼠の檻』が書かれた時期を考えれば、これらの見解は、オウム真理教という未曾《みぞ》有《う》の惨劇を引き起こしてしまった宗教集団に対する、京極夏彦氏の解答にほかならないと私はおもう。オウム裁判に参考人として出廷し、宗教学者としての見解を求められた者として、この京極夏彦氏の文言のもつ重要性を、あらためて指摘しておきたい。

そしてもう一つ、禅の本質に迫るとおぼしき京極堂の言葉を引用しておこう。これほど鮮烈に禅の何たるかを語った文言を、他に私は知らない。

　宗教には神秘体験が必要不可欠だ。しかし神秘体験と云うのは絶対に個人的認識なのだ。仮令《たとえ》どれ程凄い体験であろうとも、神秘は凡て個人の脳内で解決できてしまうものだ。その神秘体験を何等かの説明体系を用いて個人から解き放ち、普遍的なものに置き換えると宗教が生まれる。つまり神秘を共有するために、凡ての宗教は道具――言葉を必要とするのだ。

　……禅は個人的神秘体験を退け、言葉を否定してしまう。禅で云う神秘体験とは神秘体験を凌駕した日常のことを指すのだ。つまり、数ある宗教の形の中で、殆ど唯一、生き乍らにして脳の呪縛から解き放たれようとする法が禅なのだ（一二〇六ページ、傍点原文）。

宗教体験は人を殺すか

それにしても、読者の多くは、なにゆえに「犯人」が多くの禅僧を、それも悟った順に、殺害しなければならなかったか、いまひとつ納得できないのではなかろうか。実は、私もこの点には疑念が残らないではないのだが、おそらくそこには深い宗教体験が実現するかしないか、という問題が関わっているようにおもわれる。

たとえ、いま引用した京極堂の文言の正しさを了解していても、また他者からどんなに否定されても、一度強烈な宗教体験をした者は、その体験にすがりつづける傾向がある。そして、強烈な宗教体験を実現した者が近くにいれば、自分もまた、そうした宗教体験を味わってみたいと熾烈に願う傾向も否めない。

オウム裁判に参考人として出廷するにあたり、私は膨大な被告人質問や証人調書などの記録書類を読む機会を得た。そこには、一般人を遥かに越える学歴と知識をもった人々が、如《い》何《か》に宗教体験なるものに魅せられ、そのためならば自分の生命を失うこともあえて辞せず、なかには他人の生命すらも引き替えにしてしまう事実が、微に入り細に入り綴られていた。

そのとき受けた衝撃から推せば、みずからが奉ずる漸悟禅では悟りの体験を得られず、頓悟禅によって大悟してゆく僧を、妬ましさ、悔しさから、次々に殺害していった「犯人」の心の動きが、わからないではない。むろん、「犯人」の行為は、決してあってはならぬことであり、彼自身が認めたように「浅まし」く、結局、「犯人」は「檻の中の鼠」だったのだが……。

しかし、今後も、みずから「檻の中の鼠」たらんとする者は出てくるにちがいない。私が十代の後半で密教の研究を志した一因も、宗教体験＝神秘体験という「檻」の魅力にあったといっていいかもしれない。その魅力は、宗教学者として、いくばくかの体験と知識を得た今でも、まだ完全には色褪せていない。この「檻」は、それほど人を引きつける。

ヴァーチャルな事象に包囲されつつある現代社会は、別の確固たる生の基盤として、宗教体験＝神秘体験に過剰な期待をかけ、激しく追い求める人々を、従来にも増して輩出しつづける可能性が高い。そんな時代に、この『鉄鼠の檻』のような、ミステリー仕立てでおもしろく読め、しかも非常に深い知見をあたえてくれる書物が登場したことは、多くの人々にとって、まちがいなく救済のすべとなるはずだ。専門研究者が、現実社会に目を向けず、ごく一部の専門家だけを対象に、重箱の隅をつつくような論文ばかり書いて自足している状況に、鉄槌を加えてくれそうな京極夏彦氏の健筆に、大いに期待したい。

＊おことわり四一八〜四二〇ページは作中人物が小説内で記した原稿という体裁で書かれています。小説内原稿のため文中に記載されている（写真1）〜（写真5）は実在しません。従いまして該当する写真・図版の類は掲載されておりません。

＊この作品は作者の虚構に基づく完全なフィクションであり、登場する団体、氏名その他において、万一符合するものがあっても、創作上の偶然であることをお断りしておきます。

（デザイン／辰巳四郎）

●本作品は一九九六年一月に講談社ノベルスとして刊行されたものです。文庫版として出版するにあたり、本文レイアウトに合わせて加筆訂正がなされていますが、ストーリーなどは変わっておりません。

公式ホームページ「大極宮」
https://www.osawa-office.co.jp/

|著者| 京極夏彦　1963年北海道生まれ。'94年『姑獲鳥の夏』でデビュー。'96年『魍魎の匣』で日本推理作家協会賞受賞。この二作を含む「百鬼夜行シリーズ」で人気を博す。'97年『嗤う伊右衛門』で泉鏡花文学賞、2003年『覘き小平次』で山本周五郎賞、'04年『後巷説百物語』で直木賞、'11年『西巷説百物語』で柴田錬三郎賞、'16年遠野文化賞、'19年埼玉文化賞、'22年『遠巷説百物語』で吉川英治文学賞を受賞。

公式サイト「大極宮」
https://www.osawa-office.co.jp/

文庫版《ぶんこばん》　鉄鼠《てつそ》の檻《おり》

京極夏彦《きょうごくなつひこ》

2001年9月15日第1刷発行
2025年9月25日第29刷発行

発行者――篠木和久
発行所――株式会社　講談社
東京都文京区音羽2-12-21　〒112-8001
電話　出版（03）5395-3510
　　　販売（03）5395-5817
　　　業務（03）5395-3615

Printed in Japan

講談社文庫
定価はカバーに
表示してあります

KODANSHA

デザイン―菊地信義
製版―――TOPPANクロレ株式会社
印刷―――株式会社KPSプロダクツ
製本―――加藤製本株式会社

ISBN4-06-273247-5

講談社文庫刊行の辞

二十一世紀の到来を目睫に望みながら、われわれはいま、人類史上かつて例を見ない巨大な転換期をむかえようとしている。

世界も、日本も、激動の予兆に対する期待とおののきを内に蔵して、未知の時代に歩み入ろうとしている。このときにあたり、創業の人野間清治の「ナショナル・エデュケイター」への志を現代に甦らせようと意図して、われわれはここに古今の文芸作品はいうまでもなく、ひろく人文・社会・自然の諸科学から東西の名著を網羅する、新しい綜合文庫の発刊を決意した。

激動の転換期はまた断絶の時代である。われわれは戦後二十五年間の出版文化のありかたへの深い反省をこめて、この断絶の時代にあえて人間的な持続を求めようとする。いたずらに浮薄な商業主義のあだ花を追い求めることなく、長期にわたって良書に生命をあたえようとつとめるところにしか、今後の出版文化の真の繁栄はあり得ないと信じるからである。

同時にわれわれはこの綜合文庫の刊行を通じて、人文・社会・自然の諸科学が、結局人間の学にほかならないことを立証しようと願っている。かつて知識とは、「汝自身を知る」ことにつきていた。現代社会の瑣末な情報の氾濫のなかから、力強い知識の源泉を掘り起し、技術文明のただなかに、生きた人間の姿を復活させること。それこそわれわれの切なる希求である。

われわれは権威に盲従せず、俗流に媚びることなく、渾然一体となって日本の「草の根」をかたちづくる若く新しい世代の人々に、心をこめてこの新しい綜合文庫をおくり届けたい。それは知識の泉であるとともに感受性のふるさとであり、もっとも有機的に組織され、社会に開かれた万人のための大学をめざしている。大方の支援と協力を衷心より切望してやまない。

一九七一年七月

野間省一

講談社文庫　目録

菊地秀行　魔界医師メフィスト〈怪屋敷〉
桐野夏生　新装版 顔に降りかかる雨
桐野夏生　新装版 天使に見捨てられた夜
桐野夏生　新装版 ローズガーデン
桐野夏生　OUT(上)(下)
桐野夏生　ダーク(上)(下)
桐野夏生　猿の見る夢
京極夏彦　文庫版 姑獲鳥《うぶめ》の夏
京極夏彦　文庫版 魍魎《もうりょう》の匣《はこ》
京極夏彦　文庫版 狂骨《きょうこつ》の夢《ゆめ》
京極夏彦　文庫版 鉄鼠《てっそ》の檻《おり》
京極夏彦　文庫版 絡新婦《じょろうぐも》の理《ことわり》
京極夏彦　文庫版 塗仏《ぬりぼとけ》の宴《うたげ》—宴の支度
京極夏彦　文庫版 塗仏の宴—宴の始末
京極夏彦　文庫版 百鬼夜行—陰
京極夏彦　文庫版 百器徒然袋—雨
京極夏彦　文庫版 百器徒然袋—風
京極夏彦　文庫版 今昔続百鬼—雲
京極夏彦　文庫版 陰摩羅鬼《おんもらき》の瑕《きず》

京極夏彦　文庫版 邪魅《じゃみ》の雫
京極夏彦　文庫版 今昔百鬼拾遺—月
京極夏彦　文庫版 鵺《ぬえ》の碑《いしぶみ》
京極夏彦　文庫版 死ねばいいのに
京極夏彦　文庫版 ルー=ガルー〈忌避すべき狼〉
京極夏彦　文庫版 ルー=ガルー2〈インクブス×スクブス 相容れぬ夢魔〉
京極夏彦　文庫版 地獄の楽しみ方
京極夏彦　分冊文庫版 姑獲鳥《うぶめ》の夏(上)(下)
京極夏彦　分冊文庫版 魍魎《もうりょう》の匣《はこ》(上)(中)(下)
京極夏彦　分冊文庫版 狂骨《きょうこつ》の夢《ゆめ》(上)(中)(下)
京極夏彦　分冊文庫版 鉄鼠《てっそ》の檻《おり》 全四巻
京極夏彦　分冊文庫版 絡新婦《じょろうぐも》の理《ことわり》 全四巻
京極夏彦　分冊文庫版 塗仏《ぬりぼとけ》の宴《うたげ》 宴の支度《したく》(上)(中)(下)
京極夏彦　分冊文庫版 塗仏《ぬりぼとけ》の宴《うたげ》 宴の始末《しまつ》(上)(中)(下)
京極夏彦　分冊文庫版 陰摩羅鬼《おんもらき》の瑕《きず》(上)(中)(下)
京極夏彦　分冊文庫版 邪魅《じゃみ》の雫(上)(中)(下)
京極夏彦　分冊文庫版 ルー=ガルー〈忌避すべき狼〉(上)(下)
京極夏彦　分冊文庫版 ルー=ガルー2〈インクブス×スクブス 相容れぬ夢魔〉(上)(下)
北森　鴻　親不孝通りラプソディー

北森　鴻　花の下にて春死なむ〈香菜里屋シリーズ1〈新装版〉〉
北森　鴻　桜宵〈香菜里屋シリーズ2〈新装版〉〉
北森　鴻　螢坂〈香菜里屋シリーズ3〈新装版〉〉
北森　鴻　香菜里屋を知っていますか〈香菜里屋シリーズ4〈新装版〉〉
北村　薫　盤上の敵〈新装版〉
木内一裕　藁の楯
木内一裕　水の中の犬
木内一裕　アウト&アウト
木内一裕　キッド
木内一裕　デッドボール
木内一裕　神様の贈り物
木内一裕　喧嘩猿
木内一裕　バードドッグ
木内一裕　不愉快犯
木内一裕　嘘ですけど、なにか?
木内一裕　ドッグレース
木内一裕　飛べないカラス
木内一裕　小麦の法廷
木内一裕　ブラックガード

木内一裕　バッド・コップ・スクワッド
北山猛邦　『クロック城』殺人事件
北山猛邦　『アリス・ミラー城』殺人事件
北山猛邦　私たちが星座を盗んだ理由
北山猛邦　さかさま少女のためのピアノソナタ
北　康利　白洲次郎　占領を背負った男　(上)(下)
貴志祐介　新世界より　(上)(中)(下)
岸本佐知子 編訳　変《ヘン》愛《アイ》小説集
岸本佐知子 編　変愛小説集　日本作家編
木原浩勝　文庫版　現世《うつしよ》怪談(一)　主人の帰り
木原浩勝　文庫版　現世怪談(二)　白刃の盾
木原浩勝　増補改訂版　もう一つの「バルス」〈宮崎駿と『天空の城ラピュタ』の時代〉
木原浩勝　増補改訂版　ふたりのトトロ〈宮崎駿と『となりのトトロ』の時代〉
喜国雅彦　国樹由香　メフィストの漫画
喜国雅彦　国樹由香　本格力〈本棚探偵のミステリ・ブックガイド〉
清武英利　石つぶて〈警視庁 二課刑事の残したもの〉
清武英利　しんがり〈山一證券 最後の12人〉
清武英利　トッカイ〈不良債権特別回収部〉
喜多喜久　ビギナーズ・ラボ

岸見一郎　哲学人生問答
木下昌輝　つわもの
黒岩重吾　新装版　古代史への旅
栗本　薫　新装版　ぼくらの時代
黒柳徹子　窓ぎわのトットちゃん　新組版
倉知　淳　新装版　星降り山荘の殺人
熊谷達也　浜の甚兵衛
熊谷達也　悼みの海
倉阪鬼一郎　八丁堀の忍
倉阪鬼一郎　八丁堀の忍(二)〈大川端の死闘〉
倉阪鬼一郎　八丁堀の忍(三)〈遥かなる故郷〉
倉阪鬼一郎　八丁堀の忍(四)〈隻腕の抜け忍〉
倉阪鬼一郎　八丁堀の忍(五)〈討伐隊、動く〉
倉阪鬼一郎　八丁堀の忍(六)〈死闘、裏伊賀〉
黒田研二　神様の思惑
黒木　渚　壁の鹿
黒木　渚　本性
黒木　渚　檸檬の棘
久坂部　羊　祝葬

黒澤いづみ　人間に向いてない
久賀理世　奇譚蒐集家　小泉八雲〈白衣の女〉
久賀理世　奇譚蒐集家　小泉八雲〈終わりなき夜に〉
雲居るい　破《は》蕾《らい》
鯨井あめ　晴れ、時々くらげを呼ぶ
鯨井あめ　アイアムマイヒーロー！
鯨井あめ　きらめきを落としても
窪　美澄　私は女になりたい
くどうれいん　うたうおばけ
くどうれいん　虎のたましい人魚の涙
くどうれいん　氷柱《つらら》の声
黒崎視音　マインド・チェンバー〈警視庁心理捜査官〉
決戦！シリーズ　決戦！関ヶ原
決戦！シリーズ　決戦！大坂城
決戦！シリーズ　決戦！本能寺
決戦！シリーズ　決戦！川中島
決戦！シリーズ　決戦！桶狭間
決戦！シリーズ　決戦！関ヶ原2
決戦！シリーズ　決戦！新選組

決戦！シリーズ 決戦！ 賤ヶ岳
決戦！シリーズ 決戦！ 忠臣蔵
決戦！シリーズ 風 雲〈戦国アンソロジー〉
小峰 元 アルキメデスは手を汚さない
今野 敏 ST 警視庁科学特捜班 エピソード1〈新装版〉
今野 敏 ST 警視庁科学特捜班 毒物殺人〈新装版〉
今野 敏 ST 警視庁科学特捜班〈黒いモスクワ〉
今野 敏 ST 警視庁科学特捜班〈青の調査ファイル〉
今野 敏 ST 警視庁科学特捜班〈赤の調査ファイル〉
今野 敏 ST 警視庁科学特捜班〈黄の調査ファイル〉
今野 敏 ST 警視庁科学特捜班〈緑の調査ファイル〉
今野 敏 ST 警視庁科学特捜班〈黒の調査ファイル〉
今野 敏 ST 為朝伝説殺人ファイル〈警視庁科学特捜班〉
今野 敏 ST 桃太郎伝説殺人ファイル〈警視庁科学特捜班〉
今野 敏 ST 沖ノ島伝説殺人ファイル〈警視庁科学特捜班〉
今野 敏 ST 化合 エピソード0〈警視庁科学特捜班〉
今野 敏 ST プロフェッション〈警視庁科学特捜班〉
今野 敏 特殊防諜班 諜報潜入
今野 敏 特殊防諜班 聖域炎上
今野 敏 特殊防諜班 最終特命
今野 敏 茶室殺人伝説
今野 敏 奏者水滸伝 白の暗殺教団
今野 敏 同 期
今野 敏 欠 落
今野 敏 変 幻
今野 敏 警視庁ＦＣ
今野 敏 カットバック 警視庁ＦＣII
今野 敏 継続捜査ゼミ
今野 敏 エムエス〈継続捜査ゼミ2〉
今野 敏 蓬 萊〈新装版〉
今野 敏 イ コ ン〈新装版〉
今野 敏 天を測る
今野 敏 署長シンドローム
後藤正治 拗《す》ね者たらん〈本田靖春 人と作品〉
幸田 文 崩 れ
幸田 文 季節のかたみ
幸田 文 台所のおと〈新装版〉
小池真理子 冬の伽藍
小池真理子 夏の吐息
小池真理子 千日のマリア
五味太郎 大人問題
鴻上尚史 あなたの魅力を演出するちょっとしたヒント
鴻上尚史 鴻上尚史の俳優入門
鴻上尚史 青空に飛ぶ
小泉武夫 納豆の快楽
近藤史人 藤田嗣治「異邦人」の生涯
小前 亮 〈宋の太祖〉趙《ちょう》匡《きょう》胤《いん》
小前 亮 〈天下一統〉始皇帝の永遠
小前 亮 劉《りゅう》裕《ゆう》〈豪剣の皇帝〉
小前 亮 ヌルハチ〈朔北の将星〉
香月日輪 妖怪アパートの幽雅な日常①
香月日輪 妖怪アパートの幽雅な日常②
香月日輪 妖怪アパートの幽雅な日常③
香月日輪 妖怪アパートの幽雅な日常④
香月日輪 妖怪アパートの幽雅な日常⑤
香月日輪 妖怪アパートの幽雅な日常⑥
香月日輪 妖怪アパートの幽雅な日常⑦

講談社文庫　目録

香月日輪　妖怪アパートの幽雅な日常⑧
香月日輪　妖怪アパートの幽雅な日常⑨
香月日輪　妖怪アパートの幽雅な日常⑩
香月日輪　妖怪アパートの幽雅な食卓〈るり子さんのお料理日記〉
香月日輪　妖怪アパートの幽雅な人々〈妖アパミニガイド〉
香月日輪　妖怪アパートの幽雅な日常〈ラスベガス外伝〉
香月日輪　大江戸妖怪かわら版①〈異界より落ち来る者あり〉
香月日輪　大江戸妖怪かわら版②〈異界より落ち来る者あり　其之二〉
香月日輪　大江戸妖怪かわら版③〈封印の娘〉
香月日輪　大江戸妖怪かわら版④〈天空の竜宮城〉
香月日輪　大江戸妖怪かわら版⑤〈雀、大浪花に行く〉
香月日輪　大江戸妖怪かわら版⑥〈魔狼、月に吠える〉
香月日輪　大江戸妖怪かわら版⑦〈大江戸散歩〉
香月日輪　地獄堂霊界通信①
香月日輪　地獄堂霊界通信②
香月日輪　地獄堂霊界通信③
香月日輪　地獄堂霊界通信④
香月日輪　地獄堂霊界通信⑤
香月日輪　地獄堂霊界通信⑥
香月日輪　地獄堂霊界通信⑦
香月日輪　地獄堂霊界通信⑧
香月日輪　ファンム・アレース①
香月日輪　ファンム・アレース②
香月日輪　ファンム・アレース③
香月日輪　ファンム・アレース④
香月日輪　ファンム・アレース⑤(上)(下)
近衛龍春　加藤清正〈豊臣家に捧げた生涯〉
木《この》原《はら》音《なり》瀬《せ》　箱の中
木原音瀬　美しいこと
木原音瀬　秘密
木原音瀬　嫌な奴
木原音瀬　罪の名前
木原音瀬　コゴロシムラ
近藤史恵　私の命はあなたの命より軽い
小泉凡　怪談四代記〈八雲のいたずら〉
小松エメル　夢の燈《ほ》影《かげ》〈新選組無名録〉
小松エメル　総司の夢
呉勝浩　道徳の時間
呉勝浩　ロスト
呉勝浩　蜃気楼の犬
呉勝浩　白い衝動
呉勝浩　バッドビート
呉勝浩　爆弾
こだま　夫のちんぽが入らない
こだま　ここは、おしまいの地
古波蔵保好　料理沖縄物語
ごとうしのぶ　いばらの冠〈ブラス・セッション・ラヴァーズ〉
ごとうしのぶ　卒業
古泉迦十　火蛾
小《こ》池《いけ》水《みず》音《ね》　こんにちは、母さん〈小説〉
小手鞠るい　愛の人　やなせたかし
講談社校閲部　間違えやすい日本語実例集〈熟練校閲者が教える〉
講談社MRC編集部 編　黒猫を飼い始めた
佐藤さとる　だれも知らない小さな国〈コロボックル物語①〉
佐藤さとる　豆つぶほどの小さないぬ〈コロボックル物語②〉
佐藤さとる　星からおちた小さなひと〈コロボックル物語③〉
佐藤さとる　ふしぎな目をした男の子〈コロボックル物語④〉

佐藤さとる 〈コロボックル物語⑤〉小さな国のつづきの話
佐藤さとる 〈コロボックル物語⑥〉コロボックルむかしむかし
佐藤さとる 天狗童子
佐藤さとる 絵／村上勉 わんぱく天国
佐藤愛子 新装版 戦いすんで日が暮れて
佐木隆三 慟哭〈小説・林郁夫裁判〉
佐木隆三 身分帳
佐高信 石原莞爾その虚飾
佐高信 わたしを変えた百冊の本
佐高信 新装版 逆命利君
佐藤雅美 ちよの負けん気、実の父親〈物書同心居眠り紋蔵〉
佐藤雅美 へこたれない人〈物書同心居眠り紋蔵〉
佐藤雅美 わけあり師匠事《こと》の顚末〈物書同心居眠り紋蔵〉
佐藤雅美 御奉行の頭の火照《ほて》り〈物書同心居眠り紋蔵〉
佐藤雅美 敵《かたき》討ちか主殺しか〈物書同心居眠り紋蔵〉
佐藤雅美 江戸繁昌記〈寺門静軒無聊伝〉
佐藤雅美 青雲遙かに〈大内俊助の生涯〉
佐藤雅美 悪足掻《あが》きの跡始末厄介弥三郎
佐藤雅美 恵比寿屋喜兵衛手控え〈新装版〉

酒井順子 負け犬の遠吠え
酒井順子 朝からスキャンダル
酒井順子 忘れる女、忘れられる女
酒井順子 次の人、どうぞ！
酒井順子 ガラスの50代
佐野洋子 嘘ばっか〈新釈・世界おとぎ話〉
佐野洋子 コッコロから
佐川芳枝 寿司屋のかみさん サヨナラ大将
笹生陽子 ぼくらのサイテーの夏
笹生陽子 きのう、火星に行った。
笹生陽子 世界がぼくを笑っても
沢木耕太郎 一号線を北上せよ〈ヴェトナム街道編〉
佐藤多佳子 一瞬の風になれ 全三巻
佐藤多佳子 いつの空にも星が出ていた
笹本稜平 駐在刑事
笹本稜平 駐在刑事 尾根を渡る風
西條奈加 世直し小町りんりん
西條奈加 まるまるの毬《いが》
西條奈加 亥子《いのこ》ころころ

佐伯チズ 改訂完全版 佐伯チズ式「完全美肌バイブル」〈123の肌悩みにズバリ回答！〉
斉藤洋 ルドルフとイッパイアッテナ
斉藤洋 ルドルフともだちひとりだち
佐々木裕一 公家武者信平《のぶひら》〈消えた狐丸〉
佐々木裕一 逃げた名馬〈公家武者信平㈡〉
佐々木裕一 比叡山の鬼〈公家武者信平㈢〉
佐々木裕一 公《く》卿《ぎょう》の罠《わな》〈公家武者信平㈣〉
佐々木裕一 狙われた旗本〈公家武者信平㈤〉
佐々木裕一 赤い刀身〈公家武者信平㈥〉
佐々木裕一 帝《みかど》の刀《とう》匠《しょう》〈公家武者信平㈦〉
佐々木裕一 若君の覚悟〈公家武者信平㈧〉
佐々木裕一 くもの頭領〈公家武者信平㈨〉
佐々木裕一 宮中の誘い〈公家武者信平㈩〉
佐々木裕一 雲《ひ》雀《ばり》の太刀〈公家武者信平(十一)〉
佐々木裕一 決着の鬨《とき》〈公家武者信平(十二)〉
佐々木裕一 姉妹の絆〈公家武者信平(十三)〉
佐々木裕一 町くらべ〈公家武者信平(十四)〉
佐々木裕一 影姫〈公家武者信平(十五)〉
佐々木裕一 斬旗党〈公家武者信平(十六)〉

佐々木裕一　狐のちょうちん〈公家武者信平ことはじめ(一)〉
佐々木裕一　姫のため息〈公家武者信平ことはじめ(二)〉
佐々木裕一　四谷の弁慶〈公家武者信平ことはじめ(三)〉
佐々木裕一　暴れ公卿〈公家武者信平ことはじめ(四)〉
佐々木裕一　千石の夢〈公家武者信平ことはじめ(五)〉
佐々木裕一　妖《あや》し火〈公家武者信平ことはじめ(六)〉
佐々木裕一　十万石の誘い〈公家武者信平ことはじめ(七)〉
佐々木裕一　黄《よ》泉《み》の女〈公家武者信平ことはじめ(八)〉
佐々木裕一　将軍の宴〈公家武者信平ことはじめ(九)〉
佐々木裕一　宮中の華〈公家武者信平ことはじめ(十)〉
佐々木裕一　乱れ坊主〈公家武者信平ことはじめ(十一)〉
佐々木裕一　領地の乱〈公家武者信平ことはじめ(十二)〉
佐々木裕一　赤坂の達《だる》磨《ま》〈公家武者信平ことはじめ(十三)〉
佐々木裕一　将軍の首〈公家武者信平ことはじめ(十四)〉
佐々木裕一　魔《ま》眼《がん》の光〈公家武者信平ことはじめ(十五)〉
佐々木裕一　暁の火花〈公家武者信平ことはじめ(十六)〉
佐藤　究《きわむ》　QJKJQ
佐藤　究　Ank :〈a mirroring ape〉
佐藤　究　サージウスの死神

佐藤　究　トライロバレット
佐野　晶／三田紀房・原作　小説アルキメデスの大戦
澤村伊智　恐怖小説キリカ
さいとう・たかを／戸川猪佐武　原作　歴史劇画　大宰相〈第一巻　吉田茂の闘争〉
さいとう・たかを／戸川猪佐武　原作　歴史劇画　大宰相〈第二巻　鳩山一郎の悲運〉
さいとう・たかを／戸川猪佐武　原作　歴史劇画　大宰相〈第三巻　岸信介の強腕〉
さいとう・たかを／戸川猪佐武　原作　歴史劇画　大宰相〈第四巻　池田勇人と佐藤栄作の激突〉
さいとう・たかを／戸川猪佐武　原作　歴史劇画　大宰相〈第五巻　田中角栄の革命〉
さいとう・たかを／戸川猪佐武　原作　歴史劇画　大宰相〈第六巻　三木武夫の挑戦〉
さいとう・たかを／戸川猪佐武　原作　歴史劇画　大宰相〈第七巻　福田赳夫の復讐〉
さいとう・たかを／戸川猪佐武　原作　歴史劇画　大宰相〈第八巻　大平正芳の決断〉
さいとう・たかを／戸川猪佐武　原作　歴史劇画　大宰相〈第九巻　鈴木善幸の苦悩〉
さいとう・たかを／戸川猪佐武　原作　歴史劇画　大宰相〈第十巻　中曽根康弘の野望〉
佐藤　優　人生の役に立つ聖書の名言
佐藤　優　戦時下の外交官〈ナチス・ドイツの崩壊を目撃した吉野文六〉
佐藤　優　人生のサバイバル力
斉藤詠一　到達不能極
斉藤詠一　クメールの瞳
斉藤詠一　レーテーの大河

佐々木　実　竹中平蔵　市場と権力〈「改革」に憑かれた経済学者の肖像〉
斎藤千輪　神楽坂つきみ茶屋〈禁断の盃《さかずき》と絶品江戸レシピ〉
斎藤千輪　神楽坂つきみ茶屋2〈突然のピンチと喜寿の祝い膳〉
斎藤千輪　神楽坂つきみ茶屋3〈想い人に捧げる鍋料理〉
斎藤千輪　神楽坂つきみ茶屋4〈頂上決戦の七夕料理〉
斎藤千輪　神楽坂つきみ茶屋5〈奄美の殿様料理〉
作画：蔡志忠／訳：和田武司／監修：野末陳平　マンガ　孔子の思想
作画：蔡志忠／訳：和田武司／監修：野末陳平　マンガ　老荘の思想
作画：蔡志忠／訳：和田武司／監修：野末陳平　マンガ　孫子・韓非子の思想
佐野広実　わたしが消える
佐野広実　誰かがこの町で
紗倉まな　春、死なん
桜木紫乃　凍原
桜木紫乃　氷の轍
桜木紫乃　起終点駅《ターミナル》
桜木紫乃　霧
澤田瞳子　漆《しっ》花《か》ひとつ
司馬遼太郎　新装版　播磨灘物語　全四冊
司馬遼太郎　新装版　箱根の坂(上)(中)(下)

司馬遼太郎　新装版　アームストロング砲
司馬遼太郎　新装版　歳　月(上)(下)
司馬遼太郎　新装版　おれは権現
司馬遼太郎　新装版　大　坂　侍
司馬遼太郎　新装版　北斗の人(上)(下)
司馬遼太郎　新装版　軍　師　二　人
司馬遼太郎　新装版　真説宮本武蔵
司馬遼太郎　新装版　最後の伊賀者
司馬遼太郎　新装版　俄(上)(下)
司馬遼太郎　新装版　尻啖え孫市(上)(下)
司馬遼太郎　新装版　王城の護衛者
司馬遼太郎　新装版　妖　怪(上)(下)
司馬遼太郎　新装版　風の武士(上)(下)
司馬遼太郎　戦　雲　の　夢〈レジェンド歴史時代小説〉
司馬遼太郎／海音寺潮五郎　新装版　日本歴史を点検する
司馬遼太郎／井上ひさし　新装版　国家・宗教・日本人
司馬遼太郎／陳舜臣／金達寿　新装版　歴史の交差路にて〈日本・中国・朝鮮〉
柴田錬三郎　お江戸日本橋(上)(下)
柴田錬三郎　貧乏同心御用帳

柴田錬三郎　新装版　岡っ引どぶ〈柴錬捕物帖〉
柴田錬三郎　新装版　顔十郎罷り通る(上)(下)
島田荘司　御手洗潔の挨拶
島田荘司　御手洗潔のダンス
島田荘司　水晶のピラミッド
島田荘司　眩（めまい）暈
島田荘司　ア　ト　ポ　ス
島田荘司　異　邦　の　騎　士〈改訂完全版〉
島田荘司　御手洗潔のメロディ
島田荘司　Ｐ　の　密　室
島田荘司　ネジ式ザゼツキー
島田荘司　都市のトパーズ2007
島田荘司　21世紀本格宣言
島田荘司　帝都衛星軌道
島田荘司　ＵＦＯ大通り
島田荘司　リベルタスの寓話
島田荘司　透明人間の納屋
島田荘司　占星術殺人事件〈改訂完全版〉
島田荘司　斜め屋敷の犯罪〈改訂完全版〉

島田荘司　星《せい》籠《ろ》の海(上)(下)
島田荘司　屋　　　上
島田荘司　名探偵傑作短篇集　御手洗潔篇
島田荘司　火　刑　都　市〈改訂完全版〉
島田荘司　暗闇坂の人喰いの木〈改訂完全版〉
島田荘司　網走発遙かなり〈改訂完全版〉
清水義範　蕎《そ》麦《ば》とさしめん
清水義範　国語入試問題必勝法〈新装版〉
椎名　誠　にっぽん・海風魚旅〈怪し火さすらい編〉
椎名　誠　大漁旗ぶるぶる乱風編〈にっぽん・海風魚旅4〉
椎名　誠　南シナ海ドラゴン編〈にっぽん・海風魚旅5〉
椎名　誠　風　の　ま　つ　り
椎名　誠　ナ　マ　コ
椎名　誠　埠頭三角暗闇市場
島田雅彦　パンとサーカス
真保裕一　取　　　引
真保裕一　震　　　源
真保裕一　盗　　　聴
真保裕一　朽ちた樹々の枝の下で

真保裕一　奪取(上)(下)
真保裕一　防壁
真保裕一　密告
真保裕一　黄金の島(上)(下)
真保裕一　発火点
真保裕一　夢の工房
真保裕一　灰色の北壁
真保裕一　覇王の番人(上)(下)
真保裕一　デパートへ行こう！
真保裕一　アマルフィ〈外交官シリーズ〉
真保裕一　天使の報酬〈外交官シリーズ〉
真保裕一　アンダルシア〈外交官シリーズ〉
真保裕一　ダイスをころがせ！(上)(下)
真保裕一　天魔ゆく空(上)(下)
真保裕一　ローカル線で行こう！
真保裕一　遊園地に行こう！
真保裕一　オリンピックへ行こう！
真保裕一　連鎖〈新装版〉
真保裕一　暗闇のアリア

真保裕一　ダーク・ブルー
真保裕一　真・慶安太平記
篠田節子　弥勒
篠田節子　転生
篠田節子　竜と流木
重松清　定年ゴジラ
重松清　半パン・デイズ
重松清　流星ワゴン
重松清　ニッポンの単身赴任
重松清　愛妻日記
重松清　青春夜明け前
重松清　カシオペアの丘で(上)(下)
重松清　永《と》遠《わ》を旅する者〈ロストオデッセイ　千年の夢〉
重松清　かあちゃん
重松清　十字架
重松清　峠うどん物語(上)(下)
重松清　希望ヶ丘の人びと(上)(下)
重松清　赤ヘル1975
重松清　なぎさの媚薬(上)(下)

重松清　さすらい猫ノアの伝説
重松清　ルビィ
重松清　どんまい
重松清　旧友再会
新野剛志　美しい家
新野剛志　明日の色
殊能将之　ハサミ男
殊能将之　鏡の中は日曜日
殊能将之　殊能将之　未発表短篇集
首藤瓜於　事故係生稲昇太の多感
首藤瓜於　脳男　新装版
首藤瓜於　ブックキーパー　脳男(上)(下)
島本理生　シルエット
島本理生　リトル・バイ・リトル
島本理生　生まれる森
島本理生　七緒のために
島本理生　夜はおしまい
小路幸也　高く遠く空へ歌ううた
小路幸也　空へ向かう花

小路幸也 原案 山田洋次 平松恵美子 家族はつらいよ
小路幸也 原作・脚本 山田洋次 脚本 平松恵美子 家族はつらいよ2
島田律子 私はもう逃げない〈自閉症の弟から教えられたこと〉
辛酸なめ子 女修行
柴崎友香 ドリーマーズ
柴崎友香 パノララ
翔田寛 誘拐児
白石一文 この胸に深々と突き刺さる矢を抜け(上)(下)
白石一文 我が産声を聞きに
小説現代編 石田衣良他著 10分間の官能小説集
小説現代編 勝目梓他著 10分間の官能小説集2
小説現代編 乾くるみ他著 10分間の官能小説集3
柴村仁 プシュケの涙
塩田武士 盤上のアルファ
塩田武士 盤上に散る
塩田武士 女神のタクト
塩田武士 ともにがんばりましょう
塩田武士 罪の声
塩田武士 氷の仮面

塩田武士 歪んだ波紋
塩田武士 朱色の化身
芝村涼也 孤《こ》闘《とう》の寂《せき》〈素浪人半四郎百鬼夜行(六)〉
芝村涼也 追憶の翰《かん》〈素浪人半四郎百鬼夜行(拾遺)〉
真藤順丈 畦と銃
真藤順丈 宝島(上)(下)
柴崎竜人 三軒茶屋星座館1〈冬のオリオン〉
柴崎竜人 三軒茶屋星座館2〈夏のキグナス〉
柴崎竜人 三軒茶屋星座館3〈春のカリスト〉
柴崎竜人 三軒茶屋星座館4〈秋のアンドロメダ〉
周木律 眼球堂の殺人〈～The Book～〉
周木律 双孔堂の殺人〈～Double Torus～〉
周木律 五覚堂の殺人〈～Burning Ship～〉
周木律 伽藍堂の殺人〈～Banach-Tarski Paradox～〉
周木律 教会堂の殺人〈～Game Theory～〉
周木律 鏡面堂の殺人〈～Theory of Relativity～〉
周木律 大聖堂の殺人〈～The Books～〉
周木律 楽園のアダム
下村敦史 闇に香る嘘

下村敦史 生還者
下村敦史 叛《はん》徒《と》
下村敦史 失踪者
下村敦史 緑の窓口〈樹木トラブル解決します〉
下村敦史 白医
九把刀 阿井幸作／泉京鹿 訳 あの頃、君を追いかけた
神護かずみ ノワールをまとう女
四戸俊成 芹沢政信 神在月のこども
篠原悠希 霊獣紀
篠原悠希 霊獣紀〈獲《かく》麟《りん》の書(上)〉
篠原悠希 霊獣紀〈獲《かく》麟《りん》の書(下)〉
篠原悠希 霊獣紀〈蛟《こう》龍《りゅう》の書(上)〉
篠原悠希 霊獣紀〈蛟《こう》龍《りゅう》の書(下)〉
篠原悠希 霊獣紀〈鳳《ほう》雛《すう》の書(上)〉
篠原悠希 霊獣紀〈鳳《ほう》雛《すう》の書(下)〉
篠原美季 古都妖異譚〈玉手箱～シール オブ ザ ゴッデス～〉
潮谷験 スイッチ〈悪意の実験〉
潮谷験 時空犯
潮谷験 エンドロール
潮谷験 あらゆる薔薇のために

講談社文庫　目録

島口大樹　鳥がぼくらは祈り、
島口大樹　若き見知らぬ者たち
杉本苑子　孤愁の岸(上)(下)
鈴木光司　神々のプロムナード
鈴木英治　大江戸監察医
鈴木英治　望みの薬種〈大江戸監察医〉
杉本章子　お狂言師歌吉うきよ暦
杉本章子　大奥二人道成寺〈お狂言師歌吉うきよ暦〉
ジョン・スタインベック　齊藤昇 訳　ハツカネズミと人間
諏訪哲史　アサッテの人
諏訪哲史　りすん
菅野雪虫　天山の巫女《みこ》ソニン(1) 黄金の燕
菅野雪虫　天山の巫女《みこ》ソニン(2) 海の孔雀
菅野雪虫　天山の巫女《みこ》ソニン(3) 朱鳥《あけがらす》の星
菅野雪虫　天山の巫女《みこ》ソニン(4) 夢の白鷺
菅野雪虫　天山の巫女《みこ》ソニン(5) 大地の翼
菅野雪虫　天山の巫女《みこ》ソニン 巨山《コザン》外伝〈予言の娘〉
菅野雪虫　天山の巫女《みこ》ソニン 江南《カンナム》外伝〈海竜の子〉
鈴木みき　日帰り登山のススメ〈あした、山へ行こう！〉
砂原浩太朗　いのちがけ〈加賀百万石の礎〉
砂原浩太朗　高瀬庄左衛門御留書
砂原浩太朗　黛家の兄弟
ラトナ・サリ・デヴィ・スカルノ　選ばれる女におなりなさい〈デヴィ夫人の婚活論〉
砂川文次　ブラックボックス
須藤古都離　ゴリラ裁判の日
瀬戸内寂聴　新寂庵説法 愛なくば
瀬戸内寂聴　人が好き［私の履歴書］
瀬戸内寂聴　白道
瀬戸内寂聴　寂聴相談室 人生道しるべ
瀬戸内寂聴　瀬戸内寂聴の源氏物語
瀬戸内寂聴　愛する能力
瀬戸内寂聴　藤壺
瀬戸内寂聴　生きることは愛すること
瀬戸内寂聴　寂聴と読む源氏物語
瀬戸内寂聴　月の輪草子
瀬戸内寂聴　新装版 寂庵説法
瀬戸内寂聴　死に支度
瀬戸内寂聴　新装版 蜜と毒
瀬戸内寂聴　新装版 花《か》怨《えん》
瀬戸内寂聴　新装版 祇《ぎ》園《おん》女《にょう》御《ご》(上)(下)
瀬戸内寂聴　新装版 かの子撩乱
瀬戸内寂聴　新装版 京まんだら(上)(下)
瀬戸内寂聴　いのち
瀬戸内寂聴　花のいのち
瀬戸内寂聴　ブルーダイヤモンド〈新装版〉
瀬戸内寂聴　97歳の悩み相談
瀬戸内寂聴　その日まで
瀬戸内寂聴　すらすら読める源氏物語(上)(中)(下)
瀬戸内寂聴・訳　源氏物語 巻《まき》一《いち》
瀬戸内寂聴・訳　源氏物語 巻《まき》二《に》
瀬戸内寂聴・訳　源氏物語 巻《まき》三《さん》
瀬戸内寂聴・訳　源氏物語 巻《まき》四《し》
瀬戸内寂聴・訳　源氏物語 巻《まき》五《ご》
瀬戸内寂聴・訳　源氏物語 巻《まき》六《ろく》
瀬戸内寂聴・訳　源氏物語 巻《まき》七《しち》
瀬戸内寂聴・訳　源氏物語 巻《まき》八《はち》
瀬戸内寂聴・訳　源氏物語 巻《まき》九《く》

2025年6月13日現在